DICCIONARIO
JURÍDICO ELEMENTAL

Guillermo Cabanellas de Torres

DICCIONARIO JURÍDICO ELEMENTAL

Edición actualizada, corregida y aumentada por
Guillermo Cabanellas de las Cuevas

Heliasta

Cabanellas de Torres, Guillermo
Diccionario jurídico elemental - 18a. ed. - Buenos Aires - Heliasta, 2006.
400 p.; 23 x 15 cm.
ISBN 950-885-083-3
1. Derecho-Diccionario. I. Título
CDD 340.03

Diseño de tapa: Eduardo Ruiz

Primera edición, 1979
Decimoctava edición, 2006

ISBN-10: 950-885-083-3
ISBN-13: 978-950-885-083-6

Distribuidores exclusivos: Editorial Heliasta S.R.L.
Viamonte 1730, 1er. Piso (C1055ABH), Bs. As., Argentina
Tel. (54-11) 4371-5546 Fax (54-11) 4375-1659
www.heliasta.com.ar / editorial@heliasta.com.ar

Este libro se terminó de imprimir en
Printer Colombiana S.A., Calle 64 No.88A-30
Santafé de Bogotá, D.C.
Impreso en Colombia - Printed in Colombia

Queda hecho el depósito que establece la Ley 11.723

Libro de edición argentina

ABREVIATURAS UTILIZADAS

A. de J.C.	Antes de Jesucristo.
Acad. o Academia . . .	Academia de la Lengua Española.
Af.	Aforismo.
Arg.	Argentina; argentino.
Art.	Artículo.
Arts.	Artículos.
Cap.	Capítulo.
Civ.	Civil.
Cód. Civ.	Código Civil.
Cód. Com.	Código de Comercio.
Cód. Pen.	Código Penal.
Codex	Codex Juris Canonici.
Comp.	Compilación.
Const.	Constitución.
Conv.	Convenio.
Crim.	Criminal.
Dec.	Decreto.
Dic. Acad.	Diccionario de la Academia Española.
Enj.	Enjuiciamiento.
Esp.	España; español, española.
Expr.	Expresión.
Etc.	Etcétera.
Just.	Justicia.
L.	Ley
Lat.	Latino, latina.
Lib.	Libro.
Loc.	Locución.
Mil.	Militar.
N.U.	Naciones Unidas.

O.N.U. .... Organización de las Naciones Unidas.
Párr. .... Párrafo.
Part. .... Partida, Partidas.
Pen. .... Penal.
Proc. .... Procedimiento, procedimientos, procesal.
Recop. .... Recopilación.
Regl. .... Reglamento.
R.O. .... Real Orden.
Ss. .... Siguientes.
Supr. .... Supremo, Suprema.
Tít. .... Título.
Trib. .... Tribunal.
v. .... Véase esta voz, véanse estas voces.

A

A
Primera letra del alfabeto español y de la generalidad de los abecedarios en los demás idiomas. Entre los romanos servía para la emisión y calificación de los votos, no sólo en el orden político, sino en el judicial. Cada juez tenía tres tablillas: una con la letra *A*, que quería decir *absolvo*; otra con la letra *C*, que equivalía a *condemno*; y una última con las letras *N. L.*, correspondientes a *non liquet*, que aplicaba cuando el asunto no estaba claro o no se habían probado los hechos. En Derecho Mercantil se combina en abreviaturas usuales de la letra de cambio; así: *AP*, aceptada para protesto; *ASP*, aceptada sin protesto; *ASPC*, aceptada sin protesto para poner en cuenta, entre otras.

A beneficio de inventario
Califica la aceptación de la herencia cuando el heredero no confunde, por expresa declaración de voluntad o por precepto legal, su patrimonio con el del causante. Lo contrario ocurre en la aceptación *pura y simple*. (V. ACEPTACIÓN DE HERENCIA, BENEFICIO DE INVENTARIO.)

A contrario sensu
Loc. lat. cuyo significado es: "en sentido contrario". Se emplea como argumento cuando se deduce una consecuencia opuesta a lo afirmado o negado en una premisa dada.

A cuenta
Pago parcial de una deuda a efectos de que sea imputado a su pago total.

A distancia
Característica de ciertas relaciones contractuales o comerciales, en virtud de la cual las partes se encuentran en lugares distantes entre sí al momento de negociar o dar efecto a tales relaciones. Así, nos encontramos con la negociación contractual a distancia –cuando las partes no se encuentran presentes en el mismo lugar–, y con las compraventas a distancia, cuando comprador y vendedor se encuentran en lugares distantes y la cosa debe ser transportada para su entrega al comprador.

A la orden
Cláusula que, en ciertos documentos de crédito, indica la posibilidad de transmitirlos por vía de endoso. (V. CHEQUE, ENDOSO, LETRA DE CAMBIO.)

A la vista
Se dice de la compraventa cuyo precio se paga mediante la entrega de la cosa. | Así se denomina la letra de cambio cuando debe pagarse a su presentación. | Documentos a la *vista* son aquellos en que la obligación puede hacerse exigible en cualquier momento. (V. PAGARÉ.)

"A limine"
Loc. lat., cuyo significado es: "desde el umbral". Se emplea para expresar el rechazo de una demanda, o recurso, cuando ni siquiera se admite discusión, por no ajustarse a Derecho.

A posteriori
Es lo contrario de *a priori* (v.). Loc. lat. que se aplica a las argumentaciones o juicios basados en las necesarias consecuencias de una proposición anterior. | En sentido temporal: con posterioridad, después, ulteriormente.

A priori
Loc. lat. referida a opiniones y juicios fundados en hipótesis o conjeturas, no en hechos ya

producidos y, por tanto, tampoco probados. | Previamente, con antelación. (V. A POSTERIORI.)

A quo

Se dice del juez o tribunal de cuya sentencia se interpone recurso de queja; también el juez inferior cuando su resolución ha sido recurrida ante el superior. Se aplica, asimismo, al día desde el cual empieza a contarse un término judicial. (V. AD QUEM.)

Ab initio

Locución latina y castellana. Desde el comienzo o desde tiempo inmemorial o muy remoto.

Ab irato

Loc. lat. que se usa en castellano como sinónima de los adverbios *acaloradamente, coléricamente*, o sea, a impulsos de la ira o de un arrebato. (V. ARREBATO.)

Abandonar

Dejar voluntariamente un bien, una cosa; renunciar a ellos. | Desamparar a una persona, alejarse de ésta; sobre todo, cuando su situación se torna difícil o grave por esa causa. | Faltar a un deber, incumplir una obligación. | Desistir, por lo general pasivamente, de lo emprendido; como una reclamación o acción. (V. ABANDONO, y, además, RENUNCIA.)

Abandono

Dejación o desprendimiento que el dueño hace de las cosas que le pertenecen, desnudándose de todas las facultades sobre ellas, con voluntad de perder cuantas atribuciones le competieran. | Antítesis de la ocupación. | En general significa la renuncia de un derecho o el incumplimiento de un deber. | También, la dejación de nuestras cosas, por un acto voluntario o por disposición de la ley. | Desamparo de una persona a quien se debía cuidar, de una cosa que nos pertenece. | Desistimiento o renuncia de una acción entablada en justicia. | Descuido o negligencia. | Desaseo, suciedad. (V. DESISTIMIENTO, NEGLIGENCIA, PRESCRIPCIÓN EXTINTIVA, RENUNCIA.) | **DE ACCIÓN, APELACIÓN, QUERELLA O RECURSO.** La renuncia que hace el litigante o querellante del derecho que las leyes de procedimiento le confieren para mantener las reclamaciones y los recursos legales intentados contra las resoluciones judiciales. | **DE COSAS.** Las leyes 49 y 50 del tít. XXVIII, Part. V, ya disponían sobre el *abandono* que el propietario podía hacer de una cosa mueble o raíz, con ánimo de no contarla para lo sucesivo en el número de sus bienes, por serle inútil o gravosa, o por simple capricho. En tal supuesto se pierde el dominio que sobre aquélla se tuviere, y la hace suya el primero que la ocupe. La cosa abandonada recibe el nombre de *derelicta* y pasa a ser *res nullíus*, susceptible de apropiación por el primer ocupante posterior. (V. APROPIACIÓN, OCUPACIÓN, PRESCRIPCIÓN.) | **DE DERECHOS.** Abandonar los derechos que a una persona afectan, siempre que ésta sea capaz, significa renunciar pasivamente a ellos. (V. RENUNCIA DE DERECHOS.) | **DE DOMICILIO.** Se produce éste cuando una persona se ausenta voluntariamente de su casa y se ignora su paradero ulterior. Se requieren ambas notas: la voluntariedad y el desconocimiento de la residencia actual. (V. DOMICILIO.) | **DE FAMILIA.** Consiste en el incumplimiento voluntario y malicioso de los deberes atinentes al jefe de familia para el sostenimiento del hogar; como son las obligaciones alimentaria, de asistencia, educación, socorro, etc. (V. FAMILIA, JUICIO DE ALIMENTOS.) | **DE PERSONAS.** Se comprende aquí el desamparo de aquellas a quienes, por algún concepto, se está obligado a proteger. En el antiguo Derecho, el *pater familias* podía hacer *abandono de las personas* que de él dependían para resarcir así a aquel a quien habían causado algún daño o perjuicio. Tal derecho había decaído ya en tiempos de Justiniano. | **DE RECURSO.** Acción y efecto de dejar un recurso iniciado, de no proseguir sus trámites. | **DE SERVICIO.** El *abandono* de un destino, servicio o función puede, en ocasiones, redundar en perjuicio de la cosa pública o de intereses generales. Las sanciones tienen carácter administrativo cuando un funcionario abandona el cargo sin estar debidamente autorizado. Capital importancia reviste en esta materia que las tareas abandonadas constituyan *funciones públicas* o *actividades privadas*. | **DE UN CÓNYUGE POR EL OTRO.** Integra un especial *abandono de personas*. Es circunstancia esencial del matrimonio que los cónyuges vivan bajo el mismo techo. | **DEL BUQUE.** El *abandono* de un buque o nave admite tres supuestos distintos: *a*) Cuando, estando el buque asegurado, se hace cesión al asegurador para que éste abone la cantidad en que se aseguró; *b*) Cuando el naviero no sólo hace *abandono del buque*, sino de todas las pertenencias de éste (aparejos, pertrechos, máquinas, etc.) y de los fletes devengados durante el viaje para librarse de la responsabilidad civil que le alcance. Este derecho de *abandono* se extiende a los propietarios en la parte del buque que a cada uno corresponda; *c*) Cuando el *abandono* tiene por motivo el inminente naufragio de la nave, o alguna causa que obligue al capitán y a la tripulación a separarse del buque; por ejemplo, la amenaza o la conminación perentoria de un submarino beligerante. | **DEL DOMINIO**. Dejación expresa o tácita que se hace de una cosa por el dueño de ésta. Son requisitos indispensables: *a*) que sea voluntario; *b*) que se realice por quien tenga capacidad para disponer de la cosa a título gratuito. | **DEL HOGAR CONYUGAL**. Ausencia del domicilio u hogar común de uno de los cónyuges, con el propósito de no retornar espontáneamente a él. Es causa de divorcio y de negativa de alimentos, siempre que medie voluntad y malicia. | **DEL HOGAR PATERNO**. Los hijos no pueden dejar la casa paterna, o aquella en que sus padres los han colocado, ni siquiera para alistarse voluntariamente en el ejército o entrar en comunidades religiosas, sin licencia o autorización de sus padres. Si los hijos dejasen la casa paterna, o aquella en la que sus padres los hubiesen puesto, sea que ellos se hayan sustraído a su obediencia o que otros los detengan, los padres pueden exigir que las autoridades públicas les presten toda la asistencia necesaria para el retorno de aquéllos al domicilio fijado por los progenitores. | **DEL TRABAJO**. Incurre en *abandono del trabajo* el empleado u obrero que no concurre a prestar sus servicios, que lo hace con retraso reiterado o que deja sus tareas antes de tiempo y sin debida autorización. (V. ABANDONO DE SERVICIO, PREAVISO.)

Abdicación

Renuncia del poder soberano o puesto supremo, después de poseerlo. Toda renuncia del poder supremo hace que éste revierta inmediatamente a la sociedad de donde procede. Esta dejación o renuncia del poder político sólo puede efectuarla la persona en quien encarne la representación del Estado. La *abdicación* comprende normalmente la cesación voluntaria en sus funciones y prerrogativas, hecha por reyes o emperadores; pues no se utiliza para otros jefes de Estado, como presidentes de república y dictadores, o cualquier otra dignidad; por más que equivalga a lo mismo la renuncia, dimisión o resignación del mando de unos y otros.

La *abdicación* del estado civil se daba en el Derecho Romano, y significaba la renuncia que un hombre libre hacía de su condición, para pasar a la de esclavo.

La *abdicación* en Derecho Canónico es el acto por el cual uno se despoja de los bienes que posee, o abandona una dignidad, prebenda o cualquier otro beneficio eclesiástico. (V. DIMISIÓN, RENUNCIA.)

Abducción

Rapto de un individuo, cualquiera que sea el medio (fraude, violencia o persuasión) que se emplea para efectuarlo.

"Aberratio causae"

Loc. lat. Se produce "cuando, en virtud de una desviación no esencial del curso causal inicial, la manera como se ha producido el resultado delictivo perseguido por el autor es distinta de la que éste creyó llevar a efecto" (R. C. Núñez). El ejemplo típico que dan los tratadistas es el de la madre que quiere dar muerte a un hijo arrojándolo a la corriente de un río para que se ahogue; pero la criatura no muere ahogada, sino por haber golpeado su cabeza contra una piedra.

"Aberratio ictus"

Loc. lat. Según Mezger se habla de *"aberratio ictus"* (acto o golpe erróneo) cuando "el acto contra un determinado objeto de la acción no produce su eficacia sobre él, sino sobre otro equivalente. El sujeto activo, por ejemplo, procediendo con dolo de matar, encañona a X, que se encuentra frente a él; pero la bala no le da y, en cambio, alcanza y mata a Y". El resultado se realiza (por ejemplo, la muerte de una persona), mas se produce sobre distinto elemento pasivo, como desviación del dolo.

Abigeato

Hurto de ganado o bestias, conocido también con el nombre de *cuatrerismo*. Tanto *abigeo* como *abigeato* proceden de la palabra latina *abigere*, que equivale a aguijar las bestias para que caminen. El *abigeato* es una especie de robo; pero se diferencia de éste en que la cosa no se toma con la mano y se transporta a otro lugar, sino que se la desvía y se la hace marchar a distinto destino, con objeto de aprovecharse de ella.

Abintestato

Procedimiento judicial que tiene por finalidad la declaración de quiénes sean los herederos de la persona que murió sin testar y la adjudicación a ellos de los bienes de la herencia.

Abjuración

Retractación solemne y con juramento del error en que se ha incurrido. La *abjuración*, en Derecho Canónico, es el juramento por el cual un hereje renuncia a sus errores y hace profesión de fe católica. (V. RENUNCIA.)

Abogacía

Profesión y ejercicio del abogado.

Abogadismo

Esta voz viene a constituir antítesis, y en cierto modo venganza, del vocablo *militarismo* (v.). Se emplea para calificar la que se juzga "intervención excesiva" de los abogados en los asuntos públicos; en la política y en el gobierno, sobre todo.

Abogado

El que con título legítimo ejerce la abogacía. También es el profesor en jurisprudencia que con título legal se dedica a defender en juicio, por escrito o de palabra, los intereses o causas de los litigantes.

La palabra *abogado* procede de la latina *advocatus*, que significa *llamado*, porque los romanos acostumbraban a llamar en los asuntos difíciles, para que los auxiliasen, a las personas que tenían un conocimiento profundo del Derecho. También quiere decir *patrono, defensor, letrado*, hombre de ciencia; *jurisconsulto*, hombre de consejo, esto es, de consulta; *jurista*, hombre versado en la erudición del Derecho y en la crítica de los códigos, según los principios de la filosofía, de la moral y, también, de la religión. | **ACUSADOR**. El que promueve la acción en los delitos no perseguibles de oficio o el que coadyuva, con la representación del Ministerio Público, en los delitos de acción penal pública, en nombre de la parte perjudicada. (V. ACUSACIÓN.) | **DE DIOS**. El designado por la Congregación de Ritos para apoyar y robustecer los documentos y pruebas aducidas a favor de la venerable persona objeto de canonización. (V. ABOGADO DEL DIABLO.) | **DE POBRES**. Se lo denomina también *abogado de oficio*. Son los designados por turno, o que ejercen dicho empleo, para actuar en la defensa de quienes carecen de medios de fortuna. (V. BENEFICIO DE POBREZA, POBRE.) | **DE SECANO**. El que no ejerce la profesión y no reúne para ello condiciones. | El que alardea de jurista sin haber estudiado Derecho. | **DEFENSOR**. En lo civil y en general, el que toma a su cargo los intereses de una de las partes frente a otra; en lo penal, el encargado de actuar en nombre de una persona acusada de un delito. | **DEL DIABLO**. Nombre dado por la Congregación de Ritos al funcionario encargado de controvertir o impugnar, en los procesos de canonización de santos, las justificaciones alegadas a favor del canonizable. También se lo llama *promotor de la fe*. (V. ABOGADO DE DIOS.)

Abogados del Estado

Es el cuerpo de letrados que, en ciertos países, como España, actúa en cuestiones limitadas, generalmente, al interés del fisco y en las funciones relativas a la protección y defensa del Estado en el orden jurídico.

Abogar

Ejercer la profesión de abogado. | Defender en juicio, por escrito o de palabra. | Interceder, hablar a favor de alguien.

Abolengo

La ascendencia de abuelos o antepasados. | En el lenguaje jurídico, el patrimonio o herencia que viene de los abuelos o antepasados. Los *bienes de abolengo* son los que se tienen por haberlos heredado de los ascendientes.

Abolición

La anulación, extinción, abrogación o anonadamiento de una cosa, especialmente de una ley, uso o costumbre. Se dice, por ejemplo, que tal ley queda abolida cuando se promulga otra que la destruye o revoca expresa o tácitamente, y cuando existe una costumbre legítima que le es contraria. Cuando se trata de derogar leyes y disposiciones emanadas de los poderes públicos, se utiliza más comúnmente *abrogar*. *Abolición* se acostumbra a emplear para la derogación de ciertas instituciones o medidas de cará cter general, como la esclavitud y la pena de muerte. (V. ABROGACIÓN, COSTUMBRE, DEROGACIÓN, EXTINCIÓN.)

Abolicionismo

Doctrina de los que propugnaban la supresión de la esclavitud. | Movimiento iniciado contra ella en los Estados Unidos. | El término se aplica actualmente para designar la tendencia y la opinión contra la pena de muerte y contra las reglamentaciones de la prostitución.

Abonado

Se designa así a quien, según Derecho, es de fiar por su caudal o crédito. El ser *abonado* constituye una de las calidades que debe tener quien salga fiador por otro, resulte elegido depositario o para otra función basada en su solvencia o confianza. | También se aplica la palabra *abonado* a la persona que por su buena reputación merece ser creída judicial y extrajudicialmente. | Asimismo, *abonados* se denominan los que tienen abono para un espectáculo y los clientes de una empresa. (V. TESTIGO ABONADO.)

Abonar

Salir por fiador de alguno. | Asentar en el libro de cuenta y razón cualquier partida recibida, y también admitir en cuenta. | Satisfacer, pagar. | Dar una cosa por cierta y firme. | Inscribir a alguien para que, mediante el pago de una cantidad única o varias periódicas, pueda asistir a diversos espectáculos en un mismo local, recibir una publicación con periodicidad o disfrutar de otros servicios con regularidad determinada.

Abono

En general, la acción y el efecto de *abonar* (v.). | En lenguaje comercial, el hecho de la admisión en cuenta o el asiento en favor de alguno en su cuenta. | Garantía ofrecida por un fiador sobre el cumplimiento de lo prometido por parte del contratante. | Se habla también de *abono de fianza* aludiendo a la información que da de ser propios, seguros y libres los bienes que obliga un deudor, arrendatario particular u otro que toma sobre sí alguna responsabilidad para la seguridad de una deuda, obligación o contrato. | En materia administrativa recibe este nombre la garantía que, para seguridad de un cargo o función pública, se da a favor del empleado o funcionario. | Modalidad de algunos contratos en virtud de la cual las partes se aseguran la periodicidad o la renovación de la prestación, objeto del contrato. | Recompensa que por servicios o circunstancias especiales se da a los empleados públicos, generalmente militares, reconociéndoles —es decir, *abonándoles*— años de servicio no prestados efectivamente, aunque así computados por circunstancias valoradas.

Abono de tiempo (o de años) de servicio

Lapso de actividad que se considera cumplido, tanto a los civiles como a los militares, a los efectos de retiros, jubilaciones, antigüedad, ascensos y otros aspectos profesionales o administrativos. Puede ser: *efectiva*, cuando las tareas se han prestado realmente día por día, en uno o más cargos o destinos; o *reconocida*, por estudios, gracia, premio u otro motivo. Éstos y aquéllos forman el total de los *computables*. (V. JUBILACIÓN, RETIRO.)

Abordaje

En Derecho Penal configura un delito de piratería y se caracteriza por la aproximación de una nave a otra con el propósito de apresarla o apoderarse de todo o parte de su contenido. | En Derecho Marítimo, equivale a roce o choque de una embarcación con otra, que puede ocurrir por causa fortuita o de fuerza mayor; por dolo, impericia o negligencia del capitán de uno de los buques, o por culpa de los capitanes o tripulaciones de los respectivos buques. Con arreglo a las causas del *abordaje*, se determinan las responsabilidades derivadas de éste.

Abortar

Producir o realizarse, ya por acción voluntaria o natural, el parto antes del tiempo en que el feto es viable. (V. ABORTO, INFANTICIDIO.)

Aborto

Del latín *abortus*, de *ab*, privación, y *ortus*, nacimiento. Equivale a mal parto, parto anticipado, nacimiento antes del tiempo. Generalmente se dice de lo que no ha podido llegar a su perfecta madurez y debido desarrollo. Siendo distinto el *aborto* según la causa que lo provoque, son también diversas las definiciones que sobre éste pueden darse. Éstas son: *a*) *aborto en general*: hay *aborto* siempre que el producto de la concepción es expelido del útero antes de la época determinada por la naturaleza; *b*) *aborto médico*: la expulsión del huevo antes de que el feto sea viable o la muerte del feto provocada dentro del cuerpo de la madre; *c*) *aborto espontáneo*: la expulsión del feto, no viable, por causas fisiológicas; *d*) *aborto delictivo*: la interrupción maliciosa del proceso de la concepción.

Conviene tener en cuenta el *aborto* dentro del Derecho Civil y del Derecho Penal. En el primero se entiende por *aborto* aquel parto ocurrido antes del límite señalado para la viabilidad del feto; en el segundo es un género de delito, consistente en el uso voluntario de medios adecuados para producir un mal parto, o la anticipación de éste, con el fin de que perezca el feto.

Abrir a prueba

Fase procesal en que, por resolución judicial, se declara abierto o comenzado el período en que deben proponerse y practicarse aquellas pruebas que convengan al derecho de las partes. (V. PRUEBA, RECIBIMIENTO A PRUEBA.)

Abrir el juicio

Iniciar un litigio. | Instaurar un juicio ya acabado, para que las partes deduzcan de nuevo sus derechos.

Abrogación

Es la derogación total de una ley. Antiguamente se distinguía la *abrogación* de la *derogación*: la primera abolía totalmente la ley; y la segunda, sólo parcialmente.

Absentismo

Tendencia, costumbre de los propietarios que los lleva a vivir lejos de donde se encuentran sus bienes; especialmente se aplica a los terratenientes que residen en las ciudades, por mayor comodidad o por más garantía personal en épocas turbulentas (V. AUSENTISMO.)

Absolución

La sentencia o resolución del juez por la cual termina el juicio o proceso declarando al demandado libre de la demanda; o al reo, de la acusación que se la ha formulado.

En Derecho Procesal Civil corresponde la *absolución* cuando el actor no prueba su demanda, en virtud de la regla universalmente admitida de: *"actore non probante, reus est absolvendus"*.

En Derecho Procesal Penal debe pronunciarse la *absolución del procesado* cuando falten pruebas de los hechos, por no constituir éstos delitos, por no estar demostrada la participación en ellos del acusado o por concurrir alguna circunstancia eximente de la responsabilidad. La *absolución del delito principal* lleva consigo la de los delitos conexos. También procede la *absolución libre* en caso de duda: *"in dubiis reus est absolvendus"*. Puede expresarse que, en caso de duda, ha de favorecerse más al reo o demandado que al actor: *"favorabilioris rei potius quam actores habentur"*.

Cabe distinguir la *absolución* del *sobreseimiento*, que consiste en la cesación definitiva o provisional del proceso seguido en averiguación de un delito y de sus autores. (V. SENTENCIA.) | **CANÓNICA**. Acto de levantar las censuras y reconciliar con la Iglesia a un excomulgado.

Absolución de posiciones

Declaración que se presta bajo juramento, o promesa, sobre puntos concernientes a las cuestiones ventiladas en un procedimiento civil. Constituye la declaración de las partes o litigantes.

Las *posiciones*, que ya los romanos conocieron a través de la *interrogatio in iure*, y que los franceses denominan de manera muy peculiar como "interrogatoire sur faits et articles" o preguntas, se reservan hasta la audiencia respectiva. Se formularán de manera clara y concreta, referidas cada vez a un hecho, redactadas en forma afirmativa y relacionadas con la controversia. El juez puede modificar el orden y término de las *posiciones*, sin alterarlas, y eliminar las manifestaciones inútiles. Puede sostenerse que, si las *posiciones* son la forma o las preguntas, las respuestas integran el fondo de esta prueba y la *confesión* (v.).

Absolutismo

Sistema de gobierno en que los poderes se hallan reunidos sin limitación en una sola persona, generalmente el monarca.

Absolutorio o absolutoria

Se designa así al auto, fallo o sentencia judicial (civil o criminal) que declara libre de la acusación, pena, delito o deuda por que era demandado el reo o por los cuales era acusado o estaba sufriendo detención o condena. (V. ABSOLUCIÓN.)

Absolver

Dar por libre al reo demandado civil o criminalmente. | Liberar de cargo u obligación. | También se utiliza la palabra *absolver* para referirse a las preguntas de un interrogatorio que han de ser contestadas bajo juramento. (V. ABSOLUCIÓN, CONFESIÓN JUDICIAL.)

Abuelo

Aquel que ha engendrado a nuestro padre o a nuestra madre. | En general, cualquier ascendiente por línea materna o paterna.

Abuso

Del latín *abusus*; de *ab*, en sentido de perversión, y *usus*, uso. En Derecho, por *abuso* se entiende el mal uso o empleo arbitrario de la autoridad, la acción despótica de un poder, la consecuencia exagerada de un principio, el goce inmoderado de la propiedad o posesión; en definitiva, todo acto que, saliendo fuera de los límites impuestos por la razón, la justicia, ataque en forma directa o indirecta las leyes o el interés general. | **DE ARMAS**. Es el antiguo delito, desaparecido del Cód. Pen. esp. de 1870 por la reforma de 1932, llamado de *disparo de* *arma de fuego*. El Cód. Pen. arg. lo denomina *abuso de armas* y consiste en disparar una arma de fuego contra una persona, sin herirla. | **DE AUTORIDAD**. Exceso o desviación en su ejercicio, público o privado. Se denomina también *abuso de poder* y *abuso de las funciones públicas*. | **DE CONFIANZA**. Deslealtad —especialmente lucrativa— del unido a la víctima por íntimos vínculos naturales, convencionales, profesionales o de amistad. | La violación o mal uso de la confianza puesta en uno. | **DE FIRMA EN BLANCO**. Consiste en llenar un documento, firmado en blanco, en perjuicio del firmante o de un tercero. | **DE POSICIÓN DOMINANTE**. Explotación ilícita del poder de mercado de una empresa que no tiene competidores efectivos. | **DE SUPERIORIDAD**. Circunstancia agravante que consiste en el exceso de fuerza relativa del agresor que ocasiona desproporción notoria entre los medios de ataque y de defensa. Sólo puede darse en los delitos contra las personas. (V. CIRCUNSTANCIAS AGRAVANTES.) | **DEL DERECHO**. Ejercicio de éste más en perjuicio ajeno que en beneficio propio. | El empleo antisocial de alguna facultad jurídica. | Acción u omisión jurídica, positivamente protegida, que lesiona un legítimo interés, desprovisto de correlativa o concreta defensa.

En los antecedentes históricos de la enciclopedia jurídica, el *abuso de derecho* se apoya en el aforismo romano: *"jure suo utitur, naeminem laedit"* (quien usa de su derecho a nadie perjudica).

El *abuso de derecho*, que ha surgido no hace mucho en la doctrina, fue ya señalado expresamente por las Partidas, al declarar la ley 19, del tít. XXXII, de la Part. III: "Ca según que dijeron los sabios antiguos, maguer el hombre haya poder de hacer en lo suyo lo que quisiera, pero débelo hacer de manera que no haga daño ni tuerto a otro".

Abuso contra la honestidad

En la legislación penal española, el delito que comete un funcionario público, y solamente él, que solicita sexualmente a mujer con la que tenga asuntos pendientes por razón del cargo o que tenga encomendada su custodia o vigilancia, especialmente en cárcel o prisión.

Abuso deshonesto

Delito consistente en cometer actos libidinosos con persona de uno u otro sexo, menor de cierta edad, privada de razón o de sentido, o mediante el uso de la fuerza o intimidación, sin que haya acceso carnal. Este delito se agrava cuando el sujeto activo es un pariente en determinado grado, un sacerdote o un encargado de la educación o guarda del sujeto pasivo.

"Abusus non tollit usum"

Máxima jurídica que indica que el daño que puede producir o produce el abuso de una cosa no obsta para que ésta sea buena en sí misma.

"Acceptilatio"

Forma de extinción de las obligaciones verbales en el Derecho Romano. En tal sentido era una consecuencia del principio jurídico de *contrarius actus*; así, cuando una obligación se contraía por la declaración verbal y solemne del deudor, cabía disolverla por la declaración del acreedor, revestida de iguales requisitos.

En otro significado, *"acceptilatio"* era un modo solemne de extinción de las obligaciones procedentes del contrato literal, que, según parece, consistía, dadas las escasas noticias exactas al respecto, en la expresa anotación, en el registro del deudor o del acreedor, de haber sido pagada la deuda.

Accesión

Un modo de adquirir lo accesorio por pertenecernos la cosa principal; o bien, el derecho que la propiedad de una cosa mueble o inmueble da al dueño de ella sobre todo cuanto produce, o sobre lo que se le une accesoriamente por obra de la naturaleza o por mano del hombre, o por ambas causas a la par. Definida así, se ve que la *accesión* puede ser *natural, industrial* o *mixta*, y que constituye uno de los modos de adquirir el dominio de las cosas. También la suelen distinguir los doctores en *continua* y *discreta* (Escriche).

La palabra *accesión* posee otros varios significados de interés para el Derecho: además de la misma cosa adquirida por *accesión*, equivale a consentimiento, a avenencia, a conciliación, a transacción; y también, a ayuntamiento o cópula, como eufemismo habitual en los procedimientos por delitos contra la honestidad.

Accesorias legales

Reclamaciones de orden secundario que toman el carácter de complementos judiciales, tales como las costas y los intereses, que se solicitan conjuntamente con el objeto principal de la demanda.

Accesorio

Lo que se une a lo principal o de ello depende. | *Accesoria* es la cosa unida o en íntima relación con otra, respecto de la cual se presenta como subordinada o absorbida. | También se dice de lo auxiliar, suplementario de otro órgano, cosa o acto más importante. | En el Derecho de Obligaciones son *accesorias* aquellas que tienen por objeto asegurar el cumplimiento de otras que, por contraposición, se consideran *principales*. | En el Derecho de los Contratos, son *accesorios* aquellos unidos y subordinados a otros, como en los casos expresados. | En el Derecho Penal constituyen *delitos accesorios* los perpetrados para la ejecución de otro u otros, los que el delincuente se proponía en verdad realizar. | Las penas *accesorias* son consecuencia de otras principales, a las que acompañan; tales como la inhabilitación absoluta y la interdicción civil cuando se condena a reclusión mayor. | En Derecho Procesal se estiman como partes *accesorias* del juicio las diligencias de citación, prueba, etc., así como los incidentes, sobre los cuales debe entender el mismo juez que en lo principal, por razón del criterio general establecido.

"Accessorium sequitur principale"

Apotegma jurídico que significa que lo accesorio sigue a lo principal.

Accidente

En términos generales, la calidad secundaria, lo que no constituye la naturaleza o esencia de algo. | Hecho imprevisto, suceso eventual; y, más especialmente, cuando origina una desgracia. | Para el Derecho, es todo acontecimiento que ocasiona un daño. (V. CASO FORTUITO, IMPRUDENCIA, RESPONSABILIDAD, RIESGO PROFESIONAL.) | **DEL TRABAJO**. Suceso imprevisto, sobrevenido en el acto o con motivo del trabajo, que produce una lesión o perturbación funcional transitoria o permanente. Todo acontecimiento que, por razón de su trabajo, ocasione un daño fisiológico o psicológico al obrero o empleado, y que le impida proseguir con toda normalidad sus tareas, constituye *accidente*. Puede originarse éste por culpa del mismo trabajador, por la del patrono, por la de ambos, por la de un tercero, por circunstancia o naturaleza del trabajo y por causas indeterminables. | **EN EL TRAYECTO**. Conocido comúnmente como *accidente "in itinere"*, es el que ocurre al trabajador en el trayecto de ida o de regreso al trabajo. (V. "IN ITINERE".)

Acción

Del latín *agere*, hacer, obrar. La amplitud de esta palabra es superada difícilmente por otra alguna; pues toda la vida es *acción*, y sólo existe inacción absoluta —corporal al menos— en la muerte y en la nada.

En sus *significados generales, acción* equivale a ejercicio de una potencia o facultad. | Efecto o resultado de hacer. | La impresión de un agente en un sujeto; así, por ejemplo, de la resistencia de la víctima depende a veces que el envenenamiento se frustre o se consume. | Ademán o postura, que pueden constituir injurias de hecho o actitudes contra las buenas costumbres. | En la milicia: combate, batalla o pelea; con trascendencia jurídica asimismo por las especialísimas posibilidades de testar, y por derechos y honores derivados de ello; como ascensos, condecoraciones, pensiones familiares en caso de muerte y subsidios por invalidez.

Acción denota el derecho que se tiene a pedir alguna cosa o la forma legal de ejercitar éste. En cuanto *derecho*, consta en las leyes sustantivas (códigos civiles, de comercio, penales y demás leyes, reglamentos, etc.); en cuanto *modo de ejercicio*, se regula por las leyes adjetivas (códigos procesales, leyes de enjuiciamiento o partes especiales de textos substantivos también).

En el comercio se denomina *acción* una de las partes o porciones en que se divide el fondo o capital de una compañía o sociedad, que se transfieren sin modificar el contrato social. Surge así la existencia de *sociedades por acciones*, como en el caso de la sociedad anónima.

Las *acciones* se reputan, en general, como bienes muebles; pues se traduce en una cantidad de dinero el valor que ellas representan.

Acción es también el título en que consta esa participación en el *capital social*. | **ACCESORIA**. Medida judicial que, sin constituir rigurosamente una *acción*, se encuentra relacionada con la acción principal de la cual es subsidiaria, y cuyo conocimiento compete al juez o tribunal que resuelve o ha de resolver de aquélla. | **"AD EXHIBIDENDUM"**. Se concede a quien, debiendo demandar una cosa mueble, pretende que antes de comenzar el juicio se le muestre, al efecto de cerciorarse de si es la misma que estima pertenecerle. | **CAMBIARIA**. En lo mercantil, la que corresponde al portador de una letra de cambio, para demandar su cobro del librador o de cualquiera de los endosantes, a su elección, dada la responsabilidad solidaria de éstos. No ha de tratarse de letra perjudicada, por no haber cumplido los requisitos de presentación, aceptación y protesto en su caso. | La que pueden ejercitar los endosantes o avalistas para resarcirse de la letra por ellos pagada y frente al librador o endosantes anteriores. | **CIVIL**. La que compete a uno para reclamar en juicio sus bienes o intereses pecuniarios. Nace del derecho sobre las cosas y de las mismas fuentes que las obligaciones; es decir, de la ley, de los contratos, cuasicontratos, delitos y cuasidelitos. | En la jurisdicción criminal, la que entabla la víctima de un delito o sus derechohabientes para conseguir la restitución de lo arrebatado, la reparación del daño y la indemnización de perjuicios. | Históricamente, en el Derecho Romano, la que sancionaba pretensiones reconocidas por el Derecho Civil, en el sentido de entonces, como cuerpo jurídico compuesto por la ley, la costumbre y las respuestas de los jurisconsultos. | **CIVIL PROVENIENTE DE DELITO**. Es aquella que se otorga al perjudicado por un delito, para exigir la reparación del daño o su indemnización. | **COLECTIVA**. En lo social, la emprendida por un conjunto de individuos que unifican sus esfuerzos o aspiraciones ante el medio o la sociedad como si constituyeran un solo organismo. | Actividad simultánea y acorde, con que varios se proponen modificar temporal o definitivamente una cosa, una persona o una situación. | **CONFESORIA**. La derivada de actos que de cualquier modo impidan la plenitud de los derechos reales, o de las servidumbres activas, con el fin de restablecer el ejercicio de aquéllos o el uso de éstas. | **CRIMINAL**. Materialmente, el elemento físico o de ejecución material y externa del *delito* (v.). | Procesalmente, la que se tiene para pedir el castigo de un delito y la reparación de sus efectos. Todo delito produce dos *acciones*: una *civil*, para reclamar el interés y resarcimiento de los daños causados; otra *criminal*, para el castigo del delincuente y satisfacción de la vindicta pública. | **DE ALIMENTOS**. La concedida por ley a las personas con derecho a que otra las provea de sustento, habitación, vestido, asistencia médica, con arreglo al caudal y posición social del obligado a prestar alimentos. | **DE DESPOJO**. La perteneciente a todo poseedor despojado y a sus herederos para recuperar la posesión de los inmuebles, aunque su posesión sea viciosa, sin obligación de producir título alguno contra el despojante, sus herederos y cómplices, aunque sea el dueño del inmueble. | **DE DIVISIÓN DE LA COSA COMÚN**. La que tiene cualquiera de los condueños, contra los otros, para dividir la cosa en condominio; puesto que nadie está obligado a permanecer en éste. | **DE ESTADO**. Aquella cuya finalidad tiende a establecer o modificar la situación civil de una persona. Están comprendidas en esta clase las de nulidad de matrimonio, la de reconocimiento de filiación natural y la de filiación legítima. (V. DIVORCIO, FILIACIÓN, HIJO ILEGÍTIMO y NATURAL.) | **DE "IN REM VERSO"**. Tiene por objeto esta *acción* reclamar una indemnización cuando se ha sufrido un perjuicio en el patrimonio y ello ha proporcionado a otra persona un enriquecimiento, aun cuando no hubiera habido culpa o negligencia en el deudor. Se basa esta acción en el principio de que nadie puede enriquecerse a costa de otro. Es una *acción* proveniente de un cuasicontrato. | **DE JACTANCIA**. Autorizada por la ley 46, del tít. II de la Part. III, esta *acción* tiene por objeto obligar a otro, que se jacta de ostentar algún derecho contra el actor, a que lo ejercite en el correspondiente juicio, dentro de un término prudencial, bajo apercibimiento de ser condenado a perpetuo silencio, si no lo demostrare. (V. JACTANCIA.) | **DE LITISEXPENSAS**. Aquella que puede iniciar la mujer contra el marido, siempre que ella carezca de bienes propios, con el fin de que el esposo le arbitre los fondos necesarios para los gastos originados por la sustanciación de un pleito. (V. LITISEXPENSAS.) | **DE MANUTENCIÓN EN LA POSESIÓN**. La que compete al poseedor de un inmueble turbado en la posesión, con tal de que ésta no sea viciosa respecto del demandado. | **DE NULIDAD**. La que se inicia con el objeto de que sea declarado sin efecto un acto. | **DE PARTICIÓN DE HERENCIA**. La que se concede a los herederos, sus acreedores y cuantos tengan en la sucesión algún derecho declarado por las leyes, para pedir en cualquier momento la división de la herencia, no obstante la prohibición del testador o convenciones en contrario. | **DE REIVINDICACIÓN**. V. ACCIÓN REIVINDICATORIA. | **DE SIMULACIÓN**. La simulación consiste en encubrir el carácter jurídico de un acto con la apariencia de otro; o en contener cláusulas que no son sinceras, fechas inexactas; o en constituir o transmitir derechos mediante personas interpuestas, a favor de distintas a las indicadas. | **DECLARATIVA**. Aquella con la cual se persigue la comprobación o fijación de una situación jurídica. | **DIRECTA**. En la vida pública, o dentro de la organización social, sistema de lucha sostenido por las organizaciones de trabajadores de inspiración anarquista. De acuerdo con él, se excluye la intervención del Estado en los conflictos entre el capital y el trabajo, que han de resolverse por medios violentos; como el sabotaje, la huelga súbita o revolucionaria, el trabajo a desgano, etc. | Procesalmente, la que procede de las palabras y del espíritu de la ley; y suele corresponder al dueño, acreedor o cedente. | En los contratos unilaterales, la que corresponde excepcionalmente al obligado; como el depositario, el comodatario, el mandatario. | La que pertenece al acreedor pignoraticio, al gestor de negocios o al tutor para resarcirse de ciertos gastos y por otras causas. | En materia de seguros, la reconocida por la ley, en ciertos países, a la víctima de un daño, para obtener directamente del asegurador o del autor de los daños la indemnización del perjuicio injustamente sufrido. | **EJECUTIVA** y **ORDINARIA**. Esta división u oposición resulta del modo de pedir en juicio las cosas. La *acción ejecutiva* dimana de documentos que traen aparejada ejecución; y la *ordinaria* es la que se basa en documentos de otra índole o eficacia. | **IMPRESCRIPTIBLE**. La que carece de plazo para su ejercicio. Por lo general son perpetuas las relativas al estado civil y a la condición de las personas; como las de nulidad del matrimonio, reconocimiento de hijos legítimos y naturales, etc. | **INDIRECTA**. V. ACCIÓN DIRECTA y OBLICUA. | **INSTITORIA**. Del latín *institor*, encargado o representante de un mercader terrestre. Aquella *acción* que puede ejercitar quien contrata con un factor dependiente o mancebo que haya obrado por orden o en nombre del principal, por suponerse que aquéllos negocian por voluntad de éste y por su cuenta. **"NEGOTIORUM GESTORUM"**. La que se da al gestor para que pueda repetir del dueño del negocio todos los gastos ocasionados por la gestión, con los intereses desde el día que los hizo. | **OBLICUA** o **INDIRECTA**. Aquella que se da en virtud del principio de que "los acreedores pueden ejercer todos los derechos y *acciones* de su deudor, con excepción de los que sean inherentes a su persona". | **PAULIANA**. La que es concedida a todo acreedor quirografario para demandar la revocación de los actos celebrados por el deudor en perjuicio o fraude de sus derechos. | **PENAL**. La originada por un delito o falta; y dirigida a la persecución de uno u otra con la imposición de la pena que por ley corresponda. | **PERSONAL**. La que corresponde a alguno para exigir de otro el cumplimiento de cualquier obligación contraída, ya dimane ésta de contrato o de cuasicontrato, de delito, cuasidelito o de la ley; y se dice *personal* porque nace de una obligación puramente de la *persona* (por oposición a *cosa*) y se da contra la obligada o su heredero. | **PETITORIA**. La que autoriza para reclamar la propiedad, dominio o cuasidominio de alguna cosa, o el derecho que en ella compete. Esta *acción*, con carácter de genérica, pues comprende así las *reales* como las *personales*, tiende a obtener la propiedad de cosas muebles o inmuebles, o la declaración de derechos reales o absolutos que constituyan objeto de un litigio. | **POPULAR**. Dábase este nombre a la que podía ejercitar cualquier ciudadano o muchos unidos, ya en beneficio particular, ya en los asuntos de interés para el pueblo, como en lo relativo a caudales, servidumbre públicas, etc. | **POSESORIA**. La tendiente a *adquirir* la posesión de alguna cosa antes no poseída; a *conservar* pacíficamente la posesión actual, y que otro intenta perturbar; o para *recobrar* la posesión que se gozaba y se ha perdido. Esta acción compete, contra el perturbador, a quien, poseyendo un inmueble, reclama ser repuesto o mantenido en posesión, con cese de las perturbaciones contra ella. | **PREPARATORIA**. La que con carácter preliminar a la acción principal remueve obstáculos o procura la adopción de medidas encaminadas a su eficacia; como la separación de cuerpos en la acción de divorcio o el reconocimiento de firma. (V. ACCIÓN ACCESORIA.) | **PRIVADA**. La de índole penal cuyo ejercicio sólo corresponde al ofendido o a su representante legal; y en ciertos casos, a falta de éste y de personalidad procesal en la víctima, por *fama pública* (v.), al Ministerio Fiscal. | **PÚBLICA**. Todas las acciones penales, excepción hecha de las expresamente señaladas en la ley como de *acción privada* (v.), constituyen *acciones públicas*, o que cabe iniciar de oficio. | **"QUANTI MINORIS"**. La que compete al comprador contra el vendedor, para la restitución del exceso que hubiere en el precio de la cosa vendida por el menoscabo o defecto oculto en ella. | **REAL**. La nacida de alguno de los derechos llamados *reales*; esto es, del dominio pleno o menos pleno, de la posesión, de la sucesión hereditaria, de los censos, del usufructo, uso o habitación, de las servidumbres, de la prenda o la hipoteca. Llámanse *reales* estos derechos porque no afectan a la persona, sino a la misma cosa (*res*, en latín). Se contrapone a la *acción personal*. | **REDHIBITORIA**. La que se da por los defectos de la cosa cuyo dominio, uso o goce se transmite por título oneroso. | **REIVINDICATORIA**. Constituye una acción real dirigida a recuperar una cosa de nuestra propiedad, que por cualquier motivo está poseyendo otro, con sus frutos, productos o rentas. Es consecuencia esencial e inmediata del dominio. | **RESCISORIA**. La que permite rescindir los contratos en los cuales se haya producido lesión para menores o ausentes, causado fraude a los acreedores, pactado sobre bienes litigiosos sin consentimiento de las partes o de la autoridad judicial competente, y en otros casos expresamente previstos por la ley. | **SOCIAL**. Todo esfuerzo colectivo, casual o concertado, consciente o inconsciente. | Cooperación. | Esfuerzo coherente dirigido a la transformación de las instituciones políticas, económicas, sociales, culturales o de cualquier otra clase que signifique un valor o un interés general. | Más en concreto, la obra gubernamental, o de otro grupo con eficacia real, que modifica, en sentido beneficioso, al menos en el propósito o en la declaración de aquél, las condiciones del trabajo y de los trabajadores; la situación de las razas o creencias oprimidas, de las clases sociales inferiores y de los indigentes en estado jurídico contrario a sus posibilidades y a la equidad. | **SOLIDARIA**. La que compete a cada uno de dos o más acreedores contra el deudor o deudores, para obligarlos al pago total de la deuda. Como la solidaridad no se presume, tendrá que haberse expresamente estipulado así, de no estar inequívocamente establecida por la ley. (V. OBLIGACIÓN SOLIDARIA, SOLIDARIDAD.) | **SUBROGATORIA**. V. ACCIÓN OBLICUA, SUBROGACIÓN.

Accionante

El que entabla o prosigue una acción. | El que la ejercita. (V. ACCIONAR.)

Accionar

Promover acción judicial.

Accionariado obrero

V. PARTICIPACIÓN EN LOS BENEFICIOS.

Acciones

Plural de acción. | **AL PORTADOR**. Las mercantiles, representativas de un valor, que se transmiten por la sola entrega del título. No contienen el nombre del titular del derecho, pero sí la persona o empresa que las ha emitido. | **DE LA LEY**. Antiguo procedimiento romano, usual durante la República, caracterizado por el hecho de que no podía utilizarse sino en los casos previstos por la ley, y que obligaba a los litigantes a servirse de fórmulas solemnes en todo punto de acuerdo con las contenidas en la ley invocada. | **ENDOSABLES**. Las mercantiles que se transmiten por *endoso*. | **NOMINATIVAS**. Las mercantiles que contienen el nombre de su titular.

Accionista

El dueño de una o más acciones en compañía mercantil, industrial o de otra clase. | El socio de la compañía y, por lo mismo, condueño de su capital.

Acéfalo

Del griego *aképhalos*; de *a*, sin, y *kephalé*, cabeza: falto de cabeza. Se aplica al Estado, a la sociedad, asociación, partido, tribunal, comunidad, etc., que, por cualquier causa, carece del jefe o de la persona que la rige o gobierna.

Acensuar

Imponer censo sobre alguna finca o cosa raíz.

Aceptación

La manifestación del consentimiento concorde, como productor de efectos jurídicos, constituye el acto de *aceptación*, que consiste en admitir la proposición hecha o el encargo conferido. Por la *aceptación* se manifiesta el consentimiento, y éste es uno de los requisitos exigidos para la existencia del contrato. La *aceptación*, como el consentimiento, puede ser de índole expresa o tácita. La primera, cuando se formula de palabra o por signos equivalentes; la segunda, cuando se infiere de acciones o hechos que permiten presumir que es ésa la manifestación de voluntad. | **DE DONACIÓN**. Consentimiento dado por el donatario a la donación. La donación es un contrato; y, por lo tanto, exige consentimiento, requisito fundamental para la existencia de aquél. | **DE HERENCIA**. Es el acto por el cual el heredero testamentario o ab intestato manifiesta su voluntad de suceder con los derechos y deberes inherentes a ello. Para que surta efectos la *aceptación de herencia*, se requiere formularla después de abierta la sucesión del causante; la formulada previamente no surte efecto legal alguno. | **DE LEGADOS**. Constituye el acto por el cual un legatario manifiesta su voluntad de tomar la manda o legado que le deja el testador. | **DE LETRA DE CAMBIO**. Acto jurídico que consiste en poner en la letra la palabra *acepto* o *aceptamos*. Constituye, pues, la manifestación del librado de que admite el encargo de pagar la letra. | **DE PODER**. Es la que realiza el procurador del que se le otorga para representar a la parte interesada en asuntos judiciales. Esta *aceptación* puede ser expresa o tácita; la primera, cuando se hace constar en el mismo instrumento; y la segunda, cuando se da a conocer por actos. | **DEL MANDATO**. Acto por el cual una persona —que así queda constituida en mandatario— manifiesta su voluntad de efectuar el encargo que recibe de otra —el mandante— para representarla, efectuar uno o más negocios en su nombre o para obrar por su cuenta.

Acervo

Se denomina así, en el lenguaje jurídico, la totalidad de los bienes comunes o indivisos, como la herencia para los coherederos. | El haber social de una compañía civil o de comercio. | El conjunto de bienes pertenecientes a los acreedores en un concurso o quiebra. | La masa común que se formaba con los diezmos.

Aclamación

Acción y efecto de *aclamar*, de dar voces la multitud en honor y aplauso de alguna persona. | Otorgamiento, por voz común, de algún cargo u honor.

En las asambleas o cuerpos colegiados, es una de las formas de votar y de adoptar acuerdos, reveladora de la unanimidad de criterios.

Aclaración de sentencia

La resolución dictada por el mismo juez o tribunal para aclarar, puntualizar, precisar algún aspecto o resolver una omisión secundaria en sentencia oscura o ambigua por algún concepto o que dé lugar a dudas.

Aclaratoria

V. ACLARACIÓN DE SENTENCIA.

Acoger

Proteger o amparar a alguien. | En Derecho Penal califica la acción de encubrir a un delincuente o de ocultar el cuerpo o efectos del delito. (V. DERECHO DE ASILO, ENCUBRIMIENTO.)

Acordada

Comunicación de un tribunal a otro inferior, para ordenarle la ejecución de algo o para advertirlo o proponerle algo reservadamente. Se llama, así, *auto acordado* o *acordada* el fallo solemne dado por el superior tribunal con asistencia de todos sus miembros.

Acordado

Decreto de los tribunales por el cual se ordena cumplir lo antes resuelto sobre el mismo asunto. | Decreto o fórmula que denota la providencia reservada con motivo del asunto principal. En realidad, debe emplearse completa la locución, y decir *lo acordado*.

Acordar

Dictar los jueces o tribunales alguna providencia que ha de ser comunicada a las partes. | Resolver de común acuerdo o por mayoría de votos.

Acrecer

Incrementar, hacer mayor, aumentar. | Facultad que, en determinados casos, tiene una persona para aumentar su parte en unos bienes con una porción de éstos que correspondía a otra persona, y que ésta ha dejado vacante por no poder o no querer adquirirla.

El *derecho de acrecer*, que se denomina también de *acrecencia* y *acrecimiento*, lo tienen los coherederos o colegatarios sobre las porciones vacantes por haberlas renunciado, o no haber podido adquirirlas, alguno o algunos de ellos.

Acreedor

El que tiene acción o derecho para pedir alguna cosa, especialmente el pago de una deuda, o exigir el cumplimiento de alguna obligación. Cabe decir también, la persona con facultad sobre otra para exigirle que entregue una cosa, preste un servicio o se abstenga de ejecutar un acto.

El *acreedor* es el sujeto activo, que puede requerir el cumplimiento de la obligación de su deudor, el sujeto pasivo de la relación jurídica de carácter personal.

Acreedores

(Clases). Existen tantas clases de acreedores como de obligaciones: el título de éstas es el título de acreedor, que así puede ser solidario, mancomunado, etc. En forma general pueden clasificarse los acreedores:

Por la garantía que tenga su crédito: *a*) personales: por escritura, quirografarios, verbales;

b) reales: propietarios o de dominio, hipotecarios, pignoraticios o prendarios; *por la prelación que tengan para el cobro*: *a*) ordinarios; *b*) privilegiados: simplemente privilegiados o especialmente privilegiados.

Acreedores personales son los que únicamente tienen acción personal contra su deudor para el cobro de sus créditos, los que pueden fundarse en una escritura pública, en un documento privado o en un contrato, dentro, en este último caso, del límite establecido por la ley.

Acreedor quirografario es el común o simple, que no tiene privilegio, ni preferencia entre sí para el cobro de sus créditos; mientras que los *privilegiados* son los que tienen esta preferencia.

Los *acreedores reales* son los que tienen una acción real sobre los bienes del deudor para hacerse pago con ellos, caso de que el deudor no cumpla, pudiendo ser propietarios o de *dominio, hipotecarios* y *pignotaricios*, según esa acción sea la reivindicatoria, la de hipoteca o la de prenda, respectivamente.

Acreedor hereditario es el que tiene derecho a reclamar de los herederos de su deudor el pago no realizado por éste.

Acreedor solidario es el que tiene a su favor, con otros, un mismo crédito, de tal manera que cada uno de los acreedores puede exigir el pago total de la deuda. (V. PRIVILEGIO.)

Acta

Documento emanado de una autoridad pública (juez, notario, oficial de justicia, agente de policía), a efectos de consignar un hecho material, o un hecho jurídico con fines civiles, penales o administrativos. | Por extensión, también se llama así el documento privado en que se deja constancia de un hecho o de lo tratado y resuelto en las reuniones de sociedades y asociaciones, que tienen que llevar, a veces de modo obligatorio, el llamado *libro de actas.*

Actas

(Clases). Según sea la naturaleza del acto jurídico es la clase de *acta* en la que, normalmente, el fedatario consigna los extremos de los cuales da fe.

Las *actas* corrientes son: *de bautismo*, que es también denominada *partida de bautismo*, por la que se hace constar en los libros parroquiales la celebración del acto de recibir las aguas bautismales una persona; *de consentimiento*, que es el documento en el que se otorga la autorización para contraer matrimonio, por quienes están autorizados por la ley a darlo, en aquellos países, como en España, en donde este requisito era exigencia legal; *de deslinde*, es en la que se expresan todas las circunstancias que den a conocer la línea divisoria entre propiedades; *de juicios*, que es el documento en el que se consignan las alegaciones de las partes, y cuanto proponen, acreditan o acuerdan, ante la autoridad judicial, siendo éstas, entre otras, *actas de conciliación, de las juntas de acreedores, de los juicios de desalojo o desahucio, de los juicios verbales*, etc.; *de testamenta cerrado*, que es la que el escribano o notario extiende sobre la cubierta del sobre que contiene el testamento, haciendo constar su otorgamiento y el cumplimiento de las formalidades exigidas por la ley; *de protesto*, que corresponde a todo protesto de letra, pagaré o libranza, y en la que deberá hacerse constar las exigencias legales; *de recepción*, que es aquella por la cual se formaliza la entrega de una obra terminada, especialmente de las contratadas por la administración pública; *electoral*, que debe ser levantada por funcionario autorizado por la ley, y en la que se hace constar la elección recaída en los actos que se realizan de acuerdo con el procedimiento electoral para los cargos fijados en la ley; *notarial*, que es el instrumento autorizado a instancia de parte por un notario o escribano, en el que se consignan las circunstancias y hechos que presencian y les constan, y de los cuales dan fe; *de las sociedades mercantiles*, en las que se consignan los acuerdos adoptados por las juntas generales y por los consejos de administración; *de los ayuntamientos o municipios*, que es la relación de lo tratado y discutido en las sesiones realizadas por las juntas de aquéllos; *de juicios*, que son las reseñas escritas que se extienden de las sesiones celebradas por los tribunales en los juicios orales; *del registro civil*, que son las que se refieren al estado civil de las personas. Éstas pueden referirse al nacimiento, matrimonio, reconocimiento, legitimación, defunción, naturalización y, en los países en donde se admite, de emancipación, adopción y vecindad.

Activo

Haber total de una persona natural y jurídica. | En el comercio, el importe general de los valores efectivos, créditos y derechos que un comerciante tiene a su favor. En el *activo* figura todo lo que se posee o cabe acreditar, aun pendiente de cobro; mientras en el *pasivo* se incluye todo lo que se debe. | Por extensión, en el comercio se habla de *activo* como de haber, que en todo patrimonio hay; el *pasivo* equivale entonces al debe que existe en éste. (V. PATRIMONIO.)

En cuanto a los funcionarios, civiles y militares, la denominación de *en activo servicio* indica que se encuentran en actividad; esto es, prestándolo o en disposición de prestarlo.

Acto

Manifestación de voluntad o de fuerza. | Hecho o acción de lo acorde con la voluntad humana. | Instante en que se concreta la acción. | Ejecución, realización, frente a proyecto, proposición o intención tan solo. | Hecho, a diferencia de la palabra, y más aun del pensamiento. | Celebración, solemnidad. | Reunión. | Período o momento de un proceso, en sentido general. | **A TÍTULO GRATUITO**. El que implica una liberalidad: como una disposición o prestación sin carga ni obligación para el beneficiado; como un legado puro y simple. (V. CONTRATO ALEATORIO.) | **A TÍTULO ONEROSO**. El que contiene para cada una de las partes disminución de bienes, un esfuerzo o sacrificio, compensado comúnmente por ventajas, aun desiguales, para los que intervienen en aquél. | **ABSTRACTO**. El jurídico en el cual no se expresa la causa o en que la voluntad de las partes no se refiere a aquélla. | **ADMINISTRATIVO**. La decisión general o especial que, en ejercicio de sus funciones, toma la autoridad administrativa, y que afecta a derechos, deberes e intereses de particulares o de entidades públicas. | **ARBITRARIO**. El de la voluntad propia contrario al derecho ajeno. | El de la autoridad cuando se excede de sus atribuciones o invade las ajenas. | **COLECTIVO**. El que surge de la simultánea declaración de voluntad de varias personas: como una huelga, una revolución; o, contractualmente: un pacto colectivo de condiciones de trabajo. | **CONSTITUTIVO**. Aquel que origina un derecho o el que establece una obligación. | **CONTENCIOSO**. El judicial en que existen partes y controversia entre éstas. | **DE ADMINISTRACIÓN**. El tendente a la conservación, utilización y progreso de un patrimonio. | **DE AUTORIDAD**. El realizado por la administración pública, por sus representantes, en cumplimiento de las funciones jurídicas que a ésta le atañen. | **DE COMERCIO**. El regido por las leyes mercantiles, y juzgado por los tribunales con arreglo a ellas. | Los que ejecutan los comerciantes. | **DE CONCILIACIÓN**. Comparecencia de los interesados, presuntos litigantes, ante el juez municipal u otra autoridad judicial, con la finalidad de evitar la promoción de un litigio (o la prosecución del iniciado sin el cumplimiento de ese trámite procesal previo), mediante fórmulas amistosas y de avenencia, e incluso con el desistimiento del que ha adoptado la iniciativa o por la aceptación del requerido, que encuentran en el solemne acuerdo un sustitutivo de la decisión judicial, con la fuerza de documento solemne. | **DE DISPOSICIÓN**. El que ejercita un derecho de propiedad o posesión, con el fin de enajenar un bien de un patrimonio o gravarlo con algún derecho real. | **DE GESTIÓN**. El que por la sola voluntad del agente se practica en la administración de la cosa ajena; como en la dirección de un establecimiento comercial, industrial, agrícola o de otra especie. | El que realiza el administrador como representante de los intereses generales y para efectividad de los servicios públicos. | **DE GOBIERNO**. El procedente del Poder Ejecutivo en cumplimiento de sus funciones. | **DE HEREDERO**. El que ejecutado por éste demuestra de manera inequívoca su aceptación de la herencia, aunque tal manifestación de voluntad no haya sido expresamente hecha. (V. ACEPTACIÓN DE HERENCIA, ACTO DE ADMINISTRACIÓN, HEREDERO.) | **DE ÚLTIMA VOLUNTAD**. El realizado con el objeto de que surta efecto después del fallecimiento del otorgante o de una de las partes; como los testamentos y ciertas donaciones en capitulaciones matrimoniales. | **DEL PRÍNCIPE**. En los regímenes absolutos, casi todas las monarquías hasta el siglo XIX, y varias hasta en pleno siglo XX, el acto de gobierno emanado de la voluntad del soberano o monarca, y por él mismo promulgado con su autoridad de dueño de la nación. | **ILÍCITO**. El reprobado o prohibido por el ordenamiento jurídico; el opuesto a una norma legal o a un derecho adquirido. | La violación del derecho ajeno. | La omisión del propio deber. | El daño causado por culpa o dolo en la persona de otro, o en sus bienes y derechos. | El contrario a las buenas costumbres y a los principios imperativos de un núcleo organizado. | El delito. | **INDIVIDUAL**. El que es obra de una sola persona, y basta para producir efectos jurídicos; como el testamento, o el delito sin cooperación. | El que sólo puede realizar la persona, como la manifestación de su consentimiento, la confesión. (V. ACTO COLECTIVO.) | **JUDICIAL**. La decisión, providencia, mandamiento, auto, diligencia o medida adoptada por juez o tribunal dentro de la esfera de sus atribuciones. | El que las partes realizan con intervención de la autoridad judicial en la jurisdicción voluntaria o contenciosa. | **JURÍDICO**. Todo hecho productor de efectos para el Derecho se denomina *hecho jurídico*; cuando este hecho procede de la voluntad humana, se denomina *acto jurídico*. Ha sido definido este último como "el hecho dependiente de la voluntad humana que ejerce algún influjo en el nacimiento, modificación o extinción de las relaciones jurídicas". | **LEGAL**. El conforme con la norma positiva, con el Derecho vigente. | **LÍCITO**. El ajustado a la norma moral de una sociedad y de una época. | El que no está prohibido por la ley. | Para algunos, el justo o el equitativo. | **NULO**. Podríamos denominarlo también *acto antijurídico* o *ajurídico*, por ser aquel que no surte efectos para el Derecho, o tiene consecuencias distintas de las perseguidas por el autor o autores. | **REGLA**. El jurídico cuando impone obligaciones para personas extrañas a las partes de que emana. | **SOLEMNE**. Aquel en el cual la observancia de la forma establecida por la ley resulta esencial para su validez jurídica. | **SUSTANCIAL**. El de carácter esencial para una relación jurídica. | El que tutela el ejercicio de un derecho.

Actor

Quien asume la iniciativa procesal: el que ejercita una acción. Sinónimo de demandante; o sea, el que en juicio formula una petición o interpone una demanda. En los asuntos penales se le denomina acusador o querellante. (V. ACCIÓN, ACUSADOR, COMPETENCIA, DEMANDA, DEMANDADO, DEMANDANTE, JURISDICCIÓN, PERSONALIDAD, PRUEBA, QUERELLANTE.)

Actuaciones

El conjunto de actos, diligencias, trámites que integran un expediente, pleito o proceso. Pueden ser las actuaciones *judiciales* y *administrativas*, según se practiquen ante los tribunales de justicia o en la esfera gubernativa. (V. CAUSA, PLEITO, PROCEDIMIENTO, PROCESO.)

"Actore incumbit probatio"

Aforismo latino que significa: la prueba corresponde al actor.

"Actore non probante reus est absolvendus"

Expresa este aforismo que no probando el actor su demanda, debe ser absuelto el demandado.

Actuario

El encargado de levantar las actas; el escribano o notario ante quien pasan los autos. Se utiliza este nombre para los escribanos de actuaciones en los juzgados de primera instancia. En España reciben los nombres de *relatores* en las audiencias; de *secretarios*, en los juzgados municipales; de *secretarios de causas*, en la jurisdicción castrense; y el de *notarios*, en la curia eclesiástica.

Acuerdo

Resolución tomada por unanimidad o por mayoría de votos sobre cualquier asunto por tribunales, corporaciones o juntas. | Reunión de magistrados para deliberar sobre un asunto. | Sentencia, fallo, mandato judicial y decreto, resolución, orden o disposición gubernativa emanada del poder supremo. | Sentido, juicio, estado normal de un cerebro sano. | Consejo, opinión, dictamen. | Decisión reflexionada. | Recuerdo, memoria de algo. | En las antiguas chancillerías o audiencias, el cuerpo de los ministros que las integraban, reunidos con su regente o presidente, para tratar de asuntos gubernativos o de orden interno, y en ciertos casos especiales para los contenciosos.

Además de significar *resolución*, el *acuerdo* es el concierto de dos voluntades o inteligencia de personas que llevan a un mismo fin.

Acuerdo preventivo

Acto complejo en virtud del cual, en el marco de un proceso concursal, el deudor fallido ofrece una propuesta de acuerdo a sus acreedores, planteando esperas o quitas respecto de sus créditos. Si los acreedores la aprueban con las mayorías exigidas por la ley, se llegará a un acuerdo preventivo que se perfeccionará si cuenta con la aprobación judicial.

Acumulación

Acción de reunir, juntar o allegar dos o más cosas. | Tramitación conjunta. | **DE ACCIONES**. La facultad que tiene el actor para ejercitar en una misma demanda todas las acciones que contra el demandado tenga a su favor, aunque procedan de diferentes títulos. | **DE AUTOS**. La reunión de varios pleitos en uno solo, o de varias causas en una sola, con el objeto de que continúen y se decidan en un solo juicio. | **DE DELITOS**. Se dice cuando en un proceso hay pluralidad de agentes en un solo delito, varios delitos cometidos por un solo delincuente o pluralidad de delitos y agentes. | **DE PENAS**. Aplicación a un delincuente de las penas que corresponden a cada una de las infracciones por él cometidas; esto es cuando realiza con una sola acción varios hechos delictivos.

Acusación

En términos amplios, la acción o el efecto de acusar o acusarse. | En la jurisdicción criminal, y ante cualquier organismo represivo, la acción de poner en conocimiento de un juez, u otro funcionario competente, un crimen (real, aparente o supuesto) para que sea reprimido. | Ante los tribunales de justicia, el escrito o informe verbal de una parte, de un abogado o del ministro fiscal, en que se acusa a alguien de un delito o falta. | **PRIVADA**. La referida a un delito privado cuando el derecho de acusar incumbe a la persona ofendida o a sus parientes más allegados. | **PÚBLICA**. La que corresponde cuando el derecho de acusar recae sobre alguno de los delitos llamados *públicos*, y se ejercita por el Ministerio Fiscal o por la víctima de la ofensa, y aun por cualquiera.

Acusado

Persona que es objeto de una o de varias acusaciones. Aquel contra el cual se dirige la acusación por parte del fiscal, o del acusador privado, una vez elevado el proceso al estado de plenario, con lo que se distingue del culpado, o sospechoso, denominación más adecuada durante el sumario.

Acusador

El que acusa o formula acusación. El *acusador* puede ser público, privado o particular.

Acusar la rebeldía

Esta locución está admitida por el uso y se halla mencionada expresamente por algunos códigos de procedimiento. Con ella se significa el acto por el cual una parte litigante manifiesta al juez que la contraria ha incurrido en omisión, dejando de comparecer, de evacuar un trámite, de formular una alegación dentro del término preciso en que debió verificarlo; en consecuencia se pide que se proceda de acuerdo con lo establecido por la ley en cada caso.

Ad calendas graecas

Loc lat. y también española. Indefinidamente aplazado, para nunca; ya que los griegos no tenían calendas.

Ad cautélam

Loc lat. y castellana. Como cautela. Precaución, garantía, caución. Se dice testamento *ad cautélam* cuando el testador expresa su voluntad determinando que no será válido ningún otro testamento suyo posterior si no constan en él ciertas cláusulas o señales.

“Ad corpus”

Loc. lat. Se emplea para designar las ventas de inmuebles hechas por un solo precio y sin fijación de medida de éstos.

“Ad effectum videndi”

Loc. lat. Significa: a efecto de tenerlo a la vista.

“Ad hoc”

Loc. lat. Expresión adverbial que significa: para esto, para el caso. Lo que sirve a un fin determinado.

“Ad honorem”

Loc. lat. Significa: “por el honor”, “gratuitamente”; y sirve para calificar una función ejercida sin retribución alguna.

Ad líbitum

Loc. lat. y esp. Equivale a elección, a voluntad. Sirve para designar contratos caracterizados por ser voluntarios, o sea, *ad líbitum*.

Ad lítem

Loc. lat. y esp. Para el proceso. Se dice así *procurador ad lítem* (V. CURADOR AD LÍTEM.)

“Ad literam”

Loc. lat. A la letra, o al pie de la letra. Toda transcripción hecha con las mismas palabras empleadas por el autor que se cita o el texto invocado.

Ad nútum

Loc. lat. y esp. A gusto, a voluntad.

Ad pedem

Loc. lat. y esp. Quiere decir: al pie de la letra. (V. “AD LITERAM”.)

Ad perpetuam

Loc. lat. y esp. Equivale a perpetuamente, para siempre. (V. INFORMACIÓN AD PERPETUAM.)

“Ad probationem”

Loc. lat. Para prueba. Exigencia de determinadas formas, que deben observarse en los actos jurídicos a los efectos de su prueba, no de su validez.

Ad quem

Loc. lat. y esp. Significa: al cual, para el cual. Sirve para indicar el juez o tribunal *al cual* se recurre contra una resolución determinada de otro inferior. | Referida a *días ("dies ad quem")*, indica el momento a partir del cual cesan determinados efectos; momento final o resolutorio. (V. A QUO.)

Ad referéndum

Loc. lat. y esp. Aceptar una proposición *ad referéndum* significa con la condición de ser aprobada por la autoridad competente respectiva. | Sistema legislativo que consiste en someter al voto directo del pueblo las leyes o la aprobación de ciertos actos de gobierno. | También se utiliza como condición de ser aprobado el acto por otra persona o por una autoridad superior. (V. PLEBISCITO, REFERÉNDUM.)

"Ad rem"

Loc. lat. Expresa el derecho que se tiene *a la cosa.*

"Ad solemnitatem"

Loc. lat. Es la formalidad impuesta por la ley para la validez del acto jurídico, y no solamente para su prueba. Se opone a la fórmula *"ad probationem"*.

Ad valorem

Loc. latina y española. Designa los derechos de aduana impuestos *según el valor* de la mercancía.

Adhesión

Consentimiento, colaboración que se presta a un acto realizado por un tercero. | Aceptación de reglas contractuales impuestas por una de las partes, sin discutir éstas. (V. CONTRATO DE ADHESIÓN.)

Adicción a die

Adjudicación hasta cierto día o con carácter provisional. Pacto de origen romano que permite rescindir la venta si, dentro de un plazo determinado, el vendedor halla otro comprador que le ofrezca más por la cosa vendida. (V. PACTO DE MEJOR COMPRADOR.)

Adición de la herencia

La admisión o aceptación, expresa o tácita, que hace de una herencia el heredero testamentario o legítimo.

Adición de nombre

En esta locución se entiende comprendido el prenombre y el apellido, y se refiere a la posibilidad de añadirles algún otro. Los casos que al respecto señalan algunas legislaciones aluden a la posibilidad de los progenitores para pedir que se inscriba al hijo con el apellido compuesto del padre, o añadir el de la madre, allí donde no sea costumbre hacerlo, solicitud que también puede efectuar el hijo al llegar a determinada edad. La *adición de nombre* es también frecuente en los casos de adopción, a efectos de añadir al apellido de los padres naturales el de los padres adoptantes, o al sustituir aquél por éste.

Adir

Sólo se utiliza este verbo en *adir la herencia*, que significa admitirla o aceptarla.

Adjudicación

Declaración de que algo concreto pertenece a una persona. | La entrega o aplicación que, en herencias y particiones, o en públicas subastas, suele hacerse de una cosa mueble o inmueble, de viva voz o por escrito, a favor de alguno, con autoridad de juez. | **DE BIENES**. Asignación y entrega de un conjunto de bienes a las personas que les corresponden según ley, testamento o convenio. Las tres especies principales de aquélla son: *a*) la de partición de herencia; *b*) la del concurso civil; *c*) la de todo o parte de una sucesión a personas llamadas sin designación de nombres.

Adjunción

Se denomina también *conjunción.* Consiste en la unión de dos cosas muebles pertenecientes a distintos dueños, de tal manera que las dos vengan a formar una sola cosa; pero con la posibilidad de separarlas o de que subsistan después con independencia. (V. ACCESIÓN.)

Administración

Gestión, gobierno de los intereses o bienes, en especial de los públicos. La *ciencia de la administración* es el conjunto de las reglas para gestionar bien los negocios; y, más particularmente, para aplicar los medios a la consecución de los fines del Estado.

La *administración* puede ser considerada dentro del Derecho Privado, en el Público, en el Procesal, en el Eclesiástico y en el Internacional. | **DE JUSTICIA**. Conjunto de los tribunales, magistrados, jueces y cualesquiera otras personas cuya función consiste en juzgar y hacer que se cumpla lo juzgado. | Potestad de aplicar las leyes en los juicios civiles, comerciales y criminales, juzgando y haciendo cumplir lo juzgado. (V. PODER JUDICIAL.) | **PÚBLICA**. Es el Poder Ejecutivo en acción, con la finalidad de cumplir y hacer cumplir cuanto interesa a la sociedad en las actividades y servicios públicos. La *administración* puede ser nacional, provincial o municipal, de acuerdo con la esfera territorial de sus atribuciones.

Administrador

El que cuida, dirige y gobierna los bienes o negocios de otro. Siendo la administración verdadero mandato, el *administrador* no es más que un mandatario, con sus obligaciones y sus derechos. | Funcionario que tiene a su cargo una rama de la administración pública o alguna actividad de ésta. | Gobernante. | Gestor.

Administrador judicial

Persona nombrada de oficio o a petición de parte, por un juez o tribunal, para ejercer actos de administración sobre determinados bienes, generalmente litigiosos, como medida precautoria para su conservación, aun cuando también pueden ser nombrados judicialmente fuera de litigio, en procedimientos de jurisdicción voluntaria.

Admisión

Acción y efecto de admitir. | En Derecho Civil se dice *admisión de pago*; en el Comercial, *admisión de socio*; en el Procesal, *admisión de las pruebas* presentadas y *de los recursos* interpuestos por las partes.

Adopción

Según la ley 1ª, del tít. XVI, de la Part. IV, "tanto quiere decir como prohijamiento; que es una manera que establecieron las leyes por la cual pueden los hombres ser hijos de otros, aunque no lo sean naturalmente". La *adopción* es, pues, el acto por el cual se recibe como hijo nuestro, con autoridad real o judicial, a quien lo es de otro por naturaleza.

La *adopción* constituye un sistema de crear artificialmente la patria potestad.

Adoptar

Prohijar, aceptar como hijo a quien no lo es naturalmente, con arreglo a los requisitos de fondo y forma de las leyes, allí donde se admite. | Aceptar, aprobar una doctrina, un dictamen, una opinión. | Tomar medidas, resoluciones, acuerdos.

Adquirir

Conseguir algo mediante trabajo o industria de uno. | Obtener la propiedad de una cosa que pertenecía antes a otro, o que no tenía dueño. | Lograr un derecho. | Contraer una obligación.

Adquisición

Dice Escriche que es la acción y efecto de adquirir; el acto por el cual se hace uno dueño de alguna cosa; y también la misma cosa adquirida.

Adquisición a "non domino"

Loc. lat. y cast. Adquisición de quien no es dueño.

Adquisición a título gratuito

La que no significa ningún desembolso ni prestación para el adquirente, como en las donaciones y legados puros, y en la sucesión intestada.

Adquisición a título oneroso

Aquella que para el adquirente representa una pérdida patrimonial equivalente o disminución en dinero (compra), la entrega de alguna cosa suya (permuta) o una prestación (de trabajo, de servicios o de otra índole obligatoria). (V. adquisición a título gratuito.)

Adquisición a título singular

La comprensiva de uno o varios objetos de un patrimonio, pero nunca su totalidad ni una parte proporcional. Puede recaer sobre cosas individualmente determinadas, aunque así resulta posible que abarque cuanto tiene una persona. Cabe que comprenda también una universalidad de cosas, como un rebaño, una fábrica, una casa con todo lo que contenga.

Adquisición a título universal

La relativa a la totalidad de un patrimonio (en el conjunto de sus bienes, derechos, obligaciones y acciones) o a una parte proporcional de él. Es, por tanto, *adquisición* mayor en derecho, pero puede resultar menor que la *adquisición a título singular* (v.); quien recibe el legado de una casa, sin duda recibe más que el heredero universal de un mendigo.

Adquisición ínter vivos

La que debe surtir efecto o realizarse en vida del transmitente, como una permuta o una donación con entrega inmediata de bienes.

Adquisición mortis causa

Aquella cuya efectividad depende de la muerte de la persona que transmite el derecho o la cosa. Es la consecuencia de los testamentos o de la sucesión intestada, y también de ciertos actos en que es posible determinarla, como en las escrituras de adopción y en las capitulaciones matrimoniales. (V. ADQUISICIÓN ÍNTER VIVOS.)

Adscribir
Destinar, agregar a una persona al servicio de un cargo o cuerpo.

Aduana
Las *aduanas* "son oficinas del Estado, establecidas en las fronteras nacionales, encargadas de percibir los derechos impuestos sobre la entrada y salida de las mercancías y velar para impedir las importaciones y exportaciones prohibidas". El nombre *aduana* deriva del árabe *adayuán*, y significa *libro de cuentas*.

Adulterino
Se aplica esta denominación al hijo que nace de adulterio; esto es, al hijo de padres que al tiempo de la concepción no podían contraer matrimonio, por estar uno de ellos o ambos casados. (V. HIJO ADULTERINO.) | El padre o madre que han engendrado adulterinamente. | Además, lo referido al adulterio. | Falsificado, con vicio o defecto.

Adulterio
El acceso carnal que un casado tiene con mujer que no sea la legítima, o una casada con hombre que no sea su marido. Constituye una violación de la fe conyugal.

Adulto
El que ha llegado al término de la adolescencia. Todo mayor de edad es adulto. | Lo que ha alcanzado su máximo desarrollo o crecimiento. (V. ADOLESCENCIA, CAPACIDAD, MAYOR DE EDAD.)

Adventicio
Se dice comúnmente de lo que adquiere por su industria, por sucesión colateral, por liberalidad de un extraño o por cualquier otra causa distinta de la paterna, lo cual se denomina *profecticio*.

Adveración
La acción y el efecto de adverar; del latín *ad*, a, y *verus*, verdadero. Consiste en asegurar o dar por cierta alguna cosa. | Antiguamente se decía también de la certificación o instrumento acreditativo de algún hecho.

"Aes et libra"
Loc. lat. El cobre y la balanza; los atributos requeridos en diversos actos jurídicos de los primitivos romanos.

Afectar
Imponer gravamen a un bien, sujetándolo al cumplimiento de alguna carga. | Anexar. | Fingir. | Unir beneficios eclesiásticos.

Aferir
Marcar las medidas, pesas y pesos, para que conste su legalidad y exactitud.

"Affectio societatis"
Loc. lat. Voluntad de formar sociedad en virtud de la confianza recíproca entre los socios que la integran.

Afianzamiento
Acción y efecto de afianzar. El acto de asegurar con fianza el cumplimiento de una obligación; de dar seguridad o resguardo de intereses o caudales. | También, el efecto del mismo contrato de *fianza* (v.), por el cual uno se hace responsable de la obligación de un tercero, en caso de no cumplirla éste.

Afinidad
El parentesco que se contrae por el matrimonio consumado, o por cópula ilícita, entre el varón y los parientes consanguineos de la mujer, y entre ésta y la familia consanguinea de aquél.

Aforar
Reconocer y valuar las mercancías para el pago de derechos. | Conceder, otorgar fuero. | Constituir foro sobre una heredad.

Aforismo
Sentencia lacónica y doctrinal que presenta lo más interesante de alguna materia. | Regla, principio, axioma, máxima instructiva, generalmente verdadera. (V. PRINCIPIOS DEL DERECHO.)

Agente
Cuanto obra o tiene capacidad para causar efecto. | Intermediario. | Quien realiza actos que pueden ser o son productores de efectos jurídicos. | En sentido más restringido, persona que obra en representación de otra y por autorización de ésta. En tal forma se habla de *agentes de la autoridad, de administración, fiscal*, etcétera (v.).

Agentes auxiliares del comercio
Los que desempeñan una función mediadora en las operaciones comerciales. Tienen ese carácter los corredores, los rematadores o martilleros, los barraqueros y administradores de casas de depósito, los factores o encargados y

los dependientes de comercio, los acarreadores, porteadores o empresarios de transporte. Los códigos de comercio determinan las funciones, derechos, obligaciones y responsabilidades que afectan a cada uno.

Agentes de retención

Personas físicas o jurídicas a quienes la autoridad o la ley han encomendado la obligación de retener la parte de la retribución que los contribuyentes deben abonar para el pago de impuestos. El caso típico es el de los empleadores con respecto a las retribuciones que abonan a sus empleados.

Agio

Palabra tomada del italiano, que expresa la especulación consistente en negociar utilizando las oscilaciones y diferencias en los precios de cualquier clase de mercaderías. | Especulación con fondos públicos, sobre todo comprando valores de inmediata o segura alza. | También en el lenguaje económico, la cantidad en que el precio corriente de una clase de moneda excede el valor nominal de ésta. | Pérdida que, al cambiarlas por dinero, sufren las letras de cambio, las acciones de las compañías y otros documentos de crédito; y que no constituye sino un descuento, o diferencia entre su valor nominal y el efectivo que por ellos se da.

Agiotaje

Especulación abusiva y sobre seguro, cuyo principal objeto es obtener un lucro exagerado con las oscilaciones de los precios del dinero, mercancías o títulos de crédito; y, en especial, siempre que se aprovechan ciertas circunstancias para lograr cuantiosas ganancias con perjuicio de terceros, del público o consumidores en general. (V. AGIO.)

Agnación

En Derecho Romano se llama así al parentesco por consanguinidad entre *agnados*; esto es, entre los varones descendientes de un mismo padre, y sujetos a la potestad del *pater familias*. Era una especie de parentesco civil, en oposición al natural.

Agnados

Los parientes que, por parte de padre, son de la misma familia y apellido; o bien, todos los descendientes de un mismo tronco masculino, de varón en varón, incluidas también las mujeres; pero no sus hijos, ya que en ellas acaba la *agnación.* (V.; y, además, COGNADO.)

Agrario

Lo que pertenece al campo y, extensivamente, cuanto hace relación con la agricultura. *Derecho Agrario, Leyes agrarias* y *legislación agraria* se dice del conjunto de disposiciones dictadas por los poderes públicos para resolver el *problema agrario*. | (V. DERECHO AGRARIO.)

Agravante

Lo que torna más grave algún hecho o cosa. | En Derecho Penal, cada una de las *circunstancias agravantes*.

Agravio

Hecho o dicho que ofende en la honra o fama. | La ofensa o perjuicio que se infiere a una persona en sus intereses o derechos. | Mal, daño o perjuicio que el apelante expone ante el juez ad quem, por habérselo irrogado la sentencia del inferior. | Antiguamente equivalía a apelación.

Agregación de expedientes

Incorporación material de un expediente a otro, generalmente para servir como prueba en éste, o para que los actos procesales efectuados en el primero tengan efecto respecto del segundo.

Agresión

En el sentido lato es toda acción contraria al derecho de otro; y en sentido estricto, la acción o efecto de acometer, de atacar. Así, en Derecho es el ataque, el acometimiento dirigido violentamente contra una persona para causarle algún daño en sus bienes, para herirla o matarla.

Agresor

El que acomete a otro injustamente con propósito de golpearlo, herirlo, matarlo.

Ahijado

Aquel a quien el padrino o madrina sacan de pila en el sacramento del bautismo. Entre el ahijado y sus padrinos existe un impedimento, originado por el bautismo, para contraer matrimonio canónico. | Adoptado.

Ajuste

Acción y efecto de concertar, concordar, componer o conciliar de acuerdo con una norma legal preexistente. Se usa con referencia al acto de concretar el precio de una cosa y al de fijar la remuneración de un servicio.

En Derecho Marítimo, llámase *ajuste* el contrato celebrado entre el capitán y los oficiales y gente de tripulación del buque, por el cual se obligan éstos a prestar sus servicios en uno o más viajes de mar, a cambio de la remuneración convenida, más alojamiento y alimentación a bordo. (V. CONTRATO DE AJUSTE.)

Ajuste alzado

Forma de fijación de precios, particularmente en las locaciones de obras, consistente en la determinación de un valor fijo e invariable. El ajuste alzado es relativo cuando se permite la variación del precio, en función de modificaciones en los costos u otros parámetros, pero sólo hasta cierto máximo.

Ajusticiado

El reo en quien se ha ejecutado la pena de muerte.

Ajusticiar

Castigar al reo con pena de muerte.

Al portador

Locución mercantil que se refiere a los documentos de crédito cuya exigibilidad corresponde a su tenedor, por haberse librado en forma anónima; es decir, sin consignar de modo expreso el nombre del acreedor.

Alarde

Se llamaban *alardes* las visitas que los tribunales debían efectuar periódicamente a las cárceles, para oír las relaciones de los presos, saber el estado de sus causas y corregir los abusos que con éstos pudieran cometerse. En la actualidad se utiliza la expresión *visita de cárceles* (v.). | Examen quincenal o mensual que los tribunales efectúan para activar la tramitación de los asuntos. | Relación cuatrimestral que en cada audiencia se forma con las causas cuyo conocimiento corresponde al jurado.

Alarma

Inquietud, desasosiego, sobresalto.

Albacea

El que tiene a su cargo cumplir y ejecutar lo que el testador ha ordenado en su testamento, u otra forma de disposición de última voluntad.

Albaceazgo

Cargo del albacea.

Alcahuete

La persona que solicita o sonsaca a alguna mujer para trato lascivo con algún hombre; o encubre, concierta o permite en su casa esta ilícita comunicación. Actualmente sólo es punible cuando se promueva o facilite la corrupción de menores; o si se convierte en tráfico o modo de vivir. | Chismoso, sopló n, delator, correveidile. (V. LENOCINIO, PROSTITUCIÓN, PROXENETISMO, TRATA DE BLANCAS.)

Alcaide

El que en las cárceles tenía o tiene a su cargo la custodia de los presos. Actualmente se denomina director; pero hay países hispanoamericanos y pueblos de España en que sigue utilizándose esta antigua denominación. | En la Edad Media, defensor de castillo o fortaleza bajo juramento o pleito homenaje.

Alcalde

Voz arábiga, de *qadi*, juez, con la adición del artículo *al*. Se aplica especialmente para designar la autoridad encargada del gobierno inmediato de cada pueblo.

"Alea"

Palabra latina que significa fortuna o suerte, de la cual proviene *aleatorio*. *"Alea"* es, por lo tanto, sinónimo de azar. (V. APUESTA, AZAR, CONTRATO ALEATORIO, JUEGO.)

Aleatorio

Del latín *aleatorius*, juego de dados. Es todo lo inseguro o incierto, por depender de la suerte o del azar.

Alegación

La acción de alegar verbalmente o por escrito; y el mismo escrito o alegato donde se expone lo conducente al derecho de la causa o de la parte. | **EN DERECHO**. En apelaciones civiles de mayor cuantía, alegato extraordinario y escrito que a veces sustituye a los informes verbales de los litigantes.

Alegar

Citar algo como prueba, disculpa o defensa de lo dicho o hecho. | Exponer o referir méritos, servicios, actitudes, etc., para fundar en ellos una pretensión. | Citar el abogado leyes, jurisprudencia, casos, razones y otros argumentos, en defensa de la causa a él encomendada.

Alegar agravios

V. AGRAVIO.

Alegato

En general, el escrito donde hay controversia; esto es, demostración de las razones de una parte para debilitar las de la contraria. | **DE BIEN PROBADO**. Escrito que, después de practicar las pruebas, pueden presentar las partes en primera instancia, y antes de la sentencia.

La *alegación* o *alegato de bien probado* ha desaparecido del Derecho Procesal español, pero se mantiene en varios países hispanoamericanos.

Aleve
Antiguamente se usaba por alevosía. | Como adjetivo equivale a pérfido, inicuo, traidor, alevoso; y se aplica no sólo a las personas, sino también a acciones.

Alevosía
Traición o perfidia. Según el Cód. Pen. esp.: "Hay *alevosía* cuando el culpable comete cualquiera de los delitos contra la vida, empleando medios, modos o formas en la ejecución que tiendan directa y especialmente a asegurarla, sin riesgo para su persona que proceda de la defensa que pudiera hacer el ofendido".

La *alevosía* es una circunstancia agravante en los delitos contra las personas. En el asesinato no se aprecia cual agravante genérica, sino como calificativa de dicho delito; lo propio que en el homicidio, por ella convertido en asesinato.

Alianza
Pacto o convención. | Conexión o parentesco contraído por casamiento. | Anillo matrimonial o de esponsales. | Unión de cosas que concurren a un mismo fin. | En lo político, la coligación de naciones o gobierno (*Dic. Acad.*).

Alícuota
Parte contenida exactamente cierto número de veces en un todo, como 3 en 9. Si no, se llama alicuanta, como 5 en 13.

Alienación
Enajenación (v.).

Alguacil
Voz compuesta de dos árabes (*al* y *guacir*) que significa lugarteniente o ministro de justicia. Es el funcionario subalterno que ejecuta las órdenes de los juzgados y tribunales, con arreglo a las leyes.

Alias
De otro modo, por otro nombre. | Apodo o designación por nombre distinto del propio. Es muy frecuente entre los maleantes, gente del hampa y delincuentes habituales.

Alienable
Lo susceptible de alienación. Equivale a *enajenable* (v.).

"Alieni juris"
De ajeno derecho. En Derecho Romano, el sometido al poder de otro. Eran *"alieni juris"* los esclavos y los hijos; y las mujeres en general.

Alimentos
Las asistencias que por ley, contrato o testamento se dan a algunas personas para su manutención y subsistencia; esto es, para comida, bebida, vestido, habitación y recuperación de la salud, además de la educación e instrucción cuando el alimentado es menor de edad. Los *alimentos* se clasifican en *legales, voluntarios* y *judiciales*. | **PROVISIONALES**. Los que en juicio sumario, y con carácter provisional, fija el juez a quien los pide alegando derecho para ello y necesidad urgente de percibirlos.

Alma del testador
Algunas legislaciones permiten que, no habiendo herederos legitimarios o en la parte de libre disposición, se haga institución de heredero o legatario en favor de los pobres o del alma del propio testador. Implica en el primer caso un legado a los pobres del pueblo de su residencia, y en el segundo, la aplicación que se debe hacer en sufragios y limosnas.

Almacenaje
Derecho que se paga por conservar las cosas en depósito o almacén, sea público o particular.

Almoneda
Venta de muebles en pública subasta que se hace entre los asistentes al acto, con adjudicación al que ofrece mayor precio. (V. REMATE, SUBASTA.)

Alodial
Que está libre de toda carga y derecho señorial; cuando la posesión de una finca no se encuentra gravada con censos ni servidumbres, sin existir además separación entre el dominio directo y el útil. (V. BIENES ALODIALES.)

Alodio
Heredad independiente y libre de cargas y derechos señoriales.

Alquiler
Precio que se paga o se recibe por lo alquilado, sean casas o cosas muebles. | Acción de alquilar. (V. ARRENDAMIENTO, LOCACIÓN.)

"Alterius culpa nobis nocere non debet"
Loc. lat. La culpa de uno no debe dañar a otro que no tuvo parte.

Aluvión
Uno de los modelos de adquirir la propiedad de las cosas por derecho de accesión. Consiste en el aumento de terreno que el río va incorporando paulatinamente a las fincas ribereñas.

Alzada
Equivale a apelación, principalmente en lo gubernativo.

Alzado
En el comercio, el que quiebra maliciosamente, ocultando los bienes para defraudar a sus acreedores. (V. QUEBRADO.) | Se dice del ajuste o precio fijado en determinada cantidad, y no por evaluación o cuenta circunstanciada. | En Aragón, robo o hurto.

Alzamiento
Sublevación, sedición o rebelión (v.). | Puja en subasta, remate o almoneda. | **DE BIENES**. Delito que consiste en desaparecer furtivamente con sus bienes y ocultar dolosamente éstos, el particular o comerciante, en perjuicio de sus acreedores. Para los dedicados al comercio constituye, además, *quiebra fraudulenta* (V.; y, además, CONCURSO PUNIBLE.)

Allanamiento
Conformidad con las pretensiones deducidas por la parte contraria. | Penetrar, con poder escrito de la autoridad judicial, en un domicilio o local privado, para realizar en él ciertas diligencias, como detenciones, registros, etc. | **A LA DEMANDA**. Acción de prestar el demandado su asentimiento a lo solicitado y pedido por el actor. El *allanamiento* sólo puede comprender los derechos privados que sean renunciales. (V. DEMANDA, DESISTIMIENTO.) | **DE MORADA** o **DE DOMICILIO**. Delito que consiste en penetrar con violencia manifiesta en casa o edificio ajeno, sin consentimiento de la persona que lo habita. Como básico derecho individual, proclamado por las diversas constituciones, está el de la *inviolabilidad del domicilio* (v.).

Alteración
Cambio o modificación. Repercuten en lo jurídico las *alteraciones dolosas*, que pueden ser reprimidas como delitos, de falsedad o falsificación, en materia de documentos, moneda y calidad de las cosas.

Como revuelta o alboroto, afecta al orden público y es actitud reprimible también cuando se exterioriza con violencia o alarma.

Amancebamiento
El trato carnal ilícito y continuado de hombre y mujer. Dentro del *amancebamiento* se comprende el *concubinato* (v.).

Amanuense
El que escribe a mano. Normalmente se dice de los dependientes de abogados y notarios o escribanos.

Ambigüedad
Lo que admite diversas interpretaciones y puede dar lugar a duda, incertidumbre o confusión. Por eso, las leyes deben redactarse en forma clara, para impedir dificultades en el modo de interpretarlas. (V. INTERPRETACIÓN.)

Ambos efectos
En materia de *apelación* (v.), al decirse *ambos efectos* se hace referencia a que el recurso interpuesto no sólo produce la remisión de las actuaciones al juez superior, sino que suspende la ejecución de lo resuelto. (V. EFECTO DEVOLUTIVO Y SUSPENSIVO.)

Amenaza
Dicho o hecho con que se da a entender el propósito más o menos inmediato de causar un mal. | Indicio o anuncio de un perjuicio cercano.

Amigable componedor
El hombre de confianza, equidad y buen sentido que las partes eligen para decidir, según su leal saber y entender, alguna contienda pendiente entre ellas, y que no quieren someter a los tribunales. Se los conoce también con el nombre de *arbitradores* y *jueces de avenencia*.

Amnistía
Proviene la voz de amnesia o pérdida de la memoria; a través de un vocablo griego que significa *olvido*. Es una medida legislativa por la cual se suprimen los efectos y la sanción de ciertos delitos, principalmente de los cometidos contra el Estado. Se distingue la *amnistía* del *indulto*, en que la una tiene carácter general y el otro, particular. Ha sido definida la *amnistía* como "un acto del poder soberano que cubre con el velo del olvido las infracciones de cierta clase, aboliendo los procesos comenzados o que se deban comenzar, o bien las condenas pronunciadas para tales delitos".

Amojonamiento
El acto de señalar con mojones los términos o límites de alguna heredad o tierra. El *amojona-*

miento puede comprender tres operaciones que son: el *deslinde*, o fijación de las pertenencias legítimas de cada una de las heredades contiguas, mediante el examen de los títulos de propiedad y demás pruebas aducidas por los interesados; el *apeo,* operación material de medir las tierras ya deslindadas; y el *amojonamiento*, propiamente dicho, la colocación de señales ya definidas.

Amonestación
Requerimiento, advertencia, reprensión; acción y efecto de amonestar. | En el orden judicial, *amonestación* es sinónimo de reprensión y apercibimiento. | En Derecho Canónico, solemne publicación que hace, durante tres domingos seguidos, el cura párroco, leyendo el nombre y otras circunstancias de quienes quieren contraer matrimonio en la parroquia u ordenarse, con el fin de que puedan denunciarse los impedimentos. (V. APERCIBIMIENTO.)

Amortización
Acción y efecto de amortizar. Supresión de un cargo o de una cosa. | Redención de censos u otras cargas. | Pago o extinción de una deuda. Este término se utiliza más frecuentemente en las obligaciones a largo plazo, como la deuda pública. | Reducción del valor atribuido a la propiedad, maquinaria y mercaderías comprendidas en un inventario o balance, a medida que pierden utilidad, pasa el tiempo o deben ser renovadas. Su depreciación. | Vinculación de bienes en determinadas personas o corporaciones.

Amortización de las acciones
En las sociedades anónimas o comanditarias por *acciones*, operación que consiste en adquirir, mediante canje por *acciones de goce*, o por dinero, las representativas del capital social. Según las fluctuaciones de la cotización o las convenciones, la *amortización* puede efectuarse a la par, por encima de ello o por debajo de tal tipo, con arreglo a la relación con el valor nominal del título.

Amovible
Se dice del empleo que no es fijo, como también de la persona que puede ser removida o destituida de él por la sola voluntad de quien se lo confirió, o por la autoridad que tiene o se arroga tales atribuciones.

Amparo
Defensa y defensor. | Valimiento, protección, favor. | En lenguaje de jerga, letrado o procurador que ampara o favorece a un preso. | Institución que tiene su ámbito dentro de las normas del Derecho Político o Constitucional y que va encaminada a proteger la libertad individual o patrimonial de las personas cuando han sido desconocidas o atropelladas por una autoridad —cualquiera que sea su índole— que actúa fuera de sus atribuciones legales o excediéndose en ellas, generalmente vulnerando las garantías establecidas en la Constitución o los derechos que ella protege. (V. HÁBEAS CORPUS, JUICIO DE AMPARO, RECURSO DE AMPARO.)

Ampliación
La acción y el efecto de *ampliar*. Cabe pedir la *ampliación* de embargo cuando los bienes embargados no son suficientes para cubrir la responsabilidad del deudor, o aparecen nuevos bienes de éste. (V. EMBARGO.)

Ampliación de la demanda
Petición judicial y escrito en que se concreta, por los cuales el demandante reclama más derechos, bienes o dinero, por la misma causa expuesta en la *demanda* (v.) inicial o por otra distinta, contra el mismo demandado, y siempre que la sustanciación de ambas pretensiones pueda realizarse simultáneamente ante el mismo juzgador.

Ampliación de sentencia
Pronunciamiento complementario que efectúa el juez, en relación con algún punto que hubiere sido objeto del juicio y que no hubiere sido tratado en la sentencia, o lo hubiere sido insuficientemente.

Analogía
Semejanza entre cosas o ideas distintas, cuya aplicación se admite en Derecho para regular, mediante un caso previsto en la ley, otro que, siéndolo semejante, se ha omitido considerar en aquélla. El argumento de *analogía* se llama también *a simili*. | **JURÍDICA**. La resolución de un caso o la interpretación de una norma fundándose en el espíritu de un ordenamiento positivo o en los principios generales del Derecho.

Anarquía
Desorden y perturbación de un Estado por debilidad, falta o supresión de la autoridad. | Forma social sin gobierno alguno.

Anatocismo
La acumulación y reunión de intereses con la suma principal, para formar con aquéllos y ésta

un capital que, a su vez, produzca interés. El *anatocismo*, por contrario a la moral, a las leyes y al orden público, está prohibido.

Anexión

Acción o efecto de anexar. En especial, incorporación de un territorio a otro Estado, sea por medios pacíficos o violentos. | Establecimiento de una dependencia, subordinación o vínculo accesorio. | Traspaso de una ciudad o comarca de una jurisdicción administrativa a otra.

Ánimo

Espíritu, alma. | Valor o esfuerzo. | Intención, voluntad. Así, se dice *ánimo de lucro* a la intención de lucrarse, característica de los delitos de robo y hurto. (V. CULPA, DOLO, IMPUTABILIDAD.)

"Animus"

Voz lat. Significa ánimo, y sus sinónimos son intención, voluntad.

Anónima

Se llama así, en el comercio, a la sociedad o compañía que no tiene razón social. Se denomina en esta forma por cuanto no se designa con el nombre de los socios. (V. SOCIEDAD ANÓNIMA.)

Anónimo

Se dice del escrito sin firma, o con firma desconocida, que tiene por objeto amenazar, insultar, inculpar, delatar o acusar a alguna persona. | Libelo infamatorio, escrito o en prosa o en verso, sin nombre del autor. | Secreto que acerca de su nombre guarda un autor, u ocultación de aquél en obra buena o mala. (V. OBRA ANÓNIMA.)

Anotación

Acción y efecto de anotar. | Nota, apunte. | Inscripción, registro. Dentro del Derecho Hipotecario, tanto como *anotación preventiva*.

Anotación de litis

Medida cautelar consistente en la anotación, en los registros respectivos, de la existencia de una demanda o acción procesal respecto del inmueble o bien registrable en relación con el cual se efectúa la anotación.

Anotación preventiva

El asiento temporal y provisional de un título en el Registro de la Propiedad, como garantía precautoria de un derecho o de una futura inscripción. | Para Couture es la constancia o inscripción puesta por escribano o funcionario público en un título, escrito, copia, etc., para aclarar su origen, documentar su presentación, modificar su alcance.

Ante diem

Loc. lat. y esp. "Un día antes" o antes de un día determinado.

Ante meridiem

Loc. lat. y esp. Antes del mediodía.

Ante mí

Antefirma que deben poner los escribanos o notarios, así como los actuarios y secretarios, en las resoluciones donde intervengan, principalmente en las de carácter judicial, y en las certificaciones o testimonios que expidan. Indica que el acto se ha realizado ante el funcionario autorizante.

Antecedentes penales

Reunión de datos relativos a una persona en los que se hace constar la existencia (o también la inexistencia) de hechos delictivos atribuibles a ella y que se aportan a los autos de un juicio criminal para determinar la mayor o menor responsabilidad del inculpado, en caso de ser condenado en el delito que se le imputa. Sirven concretamente para conocer la existencia de las circunstancias agravantes de *reincidencia y reiteración* (v.) en el delito. Inclusive pueden servir para que, como medida de seguridad, se imponga al culpable una reclusión por tiempo indeterminado.

Antedata

Fecha anticipada de algún escrito; el acto y el hecho de suponerlo realizado en día anterior al realmente redactado y, sobre todo, firmado.

Anteproyecto

Trabajos preliminares para redactar el proyecto de una obra. | Estudio de la posibilidad y conveniencia del propósito, que luego se proyecta definitivamente y con detenimiento.

Anticipación

Producción voluntaria o provocada de un hecho antes de su tiempo normal o señalado. | Fijación de un acto en fecha más próxima que la anunciada o prevista primeramente. | Pago antes del tiempo convenido. | Cobro adelantado. | Preferencia. | Anteposición. | Adelantamiento a otro en la ocupación de una cosa, en el ejercicio de un derecho, en una petición, en un cortejo o seducción (*Dic. Der. Usual*). (V. ANTICIPO.)

Anticipo
En general, sinónimo de *anticipación* (v.). | Dinero que se abona antes del vencimiento, como el pago de parte de un sueldo en fecha adelantada. | Pago parcial a cuenta de otro mayor o como señal, y previo a la recepción o uso de lo que se adquiere (L. Alcalá-Zamora).

Anticonstitucional
Contrario a la Constitución que rija, y por ello invalidador de leyes y otras disposiciones así dictadas. La impugnación por tal vicio se encomienda, según los países, a los jueces ordinarios o al más alto tribunal.

Anticresis
Como bien se ha dicho, la *anticresis* es vocablo compuesto de dos palabras griegas, que significan *contra* y *uso*, respectivamente. En efecto, en este contrato existe un verdadero uso; ya que, mientras el acreedor disfruta de la cosa del deudor, apropiándose sus frutos, éste, en cambio, disfruta o se sirve del dinero de aquél, por cuya razón se la ha llamado tambien contrato de *gozar y gozar*.

Antijuridicidad
Elemento esencial del delito, cuya fórmula es el valor que se concede al fin perseguido por la acción criminal en contradicción con aquel otro garantizado por el Derecho.

Antinomia
Palabra griega, compuesta de *anti*, contra, y de *nomos*, ley. Es, pues, la contradicción real o aparente entre dos leyes, o entre dos pasajes de una misma ley.

Antropología
Ciencia que estudia al hombre como individuo, en su conjunto de elementos físico-morales; y también como grupo, o especie dentro de la escala zoológica. Constituye, por tanto, la ciencia del hombre.

Anual
Que se produce una vez por año, como la mayoría de las cosechas. | Que dura un año. Es lapso frecuente en el Derecho.

Anualidad
Cantidad que se paga o se cobra por años. | Renta censal que se abona una vez por año.

Anulación
La invalidación, abolición o abrogación de algún tratado, privilegio, testamento o contrato, que queda sin ningún valor o fuerza, siempre que tenga competencia para hacerlo quien así lo declare; pues, en caso contrario, la disposición anuladora carecería de efecto.

Año
Tiempo que los planetas tardan en volver al mismo punto de su órbita, medida para distinguir los tiempos. | Período de doce meses a contar desde el 1º de enero hasta el 31 de diciembre, ambos inclusive. | Lapso cualquiera de 12 meses, o 365 días seguidos. | La entera revolución de la Tierra alrededor del Sol. | JUDICIAL. Lapso durante el cual están en actividad los tribunales de justicia.

Aparcería
Significa *a partes*; y es el trato de los que van a la parte, principalmente en la administración de tierras y cría de ganados. El contrato de *aparcería* viene a ser una especie de sociedad, donde uno pone la cosa y otro, la industria para obtener una ganancia común.

Aparejada ejecución
Indica la condición de ciertos documentos que permiten utilizar la vía ejecutiva y conseguir el cumplimiento de las obligaciones contenidas en aquéllos.

Apelable
Se dice de la sentencia que admite *apelación* (v.). También, de los autos y providencias, cuando sean susceptibles de apelación ante tribunal superior.

Apelación
Recurso que la parte, cuando se considera agraviada por la resolución de un juez o tribunal, eleva a una autoridad judicial superior; para que, con el consentimiento de la cuestión debatida, revoque, modifique o anule la resolución apelada. Pueden apelar, por lo general, ambas partes litigantes.

El que interpone la *apelación* se llama *apelante*; y *apelado* se denomina al litigante vencedor, contra el cual se apela. | CON EFECTO DEVOLUTIVO Y SUSPENSIVO. La apelación legítimamente interpuesta, dice Escriche, suspende la jurisdicción del juez de primera instancia, y devuelve o transfiere la causa al juez o tribunal superior. Por eso se dice que la *apelación* tiene dos efectos: uno suspensivo y otro devolutivo.

Apelación en relación
Variante del recurso de apelación en la que tal recurso se fundamenta ante el juez inferior,

conociendo el tribunal superior la apelación mediante el expediente que se eleva con las actuaciones del inferior.

Apelación libre
Variante del recurso de apelación, normalmente aplicable en el caso de las sentencias definitivas, en virtud de la cual el recurso se interpone ante el tribunal inferior y se fundamenta mediante expresión de agravios ante el tribunal superior. Se contrapone a la *apelación en relación.*

Apelar
Recurrir al tribunal superior, el litigante agraviado, para que anule, revoque, atenúe o modifique la sentencia del inferior.

Apellido
Nombre de familia que sirve para distinguir a las personas. | Sobrenombre con que los individuos de una casa, familia o linaje, se distinguen de los de otras.

Apercibimiento
Requerimiento hecho por el juez, para que uno ejecute lo que le manda o tiene mandado, o para que proceda como debe conminándolo con multa, pena o castigo si no lo hiciere. (V. AMONESTACIÓN, REPRESIÓN.) | Corrección disciplinaria, verbal o escrita, en que la autoridad o el superior señala una actitud indebida, excita a proceder en forma y previene, más o menos expresamente, que la insistencia en la falta o la repetición acarreará una sanción mayor. (V. CORRECCIÓN.)

Apersonarse
Presentarse como parte, en asunto judicial o también en negocio jurídico, quien por sí, o por otro, tiene interés en éste. Se usa generalmente en la América española en lugar de *comparecer* (v.).

Apertura
Acción y efecto de abrir. En Derecho se habla de *apertura* de los testamentos cerrados, de los tribunales, del juicio oral, del juicio por jurados, y de la causa a prueba. (V. JUICIO.)

Apertura a prueba
Acto procesal en virtud del cual el tribunal de la causa procede a dar inicio al período en el que las partes pueden ofrecer y producir las pruebas que hagan a sus respectivas pretensiones. La apertura a prueba tiene lugar cuando existen hechos controvertidos y se contrapone a las situaciones en que el litigio se declara como de puro derecho.

Aplazamiento
Citación para lugar y tiempo concretos. | Señalamiento de un nuevo plazo. | Suspensión de acto no empezado y fijación de nueva fecha. | Cesación en una actividad, para proseguirla ulteriormente.

Aplicación de la ley
Ante desconocimiento u oposición, función específica de los jueces a efectos de proteger las relaciones humanas, tratando de conseguir que se desenvuelvan conforme a las normas del Derecho. Es el acto de subsumir el caso concreto, debatido o planteado judicialmente, en el precepto legal que lo comprende.

Apócrifo
Supuesto. | Fingido o imitado. | Falso.

Apoderado
Quien tiene poder para representar a otro en juicio o fuera de él. (V. MANDATARIO, PODER, PROCURADOR, REPRESENTANTE.)

Apología del delito
Elogio, solidaridad pública o glorificación de un hecho delictivo o de su autor a causa de él.

Aportación
Acción o efecto de aportar. | Cantidad o bien aportado. | Los descuentos en sueldos o salarios constituyen asimismo *aportación* para ciertos fines, como el retiro o la jubilación.

Aporte
En sentido general, el hecho de contribuir con determinados bienes, especialmente dinero, a la formación de un fondo destinado a atender las necesidades para las que fue creado. | Corrientemente se llaman *aportes* los bienes, incluso el trabajo personal, con que contribuyen a formar una sociedad los socios que la integran. | Asimismo, las contribuciones que hacen los afiliados y, en su caso, los patronos a las instituciones de previsión social.

Apostasía
Palabra griega que significa *deserción*, abandono de la fe de Jesucristo, recibida y profesada en el bautismo.

Aprehensión
Acción o efecto de aprehender. | Asimiento material de una cosa. | Apropiación. | Detención o captura de acusado o perseguido.

Apremiar
Compeler, dar prisa. | Material o moralmente, oprimir, apretar, forzar. | Obligar la autoridad judicial, mediante formal mandamiento, a ejecutar o cumplir algo. | Recargar los impuestos por retraso en pagarlos. | Instar una parte a que la otra actúe en el juicio.

Apremio
Acción y efecto de apremiar. | Mandamiento del juez, en fuerza del cual se compele a uno a que haga o cumpla alguna cosa. | Recargo contributivo, por demora en pagar los impuestos. | Auto o mandamiento judicial para que una de las partes devuelva sin dilación los autos. | Tormentos menores para arrancar la confesión; como los grillos, la cadena al pie del reo, esposas a brazos vueltos y la prensa aplicada a los pulgares. En España tal *apremio* fue prohibido por diversas disposiciones.

Aprendiz
La persona que se instruye en un arte u oficio determinado; ya sea practicando con un maestro o experto en tales *artes u oficios*, o concurriendo a escuelas de esa denominación.

Apropiación
Adquisición de cosas ajenas o de nadie por acto unilateral del adquirente. En Derecho Civil es uno de los modos de adquirir el dominio de las cosas muebles sin dueño o abandonadas por éste, mediante la correspondiente *aprehensión* (v.) efectuada por quien tenga capacidad para adquirir.

Aptitud
Idoneidad, disposición, suficiencia. | En ciertos casos, la capacidad de obrar, de efectuar por sí determinados actos, desempeñar un cargo o realizar alguna cosa. (V. CAPACIDAD.)

Apuesta
Convención por la cual dos personas, disputando sobre una cosa o un hecho dudoso, estipulan entre sí que, quien resultare no tener razón, entregará al otro cierta cantidad u objeto determinado. También se denomina *apuesta* la cantidad o cosa destinada al ganador.

Apuntamiento
Relación sucinta, ordenada y expositiva de unos autos, ya sean civiles o criminales. Se dice también *extracto*. Este resumen lo forman los secretarios de sala o los relatores de los tribunales.

Arancel
Valorización o tasa; ley o norma. | Tarifa oficial que establece los derechos que han de pagarse por diversos actos o servicios administrativos o profesionales; como las costas judiciales, aduanas, ferrocarriles.

Arbitraje
La acción o facultad de arbitrar y el juicio arbitral. | Toda decisión dictada por un tercero, con autoridad para ello, en una cuestión o un asunto.

Arbitrio
Facultad de resolver eligiendo entre varias decisiones posibles. | Potestad, poder, autoridad para obrar. | Voluntad meramente caprichosa o apasionada. | Sentencia arbitral. (V. ARBITRAJE, ÁRBITRO, POTESTAD.) | **DEL JUEZ.** La facultad que tiene el juez para decidir por sí los casos omitidos o no resueltos claramente por las leyes. (V. ARBITRIO JUDICIAL.) | **JUDICIAL.** La ley 10, del tít. XXVII, de la Part. II, decía que *arbitrio* o *"albedrío* quiere tanto decir como asmamiento —(comparación o estimación)— que deben los hombres haber sobre las cosas que son dudosas y no ciertas, por que cada una venga a su derecho y así como proviene". Por tanto, el *arbitrio judicial* es la facultad discrecional que se concede al juez para decidir, cual si fuera legislador, en los casos no resueltos por la ley o en ella contenidos de manera dudosa.

Árbitro
Juez nombrado por las mismas partes, para decidir una diferencia o un asunto litigioso entre ellas.

Árbol genealógico
La descripción figurada, en forma de árbol, donde se muestra la ascendencia o descendencia, o ambas a la vez, de una familia, con objeto de poner a la vista las relaciones de origen y parentesco de ciertas personas, para arreglo de sucesiones, matrimonios y títulos nobiliarios. (V. FAMILIA, LÍNEA, TRONCO.)

Argumentación
Acción de argumentar, también, el propio argumento.

Aristocracia
Procede del griego *aristos*, óptimo, y *eratos*, poder. Puede definirse, en cuanto sistema político, como el gobierno de los mejores, según la

expresión de Aristóteles, el de las personas privilegiadas por la organización social o favorecidas por la naturaleza. | Clase noble de una nación, ya sea por los títulos y honores conferidos o por pertenecer a familias que los posean.

Armador

Quien arma, avía o apresta una embarcación por su cuenta.

Armamento

La provisión de cuanto se necesita para la subsistencia, seguridad y maniobra de una nave. | Todo lo necesario para la tropa o la guerra.

Armisticio

Del lat. *armis*, armas; *statio*, parada o detención. El acuerdo pactado entre beligerantes por el cual se suspende el empleo hostil de las armas.

Arqueo de buques

La medida de la capacidad del buque o de alguna embarcación, con objeto de deducir su tonelaje.

Arraigar

Dar el demandado o el reo fianza suficiente de la responsabilidad civil o criminal del juicio. Se utiliza normalmente la expresión *arraigo* o *arraigar en juicio* para referirse al aseguramiento de las resultas de éste. Se da en los casos en que hay peligro de que, por insolvencia, resulte ilusorio el derecho de una de las partes.

Arraigarse

Establecerse de asiento en algún lugar, adquiriendo en él bienes raíces con que vivir, o con ánimo de domiciliarse en él. | Afirmarse un uso o costumbre.

Arras

Lo que se da en prenda o seguridad del cumplimiento de un contrato. | Se usa también en los contratos matrimoniales, como señal de los esponsales contraídos y en prenda del futuro matrimonio. | Asimismo, la donación que el hombre hace a la mujer para seguridad de la dote o como remuneración de ella. No puede exceder de la décima parte de los bienes presentes.

Arrebato

Furor, enajenamiento causado por el ímpetu de alguna pasión, sobre todo por la ira o un impulso vengativo.

Arrendador

La persona que da en arrendamiento alguna cosa propia de este contrato.

Arrendamiento o arriendo

La acción de arrendar. | Contrato por el que se arrienda. | Precio de éste, llamado también *renta* o *alquiler*. | El art. 1.493 del Cód. Civ. arg. define el *arrendamiento* o *locación* en la siguiente forma: "Habrá locación cuando dos partes se obliguen recíprocamente, la una a conceder el uso o goce de una cosa, o a ejecutar una obra, o prestar un servicio; y la otra, a pagar por este uso, goce, obra o servicio, un precio determinado en dinero". "El que paga el precio se llama en este Código, *locatario, arrendatario* o *inquilino*, y el que lo recibe, *locador* o *arrendador*. El precio se llama también *arrendamiento* o *alquiler*". | **DE COSAS**. El contrato en que una de las partes se obliga a dar a la otra el goce o uso de una cosa por tiempo determinado y precio cierto, dice el art. 1.543 del Cód. Civ. esp. | **DE OBRA**. Contrato por el cual una de las partes se obliga a ejecutar una obra por precio cierto (art. 1.544 del Cód. Civ. esp.). Este contrato se denomina también *de ejecución de obras* y *contrato de empresa*. | **DE SERVICIOS**. Contrato por el cual una de las partes se obliga a prestar a la otra un servicio por precio cierto (art. 1.544 del Cód. Civ. esp.). | **RÚSTICO**. Contrato por el cual una de las partes cede a otra voluntariamente el disfrute de una finca rústica o de alguno de sus aprovechamientos, mediante precio, canon o renta; ya sea en metálico, ya en especie, ya en ambas cosas a la vez, con el fin de dedicarla a la explotación agrícola, forestal o ganadera. | **URBANO**. Contrato por el cual una parte cede a otra voluntariamente el goce o uso de una finca urbana, por tiempo determinado, o no, y precio cierto.

Arrendatario

El que toma una cosa en *arrendamiento* (v.).

Arrepentimiento

Pesar por haber obrado de forma que luego uno mismo desaprueba, o por haberse abstenido cuando cabía opción mejor. | La separación de la voluntad de algún hecho o acto.

Arresto

Detención provisional del presunto reo. | Reclusión por tiempo breve como corrección o pena.

Fuera del ámbito del Derecho Penal, se alude al *arresto* en el art. 18 de la Constitución Nacional argentina, cuando se señala que nadie puede ser objeto de tal medida sino en virtud de orden escrita de autoridad competente.

Con referencia al Derecho Procesal, es el acto ejecutado por autoridad competente de aprehender a una persona de la que se sospeche que haya cometido un delito o contravención, y retenerla detenida por breve tiempo, hasta que intervenga el juez que ha de entender en el asunto. En definitiva, el *arresto* equivale a lo que otras legislaciones, entre ellas la argentina, denominan *detención* (v.).

Arrogación

En Roma, se denominaba así la adopción de personas *sui juris*. Era el acto de prohijar, o recibir como propio, al hijo ajeno que no estaba bajo la patria potestad, por haber salido de ella o por no tener padre.

Arrogarse

Atribuirse o apropiarse algo inmaterial; así, facultades, funciones. Se dice comúnmente de los jueces que usurpan la jurisdicción de otro.

Artesano

Profesional que trabaja en su propia casa, en la de su familia o en sus alrededores, y dedicado particularmente a la venta del producto de su propio trabajo.

Articulado

Conjunto o serie de artículos de una ley o reglamento. | Totalidad de los artículos de un escrito forense, de los medios de prueba propuestos por un litigante. | Más especialmente, preguntas a tenor de las cuales deben ser examinados los testigos propuestos por las partes.

Artículo

Del latín *articulus* y, a su vez, del griego *arthron*, que significa juntura natural de los huesos. Escriche da las siguientes acepciones de esta palabra: 1ª cualquiera de las preguntas de que se compone un interrogatorio; 2ª la excepción previa y dilatoria que opone alguna de las partes para estorbar el curso de la causa principal; 3ª cada una de las disposiciones o puntos convenidos en los tratados de paz o capitulaciones de plaza; 4ª cada una de las partes o puntos en que se divide una ley, un derecho, un libro; 5ª en los diccionarios, cualquier voz o acepción que se define separadamente. Cabe agregar, en Derecho Mercantil, mercadería o cosa objeto de comercio. | **DE PREVIO Y ESPECIAL PRONUNCIAMIENTO**. Toda cuestión incidental planteada en un pleito y que debe decidirse por el juez antes de pasar adelante en el asunto principal. | **MORTIS (IN)**. En el artículo de la muerte. Esta expresión, en el tecnicismo jurídico, se aplica para indicar aquellos actos realizados cuando una de las partes se encuentra en peligro de muerte o en inminente riesgo de vida. Se trata de modo especial de matrimonios por motivos de coincidencia, sentimentales o de conveniencia. (V. MATRIMONIO IN ARTÍCULO MORTIS.)

Asalariado

El trabajador que vive del salario que percibe; o sea, todo aquel que está sometido al régimen del salario y precisa de éste para subsistir. (V. OBRERO, SALARIADO, TRABAJADOR.)

Asalto

Robo a mano armada. En especial, el que se lleva a cabo contra bancos u otras empresas y comercios importantes.

Asamblea

Reunión de muchas personas para algún fin. | La importancia jurídica del vocablo está relacionada con el Derecho Político, ya que significa también cuerpo político deliberante. En unos países se llama así el órgano del Poder Legislativo cuando es unicameral, y en otros, de régimen bicameral, la reunión de las dos Cámaras legislativas cuando actúan conjuntamente.

Asamblea de accionistas

Deliberación colectiva de los accionistas de una sociedad anónima o en comandita por acciones, que tiene a su cargo el gobierno de tales sociedades.

Ascendientes

En relación con una persona, sus antepasados en las líneas rectas masculina y femenina, tanto por parte de padre como de madre.

Asegurado

La persona que, mediante el pago de una cantidad denominada *prima*, adquiere el derecho a que otro le responda de las pérdidas y daños que se produzcan en las cosas objeto de un contrato de seguro.

Asegurador

El que, mediante un interés o premio que percibe periódicamente o de una sola vez, se obliga a responder a otra persona del daño que pueden causarle ciertos casos fortuitos a que se encuentran expuestos sus bienes o su persona.

Aseguramiento de bienes litigiosos

Si por *aseguramiento* se entiende lo que sirve de salvaguardia, garantía o preservación, el *aseguramiento de bienes litigiosos* consiste en la adopción de medidas, por los jueces o tribunales, para efectividad del fallo eventual, para impedir daños o fraudes, principalmente en industrias, minas y árboles. Las resoluciones que se dictan no poseen carácter definitivo, sino provisional.

Asentimiento

Consentimiento que se presta para ejecutar un acto o para la celebración de un contrato. El *asentimiento* es posterior a una iniciativa ajena; en realidad es adherirse uno a la opinión manifestada por otro. | Asenso; conformidad con lo afirmado por otra persona. | Aceptación; aprobación.

Asesinar

Matar con maldad extrema: a traición o alevosamente; mediante precio; con premeditación o con ensañamiento; valiéndose de inundación, incendio o veneno.

Asesinato

Acción y efecto de asesinar; esto es, de matar con grave perversidad, con alguna de las circunstancias que califican este delito en los códigos penales.

Asesor

El letrado que acompaña a un juez o a un tribunal lego para proveer y sentenciar en las cosas de justicia. Subsiste en ciertos tribunales militares y de trabajo. | El que ilustra o aconseja a persona lega en una determinada materia.

Asiento

Sitio en que está o estuvo algún pueblo. | En las Indias, población, territorio de minas. | Anotación, inscripción, toma de razón en un registro. | Apuntamiento. | Lugar en un tribunal o junta. | Tratado, ajuste de paces. | Contrato para suministrar víveres a una tropa, a una institución de beneficencia.

Asilo

Del latín *asylum*, tomado a su vez del griego; significa refugio sagrado, lugar inviolable

Asistencia

Concurrencia a un lugar. | Presencia actual en un punto. | Socorro, favor, ayuda. | **A LA VEJEZ.** Beneficio que se concede a los ancianos, a partir de cierto número de años, cuando se encuentran desamparados total o parcialmente. | **MÉDICA.** El cuidado que procura un médico o un cirujano. Se comprende dentro del concepto legal de *alimentos* (v.). | **PÚBLICA.** La organización benéfica destinada a asegurar ciertos servicios sociales por parte de entidades que sean de Derecho Público.

Asociación

Acción y efecto de aunar actividades o esfuerzos. | Colaboración. | Unión. | Junta. | Reunión. | Compañía. | Sociedad. | Relación que une a los hombres en grupos y entidades organizadas; donde al simple contacto, conocimiento o coincidencia, se agrega un propósito, más o menos duradero, de proceder unidos para uno o más objetos. | Entidad que, con estructura administrativa, persigue un fin común. | Económicamente, la organización que explota cosas o empresas, desde las *asociaciones* rudimentarias de artesanos y las familiares hasta las colosales empresas en que se produce una escisión notoria entre los gestores o gerentes (con todas las iniciativas y responsabilidades de la administración en el sentido más amplio, incluso la enajenación de bienes sociales y la potestad de conferir su representación) y los propietarios, que se concretan a aportar su capital y a cobrar los dividendos o utilidades que correspondan. | **CIVIL.** Conjunto de los asociados para un mismo fin y persona jurídica por ellos formada. Ramírez Gronda afirma que la *asociación* se diferencia de la *sociedad* en que aquélla no tiene en vista la obtención de beneficios pecuniarios, aunque los persiga de otro orden, mientras que ésta se constituye para obtener beneficios pecuniarios. Por regla general, los fines de las *asociaciones* son culturales, científicos, recreativos o deportivos. | **CRIMINAL.** Pareja, cuadrilla, grupo u organización que concibe, prepara, ejecuta o ampara hechos delictivos. | **ILÍCITA.** La constituida por varias personas cuando está prohibida por la ley, por razón de los fines que se proponen quienes la constituyen.

Asociado

Se dice del que acompaña a otro con igual carácter en alguna comisión o encargo. | Miembro de una asociación o sociedad. (V. SOCIO.)

Asonada

Reunión de numerosas personas con objeto de alterar el orden público y para conseguir violentamente un fin, por lo general de carácter político.

"Astreinte"

Voz francesa, que significa una condena conminatoria o compulsiva. En la definición de Planiol y Ripert, es tanto como la condena pecuniaria, impuesta a título conminatorio, y por medio de un constreñimiento provisional, a razón de tanto por día de retraso (o por cualquier otra unidad de tiempo apropiada a las circunstancias), y destinada a obtener del deudor la efectividad de una obligación de hacer y, en ciertos casos, de una obligación de dar, con la amenaza de una pena considerable, susceptible de aumentar indefinidamente.

Astucia

Ardid para lograr un fin. | Habilidad para engañar.

Asumir

Tomar posesión de puesto, cargo o empleo. | Iniciar el ejercicio de funciones públicas importantes.

Asunción

Acción y efecto de *asumir* (v.). | Promoción, designación o elección para los principales cargos o dignidades, como el pontificado o la jefatura estatal. | Transmisión de crédito o deuda, sin considerar que exista novación. (V. REASUNCIÓN.)

Atentado

Todo ataque dirigido contra una persona, sus derechos o bienes. | Agresión. | Amenaza. | Abuso. | Delito o exceso al ejecutar algo contra lo dispuesto en las leyes. Se habla así de *atentado contra la libertad individual*, como al practicar una *detención ilegal*; de *atentado contra el orden establecido*, al rebelarse contra él, al conspirar contra éste u ofender a sus representantes, a la autoridad en general; de *atentados contra el pudor*, como toda la escala, dirigida especialmente por el hombre contra la voluntad de la mujer, o con abuso de su inexperiencia o debilidad, que abarca desde el simple *abuso contra la honestidad* y el *abuso deshonesto* (especies distintas) hasta los delitos severamente castigados de *incesto, estupro* y *violación* (v.). | Más específicamente, el delito de emplear vías de hecho contra la autoridad o sus agentes, por *desobediencia, desacato* o *resistencia* a una u otros, que integran las formas leves, o la *sedición* o *rebelión*, que constituyen los casos más graves. (V. las principales voces cit.) | Abuso cometido por la autoridad.

Atentado contra la autoridad

Delito contra la administración pública, consistente en emplear fuerza o intimidación contra un funcionario público para imponerle la ejecución u omisión de un acto propio de sus funciones.

Atenuante

La circunstancia que disminuye la gravedad de un delito. (V. CIRCUNSTANCIAS ATENUANTES.)

Atestación

Declaración, deposición de testigo.

Atestado

Instrumento o documento oficial en que la autoridad o sus agentes hacen constar la certeza de alguna cosa; por lo general, una infracción o un accidente.

Atestiguar

Acto de declarar o deponer un testigo en algún asunto judicial, sobre certeza de un hecho determinado, acerca de puntos y antecedentes que puedan esclarecer el caso.

Atipicidad

Ausencia de *tipicidad* (v.) que obsta al proceso penal o, cuando menos, a la punibilidad. | En las sociedades y otros contratos, apartamiento respecto de las figuras preestablecidas para tales contratos. (V. CONTRATO ATÍPICO.)

Atribuir jurisdicción

Extender la competencia de un juez, dándole un poder que no tiene por el título de su institución. La *atribución de jurisdicción* puede ser consentida expresa o tácitamente; lo primero, cuando ambas partes están de acuerdo en que determinado juez intervenga; y lo segundo, cuando, sabiendo que no es competente por razón de jurisdicción, ningún litigante plantea la consiguiente excepción de incompetencia. (V. COMPETENCIA, FUERO, JURISDICCIÓN.)

Aubana

Se entendía por derecho de *aubana, albana* o *albinagio* el que el soberano tenía, en algunos países, para heredar los bienes de los extranjeros que fallecieran en sus dominios sin haberse naturalizado en ellos.

Audiencia

Del verbo *audire*; significa el acto de oír un juez o tribunal a las partes, para decidir los pleitos y causas. | También se denomina *audiencia* el propio tribunal, cuando es colegiado, y el lugar donde actúa. | Distrito jurisdiccional. | Cada una de las sesiones de un tribunal. | Cada una de las fechas dedicadas a una extensa causa ante el juez o sala que ha de sentenciar. | Recepción del soberano o autoridad elevada (como ministro, embajador, jerarca de la Iglesia) para oír las peticiones que se le formulan, ser objeto de cortesía o cumplimientos, o resolver algún caso.

Auditor

De la palabra latina *auditor*, derivada del verbo *audio*, oír, atender. Es generalmente el letrado de los jueces que carecen de conocimientos exactos del Derecho.

Ausencia

No presencia en un lugar. | Alejamiento de éste. | En Derecho, la *ausencia* es la situación de quien se encuentra fuera del lugar de su domicilio, sin que se sepa su paradero, sin constar además si vive o ha muerto, y sin haber dejado representante.

Ausente

Quien no se encuentra en el lugar de referencia. | Quien no está presente donde debe. | En materia de prescripciones, el que no reside en el mismo lugar; lo cual duplica por lo común el plazo prescriptivo si tal *ausencia* dura sin interrupción al menos un año.

Ausentismo

Costumbre de ciertos propietarios de residir fuera del lugar donde radican sus bienes. Se han adoptado diversas medidas para combatir el *ausentismo* o absentismo pues, al separar al hombre de la tierra, provoca perjuicios a la economía.

Autarquía

Palabra de origen griego, que significa autogobierno, autonomía.

Auténtica

Copia autorizada de una orden u otro documento. | Cualquiera de las constituciones recopiladas, por orden de Justiniano, al fin del Código. Llámanse también *Auténticas* los extractos o compendios que hizo de las Novelas el jurisconsulto alemán Irnerio; y que puso en forma de notas al margen de las leyes del Código modificadas por aquéllas.

Autenticar

Autorizar o legalizar un acto o documento, revistiéndolo de ciertas formas y solemnidades, para su mayor firmeza y validez.

Autenticidad

La circunstancia o el requisito que hace auténtica alguna cosa. | Sello o carácter de verdad que la ley imprime a ciertos actos.

Auténtico

Lo acreditado de modo verdadero, cierto y positivo. | Lo autorizado o legalizado de modo que haga fe pública. | El documento que, por sus circunstancias, debe ser creído. | En otros tiempos se llamaba *auténticos* a los bienes sujetos a un gravamen o carga.

Auto

Decreto judicial dado en alguna causa civil o criminal. Expresa Escriche que el juez dirige el orden del proceso con sus *autos interlocutorios* o providencias, y decide la cuestión principal por medio de su sentencia o *auto definitivo*. | **ACORDADO.** Se denomina así la determinación que toma un tribunal supremo con asistencia de los miembros de todas sus salas. (V. ACORDADA.) | **APELABLE.** Aquel contra el cual puede interponer apelación la parte que se considere perjudicada por aquél. | **DE PRISIÓN.** La resolución judicial por la cual se ordena la detención de un presunto culpable, o se eleva a *prisión* la de un detenido, después de prestar declaración indagatoria. | **DE PROCESAMIENTO.** La resolución judicial por la cual se declara procesado al presunto culpable, teniendo en cuenta los indicios racionales de criminalidad que contra el mismo concurren. | **DE FE.** Ceremonia que, para castigo público de los penitenciados, seguía al pronunciamiento de una sentencia por el Tribunal de la Inquisición. | **DEFINITIVO.** El que tiene fuerza de sentencia, por decidir la causa o pleito, aun dictado incidentalmente. | **INTERLOCUTORIO.** El que no afecta a lo principal de una causa, por dictarse en un incidente o artículo de previo pronunciamiento. (V. AUTO DEFINITIVO.) | **PARA MEJOR PROVEER.** El dictado por los jueces, conclusos ya y terminados los autos, con objeto de practicar alguna diligencia que estiman necesaria para resolver la cuestión con mayor garantía de acierto.

Autocontrato

Contrato del representante consigo mismo.

Autocracia

Esta palabra deriva del griego, y significa fuerza propia.

Autodefensa

Amparo personal, de bienes o derechos, por uno mismo. (V. ESTADO DE NECESIDAD, LEGÍTIMA DEFENSA.)

Autodespido

Cuando el trabajador asume la iniciativa de rescindir el contrato laboral, la doctrina recurre a muy distintos tecnicismos, casos todos constitutivos de un circunloquio, por utilizar al menos dos vocablos; así, *despido indirecto* (el que prevalece, aun inconsecuente, por ser tan directa la ruptura como cuando la decide el empresario), *renuncia forzada*, *dimisión impuesta*, *dimisión provocada*, retiro forzado, retiro del trabajador, *despido del trabajador* (la más equívoca en cuanto a quién asume la iniciativa) y *alteración rescisoria del contrato de trabajo*.

Frente a tanta imprecisión, variedad y vacilaciones, Luis Alcalá-Zamora ha sugerido este neologismo de *autodespido*. El vocablo, de formación lingüística transparente, posee las ventajas de contraponerse con plenitud al de *despido* (v.) y guardar a la vez con él un nexo idiomático.

Autógrafo

Del griego *autos*, uno mismo, y *grafos*, escrito o escritura. Escrito por un mismo; escrito por mano de su mismo autor. También el original, cuando se habla de documentos manuscritos.

Autonomía

Estado y condición del pueblo que goza de entera independencia, sin estar sujeto a otras leyes que a las dictadas por él y para él. | En sentido figurado, condición del individuo que de nadie depende en ciertos aspectos. | **DE LA VOLUNTAD.** Principio fundamental para el Cód. Civ. francés y los inspirados en él (o sea todos los redactados durante el curso del siglo pasado, excepción hecha del alemán) es la *autonomía de la voluntad*, que se enfrenta al de la declaración de ésta. El principio se traduce en la norma que fija el art. 1.197 del Cód. Civ. arg.: "Las convenciones hechas en los contratos forman para las partes una regla a la cual deben someterse como a la ley misma". Es conveniente, empero, tener en cuenta lo que expresa el art. 21 del cit. cód.: "Las convenciencias particulares no pueden dejar sin efecto las leyes en cuya observancia estén interesados el orden público y las buenas costumbres".

Autonomista

Partidario de la autonomía del territorio a que él pertenece en relación con el poder central o con respecto a una metrópoli. | Partido que en su programa defiende, como aspiración fundamental, la autonomía de una colonia, región o provincia.

Autopsia

Es el examen anatómico del cadáver.

Autor

El sujeto activo del delito; y el que coopera a su realización como cómplice o autor moral. | El creador de alguna cosa. | Quien realiza una obra literaria, artística o científica. | Causa de algún hecho. | Causante o persona de quien procede el derecho de otro. | Antiguamente se dijo por actor (demandante en lo civil o acusador en lo penal).

Autor intelectual

Eufemismo o sinonimia afectada, y poco recomendable, por cuanto transparenta una jerarquización, que algunos dan al *inductor* en lo penal e incluso al *corruptor* (v.) en lo moral. (V. AUTOR MATERIAL.)

Autor material

El que perpetra efectivamente un delito, con la ejecución de los actos externos que concretan el ataque a una persona o a un bien u otra lesión jurídica punible. En especial, se habla del *autor material* en los casos de desdoblamiento o dualidad por existir un *autor intelectual* (v.).

Autoridad

El texto o las palabras que se citan de alguna ley, intérprete o autor para apoyo de lo dicho o alegado. | La potestad, poder o facultad que uno tiene para hacer alguna cosa. | Los poderes constituidos del Estado, región, provincia o municipio. | La persona revestida de algún poder, mando o magistratura. | El carácter que reviste una persona por su empleo o representación. | Crédito concedido a alguien en una materia, por sus conocimientos, calidad o fama. | Poder que una persona tiene sobre otra que le está subordinada. | **ADMINISTRATIVA.** Delegado del Poder Ejecutivo, encargado de la gestión de los actos que interesan a la administración pública para cumplimiento de sus fines, ejecutando y haciendo ejecutar las leyes y las disposiciones de la autoridad constituida. | **CONSTITUIDA.** Representante del poder público, el que en su nombre gobierna o administra, con independencia de la legitimidad de su nombramiento o procedencia. | **DE COSA JUZGADA.** La fuerza definitiva que la ley atribuye a la sentencia firme, bien por haberse dado el último recurso o por no haberse apelado de ella dentro de tiempo, o por vicios de forma en la apelación. **JUDICIAL.** El juez o tribunal competente en alguna causa o caso. | **MARITAL.** La potestad legal concedida al marido en relación con su mujer, que no establece una jerarquía dentro de la igualdad de ambos cónyuges en el matrimonio; y tendente sólo a la unidad familiar.

Autoridades
Aquellas personas que ejercen actos de mando en virtud de facultades propias.

Autorización
Facultad que damos a un sujeto para que, en nuestro nombre, haga alguna cosa. | Instrumento en que se confiere poder a cualquiera, para algún acto. | Confirmación o comprobación de alguna proposición o doctrina, con autoridad, sentencia o texto de ley o autor. | Aprobación o calificación de alguna cosa. | Consentimiento, expreso o tácito, que se otorga a cualquier persona dependiente de otra, o que se halla en la imposibilidad de gestionar en nombre propio o ajeno, con el objeto de que realice lo prohibido o imposible sin tal requisito. | Acto de dar fe o certificar en un instrumento público, en autos o expedientes, los notarios, escribanos, secretarios, etc., los hechos que ante ellos ocurren o pasan. | Licencia, permiso.

Autos
Conjunto de las diferentes piezas o partes que componen una causa criminal o pleito civil. Generalmente se da el nombre de *proceso* cuando se refiere a actuaciones en causa criminal; y el de *autos,* cuando se trata de una causa civil.

Auxiliares de la justicia
Los que colaboran, sean o no funcionarios públicos, en la administración de la justicia.

Auxilio
Del latín *auxilium,* significa ayuda, socorro, amparo y asistencia.

Auxilio judicial
Cooperación y ayuda que deben prestarse, dentro de los límites legales, los distintos órganos judiciales, inclusive los ubicados en diferentes países. En este último caso se habla de *auxilio judicial internacional.*

Aval
Dentro del comercio, el afianzamiento, dado por un tercero, para pagar una letra de cambio.

Avalar
Firmar un documento de crédito, comprometiéndose a satisfacer su valor si no lo verifica el obligado directamente a ello. | Dar o suscribir un aval político.

Avalista
El que da el aval. | El que afianza una letra de cambio o un pagaré dado por un tercero.

Avalúo
Acción y efecto de valuar; esto es, de fijar la estimación de una cosa en la moneda del país, o la indicada en el negocio de que se trate.

Avecinarse o **avecindarse**
Hacerse vecino de algún pueblo. | Establecer en él domicilio, con ánimo de permanecer en aquél. (V. DOMICILIO, RESIDENCIA.)

Avenencia
El convenio, concierto, conformidad y unión que reina entre varios sobre una cosa, y especialmente el mutuo consentimiento de las partes cuando, para evitar pleitos, se conforman al dictamen de árbitros o amigables componedores; y también, cuando transigen por sí mismas sobre el punto litigioso por la mutua cesión o dación de alguna cosa.

Avenimiento
Acción y efecto de avenir o avenirse. | Conciliación. | Mediación, transacción.

Avería
Daño en géneros o mercaderías.

Averías gruesas o **comunes**
En general, todos los daños causados deliberadamente en caso de peligro, y los sufridos como consecuencia inmediata de estos sucesos; así como los gastos hechos, en iguales circunstancias, después de las deliberaciones motivadas para la salvación de las personas del buque o del cargamento, conjunta o separadamente, desde su carga y partida hasta su vuelta y descarga.

Avocar

Atraer o llamar a sí algún juez o tribunal superior, sin provocación o apelación, la causa que se está litigando o que debe litigarse ante otro inferior.

Avulsión

Lo que la fuerza del río arranca y arrastra de un campo, en una avenida repentina, y lo lleva a otro campo inferior o a la ribera opuesta cuando sea de tanta consideración que pueda conocerse y distinguirse; ya consista en árboles, ya en alguna porción de terreno. Es una de las formas de adquirir el dominio por accesión.

Axioma

Principio, sentencia o proposición que no necesita demostración alguna por lo clara y evidente.

Axiomático

Lo que no necesita prueba, por evidente; ni admite discusión, por incontrovertible.

Ayuda

Cooperación. | Auxilio. | Asistencia. | Favorecimiento. | **MUTUA.** Auxilio o cooperación que en forma recíproca y espontánea se presta. | **PROPIA.** Legítima defensa. | Acción directa.

Ayuntamiento

Junta o reunión de personas. | Corporación contituida por el alcalde y los concejales de un municipio, para administrar y representar los intereses de éste. | Causa consistorial, donde se celebran las juntas municipales y funcionan las oficinas de igual índole. (V. MUNICIPIO.) | Acceso o cópula carnal.

Azar

Casualidad. | Caso fortuito. | Accidente o desgracia imprevista. | Llámase juego de *azar* el que depende sólo de la suerte, y no de la habilidad y destreza del jugador.

B

B

Segunda letra del abecedario español y primera de sus consonantes. En el calendario es la segunda de las siete letras dominicales y designa el lunes. | En el Derecho Romano se empleaba la letra *B* para designar los bienes.

Balance

Cuenta que, para la confrontación de los ingresos y gastos, llevan los comerciantes y también algunos particulares, y que demuestra el estado de su caudal. | Asimismo, el libro donde los comerciantes asientan sus deudas activas y pasivas. | Cuenta final por mayor, de entradas y salidas, efectuada en una casa de comercio, y que revela la situación de su activo y pasivo, es decir, su capital.

Balanza de pagos

Expresión contable de las relaciones económicas de un país con el extranjero. Tiene tres grandes rubros: la cuenta corriente, a su vez dividida en balanza de comercio o comercial y balanza de servicios, que incluyen las transacciones con mercaderías, y las compras y ventas de servicios, respectivamente; la cuenta de capitales, que incluyen los ingresos y egresos de capitales, generalmente divididos en operaciones de corto y de largo plazo, y la cuenta de oro y divisas, que refleja los movimientos en las tenencias de estos activos por parte de la autoridad monetaria.

Balotaje

Galicismo no aceptado por la Academia, no obstante existir en castellano la palabra *balota*, que es como se denominan las bolillas que en algunas comunidades se usan para las votaciones. El procedimiento es utilizado en el Derecho Electoral francés cuando uno de los candidatos no obtiene la mayoría de votos en su distrito, por lo cual se hace necesario repetir la elección entre los mismos candidatos o entre los dos que en la primera elección hayan obtenido mayor número de sufragios.

Banca

Comercio que consiste en operaciones de giro, cambio y descuento, en llevar cuentas corrientes, abrir créditos, admitir depósitos, hacer préstamos de valores o dinero, comprar y vender efectos públicos y practicar cobros, pagos y otras operaciones de crédito por cuenta ajena. | Los bancos en general. | El conjunto de banqueros. (V. BANCO.)

Bancarrota

Cesación o suspensión que hace un comerciante, u hombre de negocios, de su giro o tráfico, sin pagar sus deudas. Mercantilmente, *quiebra* o *bancarrota* son sinónimos, aunque la voz técnica sea sin duda aquélla y no ésta. La *bancarrota* se divide en *simple* y *fraudulenta*; la primera, cuando no ha tenido otra causa que la culpa o ciertas faltas del quebrado; y la segunda, cuando hay fraude o dolo por parte de éste. (V. QUIEBRA.)

Banco

En Economía, los *bancos* son establecimientos que se encargan de concentrar y regular las operaciones de crédito. | En Derecho constituyen generalmente sociedades anónimas dedicadas a realizar las múltiples operaciones comerciales originadas por el dinero y los títulos que lo representan, considerados como mercancías. Configuran, por tanto, entidades mercantiles que comercian con el dinero, intermediando entre la oferta y demanda de fondos.

Banco Central

Con este nombre o con el del país, el establecimiento bancario principal de cada Estado, con el privilegio habitual de la emisión de billetes. Por su intermedio, ya que su pertenencia y gestión corresponden plenamente al gobierno, se implanta y se desenvuelve la política financiera, monetaria y crediticia de cada país.

Por el privilegio de la emisión y sus funciones rectoras de las entidades mercantiles similares, el *banco central* se transforma en *banco de bancos*, al punto de respaldar en algunos países ciertos fondos de éstos, en especial los de ahorro y los destinados a promociones básicas. Otro de sus caracteres consiste, como *banco gubernamental*, en regir, en el ámbito internacional, los planes crediticios públicos, singularmente los empréstitos y la financiación de actividades que para la producción en lo social se consideran fundamentales. Por último, aparece como *banco internacional* no sólo por monopolizar la negociación de divisas en pueblos y tiempos de inestabilidad en la materia, sino también por gestionar con frecuencia los préstamos en el extranjero, el pago de intereses o amortizaciones que correspondan y el movimiento monetario que las importaciones y exportaciones originan, cuando este comercio está intervenido o sujeto plenamente a la función gubernamental.

Banda

Asociación de tres o más personas destinada a cometer delitos múltiples e indeterminados. Constituye circunstancia agravante el delito de robo en banda. (V. CUADRILLA.)

Bandera

Símbolo de la nacionalidad y representación de la patria.

Bandería

Parcialidad o número de gente que favorece o sigue el partido de uno.

Bandido

Fugitivo de la Justicia llamado por bando. Se denomina así al malhechor, forajido, bandolero, salteador de caminos, ladrón en cuadrilla y, principalmente, al criminal en despoblado.

Bando

Facción, parcialidad o partido de gente que, separándose del común de los demás ciudadanos, forma cuerpo aparte. | Además, disposición o mandato publicado por orden superior. Se diferencia del edicto en que este último significa anuncio o aviso. Los *bandos* pueden ser *gubernativos* o *militares*. Los primeros son dictados por la autoridad gubernativa del orden civil; y los segundos, por una autoridad militar y al frente de tropa, para que todos se enteren de la disposición. (V. EDICTO, LEY MARCIAL.)

Baratería

Fraude o engaño que se comete en compras, ventas, trueques o permutas. (V. DOLO, EVICCIÓN.) | Delito del juez que no hace justicia sino por precio. De aceptar dádiva por cometer injusticia, debe hablarse más propiamente de *cohecho* (v. y además PREVARICACIÓN.) | Desprecio o mercantilización de los valores morales; como la dignidad, la consecuencia, el honor, con actos que los degradan. | En el comercio marítimo, se entiende por *baratería* toda acción u omisión ilegal o nociva, cometida por el capitán o tripulantes de un buque en perjuicio del cargador, armador o asegurador.

Barraca

Denomínase así la casa de depósitos destinada a guardar los frutos del país, tales como cueros, lanas, etc. Puede estar autorizada para emitir *warrants* (v.) sobre ellos. Aun cuando los frutos acopiados pueden pertenecer al dueño de la *barraca*, los preceptos de algunos códigos de comercio (el argentino, p. ej.) se refieren únicamente a los acopiadores por cuenta de terceros.

Base imponible

Cifra neta que sirve para aplicar las tasas en el cálculo de un impuesto o tributo. La *base imponible* es, pues, la cantidad que ha de ser objeto del gravamen por liquidar, una vez depurada de las exenciones y deducciones legalmente autorizadas.

Bases de trabajo

Conjunto de condiciones específicas sobre jornada, horarios, remuneración, despidos, horas extraordinarias, forma de contratación y demás concordantes para regular las relaciones entre empresarios y trabajadores.

Bastantear

Reconocer el abogado, u otra persona encargada, el poder o mandato del procurador, y diciendo que es *bastante*, a los efectos de su admisión en juicio como legítimo mandatario del litigante a quien representa o para ser reconocido como apoderado en otro asunto cualquiera. (V. BASTANTEO.)

Bastanteo

Acción de bastantear, de declarar "bastante" un poder o mandato. | Sello o documento en que consta esa declaración firmada por un abogado.

Bastardo

Durante la Edad Media y parte de la Moderna se utilizó esta palabra para designar al hijo ilegítimo; o sea, al nacido fuera del matrimonio de padres que, al tiempo de la concepción o al del nacimiento, no podían casarse.

Bautismo

El primero de los sacramentos de la Iglesia, con el cual se hace cristiano quien lo recibe, que obtiene también el ser de gracia. Origina la personalidad jurídica para la Iglesia, base de los derechos y deberes de los fieles.

Beligerancia

Del latín *belligerans*: de *bellum*, guerra, y *genere*, sustentar. Situación y cualidad de una nación cuando se encuentra en guerra con otra o varias, ya luche sola o aliada con otras.

Beneficiario

Quien goza de un territorio, predio o usufructo recibido por gracia de otro superior, al cual reconoce. | Heredero que acepta a *beneficio de inventario* (v.). | Persona a quien beneficia o favorece un contrato de seguro, especialmente de los llamados *de vida* o supervivencia. En ocasiones es el mismo que paga las primas; y, por lo general, un tercero designado en la misma póliza. | En Derecho Laboral, y en relación con los accidentes del trabajo, son *beneficiarios*, en caso de incapacidad, el propio trabajador que haya padecido el infortunio; y en el supuesto de muerte, los causahabientes de la víctima.

Beneficio

En general, el bien que se hace o se recibe. | La labor o cultivo que se da a los campos, árboles y siembras. | Extracción de minerales. | Trabajo de los metales. | Utilidad, provecho. | Ganancia que logra el empresario. | Lucro en un negocio determinado. | Favorecimiento, mejora. | Obtención de un cargo valiéndose de dinero. | Cesión o endoso de valores y títulos por menos de lo que importan. | Derechos y emolumentos que, inherentes o no a un oficio, obtiene un eclesiástico. | Durante el feudalismo, acción benévola, concesión graciosa, merced. | Derecho que compete a uno por ley o privilegio. | **DE ABDICACIÓN.** Facultad que algunas legislaciones otorgan a la viuda, para que pueda renunciar a toda participación en los bienes matrimoniales. Con ello se libra de las responsabilidades patrimoniales que pueden sobrevenirle. | **DE BANDERA.** El concedido a ciertos barcos por las mercaderías que transportan. Consiste en una disminución de los derechos arancelarios. | **DE CESIÓN DE ACCIONES.** Llamado asimismo *carta de lasto*. El que se concede al fiador cuando paga lo debido por el deudor principal, para pedir al acreedor que le ceda sus acciones contra los demás cofiadores, con el fin de poder reclamar de ellos el reembolso de la parte que les corresponda. También puede exigir la *cesión de acciones* para obtener el reembolso del deudor. | **DE CESIÓN DE BIENES.** Privilegio legal concedido al deudor para abandonar todos sus bienes, con la finalidad de que así se hagan pago sus acreedores. (V. CESIÓN DE BIENES.) | **DE COMPETENCIA.** Derecho que tienen algunos deudores, por razón de parentesco, relaciones, estado, liberalidad o grado, para no ser reconvenidos u obligados a más de los que pudieran hacer o pagar después de atender a su precisa subsistencia. | **DE DELIBERAR.** Se conoce también con los nombres de *beneficio de deliberación* y de *derecho de deliberar.* Consiste en la facultad reconocida legalmente al heredero testamentario o ab intestato, para examinar y reconocer con detención si le conviene admitir o renunciar la herencia a que es llamado por ley o por la voluntad del causante, o por ambas, ya conjunta o complementariamente. | **DE EXCUSIÓN.** Expresión moderna para referirse al derecho que asiste al fiador o garante para pedir que el acreedor se dirija en primer término contra los bienes del deudor principal, cuyo embargo y venta judicial debe pedir antes de dirigirse contra el que dio caución en el negocio jurídico. | **DE INVENTARIO.** El derecho que tiene el heredero de no quedar obligado a pagar a los acreedores del difunto más de lo que importe la herencia, con tal de que haga inventario formal de los bienes en que consiste. | **DE POBREZA.** El derecho a litigar gratuitamente ante juzgados y tribunales cuando se es pobre legalmente.

| **DE RESTITUCIÓN IN ÍNTEGRUM.** V. RESTITUCIÓN IN ÍNTEGRUM. | **ECLESIÁSTICO.** Todo cargo de la Iglesia desempeñado por persona eclesiástica; desde el pontificado hasta el servicio auxiliar de una capilla. | La renta unida a un oficio o cargo de la Iglesia, constituido con autoridad del obispo y dotado de ciertas rentas.

Bicameral

Sistema parlamentario y de organización general política de un pueblo que establece la dualidad de cámaras para el ejercicio del Poder Legislativo; por lo general, una *de diputados,* elegida por sufragio popular directo; y otra *de senadores*, con métodos diversos de nombramiento y elección. Este régimen se contrapone al *unicameral,* donde una sola asamblea, soberana por tanto, ejerce la función legislativa.

Bien

Para la moral, la religión, la filosofía, la ética, el Derecho, lo perfecto, especialmente en la conducta humana. (V. MALO.) | Utilidad, conveniencia. | Beneficio, provecho. | Bienestar. | Antiguamente se dijo por hacienda o caudal, por *bienes* (v.). | Dentro del campo estrictamente jurídico, aunque cabe hablar de *un bien* mueble, inmueble o incorporal, el tecnicismo prefiere emplear el plural (*bienes*) para referirse a cuanto puede constituir objeto de un patrimonio. | **DE FAMILIA.** V. BIENES DE FAMILIA, PATRIMONIO FAMILIAR. | **PÚBLICO.** Esta expresión se utiliza para indicar aquellos intereses que, por vitales para la colectividad o pueblo, deben ser respetados por todos.

Bienes

Aquellas cosas de que los hombres se sirven y con las cuales se ayudan. | Cuantas cosas pueden ser de alguna utilidad para el hombre. Las que componen la hacienda, el caudal o la riqueza de las personas. Todos los objetos que, por útiles y apropiables, sirvan para satisfacer las necesidades humanas. | **AB INTESTATO.** Los que deja una persona cuando muere sin testamento, o con testamento nulo o ineficaz, tenga herederos legítimos o carezca de ellos. | **ABANDONADOS.** Estrictamente, los que su último dueño arroja si son muebles, o deja de visitar y cuidar si son inmuebles, como demostración de su voluntad de desprenderse de ellos, para no continuar con el dominio o posesión de aquéllos. (V. ABANDONO DE COSAS y DE DERECHOS.) | Por extensión, los que por desidia, imposibilidad física o material, otras ocupaciones absorbentes, ausencia o causa equiparable, no son cuidados; pero sin ánimo de renunciar a su propiedad. (V. GESTIÓN DE NEGOCIOS AJENOS.) | **ACCESORIOS.** Los que dependen de otros, o a ellos están adheridos. | **ACENSUADOS.** Los gravados con algún censo. Deben ser inmuebles o raíces, y fructíferos. | **ADVENTICIOS.** Los que el hijo de familia, sometido a la patria potestad, adquiere por su trabajo en algún oficio, arte o industria; y también los obtenidos por suerte, donación, legado, herencia de propios o extraños, con tal de que no le vengan por razón o causa del padre. | **ALODIALES.** Los libres de todo gravamen o prestación señorial, a diferencia de los *bienes enfeudados* o *feudos.* | **ANTIFERNALES.** Los que el marido señalaba o regalaba a la mujer en compensación de la dote que él recibía, en consideración a la esposa y para sostenimiento de las cargas materiales del matrimonio. Se les llama también, por eso, *bienes contradotales.* | **CASTRENSES.** Los que adquiere el hijo de familia en la milicia o con ocasión del servicio militar. | **COLACIONABLES.** Los sujetos a *colación*, ya por voluntad del testador, ya por mandato de la ley, con el fin de asegurar el respeto de las *legítimas,* que pueden ser burladas por *donaciones inter vivos.* | **COMUNALES.** Los pertenecientes al común de una ciudad o villa. | **COMUNES.** Los que, no siendo privativamente de ninguno en cuanto al dominio, pertenecen a todos los hombres en cuanto al uso; como el aire, la luz solar, el agua de lluvia, el mar y sus playas, etc. | También los que integran una *comunidad de bienes.* | **CONSUMIBLES.** Aquellos que no pueden servir a su destino principal sin destruirse; como los alimentos. | **CONTRACTUALES.** Los que pueden constituir objeto de los contratos. | **CORPORALES.** Los que se hallan en la esfera de nuestros sentidos. | **CUASICASTRENSES.** Los que el hijo de familia adquiere en el ejercicio de un cargo público o en el desempeño de profesión o arte liberal. | **DE ABADENGO.** Las propiedades situadas en la jurisdicción de algún abad, obispo o eclesiástico; o las pertenecientes al señorío de éste. Antiguamente estaban exentos de todos los impuestos o, al menos, de algunos. | **DE ABOLENGO.** Los que formaban el patrimonio de nuestros abuelos, y nos han venido de ellos por herencia, legado o donación; ya directamente, ya a través de nuestros padres. | **DE ABOLORIO.** Lo mismo que *bienes de abolengo* (v.), los procedentes de los antepasados. | **DE CAPELLANÍAS.** Los afectados a las cargas de ciertas iglesias o capillas, cuyo desempeño se encomienda a alguna persona. | **DE CONSUMO.** Toda cosa u objeto material destinado a satisfacer directa e inmediatamente una necesidad, conveniencia o deseo del hombre. | **DE DIFUNTOS.** En la legislación española se denominaban así los bienes de las personas nacionales o extranjeras que morían en las Provincias de Ultramar, y cuyos herederos o legatarios no se encontraban en dichas tierras. | **DE EXTRANJEROS.** Los pertenecientes a súbditos de otras naciones en relación con el territorio en que residen. | **DE FAMILIA.** Los de propiedad familiar y protegidos especialmente por la ley, que suele declararlos inalienables, imprescriptibles, inembargables e indivisibles. Tienden a constituir o a conservar un pequeño *patrimonio familiar*, que permita una explotación, por lo común agrícola, capaz de sustentar a una familia, y tendente también a lograr una casa propia. | **DE FORTUNA.** Sinónimos de bienes; o sea, caudal o riqueza. | **DE PROPIEDAD PRIVADA.** Los que integran el patrimonio de las personas; o, como decían las Partidas, los que pertenecen "señaladamente a cada hombre para poder ganar o perder el señorío de ellas" (Part. III, tít. XXVIII, ley 2ª). | **DE REALENGO.** Los bienes de los pecheros, los sujetos al pago de impuesto o contribuciones a favor de los reyes, a diferencia de los exentos de tales prestaciones; como los de la nobleza y el clero, los denominados de manos muertas. (V. BIENES DE ABADENGO.) | **DOTALES.** Las propiedades de todas clases que constituyen e integran la dote de la mujer casada. | **ECLESIÁSTICOS.** Los destinados al sostenimiento de los ministros y demás gastos del culto religioso. | **FUNGIBLES.** Aquellos bienes muebles en que cualquiera de la especie equivale a otro de la misma cantidad y en igual cantidad; como dos ejemplares de una misma edición. | **FUTUROS.** Los que no existen en el presente, como los productos industriales, naturales y civiles de las cosas; pero que se espera hayan de existir. | **GANANCIALES.** Los que adquieren por título común, lucrativo u oneroso, el marido y la mujer durante el matrimonio y mientras viven juntos. | **HEREDITARIOS.** Los adquiridos por herencia. | **IGNORADOS.** Los que nos corresponden, aun cuando no tengamos noticia o conocimiento de ellos, desde el instante de ser propietarios de aquéllos por ley, por la naturaleza o ajena voluntad. | **INALIENABLES.** Los que no se pueden enajenar, por encontrarse fuera del comercio, por existir prohibición de la ley, debido a un acuerdo de voluntades o por disposición de última voluntad. En estos dos últimos casos ha de ser con carácter temporal o condicional. | **INCORPORALES.** Los que no existen sino intelectualmente, los no tangibles ni visibles; como servidumbres, herencias y, en general, todos los derechos. | **INDIVISIBLES.** Los que se destruyen o sufren grave quebranto al ser repartidos entre varias personas. | **INDIVISOS.** Los pertenecientes a dos o más personas. | **INEMBARGABLES.** Los que no cabe embargar, por estar destinados directamente a la subsistencia y necesidades imprescindibles del deudor (como una parte de su salario o sueldo; las ropas de uso, el lecho) o por constituir sus medios de trabajo, base de su mantenimiento también, y de que pueda obtener ingresos con que saldar sus obligaciones o responsabilidades. | **INMUEBLES.** Los que no se pueden transportar de una parte a otra sin su destrucción o deterioro. | **LIBRES.** Los que no se hayan vinculado y aquellos sobre los cuales no pese carga o gravamen. | **LITIGIOSOS.** Aquellos sobre los que se ha suscitado cuestión de propiedad o posesión, y se discuten ante juez o tribunal. | **MOSTRENCOS.** Los muebles o semovientes que se encuentran perdidos o abandonados sin saberse de su dueño. Se denominan *mostrencos* por cuanto se deben *mostrar*, o poner de manifiesto, y pregonar para que pueda su dueño saber el hallazgo, y reclamarlos si no los hubiera abandonado. | **MUEBLES.** Los que sin alteración alguna pueden trasladarse de una parte a otra. | **NO CONSUMIBLES.** Los que no perecen por el uso, como una finca rústica. | **NO FUNGIBLES.** Los que tienen una individualidad; como determinado cuadro de un pintor, el manuscrito de una obra (a diferencia de los ejemplares impresos). | **NULLÍUS.** Los que a nadie pertenecen; bien porque jamás han estado en dominio de persona alguna o porque su dueño los ha abandonado, con ánimo de no recuperarlos. | **PARAFERNALES.** Los privativos de la mujer casada. | **PARTICULARES.** Los integrantes de la propiedad peculiar y exclusiva de un individuo, o los que están bajo su dominio privado. | **PATRIMONIALES.** En sí, la locución parece tautológica; puesto que los bienes integran el patrimonio de alguien o su activo. No obstante, por caprichos del lenguaje, la expresión equivalía antiguamente a los *bienes* o cosas que el hijo tenía heredadas del padre o del abuelo; lo procedente de la familia, de la ascendencia, como una modalidad, la más frecuente, de los *bienes de abolengo* (v.). | **PRESENTES.** Aquellos que se encuentran real y actualmente en el patrimonio de una persona. | **PRINCIPALES.** Los de mayor importancia, extensión o estima en la relación material o incorporal entre varios *bienes*. Los que pueden existir por sí y para sí. | **PRIVADOS DEL ESTADO.** Así se denominan en la legislación arg. los que le corresponden como de propiedad privada, los patrimoniales. | **PRO INDIVISO.** Las cosas o derechos cuya propiedad pertenece a varias personas por partes iguales o desiguales, pero sin determinación concreta de la porción del bien que a cada uno pertenece. | **PROFECTICIOS.** Los que el hijo sujeto a la patria potestad adquiere por razón del padre o con los bienes de éste. | **PROPIOS.** Los que pertenecen a una persona por su propio derecho y sin restricción alguna. | **PÚBLICOS.** Los que, en cuanto a la propiedad, pertenecen a un pueblo, provincia o nación; y, en cuanto al uso, a todos los individuos de su territorio. Se denominan también *bienes del dominio público y de la Nación.* | **RAÍCES.** Los que consisten en tierras, edificios, caminos, etc. y los derechos y acciones reales. Constituye sinónimo de *bienes inmuebles* (v.). | **RESERVABLES** o **RESERVATIVOS.** Son los que ciertas personas tienen la obligación de no enajenar y conservar con diligencia para entregar o transmitir a otra u otras. Generalmente tienen como fundamento la protección de los intereses filiales, por ser los hijos menores o casarse nuevamente el progenitor supérstite; o para evitar, donde la troncalidad rige, que las propiedades, los inmuebles especialmente, salgan de la familia de la que proceden los *bienes.* | **SECULARIZADOS.** Los eclesiásticos enajenados en virtud de la desamortización. | **SEMOVIENTES.** Las cosas que se mueven por sí mismas, como los animales. | **SOCIALES.** Los correspondientes a una sociedad mercantil o civil. | **TRONCALES.** Los que en las sucesiones, muerto sin descendencia el causante, no pasan al heredero regular, sino que buscan y requieren persona de la línea o familia de donde procedan. | **VACANTES.** Los inmuebles o raíces sin dueño conocido, o abandonados por quien lo era; razón por la cual se presume que a nadie pertenecen. | **VINCULADOS.** Los sujetos al dominio perpetuo de alguna familia o institución, con prohibición de enajenarlos.

Bigamia

De *bis*, y *gamos*, matrimonio; o sea, matrimonio doble o segundo matrimonio. Estado del hombre casado a la vez con dos mujeres; o de la mujer con dos maridos simultáneos. | En Derecho Penal, el delito que comete una persona cuando contrae nuevo matrimonio sin haber sido disuelto el anterior.

Bilateral

Lo que consta de dos lados o partes. En Derecho se aplica a los contratos en que ambas partes quedan obligadas a dar, hacer o no hacer alguna cosa, que compensa la prestación de la otra parte con mayor o menor igualdad; como en la compraventa (cosa y precio), en la permuta (cosa por cosa distinta), en la sociedad (aportación contra eventual ganancia), etcétera.

"Bill of rights"

Locución inglesa, proveniente, según unos, de la voz latina *bulla* (distintivo a manera de medalla o sello de plomo en documentos pontificios) o derivada, según otros, del bajo latín *billa* (cédula, mandamiento, rescripto), referida a toda petición hecha al rey por las Cámaras o a éstas por aquél. En el vocabulario de Derecho Político actual, *bill* es todo proyecto de ley que todavía no ha sido aprobado. Se llama *bill of rights* toda petición de derechos y, en sentido más amplio, las declaraciones de derechos y garantías determinadas constitucionalmente.

Por antonomasia, la Declaración de Derechos aprobados por el monarca inglés Guillermo III de Orange ante la presentación del Parlamento, a fines del siglo XVII.

Billete de banco

Es un documento de crédito abstracto, que no devenga intereses, por el cual el banco emisor se obliga a pagar cierta suma de dinero a la vista y al portador.

Bínubo

Del latín *bis*, dos veces, y *nubere*, casarse; o sea, la persona que ha contraído segundas nupcias.

Blasfemia

Palabra injuriosa pronunciada contra Dios, la Virgen o los santos. | Palabra gravemente injuriosa contra alguien.

Bloqueo

Interrupción, mantenida por fuerzas navales, del tráfico marítimo de una costa enemiga (de un puerto, de otra plaza, de la desembocadura de un río, de todo un litoral) con los países neutrales.

Violar el bloqueo es entrar un buque neutral en puerto o paraje bloqueado, o salir de él, sin atenerse a la prohibición y sin sufrir el rigor de la potencia bloqueadora.

Boda o **bodas**

También, casamiento, nupcias, desposorios; acto y fiesta con que se celebra el matrimonio.

Boicot o **boicoteo**

Anulación de toda relación comercial o social impuesta a una persona, industria, comercio, etc., para obligarlo a ceder o transigir.

Boleto de compraventa

En la Argentina, documento privado que incluye una promesa de venta, de efectos compulsivos cuando se redacta en la forma que previene el art. 1.185 del Cód. Civ., el cual determina: "Los contratos que, debiendo ser hechos en escritura pública, fuesen hechos por instrumento particular, firmado por las partes, o que fuesen hechos por instrumento particular en que las partes se obligasen a reducirlo a escritura pública, no quedan concluidos como tales mientras la escritura pública no se halle firmada; pero quedarán concluidos como contratos en que las partes se han obligado a hacer escritura pública". (V. CONTRATO PRELIMINAR O PREPARATORIO Y PROMESA DE CONTRATO.)

Bolsa de Comercio

Establecimiento público autorizado donde comerciantes o sus intermediarios, también los particulares, y más los agentes habilitados u oficiales, se reúnen para concertar negocios sobre mercaderías, que por lo común no están en el lugar, o para convenir determinadas operaciones mercantiles con valores públicos o cotizables y con documentos de crédito. | Conjunto de operaciones efectuadas en un día laborable en ese edificio e institución. | Situación financiera o económica que las transacciones bursátiles demuestran. | Poder y clase social de los hombres de negocios y de las empresas que negocian sus valores y mercaderías en la *bolsa*; los cuales representan casi siempre la plutocracia del paí s, las grandes empresas bancarias, industriales, las poderosas sociedades marítimas, aéreas y terrestres.

"Bona fides"

Loc. lat. Buena fe. *"Bona fide"*, por la peculiar declinación latina, significa "de buena fe".

Bono

Tarjeta, vale u otro documento, dado liberal o benéficamente, para que el portador pueda cambiarlo por dinero, comestibles y otros artículos de primera necesidad. | En algunos ensayos de colectivismo ingenuo se ha pretendido reemplazar con *bonos de trabajo* el dinero que, como retribución, debía recibir el trabajador. | En términos de comercio, bonos son los títulos de la deuda emitida por la Tesorería del Estado o de otra corporación pública o privada.

Bonos de goce

Títulos emitidos a favor de los titulares de acciones totalmente amortizadas, en las sociedades anónimas. Dan derecho a participar en las ganancias y, en caso de disolución, en el producto de la liquidación. Gozan de los derechos adicionales que el estatuto les reconozca expresamente, pero no dan a sus titulares el carácter de socios.

Botín

Despojo concedido antiguamente a los soldados en el campo o país enemigo, como recompensa de los asaltos o batallas.

Brazo

Poder y valimiento de las clases o corporaciones. (V. ESTAMENTO.) | **SECULAR, SEGLAR** o **REAL**. Se designaba así a la autoridad temporal que ejercían los tribunales y jueces civiles, en contraposición a la espiritual de los eclesiásticos.

"Brevi manu traditio"

Locución latina Tradición o entrega abreviada. Supuesta o simbólica toma de posesión por el adquirente o dueño de la cosa cuando se le enajenaba y ya la poseía por otro título; como el de usufructuario, arrendatario, depositario, acreedor pignoraticio o anticrético, etc. (V. TRADICIÓN.)

Breviario

Libro eclesiástico con el rezo de todo el año. | Epítome, resumen o compendio. | Libro de apuntamiento.

Breviario de Alarico o **de Aniano**

La compilación hispanorromana de Leyes, mandada hacer por el rey de España Alarico y refrendada por su consejero Aniano.

Buen hombre de negocios
Figura abstracta utilizada en el Derecho Comercial para evaluar el comportamiento de administradores, representantes y auxiliares del comercio. El intérprete utiliza la figura de un hipotético *buen hombre de negocios* para determinar la juridicidad de cierta conducta empresaria. Implica remitirse a los valores de probidad y diligencia compartidos por cierta comunidad o esfera empresaria.

Buen padre de familia
Expresión que, jurídicamente, se suele usar y que algunos códigos emplean para referirse al celo y cuidado con que debe atenderse a la administración o al goce de los bienes ajenos, tal como lo haría un padre diligente.

Buena conducta
Calificación policíaca acerca del comportamiento de una persona que, por sus antecedentes conocidos, merece confianza y buen nombre. La *buena conducta* es más que la carencia de antecedentes penales. Por lo general, por *buena conducta* se entiende no tener relaciones con gente del hampa o con ex presidiarios, no ser pendenciero en asuntos de vecindad o en lugares que se frecuenten, no mostrar afición excesiva a la bebida ni al juego, ni tener tratos con mujeres que reporten beneficios pecuniarios o provoquen escándalos. Por desgracia, en esta materia se atraviesa en nuestro tiempo, y de manera preponderante, la política, caso en el cual *buena conducta* significa adhesión espontánea o forzosa al gobierno imperante.

Buena fe
Rectitud, honradez, hombría de bien, buen proceder. | Creencia o persuasión personal de que aquel de quien se recibe una cosa, por título lucrativo u oneroso, es dueño legítimo de ella y puede transferir el dominio.

Buena fe contractual
La buena fe, aplicada al cumplimiento de las obligaciones contractuales. Presenta dos aspectos fundamentales: la buena fe-creencia, en cuanto conocimiento de no estar actuándose en detrimento de un interés legítimo, y la buena fe-lealtad, como intenció n de cumplir con los deberes jurídicos que resultan del contrato.

Buenas costumbres
Conformidad que debe existir entre los actos humanos y los principios de la moral.

Buenos oficios
Mediación ofrecida unilateralmente para lograr un entendimiento entre partes desavenidas o en conflicto. | De modo más estricto, el ofrecimiento espontáneo de un Estado a otro u otros, para lograr, a través de su gestión, un entendimiento amistoso en divergencias surgidas entre ellos. (V. ARBITRAJE, MEDIACIÓN.)

Bufete
Estudio o despacho de un abogado. | Clientela de éste (*Dic. Acad.*).

Bula
Esta voz, hoy exclusivamente canónica, procede de la antigua Roma, donde era medalla distintiva para los hijos de las familias nobles. Hasta que vestían la toga, la llevaban al cuello. | De ese sentido material pasó a denominación de un sello de plomo utilizado en ciertos documentos de la Santa Sede, de los que cuelga con las imágenes de San Pedro y San Pablo por uno de los lados y, por el otro, el nombre del papa que la expide. | De ahí, a su vez, pasó a significar el documento pontificio relacionado con materia de fe u otra de importancia para los fieles, en lo judicial, administrativo o en cuanto a mercedes, y que autoriza la cancillería apostólica con sello rojo.

Buque
En general, cabida o capacidad de algo. | Casco de una embarcación. | Barco con cubierta y de tamaño, solidez y fuerza adecuados para navegaciones de importancia.

Los *buques* son bienes muebles para todos los efectos, excepción hecha de las hipotecas, en que se considerarán bienes inmuebles. | **A LA CARGA.** En el Derecho Marítimo, embarcación que se encuentra esperando cargamento en un puerto. (V. FLETAMENTO.) | **DE CABOTAJE.** El dedicado a este género de navegación y comercio, entre puerto y puerto de una nación y sin alejarse mucho de la costa. (V. CABOTAJE.) | **DE GUERRA.** El construido y armado para fines de defensa nacional, seguridad del comercio de una nación o para emprender una guerra ofensiva. Sus principales clases son: acorazados, cruceros, destructores, torpederos, submarinos, guardacostas, cañoneros, etc. | **DE TRANSPORTE.** Contra su apariencia pacífica, se trata precisamente del barco mercante dedicado a fines de guerra, para conducir tropas o material bélico. | **MERCANTE.** El dedicado al transporte de personas o mercaderías. Se contrapone al de guerra.

Burgués

Natural o habitante de un *burgo* (v.). | Perteneciente al burgo. | Ciudadano de la clase media, acomodada u opulenta.

Burguesía

Cuerpo o conjunto de burgueses. | La clase media. | La clase rica y predominante luego de la Revolución Francesa.

Burlar

Engañar. | Hacer burla. | Chasquear. | Evitar, frustrar.

Burocracia

Clase social formada por los empleados públicos. | Influencia excesiva o abusiva que éstos, por su número o por su actuación, ejercen en la administración pública y que repercute en perjuicio de las actividades privadas.

Burocrático

Relativo a la burocracia. La palabra se emplea casi siempre en sentido despectivo: de lo oficinesco, del papeleo, de la tramitación lenta, rutinaria e incluso superflua.

Bursátil

Lo relativo a las *bolsas de comercio* (v.), a los valores y títulos allí negociables y a las operaciones llevadas a efecto en ellas.

"Busse"

Institución propia del antiguo Derecho germano consistente en la suma de dinero que el agraviado por un delito podía, en determinadas situaciones, reclamar al ofensor.

C

C

Tercera letra de nuestro alfabeto y segunda de las consonantes. | Se emplea en el comercio como abreviatura de *cuenta* y se combina también con otras letras como *C/a,* cuenta abierta; *C/c,* cuenta corriente; *M/c,* mi cuenta; *N/c,* nuestra cuenta; *S/c,* su cuenta. | Con una a superpuesta (C^a), significa *compañía.*

Cabecilla

Persona que se destaca en un grupo, en cuyas decisiones influye poderosamente, y a la cual se presta espontáneo y, a veces, fanático acatamiento. | Jefe de un grupo de rebeldes. | En las guerras civiles o de independencia, quien manda fuerzas contrarias a las del gobierno establecido. | Director de una banda de delincuentes.

Cabeza

Parte principal y superior del cuerpo humano. | El superior que gobierna o preside en cualquier cuerpo, comunidad o pueblo. | Principio de alguna cosa; como *cabeza* de proceso, de sentencia, de escritura, etc. | El que mueve, dirige o acaudilla algún partido o bando. Cuando se trata de rebelión o sedición, al jefe se lo denomina también *cabeza de motín* o *cabecilla.* | La persona; como cuando decimos *suceder por cabeza,* que es heredar por su propia persona, y no por representación de otra; en tanto que *suceder por troncos* consiste en suceder en lugar de los padres. | Además, juicio, capacidad. | Capital de un territorio. | Res, cada uno de los animales que componen un rebaño, manada, piara o cualquier conjunto de ganado. | Antiguamente, encabezamiento (como reparto de contribuciones); y asimismo capítulo. | **DE CASA.** El legítimo descendiente del fundador de una casa, familia o linaje, que por primogenitura es heredero universal. | **DE FAMILIA.** Jefe o persona más caracterizada entre las que habitan una casa. Al padre, o al *cabeza de familia*, corresponde la dirección, gobierno y administración de los bienes de la casa. | **DE PARTIDO.** En España, el partido es una de las divisiones del territorio en lo judicial, compuesto generalmente de varios pueblos. | **DE PROCESO.** Auto de oficio, que dicta un juez, para abrir un procedimiento criminal. | **DE SENTENCIA.** Preámbulo que precede a la sentencia, donde se mencionan los nombres de los litigantes (si es pleito civil) o el de las partes (si es causa criminal) y el objeto o asunto sobre el cual se litiga o controvierte, de modo que quede individualizado el proceso y se sepa a quiénes atañe el fallo.

Cabildo

A las reuniones del ayuntamiento, a la corporación municipal, al edificio de las casas consistoriales y al salón de sesiones se los denomina *cabildo*, como también a la junta que ejerce la autoridad municipal. | En algunos pueblos, como en ciertas partes de América, el ayuntamiento compuesto por la Justicia y los regidores. | Sociedad de socorros mutuos establecida en algunos puertos entre los matriculados, y sesión que tal gremio celebra. | En el orden religioso, el *cabildo* lo constituye el Senado o Consejo del Obispo en las catedrales. (V. AYUNTAMIENTO, MUNICIPIO.) | **ABIERTO.** Reunión del ayuntamiento, en unión de los principales vecinos de la localidad, con objeto de adoptar acuerdos sobre asuntos de importancia especial. (V. CONCEJO ABIERTO.)

Cabotaje

Navegación costera de puerto a puerto; llamada de *cabotaje* por ir de cabo en cabo, por lo general sin perderlos de vista.

Cacique

Voz de origen caribe, aplicada indistintamente a los jefes de tribu, a los príncipes indios y a los gobernadores españoles en América. | Como derivación, la palabra *cacique* significa en política el jefe cuya voluntad es ley en la región o comarca. Como producto del *cacique* surge el *caciquismo.*

Caco

Nombre procedente de la mitología griega; de *Caco,* hijo de Vulcano, que robó el ganado de Hércules, pero fue muerto por éste. Se da hoy el nombre de *caco* a todo ladrón diestro en su "oficio", en robar; y ello, como recuerdo del ardid de aquel otro mitológico que, para disimular el robo, hizo caminar al ganado al revés, con el objeto de confundir, con la falsa dirección de las huellas, a sus perseguidores. (V. HURTO, LADRÓN, ROBO.)

Cadalso

El tablado que se levanta para ejecutar la pena de muerte en los delincuentes a quienes les ha sido impuesta.

Cadáver

Restos del ser que ha perdido la vida. | Cuerpo del hombre o de la mujer que ha muerto.

Cadena

Serie de eslabones metálicos unidos entre sí. | Sujeción impuesta por un deber u obligación, por una pasión vehemente o un propósito firme. | Sucesión de acontecimientos. | En sentido forense más concreto, y según Escriche, *cadena* es el conjunto de galeotes o presidiarios que van a cumplir la pena a que han sido sentenciados, atados con grillos y con una *cadena* que rodea a doce o catorce.

Caducar

Perder su fuerza obligatoria una ley o reglamento, un testamento o un contrato, y cualquier otra disposición de carácter público o privado. | Extinguirse, por el transcurso del tiempo, un derecho, una facultad, una acción, una instancia o recurso. | Consumirse algo por el uso o el tiempo. (V. CADUCIDAD, PRESCRIBIR.)

Caducarias

En Derecho Romano se denominan *Leyes caducarias* la *"Lex Julia de maritandis ordinibus"* y la *"Lex Papia Poppaea"*, cuyo objeto fue favorecer los matrimonios y contener la inmoralidad que amenazaba a Roma.

Caducidad

Lapso que produce la pérdida o extinción de una cosa o de un derecho. | Efecto que en el vigor de una norma legal o consuetudinaria produce el transcurso del tiempo sin aplicarlas, equiparable en cierto modo a una derogación tácita. | Ineficacia de testamento, contrato u otra disposición, a causa de no tener cumplimiento dentro de determinados plazos. | Cesación del derecho a entablar o proseguir una acción o un derecho, en virtud de no haberlos ejercitado dentro de los términos para ello. | **DE LA INSTANCIA.** Presunción legal de abandono de la acción entablada o del recurso interpuesto cuando los litigantes se abstienen de gestionar la tramitación de los autos. | **DE LAS LEYES.** Se utiliza esta expresión para designar la forma de decaer o perder su vigor, por el no uso, las leyes promulgadas largo tiempo atrás.

Caduco

Lo que pierde su vigor o cae en desuso. | Ineficaz. | Perecedero o de corta duración. | Muy anciano o antiguo.

Caja de ahorros

La Academia la define como establecimiento, casi siempre benéfico, destinado a recibir cantidades pequeñas que vayan formando un capital a sus dueños, devengando réditos en su favor. Tal definición, que pudo tener sentido en épocas pasadas, no lo tiene actualmente: en primer lugar porque carece de toda idea *benéfica* y constituye un modo muy corriente de inversión del dinero, tanto por la mayor seguridad que ofrece con respecto a otras inversiones, cuanto por lo elevado de los réditos que produce, y en segundo lugar, porque esa inversión no es ya de pequeñas cantidades, sino frecuentemente de sumas elevadas, por las razones precedentemente expuestas.

Dicha forma de inversión es todavía más frecuente en aquellos países cuya situación económica ofrece pocas garantías en los negocios.

Las *cajas de ahorros* suelen estar a cargo de los bancos privados o públicos. Los depósitos en *cajas de ahorros* bancarias están garantizados en algunos países por su Banco Central.

Caja de jubilaciones
Institución de carácter oficial que tiene por finalidad otorgar prestaciones jubilatorias a los trabajadores que han llegado a determinadas edades y han cumplido cierto tiempo de servicios, o que han quedado inválidos para el trabajo. También otorga pensiones a algunos familiares del trabajador fallecido, siempre que reúnan las circunstancias que la ley exige. Los fondos de las cajas se forman con las aportaciones de los empleadores y de los empleados, calculadas sobre un porcentaje de los sueldos o salarios. (V. JUBILACIÓN, PREVISIÓN SOCIAL.)

Caja de resistencia
La destinada a recaudar fondos para socorrer a los trabajadores por cuenta ajena mientras dura una situación de huelga de éstos o mientras dichos fondos no se agoten. Como es natural, dichas cajas están formadas por los respectivos sindicatos de trabajadores y mediante aportaciones de éstos.

Caja de seguridad
Servicio que muchos bancos ofrecen a sus clientes, consistente en alquilarles una caja metálica e inamovible, cuyo tamaño es variable, que está instalada en una sección especial y debidamente protegida para que puedan guardar allí valores y objetos y retirarlos cuantas veces así les interese.

Calendas
Aunque la expresión *calendas griegas* se refiera irónicamente a un tiempo que nunca habrá de llegar (pues los griegos no tenían *calendas*), esta voz constituye un término que tanto en el antiguo cómputo romano como en el eclesiástico significa el primer día de cada mes.

Calificación de la quiebra
Referida a la declarada en el procedimiento de ejecución colectiva, constituye el pronunciamiento judicial encaminado a establecer si la quiebra es casual, culpable o fraudulenta. De que proceda una u otra *calificación*, dependen las consecuencias jurídicas a que se hace referencia al tratar de la *quiebra* (v.) en sus diversos aspectos. Esas consecuencias pueden ser no sólo de índole civil y mercantil, sino también penal.

Calumnia
Infundada y maliciosa acusación, hecha para dañar. | La falsa imputación de un delito que dé lugar a acción penal pública.

Calumniador
El que judicial o extrajudicialmente imputa falsamente a otro la comisión de un delito de los que dan lugar a procedimiento de oficio. (V. CALUMNIA.)

Cámara
Cada uno de los cuerpos colegisladores representativos en el sistema bicameral o de dualidad de asambleas. Se suelen distinguir con las denominaciones de *cámara alta* y *cámara baja*, o de senadores o diputados, de no tener otros nombres privativos. | **DE ALQUILERES.** Organismo competente para entender en las cuestiones relacionadas con el arrendamiento de propiedades urbanas. | **DE APELACIÓN.** Tribunal de segunda instancia, o de alzada. | **DE COMPENSACIÓN.** Institución auxiliar del comercio, encargada de confrontar y liquidar los créditos y deudas de los titulares que intervienen en la compensación bancaria. | **DE DIPUTADOS.** V. CONGRESO. | **DE INDIAS.** Tribunal compuesto por los ministros del Consejo de Indias, con funciones consultivas; su competencia estaba restringida a las cuestiones relacionadas con el gobierno de las provincias que España poseía en Ultramar. | **DE LOS COMUNES.** La cámara baja inglesa o congreso de diputados. Sus representantes son elegidos directamente por el pueblo. | **DE SENADORES.** V. SENADO. | **DE COMERCIO, INDUSTRIA Y NAVEGACIÓN.** Entidades cuyo objeto consiste en intensificar y favorecer las operaciones del comercio terrestre o marítimo y el desarrollo industrial del país.

Camarista
Cualquiera de los miembros de ciertas cámaras judiciales, en especial de los tribunales de segunda instancia. Equivale a magistrado de audiencia de acuerdo con la jerarquía y denominación que rige en España.

Cambio
Tansformación. | Movimiento. | Trueque o permuta de una cosa por otra. En todo contrato conmutativo hay, en realidad, *cambio* de prestaciones. Todo individuo se ve obligado a practicar *cambios* de cosas por servicios, de éstos o de aquéllas entre sí. | **DE DOMICILIO.** Mudan-

za o traslado del lugar donde una persona tiene establecido el asiento principal de su residencia y de sus negocios. | **MARÍTIMO.** Nombre, ya casi caído en desuso, que se ha dado al *préstamo a la gruesa* (v.).

Camino

Del latín *caminus,* del céltico *carmen,* de *cam,* paso. Toda vía de comunicación terrestre. Tierra hollada por donde se transita habitualmente de un punto a otro. | **DE SIRGA.** El que bordea ríos o canales y permite llevar embarcaciones tirando desde la orilla con cuerdas, generalmente atadas por el otro extremo a caballerías. | **REAL.** El construido con recursos del Estado, de mayor anchura que los demás, de propiedad y uso públicos y que comunica poblaciones importantes. | **VECINAL.** El costeado con fondos municipales, para enlazar aldeas entre sí, o con la población principal del ayuntamiento, o puntos importantes del municipio. Su anchura es menor que la del camino real, la estricta para el cruce de vehículos.

Cancelación

Anulación de un instrumento público, de una inscripción del Registro, de una obligación.

Cancelar

Anular, quitándole la autoridad, algún documento público, un asiento de un registro oficial, una obligación, una nota con fuerza jurídica. | Abolir, derogar.

Canciller

Antiguamente era el secretario del rey, a cuyo cargo estaba la guarda del sello real. El empleo fue creado en España por Alfonso VII. | Se da hoy el nombre de *canciller,* en algunos Estados, al ministro que dirige las relaciones internacionales. | En Alemania y algún otro país, jefe del gobierno o presidente del Consejo de Ministros. | Empleado auxiliar de la representación diplomática o del cuerpo consular.

Cancillería

En Derecho Internacional designa la oficina encargada, en cada país, de la redacción de los documentos diplomáticos. | Dependencia, en las embajadas, legaciones y consulados, donde se autorizan y se conservan los documentos públicos y se llevan los registros y demás antecedentes de éstos. | Oficio del canciller. | Centro que dirige la política exterior de una nación. | Antiguamente, chancillería. | **APOSTÓLICA.** Oficina de la curia romana donde se expiden y registran las bulas y otras disposiciones pontificias.

Canje

Cambio, trueque. Se dice principalmente cuando dos países se hacen entrega recíproca de los prisioneros por ellos capturados, para así rescatar los caídos en poder del enemigo en tiempos de guerra.

Canon

Del griego *kanon,* regla, norma, modelo. | Precepto. | Lista, catálogo. | La pensión que se paga, en reconocimiento del dominio directo del algún predio, por la persona que tiene el dominio útil de éste. (V. CENSO.)

Cantidad líquida

Lo que significa una suma de dinero. Facilita las compensaciones y las ejecuciones de sentencias.

Capacidad

En general, espacio hueco susceptible de contener algo. | Espacio, extensión. | Potencia o facultad de obrar. | Talento, disposición para determinadas actividades. | Ocasión, medio o lugar para la ejecución de algún propósito. Dentro del campo estrictamente jurídico, aptitud o idoneidad que se requiere para ejercer una profesión, oficio o empleo. | Habilidad o potestad para contratar, disponer por acto entre vivos o por testamento, suceder, casarse y realizar la generalidad de los actos jurídicos. | Poder para obrar válidamente. | Suficiencia para ser sujeto activo o pasivo de relaciones jurídicas determinadas. | **CIVIL.** La aptitud general para ser sujeto de derechos y obligaciones en la esfera del Derecho Privado; y, más comúnmente, en el ámbito tradicional del Derecho Civil, en las relaciones jurídicas familiares, reales, contractuales, obligatorias y sucesorias. | **DE OBRAR.** La capacidad de hecho, el poder de realizar actos con eficacia jurídica, según Sánchez Román. | **JURÍDICA.** La aptitud que tiene el hombre para ser sujeto o por parte, por sí o por representante legal, en las relaciones de Derecho; ya como titular de derecho o facultades, ya cual obligado a una prestación o al cumplimiento de un deber. | **LEGAL.** La cualidad determinada por las leyes para ejercer toda clase de derechos, civiles, políticos y sociales. (V. CAPACIDAD CIVIL Y POLÍTICA.) | **POLÍTICA.** La facultad de ejercer los derechos políticos (asociación, reunión, petición, manifestación, libertad de conciencia y de prensa, derecho electoral, etc.) y la condición de estar sujeto a las cargas públicas (pecuniarias, como los impuestos; de sangre, como la del servicio militar; de trabajo, como ciertos servicios obligatorios; judiciales, como la de ser jurado, allí donde funciones, etc.). | **PROCESAL.** Aptitud jurídica para efectuar actos procesales, y más particularmente para ser *parte* (v.) en un proceso.

Capacitación
En términos generales, cualquier aleccionamiento o aprendizaje, pero para algo positivo. Con otra intención, hay que hablar de lo corruptor o degenerativo. | Más en especial, estudios o prácticas para superar el nivel de conocimientos, la aptitud técnica o la habilidad ejecutiva en actividades útiles, y singularmente en las de índole profesional. Con tal *capacitación* se pretende, en lo individual, una mejora en los ingresos, ya se ajusten a un salario o sueldo, ya configuren honorarios. La finalidad social se encuentra en el impulso de la civilización y del progreso. (V. CAPACIDAD.)

Capellanía
La fundación hecha por alguna persona, con la carga u obligación de celebrar anualmente cierto número de misas en determinada iglesia, capilla o altar, y con la condición de otras obras pías.

Capitación
El repartimiento de tributos y contribuciones que se hace por cabezas; o el impuesto que se paga por individuos, sin atención a capitales, a rentas ni productos de la industria.

Capital
Cabeza o población principal de un Estado, provincia, partido, distrito, municipio u otra división administrativa, donde residen las autoridades respectivas. | Caudal, patrimonio, conjunto de bienes que una persona posee. | La cantidad de dinero que produce intereses o rentas. | Los bienes que el marido lleva al matrimonio. | La primera o más grave de las penas: la de muerte. | **SOCIAL.** Genéricamente, cabe entender por *capital social* la totalidad de los bienes pertenecientes a una sociedad civil, industrial o mercantil. De modo más particular, la masa de bienes con la cual se constituye, y la que ulteriormente se amplíe, para desenvolver sus actividades y responder en su caso de las obligaciones. | **SUSCRITO.** El de las sociedades anónimas y comanditarias que está cubierto por los compromisos de aportaciones de dinero y otros efectos hechos por los socios.

Capitalismo
Nombre con que se designan, en Economía Política, las propiedades y efectos del capital. | Conjunto de capitales y capitalistas. | Sistema de financiación de industrias y empresas que considera al capital como agente fundamental de la producción y de la riqueza.

Capitalización
Cálculo que sirve para establecer el valor de un bien productor de renta, partiendo de la que suministra. | Manifestación de la previsión humana encaminada a retardar el goce o disfrute de un bien para obtenerlos mayores, de la misma o de distinta clase. | En otro sentido, haciendo referencia a las acciones y obligaciones emitidas por una compañía, medio de su propia *capitalización*.

Capitán
Del latín *caput, capitis,* cabeza; quien es jefe de otros. | Quien manda una compañía de infantería o diversos cuerpos armados: un escuadrón de caballería, una batería de artilleros. | El primero de a bordo, representante de la empresa y con autoridad pública, en nombre del Estado, a distintos efectos. | Cabecilla. | Antiguamente, general.

"Capitis deminutio"
Pérdida de la capacidad civil en la antigua Roma. Ha recibido asimismo las denominaciones de *capitis diminutio* y de *capitis minutio. Capitis,* de *caput,* significaba, en Roma, estado. *Deminutio,* más que pérdida, era cambio. Puede, por tanto, entenderse por ella una privación o cambio del estado o capacidad referido a la ciudadanía, libertad y familia.

Capitulación
Concierto, convenio o pacto entre dos o más personas sobre algún negocio, por lo general importante. | Convenio militar o político en el cual se estipula la entrega o rendición de una plaza, ejército o lugar fortificado. | En el antiguo procedimiento esp., acusación dirigida contra un corregidor, alcalde mayor o gobernador, por incumplimiento de las obligaciones de sus cargos. El acusador debía ser vecino del lugar en que la magistratura ilegal se ejerciera.

Capitulaciones o Capitulaciones matrimoniales

El contrato matrimonial hecho mediante escritura pública, por el cual se establecen las futuras condiciones de la sociedad conyugal, en cuanto al régimen patrimonial de ésta. | La escritura pública en que consta tal concierto o pacto.

Capitular

En cuanto *verbo*, pactar, convenir, concertar, ajustar, celebrar capitulaciones. | Establecer las condiciones o artículos preliminares para la entrega o rendición de una plaza o ejército. | Hacer a alguien capítulo de cargos por los delitos o faltas cometidos en el ejercicio de sus funciones.

Capítulo

Cada una de las partes en que, por razón de la diversidad de materias, se divide un texto legal o un tratado científico. | El ayuntamiento, cabildo, concejo de un pueblo reunido para tratar de los asuntos de la respectiva corporación local. | La junta que, para ciertos asuntos, celebran los clérigos regulares. | Reprensión grave a algún religioso, en presencia de la comunidad. | Cabildo secular. | Cargo o acusación contra quien desempeñó indebidamente un empleo. | Resolución, medida, determinación.

Captación

Inducción de propósito y dolosa para que una persona realice, a favor del captante o de terceras personas, actos de liberalidad; por ejemplo, una donación o una institución de heredero. Este último caso es el más frecuente en materia captatoria. La *captación dolosa* es causa de anulación de la liberalidad obtenida, de ser factible esa prueba, en principio tan ardua por la cautela a que suele acudirse para ganarse interesadamente el ánimo ajeno en beneficio propio o de la finalidad perseguida.

Captura

El acto de prender a una persona sospechosa de un delito, o reclamada por las autoridades.

Cárcel

El edificio público destinado a la custodia y seguridad de los detenidos o presos. | Local dedicado al cumplimiento de condenas leves de privación de libertad. | Pena privativa de libertad. | Estado que padece una dictadura. | Disciplina muy severa.

Cardenal

Cada uno de los prelados que integran el Sacro Colegio.

Careo

En materia de investigación criminal, y por orden del juez u otra autoridad competente, la confrontación de los testigos o acusados que se contradicen en sus declaraciones, para averiguar mejor la verdad oyéndolos en sus debates, discusiones, reproches y acusaciones.

Carga

Tributo o gravamen que se impone a una persona o cosa. | Obligación que se contrae por razón de estado, empleo u oficio. | También, la condición natural en un contrato, estipulada por las partes. | Servidumbre, censo, hipoteca u otro gravamen real sobre inmuebles. | **DE JUSTICIA.** Obligación contraída por el Estado español de indemnizar a los sucesores de los antiguos dueños de oficios o derechos enajenados de la corona, a los poseedores de privilegios o donaciones reales y a quienes por título oneroso deben percibir algunas cantidades. | **DE LA PRUEBA.** La obligación de probar lo alegado, que corresponde a la parte que afirma, en virtud del principio latino: *"actori incumbit onus probandi"* (al actor le incumbe la carga de la prueba), mientras al demandado sólo le corresponde la prueba de las excepciones por él opuestas. | **PÚBLICA.** Prestación personal irrenunciable que, en beneficio del Estado o de otra corporación pública, se impone con carácter gratuito a los particulares. | Tributo económico que se paga al Estado. (V. CONTRIBUCIÓN, IMPUESTO.)

Cargador

El comerciante que entrega a los acarreadores, porteadores o empresarios de transporte alguna mercancía, para que sea conducida al punto de destino, mediante el pago de una cantidad convenida. Siendo el transporte por mar, el cargador recibe el nombre de *fletador*.

Cargo

Responsabilidad que se atribuye a alguien. | Dignidad, empleo u oficio que confiere la facultad de ejercer determinada función pública y la de percibir, en su caso, ciertos derechos. | En las cuentas, conjunto de partidas y cantidades recibidas y de las cuales se tiene que responder. | Culpa o falta de que se acusa a alguno por el indebido desempeño de sus funciones. | Cláusula por la cual se impone una obligación excepcional al adquirente de un derecho. | Obligación de hacer o cumplir. | Dirección, gobierno. | En Sudamérica, certificación que en las secretarías judiciales se pone al pie de los escritos, para establecer el día y hora en que se presentaron, y determinar si lo fueron dentro de un plazo o desde cuando corre algún otro término.

Carta

El papel escrito, a mano o a máquina, de propia letra o al dictado, y por lo general cerrado en un sobre, mediante el cual una persona manifiesta a otra algo sobre una cosa o asunto.

Carta significa, además, el despacho o la provisión de un tribunal superior. | Constitución escrita o código fundamental de un Estado, como la *Carta Magna*. La denominación resulta más técnica cuando es otorgada, ante la presión más o menos poderosa de las circunstancias, por un soberano, como aparente y generosa merced. | Comunicación oficial entre el gobierno español y sus provincias de Ultramar. | Se ha dicho, y todavía se dice en algunos lugares, por documento o instrumento público. | **ACORDADA.** Aquella con que un tribunal superior reprende o advierte reservadamente a otro inferior. | **ANÓNIMA.** La carente de firma. | **BLANCA.** Facultad amplia concedida a una persona, para que obre discrecionalmente y de acuerdo con las circunstancias. | **CREDENCIAL.** La dada al embajador o ministro, para que se lo admita o reconozca por tal ante un gobierno o soberano extranjero, a quien se lo envía. | La que lleva alguno, en nombre de otro, para que se le dé crédito en la dependencia visitada o en el negocio del cual vaya a tratar. | **DE AMPARO.** La que daba el soberano a alguna persona, con el fin de que nadie la ofendiese, a menos de exponerse a ciertas penas. | **DE CIUDADANÍA.** El documento que se otorga a los extranjeros que dejan de serlo, como constancia de haber adquirido, por *naturalización* (v.), la ciudadanía del país en que residen. | **DE CRÉDITO.** Mandato por escrito, en virtud del cual una persona ordena a otra que entregue a un tercero una cantidad determinada, o hasta cierta suma. | **DE ESPERA.** Moratoria o plazo suplementario que se concede por escrito al deudor. | **DE NATURALEZA** o **DE NATURALIZACIÓN.** Concedida por acto del gobierno o del soberano, es el documento que acredita la adquisición de la nacionalidad, por el residente que hasta entonces era extranjero. | **DE PAGO.** Instrumento público o privado donde el acreedor confiesa haber recibido del deudor la cantidad que le debía. (V. RECIBO.) | **DE PAGO Y LASTO.** Documento que el acreedor principal extiende a favor de quien paga por otro, para recibo y como cesión de acciones que le permitan el reembolso de lo abonado en nombre o por cuenta del deudor efectivo. (V. FIADOR.) | **DE POBREZA.** Documento por el cual se certifica que quien ha solicitado declaratoria de pobreza carece de bienes y se encuentra en la imposibilidad de obtenerlos; y está, por tanto, en condiciones de litigar por pobre. (V. BENEFICIO DE POBREZA.) | **DE PORTE.** Documento o título, en el contrato de transporte terrestre, que establece las condiciones y fija los derechos y deberes pactados entre el portador (el que lleva los efectos) y el cargador (quien los entrega para su traslado), o, al menos, la condición de uno y otro, regulada entonces por la ley. | **DE RECOMENDACIÓN.** En el comercio, aquella por la cual se asegura la probidad y solvencia de alguien, sin constituir fianza. | **DEL TRABAJO.** En italiano, *"Carta di Lavoro"*. Publicada con fecha 21 de abril de 1927, le fue dado carácter legal en Italia por ley de diciembre de 1928. Representa la *Carta del Trabajo* el sistema corporativo seguido por la Italia fascista. | **MAGNA.** La constitución otorgada a la nación inglesa por el rey Juan sin Tierra, en 1215. En ella está el origen de las libertades inglesas y el fundamento de los derechos políticos. Declaraba la libertad de la Iglesia en Inglaterra, establecía los derechos de los hombres libres, determinaba que no habría otros impuestos que los establecidos con el consentimiento del Consejo y reconocía diversos derechos. | **ORDEN.** La que incluye mandato u orden. | Comunicación judicial a juez, tribunal o funcionario inferior. | **PASTORAL.** La dirigida por un obispo al clero y a los fieles de su diócesis, para hacerles exhortaciones canónicas o darles instrucciones en asuntos de moral y fe. | **PODER.** Documento por el cual una persona confiere a otra, en forma privada, mandato para actuar, en su nombre, en determinado asunto. (V. PODER.)

"Carteles"

Monopolios, más o menos efectivos, de hecho y por iniciativa privada, que tienen por finalidad fijar los precios de los artículos de primera necesidad en relación con el público consumidor, evitar los riesgos de la competencia industrial o mercantil para los empresarios e incluso aumentar los precios. En relación con los "trusts", los "carteles" son menos centralizados como coaliciones. (V. "TRUST".)

Cartera

En el vocabulario comercial, valores o efectos comerciales de curso legal que forman parte del activo de un comerciante, banco o sociedad, y, por extensión, de un particular (*Dic. Acad.*). Puede ser no sólo de valores, sino también de seguros, de títulos y de créditos. Con referencia a cierta clase de empleados, se dice que tienen *cartera* cuando, además de otras posibles retribuciones, conservan indefinidamente el derecho de percibir el porcentaje convenido, en todas las operaciones realizadas por la empresa con los clientes que ellos han proporcionado, como es frecuente con los *agentes de seguros* y con los *viajantes de comercio* (v.).

En el vocabulario político, especialmente en los regímenes parlamentarios, departamento ministerial cuya jefatura y dirección es confiada a un *ministro* (v.): Justicia, Relaciones Exteriores, Interior, Educación. De ahí que se denomine *ministro sin cartera* a quien, integrando el gabinete, no tiene a su cargo ningún departamento ministerial.

Casa

Edificio construido para ser habitado por una persona o familia; o por diversas personas, emparentadas o no entre sí, y con mayor o menos independencia dentro de sus viviendas. | *Casa* se llama también al conjunto de hijos que, con sus padres, y otros parientes y servidores integran una familia, un hogar. | La descendencia o linaje que tiene un mismo apellido. | Dinastía. | Establecimiento industrial o comercial. | **DE CONTRATACIÓN DE LAS INDIAS.** Alto tribunal, con asiento primero en Sevilla y luego en Cádiz, que resolvía los asuntos relacionados con el tráfico de las posesiones españolas de América. | **DE JUEGO.** Lugar donde se practica habitualmente el juego prohibido. | **DE MONEDA.** Se da este nombre a las fábricas de moneda y timbre. | **GRANDE.** La principal de un pueblo, excluidos los edificios públicos. | La de personas nobles o ricas. | Irónicamente, cárcel o presidio. | **MATRIZ.** Establecimiento principal de una organización de la cual son *filiales* las casas, oficinas, locales, etc., dependientes de ella en la misma ciudad, en otros puntos del país o en el extranjero. | **PATERNA.** La que habita el padre o, en su caso, la madre de familia.

Casación

Acción de anular y declarar sin ningún efecto un acto o documento. | La *instancia* excepcional, al punto de no resultar grato a los procesalistas el término, que permite recurrir contra el tribunal de apelación u otros especiales (como los amigables componedores), tan sólo en los casos estrictamente previstos en la ley, cuando se haya incurrido en el fallo contra el cual se acude en *casación*, bien en una infracción evidente de la ley o en la omisión de alguna formalidad esencial en el procedimiento.

Casados

La mujer y el hombre unidos por matrimonio civil o canónico, o por ambos modos a la vez. | La generalidad de las personas que han contraído matrimonio, que subsiste por vivir ambos cónyuges y no haberse divorciado vincularmente. | Los que alguna vez han contraído matrimonio, aunque luego enviuden o se divorcien. | Los maridos en general.

Casamiento

Acción o efecto de casar; de casarse o contraer matrimonio. | Boda o ceremonia nupcial. | Contrato legal entre hombre y mujer, para vivir maridablemente. | **PUTATIVO.** Matrimonio nulo o anulable que, contraído de buena fe, por uno o ambos cónyuges, surte efectos civiles en cuanto a los hechos producidos mientras no se haya declarado la nulidad y en relación con el contrayente de buena fe y los hijos de ambos.

Casar

Según la rama jurídica, posee este verbo significados muy diversos.

A. *En Derecho Civil y Canónico.* Contraer matrimonio. | Autorizar el juez municipal, o el funcionario encargado del Registro Civil, el contrato matrimonial que surte efectos civiles entre los contrayentes y para los hijos que puedan tener. | Autorizar el párroco, u otro sacerdote con licencia de aquél, el sacramento del matrimonio, único reconocido por la Iglesia para los católicos, en cuanto a los efectos espirituales. | Disponer o imponer un padre o superior el matrimonio de un hijo o de otra persona sometida a su autoridad doméstica. (V. MATRIMONIO.)

B. *En Derecho Procesal.* Anular, revocar la sentencia o fallo de un tribunal inferior. La resolución recurrida puede ser *casada* en todo o en parte. De ser confirmada por entero, se dice que el recurso ha sido desestimado o rechazado. (V. RECURSO DE CASACIÓN.)

Caso
Cualquier suceso o acontecimiento. Pueden ser comunes, inciertos, eventuales, fortuitos, previstos y no previstos. | **FORTUITO.** El suceso inopinado, que no se puede prever ni resistir. | **INCIERTO.** El suceso o acaecimiento que puede verificarse, o dejar de acontecer, por depender sólo del acaso, y no de la voluntad humana.

Castidad
Abstención de actos y afectos carnales, o exclusión de éstos con persona que no sea el respectivo cónyuge.

Castigar
Ejecutar un castigo en quien ha delinquido o faltado en algo. | Disminuir los gastos. | Mortificar, pegar.

Castigo ejemplar
Se entiende vulgarmente por tal el grave y extraordinario que sirve de gran escarmiento.

Castración
Extirpación o inutilización de los órganos reproductores de la especie.

Castrense
Lo que pertenece al ejército o al estado y profesión militar.

Casuismo
Técnica jurídica consistente en exponer las reglas aplicables a una cuestión determinada mediante la exposición de tales reglas en relación con una pluralidad de situaciones o casos concretos. | Como abuso de la utilización de la técnica precedente, la tendencia a utilizar o exponer reglas aplicables a casos determinados, omitiendo la utilización o exposición de reglas más generales aplicables conjuntamente a la totalidad de los casos expuestos separadamente.

Casus belli
Caso, causa o motivo de guerra. Es el acto ofensivo ejecutado por una nación contra otra, y que ésta juzga suficiente para la declaración de guerra.

"Casus foederis"
Loc. lat. Caso de pacto, alianza o tratado.

Catastral
Referido al catastro, a su organización y resultados.

Catastro
Censo descriptivo de las fincas rústicas y urbanas. | Según Roque Barcia, es el Registro Público que contiene la cantidad y el valor de los bienes inmuebles y los nombres de los propietarios; el cual sirve para determinar la contribución imponible en proporción a sus productos o sus rentas. | Operación técnica (geodésica, agronómica y fiscal) que determina la extensión, calidad, cultivo, aplicación y valor de un inmueble, y del conjunto de un territorio o nación.

Categoría
Los diversos grados de preeminencia que tienen entre sí distintas clases de empleados. | Condición social. | Clase, grupo. | Calidad. También, profesionalmente, los grupos afines por razón de la actividad laboral que desarrollan sus miembros, los cuales poseen similares intereses. | **PROFESIONAL.** Todo individuo encuadrado dentro de la producción, sea patrono u obrero, tiene lo que ha dado en llamarse su *estatuto personal*; esto es, el derecho a ser miembro de una categoría determinada. Este estatuto le corresponde por el simple hecho de su propia actividad profesional, y no cabe denegárselo. Éste le concede ciertos derechos y le impone determinados deberes.

Caución
Precaución, cautela. | Garantía. | Seguridad. | La ley 10, del tít. XXXIII, de la Part. VII la definía: "Seguramiento que el deudor ha de hacer al señor del deudo, dándole fiadores valiosos o peños". Puede definirse como la seguridad dada por una persona a otra de que cumplirá lo convenido o pactado; lo obligatorio aun sin el concurso espontáneo de su voluntad. | En el presente, *caución* es sinónimo de *fianza*, que cabe constituir obligando bienes o prestando juramento. (V. EMBARGO, FIADOR, FIANZA, HIPOTECA, PRENDA.)

Caución "iudicatum solvi"
Caución otorgada por el actor en un juicio, mediante la que se garantiza el cumplimiento de las responsabilidades que eventualmente pudieren surgir contra tal actor como consecuencia del juicio.

Caución juratoria

La consistente en prometer, bajo *juramento* (v.), la presentación ante el juez cada vez que se sea requerido para ello, fijando un domicilio del que no cabe ausentarse sin permiso judicial. (V. CAUCIÓN PERSONAL Y REAL.)

Caución personal

Aquella que presta una tercera persona con capacidad para contratar. (V. CAUCIÓN JURATORIA Y REAL.)

Caución real

La que se constituye gravando con hipoteca bienes inmuebles, depositando la suma de dinero que el juez determine o depositando efectos públicos u otros papeles de crédito realizables al precio de su cotización. (V. CAUCIÓN JURATORIA Y PERSONAL.)

Caudillaje

Sistema político que se caracteriza por basarse en el prestigio de un jefe. | En Sudamérica tiene acepciones poco laudatorias, según la Academia, que lo hace sinónimo de *caciquismo* y de *tiranía* (v.).

Causa

A. *En general.* El motivo que nos mueve o la razón que nos inclina a hacer alguna cosa. | También, el antecedente necesario que origina un efecto. | Se habla asimismo de *causa* como fundamento por el cual adquirimos algún derecho y en este sentido se confunde a veces con el título.

B. *En Derecho Civil.* La *causa* existe tanto en las obligaciones como en los contratos. Para algunos, es el fin esencial o más próximo que los contratantes se proponen al contratar.

C. *En Derecho Romano.* Como variedad del Derecho Civil en general, resulta de interés señalar las diferentes acepciones que los romanistas le señalan a esta voz en las fuentes genuinas de aquél: *a*) *motivo* o *razón personal* de un acto jurídico, como *metus causa* (debido al miedo) o *causa donandi* (la causa de donar, por un favor recibido, para seducir, etc.); *b*) el *fin directo* e inmediato, como la tradición o entrega, por *causa* de venta, de pagos; *c*) *acto jurídico* o hecho que precede a un negocio jurídico, aunque este matiz no proceda de los jurisconsultos romanos antiguos; *d*) *elemento accesorio,* como la condición, el modo y el plazo en la obligación; *e*) *litigio,* proceso; *f*) *negocio jurídico* en general; *g*) *situación de hecho* que sirve de soporte a una relación jurídica conforme a su destino; como la *causa dotis,* permanente, lo mismo que las cargas matrimoniales a cuyo alivio está destinada.

D. *En Derecho Político. Causa* significa el partido o los intereses que se sirven o con los cuales se simpatiza en una lucha electoral, parlamentaria, ciudadana; también, un bando en una guerra civil o internacional.

E. *En Derecho Procesal.* Contienda judicial; esto es, todo asunto entre partes que se sigue y ventila contradictoriamente ante un tribunal, en la forma establecida por las leyes, hasta su resolución definitiva. | Expediente o proceso que se forma para la sustanciación del negocio o cuerpo mismo de los autos. | **CIVIL.** Litigio ante la jurisdicción ordinaria. | **CRIMINAL.** Juicio ante la jurisdicción penal, para averiguación de los delitos y de sus autores, y aplicar la decisión legal pertinente. | **ILÍCITA.** La contraria a las leyes, a la moral o al orden público. | **LÍCITA.** La ajustada a las leyes, a la moral y al orden público; o, al menos, no prohibida por tales normas. | **LUCRATIVA.** La que posee por título la liberalidad o la beneficencia. | **NULA**. La que no surte efectos positivos en Derecho, porque vicia el acto esencialmente y lo condena a la ineficacia; salvo confirmación o prescripción de la acción contra el mismo. La *causa ilícita* contra el orden público y la *falsa* anulan los negocios jurídicos en que se dan y, más realistamente, donde se descubren y se aducen contra su validez. | **PROPIA.** El derecho, interés o deseo de uno. (V. NOMBRE PROPIO [EN].) | **PÚBLICA.** La utilidad o el bien general. | El interés de la patria. | La conveniencia de los más sin olvido de los menos. | **SIMULADA.** La presentada como verdadera por las partes, sin tener en sí existencia real.

Causahabiente

Sinónimo de derechohabiente; se dice del titular de derechos que provienen de otra persona, denominada *causante* o *autor.*

Causante

La persona de quien otro (el derechohabiente o causahabiente) deriva su derecho.

Cautelar

Prevenir, adoptar precauciones, precaver.

Sin respaldo académico, en la técnica, el vocablo se utiliza como adjetivo, como propio de la *cautela* o caracterizado por ella.

"Cautio"

Voz lat. Caución. En el Derecho Romano era la garantía o el compromiso constituido mediante estipulación con otra persona. | Documento en que constaba la constitución o extinción de un negocio jurídico. | Fianza.

Caza

Del latín *captare,* de *capere,* tomar. Persecución y captura de fieras, aves y otros animales. Posiblemente constituya el medio más antiguo de adquirir la propiedad.

Cedente

La parte que transfiere a otra una cosa, derecho, acción o valor. | Quien renuncia a algo a favor de otro. En realidad, constituye un donante que, ante la negativa de la donación, hace abandono de su bien o derecho. | Por antonomasia, quien cede un crédito; aun cuando sean también *cedentes* el vendedor, cada uno de los permutantes, el donante, el copropietario o coheredero que renuncia. | En títulos mercantiles, endosante. (V. ENDOSO.)

Cédula

Trozo de papel o pergamino, ya escrito o donde cabe escribir algo. | Papeleta de citación o de notificación, autorizada por funcionario judicial. | Papel por el cual se cita para reunirse en la fecha en éste designada. | Instrumento que acredita la identidad de una persona. | Documento en que se reconoce una obligación, y especialmente una deuda. | **ANTE DIEM.** La firmada por el secretario de una entidad como citación o convocatoria de sus miembros o socios para celebrar reunión al día siguiente, con el objeto de tratar uno o más asuntos determinados. | **DE CITACIÓN.** Documento por el cual se dirige un llamamiento, por orden de juez o tribunal, para que una determinada persona concurra a un acto o diligencia judicial. | **DE EMPLAZAMIENTO.** Documento que fija un plazo para que los litigantes comparezcan en juicio o hagan uso de un derecho que les corresponde. | **DE IDENTIDAD.** Documento que, expedido por el jefe de la policía local, sirve para acreditar la identificación de la persona a cuyo favor ha sido expedido. | **DE NOTIFICACIÓN.** Comunicación o conocimiento que da las providencias, autos o sentencias que se pasa a las partes en juicio, a las personas a quienes se refieran y a los posibles perjudicados. | **HIPOTECARIA.** Título público, emitido por un banco de crédito territorial, y más concretamente por un banco hipotecario, que otorga al poseedor de aquél una garantía real y le concede derecho al interés fijado en los estatutos o emisiones. | **PERSONAL.** Documento oficial que contiene el nombre, profesión, domicilio, estado y demás circunstancias de cada vecino, y sirve para identificar la persona y acredita el pago de un impuesto.

Cedulón

Antiguamente, la cédula o papeleta de emplazamiento, para citar a un reo o demandado ausente, desconocido o en rebeldía, con el fin de que se presentara ante juez o tribunal. | Anuncio o edicto que suele fijarse en la puerta del domicilio de algún requerido civil o penalmente por la Justicia; o ser entregado a los parientes o vecinos más cercanos del buscado, para que llegue a su noticia. | Pasquín.

Celibato

Estado del hombre o de la mujer que vive sin casarse. | Soltería.

Celular

Relativo a las celdas, o que las tiene. Se dice de la cárcel o prisión con celdas individuales para alojamiento de los detenidos o presos.

Censal

Censual o relativo al censo. | También puede decirse por contrato censal o *censo* (v.).

Censalista

El *censualista* o titular del derecho a percibir el canon de un censo. Es vocablo aragonés.

Censatario

El que paga la pensión, canon o réditos en el derecho real del censo.

Censo

Esta voz, procedente de la latina *census*, de *censare,* tasar o valuar, ofrece dos grupos de significados; en el primero se incluye como gravamen: ya sea el contrato y derecho real de censo, ya el canon que de éste surge, y cualquier carga o molestia pesada y duradera. En acepciones diferentes, por *censo* se entienden distintas listas, nóminas o relaciones. | **DE POBLACIÓN.** Padrón de los habitantes de una nación, territorio o pueblo. | **ENFITÉUTICO.** Imposición que se hace sobre bienes raíces, en virtud de la cual queda obligado el comprador a satisfacer al vendedor cierta pensión anual, y a no poder enajenar la finca con tal gravamen comprada sin dar cuenta primero al censualista, para que use éste de sus derechos. | **TEMPORAL.** Aquel en cuya constitución se fija limitación de tiempo. | **VITALICIO.** El temporal cuya duración depende de la vida de una persona, en el sentido de extinguirse cuando ella muera.

Censualista

Persona que tiene derecho a percibir la pensión o canon de un censo impuesto o adquirido por ella sobre una finca, gravada como consecuencia de la entrega de un capital o del predio al obligado o *censatario,* o adquirido con tal gravamen de su causante.

Censura

El dictamen o juicio que se hace o se da de una obra o escrito, después de haberla reconocido y examinado.

Centinela

Militar que vigila el puesto cuya custodia se le encomienda.

Cepo

Medio de prisión usado hasta el siglo XIX. Consistía en un objeto hecho con dos maderos gruesos, unidos los cuales formaban en el medio unos agujeros redondos, donde, cerrando los maderos, se aseguraban la garganta o las piernas del reo, para inmovilizarlo cruelmente.

Certificación

Testimonio o documento justificativo de la verdad de algún escrito, acto o hecho. | Acto por medio del cual una persona da fe de algo que le consta. | Acción de certificar una carta.

Certificación de dominio

Documento expedido por quien tiene autoridad para ello y con los requisitos legales, y demostrativo del derecho de propiedad del Estado, las provincias, los municipios y corporaciones de Derecho Público o servicios administrativos, así como en cuanto a la Iglesia Católica. También se aplica respecto de la propiedad de personas de Derecho Privado.

El Regl. Hipotecario esp. establece que para obtener la inscripción dominical, cuando no exista título inscribible, el jefe de la dependencia a cuyo cargo esté la administración o custodia de las fincas que hayan de inscribirse expedirá, por duplicado, *certificación* donde consten: 1º) La naturaleza, situación, medida superficial, linderos, denominación y número, en su caso, y cargas reales de la finca que se trate de inscribir. 2º) La naturaleza, valor, condiciones y cargas del derecho de que se trate. 3º) Cuando conste, el nombre de la persona o corporación de quien se haya adquirido el inmueble o derecho. 4º) El título de adquisición o el modo en que se haya adquirido. 5º) El servicio público u objeto a que esté destinada la finca (art. 303).

Certificado

Instrumento por el cual se asegura la verdad de alguna cosa, bajo la fe y palabra del funcionario que lo autoriza con su firma. Dan fe únicamente los funcionarios que gozan de fe pública, como notarios, secretarios judiciales; y éstos, no solamente deben firmar, sino que han de sellar, e incluso signar el instrumento. | Carta o paquete postal certificado. (V. CERTIFICACIÓN.) | **DE BUENA CONDUCTA.** El extendido por la Policía u otra autoridad especial, para acreditar que determinado individuo ha observado, en cuanto se sabe, *buena conducta* (v.), caracterizada por la carencia de antecedentes penales y por una vida alejada de vicios, desórdenes y pendencias. | **DE DEFUNCIÓN.** Documento emitido por los registros civiles, mediante el que se acredita el fallecimiento de una persona y las circunstancias de éste, tal como su lugar, momento y causas. | **DE DOMICILIO.** Documento emitido por una autoridad local, generalmente policial, mediante el que se acredita el domicilio de determinada persona física, a base de una inspección ocular hecha por esa autoridad. | **DE MATRIMONIO.** Documento emitido por los registros civiles, mediante el que se acredita el matrimonio celebrado por determinadas personas, ya sea con fines civiles, laborales o previsionales. | **DE ORIGEN.** El que justifica la nacionalidad y procedencia de un buque. | **DE TRABAJO.** Es un documento expedido por el patrono al trabajador, y donde se hace constar, dando fe de ello, los servicios prestados.

Cesión de derechos

Transmisión, a título oneroso o gratuito, de cualquiera de los pertenecientes al titular de ellos, sean personales o reales. El cedente está obligado a responder de la legitimidad del todo en general, pero no de cada una de las partes, a menos de evicción de la mayor parte o de la totalidad.

Cesación de pagos

Situación en la cual se encuentra el comerciante, las personas jurídicas y los no comerciantes desde el momento en que deja de cumplir una o varias obligaciones mercantiles.

Cesión

La renuncia o transmisión, gratuita u onerosa, que se hace de una cosa, crédito, acción o derecho a favor de otra persona. El que cede se denomina *cedente*; y quien adquiere por este título, *cesionario*. | **DE ARRENDAMIENTO.** El acto por el cual un arrendatario o inquilino cede o traspasa a otro, total o parcialmente, el arriendo que tiene hecho. | **DE BIENES.** La dejación o abandono que un deudor hace de todos sus bienes a sus acreedores, cuando se encuentra en la imposibilidad de pagar sus deudas. | **DE CRÉDITO.** "Habrá *cesión de crédito,* cuando una de las partes se obligue a transferir a la otra parte el derecho que le compete contra su deudor, entregándole el título de crédito, si existiese".

Cesionario

La persona a cuyo favor se hace la cesión de bienes, el traspaso de un crédito o la transmisión de cualesquiera otros derechos.

Cesionista

Quien hace cesión de bienes.

Chantaje

Vocablo francés, adoptado por la Academia Española, con el cual se designa una de las formas de estafa especial. Consiste en exigir a una persona la entrega de una cantidad, bajo amenaza de realizar, en caso de negativa o resistencia, revelaciones escandalosas, verdaderas o falsas, sobre su honra, reputación o prestigio, o los de su familia. (V. AMENAZA, DIFAMACIÓN, ESTAFA.)

Charlatán

Curandero que, sin principios científicos de ninguna clase ni previos estudios académicos, presume de médico y ejerce sin título suficiente tal profesión.

Cheque

Orden de pago pura y simple, librada contra un banco en el cual el librador tiene fondos depositados a su orden, en cuenta corriente bancaria o autorización para girar en descubierto. El cheque tiene que reunir ciertas condiciones formales, tales como esa expresión (*cheque*), el número de orden, el lugar y la fecha de emisión, el nombre y el domicilio del banco contra el cual se libra, la indicación de si es a la orden, al portador o a favor de determinada persona; la orden de pagar una determinada suma de dinero, expresada en letras y en números y con determinación de la especie de moneda, y la firma del librador. | **A LA ORDEN.** El girado a nombre de una persona física o jurídica, haciendo constar su nombre y apellido (si es física), o la razón social o nombre de la entidad (en el otro supuesto), en el mismo *cheque*. | **AL PORTADOR.** Constituye por su facilidad de cobro y transmisión una especie de billete de banco emitido por un particular; ya que, contra la simple presentación por cualquiera, el banco abona la cantidad indicada en el mismo documento. | **CERTIFICADO.** El librado en la forma usual para estas órdenes de pago y que lleva al dorso el testimonio de un empleado del banco contra el cual se gira, donde se expresa que el *cheque* "es bueno". Esto significa que el importe de dicho *cheque* ha sido retirado de la cuenta del librador para responder del pago de éste, con lo cual queda liberado de toda responsabilidad hacia el portador. | **CRUZADO.** Son los que llevan líneas paralelas, trazadas transversalmente a su texto, con las indicaciones escritas que autoriza este título. Es cruzado "en general" un *cheque*, cuando lleva líneas paralelas transversales, con las palabras: *no negociable.* El banquero contra el cual haya sido girado un *cheque cruzado en general*, solamente podrá pagarlo a otro banquero. | **DE PAGO DIFERIDO.** Caracterizado porque su pago se difiere un determinado número de días, respecto de cierta fecha. Es una orden de pago librada a días vista, a contar desde su presentación para registro en una entidad bancaria autorizada, contra ésta u otra en la cual el librador a la fecha de vencimiento debe tener fondos suficientes depositados a su orden en cuenta corriente o autorización para girar en descubierto, dentro de los límites de registro que autorice el girado. | **EN BLANCO.** *Cheque* que, al momento de ser librado, carece de alguno de sus elementos, habiéndose dejado en blanco el lugar correspondiente a éstos. | **POSTDATADO.** *Cheque* en que se hace figurar una fecha de emisión posterior a la verdadera. El propósito de ello es, normalmente, diferir el pago de ese cheque. Se convierte así a ese título en un instrumento de crédito, fortalecido por el conjunto de reglas –bancarias, comerciales, penales– que sancionan el libramiento de cheques sin provisión de fondos. Pese a que las legislaciones han intentado, por distintos medios, evitar la práctica de emisión y circulación de cheques postdatados, buscando inclusive reemplazar el uso de éstos por la figura del *cheque de pago diferido* (v.), la práctica comercial mantiene el empleo difundido de los cheques postdatados, por la simplicidad de su emisión y la relativa eficacia de las acciones que tutelan su cobro.

"Chicana"

Galicismo por trampa legal, sofistería, triquiñuelas, sutilezas, embrollo y demás ardides en pleitos y negociaciones.

Cifra

Escritura especial en la que se usan ciertos signos, números, letras o palabras convencionales, la cual sólo puede comprenderse conociendo la clave. | *Cifra* es también abreviatura; e iniciales o siglas.

Circulación de libros obscenos

Delito en que incurre quien publica, fabrica o reproduce libros, escritos, imágenes u objetos impúdicos, ofensivos del pudor, o los expone o hace circular.

El pudor público es el bien jurídico que se trata de proteger. La dificultad se encuentra en la definición del pudor, porque es un concepto cambiante en el espacio y en el tiempo. Depende, además, de criterios absolutamente subjetivos, como demuestra el hecho de que constantemente se están discutiendo, incluso en los estrados judiciales, si ciertas novelas, filmes o comedias son publicables o exhibibles o si deben ser prohibidos por su calidad atentatoria contra la honestidad pública.

Circunstancias

Los accidentes, modalidades de tiempo, lugar, modo, condición, estado, edad, parentesco, salud y demás particularidades que acompañan a algún hecho o acto. | En el Derecho Penal, las *circunstancias* (o *circunstancias modificativas*) que revisten los hechos u omisiones delictivas tienen extraordinaria importancia; ya que pueden determinar el aumento de la pena (*agravantes*), su disminución (*atenuantes*) e incluso la impunidad (*eximentes*); especies que se examinan en las voces inmediatas. | En Derecho Civil, las *circunstancias* que concurren sirven para solicitar y obtener el fallo en atención a éstas. El libre arbitrio del juzgador las toma en cuenta para sus fallos. | **AGRAVANTES.** Son aquellas que aumentan la responsabilidad criminal. **ATENUANTES.** Son aquellas que disminuyen la responsabilidad por el delito cometido. | **EXIMENTES.** Aquellas particularidades de la acción o de la omisión que imprimen, al acto definido como delito, cierto carácter que lo justifica o que determina la impunidad del agente. | **MIXTAS.** Son aquellas *circunstancias* de naturaleza especial, por la índole personal de los agentes, o por la expresión material de los hechos, que no tienen predeterminado en la ley el efecto de aumentar o disminuir la pena. En virtud de ellas, se atenúa o agrava la responsabilidad criminal, según la naturaleza, los motivos y los efectos del delito.

Cita

La mención de ley, doctrina, autoridad u otro cualquier instrumento alegados para probar lo dicho o referido. | La manifestación que en la sumaria de una causa criminal hacen los testigos, o el reo, de algunas personas que se hallaron presentes en el hecho que se trata de esclarecer o que pueden tener conocimiento de algo conducente a su averiguación.

Citación

Diligencia por la cual se hace saber a una persona el llamamiento hecho de orden del juez, para que comparezca en juicio a estar a derecho. | **ANTE DIEM.** La que para comparecer se hace judicialmente con antelación de un día. | **DE EVICCIÓN Y SANEAMIENTO.** Es la que tiene efecto por el juez, a instancia de parte, cuando el comprador es turbado o perjudicado en su derecho sobre los bienes adquiridos. | **DE REMATE.** Emplazamiento que en el juicio ejecutivo se hace al deudor previniéndole que se procederá a la venta de sus bienes embargados, para satisfacer al acreedor con su importe, si no comparece y deduce excepción legítima. | **PARA SENTENCIA.** De acuerdo con la Ley de Enj. Civ. esp., y aquellas que en ésta se han inspirado, en todas las instancias de los juicios civiles y en todos los incidentes, antes de dictar sentencia, se debe citar previamente a las partes.

Ciudadanía

Cualidad de ciudadano de un Estado: vínculo político (y, por tanto, jurídico) que une a un individuo (nunca a una persona jurídica) con la organización estatal. | Conjunto de derechos y obligaciones políticos. | Comportamiento digno, noble, liberal, justiciero y culto que corresponde a quien pertenece a un Estado civilizado de nuestros tiempos. | Por extensión impugnada, nacionalidad.

Ciudadano
Natural de una ciudad. | Vecino, habitante de ésta. | Quien disfruta de los derechos de ciudadanía. | El residente en alguna ciudad o Estado libre, cuando sus leyes y Constitución le dan ciertos derechos, o al menos lo respetan. (V. CIUDADANÍA.)

Civil
Se dice de las disposiciones que emanan de las autoridades laicas, a diferencia de las eclesiásticas. | Del poder del Estado sobre los ciudadanos, en oposición a la potestad de la Iglesia sobre los creyentes. | También, de las normas que proceden de la autoridad general, y no de las castrenses o militares. | Lo perteneciente a la justicia y la legislación en orden a intereses; y no en lo relativo a la sanción de los delitos, que se llama *criminal.* | Por contraposición al Derecho Público, se refiere asimismo al Derecho Privado. | Dentro de él, los contratos, y en especial las sociedades *civiles,* se oponen a las *mercantiles*, y en general a lo *comercial.*

Civilista
Jurisconsulto de reconocido mérito y competencia en el estudio del Derecho Civil, y también del Romano. | Abogado especializado en los asuntos de la jurisdicción civil.

Clan
Del celta *clann,* hijo. Su significado es familia, tomando ésta como grupo proveniente de un mismo tronco.

Clandestinidad
Vicio o defecto de que adolece un acto o hecho, ejecutado sin la notoriedad o publicidad prescrita por la ley.

Clandestino
Lo que se hace en secreto y con dolo y fraude. | También lo dicho o hecho en secreto por temor a la ley o para eludirla.

Clase
Especie, género, grupo de seres, cosas o hechos con cierta unidad, semejanza o característica común. | Conjunto u orden de personas de igual o análoga cultura, posición económica, jerarquía social, profesión u oficio; y así se habla de *clase capitalista, clase obrera, clase noble, clase burguesa.* | Calidad, índole. | En el Ejército, por *clase* se entiende, colectivamente, a sargentos y cabos, y sólo éstos si aquéllos se encuentran comprendidos entre los suboficiales. | **SOCIAL.** Conjunto de personas o de familias que ocupan una posición económica similar, con necesidades y aspiraciones comunes, y que disponen de medios de vivienda, alimentación, vestido, esparcimiento y transporte análogos. | **TRABAJADORA.** Políticamente, tiende a equipararse con *clase obrera* o la integrada por los trabajadores manuales. Socialmente, se ve en ella a los sometidos a la *clase capitalista* en la relación directa de la producción. Técnicamente, pertenecen a la *clase trabajadora* cuantos desempeñan sus tareas con dependencia de otro en la ejecución de su labor y por la remuneración que perciben como compensación mayor o menos, y más o menos legítima.

Clases pasivas
Recibe este nombre el conjunto de individuos que depende del Tesoro público por cobrar de éste alguna cantidad en concepto de cesantía, jubilación, invalidez, pensión o retiro. Por extensión, las viudas y huérfanos que gozan de pensión, en virtud de los servicios prestados por sus maridos o padres.

Clásico
Se aplica, con mucha amplitud de concepto, a toda obra y a todo autor que por su originalidad, pureza de estilo y, más aún, por el fondo y forma irreprochables, constituyen un modelo digno de imitación. Y en este sentido puede hablarse de obras clásicas del Derecho.

Cláusula
Del latín *claudere,* cerrar, *clausus,* cerrado. Disposición particular que forma parte de un tratado, edicto, convención, testamento y cualquier otro acto o instrumento público o privado. También se entiende por *cláusula* cada uno de los períodos de que constan los actos y contratos. | **A LA ORDEN.** La inserta en un documento de crédito, como letra de cambio, cheque, pagaré, para significar, con la mención expresa de tales palabras (*"a la orden"* y luego el nombre de una persona o razón social), que aquél puede transmitirse por vía de *endoso* (v.; y, además, CHEQUE A LA ORDEN, LETRA DE CAMBIO.) | **AD CAUTELAM** o **DEROGATORIA**. La puesta por el testador en su testamento, declarando su intención de que no sea válido ningún otro ulterior a no hallarse inserta en él tal o cual expresión, sentencia o clave indicada, o repro-

ducida cierta señal. | **AMBIGUA.** La que puede interpretarse en dos o más sentidos. | **C.I.F.** La que en los contratos de compraventa de mercaderías que han de ser transportadas de un lugar a otro, generalmente distantes, y aplicada de modo especial al transporte marítimo, expresa que en el precio que ha de abonar el comprador se encuentran comprendidos el costo (*cost*, en inglés), el seguro (*insurance*) y el flete (*freight*). | **COMPROMISORIA.** La establecida por las partes para obligarse a someter a árbitros las divergencias originadas con ocasión del cumplimiento de un contrato, de la interpretación de un testamento o de cualquier otro asunto jurídico que a ellas solas ataña. (V. ARBITRAJE, COMPROMISO.) | **DE INDEXACIÓN.** Disposición contractual mediante la cual se ajustan los valores monetarios de las prestaciones de las partes, mediante la utilización de índices que reflejen los efectos de la inflación o las variaciones de los costos. | **DE MEJOR COMPRADOR.** Pacto según el cual el contrato de compraventa quedará sin efecto si, dentro del plazo estipulado, aparece quien haga oferta más ventajosa. (V. RETROVENTA.) | **DE NACIÓN MÁS FAVORECIDA.** La incluida en los tratados de carácter internacional, entre dos o más países, para que, en el supuesto de conceder uno de los signatarios, en ulteriores convenios, beneficios mayores a otra nación, éstos queden automáticamente incorporados, en tal aspecto, al tratado previo. | **DE NO COMPETENCIA.** En el Derecho Mercantil suele estipularse al enajenar un establecimiento comercial o industrial. | **DE VALOR RECIBIDO.** La puesta por el librador en una letra de cambio, para declarar que ha recibido el importe de ésta en efectivo, en mercaderías u otros valores. | **DEROGATORIA.** La que revoca, anula y deja sin efecto un acto o disposición anterior. (V. CLÁUSULA AD CAUTÉLAM.) | **ESENCIAL.** Elemento o declaración indispensable para la existencia legal de un acto o contrato. | **"F.O.B.".** Expresión inglesa habitual en el comercio marítimo internacional y cuyo significado, de acuerdo con las iniciales de *"free on board"*, es "franco a bordo" a costa del vendedor. | **LEONINA.** La que asegura a una sola de las partes ventajas contrarias a la equidad. | La que atribuye sólo beneficios o libera de todos los riesgos. | Aquella que priva de utilidades u obliga a sufrir todos los gastos o pérdidas. | **"NO A LA ORDEN".** Cláusula incluida en un título de crédito, en virtud de la cual tal título sólo puede ser transmitido por vía de una cesión ordinaria. | **ORO.** La consignada por las partes para expresar que el deudor se obliga a pagar el importe de su deuda en moneda de oro. | **PENAL.** La puesta a veces por las partes en sus contratos, estableciendo una sanción para aquella que no cumpla lo estipulado. | **PROHIBITIVA.** La que veda o impide hacer alguna cosa. | **"REBUS SIC STANTIBUS".** Convención del Derecho Romano que se entendía incluida tácitamente en todos los negocios jurídicos. En virtud de ésta, las obligaciones subsistían mientras las circunstancias originales no hubieran experimentado fundamental modificación. | **RESOLUTORIA.** La convención accesoria de que un contrato quedará deshecho en el caso de no cumplir alguna de las partes lo obligatorio para ella. | También, aquella en la cual se establece una condición que, una vez cumplida, extingue la obligación. | **"RETORNO SIN GASTOS".** Disposición incluida en una letra de cambio u otro título de crédito, en virtud de la cual se dispensa al portador de formalizar el protesto por falta de aceptación o de pago para ejercer la *acción regresiva* (v.). | **"SIN GARANTÍA".** La que se inserta en las letras de cambio u otros títulos de crédito, con el fin de que el endosante respecto del cual se coloca la cláusula no quede obligado como garante del pago o aceptación del documento.

Clausura

Según términos de la Academia, en los conventos de religiosos, recinto interior donde no pueden entrar mujeres, y en los de religiosas, aquel en donde no pueden entrar hombres ni mujeres. | Obligación que tienen las personas religiosas de no salir de cierto recinto y prohibición a los seglares de entrar en él.

La *clausura* no rige para la autoridad civil en el ejercicio de sus funciones.

Clausura se denomina también el término solemne de una asamblea o que pone fin a las sesiones de un tribunal.

"Clearing"

Palabra inglesa equivalente a liquidación, adoptada en todos los países, por ser Londres el centro mundial de estas operaciones, consistentes en ajustes y liquidaciones de cuentas entre bancos y empresas comerciales de diversa procedencia. Tiende a reducir las remesas de valores efectivos, haciéndose los cambios nominalmente.

Clientela
Conjunto de clientes de un profesional, comerciante o de cualquiera que obtiene beneficios pecuniarios del público en general. | Protección o amparo por parte de un poderoso. | Relación jurídica, de la antigua Roma, entre patrono y cliente.

Coacción
Fuerza o violencia que se hace a una persona para obligarla a decir o ejecutar algo.

Coacreedor
Acreedor (v.) juntamente con otros u otros. Cada una de las personas que tienen igual deudor, ya provenga de una misma obligación, caso en el cual se está ante la mancomunidad o solidaridad del vínculo; ya proceda de una coexistencia de los créditos en el tiempo, lo cual origina problemas jurídicos, resueltos por su prelación y, en caso de insolvencia, con las disposiciones acerca de la quiebra y el concurso de acreedores.

Coactivo
Con fuerza para apremiar u obligar. | Eficaz para forzar o intimidar.

Coactor
Quien demanda en juicio juntamente con otro o varios más.

Coacusado
El acusado en juicio criminal en unión de otro u otros.

Coadyuvante
Persona que coadyuva, que contribuye, asiste o ayuda a la consecución de alguna cosa. En el lenguaje forense español, se llama *coadyuvante*, con referencia al procedimiento contencioso administrativo, el particular que, siendo parte en el juicio, sostiene, juntamente con el fiscal, la validez de la resolución de la administración pública, impugnada por otra parte, que se considera lesionada en sus derechos. | En otros países se da a la voz su sentido gramatical, aplicándola a cualesquiera sujetos procesales que de modo secundario actúan apoyando las pretensiones de un litigante principal.

Coalición
Confederación, liga, unión. Representa, pues, una expresión similar a *asociación* y, como ella, contiene diversas acepciones de importante alcance jurídico. (V. ASOCIACIÓN Y ESPECIES.)

Coartada
Ausencia probada de una persona en relación con la hora y lugar en que se ha cometido un delito.

Coartar
Restringir o limitar el derecho o libertad de alguno.

Coautor
Autor en unión de otro o juntamente con varios más.

Coavalistas
Quienes avalan conjuntamente una obligación, quedando obligados solidariamente bajo el régimen del *aval* (v.).

Cobardía
Falta de valor y ánimo; de modo particular, cuando del sacrificio de la vida se trata, y frente al enemigo.

Cobro
Cobranza, percepción de lo debido. | Recuperación o recobro. | Adquisición, consecución. | **DE LO INDEBIDO.** Se produce cuando se recibe alguna cosa que no había derecho a cobrar, pero entregada indebidamente, por error u otra causa.

Codelincuencia
Coparticipación o colaboración en el delito.

Codeudor
El deudor, con otro u otros, de una misma obligación.

"Codex"
Voz lat. Código, colección de leyes sobre una misma materia. | Libro de cuentas. | Registro. | Colección de constituciones imperiales; como los Códigos Gregoriano, Hermogeniano, Teodosiano y de Justiniano. | En la actualidad, por antonomasia, el *Codex Juris Canonici* (v.). | **"JURIS CANONICI"**. El Código de Derecho Canónico, que ha venido a colmar la secular aspiración de establecer claridad y orden entre la múltiple y dispersa legislación eclesiástica, fue promulgado por Benedicto XV, el 29 de junio de 1917, aunque los trabajos principales se deben al pontificado de Pío X. | **"REPETITAE PRAELECTIONIS"**. Nueva edición, reformada, del *Código de Justiniano,* promulgada por la constitución *Cordi nobis,* el 16 de noviembre del 534.

Codicilo

Disposición de última voluntad, hecha antes o después del testamento, y con menos solemnidad que éste, bien para instrucciones secundarias o con el objeto de añadir, quitar o aclarar algo con respecto a aquel documento, o anularlo.

Codificación

La reunión de las leyes de un Estado, relativas a una rama jurídica determinada, en un cuerpo orgánico, sistemático y con unidad científica. Es un sistema legislativo mediante el cual el Derecho positivo de un pueblo se organiza y se distribuye en forma regular.

Código

Del latín *codex,* con varias significaciones; entre ellas, la principal de las jurídicas actuales: colección sistemática de leyes. Por antonomasia, recibe el nombre de *Código* el de Justiniano, el hecho por su orden, y que contiene una colección completa y ordenada de constituciones imperiales romanas, leyes, rescriptos, ordenanzas y otras disposiciones.

Puede definirse el *código* como la ley única que, con plan, sistema y método, regula alguna rama del Derecho positivo. | *Código* se dice asimismo de cualquier recopilación de reglas o preceptos sobre una materia, aun sin ser estrictamente jurídica; así el *código de señales* de la Marina. | **DE NAPOLEÓN.** Es el Código Civil francés, que, compuesto de 2.281 artículos, fue dado por la Ley del 30 de ventoso del año XII, correspondiente al 21 de marzo de 1804. El primer nombre que tuvo fue el de *Code Civil des francais.* Por Ley del 3 de septiembre de 1807, se le dio el de *Code Napoleón.* Posteriormente, volvió a su denominación primitiva. Por decreto del 27 de marzo de 1852, del Segundo Imperio, se le restableció el título de *Code Napoleón*. Hoy día se emplea la expresión *Código de Napoleón* para designar el estado primitivo del texto legal, por oposición a su forma actual, variada por la introducción de algunas reformas. | **DEL TRABAJO** o **DE TRABAJO.** El cuerpo legal que regula las relaciones entre el capital y el trabajo a través del contrato de esta índole, la protección legal de los trabajadores, la solución de los conflictos entre el capital y el trabajo y el régimen legal en la peculiar administración de justicia.

"Coemptio"

Forma matrimonial, de la antigua Roma, en la cual no había intervención sacerdotal. El rito consistía en la venta simbólica de la mujer al marido. Para tal fin se empleaba una moneda de escaso valor.

Coerción

Del latín *coercio,* de *coercere,* contener. La acción de contener o refrenar algún desorden; o el derecho de impedir que vayan contra sus deberes las personas sometidas a nuestra dependencia.

Cofiador

Fiador junto con otro u otros; el que en unión con alguno o algunos se hace responsable solidariamente de la deuda del principal obligado.

Cognación

Parentesco consanguíneo, por línea femenina, entre los descendientes de un tronco común. En el Derecho Romano primitivo, y en los pueblos primitivos, este parentesco cedía en importancia al de la *agnación* (v.), único productor de efectos legales en un principio.

Cognición

Conocimiento. Tiene interés jurídico esta palabra, referida al Derecho Procesal, ya que en él se habla de *proceso de cognición* para señalar la fase del juicio en que el juez o tribunal formula una decisión de la que se derivan consecuencias jurídicas a favor o en contra de las partes litigantes. Se llama así (o también *proceso de conocimiento*) para distinguirlo del *proceso ejecutivo*, en que se da efectividad a lo resuelto en la fase cognoscitiva.

Cohabitación

Acción o efecto de cohabitar. | El hecho de vivir juntos, al menos con unidad de casa, y más aún de techo y lecho, dos personas. | Cópula carnal. Tanto en este sentido como en el anterior, la *cohabitación* integra derecho y deber de los cónyuges. Entre ellos es *lícito* este acceso; que se considera *ilícito* fuera del matrimonio.

Cohechar

Sobornar o corromper con dádivas al juez, a otra persona que intervenga en un juicio o a algún funcionario público para que proceda o resuelva contra derecho y justicia. | Antiguamente, dejarse cohechar. | También, obligar, violentar, forzar.

Cohecho

El soborno, seducción o corrupción de un juez o funcionario público para que haga lo pedido, aunque no sea contra justicia.

Coheredero
Heredero en unión de otro u otros; o sea, el que es llamado junto con alguno más a la sucesión de una herencia.

Cohibir
Refrenar, reprimir, coercer, contener. También en algunos países de América, obligar a alguno a que obre en determinado sentido, por fuerza o por consideración.

Colaboración
Acción o efecto de colaborar.

Colación
Por antonomasia, la *colación de bienes* (v.). | Cotejo o comparación de una cosa con otra. | Acto de conferir los grados universitarios. | Donación o atribución de algo a una persona. | Territorio o parte de un vecindario perteneciente a cada parroquia. | Otorgamiento de un beneficio eclesiástico. | **DE BIENES.** O simplemente *colación,* es la obligación en la cual se encuentran ciertos herederos forzosos, que concurren con otros a una sucesión, de aportar a la masa hereditaria determinadas liberalidades recibidas del causante antes de la muerte de éste, para que los otros coherederos participen de ellas proporcionalmente, en caso de disponerlo el testador o para computar legítimas y mejoras.

Colacionable
Lo que los herederos forzosos deben traer a colación y partición en la división de una herencia, por haberlo recibido por donación u otro título lucrativo en vida del causante; para que, aumentando de esta suerte el caudal hereditario, se distribuya con igualdad entre todos los coherederos o, al menos, sin perjuicio de legítimas y mejoras.

Colacionar
Traer bienes a colación y partición. | Cotejar. | En Derecho Canónico, efectuar la colación de un beneficio eclesiástico. (V. COLACIÓN.)

Colateral
Pariente que no lo es por línea recta. Se llaman *parientes colaterales* a los que, procediendo de un mismo tronco, no descienden el uno del otro; como los hermanos o los primos.

Colectivismo
Sistema económico y social basado en la comunidad. El *colectivismo* presenta tipos muy distintos, como el comunista, el socialista, el corporativismo, etcétera. Joaquín Costa es autor de un excelente estudio titulado *Colectivismo agrario.*

Colectivo
Lo contrario a individual, sobre todo en cuanto a la propiedad. | Lo común a un grupo, a la estructura de una colectividad. | Con virtud para recoger o reunir. | Lo común o perteneciente a varias personas; o relacionado con todas ellas, sin distinción.

Colegatario
Quien en unión de otro u otros recibe un legado.

Colegiación
La reunión corporativa de individuos que integran una misma profesión o se dedican a igual oficio.

Colegio
La comunidad de personas que viven en un establecimiento destinado a la enseñanza de ciencias, artes u oficios (o al menos asisten a él), bajo el gobierno de ciertas reglas y determinados superiores. | También se dice del conjunto de personas de la misma profesión que observan ciertas constituciones; como el *Colegio de médicos,* el *de abogados,* etc.

Coligación
Acción y efecto de unirse, para un fin común, varias personas, entidades o naciones. | Unión. | Confederación. | Alianza.

Colindante
Se dice de cada uno de los predios, campos o edificios contiguos entre sí, con linderos comunes al menos en parte. | Cada uno de los municipios cuyos términos lindan. | Denominación recíproca de los propietarios que tienen fincas contiguas.

Colindar
Lindar entre sí dos o más términos municipales.

Colisión
Choque de dos vehículos u otros cuerpos. | Oposición de ideas o de intereses. | Pugna de personas que sostienen diversas causas u opiniones. | **DE DERECHOS Y DEBERES.** Se ha definido diciendo que es "la incidencia de dos o más derechos o deberes incapaces de ser ejercitados o cumplidos simultáneamente".

Colitigante
El que litiga juntamente con otro u otros contra un tercero.

Colocación
Empleo, puesto de trabajo. | Acción de facilitar trabajo. | Inversión de dinero. (V. PARO OBRERO, TRABAJO, SEGURIDAD SOCIAL.)

Colonia
Territorio puesto políticamente bajo la dependencia de un Estado que, en relación con él, es llamado *metrópoli*, con el pretexto de fomentar su desarrollo y progreso económico, cultural o demográfico; pero, en realidad, para aprovecharse la metrópoli de los productos naturales del territorio sometido al coloniaje o para imponerle la adquisición de sus propios productos.

Colonato
Sistema de explotación agrícola por medio de colonos. Esta institución, procedente de la época bizantina, consistía en la adscripción de un hombre libre —colono— a una tierra, que debía cultivar obligatoriamente, y de la cual, en cierto modo, formaba parte.

Colonización
Población y cultivo de un territorio abandonado o desconocido. | Civilización y cultura llevadas a nuevas tierras. | Establecimiento de trabajadores agrícolas. | **PENITENCIARÍA.** Sistema que establece colonias cuya población está integrada por penados que cumplen en ella la condena impuesta. Es un modo de cumplir la pena, no una pena entre sí.

Colusión
Convenio, contrato, inteligencia entre dos o más personas, hecha en forma fraudulenta y secreta, con el objeto de engañar o perjudicar a un tercero. Todo acto o contrato hecho por *colusión* es nulo.

Comandita
Se llama sociedad en *comandita* la que se forma cuando dos o más personas se reúnen obligándose el uno, o unos, como socios solidariamente responsables, y permaneciendo el otro, u otros, simples suministradores de capital, bajo la condición de no responder sino con los fondos declarados en el contrato.

Comanditado
Aun cuando esta voz no aparezca registrada en el *Diccionario* de la Academia, es de uso corriente en el Derecho Mercantil, por cuanto, en las sociedades en comandita simples, se llaman socios *comanditados*, en oposición a los *comanditarios* (v.), aquellos que son responsables solidariamente de los resultados de todas las operaciones, por cuanto tienen el manejo o dirección de la compañía o están incluidos en el nombre o razón social.

Comanditario
Perteneciente a la sociedad en comandita. | Socio de ésta, no responsable solidariamente por sus deudas.

Comentador
El que *comenta*; o sea quien explica, glosa o aclara una obra o escrito, ley o cuerpo legal, con el fin de lograr mejor inteligencia de su contenido. Se suele denominar también *comentarista, expositor, intérprete* y, en algunos casos, *glosador.*

Comentario
Escrito que aclara o interpreta una obra. | Explicación continuada de un texto legal.

Comentaristas (escuela de los)
La de los jurisconsultos, también llamados postglosadores, por seguir cronológicamente a los *glosadores* (v.), que utilizaban el comentario como forma preferente para exponer las doctrinas jurídicas.

Comercial
Lo relativo al comercio. También significa las cosas que pueden ser objeto de comercio.

Derecho comercial se dice a veces por Derecho Mercantil, nombre más usual y eufónico.

Comercialista
Tratadista de Derecho Mercantil o Comercial. | Jurista especializado en este Derecho.

Comercialmente
A uso o estilo comercial.

Comerciante
El Cód. de Com. esp. declara *comerciante*, en su art. 1º: *a*) los que teniendo capacidad legal para ejercer el comercio, se dedican a él habitualmente; *b*) las compañías mercantiles o industriales que se constituyen con arreglo al mismo Código.

De lo expresado se deduce que todo aquel que ejerza el comercio habitualmente, teniendo capacidad legal para ellos, es *comerciante.*

Comercio
Negociación o actividad que busca la obtención de ganancia o lucro en la venta, permuta o compra de mercaderías. | Establecimiento,

tienda, almacén, casa o depósito dedicado al tráfico mercantil. | Conjunto de comerciantes de una plaza, nación o época. | Clase constituida por los profesionales del comercio. | Operación mercantil. | Barrio comercial.

Comercio al por mayor

El que realizan los mayoristas, que comercian con comerciantes, a los que abastecen, con márgenes basados en operaciones cuantiosas, que tienden a convertirse en provisiones habituales. Cuando no se trata de fabricantes o productores, surge un escalonamiento en la materia en establecimientos que comercian también con los particulares, bien en locales propios de reventa, bien atendiendo en la sede central. (V. COMERCIO AL POR MENOR.)

Comercio al por menor

El típico tráfico mercantil, entre un profesional, casi siempre con local propio, y el público en general. (V. COMERCIO AL POR MAYOR.)

Comicios

Antiguamente, las juntas o asambleas en las que el pueblo romano elegía a sus magistrados y trataba de los negocios públicos. | Actualmente, los actos electorales.

Comienzo de ejecución

Acto material que revela el propósito de cometer un delito; por ejemplo, apostarse con armas en un lugar, penetrar con ganzúas en una casa durante la ausencia de los moradores.

Comisario

Quien tiene poder o autorización de otro para ejecutar una orden u obrar en un asunto. | Cierto grado jerárquico en la Policía y en cuerpos de vigilancia o seguridad.

Comisión

Del latín *commitere,* encargar, encomendar a otro el desempeño o ejecución de algún servicio o cosa. *Comisión* es la facultad que se da o se concede a una persona para ejercer, durante cierto tiempo, algún cargo. | También, el encargo que una persona hace a otra para que le desempeñe algún negocio. | **MERCANTIL.** "Se reputa *comisión mercantil* el mandato, cuando tenga por objeto un acto u operación de comercio y sea comerciante o agente mediador del comercio el comitente o el comisionista" (art. 244 del Cód. de Com. esp.) | **POR OMISIÓN.** Conducta en virtud de la cual se comete un delito en razón de la omisión de actos destinados a impedir un resultado antijurídico. Las conductas así caracterizadas surgen de la existencia de una obligación explícita o implícita de efectuar los actos omitidos.

Comisiones paritarias

También denominadas *cámaras paritarias*, son instituciones incorporadas al Derecho Laboral, integradas por un número igual de representantes de los patronos y de los trabajadores, quienes actúan para resolver los problemas que afectan a ambas clases, dentro de las atribuciones que les confiere su estatuto.

Comisionista

La persona que se emplea en desempeñar comisiones mercantiles. También, el que ejerce actos de comercio por cuenta ajena, sea en nombre propio o bajo una razón social, sea en nombre del comitente.

Comiso

Confiscación de carácter especial, de una o varias cosas determinadas. Sirve para designar la pena en la que incurre quien comercia con géneros prohibidos, de pérdida de la mercadería. | Pérdida que, cuando se estipula tal sanción, sufre quien incumple un contrato. | Cosa decomisada o caída en *comiso* pactado.

Comisorio

Válido, obligatorio o subsistente durante tiempo determinado; o lo aplazado o diferido hasta cierta fecha.

Comité de empresa

Organismo representativo de los trabajadores, ante la dirección de la empresa, cuando ésta emplee por lo menos cierto número de trabajadores (cincuenta en la legislación francesa) y cuyas principales funciones son: *a*) organizar la cooperación entre el personal y la dirección; *b*) conciliar la autoridad de los empresarios y los derechos de los trabajadores a participar en la marcha de la empresa; *c*) informar sobre la administración, desenvolvimiento y organización del establecimiento; *d*) sugerir beneficios para el personal y estudiar su mejor aprovechamiento; *e*) opinar sobre aumentos de precios; *f*) iniciativa para incrementar la producción y el rendimiento.

"Common law"

Locución inglesa con una pluralidad de sentidos. Designa en primer término el sistema jurídico de los países que han recogido las bases de su Derecho del inglés, en contraposición a otros sistemas jurídicos, particularmente los de origen romano. También se distingue así el Derecho elaborado jurisprudencialmente, en esos países, en contraposición al de origen legislativo. El *common law* es asimismo el conjunto de normas elaboradas por los tribunales de Derecho estricto, en contraposición a las derivadas de la jurisprudencia de los tribunales de *equity*, que originalmente decidían en función de la equidad, para desarrollar luego su propia línea de precedentes. Por último, *common law* es el Derecho jurisprudencial tradicional inglés, en contraposición al que se ha desarrollado más recientemente, sea por la jurisprudencia o por la legislación.

"Communis error"
Loc. lat. Error común o frecuente.

"Communis opinio"
La opinión o parecer común a los doctores, que llegó a tener fuerza de ley durante el imperio de la constitución de Teodosio II. | Por extensión, la doctrina admitida y consagrada por la mayoría de los autores y juristas más acreditados.

Comodable
Lo que se puede prestar o dar en comodato.

Comodante
Quien presta a otro gratuitamente una cosa no fungible, para que se sirva de ella durante cierto tiempo y de determinada manera, y se la restituya después.

Comodatario
Es el que toma a préstamo una cosa no fungible, para servirse de ella hasta cierto tiempo y para determinado uso, con la obligación de devolverla y de modo gratuito.

Comodato
Contrato de préstamo por el cual una de las partes entrega gratuitamente a otra una cosa no fungible para que use de ella por cierto tiempo, y se la devuelva (artículo 1.740 del Cód. Civ. esp.).

Compañía
Contrato consensual por el cual dos o más personas ponen en común bienes, industria o alguna de estas cosas, con el fin de obtener un provecho o ganancia y repartirse las utilidades. | También, la junta de varias personas unidas con el mismo fin.

Comparecencia
Acción y efecto de comparecer; esto es, de presentarse ante alguna autoridad, acudiendo a su llamamiento, o para mostrarse parte en un asunto. | **EN JUICIO.** El acto de presentarse personalmente, o por medio de representante legal, ante un juez o tribunal, obedeciendo a un emplazamiento, citación o requerimiento de las autoridades judiciales; o bien, para mostrarse parte en alguna causa, o coadyuvar en un acto o diligencia ante la justicia.

Comparecer
Parecer, presentarse uno personalmente o por poder ante otro, en virtud de citación o requerimiento, o para mostrarse parte en algún asunto.

Comparendo
Resolución judicial por la cual se cita a un reo o demandado mandándole presentarse. Orden de comparecencia.

Comparte
Quien es parte juntamente con otro u otros en algún negocio civil o criminal. (V. COLITIGANTE.)

Compeler
Obligar a alguien, valiéndose de la fuerza o autoridad, a hacer lo que no quiere voluntariamente. Cuando la compulsión carece de legitimidad, puede llegar a constituir coacción o violencia. (V. COACCIÓN, INTIMIDACIÓN.)

Compensación
Igualdad entre lo dado y lo recibido; entre lo que se adeuda y lo que se nos debe; entre el mal causado y la reparación obtenida; resarcimiento, nivelación. | **DE INJURIAS.** Inculpabilidad que se aprecia a veces en los recíprocos ofensores cuando las injurias se profieren simultáneamente, o las posteriores obedecen a impulso de desagravio.

Compensar
Igualar, equiparar efectos contrarios. | Extinguir dos o más deudas y créditos de igual naturaleza y calidad jurídica, por corresponder a deudores y acreedores recíprocos. | Resarcir, indemnizar, hacer o entregar algo para reparar un daño o perjuicio o para desagraviar a un ofendido. (V. COMPENSACIÓN.)

Competencia
Contienda, disputa. | Oposición, rivalidad; sobre todo en el comercio y la industria. | Atribución, potestad, incumbencia. | Idoneidad, aptitud. |

Capacidad para conocer una autoridad sobre una materia o asunto. | Derecho para actuar. | **DE JURISDICCIÓN.** Contienda suscitada entre dos jueces, tribunales o autoridades, respecto del conocimiento y decisión de un negocio, judicial o administrativo. | **DESLEAL.** Abusiva práctica del comercio por quien trata de desviar, en provecho propio, la clientela de otra persona, establecimiento comercial o industrial, empleando para conseguirlo equívocos, fortuitas coincidencias de nombre, falsas alarmas o cualquier medio deshonesto.

Compilación
Agrupación en un solo cuerpo científico de las distintas leyes y disposiciones que se refieren a una rama del Derecho, o al régimen jurídico de un país.

Complemento de legítima
Lo que falta para completar o integrar la legítima de los herederos forzosos. Pueden éstos pedir, por tanto, la reducción de las disposiciones testamentarias en lo que atañen a su *legítima* (v.), derecho que de ninguna manera puede limitar el testador.

Cómplice
El que, sin ser autor, coopera a la ejecución de un hecho delictivo por actos anteriores o simultáneos.

Cómplice necesario
Concepto penal que surge de la *codelincuencia* (v.) cuando el ejecutor material del hecho punible recibe la cooperación imprescindible o útil de otro para la perpetración del delito. Este otro es el denominado *cómplice necesario* por algunos penalistas y que el codificador no vacila en calificar de *autor* (v.) en la fórmula, dentro del Cód. Pen. esp., que establece esa equiparación personal y en la condena para "los que cooperan a la ejecución del hecho con un acto sin el cual no se hubiere efectuado". Tal es el caso del que conduce el vehículo desde el cual se ametralla a la víctima al pasar ante ella. (V. CÓMPLICE SECUNDARIO.)

Cómplice secundario
En antítesis con la voz precedente, el que coopera en la ejecución de un delito con actos anteriores o simultáneos que complementan el hecho punible, pero sin el sustrato de imprescindibles para completar la infracción. Se está sin más ante el *cómplice* (v.) por antonomasia.

Complot
Confabulación de dos o más personas contra otra u otras; también la maquinación que se urde para ruina ajena o ataque contra alguno.

Componedor
La persona que, a petición de las partes interesadas, libremente sometidas a su resolución arbitral, determina amigablemente un litigio o un conflicto que puede originar un pleito. (V. AMIGABLE COMPONEDOR, ÁRBITRO.)

Composición
En general, ajuste o convenio. | En lo decisorio de controversias no jurisdiccionales, amigable composición. | En lo penal, *compensación* (v.).

Compra
En general, adquisición de algo mediante dinero. | Objeto o cosa comprados. | Comestibles que se adquieren para el gasto diario de una casa o familia. | Soborno (*Dic. Der. Usual*). (V. VENTA.)

Comprador
Quien mediante cierto precio adquiere la cosa que otro le vende.

Compraventa o compra y venta
Esta segunda denominación, aun siendo la empleada en los Códigos Civiles de la Argentina y España, va cayendo rápidamente en desuso.

Habrá *compraventa* cuando una de las partes se obligue a transferir la propiedad de una cosa a la otra, y ésta se obligue a recibirla y a pagar por ella un precio cierto en dinero. *Compra*, por tanto, es la adquisición de una cosa por precio; *venta,* es la enajenación de una cosa por precio.

Compraventa a distancia
La que tiene lugar entre distintas plazas, corriendo sobre una u otra de las partes el riesgo inherente al transporte de las mercaderías vendidas entre tales plazas.

Compraventa al contado o a la vista
Es la forma más genuina y predominante aún, al menos en las *compraventas* de valor escaso o mediano, en que el vendedor entrega la cosa y el comprador abona el precio, de modo simultáneo o con mínima dilación, por algún trámite del pago o disposición de la cosa para la entrega.

Compraventa a plazos
Aquella en que la entrega de la cosa o el pago del precio no pueden ser exigidos en el mo-

mento de realizarse la operación (lo que constituirá una *compraventa al contado*), sino que se difieren para otro u otros momentos posteriores. Sin embargo, se entiende que la *compraventa a plazos* es cuando el comprador puede ir pagando el precio al vendedor en periodos o cuotas posteriores a la entrega de la cosa vendida. Llámase también *compra a crédito*.

Compraventa con reserva de dominio
Modalidad de ese contrato que se da a veces cuando la compra no se hace al contado, sino con el pago del precio a plazos. Consiste esta cláusula en mantener el vendedor su propiedad sobre la cosa vendida hasta obtener el pago total por parte del comprador, no obstante la entrega a éste de la cosa vendida.

Compraventa judicial
La que se realiza por orden de un órgano judicial, en el contexto de un proceso la concreción de cuyos fines haga necesaria tal venta. Las compraventas judiciales están sujetas a reglas especiales, entre las que se destacan las que exigen que tales compraventas se efectúen mediante pública subasta.

Comprobación
En general, equivale a prueba. | La averiguación, verificación o confirmación fehaciente de la existencia de un hecho. | Recuento conforme. | También, el cotejo de una copia con su original, para ver si coincide el texto. | En lo teológico y canónico, la demostración de que una afirmación o un hecho concuerda con el dogma o deriva de él.

Comprobante
Que comprueba. | Recibo, resguardo.

Comprobar
Verificar, confirmar, ratificar la exactitud de un dicho o un hecho. | Cotejar un documento o un objeto de distinta clase con otro auténtico o similar, para cerciorarse de la fidelidad, pureza u otra calidad dudosa o necesaria. | Probar, acreditar.

Comprometer
Someter de común acuerdo a la resolución de un tercero el negocio sobre el cual se disputa o litiga. | Crear, de modo más o menos coactivo, una obligación para otro; como en colectas, suscripciones, adhesiones a las autoridades, etc. | Hacer a otro responsable de lo que no es, por las apariencias. | Exponer a un peligro.

Compromisario
La persona designada por otras para decidir o juzgar sobre el objeto de una contienda o litigio. | También son *compromisarios* los elegidos directamente por el pueblo para que lo representen en una elección ulterior, llamada de *segundo grado*.

Compromiso
Contrato en virtud del cual las partes se someten al juicio de árbitros o amigables componedores para la resolución de un litigio o de una cuestión dudosa. | También, la escritura o instrumento en que se hace el convenio y el nombramiento de los arbitradores.

Compulsa
Examen de dos o más documentos, comparándolos entre sí. *Compulsa* es sinónimo de *cotejo*. | También, la copia de un documento o de unos autos sacada judicialmente y confrontada con su original.

Compulsar
Sacar compulsas. | Examinar o confrontar documentos cotejándolos o comparándolos entre sí. | Antiguamente se decía por compeler.

Compulsión
Apremio o fuerza que la autoridad hace a uno, para obligarlo a ejecutar una cosa. (V. EMPLAZAMIENTO.)

Computar
Calcular o contar por números. Se dice propiamente de los lapsos en los términos, plazos y vencimientos; de las edades y de los grados de parentesco entre dos o más personas.

Cómputo
Cuenta o cálculo. El *cómputo del tiempo* a los efectos legales tiene extraordinaria importancia.

Común
Lo que, no siendo privativamente de ninguno, pertenece a muchos, todos los cuales tienen igual derecho a servirse de ello para sí o para sus cosas; como *bienes comunes, pastos comunes*. | Aquello que resulta útil o de provecho para todos los litigantes; como los términos concedidos por el juez para realizar alguna diligencia, y que son *comunes* para ambas partes, aunque sólo se otorguen expresamente a una de ellas. | Lo corriente y admitido por todos o la mayor parte; como *precio común, uso común, opinión común*. Comunidad, generalidad. |

Todo el pueblo de cualquier lugar, villa, ciudad o provincia.

Comunal

Lo común; perteneciente o extensivo a varios o a todos. | *Comunales* se denominan los bienes que pertenecen a un pueblo.

Comunero

La persona que tiene en común con otra un derecho o una cosa; especialmente, una heredad o hacienda.

Comunicación

Manifestación o traslado hecho a cada una de las partes de lo dicho por la otra, como igualmente de los instrumentos y demás pruebas presentadas en apoyo de sus razones. | Estado de un preso a quien se permite ver y hablar a las personas que van a visitarlo. | Documento que comunica o que notifica alguna norma o resolución. | Trato, relación, correspondencia entre dos o más personas. | Unión, vínculo o lazo entre individuos o pueblos (*Dic. Der. Usual*).

Comunidad

Calidad de común y general. | Lo perteneciente a varios. | Lo usado por todos. | Junta o congregación de personas que viven sujetas a ciertas reglas; como monjas y frailes en los conventos. | Asimismo, cualquiera de los establecimientos que poseen bienes en común para diferentes usos útiles al público; como los hospicios, hospitales, etc. | Común o conjunto de los vecinos de las antiguas ciudades o villas realengas de los reinos españoles y representadas por un concejo. | **DE BIENES.** Hay *comunidad* de esta clase "cuando la propiedad de una cosa o de un derecho pertenece por indiviso a varias personas". | **DE PASTOS.** Condominio establecido entre los propietarios de fincas rústicas o entre los vecinos de un pueblo en terrenos comunales, o también entre dos o más pueblos colindantes, en virtud del cual cada dueño o vecino tiene derecho a utilizar, a favor de su ganado, los pastos de los respectivos predios o bienes de aprovechamiento común. | **HEREDITARIA.** La más o menos transitoria de los *coherederos* hasta la *partición de herencia* (v.). | **INCIDENTAL.** El condominio de causas ajenas a la voluntad de los comuneros o copropietarios. Surge especialmente de la disposición testamentaria que prohíbe la división de todo o parte del caudal hereditario.

Comunidades autónomas

Unidades políticas, reconocidas por la Constitución española de 1978, constituidas por provincias limítrofes entre sí, con características históricas, culturales y económicas comunes, por los territorios insulares y por las provincias con entidad regional histórica propia. Cuentan con competencias y órganos propios, determinados por la Constitución nacional y por los respectivos Estatutos de Autonomía.

Comunidades religiosas

Congregaciones de religiosos o de religiosas que, con votos más o menos solemnes, hacen vida común, con clausura o sin ella.

Comunismo

Doctrina social y política basada en la comunidad general de bienes. Esta doctrina es netamente intervencionista, contraria al liberalismo democrático.

Conato

Propósito, intento, tendencia. | Empeño, impulso, esfuerzo para ejecutar algo. | El acto o delito que se empieza a realizar y no llega a consumarse.

Concausa

Cosa que, juntamente con otra, es causa de algún efecto.

Concebido

Normalmente se aplica para designar el óvulo fecundado de la mujer. El *concebido*, a los efectos legales, tiene ciertos derechos, en suspenso y condicionados al hecho de que nazca con vida.

Concejal

El individuo que forma parte del cuerpo administrativo o ayuntamiento de un municipio, o del concejo de algún pueblo, villa o ciudad.

Concejo

El ayuntamiento y regidores de un pueblo, como también el lugar o casa donde se reúnen. | Municipio. | Sesión de un concejo. | Concejil o expósito. | Nombre de algunas juntas. | **ABIERTO.** La reunión de todos los vecinos de un pueblo, convocados a son de campana y presididos por la autoridad, para tratar asuntos de interés común. | **MUNICIPAL.** Asamblea legislativa o reglamentadora, dentro del ámbito local, que dicta ordenanzas, resuelve dentro de su competencia y ejerce diversas funciones administrativas en su término jurisdiccional.

Concentración societaria
Conjunto de actos en virtud de los cuales una pluralidad de empresas organizadas mediante figuras societarias quedan sujetas a un control común.

Concepción
El acto de la fecundación. Fisiológicamente, momento en el cual la cabeza del espermatozoide penetra en el óvulo.

Concertación económica
Acuerdo expreso o tácito entre unidades económicas, tendiente a que éstas actúen de un modo convenido entre ellas y no mediante decisiones independientes. Las concertaciones entre empresas constituyen una forma típica de conducta violatoria de las normas de defensa de la competencia.

Concertar
Contratar, pactar. | Componer, ordenar, disponer, arreglar. | Ajustar, tratar, acordar un negocio. | Cotejar o concordar dos o más cosas. | Convenir el precio de algo. | Concordar entre sí diversas cosas o partes.

Concesión
Cuanto se otorga por gracia o merced. | Admisión de un argumento o alegato ajeno. | Autorización, permiso. | Libertad o franquicia. | Punto de la reclamación contraria que se acepta en una transacción o negociación. Favor sensual, consentido casi por la tácita en la mujer. | En Derecho Canónico, la parte dispositiva de una bula. | En Derecho Público, esta palabra se aplica a los actos de la autoridad soberana por los cuales se otorga, a un particular (llamado *concesionario*) o a una empresa (entonces *concesionaria*), determinado derecho o privilegio para la explotación de un territorio o de una fuente de riqueza, la prestación de un servicio o la ejecución de las obras convenidas.

Concesionario
Persona a quien se hace una concesión, especialmente cuando es administrativa.

Concierto
Convenio entre dos o más personas sobre alguna cosa. Todo contrato exige *concierto* de voluntades; pues, sin él, no habría lazo jurídico que uniera a los contratantes. | Transacció n, avenencia. | Buen orden o disposició n de algo. | Sobre el concierto para delinquir, (V. CODELINCUENCIA, CONSPIRACIÓN.)

Conciliación
Avenencia de las partes en un acto judicial, previo a la iniciación de un pleito. El *acto de conciliación,* que también se denomina *juicio de conciliación* (v.), procura la transigencia de las partes, con el objeto de evitar el pleito que una de ellas quiere entablar.

Concilio
Congreso o junta de personas eclesiásticas; y, especialmente, la reunión de los obispos de la Iglesia Católica para deliberar y decidir sobre materias de dogma y disciplina. Los *concilios* pueden ser *generales* y *particulares*, según sean convocados todos los obispos católicos o se congreguen solamente los de una región eclesiástica. Los primeros se designan comúnmente ecuménicos.

Conclave o cónclave
Asamblea que designa o elige el papa. | Lugar donde se celebra.

Conclusión
Término, fin, extinción. | Determinación adoptada en un asunto. | Proposición que se da por firme, como demostrativa de un hecho o cual base de un derecho. | Cada una de las afirmaciones numeradas que exige la ley en el escrito de calificación penal. | La terminación de los alegatos y defensa de una causa; así como el fin material de un procedimiento o de un período de éste.

Concordancia
Correspondencia o conformidad entre dos o más cosas.

Concordato
En general, acuerdo o convenio. Difiere su consideración canónica en que constituye un tratado internacional entre las potencias espiritual y temporal; y la procesal mercantil, donde integra una transacción entre los acreedores y el quebrado, en terminología importada de Italia.

A. *En Derecho Canónico.* Es el acuerdo celebrado entre el gobierno de una nación y la Santa Sede, sobre cuestiones eclesiásticas de interés estatal también.

B. *En Derecho Mercantil y en el Procesal.* Convenio entre los acreedores y el concursado o quebrado, mediante el cual aquéllos otorgan a éste quita o espera que facilita el pago de las deudas.

Concubina
Manceba o mujer que vive y cohabita con un hombre como si éste fuera su marido. (V. CONCUBINATO.)

Concubinario
Dícese del hombre que tiene *concubina* (v.).

Concubinato
Comunicación o trato de un hombre con su *concubina* (v.); o sea, con su manceba o mujer que vive y cohabita con él como si fuese su marido.

Conculcar
Atropellar, vejar, despreciar, violar. | Infringir, quebrantar.

Concuñado
"Cónyuge de una persona respecto del cónyuge de otra persona hermana de aquélla" (*Dic. Acad.*).

Concurrencia
Del latín *concurro* (correr junta y simultáneamente), designa la igualdad de derechos o privilegios entre dos o más personas sobre una misma cosa. | Junta de varias personas. | Concurso, ayuda, asistencia.

Concursado
Deudor sometido, por espontánea petición o ante legal requerimiento, al *concurso de acreedores* (v.).

Concurso
Las acepciones de esta voz son varias: junta numerosa de gente en un lugar. | Simultaneidad de hechos, causas o circunstancias. | Ayuda, concurrencia, auxilio, asistencia. | Convocatoria o llamamiento para elegir entre los que deseen ejecutar una obra o prestar un servicio. | Oposición de méritos o conocimientos para otorgar un puesto, un premio, un beneficio, etc. | **DE ACCIONES.** Coexistencia de acciones, con el mismo objeto o fundamento jurídico, que no cabe proponer conjuntamente, por absorber una o la otra total o parcialmente; de modo que, al juzgarse en una de ellas, se produce la completa exclusión de la restante. | **DE ACREEDORES.** Es el juicio universal promovido contra el deudor o por éste cuando no cuenta con medios suficientes para pagar todas sus deudas. | **DE CIRCUNSTANCIAS.** Se dice del hecho de presentarse de modo conjunto, en la ejecución de un delito, diversas agravantes y atenuantes. | **DE DELITOS.** La concurrencia de dos o más delitos, o faltas, en un mismo delincuente. | **DE DERECHOS** o **DE DEBERES.** La reunión de derechos u obligaciones, de ejercicio o cumplimiento incompatible, correspondientes a diversas personas. | **IDEAL.** En materia delictiva, el acto que constituye una pluralidad de infracciones, dentro de la unidad de la transgresión. Tal el caso del que roba en una casa, luego de romper la puerta, en que cabría apreciar *allanamiento de morada y robo*, pero este último delito absorbe al anterior, por ser el medio necesario para perpetrarlo. (V. CONCURSO DE DELITOS Y CONCURSO REAL.) | **PREVENTIVO.** Procedimiento, basado en la existencia de una situación de cesación de pagos, en virtud del cual el deudor insolvente solicita una quita o prórroga respecto de sus deudas. Su propuesta, para tener efecto, debe ser aprobada por las mayorías de acreedores que dispone la ley, basadas en su número y en el valor de sus créditos, y homologada por el juez interviniente. Si la propuesta es rechazada, ocasiona la quiebra del deudor. | **REAL.** En la esfera penal, la comisión de diversos delitos, de manera simultánea o sucesiva. Curiosamente, en la línea del pietismo punitivo, el legislador suele hacerle una "rebaja" al infractor mayorista. Tal es el caso del empleado infiel que comete reiterados robos, antes de ser descubierto. (V. CONCURSO DE DELITOS E IDEAL, DELITO CONTINUADO.)

Concusión
Delito que consiste en exigir un magistrado, juez o funcionario público, en provecho propio, una contribución o impuesto no establecido con autorización competente, o mayores derechos que los legalmente debidos.

Condena
Testimonio que de la sentencia condenatoria da el escribano del juzgado, para indicar el destino del reo. | En Derecho Penal, clase y extensión de una pena. | En Derecho Procesal, donde equivale a sentencia o a la parte dispositiva de ésta, constituye el pronunciamiento contenido en la parte de la decisión judicial donde, en una causa criminal, se impone la pena al acusado; o donde, en pleito civil, se accede a la petición o peticiones del demandante, imponiendo al demandado la obligación de satisfacerlas; y también, cuando igual fallo se pronuncia contra el actor ante la reconvención del demandado. | **ACCESORIA.** Pronunciamiento desfavorable

a la parte vencida y consecuencia legal del fallo sobre el fondo del asunto. Típica condena accesoria la constituye la que impone las costas allí donde no son éstas pena de la mala fe o temeridad procesal. | En lo penal, v. PENA ACCESORIA. | **CONDICIONAL.** Consiste en el beneficio, otorgado por ministerio de la ley o confiado al arbitrio motivado de los tribunales, de dejar en suspenso la condena del que, delinquiendo por primera vez, no se encuentra en rebeldía y es condenado a una pena relativamente leve. | **EN COSTAS.** Pronunciamiento de la sentencia en virtud del cual se obliga a uno de los litigantes a pagar los gastos del juicio.

Condenado

Sujeto contra quien se ha pronunciado sentencia, bien sea en asunto civil o en causa criminal.

Condenar

Pronunciar el juez sentencia imponiendo al reo la pena correspondiente al delito o falta cometida. | Fallar en pleito civil admitiendo en todo o en parte la demanda del actor o la reconvención del demandado. Únicamente no se condena cuando *se absuelve*; o sea, cuando se rechaza pura y llanamente la petición del demandante sin conceder nada al demandado. | Reprobar un dicho o un hecho.

Condenatorio

Sentencia, auto o mandamiento en que se impone pena, o donde se ordena hacer o entregar algo.

Condición

En acepciones generales, de repercusión en el Derecho, índole o naturaleza de las cosas. | Carácter o clase de las personas. | Calidad de nacimiento o de posición económica. | Estado de situación. | Circunstancias de una promesa o de un hecho. | Constitución interna, idiosincrasia de un pueblo. | **CASUAL.** La que no depende de la voluntad humana, sino del azar o de la suerte. | **CIERTA.** La concreta y relativa a un hecho o acontecimiento que ha de suceder. | **CONJUNTA.** Cada una de las establecidas solidariamente, de manera tal que sólo el cumplimiento de todas origina o resuelve el derecho. | **DISYUNTIVA.** Cada una de las impuestas en forma alternativa o con opción para una de las partes. | **ILÍCITA.** La que se impone en los actos jurídicos y que, por contraria a las leyes, a la moral o al orden público, carece de eficacia. | **IMPOSIBLE.** La que implica algo irrealizable naturalmente o algo ilegal o ilícito. La de la segunda especie anula la obligación; la primera se tiene por no puesta. | **INCIERTA.** La indeterminada en su contenido (por ejemplo, la decisión de un tercero) o la de inseguro acaecimiento (como la de si alguien muere antes que otro). (V. CONDICIÓN CIERTA.) | **LÍCITA.** La conforme a la ley, pacto o costumbre, y no contraria a la moral. | **MIXTA.** La que depende, en parte, del arbitrio del hombre y, en parte, del acaso; por ejemplo: te perdono la deuda que tienes conmigo si libras mi finca de la plaga que sufre. | **NECESARIA.** La requerida inexcusablemente para la validez de un negocio jurídico. En cierto sentido equivale a requisito, como el libre consentimiento, para que surta sus efectos un contrato. (V. CONDICIÓN SINE QUA NON.) | **NEGATIVA.** La que depende de que no se produzca un determinado acontecimiento. | **POSITIVA.** La consistente en dar o hacer algo; la que depende de la producción de un hecho. (V. CONDICIÓN TÁCITA.) | **POTESTATIVA.** La dependiente tan sólo de la voluntad de aquel a quien se impone. | **SINE QUA NON.** La indispensable para que se produzca un efecto determinado. | **RESOLUTORIA.** Aquella cláusula que, al cumplirse, produce la revocación o ineficacia de la obligación o institución, con la consecuencia de reponer las cosas en el estado que tenían antes del acto o contrato donde fue inserta. | **SUPERFLUA.** La que carece de trascendencia, por ser connatural con el acto jurídico; como la de dejar un legado con la condición de que se acepte, ya que ello es forzoso, de manera expresa o tácita; o la de prometer fidelidad en el matrimonio. (V. CONDICIÓN NECESARIA.) | **SUSPENSIVA.** La que impide que nazca o tenga efecto una relación jurídica, hasta que la condición se cumpla. | **TÁCITA.** La no expresada de modo terminante en un acto o contrato, pero derivada de sus términos.

Condicional

Se denomina así el acto jurídico que encierra una condición o requisito especial, sin cuya observancia o cumplimiento no es válido o no surte efecto en Derecho. (V. CONDENA.)

"Condictio"

Voz lat. Su sentido ha variado a través de las diversas etapas del Derecho Romano. La *"condictio"* podía ser utilizada por todo acreedor que hubiera tasado en dinero su crédito o la prestación del obligado. | **"CAUSA DATA, CAU-**

SA NON SECUTA". Loc. lat. Acción por prestación cumplida y ante prestación no observada. Acción para el caso de enriquecimiento proveniente de una prestación realizada en atención a una causa lícita y futura que no ha llegado a cumplirse. | **"EX LEGE".** Loc. lat. Acción proveniente de la ley. | **"INCERTI".** Loc. lat. Acción personal indeterminada. | **"INDEBITI".** Acción concedida para la repetición de lo indebidamente pagado por un error. (V. PAGO DE LO INDEBIDO.) | **"JURIS".** Loc. lat. Condición, formalidad o requisito necesario para la validez de un acto jurídico. | **"OB TURPEM CAUSAM".** Loc. lat. Acción para pedir la restitución de lo dado o hecho, por mediar una finalidad o circunstancia inmoral o ilícita. | **"SINE CAUSA".** Loc. lat. Acción tendiente a la restitución en los casos de enriquecimiento injusto, aun siendo lícito el objeto.

Condominio

Del lat. *cum,* con, y *dominium,* dominio. Dominio o propiedad de una cosa perteneciente en común a dos o más personas. El art. 2.673 del Cód. Civ. arg. lo define diciendo que "el *condominio* es el derecho real de propiedad que pertenece a varias personas por una parte indivisa sobre una cosa mueble o inmueble".

Condómino

Se denomina así cada uno de los dueños en común de una propiedad mueble o inmueble. Sobre su definición y concepto (V. CONDOMINIO).

Condonación

La renuncia gratuita de un crédito. | Perdón o remisión de una deuda u obligación. | Indulto de la pena de muerte.

Conducta casual

En la calificación de la conducta en la quiebra, aquella que carece de los elementos propios de la *conducta culpable* o de la *fraudulenta* (v.).

Conducta culpable

En la calificación de la conducta en la quiebra, aquella que ha dado lugar a la insolvencia del deudor, en virtud de imprudencia o negligencia.

Conducta fraudulenta

En la calificación de la conducta en la quiebra, aquella que ha dado lugar a la insolvencia del deudor en virtud de su dolo o de un grado culpa prácticamente no distinguible de la intención de insolventarse.

Conducta procesal temeraria o maliciosa

Conducta, en el curso de un proceso, que demuestra la intención de violar los fundamentos lícitos de las acciones procesales o una inobservancia desaprensiva de las reglas de fondo y de forma aplicables.

"Conductio"

Voz lat. Arrendamiento; pero considerado tan sólo desde el punto de vista del inquilino o arrendatario, del patrono o del empresario. (V. LOCACIÓN.) | **"OPERARUM".** Loc. lat. Arrendamiento de obras. | **"OPERIS FACIENDI".** Loc. lat. Arrendamiento de obra.

Confabulación

Acción o efecto de confabular o confabularse. El acto de ponerse de acuerdo o más personas sobre un negocio en que no son ellas solas las interesadas, para perjudicar a terceros. | En Derecho Penal se toma como equivalente de conspiración o trama de un delito, especialmente cuando va dirigido contra los poderes públicos.

Confederación

Unión, liga, alianza entre personas. | Unión internacional de varios Estados, que conservan su independencia interior y exterior, con el objeto de aunar sus esfuerzos en asuntos de interés común para ellos.

Confesión

Declaración que, sobre lo sabido o hecho por él, hace alguien voluntariamente o preguntado por otro. En Derecho, es el reconocimiento que una persona hace contra sí misma de la verdad de un hecho. | **DIVIDIDA** e **INDIVIDUA.** En esta forma se divide la *confesión* cualificada. Es *dividua* cuando la circunstancia o modificación que se añade a la confesión cualificada puede separarse del hecho confesado; es *individua* o *indivisible*, cuando no puede separarse así sin destruir la *confesión.* | **EXPRESA** y **TÁCITA.** La primera es la hecha con palabras o señales que clara y positivamente manifiestan lo confesado; la segunda es la que se infiere de algún hecho o la supuesta por la ley. | **EXTRAJUDICIAL.** La que se hace fuera de juicio, y aun la realizada ante juez que no fuera competente. | **SIMPLE** y **CUALIFICADA.** La primera es aquella que hace la parte a quien se pide, firmando lisa y llanamente la verdad del hecho sobre el cual se le pregunta; la segunda es la que, si bien reconoce la verdad de un hecho, añade circunstancias o modificaciones que restringen o destruyen la manifestación hecha.

Confeso

El reo que ha declarado su delito.

Confesoria

Se denomina así la acción cuya finalidad consiste en obtener el restablecimiento de los derechos reales impedidos, en cuanto a su pleno ejercicio, por actos ilegítimos de un tercero.

Confianza

Esperanza firme en una persona o cosa. | Familiaridad. | Trato íntimo. | Ausencia de etiqueta y cumplidos en las relaciones personales. | Pacto o convenio hecho oculta y reservadamente. | En el parlamentarismo, la aprobación de la actitud del ministerio por la mayoría de las Cámaras; al punto de que, "perdida esa confianza", derrotado en una sola votación el gobierno, ha de presentar la dimisión.

Confinamiento

Pena aflictiva y restrictiva que consiste en relegar al reo en un lugar determinado, en el cual dispone de libertad, salvo la de alejarse de éste, esté o no vigilado efectivamente por la autoridad.

Confirmación

Ratificación de la verdad de un hecho. | Comprobación. | Reiteración de lo manifestado. | Sacramento de la Iglesia, que "confirma" la fe recibida en el bautismo. (V. PARENTESCO ESPIRITUAL.) | Purificación o revalidación del acto jurídico que adolece de algún vicio o nulidad, manifestando su aquiescencia expresa o tácita las partes que podrían impugnarlo.

Confirmar

Corroborar la verdad de una cosa. | Convalidar lo ya aprobado. | Dar mayor firmeza, garantía o seguridad. | Comprobar, verificar, ratificar. | Administrar el sacramento de la confirmación. | En los negocios jurídicos anulables, subsanar expresa o tácitamente el defecto del acto o contrato. (V. CONFIRMACIÓN.)

Confiscación

Adjudicación que se hace al Estado, Tesoro Público o Fisco de los bienes de propiedad privada, generalmente de algún reo. La Const. esp. de 1827 estableció, por vez primera, la abolición de la confiscación general de bienes (artículo 10).

Conflicto

Lo más recio o incierto de un combate, pelea o contienda. | Oposición de intereses en que las partes no ceden. | El choque o colisión de derechos o pretensiones. | Situación difícil, caso desgraciado. | **COLECTIVO DE TRABAJO.** La oposición o pugna manifestada entre un grupo de trabajadores y uno o más patronos. | **DE ATRIBUCIONES.** Situación que surge entre autoridades judiciales o administrativas cuando cada una de ellas se considera al mismo tiempo con facultades para conocer, deliberar o resolver sobre determinado asunto. (V. COMPETENCIA, CUESTIÓN DE COMPETENCIA, JURISDICCIÓN.) | **DE DERECHOS.** Se produce cuando dos personas adquieren, reúnen o se atribuyen facultades incompatibles en el ejercicio de ellas. | **INDIVIDUAL DE TRABAJO.** El surgido como consecuencia de las relaciones directas entre un patrono y un obrero, y que define intereses personales de los contratantes. (V. CONFLICTO COLECTIVO DE TRABAJO.) | **RACIAL.** Antagonismo real o fomentado entre las diversas razas.

Conforme

Igual o exacto; como cuando la copia coincide con el original. | Acorde, concorde; de acuerdo. | Resignado con un estado de cosas o una resolución desfavorable. | Sustantivado, "el conforme" de un jefe o superior expresa la aprobación; y también la fórmula escrita que contiene ese despacho en expedientes u otras actuaciones judiciales, administrativas o particulares.

Confrontación

Cotejo de una cosa con otra; como la comparación de letras cuando alguien niega ser suyo un escrito o una firma que se le atribuye. | Careo entre varias personas. | Conformidad entre dos o más cosas. (V. CAREO, COTEJO.)

Confusión

Mezcla de cosas que no pueden reducirse a su primitivo estado, por formar un todo distinto. | Desorden, desconcierto. | Oscuridad o contradicción de un texto o manifestación. | Intranquilidad, perplejidad, turbación. | Afrenta, ignominia. | Humillación. | En términos de jerga, cárcel, celda, calabozo. | **DE DERECHOS.** Situación jurídica planteada por la reunión simultánea en una persona de las cualidades de acreedor y deudor en el mismo negocio. | **EN SERVIDUMBRES.** La reunión en una misma persona de las cualidades de propietario de los predios dominante y sirviente.

Congelación
Medida que suelen adoptar las naciones que se encuentran en guerra y que consiste en impedir que los enemigos dispongan de sus bienes situados en el país que adopta ese arbitrio, con el fin de que no pueda utilizarlos en su contra. A veces, el país que congela se aprovecha de tales fondos enemigos en beneficio propio.

Congelación de fondos
Prohibición de disponer del dinero en cuentas bancarias, o de valores depositados, que los gobiernos disponen, en ocasiones, a modo de embargo político en el orden interno, y de carácter militar o de represalias en la esfera internacional. Todo ello, muy poco jurídico, está sujeto al capricho unilateral de quien estatuye esa retención, temporal por lo común, aunque prólogo, en oportunidades, de incautaciones o, incluso, de confiscación.

Congelación de precios
Forma de intervencionismo del Estado en la dirección económica; consiste en prohibir que el precio de venta de determinados productos o de determinados servicios exceda de una cantidad. Trátase con ello de impedir la excesiva carestía de la vida, pero los resultados no han sido siempre satisfactorios. Como casos típicos de *congelación de precios* pueden citarse los relativos a las locaciones urbanas y rurales, a los productos alimenticios y a los artículos de vestir.

Congreso
Junta de varias personas, para deliberar sobre uno o más asuntos; ya con carácter ocasional o permanente. | Cuerpo integrado por diputados o senadores, los cuales forman las Cortes. | Normalmente, el edificio donde celebra sus sesiones la Cámara de Diputados. | **NACIONAL**. El organismo colegiado compuesto de las dos cámaras, la de diputados y la de senadores, que representa al Poder Legislativo de la nación.

Conminación
Apercibimiento que hace la autoridad o el juez a una persona, para que se corrija, declare la verdad o para otros fines, amenazándola con una pena.

Conminatorio
Se aplica al mandamiento con amenaza de una pena.

Conmixtión
Mezcla de cosas diferentes. Constituye uno de los modos de adquirir el dominio por accesión, mediante la mezcla de varias cosas sólidas o líquidas, de la misma o distinta especie, pertenecientes a diversos dueños.

Conmoriencia
Neologismo. Muerte simultánea de dos o más personas. Si ellas han perecido en un peligro común, se presume que la muerte ha sido simultánea, salvo probar que fue sucesiva. El tema de si los fallecimientos fueron simultáneos o sucesivos tiene importancia jurídica a efectos de determinar los derechos sucesorios de los respectivos herederos.

Conmutación
Trueque, cambio o substitución de una cosa por otra.

Conmutación de pena
Indulto parcial que altera la naturaleza del castigo en favor del reo. En esa parcialidad consiste su diferencia con el *indulto* (v.). La *conmutación* puede estar referida a la disminución en la duración de la pena (rebaja de una tercera parte, de la mitad) o, más frecuentemente, a su calidad; sustituir la pena de muerte por la de reclusión perpetua o la de reclusión por la de prisión. Por regla general, ese indulto parcial no corresponde a las facultades del Poder Judicial, sino a las del Poder Ejecutivo o a las del Poder Moderador, si bien algunas legislaciones exigen el informe previo del tribunal que haya impuesto la condena. (V. PERDÓN JUDICIAL.)

Conmutativo
Se aplica por lo general a la justicia que regula la igualdad o proporción que debe existir entre las cosas, cuando unas se dan por otras.

Connivencia
Confabulación. | Participación en cualquier delito. | Complicidad por tolerancia o inteligencia clandestina habida entre dos o más con perjuicio de un tercero. | Reprensible disimulo en el superior acerca de las transgresiones que cometen sus inferiores o súbditos contra el instituto, reglas o leyes que los rigen y están obligados a obedecer y cumplir.

Conocimiento
Inteligencia, entendimiento, razón de los hombres. | Reconocimiento, confesión. | Comuni-

cación, trato con alguien. | Identificación de una persona. | Cópula carnal. | Tramitación y fallo de un asunto judicial. | Papel firmado en que uno confiesa haber recibido alguna cosa y se obliga a devolverla. | Documento que se exige o se da para identificar la persona del que pretende cobrar una letra de cambio, un cheque u otro título crediticio, cuando no es conocida por el pagador. | Documento peculiar del comercio marítimo, con caracteres de carta de porte o resguardo de las mercaderías transportadas. | **DE EMBARQUE.** Documento generalmente nominativo, transmisible por endoso cuando contiene cláusulas a la orden, que las empresas de transporte libran en relación con las mercaderías que reciben con la obligación de conducirlas por vía terrestre, aérea, marítima o fluvial, y entregarlas en el lugar designado. | **TÉCNICOS.** Las tecnologías y otros conocimientos aplicados a la producción de bienes o servicios. | En un sentido más limitado, los conocimientos no patentados aplicados a la producción de bienes y servicios. Desde este punto de vista, la expresión *conocimientos técnicos* tiene un campo más amplio que el de otras comparables, como *secretos industriales* o *secretos de fábrica*, pues se aplica a las técnicas utilizadas en todas las ramas económicas, y sean o no secretas. La expresión es más precisa que su incierto equivalente inglés: "*know how*".

Conquista

Adquisición de la soberanía sobre un territorio por medio de la violencia. La conquista se realiza apoderándose un Estado del territorio de otro. Constituye un modo de adquirir, fundado en la fuerza, y valiéndose de la guerra como medio habitual para lograr las expansiones territoriales que la conquista representa.

Consanguíneo

El que con otro tiene parentesco de consanguinidad, por descender de un tronco común, relativamente cercano.

Consanguinidad

Unión o proximidad de las personas que tienen un ascendiente común cercano, o que derivan unas de otras; es decir, las emparentadas por la comunidad de *sangre*, según la directa etimología de la palabra.

Consejero delegado

Órgano societario unipersonal, al cual se delegan atribuciones de los órganos de administración y representación, dentro de los límites fijados por los respectivos estatutos sociales.

Consejo

Del latín *consilium*, que significa dictamen, opinión o juicio emitido sobre alguna cosa. También se denomina *consejo* a la junta de personas que se reúnen para deliberar sobre un asunto de interés, y a los cuerpos consultivos y de asesoramiento creados por los gobiernos. | **DE ADMINISTRACIÓN.** Órgano permanente y colegiado que rige una sociedad anónima. En América se prefiere hablar de *directorio*, por llamarse *directores*, y no *consejeros*, sus componentes. | **DE DISCIPLINA.** Organismo que en ciertas instituciones oficiales tiene por función mantener el buen orden y velar por la conducta debida de los individuos pertenecientes a la entidad. | **DE FAMILIA.** Institución admitida por ciertas legislaciones, como la española, y que constituye, durante la menor edad o la incapacidad de una persona, una especie de tribunal doméstico, encargado de examinar y resolver los negocios de mayor interés para la persona o patrimonio del incapaz. | **DE GUERRA.** Tribunal de la jurisdicción militar, que falla en las causas del fuero de guerra. | **SUPREMO DE INDIAS.** Era un alto cuerpo gubernativo y judicial establecido en Madrid. Ejercía, con respecto a los territorios de Ultramar, las mismas funciones que para los asuntos de la Península tenían los demás consejos supremos, en especial el de Castilla.

Consenso

Asenso, consentimiento, conformidad, aprobación. (V. DISENSO.)

Consensual

Se aplica al contrato que se perfecciona por el solo consentimiento. (V. CONTRATO CONSENSUAL.)

"Consensus facit legem"

Aforismo latino. Significa que el común asentimiento hace la ley.

Consentido

Auto o sentencia contra la que no se interpone, por la parte interesada, recurso dentro del término legal para ello; por lo cual queda firme. (V. COSA JUZGADA.)

Consentimiento

Acción y efecto de consentir; del latín *consentire*, de *cum*, con, y *sentire*, sentir; compartir el sentimiento, el parecer. Permitir una cosa o condescender a que se haga. Es la manifestación de la voluntad conforme entre la oferta y la aceptación, y uno de los requisitos esenciales exigidos por los códigos para los contratos.

Consentimiento del cónyuge

Consentimiento que debe dar un cónyuge para que sean válidos ciertos actos del otro, tales como la disposición de determinados bienes.

Conservación

Mantenimiento, cuidado de una cosa. | Reparación imprescindible. | Prosecución. | Guarda o custodia.

Considerando

Cada una de las razones esenciales que preceden y sirven de apoyo a un fallo o dictamen y empiezan con dicha palabra. Couture lo define como "gerundio utilizado en las sentencias para agrupar bajo ese rubro los motivos o razones de Derecho en que se funda la decisión".

Consignación

Posee muy variadas acepciones:

A. *En sentido general.* Acción o efecto de consignar. | Destino de cosa o lugar para colocación de algo. | Designación de tesorería para cubrir algunas obligaciones. | Manifestación escrita de una doctrina, dictamen u opinión. | Depósito. | Señalamiento de un rédito de una heredad para pago de deuda o de renta. | Antiguamente, entrega de dinero.

B. *En Derecho Mercantil.* Destino de un cargamento o parte de él. | Remisión o envío de efectos a una persona o personas determinadas. El que debe recibir la cosa consignada se denomina *consignatario.*

C. *En Derecho Civil.* Depósito judicial de una cantidad reclamada o debida, para evitar el embargo o salvar una responsabilidad, aun con reserva de negar la deuda o su exigibilidad.

Consignar

Señalar, destinar el rédito o producto de una heredad o efecto, para el pago de una cantidad o renta. | Enviar mercaderías a un corresponsal. | Depositar judicialmente el precio de una cosa o cualquier cantidad. | Dar por escrito un dictamen, voto u opinión. | Especificar la pagaduría correspondiente a obligaciones determinadas. | Designar un lugar para colocar en él alguna cosa. | Depositar.

Consignatario

Quien tiene como depositario, por auto judicial, el dinero de que otro hace consignación. | El acreedor que administra por convenio con su deudor la finca hasta que se extinga la deuda. | Aquel a quien va encomendado todo el cargamento de un buque o alguna partida de mercaderías pertenecientes a su corresponsal. | Destinatario. | Representante de un armador en un puerto de mar, para encargarse de los trámites administrativos y aduaneros de la carga y pasaje de un buque o de una empresa naviera.

Consocio

Cada uno de los compañeros o partícipes que integran una empresa de comercio, o una industrial, civil o mercantil.

Consolidación

Acción o efecto de consolidar. | Firmeza, solidez. | Liquidación de una deuda flotante al convertirla en fija. | Aseguramiento de un régimen político o de un gobierno, por su acertada gestión o por eliminar a los opositores. | **DE LEYES.** Sistema legislativo que consiste en agrupar por orden y numeración correlativa las distintas leyes dadas sobre una misma materia.

Consorcio

Forma de asociación en que dos o más empresas se reúnen para actuar unidas, bajo una misma dirección y reglas comunes, aunque conservando su personalidad e independencia jurídicas. (V. "KARTELL".)| Participación en el destino; suerte común. | Por extensión, matrimonio, sociedad conyugal. | Convivencia; cohabitación.

Consorte

Quien es partícipe y compañero de igual suerte que otro u otros. | Cónyuge: el marido con respecto a su mujer, y ésta en relación con aquél. | Cada uno de los que constituyen, en Aragón, el consorcio foral.

Conspiración

Acción de conspirar. Acto de unirse secretamente algunos o muchos contra su soberano o gobierno. | Conjuración o confabulación de varias personas contra alguno, con el objeto de perderlo o causarle daño.

Constitución

Acción o efecto de constituir. Formación o establecimiento de una cosa o un derecho. | Ordenamiento, disposición. | Esta voz pertece de modo especial al Derecho Político, donde significa la forma o sistema de gobierno que tiene adoptado cada Estado. | Acto o decreto fundamental en que están determinados los derechos de una nación, la forma de su gobierno y la organización de los poderes públicos de que éste se compone. | Cada una de las ordenanzas o estatutos con que se gobierna algún cuerpo o comunidad. | En el Derecho Romano, la ley que establecía el príncipe, ya fuese por carta, edicto, decreto, rescripto y orden. | **APOSTÓLICA.** Mandato o resolución solemne del Sumo Pontífice, de acatamiento o cumplimiento obligatorio para toda la Iglesia o para determinados fieles, según sus términos. | **CRIMINAL.** Conjunto de los caracteres biológicos de un individuo que integran un elemento de predisposición delictiva; tal conducta constituye resultante o síntesis de la influencia recíproca, de la coordinación de sus caracteres. (V. DELINCUENTE.)

Constitucionalidad

Calidad de constitucional. | Conformidad o compatibilidad de una ley común con respecto a la Constitución del Estado.

Constitucionalismo

De acuerdo con Sánchez Viamonte, el ordenamiento jurídico de una sociedad política mediante una Constitución escrita, cuya supremacía significa la subordinación a sus disposiciones de todos los actos emanados de los poderes constituidos que forman el gobierno ordinario.

Constitucionalismo social

Tendencia en la redacción de textos constitucionales, favorable a la inclusión de ciertas reglas mínimas en materia de protección de los derechos de los trabajadores y de régimen de seguridad social.

Constitucionalmente

Con arreglo a la Constitución.

Constituto

Ficción jurídica por la cual se supone que el enajenante entrega la cosa al adquirente, y que éste la vuelve a transferir al primero, para que la posea no ya en nombre propio, sino en el del adquirente. | **POSESORIO.** Pacto en virtud del cual el vendedor de una cosa continúa ocupándola como representante del comprador.

Constreñimiento

Fuerza, apremio o compulsión que se ejerce sobre alguien, con el fin de obligarlo a realizar lo que no quiere o a abstenerse de lo querido por él.

Consuetudinario

Lo habitual o de costumbre. | Dí cese del Derecho no escrito. (V. "COMMON LAW", COSTUMBRE, DERECHO CONSUETUDINARIO.)

"Consuetudo"

Latinismo por *costumbre* (v.).

Cónsul

Cada uno de los dos magistrados supremos de la República romana. | Cada uno de los jueces que componen el consulado o tribunal mercantil. | Han tomado este nombre algunos otros magistrados o gobernantes; como Napoleón Bonaparte (junto con Sieyes y Roger-Ducos, y luego en Cambaceres y Lebrun) antes de proclamarse emperador; o en Toledo, recién invadida España por los árabes, Lupo, hijo de Muza. | El nombre de *cónsul* se da hoy exclusivamente al funcionario público que en puerto o ciudad importante del extranjero está encargado de la protección y defensa de las personas e intereses de los súbditos del país que representa.

Consulado

Forma de gobierno republicano en que el poder se confiere a dos o más cónsules, los cuales lo ejercen en forma sucesiva o simultánea.

Consulta

La pregunta que se hace a uno o varios abogados, o el examen de una cuestión de Derecho por parte de éstos, que emiten su opinión sobre el punto o puntos propuestos. | También se denomina así el dictamen que dan por escrito puntualizando y afirmando su opinión, y la propia conferencia de los abogados sobre el punto cuya aclaración se les propone. | Dictamen o informe que dan ciertos tribunales o Consejos cuando se requiere de ellos asesoramiento en determinado asunto.

Consultivo

Se dice de todo asunto que los tribunales de justicia o los Consejos deben consultar con la superioridad. | Voto que sólo sirve para ilustrar, y no para decidir. | Cuerpo u órgano que informa o da su parecer técnico o especializado sobre algún asunto de su competencia.

Consumación

En Derecho Civil, la realización total de los fines propuestos por la relación jurídica y la obtención de los resultados naturales. | En general, extinción, fin, acabamiento. | **DEL DELITO.** En Derecho Penal, una de las fases del delito, que se caracteriza por haber ejecutado el culpable todos los actos para producir como resultado la infracción penal, en forma voluntaria y consciente, y haber logrado su propósito. | **DEL MATRIMONIO.** En el Derecho Canónico, y en todo el matrimonial, por *consumación* se entiende el primer acceso carnal entre los cónyuges, que perfecciona la unión personal, y hace absolutamente indisoluble el vínculo contraído entre capaces y con los requisitos necesarios para su validez. (V. MATRIMONIO CONSUMADO y RATO.)

Consumado

Perfecto o supremo en su clase. Como participio de consumar, se emplea en distintas expresiones de interés jurídico. (V. DELITO CONSUMADO, HECHO CONSUMADO, MATRIMONIO CONSUMADO.)

Consumo

Último grado del proceso económico, en que los objetos producidos se utilizan para la satisfacción de las necesidades sociales o humanas, tanto mediatas como inmediatas. | Gasto de bienes o cosas (*Dic. Der. Usual*). | Con inspiración en esas acepciones, y copiando en extremo el Código Napoleón, en algunas legislaciones se llama *préstamo de consumo* el tradicional contrato de *mutuo* (v.).

Contabilidad

Conjunto de normas empleadas para llevar las cuentas y registros de los ingresos y los gastos. Es *privada* la de los particulares y la de las empresas bancarias, mercantiles, industriales y agrarias en general. Es *pública* la referida al Estado, las provincias y los municipios. (V. LIBROS DE COMERCIO.)

Contador

Quien por ocupación o empleo lleva la contabilidad de una empresa particular o de una oficina pública. | **PARTIDOR.** Persona designada para dividir una herencia y adjudicar los bienes del causante en la forma que con arreglo a Derecho corresponda. | **PÚBLICO.** El que, cursados los estudios requeridos e inscrito en los registros públicos que cada legislación determine, cumple las funciones que las autoridades administrativas o judiciales le encomienden, para verificación de cuentas o bienes de organismos públicos o de empresas privadas, y aun de simples particulares, con fines civiles, penales, mercantiles o fiscales.

Contaminación

Contagio. | Corrupción. | Perversión.

Según la gravedad, las diversas *contaminaciones* pueden constituir delito o falta de falsedad, de corrupción de menores, de escándalo público o de volver nocivas las aguas destinadas al consumo de las personas. En otro enfoque higiénico, al finalizar el siglo XX se ha emprendido por doquiera la lucha contra la *contaminación* atmosférica.

Contencioso

En general, litigioso, contradictorio. | El juicio seguido ante juez competente sobre derechos o cosas que disputan entre sí varias partes contrarias. | *Contenciosa* es la jurisdicción de los tribunales que deben decidir contradictoriamente, en contraposición a los juicios de carácter administrativo y a los actos de la jurisdicción voluntaria. La jurisdicción encargada de resolver las cuestiones surgidas entre los particulares y la administración se denomina *contencioso-administrativa.* (V. JUICIO CONTENCIOSO, RECURSO CONTENCIOSO ADMINISTRATIVO.)

Contestación

Acción o efecto de contestar. Generalmente es la respuesta que se da negando o confesando la causa o fundamento de una acción. | **A LA DEMANDA.** Escrito en que la parte demandada responde a la acción iniciada por la actora, oponiendo, si las tuviera, las excepciones a que hubiera lugar, y negando o confesando la causa de la acción.

Contestar

Responder; decir algo que satisface lo que otro pregunta o inquiere, o que lo contradice o condena. | Deponer. | Responder el reo a la demanda del actor. | Declarar y atestiguar una persona lo mismo que otras han manifestado. | Confirmar o comprobar alguna cosa.

Conteste

Se dice así del testigo cuya declaración coincide con la de otro, sin discrepar en nada.

Continencia

Moderación de las pasiones. | Abstención de trato carnal. Es deber religioso para todo soltero y viudo, y para los casados fuera del matrimonio. Para las leyes civiles, sólo cuando constituya delito de escándalo público, violación, estupro o incesto, o adulterio, si el otro cónyuge lo reclama y no se encuentra en análoga infidelidad. | **DE LA CAUSA.** Unidad que debe haber y resulta indispensable en todo juicio; esto es, una acción principal, uno el juez y una las partes que litiguen hasta el término.

"Contra non valentem agere non currit praescriptio"

Principio que equivale en Derecho a: no corre la prescripción, contra el que no puede valerse.

Contrabando

Comercio o producción prohibidos por la legislación vigente. | Productos o mercancías que han sido objeto de prohibición legal. | Lo ilícito o encubierto. | Antiguamente, de ahí su etimología, lo hecho contra un bando o pregón público.

Contracautela

Garantía exigida procesalmente a quien solicita una medida cautelar, respecto de los daños y perjuicios que puedan resultar de esta medida.

Contradicción

Negativa de una afirmación ajena. | Negación de una afirmación propia. | Manifestaciones opuestas hechas por una misma persona. Constituyen la base de la convicción en gran parte de los interrogatorios de los reos o sospechosos. (V. RETRACTACIÓN.) | Oposición, contrariedad. Fundamento del proceso contencioso es el principio de libre *contradicción* garantizado a las partes. (V. JUICIO CONTRADICTORIO.) | Incompatibilidad de dos proposiciones, que no pueden ser a la vez verdaderas, por cuanto una de ellas afirma y otra niega lo mismo.

Contradictorio

En general, absurdo o incompatible con algo. | En lo procesal, v. JUICIO CONTRADICTORIO.

Contradocumento

Se denomina también contraescritura. Es el instrumento que las partes otorgan con objeto de derogar total o parcialmente los efectos de un acto jurídico simulado, dando a éste su verdadera naturaleza y eficacia.

Contraescritura

Documento, privado casi siempre, que se otorga para protestar o anular otro anterior. (V. CONTRADOCUMENTO.)

Contraestipulación

Convención reservada, hecha por escrito o de palabra, en virtud de la cual las partes interesadas, o algunas de ellas, establecen cláusulas especiales para eludir ciertas cargas u obligaciones, o para perjudicar a tercero.

Contrafuero

Atropello o infracción de un fuero, privilegio o ley, cometido por un particular o por una autoridad pública.

Contraorden

Orden revocatoria de otra anterior, ya en el sentido de anularla tan sólo, o bien dando además instrucciones nuevas, con derogación expresa de lo antes mandado o disponiendo algo incompatible.

Contraparte

Americanismo. La parte contraria en un juicio.

Contraprestación

Prestación a la cual se obliga una de las partes, en los contratos bilaterales, para corresponder a lo ofrecido o efectuado por la otra; así, el precio frente a la cosa, la remuneración frente al servicio.

Contrapropuesta

Proposición dirigida al proponente, condicionando la aceptación o haciendo modificaciones en la oferta. La *contrapropuesta* revela en principio la admisión del negocio. No sólo son corrientes las *contrapropuestas* en la contratación privada, sino de estilo en las negociaciones de paz. (V. ACEPTACIÓN.)

Contraseguro

Contrato por el cual una persona, ya asegurada, abona una cantidad periódica adicional a otra, o a una entidad, la cual se obliga a su vez a abonarle una indemnización, por lo general la devolución de las primas originarias, en el supuesto de que el primero no obtenga los beneficios establecidos en la póliza de seguros previamente concertada con distinta persona o entidad. (V. REASEGURO, SEGURO.)

Contraste

Acción o efecto de contrastar. | Oficio público para pesar las monedas, examinar su ley y marcar las alhajas de oro, plata y demás metales preciosos. Se ha denominado asimismo *almotacén*. | La persona que tiene a su cargo la comprobación de las pesas y medidas usadas por los comerciantes. | Oficina donde se compruba la ley de los metales preciosos. | Oposición grande entre personas o cosas. | Contienda o pugna.

Contrata

Escritura pública o simple obligación firmada, para seguridad del contrato hecho por las partes. | El propio contrato, ajuste, pacto o convenio. | En Derecho Administrativo, contrato celebrado entre el Estado u otra corporación pública y una empresa o particular, para la ejecución de una obra pública o para la explotación de un servicio de interés general.

Contratación colectiva

La *contratación* de los trabajadores, cuando no se realiza en forma individual y directa, puede presentar dos modalidades, con frecuencia confundidas: el contrato colectivo de trabajo y los pactos colectivos de condiciones de trabajo.

Contratista

El que toma a su cargo, por contrata, la ejecución de alguna cosa. | Persona que celebra un contrato con el Estado, la provincia o el municipio para el suministro de obras o servicios.

Contrato

La convención, para Aubry y Rau, es el acuerdo de dos o más personas sobre un objeto de interés jurídico; y el *contrato* constituye una especie particular de convención, cuyo carácter propio consiste en ser productor de obligaciones. El Cód. Civ. arg. (art. 1.137) dice que "hay *contrato* cuando varias personas se ponen de acuerdo sobre una declaración de voluntad común, destinada a reglar sus derechos". Es muy semejante a la definición dada por Savigny, para quien el *contrato* "es el concierto de dos o más voluntades sobre una declaración de voluntad común, destinada a reglar sus relaciones jurídicas". El Cód. Civ. esp. (art. 1.254) expresa que "el *contrato* existe desde que una o varias personas consientan en obligarse respecto de otra, u otras, a dar alguna cosa o prestar algún servicio".

Hay diversas maneras de clasificar los contratos, según se enuncie uno y otro de sus caracteres. El Cód. Civ. francés señala en sus arts. 1.102 a 1.107 algunas de estas clasificaciones, lo que también hace el Cód. arg. (arts. 1.138 a 1.143).

Los contratos son, de conformidad con este último Cód.: *a*) *Unilaterales* y *bilaterales*. Los primeros son aquellos en que una sola de las partes se obliga hacia la otra, sin que ésta le quede obligada; los segundos, cuando las partes se obligan recíprocamente la una hacia la otra; *b*) *A título oneroso* y a *título gratuito*. Son a título oneroso, cuando las ventajas que procuran a una u otra de las partes no le son concedidas sino por una prestación que ella le ha hecho o que se obliga a hacerle a la otra; son a título gratuito, cuando aseguran a una u otra de las partes alguna ventaja, independiente de toda prestación de su parte; *c*) *Consensuales* o *reales*. Los primeros quedan concluidos para producir sus efectos propios desde que las partes hubiesen recíprocamente manifestado su consentimiento; los segundos, para producir sus efectos propios, quedan concluidos desde que una de las partes haya hecho a la otra tradición de la cosa sobre lo que versare el contrato; forman la clase de los contratos reales el mutuo, el comodato, el contrato de depósito y la constitución de prenda y anticresis; *d*) *Nominados* e *innominados*, según que la ley los designe, o no, bajo una denominación especial.

Los contratos bilaterales, o sea aquellos en que los dos contratantes se obligan recíprocamente uno hacia el otro, se denominan también *sinalagmáticos*.

Además, los contratos, conforme a la clasificación que de ellos hace el Cód. Civ. francés, pueden ser *conmutativos* y *aleatorios*. Es ésta, en realidad, una subdivisión que se hace de los contratos a título oneroso. Es conmutativo el contrato, cuando las prestaciones que se deben las partes pueden ser apreciadas por cada una de ellas inmediatamente; y aleatorios, cuando la prestación debida por una de las partes depende de un acontecimiento incierto que hace imposible esta evaluación hasta su realización.

Pueden también dividirse los contratos en *principales* y *accesorios*. Los primeros son aquellos que subsisten por sí solos, mientras que los accesorios solamente pueden existir unidos al principal del que dependen. Así, el de fianza puede considerarse como un contrato accesorio.

También pueden distinguirse los contratos de *utilidad pública* de aquellos de *utilidad privada*; *lícitos* o *ilícitos,* por razón de ser celebrados de acuerdo o en contra de la ley, la moral o las buenas costumbres; *solemnes* o no *solemnes,* según que la forma sea establecida por la ley, declarándolos nulos si no se ajustan a la establecida por ésta, como ocurre con ciertas donaciones; *verbal* o *escrito*; de *buena* o de *mala fe*; *civil* o *mercantil*; *verdadero* o *simulado*; *colectivos* o *individuales*, etc. | **A LA GRUESA.** Se denomina también *préstamo a la gruesa* o *préstamo a riesgo marítimo*; y es, según el art. 1.120 del Cód. de Com. arg., un "contrato por el cual una persona presta a otra cierta cantidad sobre algunos objetos expuestos a los riesgos marítimos, bajo la condición de que, pereciendo esos objetos, pierda el dador la suma prestada; y llegando a buen puerto los objetos, devuelva el tomador la suma con un premio estipulado". | **ABSTRACTO.** Moderna creación, o al menos análisis reciente de la técnica, la integra el *contrato abstracto,* caracterizado por su independencia de la causa, por su abstracción (de aquí el nombre) de ésta. | **ATÍPICO.** El que no se ajusta a ninguno de los tipos establecidos, caso en el cual se está ante un *contrato innominado*, o aquel que combina las formas diversas de los existentes regulados, situación que se conoce como *contrato múltiple.* La especie antitética es, por supuesto, el *contrato típico* (v.). | **A TÍTULO ONEROSO.** Aquel en el cual las ventajas que mutuamente se procuran las partes no les son concedidas sino por una prestación que cada una de ellas ha hecho o se obliga a hacer. | **ALEATORIO.** Conforme al art. 1.790 del Cód. Civ. esp., es aquel en que "una de las partes, o ambas recíprocamente, se obligan a dar o hacer alguna cosa en equivalencia de lo que la otra parte ha de dar o hacer, para el caso de un acontecimiento incierto, o que ha de ocurrir en tiempo indeterminado". | **BILATERAL.** Aquel en que las partes se obligan recíprocamente la una hacia la otra. Se llama también *sinalagmático*. El *contrato* recibe el nombre de *sinalagmático imperfecto* cuando el contratante que a nada se había obligado, adquiere con posterioridad a su celebración una obligación respecto del otro, como la del mandante o depositante en cuanto a reembolsar al mandatario o depositario los gastos que aquéllos hubieren efectuado por razón del mandato o depósito. | **COLECTIVO DE CONDICIONES DE TRABAJO.** V. PACTO COLECTIVO DE CONDICIONES DE TRABAJO. | **COLECTIVO DE TRABAJO.** Es el suscrito, con uno o más patronos, por una entidad laboral; esto es, por un sindicato o grupo obrero, para facilitar ocupación remunerada a los trabajadores afiliados o representados. | **CONMUTATIVO.** Aquel en que cada una de las partes se obliga a dar o hacer una cosa cierta, reconocida y equivalente a la que se recibe. (V. CONTRATO ALEATORIO.) | **CONSENSUAL.** El que se perfecciona por el solo consentimiento de las partes. | **CONSIGO MISMO.** En la noción de Planiol y Ripert es el celebrado mediante un desdoblamiento de cualidades en el cual, por acumulación del papel de ambas partes, una misma persona puede realizar, en presencia de intereses opuestos, dos declaraciones de voluntad correlativas. | **DE ADHESIÓN.** Aquel en que una de las partes fija las condiciones uniformes para cuantos quieran luego participar en él, si existe mutuo acuerdo sobre la creación del vínculo dentro de las inflexibles cláusulas. | **DE AJUSTE.** El que se celebra entre el capitán y los oficiales y demás tripulación de un buque. | **DE APRENDIZAJE.** "El *contrato* por el cual el jefe de una empresa, o su principal, se obliga a iniciar en forma gradual y completa en la práctica de un oficio o negocio, o a dirigir en el ejercicio de su profesión, a otra persona que, en cambio, se obliga a trabajar bajo su dirección". | **DE ARRENDAMIENTO DE COSAS.** Convenio por el cual el propietario o poseedor de una cosa mueble o inmueble concede a otra persona el uso y disfrute de aquélla durante tiempo determinado y precio cierto o servicio especificado. | **DE ARRENDAMIENTO DE OBRAS** o **SERVICIOS.** Aquel en el cual una de las partes se compromete a hacer una obra o a prestar un servicio mediante el precio que otra ha de abonarle. | **DE CAMBIO.** El art. 589 del Cód. de Com. arg. lo define diciendo que: "Es una convención por la cual una persona se obliga, mediante un valor prometido o entregado, a hacer pagar por un tercero al otro contratante, o a otra persona, cierta suma, entregándole una orden escrita". | **DE CESIÓN DE CRÉDITOS.** El art. 1.434 del Cód. Civ. arg. expresa: "Habrá *cesión de crédito* cuando una de las partes se obligue a transferir a la otra parte el derecho que le compete contra su deudor, entregándole el título del crédito si existiese". | **DE COMODATO.** Según el art. 2.255 del Cód. Civ. arg.: "Habrá *comodato* o préstamo de uso, cuando una de las partes entregue a la otra alguna cosa no fungible, mueble o raíz, con facultad de usarla". | **DE COMPRAVENTA** o **DE COMPRA Y VENTA.** El artículo 1.323 del Cód. Civ. arg. expresa: "Habrá *compra* y *venta* cuando una de las partes se obligue a transferir a la otra la propiedad de una cosa, y ésta se obligue a recibirla y a pagar por ella un precio cierto en dinero". | **DE CUENTA CORRIENTE BANCARIA.** El celebrado entre una persona o entidad y una institución bancaria, que permite a la primera de las partes mencionadas emitir órdenes de pago, llamadas *cheques,* para que sean abonadas por la segunda, la cual las debita en la cuenta de aquélla. | **DE CUENTA CORRIENTE MERCANTIL.** Expresa el art. 771 del Cód. de Com. arg.: "La *cuenta corriente* es un contrato bilateral y conmutativo, por el cual una de las partes remite a la otra, o recibe de ella en propiedad, cantidades de dinero u otros valores, sin aplicación a empleo determinado, ni obligación de tener a la orden una cantidad o valor equivalente; pero a *cargo de acreditar* al remitente por sus remesas, liquidarlas en las épocas convenidas, compensarlas de una sola vez hasta la concurrencia del *débito y crédito,* y pagar el saldo". | **DE DEPÓSITO.** Expresa el art. 2.182 del Cód. Civ. arg.: "El *contrato de depósito* se verifica cuando una de las partes se obliga a guardar gratuitamente una cosa mueble o inmueble que la otra le confía, y a restituir la misma e idéntica cosa". | **DE DISTRIBUCIÓN.** El que tiene por objeto que una de las partes, el distribuidor, comercialice los productos suministrados por la contraparte. El distribuidor asume obligaciones en cuanto a volumen de comercialización, instalaciones, radio de distribución, y promoción, entre otras posibles. La distribución puede ser exclusiva, si sólo el distribuidor designado operará como tal en cierto territorio o respecto de cierta clientela. | **DE DOBLE.** El que consiste en la compra, al contado o a plazos, de valores al portador, y en la reventa simultánea, a plazos y a precio determinado, a la misma persona, de títulos de la misma especie, según la definición que de este contrato bursátil da el art. 60 del Regl. de la Bolsa de Madrid. | **DE DONACIÓN.** El Cód. Civ. francés lo define como "un acto por el cual el donante se despoja actual e irrevocablemente de la cosa donada, en favor del donatario, que la acepta". | **DE EDICIÓN.** Aquel en virtud del cual una de las partes, el *autor* de una obra literaria, científica o cultural, se obliga a entregar ésta a otra persona, el *editor,* con objeto de que la publique y propague, y con la obligación de entregar a aquél, por tal concepto, una cantidad de dinero fija o proporcional a las ventas, o ambas retribuciones, según se convenga. | **DE EJECUCIÓN CONTINUADA.** El que prevé un cierto plazo, a lo largo del cual se deben cumplir las prestaciones comprometidas. Por ejemplo, la prestación de un servicio de electricidad durante un período determinado. | **DE EJECUCIÓN DIFERIDA.** Aquel en que el cumplimiento de alguna de sus prestaciones tendrá lugar en una fecha futura. Se opone al contrato de *ejecución instantánea* (v.). | **DE EJECUCIÓN INSTANTÁNEA.** Llámase así aquel en que las prestaciones se realizan de una sola vez en el momento de la conclusión del contrato o en otro establecido por las partes. Se opone al contrato de *ejecución sucesiva* (v.). | **DE EJECUCIÓN SUCESIVA.** Aquel en que las prestaciones de una de las dos partes son de cumplimiento reiterado o continuo; opuesto, por tanto, al contrato de *ejecución instantánea* (v.). | **DE FLETAMENTO.** Según el artículo 1.018 del Cód. de Com. arg., "*fletamento* es el contrato de arrendamiento de un buque cualquiera, para el transporte de mercancías o personas. Se entiende por *fletante,* el que da, y por *fletador*, el que toma el buque en arrendamiento". | **DE FRANQUICIA.** Aquel en virtud del cual una parte, el franquiciante, otorga a la otra, el franquiciado, una licencia para utilizar una marca, instruyendo asimismo al franquiciado respecto de la explotación del negocio en que se utilizará la marca licenciada, explotación que deberá guardar condiciones mínimas de uniformidad con la de otros franquiciados, conforme a las exigencias que en tal sentido imponga el franquiciante. Éste recibe una contraprestación, consistente en una regalía y, frecuentemente, en un pago inicial. | **DE JUEGO.** El *contrato de juego* tendrá lugar cuando dos o más personas, entregándose al juego, se obliguen a pagar a la que ganare una suma de dinero u otro objeto determinado. | **DE LICENCIA.** Contrato mediante el que el titular de un derecho de propiedad industrial o intelectual, el licenciante, otorga al licenciatario autorización para explotar el objeto de ese derecho, tal como una invención o una marca. | **DE LOCACIÓN.** Para el artículo 1.493 del Cód. Civ. arg. "habrá *locación* cuando dos partes se obliguen recíprocamente, la una a conceder el uso o goce de una cosa, o a ejecutar una obra, o prestar un servicio; y la otra, a pagar por este uso, goce o servicio, un precio determinado en dinero". | **DE LOCACIÓN DE OBRA.** Es aquel en virtud del cual una persona se obliga, mediante retribución, a realizar una obra. | **DE LOCACIÓN DE SERVICIOS.** Pic dice que el arrendamiento de obras es un contrato por el cual una persona se obliga, frente a otra, a ejecutar un trabajo o una empresa determinada; el arrendamiento o *locación de servicios* es un contrato por el cual una persona pone su actividad y sus talentos profesionales al servicio de otra persona por un tiempo determinado o indeterminado. | **DE MANDATO.** Expresa el artículo 1.869 del Cód. Civ. arg. que el *mandato,* "como *contrato*, tiene lugar cuando una parte da a otra el poder, un acto jurídico, o una serie de actos de esta naturaleza". | **DE MUTUO.** Expresa el art. 2.240 del Cód. Civ. arg. que: "Habrá *mutuo* o *empréstito* de consumo cuando una parte entregue a la otra una cantidad de cosas que esta última está autorizada a consumir, devolviéndole en el tiempo convenido igual cantidad de cosas de la misma especie y calidad". | **DE PERMUTA.** Para el artículo 1.485 del Cód. Civ. arg. "el *contrato de trueque* o *permutación* tendrá lugar cuando uno de los contratantes se obligue a transferir a otro la propiedad de una cosa, con tal que éste le dé la propiedad de otra". | **DE PRENDA.** V. PRENDA. | **DE PRÉSTAMO.** V. CONTRATO DE MUTUO. | **DE PRÉSTAMO DE CONSUMO.** V. CONTRATO DE MUTUO, MUTUO. | **DE PRÉSTAMO DE USO.** V. COMODATO, CONTRATO DE COMODATO. | **DE RENTA VITALICIA.** El contrato oneroso de *renta vitalicia* lo define el art. 2.070 del Cód. Civ. arg. expresando que existirá éste "cuando alguien por una suma de dinero, o por una cosa apreciable en dinero, mueble o inmueble, que otro le da, se obliga hacia una o muchas personas a pagarles una renta anual durante la vida de un o muchos individuos, designados en el *contrato*". | **DE REPRESENTACIÓN.** Tan sólo en algunos códigos modernos figura el *contrato de representación teatral y radiotelefónica,* formas nuevas que anteriormente estaban intercaladas en otros *contratos.* El de representación es aquel contrato por el cual una de las partes entrega a otra una obra teatral o musical, o ambas cosas a la vez, para que la dé públicamente, con la obligación de pagar, en concepto de derechos de autor, cierta suma. | **DE SEGURO.** Aquel en virtud del cual una persona, generalmente jurídica, llamada *asegurador* (v.), se obliga, mediante la percepción de una cantidad que se denomina *premio* o *prima*, a indemnizar a otra persona, que recibe el nombre de *asegurado* (v.), por las pérdidas o daños que éste pueda sufrir como resultado de la producción de ciertos riesgos personales o económicos, que son objeto del *seguro*. | **DE SOCIEDAD.** El art. 1.648 del Cód. Civ. arg. expresa: "Habrá *sociedad* cuando dos o más personas se hubiesen mutuamente obligado, cada una con una prestación, con el fin de obtener alguna utilidad apreciable en dinero, que dividirán entre sí, del empleo que hicieren de lo que cada uno hubiese aportado". | **DE SUMINISTRO.** Aquel mediante el cual el suministrador se compromete a entregar una o más cosas a otra persona, y ésta a pagarle el precio convenido. El suministrado suele ser, por regla general, un organismo de la administración pública. El *suministro* puede consistir en un acto único o en actos periódicos, como es lo más corriente. Llámase también *abastecimiento*. | **DE TRABAJO.** Aquel que tiene por objeto la prestación retribuida de servicios de carácter económico, ya sean industriales, mercantiles o agrícolas. Más técnicamente cabe definirlo así: el que tiene por objeto la prestación continuada de servicios privados y con carácter económico, y por el cual una de las partes da una remuneración o recompensa a cambio de disfrutar o de servirse, bajo su dependencia o dirección, de la actividad profesional de otra. | **DE TRABAJO DOMÉSTICO.** V. TRABAJO DOMÉSTICO. | **DE TRABAJO MARÍTIMO.** V. CONTRATO DE AJUSTE, TRABAJO MARÍTIMO. | **DE TRANSPORTE.** El *contrato* en virtud del cual las empresas de ferrocarriles, arrieros y, en general, todos los que se encargan de conducir mercaderías o personas, se obligan, mediante una comisión, porte o flete, a transportar unas u otras, en el tiempo y al lugar convenido. | **DIRIGIDO.** Designación moderna de la intervención estatal en la contratación privada, particularmente en la laboral. | **ENTRE AUSENTES.** Como su nombre lo indica, aquel que se celebra entre personas que se encuentran en distinto lugar; es decir que no se halla presente cada una de ellas en relación con la otra, como sucede en los contratos que se efectúan por correspondencia postal, por conversación telefónica, por transmisión radiocablegráfica e inclusive por medio de tercera persona. | **ENTRE PRESENTES.** Se contrapone al *contrato entre ausentes* (v.). Se caracteriza, en consecuencia, por la presencia simultánea e inmediata de las partes en ocasión de producirse la celebración del contrato. |

EXTINTIVO. Aquel cuyo objeto consiste en revocar las obligaciones creadas por un contrato anterior. | **FORMAL.** Llamado también *contrato solemne* (v.), es aquel para cuya validez la ley exige determinadas formas o solemnidades. Es el caso típico de aquellas convenciones cuya eficacia depende de que se hayan hecho por escrito privado o por escritura pública. | **ILÍCITO.** El que se opone a un precepto terminante de la ley, fundado en el orden público o las buenas costumbres, tal y como los entienda en cada época el legislador o el tribunal encargado de fallar. | **INNOMINADO.** El que carece de denominación o nombre especial en el ordenamiento jurídico. | **"INTUITU PERSONAE".** El que se celebra teniendo en cuenta la calidad, profesión, oficio o arte del otro contratante. Tiene especial importancia en las obligaciones contractuales de hacer, las cuales podrán ser ejecutadas por persona distinta del obligado, salvo que la persona del deudor hubiere sido elegida por alguna de aquellas condiciones. | **LEONINO.** El oneroso que desconoce la equitativa relación entre las prestaciones, por abuso de la superioridad propia o de la ajena debilidad o ignorancia. | **LÍCITO.** El que en la forma y en el fondo se adapta a las prescripciones legales o se concierta dentro de la esfera de libertad que la ley concede o reconoce. | **MERCANTIL.** El peculiar del Derecho de la contratación comercial o el que, común en ciertos aspectos básicos con el homónimo del Derecho Civil, se rige según la legislación mercantil. | **MÚLTIPLE.** El que, sin estar comprendido en una categoría especial del ordenamiento positivo, combina el contenido y las prestaciones de varios, o modifica en gran parte alguna de las formas genuinas o típicas. | **ONEROSO DE RENTA VITALICIA.** V. RENTA VITALICIA. | **PLURILATERAL.** El acordado por dos o más partes, que persiguen mediante el cumplimiento del contrato el objetivo común, y que permite el ingreso potencial de nuevas partes a tal contrato. El *contrato de sociedad* es el característico dentro de esta categoría. | **POR ADHESIÓN.** V. CONTRATO DE ADHESIÓN. | **POR EQUIPO.** Variedad del *contrato colectivo de trabajo* (v.), la constituye el *contrato por equipo.* Ramírez Gronda lo caracteriza como aquel que consiste "en contratar directamente con los trabajadores, quienes se han unido ocasionalmente para efectuar un trabajo en común, mediante una remuneración global, y que el jefe del grupo distribuye entre los obreros en la forma convenida". | **PRELIMINAR** o **PREPARATORIO.** Aquel por el cual una de las partes o ambas se obligan a concluir en el futuro, entre ellas mismas o con un tercero, otro contrato, llamado *principal, definitivo* o *futuro*. Es decir que el objeto de la obligación es la celebración del contrato (Ferrer Deheza). (V. PROMESA DE CONTRATO.) | **PRINCIPAL.** El que subsiste por sí mismo e independientemente de cualquier otro. | **PRIVADO.** El perteneciente al Derecho Civil o a otra rama del Derecho Privado, donde predomina la libertad de las partes para concertarlos y darles flexibilidad con cláusulas especiales. | El que consta por documento privado. | **PÚBLICO.** El regido por normas de orden público. | El que corresponde al ámbito del Derecho Público. | Sinónimo de contrato solemne. | Aquel que consta por escritura pública. | El que, lejos de mantenerse en secreto, ha sido manifestado por las partes, aun sin recurrir a los órganos oficiales de publicidad. | **REAL.** El convenio que para su protección requiere, además del consentimiento de las partes, la tradición o entrega de la cosa sobre la cual versare. | **SIMULADO.** El que se propone encubrir la real intención de las partes, que tratan así de eludir algún precepto fiscal o de otra índole que les perjudica, o cuando tienden a dañar a tercero, con beneficio propio o sin él. | **SINALAGMÁTICO.** Sinónimo de *contrato bilateral* (v.). | **SINDICAL.** Variedad del *contrato colectivo de trabajo* (v.) cuando, en representación de los trabajadores, es concertado, frente a uno o más patronos, por un sindicato o varios agrupados. (V. **CONTRATO POR EQUIPO, SINDICATO.**) | **SOCIAL.** Doctrina o tesis puesta en boga por Juan Jacobo Rousseau, para el cual había existido un estado primitivo de naturaleza, en el cual el hombre, aislado, disfrutó de independencia absoluta. | **SOLEMNE.** El convenio que, por expreso precepto de la ley, ha de ser otorgado con sujeción a determinadas formas, sustanciales para la validez del *contrato* y la eficacia de sus cláusulas. | **SUCESIVO.** El que contiene prestaciones periodicas; como la compra a plazos, o el arrendamiento cuya renta se paga por meses o anualidades. | **TÍPICO.** El que está regulado con sustantividad en la legislación positiva, y no incluye cláusulas que lo deformen o combinen con otros también susceptibles de independencia en concepto y régimen. (V. CONTRATO INNOMINADO.) | **TIPO.** Contrato cuyo contenido se encuentra predeterminado por normas o reglamentos estatales, o por disposiciones de asociaciones u otras organizaciones. En ciertos casos, el someterse al contrato tipo tiene tan sólo ventajas de celeridad y certeza, mientras que en otros supuestos el sometimiento a la estructura preestablecida puede ser condición para que la otra parte dé su consentimiento, y aun para la validez del contrato. | **UNILATERAL.** Aquel en que una sola de las partes se obliga hacia otra, sin que ésta le quede obligada.

Contratos asociativos

Aquellos que tienen por propósito la colaboración entre los contratantes para atender a una finalidad o propósito común. Señala Fontanarrosa que en estos contratos las partes, sin afectar sus intereses individuales, en lugar de ocupar posiciones antagónicas, se unen con la finalidad de perseguir un objetivo común. La causa de las obligaciones asumidas por cada una de las partes no es solamente la obtención de las prestaciones de las otras partes contratantes, sino la reunión de unas y otras prestaciones para su gestión con miras al logro de una finalidad común.

Contravención

Falta que se comete al no cumplir lo ordenado. | Transgresión de la ley.

Contraventor

Que contraviene. | Más concretamente, en algunos países, como en la Argentina, el autor de una falta penal. | En general, infractor, violador, quebrantador de la ley, orden o mandato.

Contribución

Acción o efecto de contribuir. | Participación con una cantidad u otra cosa, especialmente dinero. | Ayuda, concurso. | Aportación. | **DE GUERRA.** La impuesta por los invasores u ocupantes, casi siempre con abuso y exceso, a las poblaciones enemigas o neutrales, e incluso "propias", durante un conflicto armado. Las más frecuentes consisten en víveres o en dinero.

Contribución territorial

La que pesa sobre la propiedad inmobiliaria, y singularmente sobre los predios rústicos o urbanos. Los sistemas varían, pues unos se apoyan en el valor del capital, otros en los productos obtenidos o en la capacidad productiva que se asigna a los bienes.

Contribuyente

La persona que abona o satisface las contribuciones o impuestos del Estado, la provincia o el municipio. | Quien contribuye, ayuda o coopera a cualquier finalidad.

Control de cambios

Medida general aplicada en varios países, principalmente luego de 1930, para evitar que se efectúen pagos o traslados de fondos al extranjero, sin la autorización suficiente. Constituye, en verdad, una *restricción de cambio* y tiende a mantener la estabilidad exterior de la moneda nacional, aun cuando se emplea muchas veces como medio de conceder recursos a la política financiera del gobierno, que utiliza el *control de cambios* en su propio beneficio, imponiendo cotizaciones más o menos leoninas a exportadores o importadores de divisas.

Control jurisdiccional

Función de supervisión que tienen los órganos de la jurisdicción sobre la validez formal o sustancial de los actos de la administración y sobre la constitucionalidad de las leyes (Couture).

Control obrero

Puede definirse el *control obrero* como la limitación de la libertad de los capitanes de industria impuesta por sus subordinados, al exigir la participación del elemento obrero en la dirección de la industria o en la sanción de los actos de autoridad relativos a ésta.

Controversia

"Discusión larga y reiterada", dice la Academia.

Contumacia

Resistencia pasiva, rebeldía y desobediencia al llamamiento hecho al actor o reo para que comparezca o responda dentro del término de la citación. Hoy se emplea más comúnmente la palabra *rebeldía* (v.).

Contumaz

Obstinado, terco, porfiado en el error. En Derecho Procesal, rebelde; el demandado que no se persona en autos o no contesta la demanda; el acusado que no comparece para contestar los cargos. (V. REBELDE.)

Convalidación

Hacer válido lo que no lo era. La *convalidación* constituye un acto jurídico por el cual se torna eficaz otro que estaba viciado de nulidad relativa. Ahora bien, si el acto que se intenta convalidar es nulo, de nulidad absoluta, también lo será la *convalidación*; de tal manera que sólo cabe realizarla en aquellos actos cuya nulidad sea subsanable. (V. CONFIRMACIÓN.)

Convención

Del latín *conventio,* derivada de *convenire, convenium,* es el acuerdo de dos o más personas sobre una misma cosa. La *convención* integra el género; y el *contrato,* la especie. La *convención* es un acuerdo de voluntades, cuyo efecto puede constituir, o no, una obligación; el contrato es una especie de *convención* hecha con el fin de obligarse.

Convención Constituyente

Asamblea política, elegida por sufragio o designada por el poder en ejercicio, para instaurar o modificar una *Constitución* (v.).

Convención internacional

Acuerdo entre dos o más Estados para resolver y regular la ejecución y desarrollo de sus relaciones sobre materias de interés recíproco, como los *convenios* o *convenciones postales, monetarias, comerciales*. Es, en definitiva, un *tratado* cuya finalidad no es estrictamente política y que requiere menor solemnidad.

Convenciones matrimoniales

Las que antes de la celebración del matrimonio hacen los futuros contrayentes y que pueden tener por objeto sólo la designación de los bienes que cada uno aporta y las donaciones que el esposo hiciere a la esposa. Carece de valor toda *convención* entre los esposos sobre cualquier otro objeto relativo a su matrimonio, así como toda renuncia del uno que resulte a favor del otro o del derecho a los gananciales de la sociedad conyugal.

El concepto encuadra en la limitadísima libertad que al respecto rige en la legislación argentina. En otros ordenamientos, como el español, los contrayentes gozan de amplísimas facultades patrimoniales en sus capitulaciones matrimoniales.

Convenio

Contrato. | Convención. | Pacto. | Ajuste. | Tratado. | **COLECTIVO DE TRABAJO.** V. CONTRATO COLECTIVO DE TRABAJO, PACTO COLECTIVO DE CONDICIONES DE TRABAJO.

Conversión

Acción o efecto de convertir. | La transformación de un acto nulo en otro eficaz mediante la confirmación o convalidación. | Novación, cambio, modificación. | Adopción de un credo religioso, considerado desde la creencia favorecida. | En lo financiero, reemplazar el papel moneda por su equivalente en metálico. | Reducción del tipo de interés.

Convertibilidad

Posibilidad legal de adquirir con la moneda nacional la de cualquier otro país. Hasta la Primer Guerra Mundial, dada la estabilidad monetaria del mundo, la *convertibilidad* no se ponía en tela de juicio. Con posterioridad a 1914, ante los procesos devaluadores originados por las guerras y por regímenes de frustración económica o social, surgieron las restricciones y el *control de cambio* (v.), para aminorar en la generalidad de los países la *convertibilidad* de la propia moneda.

Convicto

Se dice del reo al que, aun cuando no ha confesado su delito, le ha sido probado legalmente por un cúmulo de pruebas evidentes.

Convivencia

Cohabitación, vida en compañía de otras personas, compartiendo al menos casa, con frecuencia también la mesa, y en ocasiones el lecho. | Referida a la sociedad, pacífica o jurídica coexistencia de los habitantes de un país.

Convocatoria

Acto en virtud del cual se cita o llama, por escrito personal o público anuncio, a una o varias personas, para que concurran a un determinado lugar, en día y hora fijados de antemano. También se denomina así el decreto por el cual se llama a Cortes, a las elecciones para éstas. (V. CITACIÓN, EDICTOS JUDICIALES.) | **DE ACREEDORES.** Es la presentación, ante el juzgado competente, de un comerciante, para solicitar reunión de sus acreedores, con el objeto de prevenir la declaración de quiebra.

Cónyuge

El marido o su mujer unidos por legítimo matrimonio.

Conyugicidio

Muerte causada por uno de los cónyuges al otro. Se entiende que dolosamente. En Derecho Penal no configura delito específico, sino que entra dentro del concepto general del homicidio y que, como circunstancia de agravación, otras legislaciones llaman *parricidio* o *asesinato* y otras *homicidio calificado* (v.). Si la víctima es la mujer y el marido el autor, el *conyugicidio* es llamado *uxoricidio* y ofrece importancia en algunas legislaciones en relación con el *adulterio* (v.), por cuanto el marido que da muerte a su mujer en determinadas circunstancias puede buscar una atenuante en la *emoción violenta* (v.) o en la vindicación de su honor.

Coobligación

Vínculo obligatorio que comprende a dos o más personas. | Obligación recíproca (v.). | Deuda o prestación mancomunada o solidaria. (V. MANCOMUNIDAD, SOLIDARIDAD.)

Coobligado

Cada uno de los obligados conjuntamente por un mismo nexo jurídico imperativo, de origen voluntario o no. | Quien responde con otro o por otro, aun en distinta situación jurídica, como el fiador.

Cooperación

Colaboración de varias personas en una obra común. En lo que concierne a la *cooperación* voluntaria con fines económicos, la idea se debió a Roberto Owen, en Inglaterra, y a Carlos Fourier, en Francia.

Cooperativa

V. SOCIEDAD COOPERATIVA.

Coparticipación

Participación conjunta en algún resultado o acción. (V. CODELINCUENCIA.)

Copartícipe

Condueño, copropietario o condómino de una cosa perteneciente en común a varios. | Quien colabora en la comisión de un delito. | El beneficiado en unión de otro u otros en un mismo número de lotería o algo análogo.

Copia

El traslado fiel de cualquier escrito. Toda *copia legalizada* de un documento público hace fe, y tiene el valor del original.

Copiador

Generalmente se llama así el libro al cual se traslada la correspondencia de los comerciantes.

Coposesión

Posesión que diversas personas ejercen sobre una misma cosa. A falta de normas convencionales, testamentarias o legales, se aplicará por analogía lo dispuesto en cuanto al *condominio* (v.).

Copropiedad

El dominio de una cosa tenida en común por varias personas. (V. CONDOMINIO.)

Corporaciones de oficios

Agrupaciones de personas unidas por el ejercicio de una misma actividad, profesión o arte, para la defensa de sus intereses colectivos.

Corporaciones religiosas

Conforme al Derecho Canónico, asociaciones aprobadas por autoridad eclesiástica legítima, cuyo miembros pronuncian, según la propias reglas de cada asociación, votos públicos perpetuos o temporales, renovables, tendientes a la perfección evangélica.

En un sentido más amplio, son corporaciones religiosas todas aquellas que tienen por principal objeto las actividades de índole religiosa.

Corporativismo

Sistema por el cual las corporaciones profesionales de los oficios constituyen la base del Estado.

Corporativo

Régimen de corporaciones, y también el de entidades representativas de las actividades económicas de los distintos grupos sociales. Es una resurrección insincera del sistema gremial de la Edad Media.

"Corpus"

Voz lat. Cuerpo, objeto. Ejercicio del poder físico sobre la cosa corpórea. | Corporación, asociación. | Cosa u objeto material; así, los *corpora* (cuerpos) se oponen a los *jura* (derechos). | **"ALIENUM"**. Loc. lat. Cosa extraña, cuestión ajena a la litis o pleito. | **"DELICTI"**. Loc. lat. *Cuerpo del delito* (v.); objeto o elemento que prueba la existencia del hecho punible. | **"JURIS CANONICI"**. Loc. lat. Cuerpo del Derecho Canónico. La compilación jurídica eclesiástica y pontificia, realizada durante la Edad Media. | **"JURIS CIVILIS"**. El esfuerzo legislativo más extraordinario de la historia, y más realizado en la línea de sombra que separa las Edades Antigua y Media. La gloria, por la iniciativa y el aliento, corresponde a Justiniano; y el mérito técnico, a sus laboriosos y sagaces jurisconsultos y asesores. Consta el *"Corpus"* de cuatro partes: *a*) las *Instituciones* o *Instituta*; *b*) el *Digesto* o *Pandectas*; *c*) el *Código de Justiniano,* o *Código* por antonomasia, del que sólo se conserva la segunda edición, cuyo nombre propio es *"Codex repetitae praelectionis"*; *d*) las *Novelas,* la recopilación de la *Novellae constitutiones* (de las Nuevas constituciones imperiales).

Corrección
Enmienda. | Mejora; perfección. | Censura, reproche. | Represión de la autoridad contra los que infringen sus disposiciones. | Facultad represiva que tienen los jueces y tribunales con respecto a las personas sometidas a su jurisdicción. | Castigo que los padres pueden imponer a sus hijos, en virtud de la patria potestad. | Fin perseguido por las penas que se aplican de acuerdo con las modernas orientaciones del Derecho Penal.

Correccional
Que se propone corregir. | Establecimiento penal destinado al cumplimiento de condenas de gravedad intermedia. (V. PENA CORRECCIONAL.)

Corredor
En general, intermediario; quienquiera que intervenga en ajustes o convenios, y de modo más concreto en compras y en ventas mercantiles. | **DE COMERCIO.** El más característico de los *corredores* o intermediarios mercantiles, hasta el punto de recibir esa denominación antonomásticamente de *corredor* en la legislación argentina.

Corregidor
Se denominaba así el magistrado que ejercía jurisdicción civil y criminal en primera instancia, y tenía una especie de inspección gubernativa en todo lo económico y político de las poblaciones en las que ejercía jurisdicción.

Corretaje
Operación, diligencia o trabajo que realiza un intermediario o corredor. | Derecho que percibe éste por intervenir en determinado acto o contrato de comercio. (V. COMISIÓN.)

Corrupción
Se estimaba tal el acto de quienes, estando revestidos de autoridad pública, sucumbían a la seducción, como los realizados por aquellos que trataban de corromperlos. En realidad, la *corrupción* venía a confundirse con el *soborno* o el *cohecho.* Pero en el presente, *corrupción* equivale a destruir los sentimientos morales de los seres humanos.

Corruptor
Quien corrompe.

Corso
La guerra marítima que con sus buques hacen los particulares, autorizados, con patente expedida por su gobierno, para perseguir y capturar a los buques enemigos.

Corte
Ciudad donde reside el gobierno de una nación monárquica, y en donde se encuentran constituidos sus principales consejeros y tribunales. Por analogía, capital de república o Estado en general. | Nombre de diversos tribunales de apelación y casación. | Corta. | Antiguamente se decía del distrito de cinco leguas que rodeaba la corte; y también por las Cortes. | **DE APELACIÓN.** Denominación francesa del tribunal de segunda instancia en lo civil, que en España se llama *audiencia territorial.* | **DE CASACIÓN.** En Francia y países en ella inspirados, el Tribunal Supremo de Justicia, que, en especial, unifica la jurisprudencia por medio de la *casación* (v.). | **INTERNACIONAL DE JUSTICIA.** Organismo judicial creado por la Organización de las Naciones Unidas al terminarse la Segunda Guerra Mundial, a efectos de resolver las diferencias que voluntariamente le sometan los Estados miembros de aquel organismo, especialmente en materias de interpretación de tratados, violación de obligaciones internacionales, naturaleza o extensión de la reparación a que dé lugar el quebrantamiento de una obligación internacional. | **SUPREMA DE JUSTICIA.** El más alto tribunal de un Estado. Con ese nombre se denomina al superior tribunal en gran parte de los países hispanoamericanos. En España, es el Tribunal Supremo de Justicia.

Cortes
En España, desde tiempos antiguos, se designan con este nombre las asambleas donde deliberan los representantes de los pueblos, o de los diversos estados o clases sociales. Equivalen así a Parlamento, Cámara, Congreso, etc. Ambos cuerpos colegisladores, Senado y Cámara de los Diputados, constituyen las *Cortes.*

Cosa
La amplitud de este vocablo es superada por pocos. En su acepción máxima comprende todo lo existente, de manera corporal e incorporal, natural o artificial, real o abstracta.

Casa se contrapone a persona; ésta, el sujeto de las relaciones jurídicas, salvo aberraciones transitorias como la de la esclavitud, en que el ser humano era considerado como *cosa* por seres humanos que aquél en ciertos aspectos; en cambio, *cosa* se refiere al objeto del Derecho o de los derechos u obligaciones.

Reduciendo nuevamente su ámbito la idea de *cosa,* ésta, ya de modo exclusivo en la esfera de lo jurídico, expresa lo material (una casa, una finca, el dinero) frente a lo inmaterial o derechos (un crédito, una obligación, una facultad). | **ABANDONADA.** Aquella a la cual ha renunciado expresa o tácitamente, en cuanto a su propiedad, posesión o tenencia, quien era su propietario, poseedor o tenedor, sin intención de transmitirla a nadie en concreto. | **ACCESORIA.** La unida a la principal o dependiente de ella. | **AJENA.** La que pertenece a otro. | **COMÚN.** Aquella cuyo uso, por no poder su propiedad pertenecer a una persona concreta, corresponde a todos los hombres; como la luz, el aire, la lluvia, el mar y sus riberas. | **DIVISIBLE E INDIVISIBLE.** Diferenciación de notoria importancia en materia de obligaciones, contratos, derechos reales y sucesiones. Se entiende que son *divisibles* aquellas *cosas* que, sin ser destruidas por entero, pueden ser divididas en porciones reales, cada una de las cuales forma un todo homogéneo y análogo tanto a las otras partes como a la *cosa* misma. Contrariamente, serán *indivisibles* las cosas que al dividirlas queden enteramente destruidas; es decir que no puedan ser utilizadas después de haber sido fraccionadas, así como también cuando la división convierta en antieconómico su uso y aprovech3amiento. | **FUERA DE COMERCIO.** Aquella cuya inalienabilidad absoluta se encuentra determinada por la ley, o cuya enajenación está prohibida por actos entre vivos o disposiciones de última voluntad, siempre que tal prohibición se encuentre legalmente permitida. | **JUZGADA.** Según Manresa se da este nombre "a toda cuestión que ha sido resuelta en juicio contradictorio por sentencia firme de los tribunales de justicia". | **NULLÍUS.** La que carece de dueño, por no haberlo tenido nunca, o por abandono o renuncia de su último propietario.

Costa

Físicamente, la orilla del mar. | En lo económico, lo que se da o paga por algo. | Importe de la manutención del trabajador cuando se le abona como sobresalario.

Costas

Se da este nombre a los gastos legales que hacen las partes y deben satisfacer en ocasión de un procedimiento judicial. Las *costas* no sólo comprenden los llamados gastos de justicia, o sea los derechos debidos al Estado, fijados por las leyes, sino además los honorarios de los letrados y los derechos que debe o puede percibir el personal auxiliar, si así estuviera establecido.

Costumbre

Una de las fuentes del Derecho, que no es otra cosa que normas jurídicas, no escritas, impuestas por el uso. En la definición de Ulpiano: el consentimiento tácito del pueblo, inveterado por un largo uso.

Cotejar

Confrontar una cosa con otra; compararlas viéndolas.

Cotejo

Comparación de unas cosas con otras; y más propiamente, en Derecho, el examen que se hace de dos escritos comparándolos entre sí, para determinar si corresponden, o no, a una misma mano, o si ambos son iguales.

Cotización

Precio que en mercados públicos se fija para la venta o compra de mercancías.

Coto

Terreno o predio acotado, con señales de una u otra clase en sus lindes. | Mojón puesto en un término o lindero; por lo común, de piedra sin labrar. Límite, linde. | Población de alguna parroquia de señorío. | Se ha empleado antiguamente la voz por mandato, orden o precepto.

Credencial

Carta que da un gobierno a su embajador o ministro, para que con su presentación sea admitido y reconocido como tal por el jefe del Estado a quien se envía. | También, documento que sirve para acreditar el nombramiento de un empleado público y tomar posesión del cargo designado.

Crédito

Del latín, *creditum,* de *credere,* creer, confiar. Asenso, admisión de lo dicho por otro. | Abono, comprobación. | Reputación, fama, nombre, autoridad. | Derecho a recibir de otro alguna cosa, por lo general dinero. | Opinión de que goza una persona cuando se espera que satisfará puntualmente los compromisos contraídos o las promesas formuladas. | Libramiento, vale o abonaré de una cantidad, que se da en garantía para pagar más adelante, o bien para que la pague en otro lugar un corresponsal. | **HIPOTECARIO.** El garantizado con hipoteca. | **INCOBRABLE.** El que por insolvencia del deudor, o imposibilidad de ejercer las acciones que lo amparaban, resulta jurídica o racionalmente de imposible cobro. | **MERCANTIL.** El establecido mutuamente entre productores, empresarios e intermediarios, para facilitar las compras, las ventas y los cambios del comercio. | **PERSONAL.** El fundado en el puntual cumplimiento de una persona o en sus antecedentes de honradez, sin exigir concreta garantía real ni fianza. | **PRIVADO.** Aquel en el cual el mutuario o prestamista es un particular. (V. CRÉDITO PÚBLICO.) | **PRIVILEGIADO.** Aquel cuyo titular tiene preferencia para ser pagado, frente a otro u otros, con los bienes del deudor común. | **PÚBLICO.** Confianza que inspira la solvencia de una nación o la honestidad de un gobierno, especialmente en relación con las operaciones o empréstitos que efectúa. | Concepto que inspira un particular o una entidad privada u oficial en cuanto al cumplimiento de sus compromisos, promesas, contratos u obligaciones. | Préstamo concedido por un organismo público. (V. CRÉDITO PRIVADO.) | **QUIROGRAFARIO.** Es aquel que no goza de ninguna preferencia para ser pagado en relación con otros créditos. | **REFACCIONARIO.** El proveniente del dinero anticipado o del trabajo puesto para fabricar, conservar o reparar un bien ajeno.

Crimen

Infracción gravísima. | Perversidad extrema. | Acción merecedora de la mayor repulsa y pena. | Maldad grande. | Tremenda injusticia. | Pecado mortal. | **CAPITAL.** El castigado con la pena de muerte. | **DE GUERRA.** Acción u omisión de un beligerante contraria a las *leyes de la guerra* (v.), al Derecho de Gentes y a la conciencia humana en general. | **PASIONAL.** El que tiene por motivo la vehemencia de ciertas pasiones; como el amor y los celos, y su combinación con los impulsos sensuales. | **SOCIAL.** El originado por las luchas sociales o del trabajo: venganza por despidos, rencor por fracasos en huelgas o conflictos, intimidación general de empresarios, rivalidades de sindicatos, expedita supresión, casi siempre mediante agentes obreros, por patronos o gobiernos hostiles a las reivindicaciones de los trabajadores.

Criminalidad

Calidad o circunstancia por la cual es criminal una acción. | También, volumen total de infracciones o proporción en que se registran los crímenes en general, y las varias clases de crímenes en particular, en una sociedad o región determinada y durante cierto espacio de tiempo.

Criminalista

Autor o jurista dedicado al estudio de las materias criminales, y el abogado que se consagra a asuntos de esta naturaleza. (V. PENALISTA.)

Crisis

Mutación considerable en el curso de una enfermedad, ya sea para mejorarse o agravarse el enfermo. | Por extensión, momento decisivo de un negocio grave o importante.

Cronología

Del griego *cronos,* tiempo, y *logos,* tratado. Ciencia que tiene por objeto la medida y división exacta del tiempo en los diferentes países, determinando el orden y fecha de los sucesos históricos.

Crucificar

Dar muerte en una cruz.

Cuaderno

Conjunto de pliegos doblados y cosidos en forma de libro. | Pequeño libro para llevar datos de negocios o instituciones, y sobre todo para cuenta y razón de éstos. | Leve castigo que se imponía en otros tiempos a los colegiales. | **DE PRUEBA.** Expediente que se forma en los juicios contradictorios, y donde se reúnen las pruebas aportadas por cada una de las partes, separando no obstante el de la actora y el de la demandada.

Cualidad de la pena

Es la que, en relación con la *cualidad del delito* (v.), determina la índole de la sanción imponible y que sustancialmente aparece dividida en cuatro categorías, según que priven al delincuente del bien de la vida, de la integridad o libertad, del honor o del patrimonio pecuniario; es decir, según que las penas sean capitales, aflictivas, infamantes o pecuniarias.

Cualidad del delito

Según Carrara, la que hace que un hecho criminal constituya un delito más bien que otros;

es la que distingue un título criminoso de otro título criminoso. La *cualidad* existe en los entes por su íntima naturaleza y se manifiesta por la simple comparación de uno de ellos con el otro, sin necesidad de confrontarlos con un tercer término cualquiera. (V. CUALIDAD DE LA PENA.)

Cuantía

Cantidad a que asciende el importe total de lo reclamado en la petición formulada en la demanda de los juicios ordinarios, excepción hecha de las costas.

Cuarta

Cuarto o cuarta parte; cada una de las cuatro partes iguales en que se divide algo. | Cuarta parte del valor de uno o más bienes. | Derecho de algunas personas a la cuarta parte de ciertas cosas o derecho. | **FALCIDIA.** Institución hereditaria que toma su nombre del Tribunal Falcidio. Del Derecho Romano pasó a las Partidas. En virtud de ella, al heredero testamentario se le reconocía el derecho de deducir para sí al menos la cuarta parte de la sucesión, si estaba gravada con exceso por legados y mandas. | **LEGÍTIMA.** Se denominaba así, en el Derecho Romano, la porción de bienes debida, por ministerio de la ley, a los descendientes del difunto; y, a falta de éstos, a los ascendientes. (V. LEGÍTIMA.). | **MARITAL.** Se denomina así el derecho que tenía la viuda pobre y sin dote, ni bienes con qué alimentarse, para percibir la cuarta parte de los bienes dejados al morir por el esposo.

Cuasicontrato

Acto lícito y voluntario que produce, aun sin mediar convención expresa, obligaciones, a veces recíprocas entre las partes; otras, sólo respecto de uno de los interesados; y en ocasiones, en beneficio de un tercero. Las obligaciones surgen de la ley, de los contratos, *cuasicontratos,* delitos y cuasidelitos, dentro de la clasificación aceptada como norma por los códigos inspirados en el francés.

Cuasidelito

Acción con que se causa mal a otro por descuido, imprudencia o impericia, sin intención de dañar. También responsabilidad de uno por ciertos actos ajenos.

Cuasiposesión

Posesión de cosas incorporales o derechos. | En sentido más concreto, posesión de derechos reales sobre cosa ajena, susceptibles de ejercicio duradero. Capitant dice que esta expresión sirve para designar la posesión de un derecho de servidumbre.

Cuasipupilar

Llámase así, y también *ejemplar*, la sustitución testamentaria que puede disponer cualquier ascendiente nombrando sustituto al descendiente mayor de catorce años e incapacitado, conforme a Derecho, por padecer enajenación mental.

Cuasiusufructo

Derecho análogo al usufructo, para las cosas consumibles y los créditos.

Cuenta

Acción o efecto de contar. | Cálculo, operación aritmética. | Pliego o papel donde está anotada una suma o una resta de varias partidas. | Razón, explicación, satisfacción de algo. | Atribución, facultad. | Cuidado, incumbencia, función, cargo, obligación, deber, responsabilidad. | **CORRIENTE.** Se denomina así, en la práctica comercial, cada una de las *cuentas* que los comerciantes abren en sus libros a otras personas, pertenezcan al comercio, o ajenas a él, con las cuales sostienen relaciones mercantiles, y a cosas o conceptos determinados. | **CORRIENTE BANCARIA.** Es la *cuenta corriente* que lleva una institución bancaria. | **CORRIENTE MERCANTIL.** Para el Cód. de Com. arg., la *cuenta corriente mercantil* es "un contrato bilateral y conmutativo, por el cual una de las partes remite a la otra, o recibe de ella en propiedad, cantidades de dinero u otros valores, sin aplicación a empleo determinado, ni obligación de tener a la orden una cantidad o un valor equivalente; pero a cargo de acreditar al remitente por sus remesas, liquidarlas en las épocas convenidas, compensarlas de una sola vez hasta la concurrencia del débito y crédito y pagar el saldo" (art. 771). | **DE RESACA.** El portador de una letra de cambio protestada podrá reembolsarse de su importe y de los gastos de protesto girando una nueva letra contra el librador o alguno de los endosantes. | **JURADA.** Se denominan *cuentas juradas,* en España, las que formulan los abogados, procuradores y otras personas que intervienen en los asuntos judiciales, con el objeto de hacer efectivo, por el procedimiento de apremio, el importe de sus honorarios y cuantos gastos han suplido; a cuyo efecto el interesado debe, al iniciar el procedimiento, expresar que jura que dicha *cuenta* le es debida, y no le ha sido satisfecha.

Cuerda floja (en)

Locución adverbial usada en actuaciones judiciales o administrativas. Se refiere a las piezas de unos autos o expediente cuando se cosen con una cuerda que se deja *floja,* para permitir el examen cómodo de cada una de ellas, con su numeración. Conservan así, a la vez, relativa unión e independencia.

Cuerpo

En el lenguaje jurídico tiene esta palabra tres principales acepciones: *a*) La colección auténtica de las leyes, o la del conjunto del Derecho en una de sus ramas; *b*) La de aquello que es objeto o materia del delito, como por ejemplo el cadáver del asesinado, las armas empleadas, la llave falsa, etc.; *c*) La del conjunto de funcionarios o empleados de un determinado ramo de servicios. | **COLEGIADO.** Se dice así, en la Argentina, de la corporación constituida bajo un cierto régimen, como el ayuntamiento o municipio, las Cámaras, etc. | **DE ESCRITURA.** Breve escrito que el juez requiere que alguien haga ante él para apreciar su caligrafía y proceder a un oportuno cotejo en causa civil o criminal. La negativa puede equipararse a confesión de lo que perjudique. | **DEL DELITO.** Para ciertos autores no es sino la ejecución, la existencia, la realidad del delito mismo; mientras otros denominan así la víctima o el instrumento material del delito, la cosa en que o con que se ha cometido un acto criminal, o en la cual existen señales de él; por ejemplo, el cadáver del asesinado, el arma con que se le hirió, etc.

Cuestión

Pregunta hecha o propuesta para averiguar la verdad de algo controvertido. | Materia dudosa. | Asunto discutible. | Oposición de razones o argumentos sobre un tema. | Riña, pendencia. | **DE DERECHO.** La relativa a un punto controvertido de naturaleza jurídica. Su solución no depende de la prueba de hechos, sino de la aplicación de reglas de interpretación y de la determinación de las normas jurídicas aplicables al caso. | **DE FONDO.** La relativa a aspectos materiales de una disputa o controversia, en contraposición a las relativas al procedimiento tendiente a la solución de esa disputa o controversia. | **DE GABINETE.** La que puede influir en la continuación de un ministerio. | Cualquiera de gran interés para una persona. | **DE HECHO.** La relativa a un punto controvertido que necesita ser objeto de prueba. La *cuestión de hecho* es objeto de libre apreciación judicial. (V. CUESTIÓN DE PURO DERECHO, PRUEBA, RESULTANDO.) | **DE PREVIO Y ESPECIAL PRONUNCIAMIENTO.** V. ARTÍCULO DE PREVIO Y ESPECIAL PRONUNCIAMIENTO. | **DE PURO DERECHO.** La que versa únicamente sobre principios legales que se consideran aplicables a la *cuestión* controvertida. | **PREJUDICIAL.** Del latín *prae judicium,* antes del juicio, se refiere al punto previo a éste en alguna jurisdicción. De modo especial, la *cuestión* que ha de ser resuelta por la jurisdicción penal para ser tenida en cuenta en la civil. | **PREVIA.** La perteneciente a la jurisdicción administrativa, pero que ha de influir en la penal. | También, la que en una asamblea o reunión deliberante se plantea para resolverse incidentalmente, antes que la cuestión principal o en debate, por deber preceder aquélla a ésta. | Procesalmente, toda cuestión que ha de ser resuelta antes que la principal o que impide decidir sobre ésta. (V. CUESTIÓN PREJUDICIAL.)

Cuestionable

Dudoso o problemático. | Lo que cabe objetar o controvertir.

Cuestor

Magistrado romano a quien se encargaron diversas atenciones, cuidados y ejercicios, según la diversidad de tiempos, épocas y circunstancias.

"Cuique suum tribuere"

Loc. lat. Dar a cada uno lo suyo. Tercer principio de los que engendraban la normalidad jurídica, según el Derecho romano. Eran los otros: *honeste vivere* (vivir honradamente) y *alterum non ledere* (no dañar a otro). (V. JUSTICIA.)

Culpa

En sentido amplio se entiende por *culpa* cualquier falta, voluntaria o no, de una persona que produce un mal o daño; en cuyo caso *culpa* equivale a causa. | **COMÚN.** Aquella cuya responsabilidad se divide igualmente entre las personas a quienes se imputa y entre las que produce cierta *solidaridad* (v.). | **GRAVE.** V. CULPA LATA. | **LATA.** El descuido o desprecio absoluto en la adopción de las precauciones más elementales para evitar un mal o daño. | **LEVE.** La negligencia en que no incurre un buen padre de familia; como la de no cerrar con llave los muebles de su casa en que guarde objetos de valor o interés. | **LEVÍSIMA.** La omisión de las medidas y precauciones de un padre de familia muy diligente.

Culpabilidad

Calidad de culpable, de responsable de un mal o de un daño. | Imputación de delito o falta, a quien resulta agente de uno u otra, para exigir la correspondiente responsabilidad, tanto civil como penal. (V. INCULPAR.)

Culpable

Autor de mala acción. | Responsable de un delito o falta. | Por inexacta extensión, acusado o sospechoso.

Culposo

Se refiere a la elección u omisión que está sancionada penalmente sin constituir delito doloso.

Cultivar

Hacer en tierras y plantas las labores necesarias o convenientes para que den frutos. | En el orden de los conocimientos, ocuparse de ellos con aplicación e intensidad; como el cultivo del Derecho por los juristas.

Cúmplase

Decreto puesto en el título de los funcionarios públicos, para que pudieran tomar posesión de sus destinos. | Fórmula promulgadora que los presidentes de algunas repúblicas americanas ponen al pie de las leyes. | Resolución judicial por la que se da cumplimiento a la práctica de diligencias ordenadas por otro juez o tribunal. | Orden que así da el juez inferior para ejecutar la sentencia firme por haberla devuelto ya el tribunal superior, ante el cual se presentó el recurso pertinente, haya prosperado o no.

Cumplimentar

Dar ejecución a los despachos, mandamientos u órdenes superiores.

Cumplimiento

Acción o efecto de cumplir. | Ejecución, realización, efectuación. | Hecho de alcanzar determinada edad, contada especialmente por años completos. | Término del servicio militar. | Vencimiento de un plazo. | Satisfacción de una obligación o deber. | Oferta por pura urbanidad.

Cumplimiento del deber

En general, acatamiento espontáneo del obligado a hacer o no hacer. | En materia penal sirve para indicar la impunibilidad de quien obra respondiendo a tal *cumplimiento*, que se equipara al legítimo ejercicio de un derecho, autoridad o cargo.

Cumplir

Hacer lo debido o aquello a lo cual está obligado uno. | Alcanzar determinada edad. | Vencer una obligación. | Terminar un plazo. | Concluir el servicio militar. | Convenir. | Ejecutar, realizar, verificar, llevar a cabo.

Cuñado

Hermano de un cónyuge con respecto al otro.

Cuota

Parte determinada y fija que corresponde dar o percibir a cada uno de los interesados en un negocio, suscripción, empréstito, etc. | Lo señalado de antemano; como una obligación, contribución, derecho, etc., en forma periódica, temporal o por una sola vez. | **DE HIJO LEGÍTIMO.** La porción hereditaria forzosa señalada por la ley para los hijos extramatrimoniales. | **LITIS.** V. PACTO DE CUOTA LITIS. | **VIDUAL.** Se denomina asimismo *cuota usufructuaria del viudo* o *cuota legitimaria en usufructo.* Es la parte que corresponde al cónyuge viudo en la herencia del premuerto cuando concurre con descendiente o ascendientes; porque, en otros supuestos, sus derechos hereditarios son más amplios.

Cupo

Parte o cuota asignada a cada población en un impuesto o en un servicio; o a los comerciantes o industriales en planes de exportación, importación o producción.

Curador

Quien cuida de algo. | **AD BONA.** El nombrado para cuidar exclusivamente de los bienes de un incapacitado, pero sin potestad alguna de carácter personal sobre él. (V. CURADOR DE BIENES.) | **AD LITEM.** Persona designada por el juez para seguir los pleitos y defender los derechos de un menor, de un ausente o del sometido a interdicción civil o a otra incapacidad. En el Derecho esp., al desaparecer la figura del *curador,* las funciones específicas de éste especial son confiadas a un defensor judicial. | **DE BIENES.** Forzando sin duda el régimen gramatical, el Cód. Civ. arg. le da también el nombre de "curador a los bienes". Es la persona designada para hacerse cargo de bienes hasta tanto éstos sean entregados a quienes pertenezcan. | **DEL AUSENTE.** Curador especial que designa el juez, a requerimiento de cualquier interesado o del Ministerio Público, cuando una persona desaparece de su domicilio, sin dar noticia, pero dejando bienes cuya administración queda abandonada.

Curaduría

Cargo y función del curador de un mayor. | Más ampliamente, autoridad creada por la ley para la dirección de los bienes y personas de los que por cualquier causa no puedan por sí manejar sus asuntos. (V. CURATELA.)

Curanderismo

Práctica del curandero; el instrusismo en la profesión médica.

Curatela

Palabra italiana, adoptada por el codificador argentino. La *curatela* es una institución que, como la tutela, tiene por objeto suplir la capacidad de obrar de las personas. La tutela se da para los menores; y la *curatela*, para los mayores de edad incapaces de administrar sus bienes. | **DATIVA.** La determinada por el juez a petición del Ministerio de Menores o de parientes del incapaz. | **LEGÍTIMA.** La que se discierne por ministerio de la ley.

Curia

Conjunto de abogados, procuradores, secretarios judiciales y empleados de la administración de justicia. | Tribunal en que se tratan causas o negocios de índole contenciosa. | En Roma, y según la constitución patricia que se atribuye a Rómulo, cada uno de los treinta núcleos administrativos, religiosos, electorales y militares en que fue distribuido el pueblo, según la aptitud de los varones para llevar las armas.

Curial

Empleado subalterno de justicia. | El que se ocupa de mover en ellos los negocios ajenos. | También, quien tiene oficio en los tribunales eclesiásticos, en la curia romana pontificia. | En la antigua Roma, el miembro de una curia municipal. En los tiempos finales del Imperio, los *curiales* debían tener 25 arpendes de tierra en propiedad; y, de morir sin heredero, sus bienes pasaban a la curia. | Como adjetivo, relativo a la curia judicial o romana.

Curialesco

Propio de la curia; sobre todo en sentido despectivo, ya sea por insoportables dilaciones, obstáculos originados en minucias, argumentaciones enrevesadas y artificiosas, aplicaciones sutiles y abusivas de aranceles y otras muestras de la picaresca judicial.

Curso

Dirección de las cosas. | Año escolar o universitario. | Tratado sobre una rama del Derecho. | Diligencias, informes, traslados de un expediente o de un proceso. | Serie, continuación, transcurso del tiempo, la vida, la historia. | Difusión, circulación.

Curso forzoso

Expresión que, referida a la *moneda* (v.), indica que los particulares no pueden exigir, de la institución oficial emisora de los billetes de banco, la conversión de éstos en oro, lo que, según algunos autores, agrava principalmente las consecuencias del *curso legal* (v.).

Curso legal

Se dice de la moneda que, por tener fuerza cancelatoria en las transacciones, es de aceptación obligatoria por precepto de la ley.

Custodia

Acción o efecto de custodiar. | Persona o escolta encargada de guardar a un preso o detenido. | Depósito. | Protección, amparo. | Vigilancia. | Diligencia. | Estado del individuo que, por orden de la policía, se encuentra sometido a vigilancia.

D

D

Cuarta letra del abecedario castellano y cuarta de sus consonantes. | *D* es abreviatura de *domingo,* de *don,* como tratamiento, de *decreto,* de *debe*, en el comercio, de *Dios* y de *doctor.*

Dación

Acto o acción de dar, sólo en términos jurídicos. | Entrega real y efectiva de algo. | **EN PAGO.** Con mayor rigorismo clásico se denomina también *datio in solutum*; o sea, acción de dar algo para pagar una deuda. En general significa la entrega de una cosa en pago de otra que era debida o de una prestación pendiente.

Dador

Quien da. | Portador de una carta: el intermediario entre el remitente y el destinatario cuando la lleva y entrega personalmente, o al menos esto último. | Librador o firmante de la letra de cambio.

"Damnum non facet qui jure suo utitur"

Af. lat. que afirma que no causa daño aquel que ejercita su derecho, sean cualesquiera las consecuencias que resulten.

Dañino

Que causa daño, mal o perjuicio. | En especial, se dice del animal que provoca estragos en otras especies, en los cultivos o en los edificios. | Se dice del sujeto socialmente negativo y que destruye o corroe bienes o valores, según Luis Alcalá-Zamora.

Agrega el citado autor que, en lo zoológico, lo *dañino* lleva a estimular el exterminio de esas alimañas, y aun a recompensas por presentar sus despojos. En lo demás, lo penal y la prevención social tienen la palabra.

Daño

En sentido amplio, toda suerte de mal material o moral. | Más particularmente, el detrimento, perjuicio o menoscabo que por acción de otro se recibe en la persona o en los bienes. El *daño* puede provenir de dolo, de culpa o de caso fortuito, según el grado de malicia, negligencia o casualidad entre el autor y el efecto. En principio, el *daño doloso* obliga al resarcimiento y acarrea una sanción penal; el *culposo* suele llevar consigo tan sólo indemnización; y el *fortuito* exime en la generalidad de los casos, dentro de la complejidad de esta materia. | **AL INTERÉS NEGATIVO.** El perjuicio sufrido por el acreedor como consecuencia del incumplimiento de la obligación debida, que lo coloca en peor situación que la que hubiera tenido en caso de no existir tal incumplimiento. Así, por ejemplo, si el acreedor realiza cierta obra, en la expectativa de que el deudor efectuará prestaciones necesarias para completarla y hacerla económicamente útil, el incumplimiento del deudor implica para el acreedor el desperdicio de los gastos hechos para realizar la parte de la obra a su cargo. | **AL INTERÉS POSITIVO.** El perjuicio sufrido por el acreedor en términos de no realización de ganancias o ingresos esperados, como consecuencia del incumplimiento de las obligaciones de su deudor. | **EMERGENTE.** Detrimento, menoscabo o destrucción material de los bienes, con independencia de los efectos patrimoniales o de otra índole que el mal origine. | **FORTUITO.** El mal causado a otro, en su persona o bienes, por simple accidente, sin culpa ni intención de producirlo. Por de pronto exime de toda responsabilidad penal. En cuanto al resarcimiento civil, ha de estimarse que sólo corresponde cuando está previsto legalmente. | **DIRECTO.** El que resulta de manera inmediata de la acción u omisión culposa o dolosa. En la doctrina y en la jurisprudencia, el concepto se complica de acuerdo con el rigor o las restricciones en la cadena causadora, cuando haya habido una sucesión de perjuicios, más o menos emparentados con el inicial. (V. DAÑO INDIRECTO.) | **INDIRECTO.** El que deriva de una acción u omisión, aun ajeno a la intención o previsión del responsable; por ejemplo, se incendia un edificio con el fin de destruir ciertos documentos, pero el fuego alcanza a inflamables o explosivos y causa víctimas. El problema jurídico del *perjuicio indirecto* se une indisolublemente al de la cadena de la causalidad o pluralidad de causas. (V. DAÑO DIRECTO.) | **IRREPARABLE.** Perjuicio inferido a una de las partes litigantes por una resolución interlocutoria, y que no cabe enmendar en el curso del proceso, o sólo resulta modificable en parte por la sentencia o los recursos admitidos contra ella. | En materia penal, por *daño irreparable* se entiende el mal que no es susceptible de ser enmendado ni atenuado; así, el homicidio consumado o la desfloración, si bien en ésta cabe a veces la reparación simbólica por matrimonio del ofensor con la ofendida. | **MATERIAL.** El *daño* puede ser de dos tipos: *material* o *moral*. Entiéndese por la primera especie aquel que, directa o indirectamente, afecta un patrimonio, aquellos bienes (cosas o derechos) susceptibles de valuación económica. (V. AGRAVIO MATERIAL.) | **MORAL.** La lesión que sufre una persona en su honor, reputación, afectos o sentimientos por acción culpable o dolosa de otros.

Daños e intereses

Tecnicismo peculiar del Cód. Civ. arg., que lo define así en su art. 519: "Se llaman *daños e intereses* el valor de la pérdida que haya sufrido, y el de la utilidad que haya dejado de percibir el acreedor de la obligación, por la inejecución de ésta a debido tiempo".

Daños y perjuicios

Constituye este concepto uno de los principales en la función tutelar y reparadora del Derecho. Ambas voces se relacionan por completarse; puesto que todo *daño* provoca un *perjuicio*, y todo *perjuicio proviene de un daño.* En sentido jurídico, se considera *daño* el mal que se causa a una persona o cosa, como una herida o la rotura de un objeto ajeno; y por *perjuicio*, la pérdida de utilidad o de ganancia, cierta y positiva, que ha dejado de obtenerse; pues el herido, por ejemplo, ha perdido sueldos u honorarios, o la máquina rota ha dejado de producir tal artículo.

Dar

Donar, regalar. | Entregar. | Transmitir. | Conferir un cargo o dignidad. | Proveer un empleo o puesto. | Ordenar, aplicar, disponer. | Permitir, conceder, otorgar. | Suponer, admitir. | Declarar, tener. | Incurrir. | Suceder, ocurrir.

Dar fe

Declarar, testificar, al servicio de la Justicia, la verdad de lo presenciado. | Afirmar la autenticidad de un hecho. | Legalizar un documento o las firmas del mismo.

Data

Indicación de lugar y tiempo en que acontece algún hecho, en que se escribe una carta o en el cual se otorga otro documento. Se coloca al principio o al final del escrito.

"De auditu"

Loc. lat. De oídas. Se refiere al testigo que relata, no lo que ha presenciado, sino lo que ha oído a otros. (V. DE VISU.)

"De credulitate"

Loc. lat. De credulidad; por ejemplo, juramento *de credulitate.*

De cujus

Abreviatura de la expresión latina *de cujus successione agitur,* aquel de cuya sucesión se trata. Equivale a *causante*, al difunto de cuya herencia se trate.

De Derecho

Legítimamente. | Con arreglo a la ley o en virtud de ella. (V. DE HECHO.)

"De facto"

Loc. lat. De hecho. La Academia escribe *defacto* (v.).

De hecho

Efectiva o realmente. | Con existencia real y objetiva. | Relativo a las circunstancias y pruebas materiales. | Arbitrariamente, por la fuerza.

"De jure"

Loc. lat. V. DE DERECHO.

"De lege ferenda"
Loc. lat. Con motivo de proponer una ley. La locución se usa por la doctrina para expresar la reforma o mejora aconsejable en una institución a través de la obra legislativa o parlamentaria. (V. "DE LEGE LATA".)

"De lege lata"
Loc. lat. Según la ley propuesta. Expresa la realidad legislativa, a la que hay que atenerse, no obstante objeciones técnicas o deficiencias en la aplicación, o bien por haber quedado anticuada. Se contrapone a *de lege ferenda* (v.).

De mancomún et insolidum
Loc. lat. y esp. En mancomún y en forma solidaria. Es expresión usual en obligaciones, sobre todo en las letras de cambio, para indicar que los obligados responden del modo indicado. (V. MANCOMUNIDAD, SOLIDARIDAD.)

"De meritis"
Loc. lat. De merecimiento.

Hablar de meritis: alegar o considerar el valor de las pruebas presentadas o la vigencia del Derecho aducido en un juicio.

De oficio
Calificación que se da a las diligencias que los jueces o tribunales efectúan por decisión propia, sin previo requerimiento de parte o sin necesidad de petición de ésta. Predominan en el proceso penal, en contraposición al civil, regido más bien por el principio opuesto, denominado *a instancia de parte*.

De oídas
Lo conocido por referencia o testimonio de otro, y no por haberlo visto o presenciado. Se aplica a una especie de testimonio, particularmente insegura.

De pleno Derecho
Dícese de aquello que resulta como consecuencia necesaria de normas jurídicas, sin necesidad de acto o formalidad alguna que complete o perfeccione ese efecto. Así, por ejemplo, dadas ciertas condiciones, la *compensación* (v.) se produce sin necesidad de conducta alguna de las partes, como una consecuencia jurídicamente necesaria de las mencionadas condiciones.

De público y notorio
Fórmula final que suele insertarse en los interrogatorios judiciales, para indicar que el testigo sabe de los hechos sobre los cuales ha declarado por ser conocidos por la mayoría de las personas del lugar o del círculo social correspondiente.

De verbo ad verbum
Loc. lat. y esp. Palabra por palabra, al pie de la letra, literalmente.

De vista
Por conocimiento sólo exterior; sin trato. | Ocularmente. (V. TESTIGO DE VISTA.)

De visu
Loc. lat. y esp. De vista. Testigo *de visu* es aquel que ha visto o presenciado directamente los hechos sobre los cuales depone. (V. "DE AUDITU".)

"De vita et moribus"
Loc. lat. Sobre vida y costumbres. Información general acerca de la conducta presente y pasada de un individuo. La Iglesia la practica con escrupulosidad y secreto para proceder a la designación de obispos.

Debates parlamentarios
Controversias que en las cámaras de diputados o de senadores se originan al deliberar sobre las leyes o en cuanto a temas políticos en general. (V. DELIBERACIÓN.)

Debe
En las cuentas corrientes, crédito del que la abre y cargo del titular. | Pasivo de una cuenta. | Nota de cargo no liquidada o que está pendiente. | Situación de deudor. (V. HABER.)

"Debenture"
Suele emplearse más en plural: *debentures*. Se trata de una voz inglesa que ha logrado gran aceptación en América, por influjo de ingleses y yanquis. La traducción más adecuada es la de *"obligación"*, como opuesta a *"acción"*, en cuanto a valores o títulos de créditos, con garantía o sin ella, nominales o al portador, que pueden emitir las sociedades anónimas o en comandita por acciones y las administraciones autónomas del Estado, siempre que para ello estén autorizadas por estatuto o ley, y con la finalidad de responder de los préstamos recibidos.

Debenture significa también, en inglés, certificado, vale, abonaré expedido por la aduana para el reintegro de los derechos pagados y orden de pago del gobierno.

Deber
Como verbo, estar obligado. | Adeudar. | Estar pendiente el pago de una deuda, la prestación

de un servicio, la ejecución de una obra, el cumplimiento de una obligación en general. | **JURÍDICO.** Necesidad moral de una acción u omisión, impuesta por ley, pacto o decisión unilateral irrevocable, para servicio o beneficio ajeno y cumplimiento de los fines exigidos por el orden social humano. El fundamento inmediato del *deber jurídico* se señala en el orden procedente de las relaciones naturales de la sociedad; y el remoto, como surgido de la sociabilidad. Se apoya asimismo en la ley positiva o en la natural, o en ambas a la vez.

Debido proceso legal

Cumplimiento con los requisitos constitucionales en materia de procedimiento, por ejemplo en cuanto a posibilidad de defensa y producción de pruebas.

Debilidad mental

Deficiencia o defecto intelectual. Comprende diversos grados psicológicos: el *idiota*, que carece de toda capacidad; el *morón*, sujeto a ligera anormalidad, y el *débil mental* propiamente dicho, en el que la energía de la voluntad no condice con el claro conocimiento.

Débito

Deuda. | **CONYUGAL o DÉBITO.** Con pudor, pero con inexactitud, lo define así la Academia: "Recíproca obligación de los cónyuges para la propagación de la especie".

Decálogo

Los diez mandamientos de la religión mosaica y cristiana, vínculo unitario entre el Antiguo y el Nuevo Testamento, grabados en las Tablas de la Ley. | Por extensión, conjunto de diez preceptos fundamentales en distintas actividades de la vida, políticas, profesionales y hasta deportivas.

Decano

El miembro más antiguo de una comunidad, cuerpo, gremio, colegio o junta. | El que recibe tal título y es nombrado para presidir una universidad, consejo, junta o tribunal, aun no siendo el más antiguo ni el de mayor edad.

Decapitación

Acción o efecto de decapitar, de cortar la cabeza.

Decidir

Resolver. | Formar juicio definitivo. | Solucionar la dificultad. | Determinar la voluntad ajena; estimularla para que resuelva o elija.

Decisorio

Denominación del juramento que obliga a pasar por lo que se diga cuando una parte lo defiere a la otra. Se dice *decisorio* por cuanto decide el pleito al hacer prueba plena. (V. JURAMENTO DECISORIO.)

Declaración

Acción o efecto de declarar. | Manifestación, comunicación, explicación de lo ignorado, oculto o dudoso. | Publicación, manifestación del propósito, ánimo o ideas. | Deposición jurada de los testigos y peritos en causas criminales o en pleitos civiles; y la hecha por el reo, sin prestar juramento, en los procesos penales. | Establecimiento de la verdad por escrito o de palabra. | Proposición de contrato. | Prueba o resguardo. | Exposición de ideario o de conducta, o aclaración sobre cualquier asunto de interés público, efectuada por un dirigente, partido o movimiento político. (V. CONFESIÓN, MANIFIESTO, OFERTA, RECONOCIMIENTO, TESTIMONIO.) | **DE AUSENCIA.** Manifestación formulada por juez competente por la cual, previo juicio civil, establece, ante la carencia de noticias de una persona, lo que corresponda para velar por sus intereses y por los de los suyos. | **DE DERECHOS DE VIRGINIA.** Más antigua que la *Declaración de los Derechos del Hombre y del Ciudadano* —aprobada por la Convención Nacional de Francia el 2 de octubre de 1789—, la *Declaración de Derechos de Virginia* fue formulada por los representantes de este pueblo, "reunidos en libre y completa convención", sobre "los derechos que pertenecen a ellos y a su posteridad, como base y fundamento de gobierno". La asamblea se celebró en los meses de mayo y junio de 1776, en la ciudad de Williamsburg (Estado de Virginia). | **DE GUERRA.** Notificación directa o manifestación pública que un Estado hace a otro, y a los neutrales, de que ha roto las relaciones amistosas con uno o más y de que inicia las hostilidades contra él o ellos. | **DE LOS DERECHOS DEL HOMBRE Y DEL CIUDADANO.** Votada por la Convención francesa, en la sesión del 2 de octubre de 1789, resume, en sus principios, orientaciones que conmovieron los cimientos sobre los cuales descansaba la organización social y política hasta entonces existente. La expansión que tuvo esta *Declaración* ha sido grande, aun cuando sus principios se invocan tanto como se incumplen. | **DE REBELDÍA.**

Decisión judicial adoptada contra una persona que, citada en forma legal para comparecer ante autoridad o juez competente, no se presenta, por lo cual continúa sin ella el trámite del procedimiento. | **DE VOLUNTAD.** Manifestación o exteriorización humana destinada a producir efectos jurídicos. | **EXPRESA.** Manifestación inequívoca de la voluntad mediante el lenguaje hablado, escrito o mímico. | **INDAGATORIA.** El interrogatorio dirigido, en causas criminales, al presunto reo, para indagar o averiguar el delito y el delincuente. | **JURADA.** Manifestación hecha bajo juramento, y generalmente por escrito, acerca de diversos puntos que han de surtir efectos ante las autoridades administrativas o judiciales. Hay *declaraciones juradas de bienes, de existencias, de gastos,* etc. | **RECEPTICIA.** La de voluntad que es emitida teniendo en cuenta otra persona, a la cual alcanza. | **TÁCITA.** Manifestación de la voluntad hecha patente por actos exteriores, sin recurrir al lenguaje. | **UNIVERSAL DE LOS DERECHOS DEL HOMBRE.** Fue aprobada por las *Naciones Unidas* (v.) en su sesión plenaria del 10 de diciembre de 1948, y su texto, pese a los términos en que se encuentra redactado, no ha tenido la repercusión que de dicha *Declaración* debía esperarse.

Declaratoria de herederos

Reconocimiento judicial de la persona o personas que, en virtud de la ley o de testamento, están llamadas a suceder en sus bienes a otra que ha fallecido.

Afirma E. B. Carlos que, en sentido lato, se entiende por *declaratoria de herederos* el auto o la resolución judicial en que se reconoce como tales a las personas que se mencionan en ese documento, y que, en sentido más restringido, forma parte de la materia de las sucesiones, puesto que constituye una etapa que debe preceder al juicio de sucesión.

Declinatoria o declinatoria de jurisdicción

Petición para declinar el fuero o para impugnar la competencia del juez que conoce de un asunto. Este incidente es uno de los modos admitidos por la ley para plantear las cuestiones de competencia. Lo promueve quien, citado en juicio, alega la excepción de incompetencia de jurisdicción, por considerar que el juez o tribunal carece de atribuciones para intervenir en el asunto, y pidiéndole que se separe del conocimiento del negocio.

Decomisar

Declarar algo en comiso.

Decretales

Recopilación de las epístolas o decisiones pontificias. En especial, el libro que contiene la totalidad de las dictadas por Gregorio IX.

Decretar

Resolver, deliberar, ordenar, decidir quien tiene potestad y atribuciones para ello. | Anotar en las márgenes de un escrito, sobre todo administrativo, el trámite o respuesta correspondiente a un escrito. | Redactar y promulgar decretos al Poder Ejecutivo. | Determinar un juez o tribunal sobre las peticiones de las partes, aceptándolas, denegándolas o disponiendo el trámite adecuado.

Decreto

Resolución, mandato, decisión de una autoridad sobre asunto, negocio o materia de su competencia. | Constitución pontificia consultada con los cardenales. | Acción o efecto de decretar o anotar marginalmente el despacho correspondiente a un escrito. | Antiguamente, se dijo por parecer o dictamen. | **DE NUEVA PLANTA.** Nombre de diversos decretos suscritos por Felipe V para devolver en parte la legislación civil, penal, mercantil, procesal y administrativa a las regiones españolas que habían favorecido, durante la Guerra de Sucesión, al rival del Borbón: al archiduque Carlos de Austria.

Decreto de necesidad y urgencia

El que sanciona el Poder Ejecutivo cuando circunstancias excepcionales hicieren imposible seguir los trámites ordinarios para la sanción de una ley destinada a atender necesidades urgentes atinentes al interés público.

Decreto judicial

Llámase también *auto* (v.) y se refiere a las resoluciones dictadas por un juez o tribunal durante la tramitación del juicio. Exclúyese de esta denominación la *sentencia* (v.), que en cada instancia ponen fin al juicio, al igual que la *providencia* (v.), de finalidad de procedimiento limitada.

Decreto legislativo

En España, norma con jerarquía de ley, que dicta el Gobierno, en función de una delegación efectuada con tal fin por las Cortes.

Decreto ley
Disposición de carácter legislativo que, sin ser sometida al órgano adecuado, se promulga por el Poder Ejecutivo, en virtud de alguna excepción circunstancial o permanente, previamente determinada.

Decreto reglamentario
El que, con la firma de un ministro o secretario de Estado, redactado por él o por sus colaboradores, o combinadamente, y la sanción del jefe del Estado, regula con detalle el régimen que sobre una institución ha establecido, en lineamientos fundamentales, una ley, y sin desconocer sustancialmente ninguna de sus normas (Luis Alcalá-Zamora).

Defecto
Carencia, falta de una o más cualidades propias de un ser o cosa. | Imperfección física, como la mudez o la cojera; intelectual, como la imbecilidad o la idiotez; moral, como la perversidad delictiva o las inclinaciones licenciosas. | **LEGAL.** Carencia de alguno de los requisitos exigidos imperativamente por la ley para validez de ciertos actos.

Defectos ocultos
Una de las obligaciones del vendedor consiste en responder ante el comprador por los vicios o *defectos ocultos* de la cosa vendida, y esto aun cuando los ignore, pero no cuando se haya pactado su exclusión y concurra la buena fe por parte del enajenante. Las consecuencias normales suelen ser la rescisión con devolución del precio o la indemnización, y a veces acumulativamente aquello y esto. La doctrina y la legislación se exponen con más amplitud en las voces EVICCIÓN y SANEAMIENTO (v.).

Defensa
Acción o efecto de defender o defenderse. | Amparo, protección. | Arma defensiva. | Abogado defensor. | Hecho o derecho alegado en juicio civil o criminal, para oponerse a la parte contraria o a la acusación. | **LEGÍTIMA.** V. LEGÍTIMA DEFENSA. | **POR POBRE.** Beneficio legal concedido a quienes carecen de recursos suficientes para abonar las costas procesales; con cargo de que, si mejoran de fortuna, han de reintegrar aquéllas. | **PROPIA.** Locución equivalente a la de *legítima defensa* (v.), aunque menos técnica. | **SOCIAL.** Tendencia surgida a fines del siglo XIX, con amplio impulso renovador, en cuanto al fundamento y fin de la facultad punitiva del Estado.

Defensor
En general quien defiende, ampara o protege. | El que acude en legítima defensa de un pariente o de un extraño. | Abogado que patrocina y defiende en juicio a cualquiera de las partes.

Deferir
Adherirse al dictamen o parecer de otro, o aceptarlo por respeto, cortesía u otro impulso benévolo. | Comunicar, transmitir parte del poder o de la jurisdicción.

Déficit
Del latín *deficere,* faltar. Este vocablo, que no admite plural, designa, tanto en el orden financiero como en el comercial, el descubierto resultante de comparar el haber o caudal de una empresa con el fondo o capital puesto en ésta.

Definición
Descripción, explicación, noción, significado de una cosa o idea. | Proposición clara, exacta y concisa que expone los caracteres genéricos y diferenciales de algo y da a conocer su naturaleza. | Declaración o explicación de cada una de las voces, locuciones y frases de un diccionario general o especializado. | Resolución, decisión o determinación de una duda, contienda o pleito, por autoridad legítima.

Definir
Establecer con exactitud, claridad y concisión el significado de alguna materia jurídica o de cualquier otra cosa en las diversas disciplinas. | Resolver, decidir, determinar, fallar.

Definitiva
Se aplica a las sentencias que ponen fin al pleito resolviendo sobre lo principal, a diferencia de las resoluciones que deciden incidentes y que se denominan autos interlocutorios.

Definitivo
Decisivo, resolutorio, concluyente.

Defraudación
En sentido amplio, esta voz comprende cuantos perjuicios económicos se infieren abusando de la mala fe. | Delito que comete quien se sustrae dolosamente al pago de los impuestos públicos. | Apropiación indebida de cosas muebles, recibidas con la obligación de restituirlas. | Cualquier fraude o engaño en las relaciones con otro.

Defunción
Muerte de una persona, ya se produzca de modo natural o por medios violentos.

Degradación

Acción o efecto de degradar. | Privación, en concepto de pena, de las dignidades, empleos, honores, prerrogativas y privilegios. Suele efectuarse con ceremonia más o menos simbólica y teatral. | Humillación, envilecimiento, bajeza. | Socialmente, *degradación* señala la corrupción de las costumbres cuando revela claros síntomas de degeneración y decaimiento de un pueblo o de una clase de la sociedad.

Dejación

Omisión, dejadez, descuido. (V. NEGLIGENCIA.) | Cesión, renuncia, abandono, desistimiento, dimisión de bienes, derechos o acciones.

Delación

Manifestación, por lo general clandestina o anónima, que se hace de un delito, o de los actos preparatorios para cometerlo, y de la intervención en aquél o en éstos de las personas que constituyen sus autores, cómplices o encubridores.

Delatar

Descubrir o revelar voluntariamente a la autoridad quién es autor de un delito, con el fin de que le sea aplicada la pena correspondiente. Sobre el verdadero impulso de servir a la Justicia evitando la impunidad, al *delatar* prevalece un sentimiento de rencor privado contra el autor o delatado.

Delegación

Acción o efecto de delegar. | Acto de dar jurisdicción. | Otorgamiento de representación. | Concesión de mandato. | Cesión de atribuciones. | Designación de sustituto. | Cargo y oficina de un delegado. | Conjunto de delegados. | Representación de un núcleo social.

Delegación perfecta e imperfecta

Para Josserand, la *delegación* es el acto "por el cual una persona prescribe a otra que se comprometa respecto de una tercera; quien da la orden es el *delegante*, quien la recibe es el *delegado*, quien se beneficia de ella es el *delegatario*". La *delegación* se perfecciona con el asentimiento del delegatario; es decir que se requiere el concurso de las tres voluntades. Por lo general supone la existencia anterior de una obligación entre las partes; comúnmente será el delegante acreedor del delegado y deudor del delegatario. La *delegación* puede obrar como *novación* (v.), lo que extingue la obligación existente entre el delegante y delegatario, que se reemplaza por la nueva relación que surge entre este último y el delegado; en estos casos se denomina *perfecta*. Si la *delegación* no libera al delegante, quedando en pie su deuda para con el delegatario, se denomina *imperfecta* (Goldenberg).

Deliberación

Acción o efecto de deliberar. | Examen detenido de las ventajas e inconvenientes de un asunto o decisión. | Consulta entre varios, con el fin de adoptar una resolución o seguir un parecer. | Consideración previa efectuada por una asamblea, junta, reunión, tribunal o cuerpo colegiado, antes de tomar una determinación en asunto de su incumbencia y sometido a su dictamen, informe o fallo.

Delictivo

Perteneciente al delito o relativo a él. | Condición de un hecho que, como punible, está previsto y sancionado en la ley penal positiva.

Delincuencia

Calidad o condición de delincuente. | Comisión o ejecución de un delito. | En los Estados Unidos, delitos de los menores. | Criminalidad o conjunto de delitos clasificados, con fines sociológicos y estadísticos, según el lugar, tiempo o especialidad que se señale, o la totalidad de las infracciones penadas.

Delincuente

La persona que delinque; el sujeto activo de un delito o falta, como autor, cómplice o encubridor. A estas dos últimas categorías no suele imponérsele penalidad en las faltas. | El individuo condenado por un delito o una falta penados. | *Delincuente* es el que, con intención dolosa, hace lo que la ley ordinaria prohíbe u omite lo en ella mandado, siempre que tales acción u omisión se encuentren penadas en la ley.

Delincuente habitual

Representa un concepto opuesto al de delincuente ocasional. De acuerdo con la teoría de Ferri, se ha de señalar como una categoría especial de éstos a los dementes, diferenciándolos de otros *delincuentes habituales*, como los individuos física y moralmente desgraciados desde su nacimiento, que viven en el delito por una necesidad congénita, así como aquellos otros que delinquen reiteradamente por una especie de complicidad del ambiente social en que han nacido y crecido, y que además adolecen de una desgraciada constitución orgánica y psíquica. De esa división surgen para el autor precitado los *delincuentes locos-natos* y los *delincuentes incorregibles* por costumbre.

Afirma Ferri que los *delincuentes habituales*, por costumbre adquirida, suelen iniciarse en la delincuencia cuando son jóvenes, y se ven arrastrados luego a la costumbre crónica del delito por el medio social, las compañías y el ambiente.

Delinquir

Cometer un delito. Infringir voluntaria y dolosamente una norma jurídica, cuando la acción u omisión se encuentren sancionadas en la ley penal. Hay que guardarse de la definición habitual que equipara *delinquir* a violar la ley; porque el delincuente, por el contrario, se adapta al presupuesto condicional establecido en la ley penal.

Delito

Etimológicamente, la palabra *delito* proviene del latín *delictum,* expresión también de un hecho antijurídico y doloso castigado con una pena. En general, culpa, crimen, quebrantamiento de una ley imperativa. | **AGOTADO.** El que además de consumado ha conseguido todos los objetivos que el autor se proponía y cuantos efectos nocivos podía producir el acto delictivo. | **CASUAL.** Considerado subjetivamente, el que surge de modo repentino por un estímulo pasional, por una oportunidad tentadora para ánimos débiles. | **CIVIL.** Según la doctrina legal arg., por *delito civil* se entiende "el acto ilícito ejecutado a sabiendas y con intención de dañar la persona o los derechos de otro". | **COLECTIVO.** El llevado a efecto por dos o más personas contra un tercero, o contra varios, pero siempre con desproporción considerable de fuerzas a favor de los agresores. | **COMÚN.** El sancionado por la legislación criminal ordinaria; es decir, por el Código Penal. En este sentido, los *delitos comunes* se contraponen a los *especiales,* los castigados en otras leyes. | **CONSUMADO.** La acción u omisión voluntaria penada por la ley cuando la ejecución o abstención ha tenido la realidad que el autor se proponía. | **CONTINUADO.** Se caracteriza por la unidad de resolución o de propósito de un mismo sujeto que ha cometido una serie de acciones constitutivas de ejecuciones parciales de un solo *delito.* Por ejemplo, el que roba una suma de dinero guardada en un lugar llevándose unas cuantas monedas o billetes cada día; quien introduce una partida de contrabando repartiéndola en varias expediciones; el que provoca un envenenamiento aplicando dosis sucesivas de algún producto. | **CUALIFICADO.** El agravado por circunstancias genéricas (las establecidas en la parte general de un código) o por las específicas de algún delito en particular (el carácter "doméstico" del hurto). (V. CIRCUNSTANCIAS AGRAVANTES.) | **CULPOSO.** La acción, y según algunos también la omisión, en que concurre culpa (imprudencia o negligencia) y que está penada por la ley. El autor, aun obrando sin malicia o dolo, produce un resultado ilícito que lesiona la persona, los bienes o derechos de otro. | **DE ACCIÓN.** También conocido por *delito de ejecución* o *de comisión*, es el caracterizado por una manifestación activa de la voluntad traducida en un acto sujeto a punición. La figura opuesta se denomina *delito de omisión* (v.). | **DE ACCIÓN PRIVADA.** El perseguible sólo a instancia de parte interesada; o sea, de la víctima, representantes legales, ciertos parientes o causahabientes, según los casos. | **DE ACCIÓN PÚBLICA.** Aquel que, por interesar al orden público, ha de ser perseguido de oficio. | **DE DAÑO.** Acto ilícito ejecutado a sabiendas, con la intención de causar perjuicio a otra persona o a sus derechos. Consiste en la destrucción, inutilización, desaparición o cualquier otro *daño* de una cosa mueble, inmueble o semoviente, total o parcialmente ajena, cuando el hecho no constituye delito más grave. El de *daño* ajusta su gravedad al objeto sobre el que recaiga. | **DE LESA PATRIA.** Todo el que compromete la seguridad exterior del Estado, y principalmente la traición. Además, ciertas formas de rebelión que causan estragos inmensos en la economía o moral de un pueblo. | **DE OMISIÓN.** Recibe asimismo el nombre de *delito de abstención* o *inacción.* Consiste en la lesión de un derecho ajeno relativo a la persona, bienes o facultades jurídicas de otro, o en el incumplimiento de un deber propio, por no realizar los actos o movimientos corporales que evitarían esa infracción penada por la ley. | **DE PELIGRO.** Se llama así aquel para cuya configuración no se requiere la producción de un daño, siendo suficiente con que se haga correr un riesgo genérico o concreto al bien jurídico protegido por la norma. De ahí que la expresión *delito de peligro* suela usarse en oposición a *delito de daño.* | **DE SAN-**

GRE. Propiamente, el que causa derramamiento de ésta por herida o heridas que producen lesión, mutilación o muerte. | **DOLOSO.** Aquel en que concurre la realización de los actos materiales que configuran el delito, más la intención del agente de producir el resultado dañoso. En esa intención consiste el elemento *dolo*, como integrante del delito. | **ESPECIAL.** El castigado en leyes distintas del Código Penal. | **FLAGRANTE.** Aquel en que el delincuente es sorprendido mientras lo está cometiendo; cuando es perseguido y detenido sin solución de continuidad con respecto a la ejecución, tentativa o frustración; y cuando es aprehendido en circunstancias tales, o con objetos, que constituyen indicios vehementes de la comisión del delito y de la participación del sospechoso; por ejemplo, quien posee los efectos robados y no da descargo de su posesión o quien aparece con lesiones o manchas de sangre junto a alguien matado o si se sabe que estuvo en contacto con él hasta la última hora de la víctima. | **FORMAL.** Aquel delito en que la ley no exige, para considerarlo consumado, los resultados buscados por el agente; basta el cumplimiento de hechos conducentes a esos resultados y el peligro de que éstos se produzcan. Como ejemplo podemos citar los delitos de falsificación, envenenamiento y traición, en los cuales basta, para configurarlos, la posesión de máquinas falsificadoras, el suministro de veneno o la preparación de actos dirigidos al sometimiento de la nación a una potencia extranjera, sin que sea necesaria la producción del resultado. | **FRUSTRADO.** "Hay *delito frustrado* cuando el culpable practica los actos de ejecución que deberían producir como resultado el delito y, sin embargo, no lo producen por causas independientes de la voluntad del agente", conforme lo definía el Cód. Pen. esp. | **IMPOSIBLE.** Aquel en que existe imposibilidad del logro o del fin criminal perseguido, por razón de las circunstancias del hecho, de los medios empleados o de accidentes producidos. | **"IN FRAGANTI".** V. DELITO FLAGRANTE. | **INSTANTÁNEO.** Cuando la violación jurídica que el acto delictivo produce se extingue en el instante de consumarse; como en el homicidio o el hurto. | **MATERIAL.** El que requiere la producción del resultado; como dar la muerte en el homicidio (V. DELITO FORMAL.) | **MILITAR.** El que aparece penado en el Código de Justicia Militar o en alguna ley complementaria de éste y que no constituye falta de disciplina *(Dic. Der. Usual)*. | El que, atentando de una manera u otra contra la organización de las fuerzas armadas, se encuentra reprimido por el Código de Justicia Militar (Badaracco). | **NOTORIO.** El cometido en circunstancias tales que consta de manera pública e innegable; como el ejecutado ante un juez o tribunal o a la vista del pueblo. | **PERMANENTE.** El que, una vez consumado, prolonga la violación jurídica, que la voluntad del autor puede en cualquier momento hacer que cese; así, en la detención ilegal, en el rapto. (V. DELITO INSTANTÁNEO.) | **POLÍTICO.** El que tiende a quebrantar, por hechos ilícitos, el orden jurídico y social establecido, atentando contra la seguridad del Estado; así como contra los poderes y autoridades del Estado; contra los poderes y autoridades de éste o contra la Constitución o principios del régimen imperante. | **PRETERINTENCIONAL.** El que resulta más grave que el propósito del autor. | **PRIVADO.** El perseguible a instancia de parte agraviada. | **PÚBLICO.** El de acusación pública, el perseguible de oficio. Se contrapone al de instancia privada. (V. DELITO PRIVADO.) | **PUTATIVO.** El considerado delito por el agente, pero que no se halla penado como tal. | **SOCIAL.** El ejecutado contra la libertad en las relaciones laborales y en las manifestaciones violentas de la lucha de clases.

Demagogia

El desbordamiento o la degeneración de la democracia. | Halago, más o menos artificioso, de las clases humildes de la sociedad. Con distintas fórmulas la practican lo mismo regímenes fascistas que comunistas, y otros intermedios de calificación inconstante.

Demagogo

Jefe demagógico, caudillo del pueblo humilde, cuyas pasiones solivianta. | Orador de vehemencia revolucionaria. | Partidario de la demagogia.

Demanda

Petición, solicitud, súplica, ruego. | Limosna pedida para una iglesia u otra finalidad piadosa; y persona que hace tal colecta. | Pregunta. | Busca. | Intento, empresa. | Pedido, encargo de productos industriales o mercaderías. | Petición formulada en un juicio por una de las partes.

Procesalmente, en su acepción principal para el Derecho, es el escrito por el cual el actor o demandante ejercita en juicio civil una o varias acciones o entabla recurso en la jurisdicción contencioso administrativa. | **DE POBREZA.** La que tiene por finalidad obtener la *declaración* o *declaratoria de pobreza,* beneficio que permite, a quien lo logra, litigar sin abono de costas.

Demandado

Aquel contra el cual se pide algo en juicio civil o contencioso administrativo; la persona contra la cual se interpone la demanda. Se lo denomina asimismo *parte demandada* o *reo,* aunque esta última calificación se va tornando privativa del proceso penal.

Demandante

Quien demanda, pide, insta o solicita. | El que entabla una acción judicial; el que pide algo en juicio; quien asume la iniciativa procesal. Son sinónimos *actor, parte actora* y *demandador*. (v. DEMANDADO.)

Demente

Loco, carente de razón, privado de juicio, enajenado mental.

Democracia

Esta palabra procede del griego *demos,* pueblo, y *cratos,* poder, autoridad. Significa el predominio popular en el Estado, el gobierno del pueblo por el pueblo; o, al menos, a través de sus representantes legítimamente elegidos, que ejercen indirectamente la soberanía popular, en ellos delegada.

Demografía

Ciencia social morfológica que estudia estadísticamente las leyes relativas a la distribución y variaciones de la población, en sus aspectos cualitativo y cuantitativo.

Denegación de justicia

Actitud contraria a los deberes que las leyes procesales imponen a los jueces y magistrados en cuanto a resoluciones, plazos y trámites.

Denegar

Rehusar, no conceder lo pedido o solicitado. | Rechazar. | Negar.

Denuncia

Acto por el cual se da conocimiento a la autoridad, por escrito o verbalmente, de un hecho contrario a las leyes, con objeto de que ésta proceda a su averiguación y castigo. | **CALUMNIOSA.** Delito que consiste en imputar con falsedad un delito a quien el denunciante sabe inocente. | **FALSA.** Imputación inexacta y malintencionada de un delito perseguible de oficio, hecha ante funcionario obligado a proceder contra el acusado.

Departamento

Cada una de las partes en que se divide un territorio cualquiera, un edificio, un vehículo, una caja. | Ministerio o rama de la administración pública. | Distrito a que se extiende la jurisdicción o mando de un capitán general de marina.

En Francia, *provincia* (v.), como subdivisión territorial de la nación.

Dependencia

Estado de subordinación, inferioridad jerárquica, sometimiento o sujeción. | Relación subordinada con respecto a otro de mayor poder, autoridad o mando. | Vínculo de parentesco o relación de amistad. | Oficina pública o privada en situación dependiente de otra superior. | Agencia. Negocio o encargo. Situación de las cosas accesorias en su nexo con las principales, a las cuales siguen o de las cuales reciben modificación.

Dependiente

Que depende o quien depende. | Persona o cosa subordinada a otra. | Subalterno. | Subordinado. | Inferior jerárquico. | En el orden mercantil, auxiliar del comerciante, a quien éste encomienda, por su orden y cuenta, el desempeño de algunas gestiones del tráfico peculiar.

Deponente

Quien depone o atestigua; declarante, testigo. | Quien destituye o degrada. | Depositante.

Deponer

Apartar, separar de uno. | Privar de empleo o cargo; destituir. | Degradar; quitar honores o dignidades. | Afirmar, aseverar. | Atestiguar, testificar. | Declarar una parte, testigo o perito ante un juez o tribunal.

Deportación

Del latín *deportare,* llevar, trasladar. Pena de confinamiento en lugar lejano o ultramarino.

Deposición

Exposición acerca de algo. | Privación, destitución de empleo o cargo. | Degradación de honores o dignidades. | Declaración verbal hecha por una parte, testigo o perito en asunto judicial.

Depositante

Quien entrega una cosa en depósito, para custodia o guarda temporal de ésta, y con obligación —para el que la recibe— de devolverla al vencer el plazo convenido o cuando la reclame el *depositante.*

Depositar

Constituir un depósito; entregar una cosa a otro, para que éste la custodie y la restituya cuando le sea pedida por aquel de quien la recibió o por otra persona con derecho para ello. | Poner a una persona en lugar seguro, para que pueda manifestar libremente su voluntad; situación que suele referirse a la mujer que pretende contraer matrimonio contra la oposición familiar o a la casada que intenta separación, divorcio u otra acción contra su marido. | Encerrar o contener; así, por ejemplo, el testador, en el testamento cerrado, *deposita* sus disposiciones de última voluntad en un sobre que cierra y sella él o el notario. | Colocar provisionalmente un cadáver en lugar adecuado hasta darle sepultura, y por lo general cuando previamente ha de ser identificado u objeto de autopsia. | Ingresar dinero en una cuenta bancaria. | Confiar algo a alguien.

Depositario

Como adjetivo, lo referido al depósito; lo que contiene, guarda o encierra algo. **JUDICIAL.** Persona designada por un juez o tribunal, o por ellos reconocida, para tener, custodiar y conservar, bajo su responsabilidad, determinados bienes mientras se resuelve un juicio contencioso, ordinario o universal.

Depósito

Acción o efecto de depositar. | Entrega de una cosa, para ser custodiada y devuelta. | Cosa que se deposita o depositada. | Lugar donde se efectúa un depósito. | Traslado de una persona a domicilio distinto del habitual, para que pueda tomar libremente y con seguridad determinadas resoluciones y resida allí mientras la situación lo requiera. | Acto de colocar algo en lugar adecuado; así se dice de *depositar* el voto en la urna o un ataúd en una sepultura. | En relación con los cadáveres, exponerlos para su identificación; o dejarlos en el lugar que corresponda hasta su inhumación. | Organismo militar de una zona de reclutamiento, donde son concentrados los reclutas cuya incorporación a filas no es inmediata. | **DE MUJER CASADA.** Puede decretarse judicialmente cuando la mujer entable contra el marido demanda de divorcio, querella por amancebamiento del consorte o acción de nulidad matrimonial; y, recíprocamente, cuando el marido presente contra su mujer demanda de divorcio, querella de adulterio o acción de nulidad del matrimonio. Las legislaciones contemporáneas tienden a suprimir estas medidas. | **DE PERSONAS.** Procedimiento de la jurisdicción voluntaria, previsto por el legislador, con objeto de proteger la libertad o seguridad de ciertos individuos, que por razón de su estado, incapacidad o situación necesitan de esta garantía. | **NECESARIO** o **MISERABLE.** Es *necesario* el *depósito* cuando se hace para cumplir una obligación legal; y, además, cuando se realiza con ocasión de una calamidad, como incendio, ruina, saqueo, naufragio u otra similar. | **VOLUNTARIO.** El que se efectúa por mutuo consentimiento de las partes; esto es, del que entrega y de quien recibe para custodiar y devolver, sin intervención de ninguna otra circunstancia imperativa, como un deber legal o calamidad (*depósito necesario*), ni por orden de juez o tribunal (*depósito judicial* o *secuestro*).

Depredación

Término genérico que abarca los delitos de *robo*, *saqueo*, *devastación*, *abuso de confianza* (v.), etc. | En el campo del Derecho Internacional, llámanse depredación los abusos cometidos por las tropas invasoras, en tiempo de guerra, sobre las personas y los bienes de los invadidos.

Derecho

Del latín *directur,* directo; de *dirigere,* enderezar o alinear. La complejidad de esta palabra, aplicable en todas las esferas de la vida, y la singularidad de constituir la fundamental en esta obra y en todo el mundo jurídico (positivo, histórico y doctrinal), aconsejan, más que nunca, proceder con orden y detalle.

1º Como *adjetivo*, tanto masculino como femenino. En lo material: recto, igual, seguido. | Por la situación: lo que queda o se encuentra a la derecha o mano derecha del observador o de la referencia que se indique. | En lo lógico: fundado, razonable. | En lo moral: bien intencionado. | En lo estrictamente jurídico: legal, legítimo o justo.

2º Como *adverbio*, y en consecuencia invariable, equivale a derechamente o en derechura; sin otra acepción jurídica que la figurada del *camino derecho* o *recto,* la vía legal, la buena fe. A ello equivale el empleo como sustantivo neutro: *lo derecho.*

3° Como *sustantivo masculino,* en la máxima riqueza de sus acepciones y matices, en esta voz, dentro de la infinidad de opiniones, probablemente tantas como autores, prevalecen dos significados: en el primero, el *derecho* (así, con minúscula, para nuestro criterio diferenciador) constituye la facultad, poder o potestad individual de hacer, elegir o abstenerse en cuanto a uno mismo atañe, y de exigir, permitir o prohibir a los demás; ya sea el fundamento natural, legal, convencional o unilateral, nos encontramos frente al *derecho subjetivo.* Pero, además, puede el *Derecho* (ahora con mayúscula, para distinguirlo del precedente) expresar el orden o las órdenes que integran el contenido de códigos, leyes, reglamentos o costumbres, como preceptos obligatorios, reguladores o supletorios establecidos por el poder público, o por el pueblo mismo a través de la práctica general reiterada o de la tradición usual; configura entonces el denominado *Derecho objetivo.*

Como repertorio sintético de sus acepciones más usadas indicaremos que *derecho* o *Derecho*, según los casos, significa: facultad natural de obrar de acuerdo con nuestra voluntad, salvo los límites del derecho ajeno, de la violencia de otro, de la imposibilidad física o de la prohibición legal. | Potestad de hacer o exigir cuanto la ley o la autoridad establece a nuestro favor, o lo permitido por el dueño de una cosa. | Consecuencias naturales derivadas del estado de una persona, o relaciones con otros sujetos jurídicos. | Acción sobre una persona o cosa. | Conjunto de leyes. | Colección de principios, preceptos y reglas a que están sometidos todos los hombres en cualquier sociedad civil, para vivir conforme a justicia y paz; y a cuya observancia pueden ser compelidos por la fuerza. | Exención, franquicia. | Privilegio, prerrogativa. | Beneficio, ventaja, provecho exigibles o utilizables. | Facultad que comprende el estudio del *Derecho* en sus distintas ramas o divisiones. | Carrera de abogado; sus estudios. | Justicia. | Razón. | Equidad. | Sendero, camino, vía.

En plural, *derechos,* impuesto o tanto que se paga, con arreglo a tarifa o arancel, por la introducción, tránsito o transmisión de mercaderías o bienes en general, y por otro hecho cualquiera designado legalmente. | Honorarios de ciertas profesiones. | **A ALIMENTOS.** V. ALIMENTOS. | **ABSOLUTO.** El que puede ser opuesto a toda persona, el perteneciente al individuo y que ha de ser respetado por todos los demás. | **ACCESORIO.** El que existe en virtud o como consecuencia de otro principal. | **ADJETIVO.** Conjunto de leyes que posibilitan y hacen efectivo el ejercicio regular de las relaciones jurídicas, al poner en actividad el organismo judicial del Estado. | **ADMINISTRATIVO.** Aunque algunos nieguen el carácter de ciencia jurídica al *Derecho Administrativo,* la expresión evoca un concepto bien perceptible para los juristas. Entre las definiciones de éstos citaremos la de Meucci: “El conjunto de normas reguladoras de las instituciones sociales y de los actos del Poder Ejecutivo para la realización de los fines de pública utilidad”. | **ADQUIRIDO.** El que por razón de la misma ley se encuentra irrevocable y definitivamente incorporado al patrimonio de una persona; como la propiedad ganada por usucapión, una vez transcurrido el tiempo y concurriendo los demás requisitos sobre intención, título y buena fe. | Frente al interior, de índole *real,* hay *derechos adquiridos* que pertenecen a los meramente *personales*: como la cualidad de cónyuge, la condición de hijo, la nacionalidad (sea por suelo o sangre), etc. | **AERONÁUTICO.** El conjunto de normas y principios que regulan la navegación aérea en su aspecto jurídico. | **AGRARIO.** El que contiene las reglas sobre sujetos, bienes, actos y relaciones jurídicas que a la explotación agrícola se refieren dentro de la esfera privada. | **ANTIGUO.** El Derecho positivo de un pueblo cuando deja de estar vigente; el conjunto de reglas jurídicas abolidas ya. Se denomina también *Derecho histórico.* | **CANÓNICO.** Colección de normas doctrinales y reglas obligatorias establecidas por la Iglesia Católica sobre puntos de fe y disciplina; para el buen régimen y gobierno de la sociedad cristiana, de sus ministros y de los fieles. | **CESÁREO.** El conjunto de instituciones, edictos, decretos y rescriptos de los emperadores romanos. | También, sinónimo de Derecho Civil. | **CIVIL.** Como regulador general de las personas, de la familia y de la propiedad, de las cosas o bienes, el *Derecho Civil*, con este nombre y sin nombre alguno en las sociedades primitivas, configura la rama jurídica más antigua y más frondosa, aun enfocada en innúmeros aspectos. Así, por él se entiende el *Derecho* particular de cada pueblo o nación. | De modo especial, el *Derecho* Romano. | Dentro del mismo, el "Jus Civile" significó primeramente el conjunto de reglas y soluciones prácticas de los jurisconsultos ante el *Derecho* vigente, consuetudinario o surgido de las leyes votadas en las asambleas populares.

Además, dentro de las doctrinas modernas, el *Derecho* Privado en general. | Con sentido práctico o empírico, el contenido en el Código Civil y leyes especiales complementarias de éste o conexas con su contenido. | Técnicamente, el conjunto de normas reguladoras del Estado, condición y relaciones de las personas en general, de la familia y la naturaleza, situaciones y comercio de los bienes o cosas; que comprende sus ramas principales: el *Derecho de las Personas,* que incluye la personalidad y capacidad individual; el *Derecho de la Familia,* rector del matrimonio, la paternidad, la filiación y el parentesco en general; el *Derecho de las Cosas,* que rige la propiedad y los demás derechos sobre los bienes, íntimamente relacionado con el *Derecho Sucesorio*; y la parte que considera las diversas relaciones compulsivas: el *Derecho de las Obligaciones,* comprensivo del importantísimo *Derecho de los Contratos.* | **COLECTIVO DEL TRABAJO.** El que, dentro de la disciplina general del *Derecho del Trabajo* (v.), regula las relaciones entre patronos y trabajadores no de modo individual, sino en atención a los intereses comunes a todos ellos o a los grupos profesionales. En ese sentido, el *Derecho Colectivo Laboral* establece normas sobre asociaciones profesionales, convenios colectivos, conciliación y arbitraje, huelga, desocupación y *lock-out.* Cabe también incluir en él las normas sobre previsión social, si bien la doctrina discrepa sobre la exactitud de tal absorción. | **COMERCIAL.** V. DERECHO MERCANTIL. | **COMPARADO.** Rama de la ciencia general del *Derecho,* que tiene por objeto el examen sistematizado del *Derecho* positivo vigente en ls diversos países, ya con carácter general o en alguna de sus instituciones, para establecer analogías y diferencias. | **COMÚN.** El *Derecho Civil* (v.) o general de un pueblo. | Territorialmente, el contrapuesto al provincial, municipal o local. | El opuesto a distintas ramas jurídicas, como el Laboral, el Mercantil (L. Alcalá-Zamora). | En España, por antonomasia, el Derecho de Castilla. | En España, también, el de la generalidad de la nación, frente al privativo de algunas regiones o *Derecho Foral* (v.). | **COMUNITARIO.** El que rige el funcionamiento de las comunidades internacionales y sus relaciones con los Estados que las integran. La expresión se ha desarrollado particularmente en relación con la Unión Europea, pero ha recibido aplicación también respecto de otros ordenamientos jurídicos, como el que han formado los países integrantes del Mercado Común Andino. El Derecho Comunitario comprende normas relativas a la creación y funcionamiento de los organismos supranacionales, a sus relaciones con los Estados miembros y a la creación de reglas comunitarias aplicables a los individuos que habitan en los países que integran la respectiva comunidad. | **COMUNAL.** Denominación arcaica del *Derecho de Gentes,* el habitual entre todos los hombres. | **CONSTITUCIONAL.** Rama del *Derecho Político,* que comprende las leyes fundamentales del Estado que establecen la forma de gobierno, los derechos y deberes de los individuos y la organización de los poderes públicos. | **CONSUETUDINARIO.** El que nace de la *costumbre*; el *Derecho* no escrito. | **CRIMINAL.** V. DERECHO PENAL. | **DE ABSTENCIÓN.** Facultad establecida por la ley, los estatutos de una entidad u otra convención, a favor de una o más personas que pueden reservarse su decisión acerca de uno o varios asuntos, durante cierto tiempo o indeterminadamente. | **DE ACRECER.** El de reunir o agregar a la porción propia la parte de quien no quiere o no puede recibir la suya. | Derecho de uno o varios coherederos o colegatarios sobre las partes que quedan vacantes por haberlas renunciado, o no haberlas podido adquirir, alguno o algunos de los demás. | **DE ASILO.** Inmunidad o protección legal, convencional entre Estados o consuetudinaria, que se concede a ciertos delincuentes o perseguidos por motivos políticos, sociales, religiosos o raciales, cuando se refugian en lugar donde no alcanza la jurisdicción del Estado, aun estando dentro del territorio de él; y que hoy día es tan sólo el edificio o propiedad de alguna representación diplomática extranjera, o consular en extensión ya muy discutida. | **DE EXPORTACIÓN.** El de carácter económico que los particulares pagan al Estado por la autorización que se les concede para la salida de mercaderías destinadas a un país extranjero. | **DE GENTES.** Para los romanos, y por oposición a su

Derecho peculiar, el conjunto de reglas que la razón ha establecido entre todos los hombres y son observadas en la generalidad de los pueblos. | Colección de leyes y costumbres reguladoras de las relaciones e intereses entre las diversas naciones, en cuyo caso es sinónimo de *Derecho Internacional Público* (v.). | **DE IMPORTACIÓN.** El impuesto, hecho efectivo en las aduanas, con el cual se gravan las mercaderías cuya entrada en el país está sujeta a tal pago, sin cuyo requisito no pueden circular, salvo exponerse al comiso y multa o prisión correspondiente. | **DE PATRONATO.** Atribución que al patrono de una fundación corresponde para, de acuerdo con los estatutos, presentar personas hábiles para los beneficios y capellanías que queden vacantes, y para usar de los privilegios inherentes a tal calidad. | Especialmente, aquel del cual gozaba la corona de España para proponer una terna de candidatos, previa a la designación pontificia de los obispos, además de otras prerrogativas en materia eclesiástica. | **DE PETICIÓN.** Facultad que algunas Constituciones conceden a todos los ciudadanos para dirigir peticiones a los poderes públicos, en forma individual o colectiva. | **DE PREFERENCIA.** En general, sinónimo de *derecho de prelación* (v.). | De modo especial, el reconocido a los accionistas de una sociedad, para subscribir las nuevas acciones antes de admitir la adquisición por el público en general. | **DERECHO DE PRELACIÓN.** El que asiste a una persona para ser preferida en sus derechos en concurrencia con otras, y a veces con total exclusión de ellas. | **DE PROPIEDAD.** El que corresponde al dueño de una cosa para gozar, servirse y disponer de la misma según la conveniencia o voluntad de aquél. | **DE RECESO.** Derecho subjetivo otorgado a los accionistas y otros socios, para retirarse de la sociedad cuanto ésta experimente ciertos cambios fundamentales en su estructura jurídica o empresaria. | **DE REPETICIÓN.** El que tiene toda persona para reclamar lo pagado indebidamente por error o por haberlo efectuado antes y en lugar del verdadero obligado o responsable. | **DE REPRESENTACIÓN.** En una acepción se refiere a la facultad legal que, en relación con los menores e incapaces, corresponde a los padres, tutores o curadores, tanto en juicio como fuera de él, para protección de los derechos e intereses de los primeros y para cuidado de sus personas. | **DE RETENCIÓN.** Especie de *derecho* pignoraticio establecido por disposición legal en determinadas ocasiones, para posibilitar al poseedor o tenedor de la cosa ajena el conservarla hasta el pago de lo debido por ella o por alguna causa con ésta relacionada. | **DE SUPERFICIE.** Corresponde a quien tiene el derecho de usar de la superficie edificando, plantando o sembrando en suelo ajeno, pagando cierta pensión anual al dueño de él (Escriche). | **DE TRABAJO** o **DEL TRABAJO.** Esta nueva rama de las ciencias jurídicas abarca el conjunto de normas positivas y doctrinas referidas a las relaciones entre el capital y la mano de obra, entre empresarios y trabajadores (intelectuales, técnicos, de dirección, fiscalización o manuales), en los aspectos legales, contractuales y consuetudinarios de los dos elementos básicos de la economía; donde el Estado, como poder neutral y superior, ha de marcar las líneas fundamentales de los derechos y deberes de ambas partes en el proceso general de la producción. | **DIVINO.** El procedente de modo directo de Dios, por la revelación o por ley natural, a través de lo que la recta razón dicta a los hombres. | **ECLESIÁSTICO.** Lo mismo que Derecho Canónico. Tal vez, sutilizando, cabría reservar la primera de las denominaciones para la organización jerárquica y material de la Iglesia; y denominar *Canónico* el Derecho normativo para sacerdotes y fieles. | **ECONÓMICO.** Conjunto de reglas determinantes de las relaciones jurídicas originadas por la producción, circulación, distribución y consumo de la riqueza. | **ESCRITO.** Denominación aplicada a cuantas reglas han sido expresamente establecidas y promulgadas por la autoridad valiéndose de un medio gráfico. | **ESPAÑOL.** La totalidad de Constituciones, códigos, leyes, reglamentos, ordenanzas, decretos, órdenes y demás disposiciones escritas, así como las costumbres, prácticas y usos jurídicos observados en España. A tales fuentes, aun sin autoridad expresa legal en la actualidad, han de sumarse la de aplicación que la jurisprudencia de los tribunales españoles implica; y la de crítica, formación y teórica aportada por la doctrina de los autores hispánicos. | **ESTRICTO.** Aquel cuya expresión está tomada legalmente en su rigor, sin extensión alguna. | **EVENTUAL.** Todo privilegio que sirve de protección y garantía para una cosa. | Especie de *derecho* próximo, en conexión con otro ya existente, o que depende de un acontecimiento incierto. | Expectativa de un *derecho.* | **EXPRESO.** La disposición legal que, dictada y promulgada por los poderes competentes, es observada por la generalidad del pueblo. | El texto formal de la ley, no su proyecto o Derecho hipotético. | **FINANCIERO.** Serie ordenada de normas científicas y positivas referentes a la organización económica, a los gastos e ingresos del Estado. | **FISCAL.** Rama del Derecho Financiero, que regula las relaciones entre el erario y los contribuyentes, a través de los impuestos de toda índole, las personas y bienes gravados, las exenciones especiales, las formas y plazos de pago, las multas u otras penas, o los simples recargos que corresponde aplicar por infringir preceptos legales. | **FORAL.** Paradójicamente, cabría definirlo como el Derecho español que no es español. Rige en territorio hispá nico, pero no en todo él, si se quiere la clave, por demás sencilla, del aparente contrasentido. Esta legislación, distinta de la civil común o general, está en vigor, por supervivencia histórica y hondo arraigo popular, en varias regiones de España: Cataluña, Aragón, Baleares, Vizcaya, Galicia y Navarra, ademá s de otras instituciones aisladas. | **FUTURO.** El pendiente de una condición. | La expectativa jurídica. | Más propiamente, el derecho nacido pero no adquirido del todo. Se distinguen dos clases de *derecho futuro*: el *eventual*, pendiente de un hecho incierto y vario (como el de heredar), y el *condicional*, donde existe indeterminación en plazo o actitud, pero no en la causa (si fulano se casa), en que se sabe a quién se refiere y sobre qué hecho ha de versar. | **HEREDITARIO.** El derecho patrimonial que una persona tiene sobre los bienes de otra por el hecho de la muerte de ésta, y en virtud de título legal, de llamamiento testamentario o por ambas causas. | **INDIVIDUAL DEL TRABAJO.** El centrado en torno del contrato homónimo o a las relaciones laborales en otros enfoques, pero sin trascendencia general. De todas formas, por conducto de los pactos colectivos de condiciones laborales tiende a modificarse no poco, por interponerse las asociaciones profesionales en la regulación, antes directa y exclusiva, de los *derechos* y deberes de trabajadores y empresarios. (V. CONTRATO DE TRABAJO Y DERECHO COLECTIVO DEL TRABAJO.) | **INDUSTRIAL.** El que regula y determina las funciones industriales. | **INTELECTUAL.** Aquel meramente personal sobre los productos de la inteligencia; como el *derecho de autor* y la *patente de invención.* | **INTERNACIONAL.** El que regula las relaciones de unos Estados con otros, considerados como personalidades independientes; los vínculos entre súbditos de distintas naciones, o las situaciones, derechos y deberes de los extranjeros con respecto al territorio en que se encuentran. El *Derecho Internacional* se divide en *Público* o *Privado.* El primero se refiere a las colectividades nacionales como sujetos de relaciones jurídicas; a los derechos y deberes de los Estados como integrantes de un orden general de naciones, y dentro de una situación de paz; pues, de producirse un conflicto armado, los beligerantes desconocen todo *derecho* al enemigo, sin otro compromiso que el de respetar (mientras convenga) las normas sobre heridos, prisioneros, no combatientes y otras para no agredir a personas y no atacar lugares ajenos a las necesidades bélicas. El *Derecho Internacional Público* se ha regido exclusivamente, hasta no ha mucho, por convenciones bilaterales o plurilaterales; pero, al concluir las dos primeras guerras mundiales, la Sociedad de las Naciones primero, y la Organización de las Naciones Unidas después, han intentado crear un órgano par encauzar pacíficamente las diferencias entre Estados y para la máxima internacionalización de numerosos principios jurídicos. El Derecho Inrenacional Privado determina las reglas aplicables a las relaciones privadas con elementos multinacionales, ya sea estableciendo directamente tales reglas, ya ordenando cuál será la ley nacional aplicable en cada caso. | **LABORAL.** Aquel que tiene por finalidad principal la regulación de las relaciones jurídicas entre empresarios y trabajadores, y de unos y otros con el Estado, en lo referido al trabajo subordinado, y en cuanto atañe a las profesiones y a la forma de prestación de los servicios, y también en lo relativo a las consecuencias jurídicas mediatas e inmediatas de la actividad laboral. | **LITIGIOSO.** El que es objeto de reclamación por la vía judicial. De no existir allanamiento, el litigio surge al contestar el demandado la demanda. (V. BIENES LITIGIOSOS.) | **MARÍTIMO.** Conjunto de reglas jurídicas referidas a los diversos derechos y obligaciones que surgen de la navegación y, especialmente, del transporte de pasajeros o mercaderías en buques. Tradicionalmente integra parte del Derecho Mercantil. | **MERCANTIL.** Principios doctrinales, legislación y usos que reglan las relaciones jurídicas particulares que surgen de los actos y contratos de cambios, realizados con ánimo de lucro por las personas que del comercio hacen su profesión. | **MILITAR.** Serie orgánica de principios y normas que regulan las obligaciones, deberes y derechos de la gente de guerra, milicia o estado castrense, y de los particulares cuando, por especiales circunstancias, corresponde conocer al fuero de guerra. | **MINERO.** Conjunto de normas jurídicas que regulan el descubrimiento y la explotación de las *minas* (v.). | **MORAL.** El derecho del autor de una obra literaria, científica o artística respecto del contenido y utilización de esa obra, con independencia de todo valor o remuneración económica. | El Derecho que concuerda con determinado sistema de reglas morales. | **MUNICIPAL.** Conjunto de leyes, fueros y costumbres peculiares de las provincias, ciudades, villas o lugares; y, más comúnmente, el que rige la vida administrativa y general de los municipios en cuanto corporaciones y en sus nexos con el respectivo vecindario. | **NATURAL.** El que basado en los principios permanentes de lo justo y de lo injusto se admite que la naturaleza dicta o inspira a todos los hombres, como si la unanimidad entre éstos fuera posible; aspiración que el Derecho positivo tiende a concretar como ideal humano. Se equipara por algunos a la Filosofía del Derecho. | **OBJETIVO.** El escrito o positivo. Así, el Civil, Penal o Procesal de éste o aquel país y en una u otra época. | **OBRERO.** Una de las denominaciones, ya poco usada, del *Derecho Laboral* (v.). | **PARLAMENTARIO.** Conjunto de preceptos legales, o internos de la propia Cámara, que rigen las atribuciones, prerrogativas y deberes de los miem-bros de la correspondiente asamblea legislativa. | **PENAL.** También suele ser denominado *Derecho Criminal.* Sutilizando, la designació n primera es preferible, pues se refiere más exactamente a la potestad de penar; mientras que derecho al crimen no es reconocible, aunque el adjetivo expresa en verdad “Derecho sobre el crimen”, como infracción o conducta punible. | **PERSONAL.** Denominación tan tradicional como combatida; pues, al no poder existir derecho alguno sin un titular, todos son personales. Pero dado el valor del convencionalismo, se entiende por *derecho personal* el vínculo jurídico entre dos personas, a diferencia del *real,* en que predomina la relación entre una persona y una cosa. | **POLÍTICO.** El que determina la naturaleza y organización fundamental del Estado, las relaciones de éste con los ciudadanos y los derechos y deberes de éstos en la vida pú blica. (V. CONSTITUCIÓN, CORTES; DERECHO CONSTITUCIONAL y PÚBLICO; DERECHOS INDIVIDUALES, ESTADO, GOBIERNO.) | **PONTIFICIO.** Sinónimo de Derecho Canónico. | Más propiamente, el que emana directamente de los papas. | **POSITIVO.** El Derecho vigente; el conjunto de leyes no derogadas y las costumbres imperantes. | **PRETORIO.** El que, basado en la equidad natural, corregía el rigor de las leyes civiles romanas mediante la jurisprudencia o decisiones de los pretores, que así legislaban juzgando. | **PROCESAL.** El que contiene los principios y normas que regulan el procedimiento civil y el criminal; la administración de justicia ante los jueces y tribunales de una y otra jurisdicción, o de otras especiales. | **DERECHO PÚBLICO** y **DERECHO PRIVADO.** *Derecho Público* es el conjunto de normas reguladoras del orden jurídico relativo al Estado en sí, en sus relaciones con los particulares y con otros Estados. | El que regla los actos de las personas cuando se desenvuelven dentro del interés general que tiene por fin el Estado, en virtud de delegación directa o mediata del poder público. El *Derecho Privado* rige los actos de los particulares cumplidos en su propio nombre. Predomina el interés individual, frente al general del *Derecho Público.* | **REAL.** Potestad personal sobre una o más cosas, objetos del Derecho. | **REAL DE GARANTÍA.** El que tiende a asegurar el cumplimiento de una obligación estableciendo trabas para enajenar la cosa que ha de responder eventualmente ante el titular del crédito o derecho. Las tres especies tradicionales son la *hipoteca*, la *prenda* y la *anticresis* (v.). | **ROMANO.** La totalidad de leyes establecidas por el antiguo pueblo de Roma. Se ha definido con mayor detalle cual el conjunto de “principios, preceptos y reglas que informaron las relaciones jurídicas del pueblo romano en las distintas épocas de su historia”. | **SINDICAL.** Tomando por base el *sujeto,* el *Derecho Sindical* puede definirse como aquel que considera la primordial facultad de todo individuo integrante de la producción, sea como trabajador o como patrono, para unir sus esfuerzos, intereses y responsabilidad con otros pertenecientes a su mismo grupo profesional o conexo, para defensa y efectividad de sus derechos profesionales. | **SINGULAR.** El reconocido o concedido por ley especial o de excepción, contra los principios del Derecho Común, para proteger intereses urgentes o favorecer a determinadas personas, únicas que pueden invocarlo y ejercerlo en su provecho. | **SOCIAL.** Con reiteración se confunde este *Derecho* con el Laboral; aunque, en realidad, todo *Derecho* es *social*: de y para la sociedad. | **SUBJETIVO.** El inherente a una persona, activa o pasivamente; como titular de un derecho real, como acreedor o deudor en una relación obligatoria. (V. DERECHO OBJETIVO y DERECHO PERSONAL.) | **SUPLETORIO.** Colección de normas jurídicas, o cuerpo legal, que se aplica a falta de disposiciones expresas contenidas en un código o ley.

Derechos

En plural, esta voz posee ante todo acepciones juridicoeconómicas: como impuesto y como honorarios. | Dentro de lo estrictamente jurídico, el vocablo se emplea pluralizado cuando se refiere a un conjunto de normas o atribuciones que se concede, reivindica o ejerce colectivamente. | Así se considera en los artículos que siguen. | **ABUSIVOS.** Los contrarios a la razón, a la equidad y a las buenas costumbres. | **CIVILES.** Los naturales o esenciales de los cuales goza todo individuo jurídicamente capaz. | **DE AUTOR.** La cantidad fija o proporcional que el autor de una obra literaria percibe por su publicación, venta o ejecución. | **INDIVIDUALES.** Se designan con este nombre las garantías que las Constituciones conceden a favor de todos los habitantes del Estado. | **POLÍTICOS.** Los otorgados o reconocidos por las Constituciones u otras disposiciones fundamentales de los Estados en relación con las funciones públicas o con las actividades que se ejercitan fuera de la esfera privada. Son inherentes a la calidad de ciudadano. Suelen negárseles a los extranjeros, aunque se les reconozcan los individuales (*Dic. Der. Usual*).

Derechos humanos

Hacia 1970 empezó a circular en el lenguaje internacional esta expresión, que en principio parece superflua, por cuanto su contenido no difiere del tradicionalmente designado como *derechos de la personalidad* o *derechos individuales* (v.). Tal vez, aunque con escasa conciencia en los más, se quiera aludir al espíritu y a la letra de la *Declaración Universal de los Derechos del Hombre* (v.), aprobada por las Naciones Unidas en 1948.

En todo caso, cuando de *derechos humanos* se habla por diplomáticos, políticos y periodistas se hace referencia casi siempre a una transgresión supuesta o real del respeto que el hombre merece como individuo, como ciudadano y como integrante de la comunidad universal. De manera más singular aun, tales violaciones se denuncian en algunas repúblicas iberoamericanas que han padecido procesos demagógicos o soportan el flagelo de la *subversión social*, con reacciones vehementes, de las que no pueden estar ajenos ni el error frecuente ni siquiera el exceso cuando los represores no sólo sirven la vindicta pública, sino que también encuentran satisfacción corporativa de una venganza específica.

Derechos y garantías

En Derecho Constitucional, el conjunto de declaraciones solemnes por lo general, aunque atenuadas por su entrega a leyes especiales donde a veces se desnaturalizan, que en el código fundamental tienden a asegurar los beneficios de la libertad, a garantizar la seguridad y a fomentar la tranquilidad ciudadana frente a la acción arbitraria de la autoridad. Integran límites a la acción de ésta y defensa para los súbditos o particulares.

Derogación

Abolición, anulación o revocación de una norma jurídica por otra posterior procedente de autoridad legítima.

Derrota

Permiso para que los ganados entren a pastar en las heredades después de cosechados los frutos. | Rumbo o dirección de un barco. | Vencimiento militar por el enemigo.

Desacato

Irreverencia con lo sagrado. | Falta de respeto a los superiores. | Estrictamente, dentro del Derecho Penal, el delito que se comete insultando, calumniando, injuriando o amenazando a una autoridad o funcionario público en el ejercicio de sus funciones o con ocasión de ellas; ya se infiera la ofensa de palabra o de hecho, cuando sea en su presencia, o por escrito que se les dirija.

Desafío

Provocación o reto al duelo. | Competencia o rivalidad. | Contienda. (V. DUELO.)

Desaforar
Infringir fueros. | Quebrantar privilegios. | En la jurisdicción criminal, privar del fuero que al reo corresponde o desconocer la exención de que goza, por haber cometido algún delito sujeto a juicio ante la Justicia ordinaria.

Desafuero
Acto violento o acción irregular contra ley, costumbre o razón. | Proceder opuesto a las buenas costumbres. | Hecho que motiva la privación del fuero especial, y en consecuencia, el sometimiento del reo a la jurisdicción ordinaria.

Desagravio
Satisfacción de ofensa o reparación de agravio. | Resarcimiento o indemnización de un daño; compensación de un perjuicio irrogado.

Desahucio
Acto de despedir el dueño de una causa o el propietario de una heredad a un inquilino o arrendatario, por las causas expresadas en la ley o convenidas en el contrato.

Desalojo
En el Derecho argentino, desahucio de un inquilino o arrendatario por falta de pago, expiración del término, alteración del destino de la cosa arrendada, expropiación forzosa, necesidad de ocupar la finca el propietario u otra de las causas legales o convencionales que autoricen a desalojar o expulsar al arrendatario rústico o urbano.

Desamortización
Acción o efecto de dejar libres, de hacer que vuelvan al comercio jurídico, los bienes amortizados.

Desamparo
Abandono de persona o de cosa. | Renuncia de un derecho. | Desistimiento de apelación o recurso. | En general, dejar sin protección ni ayuda a quien la necesita o pide. (V. ABANDONO.)

Desaparición
Ausencia sin dejar noticia o sin conocerse las causas. | Ocultación voluntaria. | Secuestro o rapto con ignorancia de paradero. | Fuga. | Extinción o pérdida de una calidad. | Superación de un inconveniente o dificultad. | Prescripción, invalidez, nulidad o ineficacia de un derecho o facultad antes existente.

Desastre
Desgracia considerable. | Perjuicio grave. | Infortunio nacional, en lo bélico y territorial sobre todo. | Desventura personal o familiar de grave repercusión en el ánimo. | Calamidad o caso fortuito extraordinario.

Descanso
Interrupción o cese pasajero en el trabajo. | Pausa en una tarea. | Quietud o reposo. | Sueño, acción de dormir. | Alivio o descargo de cuidado y preocupación. | Tregua de un mal. | **DOMINICAL.** Se denomina asimismo *semanal,* porque la tendencia y el propósito consiste en asegurar al trabajador un día de descanso cada siete; y, aunque la preferencia se reconoce por tradición al domingo, como no siempre resulta posible, para no interrumpir totalmente la vida activa, sobre todo en ciertos servicios y profesiones de imprescindible continuidad, se produce la compensación en otro día de la semana, casi siempre el inmediato anterior o posterior. | **EN LA TARDE DEL SÁBADO.** Este sistema, denominado asimismo *sábado inglés* o *jornada inglesa,* consiste en ampliar el descanso dominical cesando en el trabajo a partir del mediodía, más o menos exactamente, de la jornada del sábado. | **SEMANAL.** Constituye una denominación más cauta que la de *descanso dominical* (v.), aunque en el fondo implique lo mismo y quepa aplicar a la voz que consideramos lo manifestado en la de referencia.

Descendiente
Hijo, nieto, bisnieto, tataranieto, chozno o persona de ulterior generación y de uno u otro sexo que, por natural propagación, procede de un tronco común o cabeza de familia.

Descentralización
Acción de transferir a diversas corporaciones o personas parte de la autoridad antes ejercida por el gobierno supremo del Estado. | Sistema administrativo que deja en mayor o menor libertad a las corporaciones provinciales o municipales, para la gestión de los servicios públicos y otras actividades que aquéllas interesan dentro de la esfera de su jurisdicción territorial.

Desconocer
No conocer o ignorar. | No identificar a una persona. | Negar que sea de uno alguna cosa. | Haber olvidado o no recordar. | Impugnar algunas situaciones jurídicas.

Descubierto

Sin prenda en la cabeza, actitud respetuosa, excepto para los musulmanes, que se convierte en estricto deber en determinadas circunstancias e instituciones, sobre todo en las fuerzas armadas. | Sin techo, a la intemperie. | Conocido, recorrido, con referencia a tierras y mares. | Advertido, localizado. | Hallado, encontrado. | Delatado, denunciado. | Identificado como autor o partícipe de un delito. | Observado, divisado. | En la hacienda pública, en el comercio y, en general, en materia de cuentas, déficit; o sea, aquella parte de una deuda o de un pasivo que no se encuentra compensada por crédito o activo.

Descuento

Acción y efecto de descontar. | Rebaja, compensación de una parte de la deuda. | Operación de adquirir antes del vencimiento valores generalmente endosables. | Cantidad que se rebaja del importe de los valores para retribuir esta operación.

Descuento comercial es el calculado sobre el valor nominal del documento, y *descuento racional*, el que se calcula sobre su valor efectivo en el momento de efectuarse tal operación. La justificación jurídica del *descuento*, dice Serra Moret, es la misma del interés, puesto que no es más que un premio al capital que se anticipa, cobrándolo por adelantado. Otro tanto sucede, según el mismo autor, con el *descuento por pronto pago*, cuando se hace al contado el pago de una mercancía. Uno de los negocios de mayor importancia que realizan los bancos consiste en el *descuento*, a sus clientes, de cheques, giros, pagarés y otros títulos de crédito. Representan préstamos o adelantos de dinero a corto plazo.

Con el nombre de *redescuento* se conoce la operación que suelen hacer los bancos, descontando a su vez en otros o en un banco oficial los documentos por ellos descontados a sus clientes.

Desembargar

Suprimir impedimento o quitar obstáculo. | Levantar el embargo. | Alzar el secuestro de bienes.

Desempleo

En concepto legal español, la situación en que se encuentran quienes, pudiendo y queriendo trabajar, pierden su ocupación, sin causa imputable a ellos, o ven reducidas, en una tercera parte o más, sus jornadas ordinarias de trabajo. Por lo común, se equipara a *paro forzoso* (v.).

Deserción

Acción de desertar.

A. *En Derecho Penal.* Delito típicamente militar, siempre grave y que reviste modalidades muy distintas. Genéricamente consiste en el abandono del servicio, sin licencia adecuada.

B. *En Derecho Procesal. Deserción* es el abandono o desamparo que la parte apelante o recurrente hace de la apelación o del recurso interpuesto.

C. *En Derecho Mercantil.* Ausencia voluntaria y definitiva de un marinero, abandono que hace del buque.

Desglosar

Suprimir en un escrito la glosa o notas puestas en éste por quien no es el autor del texto. | Separar, retirar de una pieza de autos, de un expediente judicial, algunas fojas o documento unidos a una u otro, dejando copia o por lo menos nota que certifique el desglose o recibo para constancia.

Desheredación

Privación de herencia. Cabe en este concepto una graduación amplia. En efecto, la *desheredación* puede provenir de la ley, en cuyo caso constituye propiamente la indignidad para suceder; puede derivarse la indignidad para suceder; puede derivarse también de un descuido u omisión del testador, hipótesis en la cual se denomina *preterición* (v.). Pero, más propiamente, la *desheredación* es la expresa disposición testamentaria que, fundada en las causas legales, despoja de sus derechos sucesorios a un heredero legítimo o forzoso.

Deshonestidad

La Academia, pese a la trascendencia del vocablo, en tiempos pretéritos sobre todo, lo define indirectamente, por la calidad de *deshonesto*: lo impúdico y en remisión nueva, lo falto de *honestidad* (v.). | "Además, con holgura extrema, lo no conforme —o disconformidad, para la voz principal aquí— con la razón o las ideas recibidas por buenas, que implica ya bastante relatividad, y hasta transparencia de temporalidad. | Por último, como anticuado —que personalmente rechazamos, dada su vigencia como *deshonestidad*—, lo indecoroso, lo grosero y lo descortés (esto sí ya fuera del uso actual)".

Luis Alcalá-Zamora completa sus apreciaciones anteriores sintetizando la *deshonestidad* "cual impudor, inmoralidad y lascivia, en una escalada de desenfado sexual".

En sí y como sexualidad punible la *deshonestidad* repercute en los delitos de *abuso deshonesto, adulterio, corrupción, estupro, rapto, ultraje al pudor* y *violación* (v.).

Deshonra

Pérdida de la honra; por lo que afirma Mario H. Pena que las consideraciones que se hagan de dicha acepción se relacionan negativamente con la expresión que le da su contenido conceptual, y de ahí que la *deshonra* puede vincularse con los varios significados que se atribuyen a su antítesis, a la honra, y que pueden ser resumidos como buena opinión, fama adquirida por la virtud y el mérito; honor; estima y respeto de la dignidad; demostración de aprecio que se hace de uno por su virtud y mérito; pudor y recato de las mujeres.

Los valores reseñados se encuentran protegidos legalmente, y, así, algunos códigos establecen una circunstancia de atenuación en el delito de *infanticidio* (v.) cuando la madre incurriere en él con propósito de ocultar su *deshonra*. El hecho de *deshonrar* o desacreditar a una persona configura el delito de *injuria* (v.).

Desistimiento

Acción o efecto de desistir.

A. *En Derecho Civil.* Abandono o abdicación de un derecho. | Renuncia de un pacto o contrato cuya ejecución ha comenzado. (V. ABANDONO, CESIÓN, RENUNCIA.)

B. *En Derecho Penal.* Interrupción o apartamiento voluntario del delito intentado, de aquel cuya ejecución se había iniciado.

C. *En Derecho Procesal.* Abandono, deserción o apartamiento de acción, demanda, querella, apelación o recurso.

Deslinde

Distinción, señalamiento o determinación de los linderos de las fincas contiguas, de términos municipales o provinciales y de montes o caminos con respecto a otros lugares. El *deslinde,* para su mayor efectividad, suele completarse por hitos o mojones, que constituye la operación denominada *amojonamiento* (v.).

Desobediencia

Negativa o resistencia a obedecer. | Quebrantamiento de las leyes, reglamentos u ordenanzas. | Incumplimiento de los deberes o de las órdenes.

Desocupado

Sin ocupación, empleo o trabajo, sobre todo contra necesidad o deseo. | Ocioso, sin actividad laboral, por no precisarla o por haberla ya satisfecho socialmente, como un jubilado dignamente remunerado. | El trabajador luego de terminada su jornada. | Referido a propiedades urbanas, alquilable o habitable (L. Alcalá-Zamora).

Desorden

Alteración del concierto u orden propio de una cosa. | Confusión, perturbación. | Exceso, abuso, demasía. | Asonada, motín, sedición. | Irregularidad en trámite o procedimiento. | Desgobierno. | Desbarajuste, caos o anarquía social o política. | Inmoralidad o licencia. | **PÚBLICO.** Alteración de la paz pública o del orden social material, en escala variable desde acciones contra el régimen gobernante hasta una simple perturbación callejera.

Despachar

Abreviar y terminar un negocio. | Resolver una causa o un expediente. | Enviar un representante. | Mandar correspondencia o mensajes. | En Derecho Mercantil, vender géneros o mercaderías. | Sin constituir tecnicismo, en Derecho Laboral, despedir. | En Derecho Civil, desahuciar. | En Derecho Penal, matar. | La Academia incluye también la acepción de dar a luz la mujer.

Despacho

Acción y efecto de *despachar* (v.). | Conclusión de un negocio. | Mensaje, carta; correspondencia en general. | Habitación o aposento para atender los negocios. Se aplica especialmente al bufete de los abogados. | En Derecho Administrativo, resolución o trámite de unas actuaciones. | Expediente. | Diligencia. | Cédula, título o nombramiento para un empleo o negocio. | En Derecho Mercantil, venta de artículos de comercio. | En Derecho Político, comunicación escrita entre gobiernos. | Firma del jefe del Estado, de los ministros y de otras autoridades. | En Derecho Procesal, orden o mandamiento escrito que da un juez o tribunal para que se haga o se pague alguna cosa. | *Despacho* o *carta orden* se llama la diligencia judicial cuya ejecución se ordena fuera del lugar del juicio o a un juez o tribunal subordinado.

Despedir
Soltar o arrojar un objeto material. En relación con ciertas armas, singularmente primitivas, constituye la agresión; por ejemplo, tratándose de piedras, lanzas o dardos. | Apartar o alejar a quien molesta o es gravoso. | Prescindir de los servicios ajenos. | Disolver unilateralmente el patrono o empresario el contrato o relación de trabajo. (V. DESPIDO.)

Despido
"Despedida", sin más, como acción o efecto de despedir a uno o de despedirse, decía la Academia Española para referirse a esta voz.

En general, *despido* significa privar de ocupación, empleo, actividad o trabajo.

En Derecho Laboral, se entiende estrictamente por *despido,* la ruptura o disolución del contrato o relación de trabajo realizada unilateralmente por el patrono o empresario.

Despido indirecto
Disolución o ruptura del vínculo o contrato de trabajo por parte de un trabajador.

Desplazamiento de la competencia
Traslado de la competencia de un juez a otro, por motivos especiales que llevan a apartarse de las reglas usuales en materia de competencia.

Despojo
Privación de lo que uno tiene o goza. | Desposesión violenta. | Acción o sentencia que quita jurídicamente la posesión de bienes o la habitación que otro tiene, para entregar una u otra al dueño legítimo.

Desposorio o **desposorios**
Promesa mutua que la mujer y el hombre se hacen de contraer matrimonio. | Casamiento por palabra de presente.

Despotismo
Ejercicio del poder por el déspota, tirano o autócrata. | Gobierno por un soberano absoluto, que establece, modifica y deroga las leyes según el antojo o la conveniencia personal. | Autoridad absoluta no limitada por la ley. | Abuso de poder, fuerza o superioridad en cualquier esfera de la vida.

Destajo
Ocupación, obra o labor que se ajusta por un tanto alzado. | Salario o retribución calculados sobre la producción efectiva. Se contrapone al pago por un jornal diario, sueldo mensual o forma equivalente determinada de manera fija.

Destierro
Pena consistente en expulsar de un determinado lugar o territorio a una persona, para que resida temporal o permanentemente fuera de aquéllos. | Efecto de estar desterrado. | Población o lugar donde se cumple el *destierro* o vive el desterrado.

Desuso
Falta de uso o de ejercicio de alguna cosa o práctica. Interesa al Derecho por los efectos que pueda tener el *desuso* de una costumbre o ley. Para la mayoría de las legislaciones, una ley sólo puede ser derogada por otra ley, y, en este sentido, su *desuso* no afectará su validez ni su eficacia. Sin embargo, en ramas como la comercial, la costumbre tiene fundamental importancia como fuente del Derecho y, consecuentemente, el *desuso* es causa de derogación.

Destitución
Acción o efecto de destituir.

Detención
Acción o efecto de detener o detenerse. | Tardanza o dilación. | Privación de libertad. | Arresto provisional.

Detentación
Posesión o tenencia ilegítima, por carecer de justo título y de buena fe. En el uso actual, tenencia o goce de una cosa o derecho, legítimamente o no.

Detrimento
Deterioro, pérdida, destrucción parcial o de poca importancia. | Quebranto de la salud. | Perjuicio para los intereses. | Daño moral o afectivo.

Deuda
En su significado más general, sinónimo de obligación. Con mayor propiedad técnica, su efecto jurídico: la prestación que el sujeto pasivo (o deudor) de la relación obligacional debe al sujeto activo (o acreedor) de ésta. Así, toda *deuda* consiste en un dar, decir, hacer o no hacer algo que otro puede exigir. En su acepción más frecuente y conocida, *deuda* es lo que ha de pagarse en dinero, la cantidad de éste pendiente de entrega, esté o no vencida la *deuda.*

Deuda exterior
Puede entenderse por tal la pagadera a acreedores del exterior o la debida en moneda extranjera.

Deuda externa

V. DEUDA EXTERIOR.

Deuda interior

La pública que se contrae por el Estado dentro del propio país y se paga en moneda nacional.

Deuda pública

De ella dice Serra Moret que se llaman así las obligaciones que contraen los Estados por los capitales que se les anticipan o que reciben en préstamos de distintas clases. | Para Salvador Oría, "la obligación o el conjunto de obligaciones de origen legal o contractual que debe cumplir el Estado y hacer cumplir a su vez a terceros, como resultado de las convenciones realizadas con ocasión de empréstitos". | La Academia de la lengua la define como la deuda que el Estado tiene reconocida por medio de títulos que devengan interés y a veces se amortizan.

Deudor

El sujeto pasivo de una relación jurídica; más concretamente, de una obligación. El obligado a cumplir la prestación; es decir, a dar, a hacer, o a no hacer algo en virtud de un contrato, cuasicontrato, delito, cuasidelito o disposición expresa legal. Más generalmente, se refiere al obligado a una prestación como consecuencia de un vínculo contractual. | **PRINCIPAL.** El obligado en primer término a cumplir la prestación para con el acreedor; a diferencia del *fiador,* que responde ante la insolvencia o incumplimiento de aquél, salvo excepcional cláusula o precepto de solidaridad o renuncia a los beneficios típicos de la fianza. | El que primeramente debe ser demandado, a diferencia del *deudor subsidiario*; como entre los coautores de un delito. | En concepto económico, quien debe mayor cantidad.

Deudores solidarios

Los obligados conjuntamente a una misma prestación, de modo que cada uno de ellos puede ser reconvenido por el todo; además, pagando uno de los obligados solidariamente, quedan libres las restantes con respecto al acreedor o acreedores solidarios.

Devaluación

Rebaja del valor de una moneda con respecto a las divisas imperantes en el mundo económico internacional.

"Devant Dieu et devant les hommes"

Loc. francesa. Literalmente, "ante Dios y ante los hombres". Tal es la fórmula con la cual comienza, el presidente del jurado francés, la lectura del veredicto ante el tribunal que ha de pronunciar la sentencia.

Devengar

Hacer de uno alguna cosa mereciéndola. | Adquirir derecho a una percepción o retribución por el trabajo prestado, los servicios desempeñados u otros títulos. Se dice así que se *devengan* costas, honorarios, sueldos, etc. | Producir, como intereses o réditos.

Devolutivo

Lo que devuelve o restituye. En términos procesales, es el efecto que produce la apelación al pasar o devolver al juez superior el conocimiento de las resoluciones tomadas por el inferior, sin suspender la ejecución de éstas. En este significado, se opone a efecto *suspensivo*, el cual, suspende la ejecución de lo resuelto por el juez inferior hasta el pronunciamiento del superior. (V. EFECTO DEVOLUTIVO y SUSPENSIVO.)

Día

Lapso que el Sol emplea en dar aparentemente una vuelta alrededor de la Tierra. | Espacio de 24 horas desde una medianoche hasta la medianoche siguiente. En esta acepción se denomina *día civil.* | Tiempo que dura la luz del sol sobre el horizonte; o sea, desde el amanecer hasta el ocaso. En este sentido se habla de *día natural.* | Para cada persona, el de su cumpleaños. (V. EDAD.) | Ocasión, momento u oportunidad. | Figuradamente y en plural, *días* equivale a vida. | **CIERTO.** Entiéndese por tal el que necesariamente ha de venir aunque se ignore cuándo. | **CIVIL.** El lapso que transcurre entre dos medias noches consecutivas. | **CRÍTICO.** El decisivo en algún negocio jurídico; como el vencimiento de un plazo o prescripción, el de la sentencia, etc. | **HÁBIL.** El útil para actuaciones judiciales. | **INHÁBIL.** Aquel en el cual suspenden su labor los jueces o tribunales, por estar destinado al descanso o a determinadas conmemoraciones.

Diario

Cotidiano o correspondiente a todos los días. | Como sustantivo, *libro diario* (v. la voz que sigue). | **DE NAVEGACIÓN.** Se denomina así el primero de los libros que el Cód. de Com. esp. exige a los capitanes de buque. | **DE OPERACIONES.** Aquel en el cual los registradores de la propiedad extienden, en el momento de presentarse cada título, un breve asiento de su contenido. | **DE SESIONES.** Publicación parlamentaria que da cuenta textual de los debates públicos en las Cámaras legislativas.

Diccionario

Obra de relativa o considerable extensión donde, ordenadas alfabéticamente, se definen y explican las voces de uno o más idiomas, o las pertenecientes a una ciencia, facultad, técnica o materia. Los *diccionarios* han de insertar al menos la noción de cada vocablo y suelen agregar además la etimología de las palabras, la evolución histórica de las materias, las diversas actitudes del pensamiento en relación con los temas y, en los jurídicos, las principales disposiciones del Derecho positivo y del histórico con referencia a los puntos fundamentales.

Dictadura

Dignidad, si cabe la voz en esta ocasión, y cargo de dictador. | Duración de este ejercicio absoluto del poder. | Poder absoluto conferido temporalmente, en la República romana, para restablecer el orden ciudadano o librar al pueblo de inmediatos peligros. | En los pueblos modernos, gobierno, unipersonal casi siempre, que invocando el patriotismo o el interés público, para encubrir el personal, ejerce inconstitucionalmente el poder, acumulando las funciones legislativas y ejecutivas, y sojuzgando a los tribunales, o nombrando y removiendo libremente a jueces y magistrados.

Dictamen

Opinión, consejo o juicio que en determinados asuntos debe oírse por los tribunales, corporaciones, autoridades, etc. | También se llama así al informe u opinión verbal o por escrito que expone un letrado, a petición del cliente, acerca de un problema jurídico o sometido a su consideración.

Dicho

Lo declarado o manifestado de palabra o por escrito. | Palabra o conjunto de ellas que expresan verbalmente un concepto. | Por extensión, el mismo significado anterior aun concretado por escrito. | Parecer u opinión de alguien. | Rumor o voz pública. | Declaración de voluntad de los futuros cónyuges, hecha ante el sacerdote competente y acerca de la celebración conyugal.

“Dies a quo”

Loc. lat. Se dice del día en que comienza un plazo o a partir del cual se computa éste. No se cuenta en el cómputo de los términos civiles o judiciales. (V. DÍA HÁBIL.)

Dieta

Honorarios que un juez u otro funcionario público devenga a diario mientras dure la comisión encomendada fuera del punto en que, por su destino, tiene la residencia oficial. | En Derecho Político, junta, parlamento o congreso con atribuciones deliberantes acerca de los negocios comunes a una confederación de Estado; como la del antiguo Imperio alemán y las cortes de Polonia, o las asambleas de los cantones suizos.

Diezmo

Décima parte de alguna cosa. | Derecho del diez por ciento que era pagado al rey o al erario por el tráfico de mercaderías llegadas a los puertos o por las que entraban y salían por las fronteras, allí donde no se hallaba establecido el almojarifazgo. Los primeros llamábanse *diezmos de la mar*; y los otros *diezmos de puertos secos.* | Parte de los frutos, que era pagado a la Iglesia en tiempos antiguos y antes de crearse el presupuesto de culto y clero.

Difamación

Acción o efecto de difamar. Calumnia; injuria. | Descrédito.

Digesto o Pandectas

Compilación o colección de las decisiones más notables de los jurisconsultos romanos clásicos, encomendada por el emperador Justiniano a una comisión de dieciséis jurisconsultos, presididos por Triboniano, su cuestor palatino. El *Digesto* fue promulgado el 16 de diciembre del 533, y empezó a regir desde el 30 del mismo mes y año.

Dignidad

Calidad de digno. | Excelencia o mérito. | Gravedad, decoro o decencia. | Cargo honorífico. | Empleo o puesto que lleva aneja cierta autoridad. | En Derecho Canónico, y en relación con catedrales y colegiatas, prebenda propia de un oficio honorífico, como el deanato. | Prebenda de una catedral o colegiata. | Arzobispo u obispo.

Dilapidación

Derroche. | Prodigalidad. | Mal gasto de los bienes.

Dilatorio

Lo que tiene virtud o fuerza para prorrogar, prolongar, extender la tramitación de unas actuaciones, el despacho de un negocio, los términos y diligencias de un proceso.

Diligencia
Cuidado, celo, solicitud, esmero, actividad puntual, desvelo en la ejecución de alguna cosa, en el desempeño de una función, en la relación con otra persona. | Prontitud, rapidez, ligereza, agilidad. | Asunto, negocio, solicitud. | Tramitación, cumplimiento o ejecución de un acto o de un auto judicial. | Actuación del secretario judicial en el enjuiciamiento civil o en el procedimiento criminal.

Dimisión
Renuncia a un empleo, cargo o comisión. | Abandono de un derecho. | Desapropio de una cosa. (V. ABANDONO, RENUNCIA.)

Dinero
Moneda corriente. | Caudal o fortuna.

Diploma
Título o crédito que expide una corporación, una facultad, una sociedad literaria, para acreditar un grado académico, una prerrogativa, un premio (*Dic. Acad.*). La posesión del *diploma* o título constituye requisito esencial para el ejercicio de ciertas profesiones, pues, sin él, se está incurso en su punible ejercicio ilegal.

Diplomacia
"Ciencia y arte de la representación de los Estados y de las negociaciones" (Rivier). Se entiende referida a las relaciones internacionales, aun cuando se amplía a todo proceder cauteloso.

Diputado
Representante de un cuerpo u organismo. | Persona elegida por sufragio para representar a los ciudadanos o electores ante una asamblea legislativa nacional o ante un organismo administrativo provincial o de distrito, con la doble finalidad de defender los intereses del territorio que lo elige y de las fuerzas políticas que lo apoyan. (V. DIPUTADO A CORTES y PROVINCIAL.)

Dirección
Acción y efecto de *dirigir* o *dirigirse*. | Camino, rumbo. | Consejo, precepto, norma, regla, enseñanza. | Grupo de personas que está al frente de un establecimiento o de una asociación. | Puesto, oficina y función de un *director*. | Señas de la correspondencia o de cualquier objeto que se envía a otra persona o al propio remitente, pero a otro lugar.

Dirección del proceso
Facultad otorgada por las leyes procesales a los jueces y tribunales para que cuiden de que el procedimiento se desenvuelva en la forma más conveniente. Señalan algunos autores que esa *dirección* puede revestir carácter *formal* o carácter *material*. Es lo primero, cuando "el juez coadyuva a que la marcha externa del procedimiento se desarrolle ordenada y normalmente" (Reimundin), y es lo segundo, cuando el juez actúa "para obtener una mayor economía, y, en algunos casos, responde a la necesidad de evitar sentencias contradictorias o que una sentencia se pronuncie inútilmente (Reimundin).

Director
Quien dirige, manda, organiza o resuelve. | Quien se encuentra al frente de un establecimiento, organismo, sociedad o negocio. | En Derecho Mercantil, representante o gestor de los negocios de una compañía de comercio.

Directorio
En lo político, el gobierno de Francia desde el 27 de octubre de 1795 hasta el 9 de noviembre de 1799, al que sucede el *consulado* (v.). | En España, el nombre fue copiado por la dictadura instaurada, con el consenso real, el 13 de septiembre de 1923. | El conjunto de los directores de una sociedad.

Dirimente
Llámanse así los impedimentos que hacen imposible el matrimonio, por oponerse a su validez. Se diferencian de los impedientes, los cuales, aunque impiden o prohíben el matrimonio, no llegan a anularlo. (V. IMPEDIMENTOS.) | Magistrado que dirime o resuelve la discordia o disidencia de un tribunal colegiado.

Dirimir
Deshacer. | Disolver, desunir o desatar. Aplícase singularmente en materias matrimoniales. | Decidir, resolver, terminar o concluir una controversia, estableciendo una mayoría o mediante una fórmula conciliadora.

Discernimiento
Facultad intelectual o recto juicio que permite percibir y declarar la diferencia existente entre varias cosas, así como distinguir entre el bien y el mal, midiendo las consecuencias posibles de los pensamientos, dichos y acciones. El primero es el *discernimiento cognoscitivo*; y el segundo, el *moral*.

Discernir

Distinguir, diferenciar las cosas entre sí. | Saber apreciar lo bueno y lo malo. | Nombrar el juez a una persona para desempeñar una tutela u otro cargo, o confirmar judicialmente a la designada.

Disciplina

Observancia de las leyes y ordenamientos de una profesión o instituto. Tiene relación con la obediencia jerárquica y por ello es importante en la organización militar y en la eclesiástica, pues en ellas establece "superiores" e "inferiores".

Discordia

Desavenencia, oposición o contrariedad de voluntades o intereses. | Diversidad o discrepancia de opiniones, juicios o dictámenes. | Procesalmente, y con referencia a los fallos o resoluciones de los tribunales colegiados, falta de mayoría al votar una sentencia, por la división de pareceres en cuanto a los fundamentos o a la decisión.

Discriminación

Acción y efecto de *discriminar*, de separar, distinguir una cosa de otra. Desde el punto de vista social, significa dar trato de inferioridad a una persona o colectividad por motivos raciales, religiosos, políticos u otros.

El problema de la *discriminación racial* ha dado origen a muy graves cuestiones a través de los siglos y ha adquirido caracteres verdaderamente pavorosos con la implantación de los modernos regímenes totalitarios de uno y otro signo, pero de modo especial en la etapa de la Alemania nazi. Y, aun fuera de ella, la *discriminación racial* sigue constituyendo un tema de apasionada discusión doctrinal, con las inevitables derivaciones prácticas, en los países en que conviven tensamente razas blanca y negra, semitas y antisemitas, católicos y protestantes u otros sectores sacudidos por antagonismos irascibles.

Disenso

Falta de ajuste o conformidad al sentir u opinar. | Arrepentimiento o desistimiento de uno de los contratantes. | Disensión. | Disentimiento. | Negativa.

Mutuo disenso constituye una conformidad negativa, pues tiende a disolver o dejar sin efecto un acto o contrato.

Disipación

Proceder o conducta de quien malgasta sus bienes o se entrega exclusivamente a diversiones más o menos honestas. | Desperdicio, *prodigalidad.*

Disolución

Acción o efecto de disolver. | Separación, desunión. | Destrucción de un vínculo. | Término de una relación contractual, especialmente cuando no se debe al cumplimiento del fin o del plazo. | Resolución, extinción, conclusión. | Relajación o licencia en materia de costumbres. (V. DESPIDO, DIVORCIO, NULIDAD, RESCISIÓN.)

Disparidad

Desigualdad o diferencia. | **DE CULTOS.** Impedimento dirimente para el matrimonio canónico, cuando uno de los contrayentes está bautizado por la Iglesia católica, y el otro no se encuentra en iguales circunstancias.

Disparo de arma de fuego

Delito sancionado en el Cód. Pen. esp. de 1870, cuyo art. 423, suprimido en la reforma de 1932, decía: "El acto de disparar una arma de fuego contra cualquiera persona será castigado con la pena de prisión correccional en sus grados mínimo y medio, si no hubieren concurrido en el hecho todas las circunstancias necesarias para constituir delito frustrado o tentativa de parricidio, asesinato, homicidio o cualquier otro delito a que esté señalada una pena superior por alguno de los arts. de este Cód.".

Dispensa

Privilegio, excepción o exención graciosa de lo ordenado por las leyes, que se concede a favor de alguno por consideraciones particulares, más o menos justas. | Instrumento, documento o escrito que contiene la *dispensa.*

Disposición

Acción o efecto de disponer o de disponerse. | Aptitud para cumplir un fin. | Medios para emprender un negocio. | Artículo, precepto de una ley o reglamento. | Orden o mandato. | Prevención o preparativos. | Colocación o situación de las cosas. | Resolución, fallo o decisión de un tribunal. | Facultad de enajenar o gravar los bienes. | Acto de distribuir los bienes propios y tomar otras determinaciones mediante testamento. | En Derecho Procesal, acto de las partes al cual reconoce la ley influencia en la resolución de algún punto del juicio.

Dispositiva

Antiguamente se decía por disposición o aptitud. | Parte de la ley, decreto u orden que contiene las normas obligatorias, permisivas o supletorias de la voluntad de las partes.

Distracto

Tecnicismo anticuado que quiere decir disolución del contrato por voluntad de los mismos contratantes. Equivale a *mutuo disenso.*

Distributivo

Concerniente a la distribución. | Se dice de la justicia que otorga premios o impone castigos según los méritos o faltas de cada uno. (V. JUSTICIA CONMUTATIVA y DISTRIBUTIVA.)

Dividendo

En lenguaje mercantil, ganancia o producto de una acción; o sea, beneficio que una compañía o sociedad entrega a sus componentes o socios según el número de acciones que posean y en que esté *dividido* (de aquí el nombre) el capital social.

Divisa

Distintivo o señal exterior para diferenciar personas, jerarquías o cosas. | Parte de la herencia paterna que corresponde a cada uno de los hijos. | Cuota que por los hijos se trasmite a descendientes de grado posterior. (V. DERECHO DE REPRESENTACIÓN, HIJUELA.)

División

Acción o efecto de dividir. | Separación. | Reparto. | Partición. | Distribución. | Discordia, desavenencia, enemistad. | En la milicia, una de las grandes unidades, intermedia entre la brigada, como unidad inferior, y el cuerpo de ejército, como inmediata superior, al mando de un *general de división,* compuesta por varias armas (una de las cuales es la infantería) y equipada con los servicios y elementos auxiliares convenientes o disponibles.

División de herencia

Derecho y acción que pertenece a los herederos y legatarios para pedir la adjudicación de sus lotes o legados. Ello exige la previa *partición de herencia* (v.) (*Dic. Der. Usual*).

División de la cosa común

Conclusión del *condominio* (v.) y reparto de la cosa común o de su equivalente en dinero entre los hasta entonces copropietarios.

Divorcio

Del latín *divortium,* del verbo *divertere,* separarse, irse cada uno por su lado. Puede definirse como la ruptura de un matrimonio válido viviendo ambos esposos. Ello señala ya una distinción fundamental entre *divorcio* y *nulidad de matrimonio* en que no cabe hablar de disolución, por no haber existido jamás legalmente, a causa de impedimentos esenciales o insubsanables.

Doctor

Palabra adoptada directamente del latín, para significar docto, maestro, preceptor o el que enseña en general una ciencia o un arte. | En las carreras universitarias, último y preeminente grado académico que requiere estudios especiales y confiere título distinto al de *licenciado,* aunque éste habilite para el ejercicio legal de la profesión. | En Derecho Canónico, título concedido a ciertos santos distinguidos por el estudio de la religión. | Médico.

Doctrina

Conjunto de tesis y opiniones de los tratadistas y estudiosos del Derecho que explican y fijan el sentido de las leyes o sugieren soluciones para cuestiones aún no legisladas. Tiene importancia como fuente mediata del Derecho, ya que el prestigio y la autoridad de los destacados juristas influyen a menudo sobre la labor del legislador e incluso en la interpretación judicial de los textos vigentes.

Doctrina

DE DRAGO. Fue formulada esta doctrina por el ministro de Relaciones Exteriores de la Argentina, Luis María Drago, en diciembre de 1902, con motivo de la demostración naval hecha por Inglaterra y Alemania, a la que se unió luego Italia, frente a Venezuela, para obligar a este país a que reconociera las deudas contraídas con dichos Estados. | **DE MONROE.** La solemne declaración hecha por el presidente de los Estados Unidos de Norteamérica, J. Monroe, en mensaje dirigido al Congreso, con motivo de la cuestión de límites entre Rusia, Inglaterra y los propios Estados Unidos.

La controversia quedó proclamada por él mismo en los siguientes términos: "Nuestra primera máxima debe ser la de no mezclarnos jamás en las querellas de Europa; y nuestra segunda, la de no permitir que ella intervenga en nuestras cuestiones cisatlánticas".

La *Doctrina de Monroe* se resume en la conocida expresión: "América para los americanos", para interpretación de la cual resulta conveniente el recuerdo de que, en la patria de

Monroe, por *americanos* se entiende *norteamericanos,* anglicismo que incautamente se repite en muchos pueblos de habla hispana. | **LEGAL.** En términos amplios, tanto como jurisprudencia.

Documentación

Probanza o justificación de una cosa, mediante escritos. | Conjunto de documentos que para tales fines se emplea. | Instrucción o informe acerca de una cuestión científica. | Documentos de identidad. | Serie de antecedentes, certificaciones, partidas, autorizaciones, exigidos para determinados trámites o solemnidades, ya sea para el matrimonio, ya para lograr un pasaporte, ya para la exportación, entre tantos casos en la desbordada burocracia de hoy.

Documental

Narración, escrito o prueba cuando va apoyado por documentos. La *prueba documental* es la realizada mediante documentos públicos o privados. (V. DOCUMENTO.)

Documento

Instrumento, escritura, escrito con que se prueba, confirma o justifica alguna cosa o, al menos, que se aduce con tal propósito. | En la acepción más amplia, cuanto consta por escrito o gráficamente; así lo es tanto un testamento, un contrato firmado, un libro o una carta, como una fotografía o un plano; y sea cualquiera la materia sobre la cual se extienda o figure, aunque indudablemente predomine el papel sobre todas las demás. | Cualquier comprobante o cosa que sirva para ilustrar. | Diploma, inscripción, relato y todo escrito que atestigüe sobre un hecho histórico. | **A LA ORDEN.** El de crédito librado a nombre de una persona, pero transmisible por endoso. (V. CARTA DE CRÉDITO Y DE PAGO, CHEQUE, ENDOSO, LETRA DE CAMBIO.) | **A LA VISTA.** El *documento* de crédito que ha de ser abonado antes de las 24 horas de su prestación. (V. LETRA DE CAMBIO.) | **AL PORTADOR.** El de crédito que ha de abonarse a quien lo presente al cobro, y que, por no estar extendido a nombre de persona determinada, puede trasmitirse por la simple entrega manual. (V. CHEQUE.) | **AUTÉNTICO.** Escrito, papel o instrumento autorizado en forma tal que dé fe y haya de ser creído, por extendido ante fedatario público o por estar legalizado por autoridad competente. | **EJECUTIVO.** El instrumento o título que lleva aparejada ejecución; o sea, el que hasta presentar para la efectividad de la obligación, que contenga, siempre que logra la aprobación judicial si hay contradicción. | **ENDOSABLE.** El susceptible de *endoso* (v.); el de crédito emitido a la orden. | **MERCANTIL.** Todo libro, escrito o papel relacionado con la creación, modificación, transmisión y extinción de los actos y contratos de comercio, ya sea para constancia propia, consecuencia del tráfico de los comerciantes entre sí y con la clientela o para fines de interés público. | **PRIVADO.** El redactado por las partes interesadas, con testigos o sin ellos, pero sin intervención de notario o funcionario público que le dé fe o autoridad. | **PÚBLICO.** El otorgado o autorizado, con las solemnidades requeridas por la ley, por notario, escribano, secretario judicial u otro funcionario público competente, para acreditar algún hecho, la manifestación de una o varias voluntades y la fecha en que se producen.

Dogma

Proposición o principio que se establece como base cierta de una ciencia o creencia. | Fundamento de una religión, de un sistema filosófico, de una doctrina, de una ciencia o de un movimiento político o social. | Por antonomasia, dentro de la religión, verdad revelada por Dios para nuestra ciencia.

Dolo

"Engaño, fraude, simulación" (*Dic. Acad.*).

A. *En Derecho Civil.* Voluntad maliciosa que persigue deslealmente el beneficio propio o el daño de otro al realizar cualquier acto o contrato, valiéndose de argucias y sutilezas o de la ignorancia ajena; pero sin intervención ni de fuerza ni de amenazas, constitutivas una y otra de otros vicios jurídicos. | Incumplimiento malintencionado de las obligaciones contraídas, ya sea por omisión de prestaciones, mora en el pago o innovaciones unilaterales.

B. *En Derecho Mercantil.* Los principios teóricos de la doctrina del *dolo* los toma el Derecho Mercantil del Civil, pero algo atenuado pone el impulso lucrativo que predomina en el comercio.

C. *En Derecho Penal.* Constituye *dolo* la resolución libre y consciente de realizar voluntariamente una acción u omisión prevista y sancionada por la ley.

D. *En Derecho Procesal.* La mala fe de los litigantes puede ser bastante para condenar en *costas* (v.). También son manifestaciones del *dolo* en juicio el perjurio, el falso testimonio, el cohecho, la prevaricación, etc., ya causa de sanciones penales. (V. CULPA, DELITO, IMPRUDENCIA, MALA FE, NEGLIGENCIA, RESPONSABILIDAD, VICIOS DEL CONSENTIMIENTO.) | **EVENTUAL.** En materia penal, el que se configura cuando el autor quiere un resultado que, aun no cierto, es probable o posible; tal sería el caso de efectuar disparos, a baja altura, en una calle oscura y poco transitada. Más que intención homicida, el dolo consiste –en este caso– en la omisión de la intención de no matar, o en la indiferencia ante ese posible resultado. | **INCIDENTAL** o **INCIDENTE.** El sobrevenido con posterioridad al contrato y que, por lo mismo, no vicia el consentimiento, aun cuando permita exigir resarcimiento por los daños causados. | **PRINCIPAL.** El que versa sobre la esencia consensual de un acto o contrato jurídico, para resolver a la otra parte a hacer lo que sin ello no habría hecho, o a aceptar cláusulas que no habría admitido.

Doméstico

Perteneciente o relativo a la casa. | Hogareño. | Familiar. | Lo mismo que amansado, cuando se aplica a animales. | Criado que sirve en una casa de familia.

Domicilio

Del latín *domus* y *colo,* de *domun colere,* habitar una casa. | **AD LITEM.** El constituido especialmente para un litigio, que a veces no coincide con el real por razones de conveniencia profesional. (V. DOMICILIO LEGAL.) | **ACCIDENTAL.** Residencia pasajera o morada eventual. | **COMERCIAL.** Se entiende por éste el lugar del establecimiento mercantil o la sede principal de una sociedad o de un hombre de negocios, ya coincida o no con su domicilio o vivienda particular. | **CONYUGAL.** El que corresponde al matrimonio; y, de vivir separados más o menos temporalmente, el del marido, como cabeza o jefe de familia. | **ESPECIAL.** El que las partes convienen para el cumplimiento de las obligaciones. | **LEGAL.** Es el lugar "donde la ley presume, sin admitir prueba en contra, que una persona reside de una manera permanente para el ejercicio de sus derechos y cumplimiento de sus obligaciones, aunque de hecho no esté allí presente". | **REAL.** Para las personas individuales en el lugar donde tienen establecido el asiento principal de su residencia y de sus negocios.

Dominio

Poder de usar y disponer de lo propio. | Superioridad, potestad o facultad legítima de una persona sobre otra u otras. | En Derecho Político, territorio que se encuentra bajo la dominación de un Estado o de un soberano. | En la organización imperial inglesa, cada uno de los Estados, pueblos o colonias que gozan de autonomía y personalidad internacional plena dentro de la Comunidad Inglesa de Naciones, cuyo jefe simbólico es el rey de Inglaterra. (V. "COMMONWEALTH".) | Para el Derecho Civil, *dominio* significa tanto como propiedad o plenitud de facultades legalmente reconocidas sobre una cosa. | **ABSOLUTO.** El *dominio* propiamente dicho o propiedad; el *dominio* directo y a la vez el útil sobre una cosa. | **DIRECTO.** El que se reserva el propietario que cede el dominio útil de una cosa por enfiteusis, censo, feudo o derecho real análogo. | **EMINENTE.** En el Derecho Público, atribuciones o facultades que tiene el Estado para ejercer, como soberano, el *dominio* supremo sobre todo el territorio nacional, y establecer los gravámenes y cargas que las necesidades públicas requieran, ya sean impuestos, expropiaciones, limitaciones o prestaciones. | En el Derecho Privado, *dominio eminente* se considera sinónimo de *dominio útil.* | **IMPERFECTO.** El Código Civil argentino se refiere a él definiéndolo de estas dos maneras, que dan clara idea de la institución: el que debe resolverse al fin de un cierto tiempo o al advenimiento de una condición, o si la cosa que forma su objeto es un inmueble gravado respecto de terceros con un derecho real, como servidumbre, usufructo, etc., y el derecho real revocable o fiduciario de una sola persona sobre una cosa propia, mueble o inmueble, o el reservado por el dueño perfecto de una cosa, que enajena solamente su *dominio útil* (v.). Se lo llama también *dominio menos pleno.* | **PLENO.** El poder que uno tiene sobre alguna cosa para percibir sus frutos, excluir a los demás, enajenarla. | **PRIVADO.** El que corresponde a un particular, sea persona individual o jurídica. | **PÚBLICO.** El que corresponde privativamente al Estado sobre bienes que, sin pertenecer al uso común, se encuentran destinados a un servicio público o al fomento de la riqueza nacional. | **REVOCABLE.** "El que ha sido transmitido en virtud de un título revocable a voluntad del que lo ha transmitido; o cuando el actual propietario puede ser privado de la propiedad por una causa proveniente de su título". | **ÚTIL.** En general, la facultad de aprovechar las utilidades o beneficios de las cosas.

"Dominus"

Voz lat. Dueño. | Señor.

Donación

En general, regalo, don, obsequio, dádiva, liberalidad. | **"ANTE NUPTIAS".** La realizada por razón del matrimonio, pero antes de la celebración de la boda. | **CON CARGO.** Aquella en la cual el donante establece una obligación para el donatario. | **ESPONSALICIA.** El regalo presente que, antes de celebrarse el matrimonio y por razón de la boda, hace el novio a la novia y, aun siendo menos frecuente, ésta o aquél. | **INOFICIOSA.** La que supera la cantidad o porción de bienes de que el donante puede disponer a favor de extraños o de herederos legítimos. | **ONEROSA.** La que impone al donatario alguna carga, gravamen o prestación inferior al valor o utilidad que de lo donado obtiene; porque, en otro supuesto, de corresponderse lo recibido con lo dado, estaríamos ante alguno de los contratos conmutativos o frente a un innominado de *do ut des* o *do ut facias.* | **"PROPTER NUPTIAS".** En esta categoría se comprenden, en un sentido amplio, todas las *donaciones* que por razón del matrimonio reciben los cónyuges o uno solo de ellos. | **PURA.** La que entrega la cosa o bienes en el acto y sin condición alguna. | **SIMPLE.** La fundada exclusivamente en la liberalidad del donante. | **UNIVERSAL.** Teóricamente, la que comprende la totalidad del patrimonio del donante. | **MUTUAS.** Las que dos o más personas se hacen recíprocamente en un mismo acto.

Donante

Quien otorga una donación o dispensa una liberalidad a favor de otro.

Donatario

Persona a quien se hace una donación; quien la recibe y acepta.

Dotar

Constituir dote a la mujer que contrae matrimonio o a la que profesa en una orden religiosa. | Donar o señalar bienes para una fundación, establecimiento benéfico, instituto docente o entidad similar. | Asignar a un buque la tripulación que requiere y los pertrechos que para la navegación necesite. | Designar los empleados y funciones, sueldos y categorías que una oficina pública o un establecimiento particular precisa para desenvolver sus fines, además de los objetos materiales que le sean necesarios. | Fijar sueldo o haber a un cargo, puesto o empleo. | Conceder a una cosa una propiedad o ventaja cualquiera.

La dote, como dice el Cód. Civ. esp., o *el dote,* forma ya arcaica preferida por Vélez Sarsfield en el Cód. Civil arg., se llama al caudal o conjunto de bienes que la mujer lleva al matrimonio para ayudar a sostener las cargas matrimoniales o que, con igual finalidad, adquiere después de casada.

Su etimología inmediata es la latina: *dos, dotis,* con significado idéntico al español; pero esa voz proviene del griego *dotos,* dado, que a su vez procede del sánscrito *da*, dar.

Dote (V. DOTAR)

ADVENTICIA. La constituida a favor de la mujer con bienes de la madre, de los abuelos maternos o de los extraños, y asimismo la integrada por bienes que la novia adquiera con independencia del padre y de sus ascendientes paternos. | **CONFESADA.** Aquella cuya entrega sólo consta por documento privado o por reconocimiento. | **ENTREGADA.** Aquella cuya transmisión de propiedad o administración al marido consta fehacientemente por escritura pública otorgada ante notario. (V. DOTE CONFESADA.) | **NECESARIA.** La obligatoria para el padre, abuelo o bisabuelo de la descendiente.

"Drawback"

En materia aduanera, reintegro o restitución de derecho. | En general, rebaja o descuento. Es palabra inglesa y su pronunciación es *"droubac".*

"Dubia in meliorem partem interpreterit debent"

Principio de Derecho por el cual, en caso de duda, debe interpretarse la obligación en el sentido más favorable o benigno en favor del obligado.

Duda

Suspensión o indeterminación de la voluntad o del entendimiento entre varias decisiones o juicios, cuando no se halla estímulo o razón bastante para aceptar o asentir entre los objetos o conceptos opuestos o diferentes. | Incertidumbre sobre la verdad de un hecho, noticia, proposición o aserción. | Cuestión propuesta para discutirla o resolverla.

Duelo

Con la etimología de *dolus,* dolor, posee el significado de aflicción, pesar o lástima; y singularmente el de sentimiento, congoja o impresión afectiva que la muerte de una persona produce, sobre todo si pertenece a la familia.

Derivado de otra voz latina, no enteramente opuesta a dolor, pues tanto causa el *duellum,* contracción de *quasi duorum bellum* (casi o como guerra entre dos), significa pelea o combate entre dos, con armas iguales, luego de desafío o reto, y con la intención de definir una rivalidad o reparar simbólicamente un agravio. Durante la Edad Media y primeros siglos de la Moderna, por influjo de ideas caballerescas, cuando no por insolencia o bravuconería, el *duelo* tuvo importancia enorme en las costumbres sociales de las clases nobles y entre militares de todas las graduaciones. Hoy día, el *duelo* ha decaído hasta el punto de mirarse con desdén e incluso con ironía, perdida absolutamente la fe en la justicia de las decisiones por las armas y por el fundado concepto de que el supuesto agraviado no debe empeorar su condición exponiéndose al azar de la derrota, nueva humillación, e irreparable perjuicio si es mortal.

Dueña

La mujer que tiene la propiedad o el dominio de una finca, o de otro bien mueble o inmueble. | En acepciones ya antiguas, la señora o mujer principal de la casa. | Viuda seria encargada de las criadas de una casa. | Mujer de clase noble o acomodada que vivía en comunidad con monjas. | La que no era doncella.

Dueño

El propietario de una cosa: el titular de un derecho, quien tiene el dominio de un bien mueble o inmueble. | Persona independiente o con libertad de obrar o actuar: en cuyo sentido se dice ser *dueño de uno mismo.* | El amo o señor de la casa, en oposición a los criados. | **DIRECTO.** El que tiene el dominio directo de la enfiteusis, el que percibe una pensión anual en reconocimiento del mismo. | **ÚTIL.** El que en la enfiteusis explota directamente la finca, pero con la obligación de pagar cierto canon o pensión anual.

"Dumping"

Vocablo de origen inglés, proveniente de *dump,* vertimiento, inundación; expresa el propósito o la realidad de inundar el mercado con productos a precios más bajos que los habituales e incluso que los de coste, con finalidad de anular la competencia; y luego, acaparada la clientela, resarcirse.

Dúplica

Se designa con este nombre, y también con el *duplicación* o *contrarréplica,* el escrito o trámite con que se suele contestar a la *réplica* dada por el actor a la contestación de la demanda; o sea, la confirmación o ampliación de los alegatos de ésta.

Duplicado

El segundo despacho, documento o escrito que se expide del mismo tenor que el primero, bien para entregar un ejemplar a cada uno de los interesados, bien por extravío del primero u original, y para reiterar alguna comunicación o requerimiento. | Copia fiel de un original; ejemplar repetido o doble.

"Dura lex, sed lex"

Aforismo latino: aun siendo dura la ley, sin embargo es ley; aun dura, la ley es ley.

Duración

Continuación, prosecución. | Vida o existencia de personas, instituciones y cosas. | Permanencia, subsistencia.

La *duración,* fundamental en los plazos sobre todo, se analiza concretamente en cada una de las instituciones o relaciones a que atañe: minoridad, prescripción, acciones, contratos, etcétera.

Dureza

Resistencia; fortaleza. | Rigor, violencia, crueldad. | Severidad excesiva de leyes, gobernantes o superiores.

Duunviro o **duunvir**

Nombre de diferentes magistrados que en la antigua Roma ejercían el mando o desempeñaban determinadas atribuciones simultáneamente o de modo complementario, con igualdad de jerarquía. | En las colonias y municipios romanos, cada uno de los dos presidentes que los decuriones tenían.

Dux

En las antiguas repúblicas italianas de Venecia y de Génova, príncipe o magistrado supremo.

E

E
En el alfabeto español, la quinta de las letras y la segunda de sus vocales. En el automovilismo y otras materias internacionales, la vocal *E*, como inicial suya, indica perteneciente a España.

Ebrio
Bebido, embriagado, borracho. Se dice de aquel que, por haber ingerido bebidas alcohólicas o algún líquido nocivo, sufre ciertas alteraciones mentales.

Eclecticismo
Escuela o actitud filosófica que trata de conciliar principios de distintas doctrinas, sin encerrarse en un dogma, tomando de las demás cuanto juzga razonable. | Manera de proceder o de juzgar que acepta un prudente o equitativo término medio, alejándose de soluciones extremas, aun fundadas o justas en rigor. (V. EQUIDAD.)

Eclesiástico
Como adjetivo, lo concerniente a la Iglesia o lo relacionado con ella. | Antiguamente, instruido o docto. | Como sustantivo, clérigo, sacerdote; el que, habiendo recibido las órdenes sagradas, está dedicado al servicio del altar y del culto divino.

Ecología
De dos voces griegas, con los significados respectivos de ciencia o tratado y de casa o residencia, es el estudio biológico de las relaciones entre los organismos y el medio en que viven; en el enfoque que más interesa, entre el hombre y los lugares donde habita.

Economía procesal
Principio rector del procedimiento judicial, que tiende a lograr el ahorro de gastos monetario y de tiempo en la administración de justicia. El impulso de oficio, la oralidad, la acumulación de acciones son medidas encaminadas a conseguir aquel fin.

Ecuménico
Universal o de todo el orbe. Se dice de los concilios generales comprensivos de la Iglesia oriental y occidental. | Por extensión, lo referido a toda la tierra habitada.

Echazón
Acción o efecto de arrojar al agua la totalidad o parte de la carga de un buque, así como otros objetos pesados de la nave, con la finalidad de aligerarla en caso de peligro, ya se deba a tempestad o a otra causa, como apresamiento, naufragio, varamiento, etcétera.

Edad
Dimensión temporal de la vida de un ser, contada desde el instante de su concepción hasta el momento actual u otro determinado. | Tiempo transcurrido desde el nacimiento de una persona o de un animal, computado por años, meses o días, según los casos y el detalle que interese. | Duración de las cosas desde el momento de su existencia o producción. | Cada uno de los grandes períodos en que la vida humana se divide por razón del desarrollo físico y mental, y también por la decadencia y postración de las energías de una y otra índole.

Edicto
Del verbo latino *edicere,* que significa prevenir alguna cosa. Es el mandato, orden o decreto de

una autoridad. Hasta el siglo XVIII equivalió con frecuencia a ley. | Actualmente se reduce a un llamamiento o notificación de índole pública hecha por un juez o tribunal, mediante escritos ostensibles en los estrados del juzgado, audiencia o corte, y, en ocasiones, publicado asimismo en periódicos oficiales o de gran circulación, con objeto de citar tanto a personas inciertas como de domicilio desconocido. | También significa bando, y entonces constituye una disposición, por lo general transitoria y severa, que se fija por escrito en parajes públicos. | Comunicación de alguna noticia o hecho cuya divulgación interesa a la autoridad. Según aquella de la cual emanan, los *edictos* se denominan *administrativos, eclesiásticos, gubernativos, judiciales, de policía,* etc. | **DE TURGOT.** Este ministro francés de fines del siglo XVIII, fisiócrata y discípulo de Quesnay, había proclamado que la fuente de los males franceses, desde el punto de vista industrial y comercial, se encontraba en la facultad concedida a los artesanos del mismo oficio para unirse y reunirse en cuerpos. Al promulgarse en 1776 su famoso edicto, que ponía fin a los gremios, declaró la concesión del derecho a trabajar cual prerrogativa de la realeza que el príncipe podía vender y los súbditos debían comprar. | **NUEVO.** La innovación que el pretor u otro magistrado romano introducía en su edicto, a diferencia del *edicto traslaticio* (v.). | **PERPETUO.** Importante texto romano, recopilado por el pretor Salvio Juliano, hacia el año 130, que consolidó los edictos pretorios publicados hasta entonces, a pesar de lo cual se hicieron innovaciones, luego de la revisión ordenada por Adriano, con el fin de ir adaptandolo a las necesidades y mudanzas de los tiempos. | **PRETORIO.** En el Derecho Romano, el que cada pretor publicaba al principio del año en que ejercía su oficio. | **TRASLATICIO.** El tradicional, el que el nuevo magistrado conservaba de su predecesor, que a su vez había reproducido el de otro anterior. Se afirmaba así la continuidad jurídica, cuando la práctica demostraba su conveniencia.

Edictos matrimoniales

Se denominan asimismo *proclamas,* y constituyen el anuncio público del matrimonio próximo que se proponen contraer un hombre y una mujer, con el fin de que se denuncien los impedimentos que a la celebración de aquél puedan obstar.

Edificio

Obra o fábrica que se construye para habitación u otros fines de la vida o convivencia humanas, tales como casas, fábricas, palacios, lugares recreativos, ya se emplee como materiales adobes, piedras, ladrillos, madera, hierro o cualquier otro signifique protección al menos relativa y de cierta permanencia contra la intemperie.

Edil

Se denominaba así, entre los antiguos romanos, el magistrado a cuyo cargo estaba el cuidado de las obras públicas y el ornato, limpieza y reparación de los templos, casas y calles de Romas.

Efecto

Consecuencia, resultado. | Derivación, resultado. | Fin, intención, propósito, objetivo. | Impresión, mella. | Mercadería, mercancía o artículo de comercio. | Valor, documento o título mercantil. | **DEVOLUTIVO.** El de apelación u otro recurso cuando su conocimiento se atribuye a un juez o tribunal superior, con respecto al que ha dictado la sentencia, auto o resolución; pero sin suspender la ejecución de la providencia del inferior, ni paralizar el curso de la acción principal. | **RETROACTIVO.** Dicho de las leyes, aplicarlas a situaciones o hechos anteriores a la fecha de su promulgación; es decir, someter el pasado al imperio de la ley nueva. | **SUSPENSIVO.** En el Derecho Procesal, el que se produce cuando una apelación o recurso, contra la resolución de un juez o tribunal, paraliza la ejecución del fallo o providencia hasta que decida sobre ésta o aquél el tribunal superior.

Efectos

Bienes muebles, enseres, objetos en general. La importancia jurídica de esta voz se comprueba en los artículos inmediatos. | **A LA ORDEN.** Documentos de crédito en los cuales el deudor promete cumplir su prestación a favor de una persona determinada o de aquella a la cual se le endose el documento. | **AL PORTADOR.** Los valores, títulos o documentos, mercantiles especialmente, cuya propiedad y facultades anejas se transmiten por la simple entrega. | **BANCARIOS.** Documentos, títulos o valores mercantiles que pueden ser objeto de negociaciones, contratos y operaciones bancarias. Lo son, en principio, todos los *efectos* a la orden y al portador; y como más peculiares, cabe mencionar los billetes, cheques y letras de cambio. | **CIVILES.** Las consecuencias que los actos jurídicos y contratos tienen para el Derecho Civil. | **DE COMERCIO.** Los productos o artículos que constituyen el objeto de las transacciones mercantiles.

Eficacia del orden jurídico

Consiste en el logro de la conducta prescrita; en la concordancia entre la conducta querida por el orden y la desarrollada de hecho por los individuos sometidos a ese orden. Pero también puede considerarse la *eficacia del orden jurídico* en relación con la efectiva aplicación de las sanciones por los órganos encargados de aplicarlas, en los casos en que se transgrede el orden vigente. La importancia de la *eficacia* reside en que un *orden jurídico* sólo es válido cuando es eficaz; el *orden jurídico* que no se aplica deja de ser tal, extremo que se evidencia en el reconocimiento que de los distintos órdenes hace el Derecho Internacional.

Ejecución

Efectuación, realización, cumplimiento; acción o efecto de ejecutar o poner por obra alguna cosa. | Efectividad o cumplimiento de una sentencia o fallo de juez o tribunal competente; como cuando se toman los bienes del deudor moroso para satisfacer a los acreedores mediante dicha orden judicial. | Aplicación de la pena de muerte. | Exigencia o reclamación de una deuda por vía ejecutiva. | **APAREJADA.** Se dice que trae *aparejada ejecución* cuando el título, por el cual se demanda una cantidad de dinero, es de aquellos que por ley autoriza a iniciar juicio ejecutivo. | **CAPITAL.** En Derecho Penal, se identifica esta expresión con la de *ejecución de la pena de muerte,* ya que pena capital y pena de muerte son formas que se utilizan indistintamente en el lenguaje artístico. | **DE SENTENCIA.** El acto de llevar a efecto lo dispuesto por un juez o tribunal en el fallo que resuelve una cuestión o litigio.

Ejecutado

Deudor moroso a quien se embargan los bienes, para venderlos y hacer pago con su producto al acreedor o acreedores. (V. JUICIO EJECUTIVO.) | Reo condenado a muerte y cuya sentencia ha sido cumplida.

Ejecutante

En general, quien ejecuta, hace o realiza. | Acreedor a cuya instancia se procede ejecutivamente contra un deudor moroso, para lograr expeditivamente el pago del crédito. (V. JUICIO EJECUTIVO.)

Ejecutivamente

Con prontitud o presteza. | Con eficacia. | Ambas acepciones adverbiales comunes se compendian en la procesal: según la vía o procedimiento ejecutivo, el más rápido y seguro para la cobranza de deudores reacios. (V. JUICIO EJECUTIVO.) | Referido a la autoridad administrativa o política, sin contemplaciones, sin complicadas tramitaciones.

Ejecutivo

Lo eficaz o propio para ejecutar, poner por obra o llevar a la práctica. | Comisión u organismo que, dentro de una sociedad o asociación, está encargado de cumplir los estatutos o los acuerdos. | Poder del Estado que tiene por función aplicar las leyes, conservar el orden público, defender el territorio nacional y fomentar el bienestar general. (V. PODER EJECUTIVO.)

Ejecutoria

Con carácter honorífico, título o diploma que acredita legalmente la nobleza de una persona o de una familia. | Timbre o acción gloriosa. | (V. HONORES y NOBLE.) | Sentencia firme; la que ha pasado en autoridad de cosa juzgada y puede ejecutarse en todos sus puntos. | Documento público y solemne donde consta un fallo de tal naturaleza.

Ejemplar

Lo que sirve de modelo o ejemplo para la conducta, en cualquier esfera de la vida. | Se dice del castigo severo que sirve de escarmiento, o así lo pretende. | Como sustantivo, el original que sirve de modelo para sacar de él copias semejantes. | Copia o traslado que se obtiene de un original o de otra copia previa. | Cada uno de los escritos, impresos, dibujos, etc., sacados de un mismo modelo; se refiere especialmente a libros y periódicos. | Cada uno de los individuos de una clase. | Cada uno de los diferentes objetos del mismo género que integran una colección. | Precedente, antecedente en situación o caso análogos.

Ejercer

Se dice que ejerce quien se consagra a su profesión, oficio o facultad. | *Ejercer la autoridad* es desempeñar sus funciones, mandar. | *Ejercer la abogacía,* o simplemente *ejercer* en el mundo forense, significa estar matriculado, pagar la contribución, si así estuviera establecido, y atender asuntos de carácter judicial ante los tribunales. (V. ABOGADO, LETRADO.)

Ejercicio
Práctica o desempeño de una profesión, oficio o arte. | Uso de una atribución. | Valimiento de derecho. | Empleo de facultad. | Cada una de las distintas pruebas a que son sometidos los aspirantes a una cátedra o beneficio. | Duración de una ley de presupuesto; por lo general, un año. | Tiempo a que se refiere una empresa industrial o un establecimiento mercantil en sus liquidaciones periódicas o balances principales.

Ejido
Campo o tierra que está al término de un lugar habitado y lindando con él, donde no se labra, planta ni siembra, por estar reservado para las eras y reunión de los ganados. La voz proviene del latín *exitus,* salida.

Elección
Escogimiento, selección, preferencia. | Deliberación, libertad para actuar. | Nombramiento por votación, o por designación de quien tiene tal autoridad, para cubrir un cargo o desempeñar un empleo. | En Derecho Político, ejercicio del derecho del sufragio.

Electivo
Dicho o hecho por elección. | Cargo que ha de desempeñar una persona elegida por votos o por designación de autoridad. | Persona nombrada por elección para ocupar un puesto.

Electo
El escogido o nombrado para un cargo, empleo o puesto, desde que resulta elegido hasta que toma posesión de éste.

Elector
La persona que reúne las condiciones exigidas por la Constitución o las leyes para ejercitar el derecho de sufragio y que, por tanto, tiene facultad para influir con su voto en la elección o nombramiento de concejales, diputados, senadores e incluso jefe del Estado. | En el Derecho Político histórico, cada uno de los príncipes alemanes con derecho a elegir y nombrar el emperador del antiguo Imperio germánico.

Elegible
Quien puede ser elegido.

Elementos constitutivos del delito
El conjunto de elementos que constituyen una conducta calificable como delito. Entre las múltiples consecuencias de este concepto, cabe mencionar la teoría ampliamente aceptada en el Derecho Internacional en el sentido que la configuración de los elementos de un delito en el territorio de un Estado da a tal Estado jurisdicción judicial y normativa para sancionar dicho delito.

Eliminación
Acción de excluir a una persona, cuando se trata de un miembro de la sociedad cuya adaptación a las condiciones de ésta se ha manifestado totalmente imposible.

Elusión fiscal
Actos o maniobras destinadas a disminuir o eliminar las cargas impositivas que pesan sobre quien las realiza, aprovechando las excepciones y vacíos que presenta la propia legislación fiscal. En contraposición a la evasión fiscal, implica una actuación lícita.

Emancipación
Acción y efecto de *emancipar* o *emanciparse,* de libertar de la patria potestad, de la tutela o de la servidumbre a las personas que estaban sometidas a ellas. De ahí que el concepto afecte a dos ramas del Derecho: el Civil y el Internacional Público.

En el aspecto civil es una institución de muy larga data. En Roma, la *emancipación,* llamada *manumisión,* era la forma de que los esclavos adquiriesen la condición de libertos o libertinos, así como de que saliesen de la *patria potestas* quienes estaban sometidos a ella, constituyendo una sanción contra el *pater familias* que vendía por tres veces a su hijo. Mas lo que en un principio representó una sanción vino a convertirse en un medio habitual de *emancipación* por el simple arbitrio de efectuar ficticiamente las tres ventas. Justiniano acabó con esa ficción al permitir que la *emancipación* se efectuase mediante la declaración ante el juez de la voluntad de emancipar y de ser emancipado.

En las legislaciones modernas, la *emancipación* es un final anticipado de la patria potestad, de la tutela o de ambas, que un menor obtiene por el solo hecho de contraer matrimonio, de modo que adquiere el gobierno de su persona y la administración de sus bienes. Algunos códigos permiten que el padre o madre, en ejercicio de la patria potestad, concedan al hijo menor el beneficio de la *emancipación.*

En lo que se refiere al Derecho Internacional Público, la *emancipación* tiene el sentido de independencia de las colonias con respecto a la metrópoli. En América significaba la liberación que en los siglos XVIII y XIX consiguieron los países, de la dominación inglesa, española y portuguesa.

Embarazo

Dificultad, obstáculo, impedimento o estorbo. | Estado de la mujer que se encuentra encinta. | Lapso entre la concepción y el parto o el aborto.

Embargo

Con significados generales y arcaicos: impedimento, embarazo u obstáculo; y también incomodidad, molestia o daño. | En lenguaje jurídico, esta palabra posee diversas aplicaciones, según se refiera al Derecho Político y al Marítimo, por un lado, o al Derecho Procesal Civil, Penal o Administrativo, por otra parte. | **EJECUTIVO.** Retención o apoderamiento que de los bienes del deudor se efectúa en el procedimiento ejecutivo, con el fin de, con ellos o con el producto de la venta de éstos, satisfacer la incumplida obligación a favor del acreedor que posea título con *ejecución aparejada* (v.). | **PREVENTIVO.** Medida procesal precautoria de carácter patrimonial que, a instancia de acreedor o actor, puede decretar un juez o tribunal sobre los bienes del deudor o demandado, para asegurar el cumplimiento de la obligación exigida y las resultas generales del juicio.

Embaucar

Engañar, timar, estafar. | Alucinar. (V. ESTAFA, FRAUDE.)

Embriaguez

La turbación de las facultades causada por la abundancia con que se ha bebido vino u otro licor.

Emergencia

En correcto castellano, la voz significa ocurrencia o accidente, y el hecho de brotar o salir el agua; sin embargo, por evidente anglicismo, se le atribuyen los sentidos de *urgencia, necesidad, alarma* o *excepción.* El término causa estragos en ciertos países americanos. Así, además de ser locuciones oficiales *estado de emergencia* y *ley de emergencia* (v.), se habla de *medidas de emergencia* para referirse a las disposiciones provisionales en casos apremiantes para el bien público o la seguridad general.

Emergente

Del latín *emergens,* salir, brotar. Lo que nace, sale y tiene principio de otra cosa, como *daño emergente,* que se refiere al deterioro, perjuicio o detrimento que las cosas o bienes sufren.

Emigración

Fenómeno social, económico y político a la vez, consistente en el abandono voluntario que uno o muchos individuos hacen de su patria, para ir a establecerse en otro Estado, con el objeto de aprovechar facilidades de trabajo, oportunidades de negocios y a veces la simple tranquilidad. | **GOLONDRINA.** Aquella en la cual los emigrantes no tienen el propósito de establecerse permanentemente en otro país, sino el de cumplir ciertos trabajos y regresar luego a su patria.

Emigrante

Para la Academia, "el que por motivos no políticos abandona su propio país para residir en otro".

Emisión

Acción o efecto de emitir. | En Economía Política, acto por el cual el Estado, o una sociedad legalmente constituida, expide y pone en circulación los instrumentos o efectos (por lo general billetes u otros títulos) representativos del crédito público o privado. En unos casos, el de las sociedades, la *emisión* constituye un reconocimiento de deuda o la participación patrimonial que en la entidad tiene el titular o poseedor; mientras que en las *emisiones* fiduciarias, los documentos simbolizan las reservas de metales preciosos o el crédito de que dispone el Estado. | *Emisión* es también el conjunto de títulos o valores, de carácter público, bancario o mercantil, puesto en circulación en cada oportunidad y que suele llamarse *serie.*

Emoción

Trastorno repentino del ánimo, originado por una persona, idea, recuerdo u objeto, con efectos psíquicos y también fisiológicos, de lo tenue a lo violento, según las circunstancias y los agentes. | **VIOLENTA.** Para el Derecho Penal, la alteración súbita y vehemente del ánimo puede constituir circunstancia atenuante de la responsabilidad.

Emolumento
Beneficio, utilidad, gaje, propina, lucro inherente a un cargo, empleo o destino.

Empecer
Obstar o impedir. | Dañar, ofender, perjudicar. (V. DAÑOS Y PERJUICIOS, OFENSA.)

Empeñar
Dar o dejar algo en prenda o como señal, para seguridad de la satisfacción de lo adeudado o reintegro de lo percibido. | Obligar algunos bienes raíces para pago o satisfacción de la deuda contraída. | Designar a alguien por empeño, padrino o mediador para obtener una cosa. (V. HIPOTECA, MONTE DE PIEDAD, PRENDA.)

Emplazamiento
El requerimiento o convocatoria que se hace a una persona por orden de un juez, para que comparezca en el tribunal dentro del término que se le designe, con el objeto de poder defenderse de los cargos que se le hacen, oponerse a la demandada, usar de su derecho o cumplir lo que se le ordene. La diferencia principal entre *emplazamiento* y *citación* reside en que ésta señala día y hora para presentarse ante la autoridad judicial, mientras el *emplazamiento* no fija sino el plazo hasta el cual es lícito acudir al llamamiento del tribunal.

Empleado
Generalmente se designa con este nombre al funcionario técnico o profesional que presta su actividad al gobierno para la realización de fines de interés público. Este concepto era casi exclusivo hasta concluir el siglo XIX. En la actualidad, se distingue entre el *empleado* del Derecho Administrativo, el que acaba de definirse, y el del Derecho Laboral, donde tiende a oponerse a obrero, dentro del común denominador del vocablo *trabajador.*

Empleados de confianza
Los que por la responsabilidad que tienen, las delicadas tareas que desempeñan o la honradez que para sus funciones se exige, cuentan con fe y apoyo especiales por parte del empresario o dirección de la empresa.

Empleo
Ocupación, actividad. | Trabajo, oficio; puesto o destino. | Uso o utilización. | Consumo o gasto. | Inversión del dinero, para conservar el valor patrimonial o para lucrarse (*Dic. Der. Usual*).

Empleo útil
Situación que se configura cuando alguien, sin ser gestor de negocios ni mandatario, hace gastos en utilidad de otra persona. En tales casos, las leyes civiles autorizan a demandar al beneficiado un pago equivalente a la utilidad derivada de los gastos realizados.

Empresa
Acción o propósito difícil e incierto que requiere esforzado comienzo. | En general, designio, finalidad o intención. | Asociación científica, industrial o de otra índole, creada para realizar obras materiales, negocios o proyectos de importancia, concurriendo de manera común a los gastos que origina y participando también todos los miembros de las ventajas que reporte. | Casa o sociedad mercantil. | Unidad de producción o de cambio basada en el capital y que persigue la obtención de beneficio, a través de la explotación de la riqueza, de la publicidad, el crédito, etc. | Organización de personal, capital y trabajo, con una finalidad lucrativa, ya sea de carácter privado, en que persigue la obtención de un lucro para los socios o los accionistas; o de carácter público, en que se propone realizar un servicio público o cumplir otra finalidad beneficiosa para el interés general. | **MERCANTIL.** Organización lucrativa de personal (empresario o dirección, socios industriales o trabajadores), capital (dinero, propiedades, máquinas y herramientas, mobiliario, etc.) y trabajo (actividad organizadora, directiva, investigadora, publicitaria, técnica y de ejecución material), con una unidad de nombre, permanencia en actividad y finalidad definida.

Empresario
Quien organiza, dirige o explota alguna empresa. | El que por concesión o contrato realiza una obra pública o explota un servicio de igual índole. | Patrono. | Contratista. | Arrendador de obra o trabajo por precio alzado. | Quien ofrece y explota un espectáculo público.

Empréstito
En general, préstamo, anticipo o crédito, sobre todo el de dinero. | Para el Derecho Privado, y con tecnicismo desusado ya, aunque persista en el Cód. Civ. arg., *empréstito* se refiere al contrato de préstamo, en sus dos formas: tanto el de las cosas que cabe usar sin destruirlas, que se denomina *comodato* o *empréstito de*

uso, como el de cesión de las mismas para un empleo en que se consumen, denominado *mutuo* o *empréstito de consumo.* | Para la Hacienda pública y la Economía, *empréstito* designa el préstamo hecho al Estado, a las provincias o municipios, y también a las grandes empresas privadas, para hacer frente a sus necesidades o para ejecutar sus proyectos. | **A LA GRUESA VENTURA** o **RIESGO MARÍTIMO.** Dentro del comercio marítimo, préstamo o entrega que se hace de dinero o efectos por cierto premio o interés sobre el navío o el cargamento, con la condición de que, perdiéndose el navío o las mercaderías, se pierda o extinga también la deuda; pero que, llegando a su destino, quede el prestador libre de todo riesgo para la cobranza de la cantidad prestada y del premio estipulado.

Enajenación

Acto jurídico por el cual se transmite a otro la propiedad de una cosa, bien a título oneroso, como en la compraventa o en la permuta; o a título lucrativo, como en la donación y en el préstamo sin interés.

Enajenación mental

Esta denominación reúne todo tipo de anormalidad psíquica que produce descontrol de la actividad intelectual y volitiva, en forma general y temporalmente estable. Interesa al Derecho en cuanto influye en la capacidad civil y la imputabilidad penal de quienes la padecen.

Encaje o encaje metálico

En Economía se dice de la cantidad total de capitales en oro, plata u otro metal que constituye la reserva o garantía de la circulación fiduciaria de los bancos de emisión. | En general, garantía de un valor circulante y transmisible.

Encarcelación o encarcelamiento

Acción de recluir en la cárcel.

Encargado de negocios

Agente diplomático acreditado ante el ministro de Relaciones Exteriores de la nación donde debe ejercer sus funciones. Este hecho lo diferencia de otras categorías diplomáticas, que se acreditan ante el jefe de Estado.

Encartar

Proscribir al reo en rebeldía, luego de citado por bandos o edictos públicos. | En el enjuiciamiento antiguo, citar o emplazar mediante pregones, proclamas o edictos. | Empadronar, o incluir en una matrícula para la prestación de servicios o el reparto y pago de impuestos. | Comprender en una compañía, establecimiento, dependencia o empresa.

Encausado

Procesado, sometido a sumario o proceso criminal.

Encausar

Sumariar, formar causa o proceso criminal contra alguien. (V. PROCESAMIENTO, SUMARIO.)

Encíclica

Carta o misiva que sobre materias dogmáticas, de costumbres o de actitud de los católicos, dirige el papa a todos los obispos. En esta comunicación circular se da a conocer la situación de la sociedad cristiana; los problemas que inquietan a las conciencias o que amenazan la paz; las ideas, teorías o sistemas que atentan contra la religión, y las medidas que deben adoptarse.

Encomendero

Quien ejecuta encargos de otro. | El que por concesión real era beneficiario de los repartimientos de indios en América. El *encomendero* estaba obligado a enseñar a los indios la religión católica, a defender sus personas y a proteger sus bienes, a cambio de las rentas que con la concesión de tierras obtenía. (V. ENCOMIENDA.)

Encomienda

En general, encargo, comisión o mandato. | Recomendación, alabanza, elogio. | Amparo, custodia o defensa. | En Sudamérica, paquete postal. | En las antiguas órdenes militares, dignidad dotada de rentas que era concedida a algunos caballeros. | Territorio y lugar de tal *encomienda* y rentas que producía. | En las órdenes civiles, dignidad o cargo de comendador. | En el Derecho feudal o señorial, renta o merced vitalicia con que estaba gravado un heredamiento o territorio.

Encubridor

Quien, con posterioridad a la infracción, oculta a los autores de un delito o a los cómplices de éste, contribuye a disimularlo o se beneficia voluntariamente de aquél.

Encubrimiento

Acción o efecto de encubrir u ocultar. | Para el Derecho Penal, participación en un delito, con conocimiento e intervención posteriores a la comisión de éste, para ocultar a los autores, favorecer su fuga, impedir el descubrimiento de la infracción o aprovecharse de los efectos de ésta.

Encubrir

Ocultar, esconder. | Disimular. | Ejecutar un encubrimiento punible.

Endogamia

Del griego *endon,* dentro, y *gamos,* boda. Prohibición de casarse fuera de un núcleo social determinado. Este sistema es peculiar de los pueblos primitivos, donde no se permiten matrimonios fuera de la tribu o la secta. El precepto ha regido entre el pueblo hebreo.

Endosar

Descargar en otro un trabajo, una responsabilidad, complicación o molestia. | En el Derecho Mercantil, ceder el tenedor de una letra de cambio, u otro documento a la orden, el título crediticio, mediante fórmula sencilla y tradicional (por lo común la fecha y la firma), que consta al dorso o respaldo del documento.

Endoso

Acción o efecto de *endosar* o transmitir un título a la orden mediante una fórmula escrita en el reverso del documento. | Lo que se escribe a la vuelta o espalda de un letra de cambio, cheque, vale o libranza, para ceder el crédito documental a otro. | **REGULAR.** Se denomina asimismo *completo.*

Enemigo

El contrario en la lucha, en las ideas, en los intereses. | Quien odia a otro, tiene mala voluntad contra él y le hace o desea mal. | En Derecho Canónico y en teología, el diablo. | En Derecho Internacional y en la milicia, el adversario, contrario o rival en la guerra; ya se refiera a los individuos del ejército que lucha contre el propio, o sea los *combatientes,* o a los pueblos o bandos opuestos, o sea los *beligerantes.* | En el antiguo Derecho Penal, el homicida del padre, de la madre o de alguno de los parientes hasta el cuarto grado o quien les había acusado de un delito grave.

Enfermedad

Alteración más o menos grave de la salud, que provoca anormalidad fisiológica o psíquica, o de ambas clases a la vez, en un individuo. | En sentido figurado, pasión dañosa; y también, funcionamiento anormal de instituciones, establecimientos, etc. | **DEL TRABAJO.** La alteración de la salud que no es de carácter profesional ni productora de incapacidad de este género, aunque en el trabajo encuentre su origen o causa eficiente. (V. ENFERMEDAD INCULPABLE y PROFESIONAL.) | **INCULPABLE.** Denomínase así, en el Derecho Laboral, aquella enfermedad que, sin derivarse de la prestación de los servicios, imposibilita o suspende la realización del trabajo. A diferencia de la *profesional,* la *inculpable* se produce con independencia de los riesgos laborales, los comunes a la salud de todos los individuos. | **PROFESIONAL.** Para el Derecho Laboral, la producida por el ejercicio habitual de una ocupación, con efectos más o menos perjudiciales para la salud del trabajador. Unsain las definía como "afecciones agudas o crónicas de que pueden ser víctimas los obreros como consecuencia del ejercicio habitual de una profesión, por la manipulación de los materiales empleados o por influencia de las condiciones y procedimientos especiales de la industria".

Enfeudación

Acto de dar en feudo un Estado, territorio, pueblo o predio. | Diploma, título o documento donde se inserta tal hecho.

Enfiteusis

Contrato y derecho real consistente en la cesión perpetua, o por largo tiempo, del dominio útil de un predio rústico o urbano, mediante el pago de un canon, censo, pensión o rédito anual que se abona al cedente, el cual conserva el dominio directo. Viene a constituir una especie de locación hereditaria, en la cual el enfiteuta y sus herederos conservan la cosa mientras paguen la pensión, canon o censo establecido.

Enfiteuta

El dueño del dominio útil en el censo enfitéutico; el que disfruta del predio y de sus frutos y paga un canon anual al propietario del dominio directo. (V. DOMINIO ÚTIL, ENFITEUSIS.)

Enfitéutico

Lo dado en enfiteusis o lo que a ella pertenece.

Engaño

Falta de verdad en lo que se dice o se hace, con ánimo de perjudicar a otro; y asimismo, con intención de defenderse de un mal o pena, aun cuando legalmente procedan. | Infidelidad conyugal. | Estafa. | Error, equivocación.

Enjuiciamiento
Conjunto de reglas prefijadas por la ley para la iniciación, trámite y terminación de toda clase de asuntos judiciales. Escriche dice que es el orden y método que debe seguirse, con arreglo a las leyes, en la formación e instrucción de una causa civil o criminal (o de cualquier otra jurisdicción que sea, agregamos), para que las partes puedan alegar y probar lo que les convenga y venir el juez en conocimiento del derecho que les asista, y declararlo por medio de su sentencia.

Enjuiciar
Examinar, discutir y resolver una cuestión. | Instituir una causa con las diligencias y pruebas necesarias para que se pueda fallar o resolver. | Entablar o deducir una acción. | Procesar. | Someter a juicio. | Juzgar, sentencia, fallar.

Enmendar
Corregir, eliminar los errores, suprimir los defectos. | Resarcir o reparar daños y perjuicios. | Lograr la mejora de la conducta. | Reformar ciertas Constituciones. | Rectificar un tribunal el fallo de otro inferior, ante súplica de una de las partes.

Enriquecimiento
Acción o efecto de enriquecerse, de hacer fortuna o de aumentarla considerablemente. | **SIN CAUSA.** Aumento de un patrimonio con empobrecimiento del ajeno y sin amparo en las normas legales ni en los convenios o actos privados.

Ensañamiento
Acción o efecto de ensañarse, de complacerse en aumentar el daño o el dolor. | Circunstancia agravante de la responsabilidad penal, que consiste en "aumentar deliberadamente el mal del delito causando otros males innecesarios para su ejecución".

Ente
El que es o existe. | Ser. | Entidad u organismo.

Entenado
Hijastro.

Entidad
Lo que integra la esencia o forma de una cosa. | Ser o ente. | Valor o trascendencia de las cosas. | Colectividad, institución, establecimiento, agrupación o empresa.

Entradas y salidas
Derecho que se adquiere por cualquier título legítimo, en especial por arrendamiento o compraventa, para entrar y salir de la casa o heredad que se disfruta pasando por la finca del vecino, lo cual integra parte de la renta o del precio.

Entrega
Acción de dar o poner en manos de otro, en su poder, a su disposición una persona o una cosa, para que cuide, disponga de ella o la conduzca a donde corresponda o quiera. | Recepción o recibimiento de algo. | Aprehensión o toma de una cosa. | Cada una de las partes de una publicación extensa que aparece en distintas veces. | Abandono a las pasiones. | Sometimiento. | Rendición, capitulación. | Aceptación por la mujer de relaciones sexuales irregulares. | Traspaso de atribuciones. | Traslación de la posesión. | Tradición o transferencia material del objeto de una relación jurídica. | Pago, especialmente el de una cuota o el parcial. | Antiguamente, restitución.

Entrerrenglonadura
Lo que se escribe entre dos renglones.

Envenenamiento
Empleo de un veneno. | Efecto de éste en un organismo. | Muerte producida ingiriendo o administrando veneno.

Epidemia
Enfermedad que aflige temporalmente a una población o territorio afectando a la vez a muchas personas.

Epígrafe
Indicación o resumen que precede a los capítulos o partes de un discurso o de un escrito. | Título, nombre o rótulo. | Inscripción conmemorativa.

Equidad
La fidelidad y paralelismo con que lo acompaña, llevaría a decir que la *equidad* es la sombra del Derecho, si cuanto de ella se ha pensado y escrito desde los albores jurídicos de la humanidad no la presentaran como su luz o complemento, ante la oscuridad o desamparo de la norma legal o frente a rigores y estragos de su aplicación estricta. Ya por su etimología, del latín *equitas,* igualdad, la *equidad* implica la idea de relación y armonía entre una cosa y aquello que le es propio, y se adapta a su naturaleza íntima.

Equilibrio de poderes
Dentro de la clásica división de los poderes en legislativo, ejecutivo y judicial, que correspon-

de a un Estado de Derecho, suele hablarse de ella con un sentido de independencia de cada uno de ellos con respecto a los otros. Pero la tendencia doctrinal moderna, sin dejar de respetar dicha independencia sustancial como forma de evitar la recíproca intervención en las facultades que a cada cual corresponden, ha entendido que el término no responde a una realidad doctrinal, porque parecería significar que entre unos y otros no había relación, cuando lo cierto es que entre todos existe evidente conexión; por lo cual estiman como más propio hablar de *equilibrio de poderes* que de su independencia.

Equitativo
Lo más conforme a la equidad que al rigor del Derecho; lo útil frente a lo estricto. | Moderado. | Ecuánime o justo.

Equivalente
Lo igual o equiparado a otra cosa en calor, estimación, potencia u otra cualidad.

Era
En cronología, la base o referencia, la fecha o el acontecimiento a partir de los cuales se inicia un cómputo de años. | Significa también una temporada de larga duración.

Erario
Fisco o tesoro nacional. | Lugar donde se guarda el tesoro público. | Hacienda pública. | Antiguamente se dijo por contribuyente pechero.

"Erga omnes"
Loc. lat. Contra todos. Expresa que la ley, el derecho, o la resolución abarcan a todos, hayan sido partes o no; y ya se encuentren mencionados u omitidos en la relación que se haga.

Ergástulo o **ergástula**
Lugar subterráneo que en la antigua Roma estaba destinado para cárcel de los esclavos o para encierro de los prisioneros, rodeados de severas precauciones para impedir la evasión.

Error
Equivocación, yerro, desacierto. | Concepto equivocado. | Juicio inexacto o falso. | Oposición, disconformidad o discordancia entre nuestras ideas y la naturaleza de las cosas. | Lo contrario de la verdad. | Falsedad. | Acción inconveniente, perjudicial o desacertada. | Cosa imperfecta o contraria a lo normal, prescrito o convenido. | Más particularmente, en Derecho se entiende por *error* el vicio del consentimiento originado por un falso juicio de buena fe, que en principio anula el acto jurídico cuando versa sobre el objeto o la esencia del mismo. | **COMÚN.** Aquella inexactitud, equivocación o falsedad, ya sobre un hecho o sobre u derecho, aceptada como verdad por toda o la mayor parte de la gente. | **DE DERECHO.** La ignorancia de la ley o de la costumbre obligatoria. Y tanto lo constituye el desconocimiento de la existencia de la norma, es decir, de la letra exacta de la ley, como de los efectos que de un principio legal o consuetudinario vigente se deducen. | **DE HECHO.** El que versa sobre una situación real; el proveniente de un conocimiento imperfecto sobre las personas o las cosas; y acerca de si se ha producido, o no, un acontecimiento. | **ESENCIAL.** El relativo a algún elemento fundamental de la relación jurídica, y causa por ello de nulidad. | **JUDICIAL.** En sentido amplio, toda desviación de la realidad o de la ley aplicable en que un juez o tribunal incurre al fallar en una causa.

Escala
Cada uno de los puertos o aeropuertos que en su itinerario debe tocar la nave o aeronave. Tanto en la póliza del seguro marítimo como en el contrato de fletamento deben figurar las escalas previstas, de las cuales no es posible apartarse, salvo caso fortuito o fuerza mayor. | En lo administrativo de diversos países, *escalafón* (v.).

Escala de las penas
Gradación determinada por el máximo y el mínimo que la ley fija como sanción para cada delito, cuando éste es divisible en razón de tiempo o cantidad. Dentro de esta *escala*, el juez fijará discrecionalmente, en cada caso, la que corresponde aplicar, teniendo en cuenta las condiciones del hecho y del delincuente.

Escala gremial
La jerarquía profesional característica de los gremios medievales, en que la práctica de los oficios empezaba por la condición de *aprendiz*; después de lo cual se ascendía a *oficial* o *compañero*; para concluir de *maestro,* luego de larga experiencia, saber acreditado y ciertos exámenes, además de abonar algunos derechos y contar con influencias en la oligarquía de los *maestros* de artes y oficios.

Escalamiento
Entrada subrepticia o violenta en un lugar, utilizando vía que no es la destinada al efecto; por

ejemplo, existe *escalamiento* al penetrar en cosa ajena por la ventana, saltando tapia, pasando por los tejados o azoteas colindantes o utilizando procedimiento similar.

Escándalo

Dicho o hecho que origina un mal pensamiento o una mala acción, en sentido moral. | También, desvergüenza, desenfreno, obscenidad, inmoralidad, en público. | Mal ejemplo. | Referido al orden público, comprende, desde los ruidos molestos que turban el sosiego ciudadano hasta los alborotos, tumultos y revueltas que trastornan la paz pública. | **PÚBLICO.** Manifestación verbal o acto que ofende la moral o las buenas costumbres de una sociedad, por la repulsa que suscita o por el mal ejemplo que provoca, a causa de la circunstancia de publicidad, ya sea casual o buscada de propósito.

Escisión

Modificación en la estructura de una sociedad comercial o civil que se produce cuando destina parte de su patrimonio a una sociedad existente, o participa con ella, separando parte de su patrimonio, en la creación de una nueva sociedad, o cuando destina parte de su patrimonio para crear una nueva sociedad. Puede o no resultar en la disolución de la sociedad que así se escinde.

Esclavitud

El estado del esclavo; la condición jurídica de la persona considerada como cosa o semoviente, y sometida a la propiedad plena de su amo. En esta institución antiquísima, en total decadencia hoy día, aunque no extinguida, cual suele creerse, se considera a ciertos hombres bajo el dominio de otros, sin reconocerle finalidad propia, por integrar tan sólo medios para el cumplimiento de los fines de aquellos a los cuales están sujetos.

Esclavo

El ser humano que pertenece en propiedad a otro, con pérdida absoluta de su libertad y de casi todos los derechos. | Por extensión, el siervo y el que trabaja a perpetuidad para otro, a quien sirve sin derecho a abandonarle. | Presa de una pasión o vicio. | Sujeto inflexiblemente sometido, sojuzgado. | Persona o pueblo que carece de libertades públicas; el preso aun sin cárcel, el tiranizado. | **DE LA PENA.** Antiguamente, el condenado a trabajos forzados en las minas o los combates en el circo romano.

Escribanía

Secretaría de un juzgado o tribunal. | Notaría. | Oficio de un escribano público. | Oficina de éste, donde ejerce sus principales funciones y tiene los expedientes en trámite o los protocolos y demás documentación peculiar de su cargo.

Escribano

Las diversas acepciones de esta voz se emparentan, de modo más o menos inmediatos, con su etimología, relacionada con la escritura, con aquel que escribe. Así, en significados ya arcaicos, *escribano* se ha dicho por escribiente o amanuense; y también, por maestro de escuela, por cuanto enseña a escribir. | Más específicamente, su oficio tradicional se concreta en la definición que Escriche insertaba a mediados del siglo XIX: “El oficial o secretario público que, con título legítimo, está destinado a redactar y autorizar con su firma los autos y diligencias de los procedimientos judiciales, como asimismo las escrituras de los actos y contratos que se pasan entre las partes”; es decir, el funcionario que gozaba de fe pública. | **PÚBLICO.** Denominación que en la Argentina recibe, como supervivencia del Derecho tradicional, el notario o registrador, el depositario de la fe pública extrajudicial en los actos y contratos de las partes, celebrados o registrados de acuerdo con los preceptos legales.

Escrito

Todo documento o papel manuscrito o mecanografiado; y también cualquier otro en que estén representadas ideas o palabras por medio que sea legible o comprendido por persona distinta del autor, como ciertos *escritos* para ciegos y sordomudos. | Libro u otro impreso. | Pedimento o alegato que, por medio de la escritura, se presenta en un pleito o causa. | **DE DEMANDA.** El que inicia el juicio ordinario en el procedimiento civil.

Escritura

Acción o efecto de escribir. | El propio arte de escribir. | Papel, carta o documento manuscrito; escrito en general. | Obra escrita. | Por antonomasia, *Escritura, Escrituras* o *Sagrada Escritura* se dice por la *Biblia.* | En la acepción más característicamente jurídica, *escritura* es el documento o instrumento en que se hace constar una obligación, un convenio o alguna declaración, mediante la firma de los que en el acto intervienen. Denomínase *escritura priva-*

da si en ella no interviene notario o persona que dé fe; y *pública,* si se otorga en presencia de éste y de los correspondientes testigos. Así puede decirse que la *escritura* es, en general, todo escrito o documento que se hace para que conste algún acto jurídico. | **GUARENTIGIA.** Se denominaba así a la escritura pública que contenía cláusula por la cual los contratantes autorizaban y facultaban a los jueces para que, en fuerza de ella, hicieran ejecución con el que no cumpliere con la obligación contraída, como si así se hubiese juzgado. | **MATRIZ.** "La original que el notario ha de redactar sobre el contrato o acto sometido a su autorización, firmada por los otorgantes, por los testigos instrumentales o de conocimiento en su caso, y firmada y signada por el mismo notario" (art. 17 de la ley esp. del Notariado, de 1862). | **PRIVADA.** El documento manuscrito o mecanografiado que, suscrito por las partes, hace constar un acto o contrato, carente en principio de eficacia frente a tercero. | **PÚBLICA.** El documento autorizado por notario u otro funcionario con atribuciones legales para dar fe de un acto o contrato jurídico.

Escrituración

Acción o efecto de escriturar; de dar fe pública de un acto o contrato jurídico que se extiende en escritura otorgada en la forma legal, por personas con capacidad bastante, o suplida, y ante funcionario competente.

Escriturar

Hacer constar en escritura pública, y con arreglo a la forma legal y reglamentaria, un otorgamiento o un hecho, para seguridad y afianzamiento del acto o contrato a que se refiera.

Escrutinio

Investigación diligente y examen cuidadoso acerca de una cosa o sobre unos hechos, para precisar de qué se trata y formar cabal juicio. | En elecciones, recuento, lectura y cálculo de los votos que a cada candidato han correspondido.

Escuela

En general, establecimiento público de enseñanza. | Estrictamente, el destinado a la instrucción primaria. | Enseñanza que se da o conocimientos que se reciben. | Conjunto de profesores o alumnos de un establecimiento escolar. | Sistema, método, manera de un maestro, profesor o catedrático. | Doctrina, principios sistemáticos o peculiares seguidos por un autor o por un conjunto de especialistas en una ciencia, estudio o asignatura. | Conjunto de discípulos, partidarios, secuaces o imitadores de una tendencia o de una persona. | Experiencia, ejemplo; enseñanza, escarmiento. | **CLÁSICA.** Agrupa a los pensadores y tratadistas del Derecho Penal que, fundándose en el libre albedrío humano y en la eficacia de la pena como ejemplaridad general e individual escarmiento, asientan las bases de la ciencia jurídica criminal sobre principios de estricto dogmatismo jurídico, liberalidad en el proceso y trato humanitario de los procesados, con eliminación de torturas y otros sistemas crueles de inquisición o castigo. | **DE BOLONIA.** Serie de jurisconsultos, inaugurada por Irnerio a fines del siglo XII, y que en esa centuria y en la siguiente contribuyó poderosamente a difundir la enseñanza del Derecho Romano desde el centro de estudios jurídicos que a partir de entonces es Bolonia. (V. GLOSADORES.) | **DEL DERECHO LIBRE.** Tendencia doctrinal, cuyo impulso básico procede de Alemania, que reclama para los jueces la función activa de crear el Derecho en cada caso concreto, como contraposición a la actividad tradicional de simple aplicador o intérprete del Derecho positivo. | **FILOSÓFICA.** Esta escuela considera como una única y verdadera fuente del Derecho a la ley, como producto natural de la razón. | **HISTÓRICA.** Es la *Escuela histórica* un sistema filosófico de principios que hacen relación con el Derecho, proclamándose tres fundamentos: *a*) la situación correlativa del Derecho con la formación de la nación, y también de la conciencia nacional; *b*) la espontaneidad con que brota en sus primeros orígenes el Derecho de la conciencia nacional; *c*) la continuidad que hay en la elaboración progresiva del Derecho. | **POSITIVA.** Dentro del Derecho Penal, con génesis en la misma Italia, y ya en la segunda mitad del siglo XIX, surge, como contrapuesta a la *Escuela clásica,* esta tendencia derivada del positivismo filosófico de Comte. Su pensamiento se dirige a desentrañar la génesis natural del delito, no sólo en la persona del delincuente, sino asimismo a través del conocimiento del ambiente en que éste se desenvuelve, con la finalidad de aplicar los remedios oportunos a las diversas causas que originan el delito.

Español

Natural de España o que goza de esta nacionalidad. | Concerniente, relativo a la nación española o característico de ella. | El idioma oficial de España y el de los veinte pueblos hispanoamericanos de su comunidad cultural, histórica y de civilización; es hablado también en las Filipinas, en el Norte de África y en el rincón oriental del Mediterráneo, donde se conserva, casi con pureza arcaica, entre los descendientes de los judíos que habitaron la Península.

Especificación

Modo de adquirir el dominio que se produce "cuando alguien, por su trabajo, hace un objeto nuevo con la materia de otro, con la intención de apropiárselo" (art. 2.567 del Cód. Civ. arg.).

Especulación

Ganancia o beneficio que se obtiene en la compraventa, en las operaciones bursátiles y en diversas transacciones lucrativas.

Espéculo

Antiguo cuerpo de Derecho castellano, denominado también *Espejo de todos los derechos,* compuesto al parecer por orden de Alfonso el Sabio.

Espera

Acción o efecto de esperar, tanto en el sentido de aguardar como en el de tener esperanza. | Término que el juez concede al deudor para ejecutar alguna cosa, pagar una cantidad, presentar una prueba, etc. | Plazo que el acreedor o los acreedores otorgan al deudor, después de vencido el crédito, para el pago de sus obligaciones. Implica el aplazamiento momentáneo de la ejecución y es incompatible con la mora, que sólo surgirá al vencer la *espera* y no cumplir el deudor.

Esperanza de vida

Tiempo probable de existencia que le queda a una persona a partir del momento en que efectúe el cómputo. Por lo tanto, esa expectativa de vida se va modificando de año en año. Constituye un cálculo actuarial y, por lo tanto, científico, muy importante en materia de seguros sobre la vida, y que también puede utilizarse judicialmente para determinar el perjuicio que la muerte violenta de una persona puede causar a sus herederos; pues, lógicamente, el perjuicio ha de estar en razón a la mayor o menor vida probable que hubiere quedado a la víctima y a la que quede a sus derechohabientes.

Espía

Se denomina así a la persona que por oficio o patriotismo se dedica a observar secretamente lo que ocurre en un lugar, tomando diversas informaciones, con el objeto de comunicarlas a aquel que se lo ha encargado.

Espionaje

Acción del espía. | Delito en que incurre quien, con la obtención y revelación de informes secretos, de carácter militar sobre todo, perjudica a un bando o país.

Espíritu de la ley

Sentido genuino de un precepto legal, en contraposición a la letra estricta de su texto. El *espíritu de la ley* es invocado o a él se recurre, mediante interpretaciones generosas o forzadas, para aplicaciones equitativas de la legislación o como recurso extremo para proteger a un reo o amparar a un litigante. (V. EQUIDAD, INTERPRETACIÓN DE LAS LEYES.)

Esponsales

La promesa de casarse que se hacen el varón y la hembra con recíproca aceptación. *Esponsales* deriva del verbo latino *spondeo,* que significa prometer.

Esposa

Mujer que ha concertado o contraído esponsales con un varón. | La casada, en relación con su marido.

Esposas

Manillas de hierro que, colocadas en las muñecas de presos o detenidos, los privan de valerse de las manos, ya sea para agredir a quienes los custodian, para suicidarse o para huir.

Esposo

Varón que ha contraído esponsales con una mujer. | Por extensión, marido o casado. Las denominaciones de *esposo* y de *esposa* se estiman afectadas, y más propias de la solemnidad de leyes y otros escritos.

Espurio

Hijo bastardo o ilegítimo. | El nacido de soltera o viuda y de padre desconocido, por haber tenido la madre comercio con muchos hombres. | Más generalmente aún, el hijo de una mujer, aun casada, cuyo padre es incierto.

Estabilidad
En sentido material, solidez, firmeza, seguridad. | En relación con el tiempo, permanencia, duración, subsistencia.

Establecimiento
Fundación, institución, creación, erección de un centro de enseñanza, de beneficencia u otro de diversa finalidad, ya cultural, filantrópica, recreativa, patriótica, etc. | Fábrica u otro lugar de producción organizada e importante. | En Derecho Mercantil, casa de comercio, tienda o lugar donde los comerciantes desenvuelven sus actividades características. | Cosa o casa fundada o establecida. | Colocación o suerte estable de una persona, ya sea por contraer matrimonio, por ir a vivir separadamente de su familia o por emprender algún negocio o el ejercicio de una profesión u oficio. | Ley, ordenanza, estatuto, disposición, mandato, orden. | Asentamiento; colonización. | Factoría, posesión colonial.

Estadía
Detención, estada, estancia. | En Derecho Marítimo, cada uno de los días que transcurren después del plazo concedido o convenido para la carga o descarga de un buque sin que el fletador presente los efectos que se han de cargar a bordo o sin que el consignatario retire los a él dirigidos. Las *estadías* tienen, por convenio, ley o costumbre, fijados cierto número de días, transcurridos los cuales se producen las *sobrestadías*. | Gasto que ello implica y su resarcimiento.

Estadística
Ordenación numérica, recuento o censo de población, riquezas, animales, vehículos, y de las demás manifestaciones de la vida de todo el planeta, de un Estado o de territorio menor, o de profesión, actividad o ramo especial.

Estado
Situación en que se encuentra una persona, cosa o asunto. | La realidad en un momento dado. | Cada una de las clases o jerarquías diferenciadas en una sociedad política. | Condición de la persona en relación con el matrimonio: soltera, casada o viuda. | Brazo principal de la constitución de un pueblo; y así se habla del *estado* civil, eclesiástico o militar. | Cuerpo político de una nación. | La nación misma. | La administración pública. | Pueblo que se rige con independencia. | Territorio, dominio o país que pertenece a un soberano. | La Hacienda Pública o fisco nacional. | La cosa pública. | Origen general del Derecho. | Sociedad jurídicamente organizada, capaz de imponer la autoridad de la ley en el interior y afirmar su personalidad y responsabilidad frente a las similares exteriores. | Conjunto de los poderes públicos; acepción en que se asimila con gobierno, del cual se diferencia en cuanto éste constituye la encarnación personal de aquél, su órgano ejecutivo. | La representación política de la colectividad nacional; para oponerlo a *nación*, en sentido estricto o conjunto de personas con comunes caracteres culturales, históricos y sociales regidos por las mismas leyes y un solo gobierno. | En los Estados organizados federalmente, cada uno de los territorios que se rigen por leyes propias y gobiernos privativos en su ámbito y esfera peculiares. | En contabilidad y estadística, resumen por partidas generales. | Exposición, informe acerca de un caso. | Antiguamente, acompañamiento, comitiva, corte, séquito. | **CIVIL.** La situación en que se encuentra el hombre, dentro de la sociedad, en relación con los diferentes derechos o facultades y obligaciones o deberes que le atañen. | **CORPORATIVO.** Ensayo del fascismo italiano, imitado en algunos otros países, cuyo régimen político tiene por base la organización de las profesiones y oficios en sindicatos. | **DE ALARMA.** Situación de grave alteración del orden público, que obliga a suspender las garantías constitucionales. A veces, la intranquilidad es ficticia, y constituye recurso de gobiernos autoritarios que abusan de su facultad de calificar tal perturbación. | **DE EMERGENCIA.** Calificación que en algunos países de América se da al *estado de alarma*, o *de sitio,* que se declara por motivos de orden público y que se traduce en la suspensión de las garantías constitucionales. | **DE FAMILIA.** La condición civil dentro de los vínculos parentales y conyugales. | **DE GUERRA.** Con propiedad, el que plantea la ruptura de hostilidades por un conflicto armado con otra nación; o, internamente, en el supuesto de una guerra civil. | **DE INDIVISIÓN.** S-ituación en que se encuentran cosas o derechos que pertenecen a varias personas sin división de partes o en cuotas proporcionales. | **DE INDIVISIÓN DE LA HERENCIA.** Puede entenderse de dos maneras, según se trate de la situación normal que se produce al fallecer el causante y mientras no se lleva a término la partición, o de la resultante de la cláusula testamentaria que obligue a permanecer en comunidad cierto

tiempo o en determinadas condiciones. | **DE NATURALEZA.** Suposición histórica del racionalismo de Hobbes, para el cual el *estado de naturaleza* era la guerra; del de Locke, quien lo imaginaba anárquico puro; y de Rousseau, fundado en una comunidad primitiva de bienes, sin egoísmos ni coacciones, que parece una interpretación romántica y descreída del Paraíso bíblico y de los tiempos patriarcales. | **DE NECESIDAD.** Situación excepcional para una o más personas en que, por necesidad extrema o grave peligro, se prescinde de la ley y se excusa el daño inferido o la lesión causada. | **DE PAZ.** Dice Escriche que el *estado de paz* no es otra cosa que la situación normal de quietud y sosiego público del reino; *estado de guerra* es la situación excepcional en que se halla el reino cuando se ve invadido por tropas extranjeras, o turbado por disensiones civiles de sus habitantes, armados unos contra otros; *estado de sitio* es la situación, también excepcional, de una plaza, fortaleza o población, a la cual ha puesto cerco el enemigo para combatirla y apoderarse de ella. | **DE PELIGROSIDAD SOCIAL SIN DELITO.** Frente al principio de que no puede castigarse sino la acción previamente condenada por la ley, los positivistas, con criterio de prudencia defensiva para la sociedad, advertían de la amenaza representada por los sujetos de mala vida o cuyos antecedentes permitían, casi con plena evidencia, predecir un eventual y cercano ataque a las personas o la sociedad, contra lo cual resultaría ingenuo esperar la agresión. La sociedad se halla en situación paralela a la de la persona individual que no ha de aguardar a que hagan fuego contra ella para iniciar su defensa, si ha descubierto la intención homicida de su enemigo. | **DE SITIO.** Como concepto de recurso gubernamental, esta expresión equivale íntegramente a la de *estado de guerra*; por cuanto las leyes de orden público de diversos países emplean una u otra de las distintas denominaciones para referirse a las máximas atribuciones con que el poder público se inviste para hacer frente a las conmociones internas que amenazan su estabilidad o la del régimen político que encarna. | **FEDERAL.** *Estado* compuesto por varios *Estados* que poseen gobierno peculiar, legislación privativa en diversas materias y una gran autonomía administrativa, pero con respeto de la unidad representativa internacional, confiada a un ejecutivo federal o nacional. | **HONESTO.** Denominación, hoy día poco usual, para referirse a las solteras de buena fama. | **LLANO.** El pueblo en general, el elemento civil o paisanaje. | **SOCIAL.** La situación en que un grupo de personas se encuentra con respecto a otras dentro del ordenamiento en clases de la sociedad. | Conjunto de condiciones laborales y económicas de un pueblo y de una época. | **TOTALITARIO.** Aquel cuyo gobierno, con poderes dictatoriales, basa su organización política en un solo partido, pedestal de un jefe supremo y en la hegemonía avasalladora de los intereses estatales, a veces simple disfraz de personales ambiciones.

Estados generales

Las antiguas Cortes medievales y de los primeros tiempos de la Edad Moderna.

Estafa

Delito en que se consigue un lucro valiéndose del engaño, la ignorancia o el abuso de confianza. | Toda defraudación hecha a otro en lo legítimamente suyo. | Apoderamiento de lo ajeno con aparente consentimiento del dueño, sorprendido en su buena fe o superado en su malicia. | Pedir con ánimo de no pagar; cobrar dos veces; negar el pago recibido, etc., entre otras formas concretas. | Falsa promesa; ofrecimiento incumplido.

Estafa procesal

Atribución a un tercero de una obligación inexistente, que engañosamente se invoca ante la Justicia (R. Goldstein). Quiere expresarse con esto, en términos complementarios, que uno de los litigantes trata de sorprender a los tribunales aduciendo hechos o pruebas falsos. Si encuadra en alguna figura delictiva típica, como la falsificación de documentos, la presentación de testigos falsos o el empleo del cohecho, la *estafa procesal* se convierte sin más aun frustrada, en la figura punible pertinente.

Estamento

Se denominaban así en España cada uno de los órdenes sociales o estados que concurrían a las Cortes: éstos, en la corona de Aragón, eran: el estado eclesiástico, el de la nobleza, el de los caballeros y el de las universidades, esto es, de las ciudades y villas.

Estanco

Limitación, embargo o prohibición de la producción, fabricación, curso y comercio libre de ciertos artículos o mercaderías. | Monopolio que ejerce el Estado, o que éste concede a particulares, para la venta de ciertas mercaderías; como el trabajo, los fósforos o cerillas, etcétera. | Pequeño comercio dedicado a la venta de productos estancados, en especial, tabaco y cerillas, y lotería.

Estar

Existir; hallarse, encontrarse en un lugar o situación.

Estar a Derecho. Comparecer personalmente, o por medio del procurador o representante, en un juicio o causa, y obligarse a pasar por lo que el juez o tribunal sentencie.

Estatuto

En sentido general, toda ley, reglamento u ordenanza. | Más concretamente, los pactos, convenciones, ordenanzas o estipulaciones establecidos por los fundadores o por los miembros o socios de una entidad, para el gobierno de una asociación, sociedad, corporación, sindicato, club, etc. | En algún caso, *estatuto* se ha dicho por Constitución política; como el *Estatuto* Real español de 1834. | En Derecho Civil, cualquier ordenamiento obligatorio; como contrato, testamento u otro. | En Derecho Constitucional español, ley especial o pequeña constitución que establece el régimen autonómico de una región o comunidad. | En Derecho Internacional Privado, el sistema de los *estatutos* está integrado por el régimen propuesto para resolver las cuestiones de competencia entre dos o más países y los conflictos originados por la disparidad de leyes nacionales en cuanto a las personas, las cosas y los actos jurídicos. | **FORMAL.** Régimen jurídico a que se someten las solemnidades externas de los actos, especialmente en caso de conflicto internacional de leyes. | **PERSONAL.** Régimen jurídico que establece y regula la nacionalidad, condición y capacidad de las personas ante la pluralidad de legislación internacional. | Ley personal o nacional. Ley del país de origen de la persona, cuando produce efecto extraterritorial. | **REAL.** Principios legales que determinan el régimen de los bienes, de la propiedad y de los derechos reales sobre éstos, tanto en su constitución, modificación y enajenación, como en su extinción. | Ley territorial. | Ley del país en que se encuentren los bienes.

Estelionato

En general, fraude en los contratos. | Despojo injusto de la propiedad ajena o cualquier engaño, sin otro nombre determinado, en convenciones y actos jurídicos.

Esterilización

Consiste en lograr, por medio de operaciones, la esterilidad de ciertos tipos de delincuentes, teniendo en cuenta el papel que la herencia desempeña en la transmisión de ciertas disposiciones para la criminalidad.

Estilo

Manera, modo o forma especial de hablar o escribir. | Carácter. | Costumbre, uso, práctica, modo. | Fórmula de proceder en Derecho; orden y método de actuar.

Estipulación

Convenio verbal. | Contrato en general. | Cláusula de cualquier acto o negocio jurídico; ya sea un tratado, testamento o contrato. | En el Derecho Romano, promesa hecha y aceptada verbalmente con las solemnidades y fórmulas previstas. | **A FAVOR DE TERCERO.** Cuando el que estipula no lo hace por sí y para sí, cabe distinguir dos situaciones: que represente al tercero, con poder o conocimiento de éste, o que convenga algo a favor de él sin noticia o sin autorización del beneficiario. En el primer caso, se trata simplemente de *estipulación por otro*; y en el segundo, de *estipulación a favor de tercero.*

Estirpe

Raíz y tronco de una familia o linaje. | En materia hereditaria, sucesión por representación; o conjunto que forma la descendencia de un sujeto cuando ocupa su lugar y sucede conjuntamente por él.

Estrados

Salas de los tribunales, donde jueces y magistrados celebran sus sesiones, oyen a los litigantes y sentencian. | Lugar de un juzgado, de audiencia o del Tribunal Supremo donde, para conocimiento general, se colocan edictos de citación, emplazamiento o notificación dirigidos a litigantes en rebeldía o a interesados que carecen de representación en las causas.

Estricto

Riguroso. | Estrecho, ajustado enteramente a la ley o reglamento, sin admitir interpretación fuera de la letra del precepto.

Estupefaciente

Sustancia narcótica que produce la pérdida de la sensibilidad y causa degeneración, como los derivados del opio y la cocaína. En Derecho Penal, el problema de los *estupefacientes* ofrece importancia por cuanto su uso, su distribución y aun su simple tenencia (salvo cuando ésta es legítima, como sucede en el caso de los laboratorios y de las farmacias) pueden configurar delito. El tema es también importante en criminología, ya que la aplicación de esas drogas origina la comisión de delitos. (V. NARCÓTICOS.)

Estupro

Conforme al Cód. Pen. arg. (art. 120), el acceso carnal con mujer honesta, mayor de doce años y menor de quince, siempre que no se use fuerza o intimidación o no se halle privada de razón o de sentido, o cuando no pudiera resistir, por cualquier causa. Dar una definición del *estupro* es difícil, ya que no hay acuerdo sobre este delito. Carrara lo define diciendo que es "el conocimiento carnal de una mujer libre y honesta, precedida de seducción verdadera o presunta, y no acompañada de violencia".

Ética

Parte de la filosofía que trata de la *moral* (v.).

Ética profesional

En un sentido general, la *ética*, en cuanto se aplica a actividades profesionales.

En un sentido más limitado, conjunto de normas elaboradas por los colegios profesionales o desarrolladas por el consenso de los miembros de una profesión, que rigen las relaciones de los miembros de una profesión entre sí, el ejercicio de dicha profesión y las relaciones con los clientes o receptores de los servicios correspondientes. En este sentido, las normas de la ética profesional pueden verse complementadas por normas jurídicas que sancionan su violación, en cuyo caso las normas profesionales integran también indirectamente el orden jurídico.

Etimología

"Origen de las palabras, razón de su existencia, de su significación y de su forma" (*Dic. Acad.*)

Eugenesia o **eugénica**

Ciencia que estudia los principios y los medios del perfeccionamiento de la especie humana, en la generación misma.

Eutanasia

Muerte sin dolor. | Canónicamente, muerte sin remordimiento o en estado de gracia; muerte sin dolores del alma.

Evasión

En dialéctica y en conducta general, evasiva o medio hábil para eludir una dificultad o contratiempo. | En materia penitenciaria y de policía, fuga, huida o escapatoria de encierro, cárcel o prisión.

Evasión fiscal

Acto o maniobra destinado a incumplir ilícitamente con las obligaciones impuestas por las leyes tributarias.

Evasiva

Actitud, recurso, medio para eludir una dificultad ante una pregunta, petición o requerimiento.

Evicción

Anulación de un negocio jurídico para que el verdadero titular de un derecho o cosa pueda ejercer aquél o disponer de ésta, por haber sido privado indebidamente de uno u otra. | Para el propietario o titular, la *evicción* significa una reivindicación o recuperación judicial de lo que otro poseía con justo título. | Para el poseedor actual, la *evicción* integra, por el contrario, el despojo que sufre de lo adquirido por justo título en virtud de otro superior, correspondiente a tercero.

Evidencia moral

Certidumbre plena de una cosa, convicción consciente; de modo tal que el sentir, juzgar o resolver en otra forma constituya temeridad o suscite escrúpulos.

Ex abrupto

Como sustantivo, salida de tono; acción vehemente, inesperada y poco oportuna. | Como locución, lo hecho de modo arrebatado y sin atenerse al orden debido.

"Ex aequo et bono"

Loc. lat. Según la equidad y el leal saber y entender. Así deben fallar los amigables componedores, y así está dispuesto también en ciertos tribunales juntas profesionales. | Se denominan asimismo *"ex aequo et bono"* las excepciones fundadas en la equidad; ya sean *in rem,* si al objeto se refieren, o *in personam,* si en circunstancias individuales se apoyan.

"Ex autoritate legis"

Loc. latina. Por autoridad de la ley; es decir, por ministerio de la ley, de oficio, inexcusablemente.

"Ex causa"
Loc. lat. Por la causa; en razón de ella. Así, las costas que una parte ha abonar, por haber promovido determinadas actuaciones.

"Ex jure"
Loc. lat. De derecho o ajustado a él; por justicia; legalmente. (V. DERECHO.)

"Ex jure alieno"
Loc. lat. Por derecho ajeno o de un tercero.

"Ex lege"
Loc. lat. Según ley; por disposición de ésta.

"Ex legibus"
Loc. lat. Con arreglo a las leyes; conforme a ellas.

"Ex nunc"
Loc. lat. Desde entonces. Con ello se expresa que en la ley, contrato o condición no existe retroactividad en sus efectos; que empiezan a regir desde el momento en que se inicie o perfeccione la disposición, la relación jurídica.

"Ex officio"
Loc. lat. De oficio; por deber del cargo; sin necesidad de instancia de parte; como casi todo el enjuiciamiento criminal.

"Ex post facto"
Loc. lat. Equivale a "con posterioridad al hecho"; y se emplea para referirse al acontecimiento o circunstancia que permite concluir acerca de algo sucedido.

"Ex proprio jure"
Loc. lat. Por derecho propio; y, por tanto, sin necesidad de concurso ni voluntad de otro.

Ex testamento
Loc. lat. y esp. Por testamento o disposición de última voluntad. (V. AB INTESTATO.)

"Ex vi"
Loc. lat. Por la fuerza; como efecto de lo que se indique.

"Ex vi legis"
Loc. lat. En virtud o por mandato de la ley.

Exacción
Recaudación imperiosa de impuestos o de multas. | Exigencia de prestaciones. | Requerimiento apremiante para el pago de deudas. | Contribución ilegal. | Cobro injusto y violento. | **ILEGAL.** Exigencia improcedente de contribuciones, derechos o dádivas, por un funcionario público que abusa de sus atribuciones.

Examen de testigos
Es la diligencia judicial que consiste en tomar declaración a las personas que saben y pueden deponer la verdad sobre lo que se quiere averiguar.

Excarcelar
Poner a un preso en libertad, provisional o definitiva, por mandato judicial, y con fianza o sin ella.

Excepción
En sentido general, exclusión de regla o generalidad. | Caso o cosa aparte, especial. | En Derecho Procesal, título o motivo que como medio de defensa, contradicción o repulsa, alega el demandado para excluir, dilatar o enervar la acción o demanda del actor; por ejemplo, el haber sido juzgado el caso, el estar pagada la deuda, el haber prescrito la acción, el no ser él la persona contra la cual pretende demandarse, etc. | **DE ARRAIGO.** La oponible por el demandado para que el actor, cuando esté domiciliado fuera de la jurisdicción del juez, preste caución bastante para hacer frente a las responsabilidades derivadas de la demanda. (V. ARRAIGO.) | **DE COSA JUZGADA.** La que el vencedor de un pleito, por sentencia pasada en autoridad de cosa juzgada, puede oponer al adversario que pretenda renovar el juicio. | **DE DEFECTO LEGAL.** La dilatoria fundada en no reunir la demanda los requisitos de forma impuestos por la ley, o por pretender algo contrario al orden público, como solicitar el divorcio vincular en una nación que no lo admite. (V. DEMANDA, EXCEPCIÓN DILATORIA.) | **DE FALTA DE PERSONALIDAD.** Presenta tres especies esta *excepción* dilatoria, por poderse referir el defecto para comparecer en juicio al demandante, al demandado y a sus procuradores. En Sudamérica se dice también *excepción de falta de personería.* (V. COMPARECENCIA EN JUICIO, EXCEPCIÓN DILATORIA, PERSONALIDAD.) | **DE INCOMPETENCIA DE JURISDICCIÓN.** La que, fundándose en la cuantía o la materia de la causa, estima que ésta debe ser tramitada y resuelta ante distinto juez o tribunal. (V. COMPETENCIA, EXCEPCIÓN DILATORIA.) | **DE LITISPENDENCIA.** La que el demandado opone a la acción del actor, si alega que el mismo asunto se está ventilando en otro juzgado o tribunal, competente para conocer del caso. (V. EXCEPCIÓN DILATORIA, LITISPENDENCIA.) | **DE PRESCRIPCIÓN.** La que invoca haber transcu-

rrido el tiempo legal hábil para reclamar un derecho o ejercer una acción. | **DECLINATORIA.** La que cabe oponer, tanto en el procedimiento civil como en el criminal, cuando el demandado declina la jurisdicción del juez y pide se abstenga de conocer la causa; bien por no ser competente para entender en ésta o por encontrarse pendiente su tramitación en otro juzgado. (V. DECLINATORIA, LITISPENDENCIA.) | **DILATORIA.** La que dilata o difiere el curso o ingreso de la acción en el juicio; pero sin extinguirla ni excluirla del todo, por lo cual se denomina también *excepción temporal.* Su característica procesal consiste en tratarse y resolverse como artículo de previo pronunciamiento y con suspensión, mientras tanto, del juicio principal. | **"NON ADIMPLETI CONTRACTUS".** Los romanistas y civilistas denominan así la *excepción* que el demandado invoca cuando el actor le exige el cumplimiento del contrato, sin haber cumplido por su parte la obligación que a él le imponía el pacto. | **PERENTORIA.** Del verbo latino *perimere,* destruir, extinguir; por *excepción perentoria* se entiende la defensa procesal que extingue o excluye la acción del actor para siempre y acaba el pleito, aun sin examinar si está bien o mal fundada la acción.

Excepcionar

Exceptuar, excluir. | Alegar u oponer excepciones ante una acción o reconvención. (V. EXCEPCIÓN.)

Exclusiva

Causa de exclusión, repulsa para rechazar a quien aspira a un empleo, puesto o cargo. | Privilegio de que gozan personas individuales o colectivas para hacer lo prohibido a la generalidad o para excusarse de lo exigido a los demás. | Facultad reservada a un representante, comisionista o razón social, para vender un producto en una ciudad, territorio o nación. | Monopolio.

Excomunión

Severísima sanción eclesiástica, de índole espiritual, que excluye a una persona del seno de la Iglesia, prohibiéndole la participación en los sacramentos, particularmente el de la eucaristía o comunión (de aquí la voz), y a veces incluso el trato con los demás fieles.

Excusa

Razón o causa para eximirse de un cargo o cargos públicos. | Motivo fundado o simple pretexto para disculparse de una acusación. | Descargo. | Excepción. | **ABSOLUTORIA.** Eximente o causa de impunidad establecida por la ley por motivos de utilidad pública o interés social.

Excusación

Excusa. | En la legislación argentina, autorrecusación o abstención espontánea de los jueces cuando en ellos concurra alguna de las circunstancias legales que hacen dudosa la imparcialidad consustancial con la administración de la justicia, en cuanto a las personas se refiere.

"Excusatio non petita, accusatio manifesta"

Aforismo jurídico, que significa que la excusa de quien no es acusado, significa la propia acusación de sí mismo.

Excusión

Beneficio o derecho con que los fiadores cuentan para no hacer pago al acreedor mientras el deudor principal tenga bienes suficientes para ello.

Exégesis

Interpretación o explicación de la Biblia; y, por extensión, solemne a veces y rebuscada en otras, interpretación del Derecho o de la ley.

Exención

Situación de privilegio o inmunidad de que goza una persona o entidad para no ser comprendida en una carga u obligación, o para regirse por leyes especiales. | Liberación, libertad, franqueza. | Exceptuación, excusa.

Exequátur

Del latín *exsequatur,* que ejecute o cumplimente. En Derecho Internacional Público, documento por el cual un cónsul es reconocido como tal en el Estado donde ha de desempeñar sus funciones. | En Derecho Canónico, pase o autorización que el gobierno concede para que las bulas y rescriptos pontificios sean observados como legislación nacional. | En ciertos países, como Francia, fórmula judicial para hacer posible la ejecución de fallos y resoluciones dictados en país extranjero. | Asimismo, autorización o fuerza ejecutiva que los presidentes de los tribunales civiles y de comercio conceden a las sentencias arbitrales.

Exhibición

Manifestación, muestra. | Presentación de documentos u otras pruebas.

Exhibiciones deshonestas
Delito que se configura por el hecho de ejecutar, o hacer que otro ejecute, actos obscenos en sitios públicos o abiertos al público, así como también ejecutarlos en lugar privado, pero con el propósito de que sean vistos *involuntariamente* por terceros. El bien jurídico protegido es el ultraje público al pudor. Quedan fuera de la norma penal los actos obscenos realizados en sitio privado. El propósito lúbrico es esencial a este delito, por lo cual no lo cometerá la modelo o la artista que se muestra desnuda, cuando no lo hace con una finalidad sexual. En cambio incurrirían en él los actores que, aun sin desnudez, simulasen el acto sexual.

Exhibicionismo
Propensión o tendencia a exhibirse. Los psiquiatras refieren esta palabra principalmente al prurito de exhibiciones deshonestas.

Exhibitoria
En Derecho Procesal se denomina así la acción *ad exhibendum*; o sea, la perteneciente a la persona interesada en alguna cosa y a la cual permite la ley que, por medio de juez competente, requiera al poseedor para que la exhiba y ponga de manifiesto, con el fin de formalizar con más claridad la demanda o cerciorarse de las pruebas existentes.

Exhorto
Despacho que libra un juez o tribunal a otro de su misma categoría, para que mande dar cumplimiento a lo que se pide, practicando las diligencias en el mismo interesado. Se denomina *exhorto* por cuanto se exhorta, ruega o pide. Sinónimo de esta voz son las de *carta rogatoria* o *comisión rogatoria.*

Exhumación
Acto de desenterrar o sacar de la sepultura restos humanos.

Eximente
Circunstancia que exime o libera de responsabilidad penal. (V. CIRCUNSTANCIAS EXIMENTES.)

Exoneración
Liberación o descargo de peso, obligación o culpa. | Disminución, alivio o atenuación de uno u otras. | Destitución, separación o privación de empleo. (V. DESPIDO, DESTITUCIÓN.)

Expatriación
Emigración o abandono del territorio nacional, de manera voluntaria o forzosa; en este último supuesto puede obedecer a evitar graves peligros o amenazas, como un proceso o una condena.

Expectativa
Esperanza de conseguir algo si la ocasión se presenta o si se concretan los factores e indicios que favorecen tal deseo y previsión. | Dentro del campo jurídico, la definición académica, y no simple "acepción vulgar", entiende por *expectativa*: "Posibilidad, más o menos cercana y probable, de conseguir un derecho, acción, herencia, empleo u otra cosa, al ocurrir un suceso que se prevé o al hacerse efectiva determinada eventualidad".

Expediente
Negocio o asunto que se ventila ante los tribunales, a instancia de parte interesada, o de oficio, pero sin existir juicio contradictorio. En tal sentido, pueden calificarse de *expedientes* todos los actos de la jurisdicción voluntaria. | Actuación administrativa, sin carácter contencioso. | Conjunto de papeles, documentos y otras pruebas o antecedentes, que pertenecen a un asunto o negocio, relacionado con oficinas públicas o privadas. | Despacho, trámite, curso de causas y negocios. | Arbitrio, recurso, medio o partido para resolver una duda, obviar un inconveniente o eludir una dificultad. | Habilidad o prontitud para resolver o ejecutar.

Expensas
Gastos, costas o dinero empleado en una cosa. Cuando las *expensas* se presume que van a causarse en la iniciación o trámite de un litigio, se denominan *litisexpensas* (v.).

Exportación
Envío de mercaderías o productos del país propio a otro, o del que se menciona a uno distinto.

Exportar
Remitir o enviar productos agrícolas, mercantiles, industriales, y objetos científicos o artísticos a otro país, con finalidad lucrativa o para intercambio. (V. IMPORTAR.)

Exposición
Muestra o enseñanza de una cosa. | Manifestación, revelación. | Explicación, aclaración o interpretación. | Riesgo o peligro. | Petición o queja que por escrito se presenta a una autoridad. | **DE MOTIVOS.** Parte preliminar de una ley, reglamento o decreto, donde se razonan en

forma doctrinal y técnica (y a veces con propósito apasionado y meramente político), los fundamentos del texto legal que se promulga y la necesidad de la innovación o de la reforma. | **DE NIÑOS.** Abandono que se hace en lugar público o privado de una criatura incapaz de proveer por sí misma a su subsistencia.

Expósito

Recién nacido que es abandonado en un lugar público, por lo cual se desconocen sus padres y el nombre de aquél.

Expresión de agravios

Escrito presentado para alegar el mal, el daño o perjuicio ocasionados por la sentencia de un juez. Este escrito equivale al actual de *apelación* (v.). Se conserva en la jurisdicción del trabajo de la República Argentina.

Expromisión

Sustitución espontánea, o por instigación de tercero, del deudor de una obligación, aun sin voluntad de éste.

Expropiación

Desposeimiento o privación de la propiedad, por causa de utilidad pública o interés preferente, y a cambio de una indemnización previa. | La cosa expropiada. | **FORZOSA.** Apoderamiento por un organismo estatal u otra corporación o entidad pública llevada a cabo por motivos de utilidad general y abonando justa y previa indemnización.

Extinción

Cese, cesación, término, conclusión, desaparición de una persona, cosa, situación o relación y, a veces, de sus efectos y consecuencias también. | **DE ACCIONES.** Toda causa que las anula o las torna ineficaces, por carecer el acto de derecho para entablarlas. | **DE DERECHOS.** Hecho de que cesen o acaben, ya por haberlos satisfecho, por haberlos abandonado o renunciado o por no ser ya legalmente exigibles.

Extorsión

Usurpación o despojo, por la fuerza, de una cosa perteneciente a otro. | Todo daño o perjuicio. | En el Cód. Pen. arg., chantaje.

Extracontractual

Ajeno a *contrato* (v.), pero con cierto nexo obligacional también.

Extradición

Entrega que un país hace a otro, cuando éste así lo reclama, del acusado de ciertos delitos, para ser juzgado donde se suponen cometidos.

Extrajudicial

Lo que se realiza o trata con carácter jurídico fuera de la vía judicial.

Extranjería

Situación jurídica, calidad y condición legal del extranjero residente en país extraño al suyo. | Conjunto de disposiciones que rigen la persona, actos y bienes de quien no está en su país y no se ha nacionalizado en el de residencia. (V. EXTRANJERO.)

Extranjero

El que por nacimiento, familia, naturalización, etc., no pertenece a nuestro país o aquel en el cual nos encontramos. | En Derecho Político e Internacional Público, nación o Estado que no es el propio.

Extrañamiento

Pena consistente en la expulsión del territorio nacional de quien ha sido condenado por los tribunales de justicia, y mientras dure la condena.

Extraterritorialidad

Ficción jurídica que considera ciertas personas y cosas (como los representantes diplomáticos y consulares, los edificios que ocupan y los barcos de guerra) como pertenecientes al territorio de la nación que representan, y sometidos a sus leyes.

Extremos de la acción

Los hechos que deben probarse para demostrar que de ellos surge un derecho (Lessona).

F

F
Sexta letra en el alfabeto español, y cuarta de las consonantes. | En la curia y en la teneduría de libros, la *F* abrevia *folio.*

Facción
Grupo o parcialidad de rebeldes o amotinados. | Guerrilla. | Bando o banda que se entrega a hechos violentos y crueles. | Acción de guerra. | Acto o servicio del ejército; como guardia, ronda, patrulla, etc. | **DE TESTAMENTO.** Capacidad o aptitud legal para hacer testamento, en cuyo caso se denomina *facción activa,* o para poder ser instituido heredero o legatario, *facción pasiva.* (V. TESTAMENTO.)

"Facio ut des"
Loc. lat. que significa hago para que des. Constituye denominación genérica de los contratos innominados en los cuales una de las partes realiza una prestación o ejecuta algún hecho para obtener una cosa de la otra. (V. CONTRATO INNOMINADO.)

"Facio ut facias"
Literalmente, del latín, hago para que hagas. Una de las cuatro fórmulas para designar, en el Derecho Romano y en las legislaciones inspiradas en él, los contratos innominados; o sea, los no regulados por el legislador concretamente. En esa especie, una de las partes ejecuta algo con vistas a la prestación de la otra, consistente también en un hecho, y no en una entrega a dación. (V. CONTRATO INNOMINADO, "DO UT DES".)

Factor
En términos generales, quien hace alguna cosa, el autor. | En los ejércitos, auxiliar de los comisarios de guerra en la distribución de los víveres a las tropas. | Durante el período hispánico de América, recaudador de rentas reales. | Se ha dicho también por capataz. | En las estaciones de ferrocarriles, el encargado de recibir, expedir o facturar y entregar los equipajes y mercancías de toda clase. | Su principal acepción jurídica es la mercantil; ya que después del principal o propietario del establecimiento o empresa de comercio, suele encontrarse, por la amplitud de sus atribuciones, el *factor*, apoderado que, con mandato o representación mayor o menor, comercia en nombre y por cuenta del poderdante o coopera en el tráfico y negocios de él.

"Factum"
En latín, hecho. *"Factum"* o alegaciones de *facto* son las relativas al hecho o hechos objeto del pleito, a diferencia del *jus* o alegaciones de Derecho.

Factura
En significado amplio, hecho, hechura, acción, ejecución. | En Derecho Mercantil, relación de mercaderías que constituyen el objeto de una remesa, venta u otra operación comercial. | Cuenta detallada, según número, peso, medida, clase o calidad y precio, de los artículos o productos de una operación mercantil. | Cuenta o importe de las mercaderías compradas y remitidas a los clientes o corresponsales.

Factura conformada
Efecto de comercio negociable, análogo al que en Brasil se denomina *duplicata,* que rige en casos de compraventa de mercaderías, locación

de servicios o locación de obras, si se conviene un plazo para el pago del precio.

Factura de crédito

Título de crédito (v.) creado en la Argentina por la Ley 24.760. Conforme a ésta, en todos los contratos en que alguna de las partes esté obligada a emitir factura, deberá emitirse un título valor denominado *factura de crédito*, en tanto se den las siguientes condiciones: que se trate de un contrato de compraventa de cosas muebles, o de locación de cosas muebles o de servicios o de obras; que ambas partes estén domiciliadas en la Argentina o que convenios o tratados suplan tal requisito, siempre que no sean entes estatales no societarios; que se convenga un plazo para el pago del precio y no exista otra forma de documentación del correspondiente crédito de las previstas por la citada ley; que los bienes se adquieran para su aplicación al proceso productivo o para su comercialización. La factura de crédito debe reunir los siguientes requisitos: la denominación "factura de crédito", impresa e inserta en el texto del título; lugar y fecha de emisión; fecha de vencimiento de la obligación de pago expresada como día fijo; lugar de pago; identificación de las partes y de sus domicilios; importe a pagar; anticipos efectuados; aviso de que la firma del comprador o locatario tendrá el efecto de aceptación de su exactitud y el reconocimiento de la obligación de pago; firma del vendedor o locador, y del comprador o locatario.

El comprador o locatario está obligado a aceptar la factura salvo daños, vicios, defectos o diferencias en las mercaderías; divergencias en los plazos o precios acordados; no corresponder la factura a los servicios u obras efectivamente contratados; o vicios formales en la factura de crédito.

En caso de falta de pago de la factura de crédito aceptada, se originan efectos similares a los reconocidos a favor de los tenedores de otros títulos de crédito, y en particular, acciones cambiarias. La no aceptación de la factura de crédito, en los casos en que la ley exige tal aceptación, habilita las acciones civiles y penales que corresponden a favor del vendedor o locador.

Facultad

Potencia, virtud, capacidad o aptitud física o moral. | En significado trascendente, la *facultad* es el principio próximo o inmediato de nuestra operación; o sea el poder que el alma tiene de obrar con conciencia y libre determinación de sus actos. | Además, ciencia o arte. | Conjunto de conocimientos que, relacionados entre sí, conceden aptitud para el ejercicio de alguna de las profesiones llamadas universitarias. Y en ese aspecto se llamó *facultad mayor,* en las antiguas universidades, a la teología, a la jurisprudencia y a la medicina. | También, cuerpo de doctores de una universidad. | Establecimiento donde se cursa una carrera universitaria.

En significado más puramente jurídico: derecho subjetivo, poder, potestad. | Atribuciones. | Opción. | Licencia o permiso. | En las antiguas fundaciones de mayorazgos, cédula real que autorizaba la enajenación de los bienes vinculados o la imposición de gravámenes sobre ellos y sobre los bienes propios de los pueblos. En este sentido, se llamaba también *facultad real.* | *Facultad* o *facultades* se ha dicho por hacienda, caudal o bienes. (V. DERECHO, UNIVERSIDAD.)

Facultades extraordinarias

Esta expresión ofrece en la Argentina la significación negativa de estar prohibido al Congreso Nacional y a las Legislaturas provinciales conceder a sus respectivos Poderes Ejecutivos esas *facultades extraordinarias* y la suma del poder público, así como tampoco sumisiones o supremacías por las que la vida, el honor o las fortunas de los argentinos queden a merced de gobiernos o persona alguna. Llevan tales actos una nulidad insanable, que sujeta a los que los formulen, consientan o firmen, a la responsabilidad y penas de los infames traidores a la patria. (V. TRAICIÓN.)

Falacia

Tanto es engaño, fraude o mentira para perjudicar a otro como el hábito de emplear falsedades para mal ajeno.

Falencia

Del latín *fallens, fallentis,* engañador; sinónimo de engaño o error padecido al asegurar una cosa. | Por extensión, falsedad o mentira manifiesta. | En Argentina y Chile, *falencia* se emplea como sinónimo de insolvencia; y, más particularmente aún, de quiebra mercantil.

Falsa denuncia

Delito consistente, como su mismo nombre indica, en denunciar falsamente un delito ante la autoridad.

Por lo general, este delito presenta dos modalidades: *a*) denunciar o acusar ante la autoridad como autor o partícipe de un delito de acción público a una persona que se sabe inocente o simular contra ella la existencia de pruebas materiales; *b*) afirmar falsamente, ante la autoridad, que se ha cometido un delito de acción pública o simular los rastros de éste, con el fin de inducir a la instrucción de un proceso para investigar.

La segunda figura no ofrece ninguna duda, porque supone en el agente la denuncia de un hecho delictivo que sabe inexistente.

En cuanto a la primera figura parece indudable que la *denuncia* o acusación contra una persona no constituye delito sino en el caso de que el denunciante o acusador sepa que el acusado es inocente. De otro modo, toda *denuncia* contra una persona resultaría *falsa* en todos los casos de absolución de ella. No habrá, pues, *falsa denuncia* si los hechos de la acusación son ciertos, aun cuando, siendo los hechos ciertos, no resultare probada la culpabilidad del denunciado. En definitiva, lo que configura este delito es la malicia en la acusación.

Falsario

Quien falsea o falsifica. | El que acostumbra a mentir o decir falsedades. Son sinónimas de esta palabra: mentiroso, embustero, falaz; defraudador, engañador; falsificador; corruptor, adulterador; perjuro, falso testigo, etcétera.

Falsedad

Falta de verdad, legalidad o autenticidad. | Traición, deslealtad, doblez. | Engaño o fraude. | Falacia, mentira, impostura. | Toda la disconformidad entre las palabras y las ideas o las cosas. | Cualquier mutación, ocultación o desfiguración de la verdad y de la realidad que produce la nulidad de los actos jurídicos según las leyes civiles o sancionada como delito en los códigos penales.

Falsedad ideológica

Inserción en un instrumento público de declaraciones deliberadamente inexactas, concernientes a un hecho que el documento deba probar, de modo que pueda resultar perjuicio. De ella dice Pena que comprendería la mentira escrita, en ciertas condiciones que se enumeran en varios supuestos punibles, ya que nuestro Derecho Penal no castiga una simple mentira, y añade que, a diferencia de la *falsificación*, en que lo cuestionado es la autenticidad, en la *falsedad ideológica* siempre la realización externa es real y el documento está confeccionado por quien y en la forma en que es debido, de modo que resulta la contradicción punible como consecuencia de que esa correcta exteriorización genera una desfiguración de la verdad objetiva que se desprende del texto.

Falsedad material

Inmutación de la verdad, que recae materialmente sobre la escritura, y que es por ello susceptible de comprobación mediante la pericia correspondiente (Bramont Arias). Constituye un delito configurado por el hecho de hacer total o parcialmente un documento falso, o en adulterar uno verdadero, de modo que pueda resultar perjuicio.

Falsificación

Adulteración, corrupción, cambio o imitación para perjudicar a otro u obtener ilícito provecho; ya sea en la escritura, en la moneda, en productos químicos, industriales o mercantiles, etc. | Delito de falsedad cometido en documento público o privado o en monedas, sellos y marcas.

Falsificador

Autor de una falsificación; quien adultera, falsifica o contrahace una cosa.

Falso

Opuesto o contrario a la verdad; inexacto, incierto. | Ilegal o imitación de lo legal. | Simulado, fingido. | Dicho de billete o moneda, que no está emitido legalmente, pero pretende pasar por tal imitando los valores auténticos. | Como sustantivo, falsario. | Traidor, desleal. | **TESTIMONIO.** Declaración o deposición que el testigo, perito o intérprete hace contra la verdad en causa civil o criminal.

Falta

Privación, carencia, defecto o escasez. | Ausencia de una persona; incumplimiento de su obligación de asistencia. En este aspecto, y en materia escolar, puede producir, al reiterarse, la pérdida del curso; y en la relación laboral, con la repetición injustificada también, da lugar en ocasiones ya justificados despidos. | Torpeza al obrar o defecto en la ejecución. | Incumplimiento de obligación jurídica o de deber moral. | En cuestión de costumbres, desliz femenino. | En las cuentas, error o fraude. | En las monedas y, en general, en las mercaderías, defecto de peso. | Descuido, negligencia. | Omisión. | Culpa. | En sentido muy genérico y en expresión eufemística, todo delito o infracción punible. | Dentro del tecnicismo penal, contravención; ya sea de policía o el delito venial, el castigado con pena leve. | **DE PAGO.** Incumplimiento de una obligación, tanto por no abonar una suma de dinero como por no entregar cualquier otra cosa o no ejecutar la prestación convenida. | **GRAVE.** En materia disciplinaria, tanto en la milicia como en los establecimientos públicos, y también en los mercantiles, industriales, escolares, etc., suele diferenciarse, por la índole de la infracción, entre *faltas graves* y *leves,* según la casuística existente —imposible de enumerar y a veces arbitraria—, y la mayor trascendencia de la sanción, que puede llegar hasta la suspensión, despido, destitución o expulsión, sin perjuicio de otras responsabilidades, incluso penales. | **INCIDENTAL.** La cometida por los procesados antes, al tiempo o después del delito, como medio de perpetrarlo o encubrirlo (art. 142, *in fine,* de la Ley de Enj. Crim. esp.). | **LEVE.** Concepto contrapuesto al de *falta grave,* voz en la cual se hacen las diferencias pertinentes.

Faltas

En el Derecho Penal, las acciones u omisiones voluntarias castigadas por la ley con pena leve; por lo cual se han denominado delitos veniales o miniaturas del delito.

Fallar

Frustrarse o fracasar algo. | Decidir, resolver o determinar un litigio, causa o proceso. | Dictar sentencia o auto. | Antiguamente, hallar o encontrar.

Fallido

Frustrado, fracasado; sin efecto ni resultado. | Incobrable, referido a créditos o cantidades. | Quebrado o comerciante que suspende su giro o tráfico por no poder o por no querer pagar sus deudas.

Fallo

La sentencia que, como resolución o pronunciamiento definitivo en el pleito o causa seguidos ante él, dicta un juez o tribunal. | Por extensión, toda decisión que en asunto dudoso o controvertido toma la persona u organismo competente para resolverlo. | **SALOMÓNICO.** En el sentido histórico, de acuerdo con la relación bíblica, el dado por el rey Salomón en la apasionada disputa de la maternidad de un hijo entre dos mujeres.

Fama

Buen nombre de una persona; favorable opinión y concepto que de ella tienen las demás. | Nombradía, celebridad, por acciones sobresalientes, heroicas, hábiles o eficaces. | Noticia, información o voz común acerca de una cosa o en relación con un hecho. | **PÚBLICA.** Noticia, opinión o voz difundida en un grupo social de cierta amplitud, generalmente por sucesivos testimonios de oídas.

Familia

Por linaje o sangre, la constituye el conjunto de ascendientes, descendientes y colaterales con un tronco común, y los cónyuges de los parientes casados. | Con predominio de lo afectivo o de lo hogareño, *familia* es la inmediata parentela de uno; por lo general, el cónyuge, los padres, hijos y hermanos solteros. | Por combinación de convivencia, parentesco y subordinación doméstica, por *familia* se entiende, como dice la Academia, la "gente que vive en una casa bajo la autoridad del señor de ella". | Los hijos o la prole. | Grupo o conjunto de individuos con alguna circunstancia importante común, profesional, ideológica o de otra índole; y así se habla de la *familia militar* para referirse al ejército en general; y de modo más concreto a los que forman el escalafón profesional de la milicia. | Cualquier conjunto numeroso de personas. | También se aplica a los criados de una casa, vivan en ella o no. (V. DOMÉSTICO.)

Familiar

Relativo a la familia. | De trato sencillo y poco ceremonioso. | En tanto que sustantivo, amigo de confianza o íntimo. | Criado o servidor. | Eclesiástico que acompaña a un obispo y se ocupa de sus necesidades domésticas y menesteres materiales. | En el tribunal de la Inquisición, el ministro encargado de las prisiones.

Fas

Tomado de la mitología, donde *Fas* es el sobrenombre de *Temis* (v.) diosa de la Justicia, los romanos denominaron *fas* a lo lícito o justo, cual voluntad de los dioses; y opuesto a *nefas,* lo injusto, lo contrario a esa especie de ley revelada, y sancionado con penas de carácter peligroso. Frente al *fas* se colocaba el *jus,* el Derecho formado por los hombres.

Fasces
Las insignias de los antiguos cónsules romanos, compuestas por una segur en un hacecillo de varas.

Fatal
Inevitable. | Infeliz, infortunado, funesto, nefasto. | Malo. | Improrrogable, dicho de plazos o términos.

"Favor debitoris"
Loc. lat. Principio jurídico conforme al cual, al existir dudas o lagunas en materia de la interpretación de actos jurídicos, documentos o normas, debe adoptarse la alternativa más favorable al interés del deudor.

"Favor negotii"
Loc. lat. Se trata de un principio exegético que postula la aplicación de aquella interpretación normativa que se presenta, entre todas las posibles, como la que confiere, al negocio, mayor validez.

Fe
Creencia. | Crédito que se da a una cosa por la autoridad del que la dice o por fama pública. | Confianza o seguridad que en una persona o cosa se deposita. | Palabra que se da o promesa que se hace con cierta solemnidad o publicidad. | Certificación o testimonio sobre la veracidad o legalidad de un acto o contrato. | Fidelidad en el cumplimiento de las promesas. | Certeza o confianza de lograr lo deseado o prometido. | Documento que acredita o certifica algún hecho como exacto. | Canónicamente, creencia en los dogmas revelados por Dios. | La religión misma o el conjunto de sus dogmas. | **CONYUGAL.** Fidelidad; confianza de cada uno de los cónyuges en el afecto y lealtad del otro. | **DE VIDA.** Testimonio notarial o judicial de que alguien vivía en un momento determinado o de que vive en el momento actual. | **PÚBLICA.** Veracidad, confianza o autoridad legítima atribuida a notarios, secretarios judiciales, escribanos, agentes de cambio y bolsa, cónsules y otros funcionarios públicos, o empleados y representantes de establecimientos de igual índole, acerca de actos, hechos y contratos realizados o producidos en su presencia; y que se tienen por auténticos y con fuerza probatoria mientras no se demuestra su falsedad.

Fecha
Expresión del día, mes y año en que sucede un hecho o en que se otorga firma un documento. | Data, nota, indicación del tiempo relativo a un suceso o cosa. | Momento o tiempo actual. | Sinónimo de día, en el transcurso de un término para establecer un cómputo. | **UT RETRO.** Se dice de la ya expresada en párrafo o página anterior de un escrito, con objeto de no repetirla. (V. FECHA UT SUPRA.) | **UT SUPRA.** La puesta en el encabezamiento de un escrito; y se usa de esta fórmula para no repetir aquella indicación. (V. FECHA UT RETRO.)

Fechoría
Aun significando rectamente acción o hecho, se entiende casi exclusivamente como proceder reprobable y merecedor de castigo; cual ruindad, atropello o delito.

Fedatario
Quien da fe pública; como el notario y otros funcionarios, cuando se trata de cuestiones extrajudiciales, o los secretarios de los tribunales y juzgados o los escribanos, en materia judicial.

Federación
Genéricamente, unión, alianza, liga de sociedades, asociaciones o grupos, con determinadas afinidades y un fin común moral, político, sindical, económico, deportivo, etc. | Para el Derecho Político, el Estado federal y el poder central que lo rige.

Federalismo
Del lat. *foedus*, *foederis* (pacto, alianza). Sistema mediante el cual varios jefes de familia, municipios, grupos de pueblos o Estados se obligan, en forma recíproca e igual, a llevar a cabo una o más finalidades especiales, cuya realización recae desde ese momento sobre los miembros federados.

Es, pues, un sistema jurídico y político opuesto al unitarismo estatal y que considera el gobierno federal como la forma que mejor sirve a las ideas de libertad. En ese régimen, las distintas regiones que componen el país se rigen de manera autónoma, pero ceden parte de sus competencias al gobierno federal, quedándose con las no transferidas.

Fehaciente
Verdadero, fidedigno, auténtico, merecedor de crédito. | Lo que hace fe en juicio.

Felonía
Traición, deslealtad. | Infidelidad. | Canallada; maldad. | Perfidia.

Feria

En sentido totalmente desusado ya en español (aun cuando no lo objete la Academia, y le conceda primacía), cualquier día de la semana, con exclusión del sábado y del domingo. | Descanso, alto o suspensión del trabajo. | Por extensión, en América, día en que están cerrados los tribunales y suspendido el curso de las diligencias y negocios de justicia; por tanto, lo mismo que *días feriados*.

Festividad

Fiesta con que se conmemora algo. | Día festivo para la Iglesia.

Feticidio

Muerte violenta dada a un feto humano.

Feto

Producto de la concepción humana, desde fines del tercer mes del embarazo, en que deja de ser embrión, hasta el parto. | El que nace antes de tiempo o sin vida.

Feudalismo

Época de la historia europea, equiparada por algunos a toda la Edad Media; pero que, en verdad, abarca los últimos siglos de ésta, aproximadamente desde el X, y los dos primeros de la Edad Moderna, tomando como criterio Francia, donde el *feudalismo* arraigó primero y fue extirpado después. Los dos caracteres principales del *feudalismo* son el ejercicio de la soberanía, atomizada la autoridad del Estado o del príncipe, por los señores feudales; y el factor económico, consistente en el cultivo del suelo por los vasallos o feudatarios, sucesores de los esclavos, pero adscritos a la tierra como siervos de la gleba, y sometidos en personas y bienes a la aristocracia terrateniente, opresora de los humildes y arrogante ante la realeza.

Fiador

Quien constituye una fianza u obligación de responder por otra persona en el caso de que ésta o quiera o no pueda cumplir total o parcialmente. El *fiador* es un segundo deudor, pero no siempre de segundo grado, porque puede obligarse solidariamente, y entonces el acreedor puede dirigirse contra él, conjunta o preferentemente.

Fianza

Toda obligación subsidiaria, constituida para asegurar el cumplimiento de otra principal, contraída por un tercero. | **DE ARRAIGO.** Seguridad que ha de prestar el demandado de responder a las resultas del juicio, hipotecando u obligando bienes por el importe de lo reclamado por el actor, dando prenda por igual suma o fiador que se obligue a pagar lo que se juzgare y sentenciare. | **MERCANTIL.** Se considera *fianza* o *afianzamiento mercantil* la obligación accesoria que tenga por objeto asegurar el cumplimiento de un contrato mercantil, aun cuando no sea comerciante el fiador. | **SUBSIDIARIA.** La obligación que se contrae de responder por el fiador; en realidad, se trata de la subfianza, o *fianza de la fianza,* regida por normas análogas a las de la institución principal.

"Fiat justitia et ruat caelum"

Locución latina, que significa: Hágase justicia, aunque se hunda el firmamento.

Ficción

Acción o efecto de fingir. | Simulación, apariencia. | Engaño.

Fideicomisario

En lo civil, aquel a quien se destina un *fideicomiso* (v.), dispuesto por un *fideicomitente* y que entrega al *fiduciario* (v). | En el Derecho Comercial argentino, las sociedades anónimas, las en comandita por acciones y las administraciones autónomas del Estado que intenten emitir *debentures* (v.) deberán previamente celebrar un contrato con uno o varios representantes de los futuros tenedores de esos títulos, en el cual les estipulen las condiciones del préstamo y las garantías que se otorguen a favor de los debenturistas, contrato que deberá ser hecho en escritura pública e inscrito en el Registro Público de Comercio. Esos representantes reciben el nombre de *fiduciarios* o *fideicomisarios*.

Fideicomiso

Relación jurídica que se configura cuando una persona, el *fiduciante*, transmite la *propiedad fiduciaria* de bienes determinados a otra, el *fiduciario*, quien se obliga a ejercerla en beneficio de quien se designe en el contrato o acto que dé origen al fideicomiso –el *beneficiario*–, y a transmitirla al cumplimiento del plazo o condición aplicable al fiduciante, al beneficiario o al *fideicomisario* (v.). El fideicomiso puede constituirse por contrato o por testamento. Estos actos deben contener la individualización de los bienes objeto del fideicomiso, y en caso de no ser posible tal individualización a la fecha de constitución del fideicomiso, constará la descripción de los requisitos y características que deberán reunir los bienes; la determinación del modo en que otros bienes podrán ser incorporados al fideicomiso; el plazo o condición a que se sujeta el dominio fiduciario, el que nunca podrá durar más de treinta años desde su constitución, salvo que el beneficiario fuere un incapaz, caso en el que podrá durar hasta su muerte o el cese de su incapacidad; el destino de los bienes a la finalización del fideicomiso; los derechos y obligaciones del fiduciario y el modo de sustituirlo si cesare. El fiduciario puede ser cualquier persona física o jurídica. Sobre los bienes fideicomitidos se constituye una propiedad fiduciaria, que conforma un patrimonio separado del patrimonio del fiduciario y del fiduciante. Los bienes fideicomitidos quedan exentos de la acción singular o colectiva de los acreedores del fiduciario. Tampoco podrán agredir los bienes fideicomitidos los acreedores del fiduciante, quedando a salvo la acción de fraude. Los acreedores del beneficiario podrán ejercer sus derechos sobre los frutos de los bienes fideicomitidos y subrogarse en sus derechos. Los bienes del fiduciario no responderán por las obligaciones contraídas en la ejecución del fideicomiso, las que sólo serán satisfechas con los bienes fideicomitidos. La insuficiencia de los bienes fideicomitidos para atender a estas obligaciones no dará lugar a la declaración de quiebra del fideicomiso, sino a un régimen especial de liquidación.

Se entiende también por *fideicomiso* la disposición de última voluntad en virtud de la cual el testador deja sus bienes, o parte de ellos, encomendados a la buena fe de una persona para que, al morir ésta a su vez, o al cumplirse determinadas condiciones o plazos, transmita la herencia a otro heredero o invierta el patrimonio del modo que se le señale.

Fideicomitente

Persona que transmite la propiedad fiduciaria de ciertos bienes a un fiduciario, para constituir de tal forma un *fideicomiso* (v.). | El testador que dispone un fideicomiso; o sea que encarga al fiduciario la transmisión de los bienes al *fideicomisario* (v.), en sintética caracterización de los elementos personales de esta institución que, por desuso quizá, lleva a errores técnicos a muchos expositores (*Dic. Der. Usual*).

Fiduciario

En general, persona de confianza a la que se encargan cosas reservadas, a veces para cumplir deberes morales. | Se denomina también *fiduciario* a la persona a la que se transmite la propiedad fiduciaria de ciertos bienes, mediante un acto de constitución de *fideicomiso* (v.). El fiduciario puede ser, en estos casos, cualquier persona física o jurídica. El fiduciario debe cumplir con las obligaciones impuestas por la ley o la convención, con la prudencia y diligencia de un buen hombre de negocios que actúa sobre la base de la confianza depositada en él. El fiduciario debe rendir cuentas de su gestión, y tiene derecho al reembolso de los gastos y a una retribución. | En lo sucesorio, *fiduciario*, *heredero fiduciario* o *gravado* es la persona que, por mandato del testador o fideicomitente en este caso, ha de conservar y transmitir toda la herencia o parte de ella a un tercero, llamado *fideicomisario*, según síntesis de Luis Alcalá-Zamora, que agrega el frecuente error técnico de confundir los nombres y las cualidades del *fiduciario* (el primer sucesor) y el *fideicomisario* (el segundo y definitivo).

Filiación

Acción o efecto de filiar, de tomar los datos personales de un individuo. | Esas mismas señas personales. | Subordinación o dependencia que personas o cosas guardan en relación con otras superiores o principales.

Filosofía del Derecho

Parte de la Enciclopedia o Ciencia Jurídica, consagrada al examen y estudio de los principios supremos del Derecho; la introducción científica de su exposición especulativa, que prescinde de la ley o Derecho positivo, pero no de la realidad, personas y cosas, en sus relaciones y situaciones jurídicas, cuya generalización sistemática pretende.

Finiquitar

Terminar una operación de dinero o bienes. | Saldar una cuenta. | Extender recibo o documento extintivo de una obligación. | Por extensión, concluir, finalizar una cosa o un asunto.

Firma

Nombre y apellido, o título, que se pone al pie de un escrito, para acreditar que procede de quien lo suscribe, para autorizar lo allí manifestado para obligarse a lo declarado. | Conjunto de expedientes u otros documentos que se someten a la autorización escrita de un jefe, y acto en el cual se verifica. | **COMERCIAL.** Nombre o denominación que se adopta para ejercer el comercio y firmar los actos y contratos de tráfico mercantil. | **EN BLANCO.** La que se da o estampa antes de llenarse un escrito; ya totalmente, por no contar en la hoja o pliego sino la firma; o bien parcialmente, por huecos dejados para rellenar con cantidades, fechas, nombres y datos o indicaciones diversas. | **ENTERA.** La compuesta por el nombre y apellido.

Fiscal

En cuanto adjetivo, perteneciente al Fisco o erario; como *bienes fiscales* o *tasa fiscal.* | Concerniente al fiscal como oficio; y así se habla de acusación o informe *fiscal.* | **CIVIL.** Magistrado que, en la antigua organización judicial de España, representaba al interés público en los negocios civiles exclusivamente. (V. FISCAL CRIMINAL.) | **CRIMINAL.** Cuando el Ministerio Público actuaba independientemente en las jurisdicciones civil y criminal, era este *fiscal* el que informaba en las causas penales. (V. FISCAL CIVIL.)

Fisco

Erario o Tesoro público. | Hacienda pública o nacional. | Por extensión, constituye sinónimo de Estado o autoridad pública en materia económica.

"Fiscus post omnes"

Loc. lat. cuyo significado es: el Fisco después que todos. La frase se amplía en las sucesiones ab intestato o vacantes para indicar que, a falta de todo sucesor, hereda el Estado.

Flagrante

Lo que se está ejecutando o haciendo en el momento actual. | **DELITO.** Hecho delictivo que se descubre en el momento mismo de su realización; y cuya comisión en público, ante diversos testigos, facilita la prueba y permite abreviar el procedimiento.

Fletador

Quien fleta. | En el contrato fundamental en el Derecho Marítimo, el de fletamento, *fletador* es quien alquila una nave, en todo o en parte, para el transporte de personas o de mercaderías.

Fletamento

Acción de fletar. | El contrato por excelencia del Derecho Marítimo, el de transporte de mercaderías, el arrendamiento de la totalidad de la nave o de parte de ella con destino o pasajeros o carga. "El contrato de alquiler de una embarcación" (Escriche). "Contrato mercantil en que se estipula el flete" (*Dic. Acad.*).

Fletante

En Sudamérica, quien alquila una nave o una bestia, para el transporte de personas o cosas. | En el contrato de fletamento, el naviero o su representante, que por lo general es el capitán. El *fletante* es quien alquila o arrienda parte de la nave o toda ella a cambio del precio dominado *flete.*

Flete

Precio correspondiente al arrendamiento o alquiler de una nave. Si se trata de mercaderías, se llama también *porte*; si de personas, se denomina *pasaje.* | Carga de un buque. | En América, precio del alquiler de un medio de transporte cualquiera, sea marítima o terrestre.

Foja

Arcaísmo por hoja. | En América, folio u hoja de un proceso o autos.

Folio

Hoja de un libro o cuaderno; y, más especialmente, de un expediente o proceso. Los autos judiciales han de ser *foliados*, es decir, numerados, para facilidad en las citas y comprobación de que no hay sustracción de documentos.

Fondo

Parte inferior de lo hueco. | En los cursos de agua, en el mar, el lecho o parte sólida sobre la cual se encuentra o fluye la masa acuática. | En los edificios, dimensión desde la calle hacia el interior. | Índole, condición, naturaleza. | Esencia, principio; como opuesto a *forma.* | Conjunto de bienes de una persona o entidad cuando tiene finalidad y cuenta especiales. | En los litigios o causas, la cuestión de Derecho, a diferencia de las de simple trámite y excepciones dilatorias. | Parte del buque que queda por debajo del agua en la navegación normal. | **DE COMERCIO.** Esta locución, muy empleada en los códigos franceses civil y mercantil, donde los *"fonds de comerce"* aparecen mencionados no sólo en lo genuino del comercio, sino en las relaciones patrimoniales de los cónyuges, y de los padres e hijos, constituye simplemente el *establecimiento mercantil* en su complejidad de local arrendado, clientela, mercaderías o existencias, etc., con su conjunto de valores materiales en cuanto a éstas y menos ponderables, pero efectivos, en los otros aspectos. | **DE GARANTÍA.** En determinadas sociedades, empresas e instituciones, cuenta especial formada por aportaciones periódicas o cantidades retiradas de los beneficios especiales o cuantiosos, para responder de ciertas obligaciones, dar solidez a la empresa o atender eventuales gastos extraordinarios. | Más concretamente, dentro del Derecho Laboral, reserva patrimonial establecida por la Ley francesa del 9 de abril de 1898, y formada por contribuciones patronales, para procurar a los obreros y empleados, o a sus beneficiarios, una seguridad excepcional ante el riesgo de insolvencia de sus deudores, en caso de accidente seguido de incapacidad o muerte. | **MONETARIO INTERNACIONAL.** En la conferencia celebrada en Bretton Woods (Estados Unidos), en junio de 1944, representantes de 44 naciones del grupo aliado, ya ante la perspectiva de la victoria, y para prevenir los trastornos de la posguerra, crearon un organismo internacional con la denominación indicada y las finalidades de promover la cooperación entre los distintos países, fomentar la expansión económica y estabilizar los cambios, mediante un fondo constituido por la aportación de las cuotas fijadas a las naciones representadas.

Fondos

Dinero en metálico o en billetes, título de crédito o valores fácilmente realizables del haber de un comerciante o del erario, y también de los particulares. | Recursos y cuentas o partidas especiales de los balances de empresas o de los presupuestos del Estado como también de otras corporaciones públicas.

Forajido

Facineroso que, huyendo de la Justicia, anda por los campos. | En acepción desusada, desterrado o extrañado de su patria.

Foráneo

Forastero o extraño.

Forastero

Quien está donde no ha nacido. | La persona que se encuentra en lugar en donde no es vecina. | Ajeno, extraño. (V. EXTRANJERO, VECINO.)

Forense

Lo que concierne al foro; o sea, a los tribunales y sus audiencias. | Por extensión, lo jurídico en general. Y así, toda la terminología del Derecho figura en el *Diccionario* de la Academia y en otros muchos agrupada tras las iniciales *For.,* que corresponden a *forense.* | Médico forense, el adscrito a un juzgado de instrucción para informar en casos de lesiones y de homicidios. | Forastero. | Antiguamente, manifiesto público. (V. PRÁCTICA FORENSE.)

Forma

Figura, apariencia exterior de las personas y cosas. | Modo de proceder. | Aptitud, disposición. | Manera, estilo. | Expresión de la voluntad de las partes y constancia de un negocio jurídico. | Requisitos externos de los actos jurídicos. | Manera o modo de proceder en la instrucción de una causa, instancia o proceso, y en la celebración de un contrato o acto que deba surtir efectos legales. | Procesalmente, tramitación y procedimiento, en contraposición al fondo de la causa o pleito. | Canónicamente, las palabras rituales que en cada sacramento pronuncia el ministro competente para integrar la esencia de aquél.

Formal

Relativo a la forma; en cuyo significado se opone a esencial o de fondo. | Que tiene formalidad o seriedad; ya por cumplir su palabra y compromisos o por observar las reglas de la buena conducta. | Expreso o determinado; como contrapuesto a tácito o presunto. (V. FORMA, ESTATUTO FORMAL, OBEDIENCIA, PRECEPTO.)

Formalidad

Cumplimiento puntual y exacto. | Lealtad a la palabra o a la firma. | Requisito exigido en un acto o contrato. | Trámite o procedimiento en un acto público o en una causa o expediente. | Seriedad o compostura.

Formalismo

"Rigurosa aplicación y observancia, en la enseñanza o en la indagación científica, del método, procedimiento y manera externa recomendados por alguna escuela" (*Dic. Acad.*). (V. FÓRMULA.)

Formalista

Exagerado en la observancia de las formas o en la conservación de las tradiciones.

Formalizar

Ultimar o dar la forma última a alguna cosa. | Atenerse a las solemnidades legales, revistiendo el acto o contrato de los requisitos pertinentes. | Concretar o precisar.

Formas de gobierno

Cada uno de los distintos sistemas fundamentales de la organización política, social o económica del Estado, aun cuando estos dos últimos aspectos miren más bien al fondo o contenido de su constitución real. Por *formas de gobierno* se ha entendido principalmente la oposición entre monarquía y república, que mejor habría sido plantear como lucha o preferencia entre democracia y absolutismo; ya que las dictaduras republicanas —tan frecuentes en la historia de Hispanoamérica— son formas de monarquía absoluta, temporales y sin el nominal prestigio del linaje regio.

Fórmula

Manera establecida para explicar, pedir, ejecutar o resolver con palabras estrictamente determinadas una cuestión. | Proposición, cláusula o convenio para un arreglo, avenencia o transacción. | Como diminutivo de forma, en el Derecho Romano, la *fórmula* la constituían las palabras que designaba el pretor para el ejercicio de las acciones en la época del procedimiento denominado por ello *sistema formulario.*

Fornicación

El acceso, ayuntamiento o cópula carnal del hombre con la que no es su legítima mujer.

Fornicar

Tener acceso carnal fuera del matrimonio. (V. FORNICACIÓN.)

Foro

En la antigua Roma, plaza donde se trataban los negocios públicos, se celebraban las juntas del pueblo y se administraba justicia. | Por extensión, lugar donde los tribunales oyen y resuelven las causas. | La curia y todo lo concerniente al ejercicio de la abogacía y a la práctica ante los tribunales de justicia. | En Asturias y Galicia, contrato y derecho real análogo a la enfiteusis, en que el dueño de una finca rural cede por una o varias generaciones (por lo común tres) el dominio útil de una finca, a cambio del pago de un canon o pensión. | Antiguamente, fuero o privilegio legislativo personal territorial.

Fortuito

Lo que acontece casualmente. | Lo que se produce sin premeditación ni previsión siquiera. (V. CASO FORTUITO, FUERO MAYOR.)

Forzado

Retenido u ocupado por la fuerza. | Violento o no espontáneo. Forzoso u obligatorio. | Se dice del consentimiento obtenido por fuerza o violencia. | Antiguamente, galeote que, en pena de sus delitos, era condenado a servir al reino en las galeras. | Condenado a trabajos en un presidio.

Fragrante

V. FLAGRANTE DELITO.

Franquicia

Exención del pago de derechos aduaneros o al utilizar algún servicio público. Así se habla de *franquicia* aduanera, postal, telefónica, telegráfica, diplomática, etcétera.

Fratricida

El que mata a su hermano o hermana. (V. FRATRICIDIO.)

Fratricidio

Muerte criminal dada a un hermano o hermana.

Fraude

En un sentido general, engaño, abuso de confianza, acto contrario a la verdad o a la rectitud. | **DE ACREEDORES (EN).** La locución *en fraude de acreedores* comprende todos los actos del deudor que, valiéndose por lo común de simulaciones, tienden a hacer ilusorios los derechos del cobro y a la indemnización con que cuentan sus acreedores.

Fraude procesal

Obtención dolosa de una sentencia, con el fin de sustraer determinados bienes al procedimiento ejecutivo, con el perjuicio consiguiente para los acreedores del dueño de esos bienes, en concepto de Carnelutti. | La noción procesal de *fraude* reviste mayor amplitud, por cuanto comprende toda resolución judicial en que el juzgador ha sido víctima de un engaño, por una de las partes, debido a la presentación falaz de los hechos, a probanzas irregulares, en especial por testigos amañados o documentos alterados, e incluso por efecto de una argumentación especiosa.

Fraudulentamente

Con fraude. | Valiéndose de engaño o medio ilícito.

Fructuario

Consistente en frutos; y así se habla de rentas o pensiones *fructuarias.* | Quien tiene derecho de goce sobre los frutos de una cosa de la cual no es propietario; es decir, tanto como usufructuario. (V. FRUTOS, USUFRUCTO.)

Frustración

Privación de lo esperado. | Descalabro; rechazo del atacante; derrota del agresor. | Fracaso del propósito o empeño. | Penalmente, ejecución de todos los actos que deberían producir como resultado el delito, malogrado por causas ajenas a la voluntad del agente.

Frutos

Propiamente, los productos cosechados de la tierra. | Por extensión, todo beneficio o utilidad, renta, etc.; y más aún cuando ofrece cierta periodicidad. | Cuanto se obtiene de una cosa sin que se altere su sustancia. | **CIVILES.** "Son *frutos civiles* —en la definición del Cód. Civ. esp.— el alquiler de los edificios, el precio del arrendamiento de tierras y el importe de las rentas perpetuas, vitalicias u otras análogas" (art. 355). | **INDUSTRIALES.** Tiene por tales el Cód. Civ. esp. "los que producen los predios de cualquiera especie a beneficio del cultivo o del trabajo". | **NATURALES.** "Las producciones espontáneas de la tierra y las crías y demás productos de los animales" (art. 355 del Cód. Civ. esp.).

Fuentes de las obligaciones

Origen o procedencia de éstas en su aspecto vincular. La denominación figurada de "manantial" de los vínculos jurídicos consistentes en dar, hacer o no hacer alguna cosa, es decir, de la expresión *fuente de las obligaciones*, proviene del Derecho Romano, que establecía la división clásica cuatripartita en contratos, cuasicontratos, delitos y cuasidelitos. Posteriormente se agregó una nueva *fuente de las obligaciones,* la ley.

Fuentes del Derecho

Principio, fundamento u origen de las normas jurídicas y, en especial, del Derecho positivo o vigente en determinado país y época. Por metáfora, sencilla y repetida, pero expresiva y técnica, de las *fuentes* naturales o manantiales de agua, se entiende que el Derecho brota de la costumbres, en primer término, y de la ley, en los países de Derecho escrito, en la actualidad todos los civilizados.

Fuero

La etimología latina, *forum,* foro o tribunal, es aceptada generalmente para esta voz, superada por muy pocas en acepciones jurídicas. | **CASTRENSE.** Lo mismo que jurisdicción militar o de guerra. | **CIVIL.** Jurisdicción y competencia de los jueces y tribunales ordinarios. Conjunto de causas o cuestiones reguladas por los códigos procesales o leyes de enjuiciamiento. (V. FUERO CASTRENSE, ECLESIÁSTICO y especial.) | **DE ATRACCIÓN.** Potestad y deber de un tribunal de conocer de cuestiones diferentes pero conexas respecto de las que a su estricta competencia pertenecen, por la condición del reo o por la índole del asunto. | **DE COMERCIO.** Lo constituye la existencia y funcionamiento de tribunales especiales de comercio, distintos de los civiles. | **DEL CONTRATO** o **DE ELECCIÓN.** Determinación voluntaria de la competencia que las partes reconocerán en caso de eventual litigio sobre el convenio que celebran. Constituye una sumisión expresa anticipada. | **DEL TRABAJO.** El 19 de marzo de 1938 fue dado a conocer en Burgos el *Fuero del Trabajo,* que constaba de dieciséis declaraciones, la mayoría de ellas subdivididas en cincuenta apartados. Dado este *Fuero* en el curso de la guerra, puede considerarse como factor, dentro de la contienda bélica, dirigido a fines proselitistas y de ordenamiento de una acción política y social. | **ECLESIÁSTICO.** La potestad de juzgar que a la Iglesia corresponde mediante sus tribunales peculiares. Competencia reservada a la jurisdicción eclesiástica por las leyes de enjuiciamiento ordinario. | **REAL.** Este texto legal castellano del siglo XIII ha recibido además los nombres de *Fuero de las leyes, Libro de los concejos de Castilla, Fuero del libro, Fuero de la corte, Fuero castellano* y *Fuero de Castilla* (denominaciones estas dos aplicadas asimismo al *Fuero Viejo de Castilla*) y los de *Flores de las leyes* o *Flores* (ambos) equívocos también, por corresponder a la *Suma del maestro Jacobo.* | **SECULAR.** El fuero ordinario considerado especialmente como contrapuesto al *eclesiástico.*

Fuerza

La inclusión de esta voz en un Diccionario jurídico constituye a la vez una necesidad y un contrasentido. Esto, por cuanto *fuerza* se contrapone a *derecho*; ya que recurre a ella quien no cuenta con éste, o quien no quiere usar de su *derecho* como en *Derecho* procede. Pero, en otro aspecto, la *fuerza* es el amparo supremo del *Derecho*, como expresión material del poder coactivo que éste entraña para imponerse cuando voluntariamente no se acepta su imperio pacífico.

En las principales acepciones la voz *fuerza*, para ceñirnos a la sistemática de la obra, significa vigor, energía, robustez. | Violencia. | Eficacia, virtud de las cosas. | Dominio material de otro. | Violación de una mujer. | Todo atropello y acto opuesto a razón y derecho. | Agravio que el juez o tribunal eclesiástico infiere a una parte al conocer sin competencia de una causa, al tramitarla sin sujeción a forma legal o al negarle la apelación pertinente. | **DE LEY.** Expresión empleada en diversos textos legales para establecer la ineludible obligatoriedad de algunas disposiciones que no provienen directamente de la ley. | **ELÉCTRICA.** V. ELÉCTRICO. | **EXTRAÑA.** Cuando el que no es parte directa en una relación jurídica obliga a aquéllas valiéndose de intimidación o violencia, el acto o contrato es nulo, en los mismos términos que si hubiere procedido dolosamente una de las partes. | **IRRESISTIBLE.** Vicio del consentimiento cuando sobre el sujeto se ejerce violencia física que no puede superar por sus condiciones personales ante el caso concreto. | **MAYOR.** Todo acontecimiento que no ha podido preverse o que, previsto, no ha podido resistirse. | **PÚBLICA.** Conjunto de agentes de la autoridad, armados, y generalmente uniformados, que bajo la dependencia del poder público tienen por objeto mantener el orden interno.

Fuerzas armadas

El ejército en general; alguna de sus unidades o parte de sus componentes. | La totalidad de las tropas y elementos dispuestos para la guerra. (V. EJÉRCITO, MILITARISMO.)

Fuerzas vivas

Personas, grupos o asociaciones representativas de la actividad económica y de la influencia política en una población o territorio.

Fuga

Huida precipitada de un lugar.

Función

En los hombres y otros seres vivos, y también en máquinas e instrumentos, el ejercicio de un órgano o la actividad de un aparato. | Desempeño de empleo, cargo, facultad u oficio. | Tarea, ocupación. | Atribuciones. | Cometido, obligaciones. | Finalidad. | Acto público de concurrencia numerosa (*Dic. Der. Usual*).

Función jurisdiccional

La consistente en aplicar normas generales a casos particulares, ya sea resolviendo conflictos, ya determinando tal aplicación en relación con peticiones voluntarias unilaterales. Puede estar a cargo de órganos judiciales o administrativos, sin perjuicio de los recursos judiciales que normalmente complementan el ejercicio de la jurisdicción en sede administrativa.

Función pública

En un sentido general, la que corresponde a quienes forman parte de la organización estatal, ejerciendo las atribuciones derivadas de su posición en ésta. | En un sentido más limitado, la ejercida por quienes forman parte de la administración estatal.

Función social

Es la que cumple el Estado mediante el desarrollo de ciertas actividades económicas, sanitarias, sociales y políticas, específicamente determinadas, que contribuyen directa o indirectamente al bienestar de la población. El Estado no se concibe si no es actuando en esa forma, puesto que él está formado por la sociedad misma, a la cual representa.

Pero la *función social* afecta también al orden privado de las relaciones y se caracteriza muy especialmente en la propiedad, en el capital y en el trabajo, cuyo ejercicio y disfrute pueden beneficiar a los particulares, pero siempre que con ello no se perjudique el interés de la comunidad. En ese sentido, la *función social de la propiedad* ha sido definida por Ángel Ossorio como "el derecho de usar, disfrutar y disponer de las cosas con arreglo a su naturaleza, en servicio de la sociedad y para provecho del propietario". Bien se comprende que este concepto del dominio es contrario al establecido en algunos códigos; conforme a él, el propietario puede usar y gozar de las cosas según su voluntad, pudiendo desnaturalizarlas, degradarlas o destruirlas.

Funcionario

Aunque palabra muy difícil de concretar, por las diversas opiniones acerca de su amplitud, cabe establecer provisionalmente que *funcionario* es toda persona que desempeña una función o servicio, por lo general público. La Academia se inclina resueltamente a la equiparación de *funcionario* con empleado público. | **PÚBLICO.** Quien desempeña una función pública.

Funciones públicas

El tratadista Mayer entiende por *función pública* "un círculo de asuntos que deben ser regidos por una persona ligada con el Estado por la obligación de Derecho Público de servirle".

Fundación

Edificación de ciudad. | Construcción de establecimientos benéficos o de educación. | Principio, origen, implantación de una cosa. | Institución de un mayorazgo, universidad u obra pía, con designación de un fin, determinación de sus estatutos y dotación de rentas.

Fundador

Quien funda, edifica, construye o crea material o figuradamente. | Quien establece una fundación benéfica de instrucción.

Fundo

En el Derecho Romano, el suelo con todos sus accesorios. | Actualmente, todo predio rústico o *heredad* (v.), aun cuando se usa a veces en su acepción romana más amplia.

Fungible

Dícese de las cosas o bienes en que cada uno de ellos, dentro de su especie, equivale a otro de la misma clase.

Furtivo

Lo hecho como a hurto; o sea, a escondidas, ocultándose, disimulando la acción y, si es posible, el efecto.

Fusilamiento

Ejecución regular, o no, por un pelotón, piquete o grupo que efectúa una descarga de fusilería.

Fusión

Es el acto mediante el cual dos o más sociedades unen, o mejor dicho "funden", sus bienes o elementos, tanto personales como patrimoniales, para dar nacimiento a un nuevo ente jurídico.

G

G
La séptima letra del abecedario español; la quinta entre sus consonantes. En lo eclesiástico, séptima y última letra dominical, que señala el sábado.

Gabela
Genéricamente, toda clase de tributo, contribución o impuesto que se paga al Estado. | En la época feudal, prestaciones especiales que debían los vasallos a sus señores; como entrega de ciertos frutos o pago de determinados derechos en algunas ocasiones. | En acepción figurada, servidumbre, gravamen, carga.

Gabinete
Además de aposento familiar o de edificio público, dedicado por lo general a las visitas o al trabajo, significa ministerio, tanto en su aspecto político, como en cuanto órgano que asume el gobierno propiamente dicho en el régimen parlamentario.

Gaje
Antiguamente, sueldo que pagaban reyes, príncipes y señores a sus soldados o al personal de su servicio. | Actualmente, beneficio, emolumento, obvención, que se obtiene en el desempeño de un cargo u oficio. | Gratificación. | También se decía antiguamente por señal o prenda de aceptación de un reto o desafío. | Constituye atroz galicismo usar esta voz como sinónimo de prenda o garantía en las acepciones del Derecho Privado.

Gajes del oficio
Inconvenientes, perjuicios naturales en el ejercicio de un empleo o con motivo de una función o cargo.

Galeote
El condenado por la Justicia a remar, como pena, en las galeras reales. Tal régimen punitivo adquirió notable desarrollo en España y en el Mediterráneo durante los siglos XVI y XVII.

Galeras
En el antiguo Derecho Penal, pena por la cual el condenado debía servir como remero en las naves reales. Esta pena, a la vez privativa de libertad y de trabajos forzados, solía durar de seis a diez años. En orden de gravedad, se encontraba inmediatamente después de la condena a muerte. (V. GALEOTE.)

Ganancia
Adquisición de bienes mediante el trabajo o actividad lucrativa. | Utilidad, provecho, beneficio.

Gananciales
Se dice de los bienes que se ganan o aumentan durante el matrimonio por el trabajo de los cónyuges, por los productos de los bienes privativos o comunes o por otro título legal.

Garante
Quien da una *garantía* (v.). | En sentido estricto, *fiador* (v.).

Garantía
Afianzamiento, fianza. | Prenda. | Caución. | Obligación del garante. | Cosa dada en garantía. | Seguridad o protección frente a un peligro o contra un riesgo.

Garantía real
La que tiene como contenido bienes muebles o inmuebles, con la dualidad que al respecto sig-

nifican la *prenda* y la *hipoteca* (v.). Aunque evidencia jurídica y económica a la par, las ventajas de esta seguridad para el acreedor encontraron ya expresión en sentencia de Pomponio, inserta en el *Digesto*: *Plus cautionis in re est quam in persona* (más caución hay en la cosa que en la persona).

Garantías constitucionales o individuales

Conjunto de declaraciones, medios y recursos con que los textos constitucionales aseguran a todos los individuos o ciudadanos el disfrute y ejercicio de los derechos públicos y privados fundamentales que se les reconocen.

Garantir

Garantizar, afianzar.

Garantizar

Dar una garantía material o moral; afianzar el cumplimiento de lo estipulado o la observancia de una obligación o promesa.

Garrote

Pena de muerte que se ejecuta estrangulando al reo mediante un corbatín de hierro aplicado a la garganta.

Gastos

Conjunto de desembolsos pecuniarios, o de valores y bienes equivalentes, realizados en el ejercicio o desempeño de una actividad periódica, permanente o compleja, o frecuente si es discontinua. | En el patrimonio particular y en el presupuesto del Estado u otras corporaciones públicas, *gastos* o pagos se contrapone a *ingresos* o cobros. | **DE JUSTICIA.** V. COSTAS, GASTOS JUDICIALES, LITISEXPENSAS. | **DE REPRESENTACIÓN.** Asignación complementaria del sueldo que perciben el jefe del Estado, los ministros, otras altas autoridades nacionales, los diplomáticos y los que desempeñan determinadas comisiones en el país o en el extranjero. | **DOMÉSTICOS.** Los relativos al sostenimiento del hogar. | **GENERALES.** En la contabilidad de una empresa, son los desembolsos periódicos, más o menos constantes en su cuantía, por personal, alquiler, material, consumo de energía, etc. | **JUDICIALES.** Cuantos origina la administración de justicia, por papel sellado, honorarios de abogados y procuradores, aranceles de secretarios y auxiliares de la justicia, etc. | **PÚBLICOS.** Los que para la realización de sus fines y para mantenimiento de su organización efectúan el Estado, las provincias y los municipios.

Gemelo

Cada uno de dos o más hermanos nacidos de un solo parto. Comúnmente, en América se los denomina *mellizos.*

Gendarme

En Francia y otros países, individuo del cuerpo destinado a mantener el orden público.

Genealogía

"Serie de progenitores o ascendientes de quienes un individuo desciende, o también estado o resumen de la evolución de una casa o familia, hecho con referencia a las partidas de nacimiento, matrimonio y defunción, que son las que establecen la filiación y la posesión de estado" (Escriche).

Esta determinación precisa de los antepasados tiene importancia jurídica, porque ayuda, en ocasiones, a determinar los vínculos de filiación y parentesco, muy importantes en el Derecho Sucesorio de algunos países. No en el de aquellos otros donde se han limitado los grados de parentesco colateral que puedan llevar a participar en una sucesión intestada.

Genearca

Cabeza de un linaje, fundador de una familia.

Generación

Procreación, engendramiento o engendración; fecundación de la mujer, concepción. | Género o especie. | Filiación. | Cada una de las personas que en una línea cualquiera procede de un tronco común. | Conjunto de todos los coetáneos, aun sin haber nacido estrictamente a la vez ni el mismo año. | Grupo con manifestaciones afines en la tendencia y en el tiempo; así se hable de la *generación* intelectual española de 1898 (o del 98), de indudable influjo en el pensamiento nacional durante el primer tercio del siglo XX.

Generales de la ley

Serie de preguntas que, para determinar el estado y condición de las personas y otros datos de interés, para fijar la capacidad o el interés de éstas, se formulan a los testigos.

Genocidio

Crimen de Derecho Internacional, consistente en el exterminio de grupos humanos por razones raciales, políticas o religiosas, o en la implacable persecución de aquéllos por estas causas.

"Gentlemen's agreement"

Locución inglesa, difundida en el ambiente diplomático y periodístico, cuyo significado literal es "pacto entre caballeros".

Gerente

Quien dirige, con arreglo a los estatutos o poderes otorgados, los negocios de una sociedad o empresa mercantil y lleva la firma de la entidad o establecimiento.

Gestión

Acción o efecto de gestionar o administrar; diligenciamiento de algo. | Administración. | Desempeño de una función o cargo. | Diligencia. | Encargo. | Trámite. | Intervención. | **DE NEGOCIOS AJENOS.** La *negotiorum gestio* romana constituye un cuasicontrato definido por Escriche como aquel en que una persona toma por sí misma, a su cargo, el cuidado o dirección de los negocios de un ausente, sin haber recibido poderes de él, e incluso sin su conocimiento; lo cual la obliga a dar cuenta de su administración, pero con derecho a exigir los gastos legítimos realizados.

Gestor

Quien realiza una *gestión* (v.). | Administrador. | Encargado de asuntos ajenos para su diligencia, trámite o ejecución. | En el comercio, socio que participa en la administración de una sociedad. | Accionista que interviene en la dirección de la misma empresa (*Dic. Der. Usual*).

Giro

En sentido comercial, el volumen de transacciones. | Libramiento de órdenes de pago por medio de un banco, del correo, del telégrafo, de una caja postal o de un corresponsal. Constituye, en definitiva, el hecho de remitir una cantidad de dinero por una persona a otra situada en distinto lugar, valiéndose de alguno de aquellos organismos.

Glosa

Explicación, comentario o interpretación de un texto oscuro o difícil de entender. | Nota en un instrumento o libro de cuenta y razón para constancia de la obligación, hipoteca, juro, etc. | Observación o reparo a una o más partidas de una cuenta.

Glosadores (Escuela de los)

También se denomina Escuela de Bolonia o de los jurisconsultos boloñeses, por ser en esta Universidad donde apareció y se desarrolló. Comprende a los jurisconsultos que florecieron desde el siglo XI hasta la segunda mitad del siglo XIII, y que usaron las glosas como forma de sus escritos. Los *glosadores* prestaron un gran servicio a la ciencia del Derecho, pues separaron la enseñanza de éste de la de las artes liberales y de la teología; servicio que aún fue mayor al haber examinado, uno por uno, todos los textos del *Corpus Juris Romani* y de las primeras colecciones del *Canonici,* comparándolas entre sí e interpretándolas.

Gobernante

El que gobierna, manda o rige.

Gobernar

Regir un Estado o una corporación pública. | Mandar con autoridad. | Dirigir, guiar, conducir.

Gobierno

Dirección o administración del Estado. | Conjunto de ministros que ejercen el Poder Ejecutivo. | Orden, régimen o sistema para regir la nación o alguna de sus provincias, regiones o municipios. | Función, cargo o dignidad de gobernador. | Territorio, provincia o distrito donde ejerce su autoridad un gobernador. | Edificio donde están sus oficinas y su despacho. | Duración de un gobernador en su mando. | **ABSOLUTO.** Ejercicio de todos los poderes públicos por una sola persona o un cuerpo determinado, sin limitación en las atribuciones ni responsabilidad alguna... al menos durante su ejercicio. | **DE HECHO** o **"DE FACTO".** En términos amplios, cualquier poder público que no ha sido elegido por sufragio ni nombrado por otro procedimiento constitucional. La denominación corresponde habitualmente a los grupos revolucionarios que, triunfantes, ejercen el poder público en nombre de la opinión del país o con el propósito, cuando no con el pretexto, de servir sus intereses.

Golpe de estado

Usurpación violenta de los poderes públicos, en especial del ejecutivo; absorción por éste de la función legislativa y sojuzgamiento de la judicial.

Gracia

Atractivo, donaire. | Afabilidad, buenos modales. | Perdón o indulto que concede el Poder Ejecutivo y suscribe el jefe del Estado. | Benevolencia. | Remisión de deuda. | Concesión gratuita. | Beneficio o favor no merecido. | Dispensa. |

Privilegio. | Donación. | Merced. | Para los canonistas, don divino hecho a los hombres por pura liberalidad.

Grado de parentesco

El cómputo de distancia que hay entre un pariente y otro. | También, cada una de las generaciones que hay desde un tronco o raíz común de una familia hasta cada una de las personas que pertenecen a ella.

Graduación

Acción o efecto de graduar, de dividir en grados o categorías a las personas, cosas o derechos. | En general, toda ordenación o escalonamiento. | En el ejército, categoría o grado de un militar profesional, desde alférez o teniente hasta general. | **DE ACREEDORES.** En caso de concurso o quiebra, clasificación que se hace de ellos para señalarles el lugar, orden y grado que deben ocupar, según el origen y naturaleza de sus créditos, para ser pagados con los bienes del deudor común. | **DE CRÉDITOS.** Teniendo en cuenta que los privilegios no pueden resultar sino de una disposición de la ley y que al deudor no le es dable crear privilegio a favor de ninguno de sus acreedores, se habla de *graduación de créditos* mejor que de *graduación de acreedores*; pues el grado corresponde a los créditos, y no a las personas.

Gratificación

Galardón y recompensa pecuniaria de un servicio o mérito extraordinario. El concepto tiene importancia en Derecho Laboral, ya que la *gratificación* representa una forma de retribución que el empleador proporciona por encima del salario y a título de recompensa o remuneración excepcional, lo haga voluntariamente o en virtud de práctica establecida.

Se ha discutido doctrinal y jurisprudencialmente acerca de la naturaleza jurídica de la *gratificación*; es decir, si ésta forma parte del salario o no. La tendencia más corriente se inclina a considerar que, si esa liberalidad patronal es excepcional, no tiene carácter salarial ni ocasiona derechos a favor del trabajador; pero que, si es habitual y repetida, se reputa remuneración normal, exigible por su beneficiario y computable a todos los efectos (despido, preaviso, sueldo complementario, vacaciones) para determinar los derechos del trabajador. No debe confundirse la *gratificación* con la *propina* (v.).

Gratuito

De balde, gratis, por simple liberalidad. | Referido a alegatos, argumentos, acusaciones y otras actitudes dialécticas o de polémicas, significa arbitrario, caprichoso, meramente personal sin fundamento debido.

Gravamen

Este término tiene distintas acepciones, según sea la rama del Derecho a que se refiera: en el Derecho Financiero, la carga que pesa sobre los habitantes del país, que varía de acuerdo con los bienes o actividades afectados por el impuesto. | En el Derecho Civil, se llama así el derecho real, distinto de la propiedad, trabado sobre un bien ajeno (hipoteca, prenda, servidumbre), que tiene por finalidad garantizar por el deudor el cumplimiento de una obligación. | En Derecho Internacional Público, la limitación que se impone a la soberanía en beneficio de Estados extranjeros.

Gravamen irreparable

Dícese de aquel que no es susceptible de reparación en el curso de la instancia en que se ha producido (Couture).

Gregario

Aplícase al que está en compañía de sus iguales; y tanto se dice de personas (soldados, alumnos) como de animales, sobre todo si forman rebaño. | En sentido metafórico, quien sin propia crítica sigue el criterio ajeno.

Gregoriano

Referido a los papas Gregorio I (el del cántico) o Gregorio XIII (el del calendario) y a otros personajes de igual nombre.

A. *En cronología.* Era, calendario y año reformados por Gregorio XIII y seguidos en la actualidad por casi todos los países.

B. *En la Historia del Derecho.* Compilación de constituciones imperiales hecha por un jurisconsulto, del que sólo se sabe que se llamaba Gregorio o Gregoriano, de quien tomó el nombre de *Codex Gregorianus* o *Corpus Gregoriani.* Aunque fue una obra de carácter particular, bien pronto revistió gran importancia.

Gremio

En sentido general, conjunto de personas que ejercen la misma profesión u oficio o poseen el mismo estado social. | Para la Iglesia, unión o comunidad de fieles y pastores; y particularmente de todos los creyentes y el papa. | En las universidades, corporación o cuerpo que integran catedráticos y doctores. | En Derecho Laboral, la corporación profesional, constituida por maestros, oficiales y aprendices de un mismo arte, oficio o profesión, regida por estatutos particulares, que tiende a enaltecer la común labor característica y a la mejora moral y material de sus integrantes.

Grilletes

Arco de hierro, con dos agujeros y un pasador por detrás, por el cual se pasa un perno, y sirve para asegurar una cadena al tobillo de un presidiario.

Grillos

Un género de prisión, que asegura a los reos en la cárcel para que no puedan huir de ella.

Gritos subversivos

Vivas o mueras y cualquiera otra expresión exaltada, proferidas a voz en cuello contra el poder constituido o contra el régimen político y social imperante cuando se les atribuye eficacia para alterar el orden público.

Grupo

Pluralidad de seres o cosas con alguna característica común.

Grupo de sociedades

Conjunto de sociedades independientes y autónomas, por lo menos teóricamente, pero que de hecho se encuentran sometidas a una dirección y a un control económico o financiero único.

Guarda

El encargado de conservar o custodiar una cosa. | Defensa, conservación, cuidado o custodia. | Tutela. | Curaduría, curatela. | Cumplimiento, observancia o acatamiento de leyes, órdenes y demás preceptos obligatorios. | **DE VISTA.** Cuidador que no ha de apartarse de la vigilancia directa de una persona. | **JURADO.** Guardián que, a propuesta de particulares, y luego de prestar determinado juramento, recibe un nombramiento de la autoridad para reconocerle sus funciones y permitirle usar armas de fuego.

Guerra

En sentido amplio, toda disidencia o pugna entre personas o grupos. | Oposición violenta. | En sentido propiamente militar, la Academia Española dice que es desavenencia y rompimiento de paz entre dos potencias. Para Grocio es "la situación de aquellos que procuran ventilar sus diferencias por la vía de fuerza" y para Bello es "vindicación de nuestros derechos por la fuerza".

Guilda

Institución germánica y anglosajona análoga a los colegios romanos y antecedente de los *gremios* (v.). Las *guildas* fueron como familias artificiales, formadas por la conjunción de la sangre y unidas por el juramento de ayudarse y socorrerse en determinadas circunstancias sus miembros.

Guillotina

Máquina destinada a la ejecución de la pena de muerte por medio de la decapitación.

H

H

Sexta consonante y octava de las letras del abecedario español. | Octava de las letras nundiales romanas, para indicar el octavo día de su novenario.

Hábeas corpus

Palabras latinas, y ya españolas y universales, que significan literalmente: "que traigas tu cuerpo" o "que tengas tu cuerpo". Con estos dos vocablos comienza la famosa ley inglesa, votada por el Parlamento en 1679, como garantía suprema de la libertad individual, entre los regímenes de Derecho y democracia.

Haber

Como verbo, tener, poseer. | Apoderarse de algo o de alguien; como cuando se dice: "Los delincuentes no fueron *habidos*". | Suceder, ocurrir, pasar. | Verificarse, celebrarse. | **POR CONFESO.** Declaración legal que atribuye el valor probatorio de la confesión al dicho, hecho, silencio o ausencia de una de las partes que intervienen en una causa, cuando se producen especiales circunstancias o ante actitudes de escasa o nula colaboración por alguno de los litigantes.

Hábil

Este adjetivo deriva del latín *habilis,* de *habere*, tener, que quiere decir capaz o apto para una cosa. Así, el que tiene las calidades necesarias para una cosa es *hábil*; y se dice del que es capaz para testar, para heredar, para casarse, para ejercer algún cargo, etc. | Además, experimentado, conocedor: diestro, mañoso.

Habilitación

Acción o efecto de habilitar o habilitarse. | Concesión o reconocimiento de capacidad o atribuciones. | Entrega de bienes o medios para un negocio o actividad. | Provisión de lo necesario. | Cargo o función de habilitado. | Oficina o despacho de éste. | En América, participación en las utilidades de un establecimiento mercantil o de una sociedad. | **DE BANDERA.** Autorización o facultad que, en tratados internacionales, se hace a favor de buques extranjeros, para que puedan comerciar en los puertos del país que hace la concesión. | **DE DÍA Y HORA INHÁBILES.** Cuando haya *justa causa* para ello, el juez puede habilitar los días y horas inhábiles para toda clase de actuaciones judiciales. | **DE EDAD.** Es a la tutela lo que la emancipación a la patria potestad: un anticipo de la mayoría de edad, con ciertas restricciones.

Habilitar

Autorizar, reconocer como hábil, apto o capaz para algo. | Facultad para comparecer en juicio al menor no emancipado o a la casada. | Conceder anticipadamente la mayoría de edad al menor sujeto a tutela. | Realizar, por urgencia u otra causa justa, actuaciones judiciales en días inhábiles. | Entregar a un concursado la administración de sus bienes. | Dar capital para emprender negocios en nombre propio. | Conceder participación en los beneficios de una sociedad o establecimiento, por los servicios prestados o gestión cumplida. | En los concursos para prebendas o curatos, declarar hábil y acreedor a una plaza futura. | Proveer, facilitar lo necesario para un viaje o empeño análogo.

Habitación

Edificio, casa y cualquier otra construcción o lugar natural que se emplea para vivir. Por lo general requiere cierta independencia familiar o personal, techumbre, protección contra la intemperie, lugar y elementos para guisar y dormir. | *Habitación* lo es también un piso u otra parte de una vivienda o casa donde moran distintas personas. | Aposento de una casa o morada; como cuarto, sala, alcoba, despacho, comedor, etcétera.

Habitar

Vivir, morar, tener domicilio o vivienda en un territorio o casa.

"Hábitat"

Ambiente, medio o región adecuada para la vida y desenvolvimiento de un grupo humano, y también de especies animales o vegetales.

Habitualidad

El estado durable, la permanencia de los hábitos o inclinaciones que perseveran en un sujeto.

Habitualidad penal

En el campo del Derecho Penal, la *habitualidad* implica la comisión reiterada de delitos, generalmente del mismo orden. El delincuente habitual es el que incursiona reiteradamente en el campo de la delincuencia. Según Ferri, muchos lo hacen por simple costumbre adquirida. Comienzan infringiendo la ley penal en los primeros años de la adolescencia, casi siempre mediante la comisión de delitos contra la honestidad o contra la propiedad. Luego se incorporan, paulatinamente, al submundo de la delincuencia, configurando "una categoría delincuente".

El medio determina su conducta posterior, hasta que llegan a adquirir "la costumbre crónica del delito".

Además, sus compañías habituales los inducen a contravenir no sólo las normas sociales, sino también las leyes. Por capas institucionalizadas de la sociedad se rechazan, como elementos extraños y peligrosos, y dificultan, en consecuencia, su posibilidad de adaptación a una vida normal.

Hacienda

Patrimonio, conjunto de bienes de una persona. | Predio rústico. | Ministerio de Hacienda. | En la Argentina, ganado vacuno, caballar y lanar de una estancia o granja. | ant. Hecho, acción, obra. | Negocio o asunto que interesa a varios.

Hallazgo

Acto de encontrar alguna cosa, bien porque se busca o solicita, o por ofrecerla la casualidad. | La misma cosa encontrada. | Aquello que se da a quien ha hallado una cosa y la ha restituido a su dueño o ha indicado dónde y cómo puede recuperarla. | Encuentro. | Invención. | Descubrimiento. | Dentro del Derecho Civil, el *hallazgo* lo constituye el encuentro casual de un bien mueble ajeno, siempre que no se trate de *tesoro oculto.*

Hamurabí (Código de)

Cuerpo de leyes promulgado por Hamurabí, rey de Babilonia, más de 2.000 años antes de la era cristiana.

Hecho

Acción. | Acto humano. | Obra. | Empresa. | Suceso, acontecimiento. | Asunto, materia. | Caso que es objeto de una causa o litigio. | **AJENO.** El ejecutado por persona distinta de nosotros o el proveniente de una fuerza extraña a la nuestra. | **CONSUETUDINARIO.** El *hecho* que induce o significa una regla consuetudinaria de Derecho. | **CONTROVERTIDO.** En todo juicio, el que una de las partes niega tras haberlo afirmado la contraria. Su trascendencia procesal reside en que debe ser objeto de prueba, salvo contar con especial favor de la ley, como sucede, sin controversia posible, con *la presunción "iuris et de iure"* y, con menos consistencia, con el *hecho notorio* (v.), impugnable en parte siempre, así se frustre la polémica judicial a su respecto. Aunque la ley impone negar *uno por uno* todos los *hechos* del adversario que no se admitan, en los escritos suele procederse a una negativa generalizada que, analizada en ocasiones, lleva hasta negar la existencia del adversario. | **IMPONIBLE.** Conjunto de conductas y situaciones fácticas cuya configuración origina una obligación tributaria. | **JURÍDICO.** Fenómeno, suceso o situación que da lugar al nacimiento, transmisión o extinción de los derechos y obligaciones. | **JUSTIFICATIVO.** El que puede servir para probar la inocencia de un acusado. También, el que suprime el carácter delictivo de las acciones que parecen punibles. (V. CIRCUNSTANCIAS EXIMENTES.) | **LÍCITO.** El mandado o permitido por la ley. | **NEGATIVO.** En sí, la omisión o abstención; el no hacer u obrar. | **NOTORIO.** Principio de Derecho, ciertamente discutido, según el cual no se necesita probar aquellos hechos que son de pública notoriedad *(notoria non agunt probationem)*. Algunas legislaciones no hacen referencia al hecho notorio, salvo para dar razón del conocimiento en las declaraciones de los testigos. | **NUEVO.** En Derecho Procesal se denomina así el que surge o es conocido por alguna de las partes después de iniciado el juicio, cuando ya se está tramitando, y que guarda relación directa con el problema objeto del litigio. Los códigos adjetivos regulan la posibilidad de alegar y de probar los *hechos nuevos.* Así, en la legislación general se admite la alegación de *hechos nuevos* cuando, con posterioridad a la contestación de la demanda o reconvención, ocurriere o llegare a conocimiento de las partes alguno que tuviere relación con la cuestión que se ventila.

Hechos

En el enjuiciamiento civil, los *hechos* comprenden todos los actos de las partes, anteriores al litigio, que pueden tener importancia en la causa. | **PROBADOS.** Aquellos que en la sentencia se consideran de una manera expresa como habiendo ocurrido. El veredicto del jurado, en realidad, no es más que una declaración de *hechos probados,* sobre los cuales el tribunal de derecho habrá de aplicar las disposiciones legales pertinentes.

Heredad

Campo o porción de terreno cultivado que pertenece a un solo dueño. | Hacienda o finca de campo; bienes raíces, posesiones. | Antiguamente se decía por herencia, como también heredaje y heredamiento. | **CERRADA.** La que está privada de toda salida a la vía pública, y asimismo la que no tiene una salida suficiente para su explotación. | **DOMINANTE.** Cualquiera a cuyo beneficio se han constituido derechos reales. | **SIRVIENTE.** Aquella sobre la cual se han constituido servidumbres personales o reales.

Heredero

Persona que, por disposición legal, testamentaria o excepcionalmente por contrato, sucede en todo o parte de una herencia; es decir, en los derechos y obligaciones que tenía al tiempo de morir el difunto al cual sucede. También puede llamarse *heredero* al dueño o propietario de una heredad o finca. | **AB INTESTADO o LEGÍTIMO.** El que recibe la sucesión cuando ésta es diferida por la ley. | **ABSOLUTO.** El que puede disponer de los bienes de la sucesión sin limitación, obstáculo ni restricciones. | **BENEFICIARIO.** El que acepta la herencia a beneficio de inventario; y, por tanto, no responde de las deudas del causante sino con los bienes que éste deje, con la consiguiente independencia y seguridad para el patrimonio privativo del sucesor. (V. BENEFICIO DE INVENTARIO, HEREDERO PURO Y SIMPLE.) | **FIDEICOMISARIO.** Persona a quien el heredero fiduciario está encargado, por el difunto, de restituir, desde luego o pasado algún tiempo, el todo o parte de la herencia. | **FIDUCIARIO.** El encargado por el testador de entregar o restituir a otro la herencia que le deja. El intermediario legal y testamentario entre el causante y el fideicomisario. | **FORZOSO.** Con esta denominación, con la de *heredero necesario* o *legítimo* y también con la de *legitimario*, se designa al *heredero* o sucesor a quien el testador no puede privar de la porción de bienes que la ley le reserva. | **INCIERTO.** Aquel que no puede ser determinado, por lo incompleto de la designación, la ambigüedad de los términos o la existencia de varias personas con iguales nombres o en idéntica situación. | **PÓSTUMO.** El que nace después de la muerte del causante; más concretamente: de la muerte del padre o ascendiente, si fuere heredero necesario; o de la del testador, si lo fuere voluntario. | **PURO Y SIMPLE.** El que acepta la herencia sin beneficio de inventario; esto es, con todas las cargas y responsabilidades, estando obligado, por la confusión de patrimonios que se opera, a pagar con sus propios bienes las cargas de la sucesión, si el activo de ésta no fuera suficiente para cubrir el pasivo. | **TESTAMENTARIO.** El instituido en testamento y, por extensión, el designado en capitulaciones matrimoniales, allí donde tal facultad sea lícita. | **UNIVERSAL.** El que sucede al causante en todos sus derechos y obligaciones o en una cuota parte de ellos. | **VOLUNTARIO.** El que sucede al causante exclusivamente por la voluntad del *de cujus*; es decir, por no ser *heredero* legítimo o forzoso.

Herejía

Actitud que se atribuye a quien, después de bautizado, se adhiere a alguna doctrina que niegue o ponga en duda algunas de las que la Iglesia católica considera verdades que han de ser creídas con fe. Conforme al Derecho Canónico, la *herejía* constituye pecado que adquiere la calidad del delito cuando la oposición al dogma tiene manifestaciones externas. El incurso en *herejía* es llamado *hereje*.

Herencia

Derecho de heredar o suceder. | Conjunto de bienes, derechos y acciones que se heredan. | En sentido figurado, defectos o cualidades que se heredan reciben o copian de otra persona, y más particularmente entre padres e hijos. | Fenómeno biológico por el cual los ascendientes transmiten a los descendientes cualidades normales o patológicas. | **ADVENTICIA.** En sentido amplio, la que adquiere de persona que no sea ninguno de sus padres el hijo de familia. | Más estrictamente, la que la madre deja al hijo sometido a la patria potestad, con intención de que el descendiente la adquiera para sí y no para el padre. | **VACANTE.** El conjunto de bienes, derechos y obligaciones que deja el difunto intestado cuando carece de herederos llamados por la ley para sucederle; o que, si los tiene, no se presentan, repudian la sucesión o son indignos o incapaces para heredar. | **YACENTE.** Se designa con este nombre la herencia en cuya posesión no ha entrado todavía el heredero testamentario o ab intestato; o aquella en la que no se han hecho las particiones, de haber varios herederos.

Hermafrodita

El ser humano que reúne en sí, real o aparentemente, los dos sexos, siendo a la vez hombre y mujer, no siendo ni lo uno ni lo otro plenamente. La voz proviene de la fusión de dos griegas: *Hermes,* o Mercurio, y *Afrodita,* o Venus, que tuvieron un descendiente convertido después en varón y hembra.

Hermandad

Vínculo de parentesco entre hermanos. | Íntima amistad. | Correlación o correspondencia entre cosas. | Nombre de ciertas cofradías y asociaciones. | Privilegio concedido por una comunidad religiosa a una o más personas para que participen así de determinados privilegios o gracias. | Antiguamente, sociedad o compañía en materia de bienes. | También, alianza, liga, unión o confederación. | Aliados, gente confederada.

Hermano, hermanos

Los hijos nacidos del mismo padre y madre, o que tienen común el padre o madre. | Tratamiento que se dan algunos cuñados. | Lego de una orden regular. | El que goza de ciertos privilegios y gracias en una comunidad religiosa. | Miembro de una hermandad o cofradía. | Denominación que se dan entre sí los cristianos. | Pariente cercano; se dice de primos. | **CARNALES.** Los hijos del mismo padre o madre. | **CONSANGUÍNEOS.** Los que tienen el mismo padre y distinta madre. | **GERMANOS.** Los hijos nacidos de los mismos padres. Se llaman también carnales, enteros, bilaterales o de doble vínculo. | **NATURALES.** Los hijos de los mismos padres cuando éstos podrían haberse casado al tiempo de la concepción o del parto. Los *hermanos naturales* lo son entre sí y también en relación con los legítimos, cuando el padre natural ha contraído ulterior matrimonio y ha engendrado legítimamente.

Hermenéutica

Ciencia que interpreta los textos escritos y fija su verdadero sentido. Aun referida primeramente a la exégesis bíblica, se relaciona con más frecuencia a la interpretación jurídica. | **JURÍDICA.** Arte, ciencia de interpretar los textos legales. (V. INTERPRETACIÓN DE LAS LEYES.)

Heteronomía

La norma jurídica (lo mismo la de *"uso social",* v. esta expresión) rige con independencia de que el sujeto le preste o no su adhesión. En este sentido se dice que el Derecho es *heterónomo,* a diferencia de la moral, cuyas normas son *autónomas* en tanto y en cuanto su validez y fuerza obligatoria depende de que cada sujeto las reconozca con tales atributos, a pesar de que, como normas, posean un valor en sí y por sí.

"Hic et nunc"

Loc. lat. Significa "aquí y ahora"; esto es, inmediatamente, en el acto, sobre la marcha, incontinente.

Hijastro

Y también *entenado* o *alnado* se llama al hijo que cualquiera de los casados lleva al matrimonio sin haber sido engendrado por el cónyuge actual.

Hijo

Descendiente en primer grado de una persona; el vínculo familiar entre un ser humano y su padre o madre. Genéricamente, la denominación de *hijo* comprende también a la *hija*; y el plural, *hijos,* no se limita tan sólo a los procreados por uno mismo, sino a todos sus descendientes, de no especificar. | **ADOPTIVO.** El que por autorización y ficción legal adquiere cierto estado de Derecho cerca de una persona, que ocupa para él el lugar del padre. Se establecen entre uno y otro, entre adoptante y adoptado, las relaciones que podría haber entre padre e *hijo,* aun faltando la procreación efectiva. | **ADULTERINO** o **NOTO.** El engendrado por persona que al momento de la concepción del hijo no podían contraer matrimonio, porque una de ellas o ambas estaban casadas. Entran dentro de la condición general de los *hijos ilegítimos.* | **BASTARDO.** En sentido amplio, todo nacido de unión ilícita; es decir, el *hijo* extramatrimonial, e incluso el matrimonial adulterino. | En sentido estricto, el hijo de padres que no podían contraer matrimonio ni en la época de la concepción ni al tiempo del parto. | **DE PADRE DESCONOCIDO.** Aquel cuya paternidad es ignorada por la generalidad de la gente, a veces por la misma madre, y que no consta, por tanto, en el Registro Civil. | **EMANCIPADO.** El que por haber hecho el padre o la madre renuncia expresa a la patria potestad, o por otras circunstancias especiales, adquiere, antes de su mayoría de edad, la casi totalidad de los derechos que las leyes establecen para los que alcanzan naturalmente la edad exigida para el goce de la plena capacidad jurídica. (V. EMANCIPACIÓN.) | **FICTICIO.** El que el marido o el amante de una mujer creen suyo y ha sido engendrado por otro. | El que por sustitución casual o de propósito o ha sido dado a luz por la madre de distinta criatura. | El que una persona o un matrimonio hace pasar por suyo, a sabiendas de que no lo es, para bien del así acogido o para fines más o menos ilícitos con respecto a terceros. (V. HIJO LEGÍTIMO, LEGÍTIMO y PUTATIVO, PARTO.) | **ILEGÍTIMO.** En sentido amplio, el que no ha nacido de justas nupcias. | Estrictamente, el nacido de padres que no podían contraer matrimonio ni en la época de la concepción ni al tiempo de nacer el hijo, por lo cual se distinguen los propiamente *ilegítimos* de los *naturales*, los concebidos por padres que podían contraer matrimonio entre sí. | **INCESTUOSO.** El habido por incesto; el nacido de padres que tenían impedimento para contraer matrimonio por parentesco no dispensable, ya por las leyes o por los cánones, según se trate de civil o del religioso. | **LEGITIMADO.** El natural o nacido de padres que al tiempo de la concepción del descendiente podían casarse, aunque fuere con dispensa, y que, por matrimonio ulterior de aquéllos, adquiere la calidad de legítimo. | **LEGÍTIMO.** Genéricamente, el nacido de legítimo matrimonio. | **MÁNCER.** El espurio nacido de ramera o mujer pública. La Part. IV, tít. XV, ley 1ª expresa: "Otrosí *hijos* hay que son llamados en latín *mánceres,* y tomaron este nombre de dos partes de latín; *manua scelus,* que quiere tanto decir como pecado infernal. Ca los que son llamados *mánceres* nacen de las mujeres que están en putería, y danse a todos cuantos a ellas vienen y por ende no pueden saber cuyos *hijos* son los que nacen de ellas. Y hombres hay que dicen que *máncer* tanto quiere mancillado; porque fue malamente engendrado, nacen de vil lugar". | **MAYOR.** El primogénito, en sentido absoluto, o el de más edad de los hermanos. | **NATURAL.** El nacido fuera del matrimonio de padres que al tiempo de la concepción podrían haberse casado. | **NEFARIO.** El ilegítimo o incestuoso concebido por parientes que no habrían podido casarse ni aun con dispensa. (V. HIJO INCESTUOSO.) | **PÓSTUMO.** El nacido después de muerto el padre. | **SACRÍLEGO.** El engendrado por padre clérigo de órdenes menores, o de persona, padre o madre, ligada por voto solemne de castidad, en orden religiosa aprobada por la Iglesia Católica.

Hijuela

Diminutivo de hija. | Por analogía, la cosa accesoria o subordinada a otra principal. | Camino transversal desde la carretera o camino real a un pueblo u otro lugar. | Conjunto de bienes que corresponden a cada uno de los herederos. | Documento donde se enumeran detalladamente, luego del inventario, avalúo y partición, el bien o bienes que se adjudican a cada uno de los coherederos.

Hipoteca

Esta palabra, de origen griego, significa gramaticalmente *suposición*, como acción o efecto de poner una cosa debajo de otra, de sustituirla, añadirla o emplearla. De esta manera, *hipoteca* viene a ser lo mismo que cosa puesta para sostener, apoyar y asegurar una obligación. | **NAVAL.** La fuerte garantía que, pese a guerras, naufragios y otras contingencias desfavorables, ofrecen los buques, llevaron a convertirlos en objeto de *hipoteca*; pero, al tropezarse con el obstáculo clásico de que ella sólo recaía sobre inmuebles, se recurrió a la inocente ficción de suponerlos bienes inmuebles tan sólo a los efectos hipotecarios.

Hipotecar

Constituir una hipoteca. | Para el acreedor hipotecario consiste en asegurar un crédito o el cumplimiento de una obligación sujetando un inmueble (o ciertos muebles especiales) del deudor o de un tercero, que responden en caso de vencimiento sin pago, de infracción sin resarcimiento espontáneo. | Para el deudor hipotecario, sea el obligado o un tercero por él, *hipotecar* es tanto como afectar un inmueble (o mueble permitido por la ley) a la satisfacción de una deuda o de una obligación, para el caso de incumplimiento.

Hipotecario

Concerniente a la hipoteca.

Hipótesis o **hipótesi**

Suposición, posible o imposible, necesaria o útil, para deducir una consecuencia o establecer una conclusión. | Conjetura, sospecha. | Presunción.

Hispanidad

Comunidad de los pueblos hispánicos; España, todas las repúblicas americanas desde México y Cuba hasta la Argentina y Chile; con la exclusión de Haití y Brasil, y además Puerto Rico, Filipinas, Andorra, la Antártica o Antártida sudamericana y las antiguas posesiones españolas del golfo de Guinea. | Españolismo en los ideales, sentimientos, aspiraciones, cultura y costumbres.

Hispano

Español. | Hispanoamericano, por la comunidad de lenguaje y de raza con la "madre patria".

Hispanoamericanismo

Sentimiento, doctrina y tendencia que procura la máxima unión espiritual y las mejores y más intensas relaciones materiales entre los pueblos hispanoamericanos.

Historia

Narración fiel de los principales acontecimientos del pasado. | Conjunto de los hechos así expuestos, y obra en que se hace. | Relato de cualquier suceso. | Antecedentes de una persona o de un hecho. | Mentira, cuento, embuste, falsedad. | Aventura femenina. | **DEL DERECHO.** Exposición científica (verdadera, crítica y sistematizada) que estudia los fenómenos jurídicos en su evolución a través del tiempo, la formación y desarrollo de las instituciones jurídicas, en un pueblo determinado o de varios, comparándolas entre sí.

Historicismo jurídico

Según Recasens, en el campo del Derecho y de la política, con el nombre de *historicismo jurídico* se designan las varias posiciones contra las doctrinas del Derecho Natural comprendidas bajo el nombre racionalismo. Distínguense las corrientes del *historicismo romántico* de la escuela de Savigny, del *historicismo filosófico*, en la forma moderada de Burke y en la forma extrema de la escuela francesa de la Restauración y de sus similares española y alemana.

"Holding"

Voz inglesa. En significados jurídicos generales expresa posesión, pertenencia, tenencia. También arrendamiento o inquilinato. No obstante, su aplicación principal es en el campo de las grandes empresas; por cuanto entraña una supersociedad o "trust", cuyos negocios pasan a ser administrados por el *"holding"* o, al menos, a ser fiscalizados por él. (V. "CARTELES", "KARTELL", "TRUST".)

Hológrafo

Por curiosa circunstancia, la ortografía *ológrafo*, aun habitual y preferida por los códigos civiles, no se ajusta a la etimología latina *holographus* ni a la anterior griega *holographos*. (V. TESTAMENTO OLÓGRAFO.)

Hombre

Genéricamente, el animal racional; todo individuo de la especia humana, cualquiera que sea su edad y sexo. | Dentro del género humano, el ser perteneciente al sexo masculino, el varón. | Más restringidamente aún, el adulto, por oposición al niño, e incluso al joven. | Entre el vulgo, marido. | Salvo expresa excepción legal en cuanto a la capacidad, *hombre* equivale a *persona* en el Derecho moderno, al desaparecer siervos y esclavos. (V. MUJER, PERSONA, VARÓN.) | **BUENO.** Individuo del estado llano. | Ciudadano, mayor de edad, que se considera con honradez y bondad suficientes para los actos de la vida civil. | Mediador en los actos de conciliación. | Árbitro o arbitrador a quien las partes someten la decisión de algún negocio.

Hombría de bien

Honradez, lealtad, buen proceder.

"Homestead"
Voz inglesa, compuesta de *home*, casa, y *stead*, sitio, lugar. Significa hogar, heredad, domicilio o dominio familiar. En su aplicación jurídica moderna es de origen norteamericano, y significa *"bien de familia", "propiedad familiar"*.

Homicida
Lo que ocasiona la muerte de otro; como el *arma homicida*. | El autor de la muerte de otra persona. | Penalmente, el responsable de un homicidio, o muerte injusta y voluntaria dada a otro, con violencia o sin ella.

Homicidio
Muerte dada por una persona a otra. | Penalmente, el hecho de privar de la vida a un hombre o mujer, procediendo con voluntad y malicia, sin circunstancia que excuse o legitime, y sin que constituya asesinato ni parricidio (delitos más graves) ni infanticidio ni aborto (muertes penadas más benignamente). | **AGRAVADO.** Aquel sujeto a penas más elevadas que las que corresponden a la generalidad de los homicidios, sea por las particulares relaciones entre el culpable y la víctima, o por las circunstancias que hayan rodeado al delito y que lo hagan particularmente dañino o condenable. (V. HOMICIDIO CALIFICADO.) | **CALIFICADO.** El agravado por circunstancias del hecho criminal, en que se habla de *asesinato* (v.), o por vínculos personales, en que se está ante el *parricidio* (v.) en sentido amplio. | **PRETERINTENCIONAL.** La muerte causada a una persona por quien no se proponía inferirle mal de tanta gravedad. Tal es el caso del que, pretendiendo producir una intoxicación a otro, lo envenena; o el de quien, llevado por el exclusivo ánimo de herir o mutilar, alcanza un punto vital del cuerpo de la víctima y le origina la muerte. | **SIMPLE.** La figura de *homicidio* se caracteriza por un tipo básico o genérico, complementado por una pluralidad de tipos agravados o atenuados. En los casos en que no se configuran esos elementos agravantes o atenuantes, siendo aplicables las sanciones establecidas en forma general para el homicidio, éste es llamado *homicidio simple*.

Homologación
De acuerdo con su etimología griega, aprobación, consentimiento, rectificación. | Confirmación judicial de determinados actos de las partes, para la debida constancia y eficacia. | Firmeza que al laudo arbitral concede el transcurso del término legal sin impugnar el fallo de los árbitros.

Homologar
En general, consentir o confirmar. | Dar las partes firmeza de cosa juzgada al fallo de los árbitros, en virtud del consentimiento tácito, por haber dejado pasar el término legal sin apelar la resolución. | Auto o providencia del juez que confirma actos o contratos de las partes, con el fin de hacerlos más firmes, ejecutivos y solemnes.

Homologar un concordato significa aprobar el juez, mediante adecuada resolución, el concordato o convenio entre el comerciante fallido y sus acreedores quirografarios.

Homonimia
Igualdad de nombre entre dos o más personas o cosas.

Homónimo
Se aplica a personas, cosas u objetos de igual nombre. | Palabra con la misma forma que otra, pero con diverso significado; por ejemplo el *peso* como moneda y cual expresión ponderal.

Honestidad
Castidad, decencia, moderación en las personas, dichos y hechos. | Pudor, recato, decoro. | En la acepción menos usual, modestia y también cortesía.

Honesto
Decente, decoroso, casto. | Pudoroso, recatado, modesto. | Justo, equitativo, razonable. | Honrado, probo, recto.

Honorarios
Remuneración, estipendio o sueldo que se concede por ciertos trabajos. Generalmente se aplica a las profesiones liberales, en que no hay relación de dependencia económica entre las partes, y donde fija libremente su retribución el que desempeña la actividad o presta los servicios.

Honores
Concesión para usar título y preeminencias correspondientes a un cargo o empleo, como si efectivamente se desempeñare. | Pleitesía, homenaje o manifestación pública de respeto por los servicios prestados o por la función que se desempeña. Así se habla de *rendir honores* al jefe de Estado y a otras autoridades o alguna persona que ha merecido el bien de la patria.

Honoris causa
Por causa de honor. | De manera honoraria.

Honra
Vocablo con diversas acepciones, entre ellas: Estima y respeto de la dignidad propia. | Buena opinión y fama adquirida por la virtud y el mérito. | Pudor, honestidad y recato de las mujeres (*Dic. Acad.*).

Con independencia del valor social que esas virtudes puedan tener, ofrecen otro de índole jurídica, por cuanto la ley reconoce a todas las personas el derecho de defenderlas y de impedir que otros la ataquen. De ahí que los ataques a la *honra* constituyan dos tipos de delito: uno relacionado con las agresiones al honor (injuria, calumnia y difamación) y otra con las agresiones a la honestidad (estupro, rapto, violación y corrupción).

Honrado
Probo. | Justo, recto, equitativo. | Dicho de los hombres, escrupuloso en lo que pueda constituir delito o falta contra la probidad. | Referido a mujeres, la honesta, la fiel, la virtuosa en lo atinente a la castidad. | Quien desempeña un cargo, dignidad o empleo honorífico u honorario.

Hora
Cada una de las 24 partes iguales en que se divide el día. | **HÁBIL.** La Ley de Enj. Civ. esp. declara que para las actuaciones judiciales: "Se entienden por *horas hábiles* las que median desde la salida a la puesta del sol". En las oficinas y para el comercio, *horas hábiles* son las de atención al público. | **INHÁBIL.** Judicialmente, aquella en que no está permitido practicar actuaciones válidas. Por lo general, *horas inhábiles* son las que transcurren desde la puesta a la salida del sol. No obstante, "los jueces y tribunales podrán habilitar los días y *horas inhábiles,* a instancia de parte, cuando hubiere causa urgente que lo exija" (art. 259 de la Ley de Enj. Civ. esp.). Para la instrucción del sumario no hay días ni *horas inhábiles.*

Horca
Máquina compuesta por tres palos, dos hincados en la tierra, y el tercero encima trabando los dos, en la cual morían colgados los delincuentes condenados a esta pena.

Horda
Grupo más o menos numeroso de salvajes que carecen de domicilio, forman comunidad y adoptan por lo general actitud belicosa o de indisciplina social.

Hostilidades
Medios de violencia que por parte de una potencia se emplean contra otra, estando en guerra.

Huelga
Lapso en que no se trabaja. | Cesación colectiva y concertada del trabajo por parte de los trabajadores, con el objeto de obtener determinadas condiciones de sus patronos o ejercer presión sobre éstos. Se producen también con carácter político contra el poder público. Por el contrario, el *lock-out* es la cesación del trabajo por imposición de los dueños de la industria o comercio.

Huellas digitales
V. IMPRESIONES DIGITALES.

Huérfano
Menor de edad que carece de padre y madre, o de uno de ellos, por muerte de sus progenitores o por serle desconocidos. | Por violenta inversión poética, persona que no tiene hijos. | Figuradamente, falto, carente. | Antiguamente, expósito.

Humanistas
Denominación de los iniciadores y partidarios del movimiento renacentista que, a partir de mediados del siglo XV, resucitó el interés y el entusiasmo por el conocimiento de las culturas clásicas de las antiguas Grecia y Roma. Los *humanistas,* dentro del campo jurídico, se especializaron en la historia de las instituciones y en los estudios filológicos del Derecho.

Hurto
Delito contra la propiedad, la posesión o el uso, consistente en el apoderamiento no autorizado de un bien mueble ajeno, con ánimo de lucro, sin fuerza en las cosas ni violencia en las personas. La sustracción aprovecha una oportunidad o un descuido, o explota una particular habilidad. | *Hurto* es asimismo la cosa hurtada. | **CUALIFICADO.** El castigado más rigurosamente por las circunstancias especiales, que revelan la perversidad o ingratitud del ladrón o hurtador. | **FAMÉLICO.** Es el que se comete para resolver una situación de hambre irresistible y que por falta de medios económicos no puede ser satisfecha de otro modo. Constituye, según algunos autores, una *causa de justificación,* conocida como *estado de necesidad* (v.).

I

I

La tercera de las vocales y la novena de las letras del alfabeto hispanoamericano. | Novena de las letras nundiales romanas, para referirse al noveno y último día de los novenarios en que dividían su calendario.

Ibídem

En citas, notas, referencias e índices, este españolizado adverbio latino significa *en el mismo texto* o *lugar*. (V. ÍDEM.)

Ídem

Este pronombre latino, ya castellanizado también, significa *el mismo* o *lo mismo.*

Identidad

Calidad de idéntico, igualdad absoluta; lo cual integra un imposible lógico cuando existe dualidad de seres u objetos por la distinta situación, entre otras circunstancias de inevitable diversidad. | Parecido, semejanza, similitud, analogía grandes. | Filiación, señas personales. | **DE PERSONA** o **PERSONAL.** La *identidad de persona* integra una ficción jurídica, en virtud de la cual el heredero se tiene por una misma persona con el testador en cuanto a las acciones activas y pasivas. | **DE RAZÓN.** Uno de los modos en que se aplica y expresa el arbitrio judicial, resolviendo por analogía, con arreglo a una ley dada, lo que está fuera de ésta, pero tiene el mismo motivo.

Identificación

Reconocimiento y comprobación de que una persona es la misma que se supone o busca. | Procedimiento para determinar la identidad del sospechoso o acusado de un delito.

Idóneo

Apto. | Capaz. | Competente. | Dispuesto. | Suficiente. | Con aptitud legal para ciertos actos; como servir de testigo, por no estar incurso en ninguna de las incapacidades por la ley previstas.

Iglesia

Del griego, a través de la voz latina *ecclesia,* esta voz significa convocación, reunión o asamblea, por cuanto la *Iglesia* es la congregación o sociedad de los fieles, reunidos por la profesión de una misma fe, por la participación de iguales sacramentos y por la sumisión a los legítimos prelados, especialmente el papa, como vicario de Cristo en la Tierra. | Aun significando *Iglesia,* metafóricamente, toda religión cristiana, la *Iglesia* por antonomasia es la católica apostólica romana. | También, templo o edificio en que los fieles se congregan para orar, para rendir culto a Dios. | Estado eclesiástico. | El clero. | Gobierno eclesiástico ejercido por el Romano Pontífice, los concilios y los prelados. | Cabildo catedral. | Diócesis o jurisdicción de un prelado. | Pastores y fieles de un país o comarca. | Inmunidad del acogido a lugar sagrado.

Ignorancia

Falta de instrucción. | Desconocimiento de algo. | Carencia de noticias o informes. | Ausencia de ideas sobre una materia. | **DE DERECHO** o **DEL DERECHO.** Constituyendo, en general, la *ignorancia* la falta de ciencia, de letras y noticias, ya sea general o particular, la del Derecho es tanto la falta total del conocimiento de las normas jurídicas que rigen un Estado determinado como el conocimiento falso o incompleto que tenemos de dichas normas. Ha sido establecida una presunción *juris et de jure* por la cual, una vez promulgadas las leyes, éstas se presumen conocidas por todos. Esta situación se basa en dos principios generalmente admitidos: *a*) a nadie le es permitido ignorar las leyes: *"nemine jus ignorare licet"*; *b*) se presume que todos las conocen, por lo cual, aunque alguno las ignore, lo obligan como si no las ignorara; *"nemo jus ignorare censetur*; *ignorantia legis neminem excust"*; | **DE HECHO.** El desconocimiento de una relación, circunstancia o situación material cuando tiene efectos jurídicos en el supuesto de llegar a saber la verdad quien procedió ignorándola. | **DE LA LEY.** V. IGNORANCIA DE DERECHO. | **INEXCUSABLE.** Integra una de las formas de prevaricación castigadas en los códigos penales. | **INVENCIBLE.** La confiada, la que no advierte motivo alguno para dudar.

Iguala

Ajuste, convenio, composición en un negocio o pacto. | Estipendio o cosa que se da en virtud de ajuste, por el cual se presta un servicio determinado por un estipendio fijo.

Igualdad

Conformidad o identidad entre dos o más cosas, por comunidad o coincidencia de naturaleza o accidentes. | Correspondencia, armonía y proporción entre los elementos integrantes de un todo. | Trato uniforme en situaciones similares. | **ANTE LA LEY.** La propia generalidad de la ley (pues, si no, constituye excepción o privilegio) lleva a equipar a todos los ciudadanos, e incluso a todos los habitantes de un país, siempre que concurra identidad de circunstancias; porque, en caso contrario, los propios sujetos o los hechos imponen diferente trato: ambos son poseedores, pero ningún legislador se ha decidido a tratar lo mismo al de buena fe que al de mala fe, ni para adquirir, ni en cuanto al resarcimiento por gastos, mejoras y otras causas. | **DE TRATO ENTRE TRABAJADORES.** La supresión de diferencias laborales cuando las situaciones, conductas y rendimientos son iguales se halla establecida en distintos ordenamientos y figura como aspiración de las organizaciones de trabajadores. Ha sido consagrada en el Tratado de Versalles.

Igualdad procesal

Principio esencial en la tramitación de los juicios, cualquiera que sea su índole, según el cual las partes que intervienen en el proceso, ya sea como demandante o demandada, ya sea como acusada o acusadora, tiene idéntica posición y las mismas facultades para ejercer sus respectivos derechos. Un trato desigual impedirá una justa solución y llevaría a la nulidad de las actuaciones.

Ilegal

Contrario a la ley. | Prohibido por ella. | Delictivo; aun cuando el delito constituya en realidad adaptación a la ley penal. | Ilícito. | Ilegítimo. (V. DELITO; DETENCIÓN, EXACCIÓN y MATRIMONIO ILEGAL.)

Ilegalidad

Infracción de ley prohibitiva. | Incumplimiento de ley imperativa. | Ilegitimidad. | Abuso. | Delito. (V. ANTIJURIDICIDAD, INCONSTITUCIONALIDAD.)

Ilegalmente

Sin derecho. | Contra obligación.

Ilegítimo

Ilegal; contrario a lo dispuesto en la ley o no conforme a ella. | Se dice del hijo extramatrimonial; y, más especialmente, del nacido de padres que no se podían casar ni al concebir a la criatura ni al tiempo de su nacimiento. | Producto que no corresponde al lugar, fabricante o fórmula acreditado o que falsamente declara. (V. HIJO y PARENTESCO ILEGÍTIMO.)

Ilícito

Lo prohibido por la ley a causa de oponerse a la justicia, a la equidad, a la razón o a las buenas costumbres. | Ilegal. | Inmoral. | Contrario a pacto obligatorio.

Imparcialidad

Falta de designio anticipado o de prevención en favor o en contra de personas o cosas, de que resulta poderse juzgar o proceder con rectitud. Esa definición, de la Academia de la lengua, ya nos da entender que la *imparcialidad* constituye la principal virtud de los jueces. La parcialidad del juzgador, si es conocida, puede dar motivo a su *recusación* (v.).

Impedimento

Obstáculo, dificultad, estorbo, traba, embarazo que se opone a una actividad o fin. | Por antonomasia, cualquiera de las circunstancias que hacen ilícito o nulo el matrimonio. | **DIRIMEN-**

TE. El obstáculo canónico legal que se opone a la celebración de un matrimonio, o que lo anula si se ha contraído. Se clasifican en *absolutos* o *relativos,* según que no puedan ser dispensados o sean dispensables por autoridad legítima. | **IMPEDIENTE.** El opuesto a la celebración del matrimonio, que resulta ilícito, pero no nulo entre ciertas personas, si ya se ha contraído. | **LEGAL.** Todo requisito, causa, exigencia o prohibición que se opone a la ejecución de determinado acto jurídico, con los efectos de nulidad, penales u de otra índole en cada caso establecidos.

Impensa o impensas
Gasto o expensas en la cosa poseída.

Imperativo categórico
Se designa así la obligación moral que no es eludible, como el simple consejo; pero que tampoco es ineluctable, como la ley física. Kant define el deber como la necesidad de obedecer a la ley, por la ley misma; y enuncia su fórmula con las siguientes palabras: "Obra de tal manera que la máxima de tus actos pueda valer como un principio de legislación universal".

Imperialismo
Sistema político, doctrina de la expansión de un Estado a costa de otro u otros, y hasta de la dominación universal por un solo país.

Impericia
Falta de conocimientos o de la práctica que cabe exigir a uno en su profesión, arte u oficio. | Torpeza. | Inexperiencia.

Imperio
Dignidad de emperador. | Duración de su gobierno. | Período histórico de emperadores en un país. | Conjunto de reinos, territorios o colonias dependientes de un emperador. | Gran potencia. | En general, acción de imperar, mandar u ordenar. | En Derecho Procesal, potestad que tienen los jueces y magistrados de juzgar y ejecutar lo fallado. En este significado, el *imperio* se divide en *mero* y *mixto.*

Impetrar
Conseguir, o al menos solicitar encarecidamente, una gracia, merced, favor o beneficio.

Implícito
Incluido en otra cosa, aun no manifestado expresamente.

Imponible
Aquello que es susceptible de ser gravado con impuesto o contribución.

Importación
Introducción en un país de productos, costumbres o prácticas de otro. | Conjunto de cosas importadas.

Importar
Venir al caso, ser oportuno o pertinente en el asunto. | Interesar; convenir. | Valer o costar. | Entrañar, significar, llevar consigo. | Introducir géneros o costumbres de un país extranjero.

Imposibilidad del pago
Constituye una de las formas de extinguirse las obligaciones, "cuando la prestación que forma la materia de ella viene a ser física o legalmente imposible, sin culpa del deudor" (arts. 724 y 888 del Cód. Civ. arg.).

Imposible
Lo que materialmente no puede hacerse. | Aquello que moralmente no debe realizarse. | Lo legalmente prohibido; lo ilícito o ilegal. | Muy difícil, por exigir enorme esfuerzo o ánimo. | Intratable, insociable.

Impotencia
En general, falta de poder; incapacidad. | Imposibilidad de obrar. | Más concretamente, por *impotencia* o *impotencia sexual,* se entiende la incapacidad física para la cópula o acceso carnal con persona del otro sexo.

"Impotentia excusat legem"
Aforismo latino que expresa: la impotencia (o imposibilidad) excusa (del cumplimiento) de la ley. Ampara la situación de ciertas personas que, por las circunstancias, se encuentran exentas de determinadas obligaciones por la imposibilidad de actuar.

Imprescriptible
Lo que no puede perderse por prescripción. | Lo que no cabe adquirir por usucapión.

Imprevisión
Ausencia o falta de previsión. En los contratos a largo plazo pueden producirse riesgos imposibles de prever en el momento de celebrarse y que traen como consecuencia un excesivo gravamen en su cumplimiento para una de las partes. Esa circunstancia hace posible la revisión del convenio, si bien algunas legislaciones no admiten esa revisibilidad de lo pactado y mantienen el principio *rebus sic stantibus*. La teo-

ría de la *imprevisión* se encuentra relacionada con la teoría de la *lesión* (v.).

Improcedencia

Inoportunidad. | Falta de derecho. | Ineficacia de escrito, prueba, recurso o cualquier otra actuación. | Falta de fundamento. (V. INADMISIBILIDAD, PROCEDENCIA.)

Improrrogable

Que no se puede prorrogar. En Derecho Procesal se designa como *improrrogable* aquella jurisdicción que no puede ser ampliada, y que ha de ejercerse sobre los negocios y personas que la ley dispone.

Imprudencia

Genéricamente, la falta de prudencia, de precaución. | Omisión de la diligencia debida. | Defecto de advertencia o previsión en alguna cosa; punible e inexcusable negligencia por olvido de las precauciones que la prudencia vulgar aconseja, la cual conduce a ejecutar hechos que, a mediar malicia en el actor, serían delitos. | **PROFESIONAL.** Omisión de las precauciones extremas, como consecuencia de la confianza y habitualidad que crea el desempeño de una actividad. | **TEMERARIA.** Grave negligencia, imprevisión o descuido que, con olvido o desprecio de elementales precauciones, ocasiona un hecho castigado como delito cuando se realiza con dolo.

Impúber

Quien no ha alcanzado la edad de la pubertad, aquella en que se adquiere la capacidad o facultad de procrear o concebir, presunta a los doce años en las hembras y a los catorce en los varones.

Impuesto

Contribución, gravamen, carga o tributo que se ha de pagar, casi siempre en dinero, por las tierras, frutos, mercancías, industrias, actividades mercantiles y profesiones liberales, para sostener los gastos del Estado y de las restantes corporaciones públicas. | También es el gravamen que pesa sobre determinadas transmisiones de bienes, ínter vivos o mortis causa, y por el otorgamiento de ciertos instrumentos públicos. | **A LAS GANANCIAS.** Aquel que grava a los ingresos netos de los distintos factores de producción, generalmente con tasas que aumentan según crece el monto de la ganancia imponible. En distintas épocas y países ha sido también denominado impuesto a los réditos e *impuesto sobre la renta.* | **AL VALOR AGREGADO.** Importante variante de *impuesto indirecto*, aplicable sobre el valor agregado por la actividad económica de los sujetos sometidos a tal impuesto. Se computa, generalmente, aplicando una tasa a las ventas de bienes y servicios, y restando al resultado de ello un crédito logrado mediante la aplicación de la misma tasa a las compras de insumos efectuadas por los mismos sujetos. | **A LOS RÉDITOS.** Denominación argentina de la contribución que grava las rentas e ingresos del trabajo, de las profesiones liberales y otras actividades. | **DEL TIMBRE.** El que recae sobre determinados documentos, públicos y privados, con carácter proporcional, gradual y fijo, y que se hace efectivo con papel sellado o timbres móviles. | **DIRECTO.** El establecido de manera inmediata sobre las personas o los bienes, recaudado de conformidad con las listas nominales de contribuyentes u objetos gravados, y cuyo importe es percibido del contribuyente por el agente encargado de la cobranza (V. IMPUESTO DIRECTO.) | **EXTRAORDINARIO.** El de carácter excepcional en su exacción, o de cuantía recargada transitoriamente, para subvenir a una especial necesidad de la Administración. | **INDIRECTO.** El que gravita sobre los objetos de consumo o determinados servicios, y que se encuentra incluido, con especial indicación o sin ella, en el precio de aquéllos o en el pago por utilizar éstos. | **ORDINARIO.** Todo el que forma parte de los ingresos normales de la Hacienda pública, y que subsiste a través de los diversos ejercicios anuales. (V. IMPUESTO EXTRAORDINARIO.) | **PROGRESIVO.** El que aumenta el porcentaje que la Administración exige a medida que son mayores los ingresos brutos o los beneficios netos de un contribuyente. | **PROPORCIONAL.** El establecido según un tanto por ciento o por mil, sean los que sean los recursos del contribuyente; y que, no obstante su aparente justicia matemática, se estima más gravoso para el pobre, por el valor que la diferencia libre absoluta significa para el rico. | **SOBRE EL CAPITAL.** El que pesa sobre la riqueza acumulada, sin reparar en su producción o productividad. | **SOBRE EL CONSUMO.** Aquel que grava los artículos de uso corriente (como los comestibles, el tabaco, la gasolina, las prendas de vestir, etc.) y en el momento en que son puestos en circulación económica con destino a la clientela. | **SOBRE LA RENTA.** Quedan sujetos al mismo diversos ingresos, ya se refiera a la renta ociosa (réditos de títulos públicos o de préstamos particulares), ya de la procedente del capital (alquileres, cuotas arrendaticias, acciones o partes en sociedades), ya de los mismos ingresos debidos al trabajo independiente o subordinado (honorarios, sueldos, salarios, productos de las obras científicas, literarias o artísticas). (V. IMPUESTO SOBRE EL CAPITAL.) | **SUCESORIO.** El que grava los bienes transmitidos mediante sucesiones *mortis causa*, ya sea con una tasa fija, ya con alícuotas progresivas. A veces es parte de una figura más amplia, que grava a todas las transmisiones gratuitas de bienes.

Impuestos internos

Impuestos proporcionales sobre la venta de ciertos bienes, especialmente suntuarios o de esparcimiento, de carácter indirecto y normalmente superiores a los que rigen sobre la generalidad de los artículos de consumo.

Impugnación

Objeción, refutación, contradicción.

Impugnación de paternidad

Acción dirigida a obtener una declaración que niegue la paternidad atribuida respecto de determinada persona.

Impugnación procesal

Es el acto de combatir, contradecir o refutar una actuación judicial, cualquiera que sea su índole (testimonial, documental, pericial, resolutiva). Todos los recursos que se interponen contra las resoluciones judiciales constituyen actos *impugnación procesal*.

Impulso procesal

Es aquella actividad necesaria para el desarrollo normal del proceso, haciéndolo avanzar con el fin de que pueda cumplir su propia finalidad dentro del orden jurídico (Reimundin). El *impulso procesal* tanto puede corresponder a las partes que peticionan ante el juez, como al juez que, por su propia iniciativa, adopte medidas encaminadas a evitar la paralización del proceso. En los conceptos anteriores y en materia civil, el juez se tenía que mover dentro de la actuación de los litigantes; pero modernamente, y cada vez con mayor amplitud, se ha establecido que el juez está facultado para dirigir los trámites no sólo en busca de la verdad, sino también como medio de obtener una mayor economía procesal.

Impune

Lo que no se castiga. (V. CIRCUNSTANCIAS EXIMENTES.) | Lo que queda sin castigo, aun mereciéndolo, por ignorancia o desidia de los encargados de la represión, por habilidad del reo al encubrir el delito o al escapar de la Justicia, por prescripción, por el amparo poderoso.

Impunidad

Estado por el cual queda un delito o falta sin el castigo o pena que por la ley le corresponde.

Imputabilidad

Capacidad para responder; aptitud para serle atribuida a una persona una acción u omisión que constituye delito o falta. | La relación de causalidad moral entre el agente y el hecho punible.

Imputable

Capaz penalmente. | Individuo a quien cabe atribuirle un delito por la conciencia, libertad, voluntad y lucidez con que ha obrado. (V. IMPUTACIÓN.) | En contabilidad, lo que debe ser cargado a una cuenta.

Imputación

Atribución de una culpa a un agente capaz normalmente. | Cargo, acusación, cosa imputada. | Inversión o aplicación contable de una cantidad. | **DE PAGOS** o **DEL PAGO.** Determinación que hace el deudor, cuando tiene más de una deuda pendiente con un acreedor, de la obligación u obligaciones que deben considerarse parcial o totalmente extinguidas con el pago que efectúa. A falta de indicación de deudor, se aplican las reglas legales, salvo aceptar el obligado lo que el acreedor le proponga.

"In capita"

Loc. lat. Por cabeza. Se aplica a las sucesiones y otras divisiones de bienes en que se hacen tantos lotes como herederos o partes interesadas.

"In dubio, pro operario"

Aforismo latino. En la duda, a favor del obrero. En los conflictos del trabajo, las dudas se tienen que resolver a favor del trabajador, por una razón de protección social a la parte más necesitada. Es de señalar que por lo general los tribunales aplican esa norma.

"In dubio, pro reo"

Aforismo latino. En caso de duda, a favor del reo. La duda aprovecha al acusado de una infracción punible. (V. INOCENCIA.)

"In extenso"
Loc. lat. Por extenso; completa o íntegramente. Equivale a "literal", "sin abreviar", cuando se trata de copias, discursos, documentos, etcétera.

In extremis
Loc. lat. y esp., que se dice como abreviación de *"in extremis vitae momentis"*: en los últimos momentos de la vida.

"In fraganti"
Loc. lat. En flagrante. En el momento de cometer el delito o apenas realizado. (V. FLAGRANTE.)

"In fraudem legis"
Loc. lat. En fraude de la ley; con burla de ella; contra su espíritu.

In illo tempore
Loc. lat. y esp. En aquel tiempo o hace mucho ya.

"In initio litis"
Loc. lat. Al comienzo del pleito; al entablar la acción.

"In itinere"
Loc. lat. Durante el camino. Se aplica la expresión a los accidentes ocurridos en la ida al trabajo y al regreso de éste, y al problema que su indemnización plantea; si aquéllos han de ser considerados como profesionales o no. La ley francesa de 1946 considera como accidente, para los trabajadores comprendidos en la ley, "el sobrevenido el trayecto de su residencia al lugar del trabajo y viceversa, siempre que el recorrido no se haya interrumpido o cambiado por motivo dictado por el interés personal o independiente del empleo".

"In jure cessio"
En el Derecho Romano, antiguo modo de adquirir el dominio quiritario de las cosas, derogado ya en tiempos de Justiniano.

"In memoriam"
Loc. lat. Literalmente significa: en memoria; como recuerdo.

"In mente"
Loc. lat. En la mente; reservadamente. (V. IN PECTORE.)

"In pari causa"
Loc. lat. En igual causa; en caso igual. Así se dice: *"In pari causa, melio est possidentes"* (siendo igual la causa —situación o derecho—, es mejor la condición del poseedor).

In partibus infidelium
En tierra o país de infieles.

In pectore
Loc. lat. y esp. En el pecho, reservadamente. Dícese de la resolución ya adoptada cuando todavía se mantiene secreta.

In perpetuum
Para siempre; a perpetuidad.

"In re"
Loc. lat. En la cosa o sobre la cosa. | Efectivo, real.

"In reatu"
Loc. lat. Se dice del sospechoso de haber perpetrado o cometido un delito.

"In situ"
Loc. lat. En el lugar; donde se encuentra.

In sólidum
Loc. lat. y esp. Por entero, por el todo.

"In solutum"
Expresión latina, cuyo significado es "en pago".

"In specie"
Loc. lat. En la propia cosa, o en otra de su especie o clase. Se contrapone al pago o entrega "en dinero".

In statu quo
Loc. lat. y esp. En el estado en que se encuentra o en que debe estar. En Derecho Internacional se utiliza frecuentemente para indicar la situación de equilibrio actual, o la anterior a una medida unilateral, a una agresión, etcétera.

"In terminis"
Loc. lat. Como término. Se dice de la resolución judicial que pone fin a una instancia o causa.

"In utroque jure"
Loc. lat. En uno y otro Derecho.

"In verbis"
Loc. lat. En estas palabras o términos.

"In voce"
Loc. lat. De viva voz. Se aplica a los informes orales en contraposición a los escritos.

Inadmisibilidad
Excepción (v.) que el demandado opone a la acción del demandante, sin entrar a discutir el fondo de la cuestión planteada, sino alegando otras circunstancias que impiden la prosecución de la litis.

Inalienable
En general, cuanto no resulta posible enajenar, por obstáculo natural o por prohibición convencional o legal.

Inamovible
Que goza de *inamovilidad* (v.).

Inamovilidad
Es el derecho que tienen ciertos empleados y funcionarios, especialmente los jueces y magistrados, a no ser destituidos, trasladados, suspendidos, ni jubilados sino por alguna de las causas prevenidas en las leyes.

Inapelable
Irremediable, inevitable, insubsanable. | Definitivo. | Fallo, sentencia, auto o resolución contra la cual no cabe apelación (u otro recurso cualquiera), por ser firmes, no autorizarlos la ley, haberlos consentido las partes o haber transcurrido el término hábil.

"Inaudita altera pars"
Loc. lat. No oída la otra parte. Esa situación vulnera el principio por el cual el juez no puede acceder o denegar la pretensión de un litigante sin oír a su contrario; salvo que, citado éste, no quiera comparecer a defender su derecho.

Incapacidad
Defecto o falta total de capacidad, de aptitud legal para ejercer derechos y contraer obligaciones. | Inhabilidad. | Ineptitud. | Incompetencia. | Falta de disposiciones o calidades necesarias para hacer, dar, recibir, transmitir o recoger alguna cosa. | Falta de entendimiento. | Torpeza. | Falta de dotes de gobierno o mando. | **CIVIL.** La declarada expresamente por la ley o establecida por sentencia judicial y que de manera absoluta o relativa impide ejercer derechos, contraer deberes e intervenir en negocios jurídicos. (V. INCAPACIDAD NATURAL.) | **DE DERECHO.** Ineptitud legal para el goce de uno o más derechos; pero que no puede extenderse a la totalidad de éstos, ya que la muerte civil ha desaparecido de las legislaciones. | **DE EJERCICIO**. Imposibilidad jurídica de ejercer directamente el derecho del cual se es titular, que requiere para su efectividad un representante legal o la asistencia de determinada persona. (V. INCAPACIDAD DE GOCE.) | **DE GOCE.** La prohibición legal o la ineptitud personal que priva de poder ser titular de determinado derecho. Así, la indignidad constituye incapacidad para gozar de la sucesión. (V. INCAPACIDAD DE EJERCICIO.) | **DE HECHO.** Imposibilidad o prohibición de ejercitar los derechos que se tienen. | **DEL TRABAJADOR.** Sea de carácter físico o mental, produce la disolución del contrato de trabajo, sin culpabilidad por parte del trabajador. | **NATURAL.** Impotencia para regir la propia persona en los negocios jurídicos, por causa del escaso desarrollo mental. | **PARCIAL.** Consiste en una disminución, reputada incurable, de la aptitud laboral de la víctima del accidente del trabajo. | **PERMANENTE.** En el trabajo, la de duración indefinida, para siempre, con independencia de la gravedad, que puede variar desde una simple molestia no sujeta a indemnización hasta la pérdida casi completa de la aptitud para todo trabajo. | **PERMANENTE TOTAL.** Es conocida con el nombre de *incapacidad profesional.* Se entiende por ella toda lesión que imposibilita de manera definitiva al accidentado para todo género de trabajo. | **RELATIVA.** La que se limita a determinados actos, dejando en libertad para realizar los restantes negocios jurídicos. | También, la que puede subsanarse con la asistencia, autorización o concurso de un representante legal. | **TEMPORAL.** La disminución de la capacidad profesional del trabajador, prolongada durante cierto tiempo, con privación parcial o total de la aptitud laboral.

Incapacitado
Individuo privado por las leyes de alguno de sus derechos naturales o civiles. | El sometido al amparo legal de la patria potestad o de la tutela, por carecer de experiencia o posibilidad de hacer valer sus derechos y cumplir las obligaciones derivadas de sus hechos o de sus bienes.

Incapacitar
Privar de la capacidad jurídica a un mayor de edad; establecer que no puede regir por sí mismo su persona o sus bienes, o ambas cosas a la vez. | Decretar que una persona carece de las condiciones requeridas para desempeñar un cargo.

Incautarse
Apoderamiento o toma de posesión que, en virtud de atribuciones legales o razón imperiosa de pública necesidad, lleva a cabo la autoridad judicial, militar o de otra índole.

Incendiario
Quien maliciosamente pone fuego a bienes ajenos o propios, por ánimo de perjudicar, pasión

morbosa de destruir o con la idea de obtener un lucro para sí, como en el caso de contar con un seguro, institución que ha ampliado modernamente esta clase de delincuentes.

Incendio
Fuego grande que abrasa, y daña o destruye, edificios, barcos, bosques, mieses y cualquier objeto combustible, pero no destinado normalmente a ser quemado.

Incentivación
Método de trabajo encaminado a incrementar la producción mediante premios a los trabajadores que superen una cantidad determinada de ella. Trátase de un sistema muy discutido y generalmente rechazado por las organizaciones sindicales.

Incertidumbre
Falta de certidumbre o certeza. | Duda, perplejidad. | Inseguridad.

Incesto
Acceso carnal entre parientes muy próximos, cuyo matrimonio está prohibido por la relación de consanguinidad.

Incidente
Del latín *incidens, incidentes,* que suspende o interrumpe, de *cadere*, caer una cosa dentro de otra. En general significa lo casual, imprevisto o fortuito. | También, acontecimiento o suceso. | Cuestión. | Altercado. | **DE NULIDAD.** El relativo a la invalidez de las actuaciones o de alguna providencia, por defecto de forma legal. | **DE PROBREZA.** El que resuelve acerca de la gratuidad para litigar, por la carencia o escasez de medios económicos de una de las partes o de ambas.

Incierto
Inexacto, falso, contrario a la verdad o a lo real. | Dudoso. | Desconocido, ignorado. | Cosa cuya esencia, calidad o cantidad no se conoce. | Inseguro, eventual.

Inciso
Cada uno de los miembros que, en los períodos, contiene un sentido parcial. Se aplica en códigos y leyes para establecer, dentro de un mismo artículo, las partes que tienen o encierran una disposición de detalle.

Incitar
Mover o impulsar a la ejecución de una cosa.

Incitativa
Provisión que antiguamente despachaban los tribunales superiores para que los jueces ordinarios hicieran justicia y no agravio a las partes.

Incoar
Iniciar o comenzar algo. | En Derecho Procesal, dar principio a un sumario, proceso, pleito o expediente; comenzar unas actuaciones judiciales.

Incobrable
De cobranza imposible, por prescripción, insolvencia total del deudor, existencia de crédito privilegiado que absorba el patrimonio del obligado, pérdida del documento crediticio, entre otros impedimentos.

Incomparecencia
Falta de comparecencia o presentación ante la autoridad que cita, convoca o emplaza.

Incompatibilidad
Exclusión natural o legal de una cosa o causa de otra. | Contradicción. | Antagonismo. | Cohabitación o convivencia imposible o insoportable.

Incompetencia
En té rminos generales, inhabilidad. | Insuficiencia. | Torpeza. | Incapacidad. | Defecto de aptitud. | En Derecho Procesal, falta de competencia; y por extensió n, tambié n falta de jurisdicció n o facultad que a un juez o tribunal corresponde para conocer de una causa.

Incompetente
Inhábil. | Inepto. | Incapaz. | Torpe. | Carente de competencia o jurisdicción, referido a jueces o tribunales.

Incomunicación
Privación de contacto por escrito, de palabra o visual de una persona con otras, con todas las no encargadas de velar por su seguridad o salud.

Inconcuso
Firme, seguro. | Evidente, incontrovertible; sin duda ni contradicción. | Incontestable.

Inconfeso
Reo o sospechoso que, al ser interrogado por el juez o tribunal, no reconoce o no confiesa el delito o cargo que se le atribuye o del cual se le acusa.

Inconstitucional
Violador de la Constitución o no acorde con ella.

Inconstitucionalidad
Quebrantamiento de la letra o del espíritu de la Constitución por leyes del Parlamento, por

decretos-leyes o actos del gobierno. | Recurso extraordinario que, según sus modalidades, tiende a declarar la inaplicabilidad de la ley contraria al texto constitucional, su nulidad.

Inconsulto
Sin consejo, consulta ni asesoramiento. | Sin consideración, ni respeto.

Incontinente
Quien no se domina. | Poseído por la incontinencia sexual. | Como adverbio, es sinónimo de la voz que sigue.

Incontrovertible
Indiscutible. | Indudable. | Irrefutable, inobjetable.

Incorporal
Carente de cuerpo, de materia tangible o forma visible.

INCOTERMS
Conjunto de reglas para la interpretación de términos utilizados en el comercio internacional, elaboradas por la Cámara de Comercio Internacional.

Incriminar
Acusar por un delito o crimen. | Imputar una falta. | "Exagerar o abultar un delito, culpa o defecto, presentándolo como crimen" (*Dic. Acad.*).

Inculpar
Culpar. | Imputar. | Acusar. | Denunciar. | Atribuir un daño, un mal, una falta o un delito.

Incumplimiento
Desobediencia de órdenes, reglamentos o leyes, por lo general de modo negativo, por abstención u omisión, al contrario de los casos de infracción o violación. | Inejecución de obligaciones o contratos. | Mora (*Dic. Der. Usual*).

Indagatoria
Diligencia que consiste en la primera declaración que se toma al presunto reo sobre el delito que se está averiguando, y que tiene por principal objeto determinar su personalidad.

Indebido
Lo que no es obligatorio. | Inexigible. | Injusto. | Ilícito. | Ilegal. | Antirreglamentario. | Inicuo.

Indecisorio
V. JURAMENTO INDECISORIO.

Indeclinable
De ejecución inexcusable. | De cumplimiento obligatorio. | Indispensable. | Se dice de la jurisdicción que no cabe declinar, que ha de ejercerse sin otra alternativa que la pasividad punible; que ha de conocerse forzosamente del asunto.

Indefensión
Es la situación en que se encuentra quien no ha sido defendido o no se ha defendido, sin culpa por su parte, en un juicio que lo afecta. Esa *indefensión* vulnera el principio de la inviolabilidad de la defensa, que suele presentar una garantía constitucional. Esta norma resulta particularmente importante en materia penal, ya que ni siquiera queda librado a la voluntad del imputado el derecho de no defenderse. Si él no designa defensor, el tribunal está obligado a nombrarle uno de oficio.

Indemnidad
Seguridad, caución o fianza dada a una persona o corporación de que no experimentará daños o perjuicios por la realización de algún pacto. | Condición o estado del exento de padecer un mal en su persona o bienes.

Indemnización
Resarcimiento económico del daño o perjuicio causado. | Suma o cosa con que se indemniza. | En general, reparación. | Compensación. | Satisfacción.

Indemnizar
Resarcir los daños y prejuicios.

Independencia
Libertad o autonomía de gobierno y legislación de un Estado en relación con cualquier otro. En el Derecho Político y en el Internacional, la *independencia* constituye uno de los elementos esenciales del Estado. Sólo cuando éste es independiente, puede ostentar su plena soberanía.

Inderogable
Que no puede ser derogado. Realmente no hay ley positiva eterna, y todas son derogadas por reforma legal o por la violencia.

"Index"
Catálogo, relación o lista de los libros cuya lectura prohíbe la Iglesia, ya por razones de dogma o de moral. Los creyentes que a sabiendas infringen esa prohibición incurren en las severas penas que fulminan las autoridades eclesiásticas, que llegan hasta la excomunión.

Indicación de procedencia
Propiedad industrial que impide expresar que un producto es de determinado lugar o país,

famoso por la calidad o aceptación de los frutos naturales, del trabajo o de la industria, si el hecho no es exacto.

Índice
Indicio, señal. | Lista, relación breve de alguna cosa. | Guía de capítulos o materias de un libro. | Número que expresa la relación entre cantidad y la frecuencia de un fenómeno. | *"Index"* (v.). | **DE CRIMINALIDAD.** Proporción numérica, concretada por lo común en un tanto por mil, para determinar la cantidad de delincuentes dentro de la población total.

Indicio
Acción o señal que da a conocer lo oculto. | Conjetura derivada de las circunstancias de un hecho. | Sospecha que un hecho conocido permite sobre otro desconocido. | Rastro, vestigio. | Huella.

Indigente
Falto de medios económicos para proveer a su subsistencia.

Indignidad
Falta de mérito. | Acción impropia de la calidad o antecedentes de una persona. | Vileza, ruindad. | Atropello. | Injusta persecución. | Abuso de poder. | Ultraje, ofensa. | Claudicación. | Rendición o entrega sin defensa. | Colaboración o sumisión por interés o cobardía. | En su principal acepción jurídica, mala acción o pasividad grave que imposibilita o impide a quien en ella incurre para heredar al ofendido.

Indirecto
Lo que no se dirige rectamente a su fin. | Irregular. | Simulado.

Indisciplina
Falta o debilidad de la disciplina. | Rebelión o sedición. | Anarquía social. | Falta de autoridad de un gobierno o régimen.

Indisciplinado
Carente de disciplina. | Desobediente con frecuencia a las órdenes legítimas.

Indisoluble
Lo que no puede disolverse o deshacerse.

Indisponibilidad de derechos
Neologismo mediante el que se hace referencia a la condición de ciertos derechos, tal que éstos no pueden ser objeto de renuncia, cesión u otros actos de disposición.

Individual
Perteneciente al individuo; a uno de ellos exclusivamente. | Privativo, particular, propio.

Individualismo
Egoísmo. | Actividad aislada. | Doctrina filosófica que exige al individuo como fundamento y fin de todas las relaciones jurídicas, políticas y morales, no ya como rey, sino como semidiós de la creación, por encima de todos los valores impersonales, en los órdenes explicativos, práctico o moral.

Individualización
Personalización. | Aplicación según cada individuo. | Especificación para cada sujeto. | **DE LA PENA.** Adaptación de la sanción penal a las variaciones de la individualidad humana, sustituyendo la igualdad de las penas según los delitos por la diversidad de ellas según las características de cada delincuente.

Individualmente
De manera personal. | En forma aislada. | De uno en uno. | Individuo por individuo.

Indivisibilidad
Calidad de indivisible; unidad forzosa. | **ABSOLUTA.** La que procede de la naturaleza o es esencial en la relación jurídica; como entregar un caballo o guardar fidelidad. | **CONVENCIONAL.** La proveniente de un pacto o contrato, aun no procediendo de la índole del objeto ni del vínculo; como el pago al contado, en lugar de a plazos, o la solidaridad de varios fiadores. | **RELATIVA.** Resulta de una *indivisibilidad* natural, como la construcción de un barco, cuando cabe concebirla por ejecución sucesiva o en partes. (V. INDIVISIBILIDAD ABSOLUTA y CONVENCIONAL.)

Indivisible
Lo que no admite división, por su unidad natural, como un animal; por disposición legal, como ciertas obligaciones; o por los perjuicios que origina y la disminución de valor, como una fábrica.

Indivisión
Unidad, comunidad o falta de división. | Copropiedad, condominio entre dos o más personas. (V. COMUNIDAD DE BIENES.) | **DE LA HERENCIA.** Situación provisional, y a veces prolongada por voluntad del testador, en que se efectúan las correspondientes partición y adjudicación a herederos y legatarios.

Indiviso
Lo que se mantiene actualmente unido aun siendo divisible. Tal situación se produce jurídicamente allí donde existe unidad de dere-

cho o de cosa y pluralidad de propietarios o titulares.

Indubitado
Cierto, verdadero, exacto; que no admite duda.

Inducción
Instigación, consejo, persuasión para obrar en determinado sentido; y, más estrictamente, para cometer un delito o colaborar en su perpetración. | En términos lógicos y dialécticos, inferencia; determinación de la causa a través de los efectos conocidos.

Inducir
Instigar, persuadir, provocar o convencer para ejecutar algo, por lo común reprobable, como una falta o delito. | En términos lógicos, inferir, establecer una ley o principio partiendo de los efectos, hechos o consecuencias. En la prueba indiciaria, es operación mental imprescindible.

Inductivo
Atinente a la inducción. | Que procede por inferencias. (V. DEDUCTIVO.)

Inductor
Autor moral de un hecho ajeno. En lo penal sufre la pena determinada para el ejecutor directo, cuando el influjo haya sido previo y decisivo. (V. AUTOR.)

Indultado
Delincuente a quien, por rigor de la ley o graciosa concesión del poder público, se le perdona en todo o en parte la condena, o se le cambia por otra pena más benigna la impuesta en la sentencia.

Indulto
Privilegio, licencia o autorización para hacer lo prohibido. | Supresión o disminución de penas, ya por encontrar excesivo el castigo legal, ya ante la personalidad del delincuente y las circunstancias del caso, como por acto de generosidad tradicional o excepcional del poder público. | Conmutación de la pena de muerte por otra privativa de libertad. | Exención de ley. | Liberación de obligación.

Industria
Ciencia, habilidad, destreza de la persona que ejerce una profesión, arte u oficio. | Conjunto de operaciones materiales ejecutadas para obtener, transformar, perfeccionar o transportar uno o varios productos naturales o sometidos ya a otro proceso industrial preparatorio. | Equivale también a trabajo, como en la aportación del socio comanditario que no lleva bienes a la sociedad; y también por ello, el Derecho Laboral ha sido denominado por algunos *Derecho Industrial*.

Ineficacia
Falta de eficacia y actividad (*Dic. Acad.*). Carencia de efectos normales en un negocio jurídico. En opinión de algunos tratadistas, constituye uno de los conceptos más indeterminados del Derecho Civil, que tiene como sinónimos los vocablos "inexistencia", "invalidez" y algunos otros similares, aun cuando no faltan autores modernos que dan al término *ineficacia* un contenido amplio, considerando a los otros como designación de variedades, por lo que un negocio jurídico será *ineficaz* cuando no surta los efectos característicos, sin que esta falta haya de obedecer a causas determinadas (*Dic. Der. Usual*).

Inembargable
Lo no susceptible de *embargo* (v.), por declaración legal, fundada en el carácter vital para la subsistencia del deudor y los suyos o para su continuidad laboral y obtención de nuevos medios con que superar su temporal insolvencia.

Ineptitud
Falta de aptitud. | Incapacidad. | Inhabilidad.

Inexcusable
Carente de *excusa* (v.) o justificación. | Imperdonable. | De cumplimiento absolutamente obligatorio.

Inexistencia de los actos jurídicos
Se alude con esta expresión a aquellos que no han llegado a nacer y no han tenido, en consecuencia, existencia jurídica por falta de alguno de los elementos esenciales para su formación, como la falta de voluntad en el acto unilateral, la falta de consentimiento en el acto plurilateral o la imposibilidad física o jurídica para su realización.

Infamar
Arrebatarle a una persona su fama, honra o estimación, o al menos pretenderlo con intención perversa y conociendo la falsedad de lo manifestado.

Infamia
Deshonra o descrédito. | Perversidad, vileza o maldad.

Infancia
Es el período inicial de la vida, comprendido desde el nacimiento hasta los siete años, en el

cual se adquiere, más o menos realmente, el llamado "uso de razón".

Infanticidio

En sentido amplio, toda muerte dada a un niño o infante, al menor de siete años; y más especialmente, si es recién nacido o está muy próximo a nacer. | Dentro de la técnica penal, por *infanticidio* se entiende la muerte que la madre o alguno de sus próximos parientes dan al recién nacido, con el objeto de ocultar la deshonra, por no ser la criatura fruto de legítimo matrimonio.

Inferior

Por la situación, lo que se encuentra debajo de otra cosa o más bajo que ella. | Por la calidad, lo peor. | Por la cantidad, lo menor. | Por la relación jerárquica, el subordinado, el de menos graduación comparativa en la milicia, o por categoría o antigüedad en otros órdenes. | Socialmente, quien pertenece a clase de recursos económicos más escasos.

Infidelidad conyugal

Adulterio o quebrantamiento de la exclusividad carnal que los cónyuges se deben. Está expresamente impuesta en las leyes religiosas y civiles.

Infidencia

Se dice en general de la falta que uno comete por el hecho de no corresponder a la confianza puesta en él; o sea, la violación de la fidelidad debida a otro.

Inflación

En economía y Hacienda pública, emisión excesiva de billetes en sustitución de la moneda acuñada, muy por encima de las reservas de metales preciosos o de divisas extranjeras. Produce automáticamente la desvalorización de la moneda del país en relación con las extranjeras; provoca una prosperidad inicial pasajera y a la larga conduce a la crisis y a la depreciación de los títulos o valores públicos.

Infligir

Imponer castigos o penas corporales. | Causar daño.

Información

Conocimiento, noticia. | Relación; exposición. | Averiguación jurídica y legal sobre un hecho o acerca de un delito. | Prueba de la idoneidad del que ha de ocupar un cargo. | **"AD PERPETUAM"** o **"AD PERPETUAM REI MEMORIAM".** V. INFORMACIÓN PARA PERPETUA MEMORIA. | **DE DERECHO.** V. INFORMACIÓN EN DERECHO. | **DE DOMINIO.** Procedimiento supletorio para inscribir en el Registro la propiedad de los bienes cuando de título escrito se carece. | **DE POBREZA.** La justificación que ha de hacerse ante un juez o tribunal con respecto a la falta de bienes que permitan el pago de los gastos judiciales y de defensa, para poder litigar así gratuitamente con arreglo al *beneficio de pobreza* (v.). | **(O PAPEL) EN DERECHO.** Se decía así del escrito que hacía el abogado a favor de su parte, después de conclusos los autos, para informar o instruir a los jueces de su derecho, alegando leyes, decretos, fueros, autoridades y reflexiones. Actualmente se designa con el nombre de *alegatos* o *alegación en Derecho* (v.). | **PARA PERPETUA MEMORIA.** Es también conocida con las denominaciones casi enteramente latinas de *información ad perpétuam* o *ad perpétuam rei memóriam.* Está constituida por la averiguación o prueba que, por los trámites de la jurisdicción voluntaria, y a prevención, se realiza para constancia futura de alguna cosa. | **PARA DISPENSA DE LEY.** V. DISPENSA DE LEY. | **SUMARIA.** La investigación que, por la naturaleza o calidad del negocio, se hace por el juez brevemente y sin las solemnidades que se observan regularmente en las demás *informaciones* jurídicas.

Informar

Enterar, comunicar, dar noticias, poner al corriente. | Elevar un informe. | Ofrecer información. | Dictaminar, opinar. | Hablar, alegar ante los tribunales o jueces el fiscal y los abogados. (V. ALEGAR.)

Informe

Parte, noticia, comunicación. | Opinión, dictamen de un cuerpo. | Alegato o exposición oral que hace un abogado o el representante del Ministerio Fiscal ante el juez o tribunal que ha de fallar la causa o proceso. | **IN VOCE.** Sencillamente, informe oral que los litigantes o sus letrados pueden formular en la instancia y en los casos determinados por la ley. | **PERICIAL.** Dictamen escrito, y verbal a veces, que emite en una causa el designado en ella como perito, para aclarar a los instructores o juzgadores algunos aspectos de hecho de complejidad técnica ajena a la de aquellas autoridades.

Infracción

Transgresión, quebrantamiento, violación, incumplimiento de una ley, pacto o tratado. | **DE**

LEY. Denominación de los recursos de casación fundados en la transgresión o incorrecta interpretación de ley o doctrina legal.

Infractor

Transgresor. | Delincuente; ya sea autor de delito propiamente dicho o de falta.

Infrascrito

El abajo firmante; el que firma al final de un documento, ya como parte, o cual testigo o con el carácter de autoridad. | Lo dicho o manifestado después de un escrito.

Ingenuo

Como condición moral, inocente, cándido, desprevenido. | Sincero. | El nacido libre que no ha perdido su libertad nunca.

Ingratitud

Desagradecimiento. | Olvido o desprecio de los beneficios recibidos.

Inhábil

Incapaz. | Inepto. | Sin instrucción. | Torpe. | Día feriado, en el que no son válidas las actuaciones. | Hora cualquiera luego de puesto el Sol y antes del alba, en que tampoco pueden practicarse otras diligencias que las urgentes.

Inhabilitación

Acción o efecto de inhabilitar o incapacitar. Declaración de que alguien no puede, por causas naturales, morales o de otra índole, desempeñar un cargo, realizar un acto jurídico o proceder en otra esfera de la vida jurídica. Pena aflictiva que imposibilita para el ejercicio de determinados cargos o para el de determinados derechos.

Inhabilitar

Declarar a uno incapaz para ejercer u obtener un cargo, empleo, oficio o ventaja. | Prohibir el ejercicio de los derechos civiles o políticos. | Imposibilitar; vedar.

Inhibición

En Sudamérica, medida cautelar consistente en la prohibición judicial, dirigida contra el deudor, de gravar o vender sus bienes en aquellos casos en que, habiendo lugar al embargo, éste no pudiera hacerse efectivo, por no conocerse bienes del deudor o por no cubrir éstos el importe del crédito reclamado. | En lo procedimental, *inhibitoria* (v.).

Inhibir

Impedir que un juez o tribunal continúe conociendo de una causa por ser incompetente. | ant. Prohibir. (V. INHIBITORIA.)

Inhibitoria o inhibición

Una de las formas de las llamadas *cuestiones de competencia* (v.), que consiste en librar un despacho a un juez para que se *inhiba* o abstenga de seguir conociendo de una causa, y remita los autos y diligencias practicadas al tribunal competente.

Inhibitorio

Oficio, decreto, despacho que requiere o impone la inhibición.

Inhumación

Del latín *inhumare,* de *in,* en, y *humus*, tierra. Acto de enterrar un cadáver.

Inhumano

Falto de piedad o compasión. Bárbaro, cruel, sañudo, criminal.

Iniciador

Que inicia. | Actor. | Denunciante.

Iniciativa de las leyes

Facultad de proponer las leyes que deben ser discutidas y aprobadas por el Poder Legislativo.

Inicuo

Contrario a la equidad. | Injusto. | Malvado.

Iniquidad

Gran maldad o injusticia. | Grave lesión corporal u ofensa moral. | Rigor innecesario de una ley, sentencia u otra disposición emanada de una autoridad. (V. ABUSO DE PODER, EQUIDAD.)

Injuria

En sentido lato, todo dicho o hecho contrario a la razón o a la justicia. | Agravio, ofensa o ultraje de palabra o de obra, con intención de deshonrar, afrentar, envilecer, desacreditar, hacer odiosa, despreciable o sospechosa a otra persona, ponerla en ridículo o mofarse de ella. | **A LA AUTORIDAD.** El mal que para las instituciones del Estado supone el menosprecio del prestigio de quienes encarnan la autoridad, hace que se penen de forma especial y se persigan de manera distinta también las ofensas de palabra u obra dirigidas contra las autoridades. | **LABORAL.** Corrientemente se llaman *injuria*, dentro del ámbito del Derecho Laboral, aquellos actos realizados por el empleado o por el empleador que, por afectar la seguridad, el honor o los intereses de la otra parte o de su familia, dan lugar a la ruptura del contrato de trabajo. Si quien produce la *injuria* es el patrono, puede el trabajador darse por despedido y exigir las indemnizaciones que la ley determina, y si el injuriador es el trabajador, el patrono tiene el derecho de despedirlo sin abonarle indemnización alguna.

Injusticia

Acción o falta contra la justicia. | **NOTORIA.** La opresión o sinrazón que padece el litigante vencido en juicio, cuando por lo que se ve del proceso, sin necesidad de nuevas pruebas, se percibe claramente que la decisión del tribunal no puede sostenerse.

Injusto

Contrario a la justicia, a la razón o al Derecho. | Inicuo; desigual. | Quien obra contra el deber propio o el derecho ajeno.

Inmediación

Principio del Derecho Procesal encaminado a la relación directa de los litigantes con el juez, prescindiendo de la intervención de otras personas. Constituye el medio de que el magistrado conozca personalmente a las partes y pueda apreciar mejor el valor de las pruebas, especialmente de la testifical, ya que todas ellas han de realizarse en su presencia. El tema de la *inmediación* se encuentra íntimamente ligado a la oralidad del procedimiento, ya que, cuando es escrito, las diligencias, inclusive la recepción de las declaraciones (testimonios, absolución de posiciones, informes periciales), se suelen practicar ante el secretario judicial, y más corrientemente ante oficial o ante un escribiente del juzgado.

Inmueble

V. BIENES INMUEBLES. | **DOTAL.** Bien raíz, rústico o urbano, que se entrega en concepto de dote obligatoria o voluntaria, y con la calidad de estimado o inestimado.

Inmunidad

Exención o liberación de cargas personales o reales. | **PARLAMENTARIA.** Prerrogativa procesal de senadores y diputados, que los exime de ser detenidos o presos, salvo los casos dispuestos por las leyes, y procesados o juzgados sin la expresa autorización del respectivo cuerpo, en virtud de *desafuero* (según la terminología argentina) o *suplicatorio* (en los términos parlamentarios de España).

Innominado

Lo que no tiene nombre especial. Se designan como *contratos innominados,* en Derecho, aquellos que carecen de nombre particular; a diferencia de los nominados, que tienen denominación propia.

Innovación

Acción y efecto de mudar o alterar las cosas introduciendo novedades. Procesalmente tiene valor en sentido negativo y cautelar, en cuanto se refiere a la obligación de *no innovar* durante la tramitación del juicio, así como la de no innovar en el juicio una vez admitida la apelación.

Inocencia

Falta de culpa o equivocada calificación en tal sentido.

Inoficiosidad

Calidad de *inoficioso*, aquello que lesiona los derechos de herencia forzosa, aplicándose a los actos de última voluntad, a las dotes y a las donaciones.

Inoponibilidad

Couture señala estas dos acepciones: situación jurídica por la que un acto resulta ineficaz respecto de determinadas personas, normalmente ajenas a su realización; giro usual utilizado para referirse a la prohibición de oponer ciertas defensas o excepciones. | Capitant dice que es la imposibilidad de hacer valer un derecho o una defensa. | Característica de un acto consistente en que, aunque tal sea generalmente válido y tenga sus efectos jurídicos normales, no podrá ser opuesto y hecho valer frente a personas determinadas, por ejemplo, contra los acreedores de quien ha dispuesto de un bien mediante el acto inoponible.

Insaculación

Acción y efecto de *insacular*, de poner en un *saco* —de ahí la voz—, cántaro o urna cédulas o boletas con números o con nombres de personas o cosas, para sacar una o más por suerte. El método se emplea en múltiples actuaciones judiciales, para la designación de jurados o peritos, y, en ocasiones, para determinar las personas llamadas a desempeñar algunas funciones públicas.

Insanable

Incurable. Las lesiones de esta índole se califican de graves y son castigadas severamente cuando corresponden a impulsos delictivos. En lo laboral, si resultan consecuencias de un riesgo profesional, determinan la invalidez total y permanente y el consecuente régimen de resarcimiento.

Inscripción
Acción y efecto de *inscribir* o *inscribirse*; tomar razón, en algún registro, de los documentos o las declaraciones que han de asentarse en él según las leyes. En relación con algunos actos, la *inscripción* es obligatoria ya que sin ella carecen de efecto, por lo menos frente a terceros. Los actos necesitados de *inscripción* en registro público son muchos, pues, aparte los determinados en los códigos, hay otros de índole administrativa que requieren esa misma formalidad. Entre ellos cabe señalar los que afectan al Registro Civil de las Personas (nacimientos, matrimonios y defunciones), así como también, en el Registro de la Propiedad, los contratos sobre transmisión de bienes inmuebles, constitución de derechos reales o su cancelación, y en relación con el Registro de Comercio, la constitución, modificación y disolución de sociedades, y los poderes de sus representantes, entre otros.

Insolvencia
Imposibilidad del cumplimiento de una obligación por falta de medios. | Incapacidad para pagar una deuda. | Falta de prestigio. | Desconfianza acerca de la capacidad o moralidad de una persona que ha de dirigir alguna empresa.

Inspección ocular
El examen o reconocimiento que hace el juez por sí mismo, o por peritos, del lugar donde se produjo un hecho, o de la cosa litigiosa o controvertida, para enterarse de su estado y juzgar así con más acierto.

Instancia
Dos acepciones tiene esta palabra en Derecho. Por la primera equivale a solicitud, petición o súplica, y en esta forma cuando se dice que el juez debe proceder a *instancia de parte,* se da a entender que debe proceder previa petición de parte, y no de oficio. Por la segunda, se designa con este nombre cada conjunto de actuaciones practicadas, tanto en la jurisdicción civil como en la criminal, las cuales comprenden hasta la sentencia definitiva. Se llama *primera instancia* el ejercicio de la acción ante el primer juez que debe conocer del asunto; *segunda instancia,* el ejercicio de la misma acción ante el juez o tribunal de apelación, con el objeto de que reforme la sentencia del primer juez; y *tercera instancia,* a la revisión del proceso o causa ante el tribunal superior, según la jurisdicción.

Instar
Incoar el procedimiento ejecutivo; y, también, promover el curso de los autos o la práctica de alguna diligencia dentro del procedimiento, ante los tribunales.

"In statu quo"
Locución latina cuyo significado es: en el estado en que se encuentra, la que se utiliza frecuentemente en Derecho Internacional.

Instigación
Incitación por una persona a otra para ejecutar una cosa.

Institor
Factor o apoderado mercantil.

Institución
Establecimiento, fundación, creación, erección. | Lo fundado o establecido. | Cada una de las organizaciones principales de un Estado. | Cada una de las materias principales del Derecho o de alguna de sus ramas; como la personalidad jurídica, o la familia dentro del Derecho Civil, o la patria potestad en la familia, o como el derecho de corrección en la autoridad paterna.

Institucional
Concerniente a una institución o a las instituciones.

Instituido
El nombrado heredero o legatario.

Instituta
Compendio de Derecho Civil romano, basado especialmente en la jurisprudencia, como expresión ésta de la opinión de los más famosos jurisperitos o jurisconsultos. | Por antonomasia, la de Justiniano. | **DE GAYO.** Célebre texto de Derecho Romano, compuesto o recopilado por el jurisconsulto Gayo o Cayo, en tiempos de Marco Aurelio, a mediados del siglo II de la era cristiana. | **DE JUSTINIANO.** Obra compuesta por orden del emperador Justiniano, para la enseñanza del Derecho; pero que, posteriormente, recibió fuerza de ley en virtud de la constitución imperial del 21 de noviembre de 553, que la publicó, y por la constitución *Tanta,* del 30 de diciembre del mismo año, que la puso en vigencia.

Instituto
Norma, regla o constitución de índole práctica, en la vida en general, en la organización de una entidad, en la enseñanza, etc. | Corporación, establecimiento u organismo público o privado.

Predomina, no obstante, como denominación de centros oficiales, en la administración pública.

Instrucción

Adquisición o transmisión de conocimientos. | Enseñanza, doctrina. | Norma, regla. | Advertencia, prevención. | Orden, mandato. | Trámite, curso, formalización de un proceso o expediente, reuniendo pruebas, citando y oyendo a los interesados, practicando cuantas diligencias y actuaciones sean precisas para que pueda resolverse o fallarse acerca del asunto. | Adiestramiento militar; enseñanza para el desempeño como miembro de las fuerzas armadas y como eventual combatiente.

Instrumental

Perteneciente a los instrumentos o escrituras públicas.

Prueba instrumental era el nombre antiguo de la denominada hoy *prueba documental.*

Testigo instrumental es el que asiste y da fe al redactarse un instrumento o escritura, como refuerzo y complemento de la autoridad del notario, escribano o secretario.

Instrumento

Del latín *instruere,* instruir. En sentido general, escritura, documento. Es aquel elemento que atestigua algún hecho o acto. | **AUTÉNTICO.** El documento otorgado legalmente y autorizado por quien tenga fe pública. (V. DOCUMENTO AUTÉNTICO, ESCRITURA PÚBLICA.) | **EJECUTIVO.** V. DOCUMENTO EJECUTIVO. | **PRIVADO.** V. DOCUMENTO PRIVADO. | **PÚBLICO.** V. DOCUMENTO PÚBLICO.

Instrumentos del delito

Elementos naturales de que los autores de una infracción penada se han valido para prepararla, cometerla, completarla o encubrirla.

Insubordinación

Indisciplina, resistencia sistemática y persistente a obedecer las órdenes dadas por los superiores. La *insubordinación* puede constituir, dentro de la jurisdicción castrense, los delitos de desobediencia, insulto a superior o rebeldía.

Insuficiencia de las leyes

Expresión usada por el Cód. Civ. esp. para referirse a las denominadas técnicamente *lagunas del Derecho* o *de la ley.*

Insulto

Ofensa, agravio, injuria o ultraje principalmente verbal, aun cuando la denominación se amplíe a ciertos gestos, ademanes y acciones. | Acometimiento súbito y violento. | Accidente, como mareo o desmayo. (V. INJURIA.) | **A CENTINELA.** El agravio de palabra o el acometimiento de obra contra los militares que en activo servicio guardan los puestos a ellos confiados está gravemente penado en los códigos castrenses. | **A LA AUTORIDAD.** V. DESACATO.

Insurgente

Sublevado, rebelde, revolucionario.

Insurrección

Alzamiento, sublevación, sedición o rebelión (v.).

Integración

Constitución de un todo reuniendo sus partes. | Composición de un conjunto homogéneo mediante elementos antes separados y más o menos distintos. | En lo político, asimilación de minorías nacionales o étnicas. | Incorporación a un proceso económico. | Aprobación completa de un capital a las sociedades mercantiles. Se habla así, desde el lado de la persona abstracta, de *capital integrado* o de *acciones integradas*, para aquello que, enfocado desde el socio que aporta o desde el accionista que suscribe, son desembolsos totales.

Intención

Determinación volitiva o de la voluntad en orden a un fin. | Propósito de conducta. | Designio reflexivo de obrar o producir un efecto. | Plan, finalidad. | Cautela maliciosa.

Intencional

Referido a la intención. | Deliberado, hecho a sabiendas, con propósito reflexivo. Así, *acto intencional* es el previsto y querido.

Intercalar

Situar una cosa entre otras, añadiéndola a éstas. En los documentos o instrumentos, las *intercalaciones* deben salvarse al final del escrito, con la expresión clara de si es nulo, o no, lo consignado entre renglones, al margen o al pie.

Interdecir

Prohibir, vedar, impedir.

Interdicción

Prohibición, vedamiento. | Incapacidad civil establecida como condena a consecuencia de delitos graves. | **CIVIL.** El estado de una persona a quien judicialmente se ha declarado incapaz, privándola de ciertos derechos, bien por razón de delito o por otra causa prevista en la ley.

Interdicto

En términos generales, entredicho, prohibición; mandato de no hacer o de no decir. | En su principal y antiquísima acepción jurídica, *interdicto*, en el Derecho Procesal, es un juicio posesorio de índole sumaria, de trámites sencillos y breves, que no cierran la discusión de asunto en otro juicio más amplio de fondo, definitivo. | **DE ADQUIRIR.** Aquel en el que se pide la posesión de una cosa no poseída por otro, y a la cual cree tener derecho el reclamante. | **DE OBRA NUEVA.** Este *interdicto,* llamado antes *denuncia de obra nueva*, es el que entabla quien se cree perjudicado en sus propiedades o derechos con la construcción de una obra nueva, para que se suspenda su continuación. | **DE OBRA RUINOSA.** Denominado también de *obra vieja,* o *denuncia de obra vieja,* es el que se entabla para reparar un edificio o construcción que amenaza arruinarse o caerse con perjuicio de nuestras propiedades, personas o intereses o del ejercicio de nuestro derecho. | **DE RECOBRAR.** Juicio posesorio sumarísimo que tiene por objeto reintegrar y reponer inmediatamente en la posesión o tenencia de una cosa al que gozaba de ella, de la cual otro lo ha despojado violenta o clandestinamente por su propia autoridad. | **DE RETENER.** Este *interdicto* es la acción o juicio sumarísimo que tiene por objeto el amparo y retención en la posesión que ya tenemos, y que se perturba por otro. | **EXHIBITORIO.** No puede considerarse propiamente un *interdicto*, ya que no es más que una simple diligencia preparatoria de un juicio principal, diligencia que tiene por objeto pedir la *exhibición* de la cosa mueble que haya de ser objeto de litigio, o la de documentos relacionados con el juicio que ha de intentarse.

Interés

Provecho, beneficio, utilidad, ganancia. | Lucro o réditos de un capital, renta. | Importe o cuantía de los daños o perjuicios que una de las partes sufre por incumplir la otra la obligación contraída. | Valor de una cosa. | Parte o acción de una empresa, sociedad o negociación. | Importancia o trascendencia. | Atracción o motivo de curiosidad y estímulo para el ánimo. | Relación más o menos directa con una cosa o persona que, aun sin estricto derecho, permite ejercer una acción procesal. (V. ACCIÓN.) | **COMPENSATORIO.** La indemnización del daño emergente y del lucro cesante por una cantidad o cosa prestada; esto es, tanto por razón de las pérdidas que el acreedor sufre en sus bienes como por las ganancias de que ha de verse privado al carecer de su dinero u otros bienes. | **COMPUESTO.** Renta de un capital al que se van acumulando los réditos vencidos, para que produzcan a su vez otros nuevos; el interés de los intereses. | **DE OBRAR.** Utilidad o ventaja directa, manifiesta y legítima, de índole material o moral, que lleva a una persona a proteger un derecho extrajudicialmente, o a ejercitar una acción. | **LEGAL.** Rédito o beneficio que, a falta de estipulación previa, señala la ley como producto de las cantidades que se está debiendo con esa circunstancia o en caso de incurrir en mora el deudor. | **LUCRATIVO** o **LUCRATORIO.** El exigido del prestatario a quien se presta dinero u otra cosa fungible, por la simple razón del préstamo. | **MORATORIO.** El exigido o impuesto como pena de la morosidad o tardanza del deudor en la satisfacción de la deuda. | **PRIVADO.** La conveniencia individual de una persona frente a otra. | El bien de los particulares contrapuesto al de la colectividad, al social, al del Estado como persona de Derecho Público. | **PÚBLICO.** La utilidad, conveniencia o bien de los más ante los menos, de la sociedad ante los particulares, del Estado sobre los súbditos. | **PUNITORIO.** Sinónimo de *interés moratorio.* | **RESTITUTORIO.** V. INTERÉS COMPENSATORIO.

Interlocutorio

Se decía antiguamente en España, y sigue aplicándose en algunos países hispanoamericanos, al auto o sentencia que no decide el fondo de la contestación, sino que sólo ordena alguna cosa para la instrucción de la causa, y para llegar al conocimiento de algunos hechos, o al examen y prueba de algún punto de derecho.

Internacional

Relativo a dos o más naciones; como tratado, convención o guerra. | Nombre de diversas organizaciones mundiales de trabajadores, de índole más o menos revolucionaria y sindical.

Internamiento

Esta voz, tan usada ahora, no es del repertorio académico; pero lo será quizá sin tardanza. Se emplea para referirse al traslado involuntario, resistido o forzoso, aunque pueda ser espontáneo o solicitado, de una persona a algún lugar donde queda sometida a tratamiento o vigilancia; como los enfermos en los hospitales, los locos en los manicomios (o algún sinónimo eufemístico), los prisioneros, refugiados y perseguidos en los campos de concentración, y ciertos detenidos o sujetos peligrosos en establecimientos de seguridad o corrección.

Interpelación judicial

Requerimiento para el pago de una deuda o para el cumplimiento de una obligación, que es dirigido por el acreedor o su representante al deudor suyo.

Interpelar

Pedir auxilio; demandar socorro; requerir protección. | Compeler a dar explicaciones o descargos. | Conminar al pago de una deuda o al cumplimiento de una obligación. | Formular un diputado o senador preguntas o cargos a un ministro. | En los casamientos sin intervención de la Iglesia, requerir un cónyuge, luego convertido y bautizado, al otro, para que resuelva acerca de su conversión también o sobre la cohabitación pacífica; las negativas permiten al convertido contraer nuevo matrimonio, canónico.

Interpósita persona

Persona interpuesta; el que hace algo por otro que no puede o no quiere ejecutarlo. | Quien interviene en un acto o contrato por encargo y en provecho de otro, pero aparentando obrar en nombre y por cuenta propia.

Interpretación

Acción o efecto de interpretar; esto es, declaración, explicación o aclaración del sentido de una cosa o de un texto incompleto, obscuro o dudoso. | **DE LAS LEYES.** La aclaración fundada de la letra y del espíritu de las normas legales, para conocer su verdadero sentido y determinar su alcance o eficacia general o en un caso particular. | **AUTÉNTICA.** La que emana o procede del propio autor. | **LÓGICA.** No se limita a la inteligencia de un texto en su apariencia más natural, sino que recurre a su aplicación armónica dentro del precepto, de la institución a que se refiera, de la ley de que se trate e, incluso, del ordenamiento jurídico general y tradición legislativa o consuetudinaria de un pueblo. | **RESTRICTIVA.** La aplicación de la norma jurídica a los casos que menciona o a los cuales se refiere expresamente. Se denomina también *estricta*, y se contrapone a la *amplia* o *extensiva,* a la *analogía* (v.).

Intérprete

Persona versada en dos o más idiomas y que sirve de intermediaria entre otras que, por hablar y conocer sólo lenguas distintas, no pueden entenderse. | Interpretación, exégeta del Derecho.

Interrogatorio

Serie de preguntas, que generalmente se formulan por escrito. El *interrogatorio* de los testigos tiende a probar o a averiguar la verdad o certeza de los hechos. En las causas criminales, si el procedimiento es oral, las preguntas se formulan, tanto al procesado y a los testigos como a los peritos, verbalmente.

Interrupción de la prescripción

En la adquisitiva o usucapión, todo acto jurídico que impide el cumplimiento del plazo legal para que la posesión de una cosa o el ejercicio de un derecho se transforme en propiedad. | En la prescripción extintiva, prescripción en sentido estricto, cualquier acto del titular, de su legítimo representante o de otra persona en beneficio de aquel que revela la voluntad y la facultad del dueño de seguir siendo tal, y dejar así sin efecto el temporal abandono (forzoso o negligente), el no uso o ejercicio que podía conducir a la caducidad de los derechos.

Intervalo lúcido o claro

Lapso durante el cual quien carece de juicio recobra transitoriamente el uso de la razón.

Intervención

Acción y efecto de *intervenir*, de tomar parte en un asunto; de interponer uno su autoridad; de dirigir una o varias potencias, en el orden internacional, los asuntos interiores de otra. Basta esta enunciación para comprender los alcances jurídicos, tanto en lo que se refiere al Derecho Público como al Derecho Privado y sobre los cuales se concreta en las voces siguientes.

Intervención cambiaria

Acto voluntario por el cual un tercero acepta o paga, por cuenta u honor del librador, de un endosante o de un avalista, una letra de cambio u otro título de crédito.

Intervención de sociedades

Reemplazo total o parcial de los administradores de una sociedad por personas designadas judicialmente con tal fin. Se trata generalmente de una medida cautelar que procede cuando el o los administradores de la sociedad realizan actos o incurren en omisiones que la pongan en peligro grave. La intervención puede consistir en la designación de veedores, de uno o varios coadministradores, o de uno o varios administradores que reemplazan a los preexistentes.

Intervención económica

Se designa así la que ejercen los gobiernos de algunos países, a efectos de dirigir y regular la actividad económica o una parte de ella, tanto en lo que se refiere a las relaciones comerciales entre Estados cuanto en lo que afecta a la producción y al comercio interiores. El sistema económico opuesto al intervencionismo es el *liberalismo* o *libertad de comerciar* (v.).

Intervención política

Dentro del Derecho Público Constitucional, se habla de *intervención* en los países de organización federal, haciendo relación a la facultad que tiene el Estado federal, que representa al conjunto de la nación, de sustituir transitoriamente a los Estados miembros o provincias en el ejercicio de todos o de alguno de los poderes por razones graves que lo aconsejen.

Intervencionismo

Intervención como principio, o abusiva.

Intervencionista

Atinente a la intervención. | Partidario de ella en el sentido político, bélico, económico.

Ínter vivos

Loc. lat. y esp. Entre vivos o vivientes. Se aplica de modo preferente a las donaciones que surten sus efectos en vida del donante, a diferencia de los legados, cuya eficacia requiere la muerte del autor de la liberalidad.

Intestado

Quien muere sin testar o con testamento que carece de validez o eficacia. | Caudal hereditario del cual no existe, no se conoce o no rigen disposiciones testamentarias. (V. ABINTESTATO.)

Intimación

Notificación o declaración de un mandamiento u orden que deben ser especialmente cumplidos. | Requerimiento vigoroso. | **DE PAGO.** Requerimiento formal dirigido a un deudor para que satisfaga su deuda o cumpla su obligación, con anuncio más o menos expreso de que, en caso de negativa, se procederá contra él sin dilación, y por los trámites que las leyes autorizan.

Intimatorio

Se aplica a las cartas, despachos o letras con que se intima un derecho u orden. (V. INTIMACIÓN.)

Intimidación

El Cód. Civ. esp. dice en su art. 1.267 que: "Hay *intimidación* cuando se inspira a uno de los contratantes el temor racional y fundado de sufrir un mal inminente y grave en su persona o bienes, o en la persona o bienes de su cónyuge, ascendientes o descendientes. Para calificar la *intimación* debe atenderse a la edad, al sexo y a la condición de la persona. El temor de desagradar a las personas a quienes se debe sumisión y respeto no anulará el contrato". El art. 937 del Cód. Civ. arg. concuerda con el precepto transcrito y exige que sean injustas amenazas las que causen el temor, que abarca también a la libertad y a la honra.

"Intra vires haereditatis"

Loc. lat. En la medida o dentro del activo de la herencia.

Intransferible

De transmisión imposible o prohibida.

Intruso

Quien sin razón ni derecho, o a la fuerza, se introduce en empleo, dignidad, oficio o jurisdicción. | Usurpador de un inmueble. | El que penetra en el cercado ajeno. | Allanador de morada. | Detentador. | En Derecho Canónico, quien es puesto en posesión de un oficio o dignidad sin haber obtenido el título canónico pertinente. | Socialmente, quien trata y alterna con personas de esfera superior a la suya.

"Intuitu personae"

Loc. lat. Por razón de la persona o en consideración a ella. Se refiere a las disposiciones o actitudes que se adoptan sin atenerse estrictamente a derecho o a razón, sino al respeto que alguien merece.

Invalidez

Calidad, negativa por cierto, del *inválido*, de quien queda impedido en mayor o menor grado para desenvolverse físicamente. | *Incapacidad laboral* (v.) derivada de un accidente o de una enfermedad del trabajo, y que otorga derecho a los gastos de curación, más cierta retribución temporal, y al resarcimiento por la lesión o disminución de la aptitud profesional que resulte de tal infortunio.

Con respecto a los actos jurídicos, la *invalidez* expresa ineficacia que puede determinar incluso la *nulidad* (v.).

Invención

Tecnología que reúne las condiciones de ser novedosa, susceptible de aplicación económica y ser el resultado de una creación intelectual que permite llegar a resultados que no estaban previamente al alcance de técnicos o profesionales con un nivel actualizado de conocimientos dentro de la disciplina a la que corresponda tal nueva tecnología. Puede consistir en un nuevo producto o en un nuevo procedimiento.

Inventario
Relación ordenada de los bienes de una persona o de las cosas o efectos que se encuentran en un lugar, ya con la indicación de su nombre, número y clase o también con una somera descripción de su naturaleza, estado y elementos que puedan servir para su identificación o avalúo. | Documento en que consta tal lista de cosas. | Acto u operación de formar ese catálogo.

Inversión de la prueba
Un principio de Derecho Procesal deja a cargo del actor la *prueba* de los hechos en que se basa su acción, y a cargo del demandado, la *prueba* de los hechos que fundamenten sus excepciones. Sin embargo, hay casos en que la carga de la *prueba* se invierte, como sucede, por ejemplo, en materia de *accidentes del trabajo* (v.) y, en ciertos casos, de responsabilidad civil derivada del hecho de las cosas.

Investigación
Averiguamiento, indagación, búsqueda o inquisición de un hecho desconocido o de algo que se quiere inventar. | **DE LA PATERNIDAD.** Se designa con este nombre la acción que puede ejercitarse para obtener judicialmente el reconocimiento de la filiación.

Investigar
Practicar diligencias, realizar estudios o hacer ensayos para descubrir o inventar alguna cosa.

Inviolabilidad
Incolumidad, intangibilidad, santidad, prohibición rigurosa de tocar, violar o profanar una cosa, de infringir un precepto o de atentar contra alguien o contra algo. | Prerrogativa personal que las Constituciones monárquicas, como la española de 1876 en su art. 48, declaran a favor de los reyes.

Inviolable
Que no se puede o no se debe violar o profanar.

Ipso facto
Loc. lat. y esp. Por el mismo hecho. | En el acto, al momento, incontinente, inmediatamente.

Ipso jure
Loc. lat. y esp. Por el Derecho mismo; por ministerio de la ley; por expresa disposición legal.

Irrecusable
Que no puede ser objeto de *recusación* (v.).

Irredimible
De imposible o prohibida redención.

Irregular
Contrario a regla, norma o principio. | Desacostumbrado, excepcional. | Anormal. | De moralidad o licitud dudosa. | Dicho de la guerra, la que hacen fuerzas sin organización ni reconocimiento militar, que expone a los que la sostienen a ser tratados como delincuentes, y no como prisioneros, en casos de captura o rendición (*Dic. Der. Usual*).

Irreivindicable
Lo que no puede ser objeto de reivindicación.

Irrenunciable
De renuncia imposible o prohibida. La renuncia de derechos constituye principio jurídico general; la excepción la constituyen los *irrenunciables.*

Irresponsable
Se dice de la persona exenta de responsabilidad criminal, por razón de las circunstancias en que ha obrado o que en ella concurren. | Falto de principios morales, del concepto de dignidad en el desempeño de un puesto. | Quien se arriesga sin motivo o expone a otros o a su país a daños irreparables. | Demente.

Irretroactividad
Principio legislativo y jurídico, según el cual las leyes no tienen efecto en cuanto a los hechos anteriores a su promulgación, salvo expresa disposición en contrario. En el Derecho Penal, la *irretroactividad* a favor del reo constituye el principio, a no determinarse lo contrario.

Irrevocable
Lo que no cabe revocar o deshacer jurídicamente. | Dícese de la decisión contra la cual no existe recurso. | Inmodificable, y por tanto ejecutivo, o definitivamente denegatorio. | Se llama *irrevocable* un crédito cuando se abre en un banco para pago de mercaderías contratadas o para el cumplimiento de otra obligación, y que no puede ser anulado ni modificado hasta satisfacer la finalidad constitutiva. | Renuncia o dimisión firme.

Írrito
Nulo; sin validez ni fuerza obligatoria. Se refiere al matrimonio canónico que adolece de defectos que lo hacen nulo o anulable.

Irrogar
Ocasionar perjuicios o daños.

Ítem
Este adverbio, de directa importación latina, y cuyo significado inmediato es "también" o "más", se emplea en las divisiones de artículos y capítulos en los escritos.

"Iter criminis"
Loc. lat. empleada en el Derecho Penal, y que quiere decir camino del crimen. Comprende todo el proceso psicológico de incubación del propósito delictivo hasta la perpetración del delito, con la consideración jurídica y social, en cada etapa, de la punibilidad y peligrosidad de la actitud y del sujeto.

J

J

Décima letra del abecedario español, y séptima de sus consonantes. | Es abreviatura de *justicia* y de *juez*, y también, en la forma *J. C.*, de *Jesucristo*, de cita muy frecuente para distinguir la cronología anterior o posterior a su nacimiento, o *era cristiana* (v.).

Jactancia

Alabanza propia, injusta y presuntuosa. | Alarde, vanagloria, petulancia, fanfarronería. | Atribución personal de supuestos derechos.

Jefe de Estado

Autoridad máxima de un país independiente; simbólico representante de la nación, con mayores o menores atribuciones, desde el monarca absoluto hasta un presidente tan sólo decorativo en una república estrictamente parlamentaria.

Jerarquía

Orden y grado entre personas o cosas; lo cual determina, en aquéllas, las atribuciones y el mando; y en éstas, la importancia, preferencia o valor. | Categoría, empleo.

Jornada

Camino que suele andarse en un día. | **DE TRABAJO.** Duración del trabajo diario de los trabajadores. | Número de horas que durante la semana deben completarse legalmente en las actividades laborales.

Jornal

El estipendio que gana el obrero durante una jornada de trabajo. *Salario* son los emolumentos totales que percibe el trabajador por su trabajo, computados en plazo mayor al de una jornada. Se dice que un trabajador es *jornalero* cuando trabaja por día, esto es, a *jornal*; cuya diferencia con el trabajo a destajo es sensible, por cuanto en el primero se computa el *tiempo,* mientras que en el segundo el pago es por *labor* realizada, sin tener en cuenta el tiempo invertido.

Jubilación

Acción o efecto de jubilar o jubilarse. | Retiro del trabajo particular o de una función pública, con derecho a percibir una remuneración calculada según los años de servicios y la paga habida. | Cuantía o importe de lo que se percibe sin prestación de esfuerzo actual, y por la actividad profesional desplegada hasta alcanzar cierta edad o encontrarse en otra situación, como la invalidez, que anticipen tal derecho o compensación.

Jubileo

Conmemoración extraordinaria que los antiguos israelitas celebraban cada siete semanas de años; es decir, cada cincuenta años. En ocasión tan memorable, pues pocos la conocían dos veces en su vida, los campos no se cultivaban, los esclavos recobraban su libertad, los presos eran soltados y las heredades vendidas tornaban a sus antiguos dueños, completando así un cuadro de tradición, libertad, descanso y fraternidad general.

"Judicatum solvi"

V. ARRAIGO.

Judicatura

Ejercicio de juzgar. | Dignidad y oficio de juez. | Duración de tal empleo. | Cuerpo que integran los jueces y magistrados de una nación.

"Judicatus"

Voz lat. Juzgado; y mejor aún, condenado.

Judicial

Perteneciente al juicio. | Atinente a la administración de justicia. | Concerniente a la judicatura. | Relativo al juez. | Litigioso. | Hecho en justicia o por su autoridad.

Juego

Pasatiempo donde se gana o se pierde. | Pasión o vicio que entrega el dinero u otros bienes a la decisión de diversos entretenimientos transformados en obsesiones. | Sano y alegre esparcimiento. | Recreación deportiva. | Cosas relacionadas entre sí; como *juego de comedor* (mesa, aparador, sillas, etc.). | Combinación natural de causas; como el *juego de la política*, el de la vida. | **DE AZAR.** El que depende en absoluto de la suerte, como el monte, el bacará, la ruleta, los de dados.

Juegos prohibidos

Los vedados por la ley o por la autoridad en uso de facultades reglamentarias.

Juez

El que posee autoridad para instruir, tramitar, juzgar, sentenciar y ejecutar el fallo en un pleito o causa. | Persona u organismo nombrado para resolver una duda o un conflicto. | En Israel, cada uno de los distintos magistrados o jefes que gobernaron al pueblo hebreo, durante cuatrocientos años, desde la muerte de Josué hasta la proclamación de Saúl como primero de sus reyes. | En la antigua Castilla, *jueces* se llamaron los caudillos que la gobernaron luego de la época de sus condes.

Por antonomasia, *juez* es quien decide, interpretando la ley o ejerciendo su arbitrio, la contienda suscitada o el proceso promovido. En este aspecto técnico, el *juez* ha sido definido como el magistrado, investido de imperio y jurisdicción, que, según su competencia, pronuncia decisiones en juicio. | **A QUO.** Aquel de quien se apela para ante el superior; como el juez de primera instancia con respecto a la audiencia o cámara. Se dice también *a quo,* con supresión de la palabra *juez*. (V. A QUO, JUEZ AD QUEM.) | **ACOMPAÑADO.** El nombrado para hacer compañía, en el conocimiento y decisión de los autos, al juez recusado. (V. RECUSACIÓN.) | **AD QUEM.** *Juez* ante el cual se interpone apelación contra el fallo dictado por otro inferior o *juez a quo* (v.). En el lenguaje forense suele decirse sencillamente *ad quem* (v.). | **ARBITRADOR.** El que las partes nombran mediante *compromiso* (v.) para que resuelva o ajuste equitativamente sus diferencias. (V. AMIGABLE COMPONEDOR, ÁRBITRO, JUEZ LETRADO.) | **CIVIL.** En general, el que conoce asuntos contenciosos donde sólo se ventilan intereses. | En contraposición a los *jueces* que entienden en los fueros eclesiástico, castrense y otros, se llama *juez civil* al que ejerce la jurisdicción ordinaria, tanto en asuntos civiles como en los criminales. | **CIVIL Y CRIMINAL.** El que posee facultad para conocer en las causas de intereses pecuniarios y de estado y condición de las personas y en las relacionadas con la investigación y castigo de los delitos. | **COMPETENTE.** El que tiene jurisdicción para conocer y fallar en el negocio o causa que se le plantee, ya sea por expresa disposición de la ley o por tácita sumisión de los litigantes. | Estrictamente, el *juez* que entiende en los asuntos que la ley atribuye entre las personas sometidas a su jurisdicción. | **CRIMINAL.** El que sólo tiene competencia en lo penal; como los antiguos alcaldes del crimen, como los *jueces* de instrucción actuales y los Consejos de Guerra. (V. JUEZ CIVIL.) | **DE COMERCIO.** Aquel que conoce en primera instancia de los actos y contratos mercantiles relacionados con el Código de Comercio y con las leyes de índole comercial. | **DE DERECHO.** El *juez* letrado que, ateniéndose a las declaraciones de los *jueces de hecho* (v.) sobre las pruebas, se limita a aplicar la ley en el caso de que se trata. | **DE HECHO.** El que falla únicamente sobre la certeza de los hechos y su calificación, dejando los fundamentos y resolución legal del caso al *juez de derecho* (v.). | **DE MENORES.** El que resuelve en las causas por delito donde son autores niños o jóvenes que no han alcanzado la mayoría penal; es decir, la edad en que existe plena responsabilidad. | **DE PAZ.** El que, teniendo por función principal conciliar a las partes, es competente para entender además en las causas y pleitos de ínfima cuantía, y por procedimiento sencillo y rápido. | **DE PRIMERA INSTANCIA.** El *juez* ordinario de un partido, distrito o región, que entiende en los asuntos civiles, donde dicta sentencia apelable ante la audiencia o cámara. | **ESPECIAL.** El nombrado por el tribunal superior o designado por las partes para entender de un asunto determinado. | **INCOMPETENTE.** El que por razón de la materia o de la persona no tiene jurisdicción para conocer de la causa de que se trate. | **INFERIOR.** Aquel de cuyas sentencias cabe apelación ante otro *juez* o tribunal. Cualquiera que no integre el tribunal o corte supremos de un país. | **LETRADO.** El *juez* que posee el título de licenciado o de doctor en Derecho, el que es abogado; por lo cual no requiere asesor para dictar sus resoluciones. | **MILITAR.** El que entiende en los asuntos atribuidos al fuero castrense. (V. JURISDICCIÓN MILITAR.) | **MUNICIPAL.** El que sin prolongada permanencia en sus funciones y sin la exigencia de ser letrado ejerce la jurisdicción civil en los asuntos de mínima cuantía, en los juicios verbales, interviene en los actos de conciliación y, en materia penal, conoce y sentencia acerca de las faltas. | **PRIVATIVO.** El que tiene facultad para conocer de una causa con inhibición o exclusión del *juez* ordinario que debería determinarla. | **SUPERIOR.** El que conoce en apelación de los fallos o resoluciones de otro inferior o subordinado a él en la jerarquía judicial; o aquel ante el cual pueden las partes acudir en queja por denegación o dilaciones en la administración de justicia. (V. APELACIÓN; JUEZ INFERIOR.)

Juicio

Capacidad o facultad del alma humana que aprecia el bien y el mal y distingue entre la verdad y lo falso. | Comparación intelectual de ideas o cosas. | Salud o normalidad mental, opuesta a la locura, demencia, imbecibilidad, delirio u otros trastornos de intensidad y duración variables. | Opinión, parecer, idea, dictamen acerca de algo o alguien. | Sensatez, cordura. | Moderación, prudencia. | Honestidad en las mujeres. | Conocimiento, tramitación y fallo de una causa por un juez o tribunal. | ant. Sentencia, resolución de un litigio. | **ARBITRAL.** Aquel en que entienden una, tres o más personas (en número impar, para facilitar la resolución), nombradas por el demandante y demandado, para conocer y decidir la cuestión o cuestiones que someten a su fallo. | **CIVIL.** El que decide acerca de una acción civil, de una materia regida por leyes civiles, donde se controvierte un interés de los particulares. | **CIVIL ORDINARIO.** El que se sustancia con mayores garantías para las partes, donde las pruebas pueden ser más completas y las alegaciones más extensas, por los lapsos mayores que para las diversas actuaciones y trámites se establecen. | **COMERCIAL.** El tramitado y resuelto según las normas especiales, allí donde existen, que la jurisdicción mercantil posee, caracterizada por mayor prontitud en las diligencias y la frecuente formación de sus tribunales con expertos o profesionales. | **CONTENCIOSO.** El seguido contradictoriamente entre partes, según el orden establecido en las leyes. | **CONTENCIOSO ADMINISTRATIVO.** Aquel en que uno de los litigantes es la administración pública (sea el Estado, una provincia, municipio u otra corporación similar) y el otro un particular o una autoridad que reclama contra las resoluciones definitivas de aquélla, que causan estado, dictadas en uso de las facultades regladas y que vulneran un derecho o un interés de carácter administrativo, establecido o fundado en ley, decreto, reglamento u otra disposición preexistente. | **CRIMINAL.** El que tiene por objeto y fin regular el ejercicio de la acción penal, para comprobar o averiguar los hechos delictivos y sus circunstancias y determinar las personas responsables y su respectiva culpa, a fin de imponer las penas correspondientes, fijar el resarcimiento de los daños y perjuicios, o declarar la inocencia o exención de los acusados. | **DE ABINTESTATO.** Es el *juicio* que tiene por objeto adjudicar los bienes de las personas que mueren sin testar o con testamento nulo, ineficaz o desconocido. | **DE ALIMENTOS.** La demanda de alimentos provoca un *juicio* especial de esta índole cuando se trata de alimentos provisionales, y las normas coinciden con las de las *litisexpensas.* | **DE AMIGABLES COMPONEDORES.** el que se tramita y se resuelve por las personas que las partes designan de común acuerdo, como en el *juicio arbitral.* | **DE AMPARO.** El procedimiento judicial, por lo común expedito y ante tribunal de jerarquía, para hacer efectivo el amparo de esenciales garantías, como la libertad personal. (V. AMPARO, HÁBEAS CORPUS, RECURSO DE AMPARO.) | **DE CONCILIACIÓN.** Es el acto solemne que se celebra previamente a los *juicios* contenciosos, ante la autoridad pública, con asistencia del actor y demandado, con el objeto de arreglar y transigir amigablemente sus respectivas pretensiones. | **DE DESAHUCIO** o **DE DESALOJO.** Es el que tiene por objeto obtener la libre disposición de una finca, contra los que la ocupan, por haber dejado de ser legítimo el título que tuvieran o por cumplirse alguna de las condiciones de que pendía su existencia, o por otra causa. | **DE DESPIDO.** V. DESPIDO. | **DE EXPERTOS.** Pleito civil o causa criminal en que intervienen peritos. | Informe pericial. | **DE FALTAS.** El sustanciado para conocer de los hechos que la ley define y castiga como faltas, ya sea cual *delitos veniales* o contravenciones de policía. | **DE INSANIA.** El que tiene por finalidad establecer la declaración judicial de demencia de una persona, a los efectos tutelares y administrativos del caso. | **DE MENOR CUANTÍA.** Dentro de los declarativos, el intermedio entre el de mayor cuantía y el verbal, por razón únicamente del valor de la cosa que es objeto del juicio. | **DE MENSURA, DESLINDE Y AMOJONAMIENTO.** Aquel que tiene por objeto determinar, por medio de peritos y basándose en títulos auténticos que acrediten el dominio, los límites exactos de una propiedad, tomando en cuenta los derechos de los colindantes, además de marcar con mojones, hitos u otras señales los linderos. | **DE QUIEBRA.** El juicio universal que provoca la insolvencia fortuita, culpable o fraudulenta del comerciante. | **DE TESTAMENTARÍA.** El que tiene por objeto pagar las deudas de un difunto y distribuir el remanente de sus bienes, cuando lo haya, entre los herederos y legatarios designados en el testamento y, en todo caso, entre los legitimarios, aun preteridos. | **DECLARATIVO.** El que versa sobre hechos dudosos y controvertidos que deben ser determinados por el juez, mediante declaración inequívoca al respecto. | **EJECUTIVO.** La fase de ejecución de condena de un *juicio* ordinario. | Aquel *juicio* donde, sin entrar en la cuestión de fondo de las relaciones jurídicas, se trata de hacer efectivo lo que consta en un título al cual la ley da la misma fuerza que a una ejecutoria. | **EN REBELDÍA.** Modalidad que se da en los *juicios* que se siguen cuando un litigante, citado con arreglo a la ley, no comparece dentro del término del emplazamiento, o abandona el juicio después de haber comparecido. | **ESCRITO.** En el sentido estricto de la locución, no existe *juicio* que no sea escrito, al menos en la sentencia, por el acta de la comparecencia o vista, o por la solicitud o demanda que lo inicia. | **ORAL.** Aquel que, en sus períodos fundamentales, se sustancia de palabra ante el tribunal que ha de resolverlo, sin perjuicio del acta sucinta donde se consigne lo actuado. | Fase decisiva del juicio penal, luego de concluido el sumario, donde se practican o reproducen las pruebas directamente y se formulan las alegaciones ante el tribunal sentenciador. | La vista de una causa criminal. | **ORDINARIO o PLENARIO.** Aquel en el cual se procede con observancia de todos los trámites y solemnidades establecidos por las leyes en general, para que se controviertan detenidamente los derechos y recaiga la decisión después de minucioso y concienzudo examen y discusión de la causa. | **PARTICULAR.** El relativo al interés de una o más personas, o de una cosa o acción determinada. | **PETITORIO.** Aquel en que se litiga acerca de la propiedad o dominio de una cosa o sobre la pertenencia de un derecho; como las servidumbres o el cumplimiento de una obligación, o acerca de la condición y estado de las personas. | **POLÍTICO.** Denominación argentina y de algún otro país americano para referirse al enjuiciamiento del jefe del Estado y de otros magistrados superiores de la nación. | **POSESORIO.** El limitado a la adquisición, retención o recuperación de la posesión, cuasiposesión o tenencia de una cosa; al hecho de la posesión, en cuyo caso es *sumario* y se ventila como *interdicto,* o al derecho de posesión, donde el juicio es *plenario.* | **SUCESORIO.** El que tiene por objeto la determinación de los herederos de una persona muerta, el pago de las obligaciones pendientes de ésta y la adjudicación de los demás bienes a los sucesores a título universal o singular. | **SUMARIO.** El de tramitación abreviada. | Más en concreto, el posesorio donde sólo se ventila el hecho de la posesión. (V. INTERDICTO; JUICIO ORDINARIO y POSESORIO.) | **SUMARÍSIMO.** El procedimiento observado en la jurisdicción castrense para los casos de flagrante delito militar penados con muerte o cadena perpetua (reclusión mayor). | **UNIVERSAL.** Aquel en el cual se ventilan a la vez diferentes acciones o diversos intereses y derechos, que pertenecen a una sola persona o a varias. | **VERBAL.** El de trámite más sencillo dentro de los ordinarios; instruido y ventilado casi exclusivamente de palabra, aun cuando lo inicie el demandante con una papeleta en papel común (nombre más sencillo que el de demanda, aun cuando a ella equivalga), que suscita una comparecencia de las partes con los testigos y otras pruebas ante el juez.

Junta

Reunión de diversas personas para tratar acerca de algún asunto. | Asamblea. | Grupo directivo de una sociedad o colectividad. | Nombre de distintas asociaciones. Denominación de algunos gobiernos provisionales, sobre todo cuando se hallan integrados por militares. | Unión, juntura.

Jurado

Quien ha prestado juramento al tomar posesión de su puesto o cargo. | Antiguamente, el encargado de la provisión de víveres en ayuntamientos y concejos. | Miembro del tribunal examinador en exposiciones, concursos y competencias. | El tribunal popular de origen inglés, que resuelve en conciencia sobre los hechos y la culpabilidad de los acusados en el proceso penal, base del fallo que pronunciará, en cuanto al Derecho, el tribunal permanente y letrado. | Cada uno de los miembros de ese tribunal.

Juramentar

Tomar juramento.

Juramentarse

Obligarse por juramento. (V. CONJURA.)

Juramento

La afirmación o negación de una cosa, poniendo por testigo a Dios, o en sí mismo o en sus criaturas, según expresa la Academia. Se dice también que el *juramento* es "la invocación tácita o expresa del nombre de Dios, poniéndole como testigo de la certeza de lo que se declara". | **ASERTORIO.** El que afirma o niega claramente la verdad de un hecho presente o de una cosa pasada. | **DE CALUMNIA.** El que las partes prestaban al iniciar un pleito para declarar que no procedían ni procederían con malicia. | **DE DECIR VERDAD.** El habitual en la actualidad, en cuanto requerimiento; y en virtud del cual queda obligado el confesante a manifestar cuanto sepa y conozca sobre los hechos personales por que se lointerroga o pregunta. | **DE MALICIA.** El que uno de los litigantes estaba obligado a prestar cuando así lo requería el adversario, receloso de que el otro obrara con malicia o engaño en algún punto del pleito. | **DECISORIO** o **DEFERIDO.** El pedido por una de las partes a la otra, obligándose a pasar por lo que ésta jure, con el objeto de terminar así sus diferencias. La parte que *defiere* a la otra se obliga a pasar no sólo por lo favorable de la confesión pedida, sino también por lo perjudicial. | **ESTIMATORIO.** Este *juramento*, en Derecho Romano, se denominaba *in litem,* y actualmente ha desaparecido de la mayoría de los códigos, ya que corresponde al juez declarar en la sentencia, de acuerdo con la petición hecha en la demanda, la cuantía de la condena. | **INDECISORIO.** Aquel en el cual sólo se aceptan como decisivas las manifestaciones perjudiciales para el jurador o confesante. Es el corriente en la confesión judicial o absolución de posiciones. | **SUPLETORIO.** Supletorio se emplea aquí como complementario de la prueba, denominándose así el *juramento* que el juez defiere de oficio o manda hacer a una de las partes para completar la prueba.

Jurar

Afirmar o negar algo poniendo a Dios por testigo. | Comprometerse con juramento a hacer una cosa. | Reconocer solemnemente obediencia y fidelidad a un soberano. | Prometer fiel cumplimiento de la Constitución, de otra ley o de las obligaciones particulares que una función o cargo imponen. | Renegar, blasfemar, echar juramentos.

"Jure et facto"

Loc. lat. De Derecho y de hecho. (V. DE FACTO, "DE JURE".)

Juridicidad

Tendencia o criterio favorable al predominio de las soluciones de estricto derecho en los asuntos políticos y sociales. Algunos autores prefieren la palabra *juridicidad,* pero ha de estimarse barbarismo por aceptar la primera la Academia y rechazar, con su silencio, la otra. El vocablo presenta importancia jurídica por cuanto preconiza el imperio del Derecho sobre el uso de la fuerza. Los gobiernos de *facto* estiman la fuerza por encima de la *juridicidad.*

Jurídico

Concerniente al Derecho. | Ajustado a él. | Legal. | Se decía *jurídica* de la acción intentada con arreglo a derecho. | *Jurídicos* eran los antiguos prefectos de Italia. | *Jurídico* se decía del día hábil para administrar justicia. | Es característica esta voz para designar diversos cuerpos asesores en materia legal y judicial.

"Juris et de jure"

Loc. lat. De Derecho y por derecho; de pleno y absoluto Derecho. Con esta expresión se conocen las presunciones legales que no admiten prueba en contrario.

"Juris tantum"

Loc. lat. Lo que resulta del propio derecho; mientras el derecho no sea controvertido. Se designa así las presunciones legales contra las cuales cabe prueba en contrario.

Jurisconsulto

El versado en Derecho. | Quien hace profesión de la ciencia del Derecho, ya dedicándose a la resolución de las dudas o consultas jurídicas (de ahí *jurisconsulto*), ya escribiendo sobre asuntos y cuestiones de carácter jurídico. | Jurisperito o conocedor de los Derechos Civil y Canónico. | En el ordenamiento jurídico antiguo, intérprete del Derecho, cuya opinión tenía fuerza de ley.

Jurisdicción

Genéricamente, autoridad, potestad, dominio, poder. | Conjunto de atribuciones que corresponden en una materia y en cierta esfera territorial. | Poder para gobernar y para aplicar las leyes. | La potestad de conocer y fallar en asuntos civiles, criminales o de otra naturaleza, según las disposiciones legales o el arbitrio concedido. | Territorio en que un juez o tribunal ejerce su autoridad. | Término de una provincia, distrito, municipio, barrio, etcétera.

La palabra *jurisdicción* se forma de *jus* y de *dicere,* aplicar o declarar el derecho, por lo que se dice *jurisdictio* o *jure dicendo.* | **ADMINISTRATIVA.** Es la potestad que reside en la administración, o en los funcionarios o cuerpos que representan esta parte del Poder Ejecutivo, para decidir sobre las reclamaciones a que dan ocasión los propios actos administrativos. | **CIVIL.** La relativa a las causas civiles, e incluso mercantiles, que es ejercitada por los tribunales y jueces en lo civil. Se contrapone a la *jurisdicción criminal* (v.). | **COMPETENTE.** La ejercida legalmente, por reunir los requisitos establecidos por la ley. | Aquella a cuyo favor se ha resuelto una cuestión de *jurisdicción.* | **COMÚN ORDINARIA.** Es la que se ejerce en general sobre todos los negocios comunes y que ordinariamente se presentan, o la que extiende su poder a todas las personas y cosas que no están expresamente sometidas por la ley, a *jurisdicciones* especiales. | **CONTENCIOSA.** Aquella en la cual existe controversia o contradicción entre las partes, que requiere un juicio y una decisión. | **CONTENCIOSO-ADMINISTRATIVA.** La competente para revisar, fuera de la vía jerárquica, los acuerdos definitivos de la administración pública. | **CRIMINAL.** V. JURISDICCIÓN PENAL. | **DE MARINA.** La ejercida sobre materias especiales que a la marina atañen, y sobre las personas y negocios pertenecientes a la actividad de la marina de guerra. | **DISCIPLINARIA.** La potestad punitiva de menor cuantía. La ejercen los jueces y tribunales con objeto de conservar el buen orden en la administración de justicia, ya sea en las audiencias públicas o en las limitadas a las partes, e incluso en las relaciones con sus subordinados. | **ECLESIÁSTICA.** La que se ejerce por la Iglesia o sus autoridades o magistrados, tanto en lo civil contencioso y voluntario como en lo criminal, en asuntos espirituales y sus anejos, o contra personas o corporaciones eclesiásticas. | **ESPECIAL.** Denominada también *extraordinaria* o *privilegiada,* es la que se ejerce con limitación a asuntos determinados, o respecto de personas que, por su clase, estado o profesión, están sujetas a ellas. | **LABORAL.** Aquella que interviene en las causas derivadas del contrato de trabajo. | **LIMITADA.** La concretada a una causa o a un proceso, o a determinado aspecto o punto de una u otro. | **MERCANTIL** o **COMERCIAL.** Es la que conoce de los pleitos que se suscitan sobre obligaciones y derechos procedentes de contratos y operaciones mercantiles. | **MILITAR.** Denominada también *castrense*, es la potestad de que se hallan investidos los jueces, consejos y tribunales militares, para conocer las causas que se susciten contra los individuos del ejército y demás sometidos al fuero de guerra. | **PENAL.** La investigadora, cognoscitiva y sancionadora en el proceso penal. | **PROPIA.** La que corresponde por ministerio de la ley. | **PRORROGADA.** La incompetente a priori, pero que puede conocer de una causa por voluntad expresa o tácita de los litigantes; como por convenio, o por sumisión tácita, al no plantear la incompetencia. | La tramitada por acuerdo de las partes que se someten a una *jurisdicción* extraña. | La ejercida por los tribunales sobre las personas y cosas que se someten a su potestad. | **VOLUNTARIA.** Aquella en que no existe controversia entre las partes; la que no requiere la dualidad de éstas.

Jurisdiccional

Lo que atañe a la jurisdicción.

Jurisperito

El perito en Derecho; el que posee erudición jurídica; quien sabe de leyes y de su interpretación.

Jurisprudencia

La ciencia del Derecho. | El Derecho científico. | La ciencia de lo justo y de lo injusto, según parte de la definición justinianea, que luego se considerará. | La interpretación de la ley hecha por los jueces. | Conjunto de sentencias que determinan un criterio acerca de un problema jurídico omitido u oscuro en los textos positivos o en otras fuentes del Derecho. | La interpretación reiterada que el Tribunal Supremo de una nación establece en los asuntos de que conoce. | La práctica judicial constante. | Arte o hábito de interpretar y aplicar las leyes. | La Academia agrega una acepción pedagógica: "Enseñanza doctrinal que dimana de las decisiones o fallos de autoridades gubernativas o judiciales". | Y otra de *jurisprudencia* analógica: "Norma de juicio que suple omisiones de la ley, y que se funda en las prácticas seguidas en casos iguales o análogos".

Justiniano definió la *jurisprudencia* en estos términos, repetidos como pocos: *"Divinarum atque humanarum rerum notitia, justi injustique scientia"*. (El conocimiento de las cosas divinas y humanas, la ciencia de lo justo y de lo injusto).

Jurista

Quien estudia o profesa la ciencia del Derecho. (V. JURISCONSULTO.)

"Jus"

En general, el Derecho, tanto el objetivo como el subjetivo, en la voz latina y del pueblo que hizo universal el *"jus"*.

"Jus abstinendi"

Loc. lat. Derecho de abstención.

"Jus abutendi"

Loc. lat. Literalmente, el derecho de abusar, que en el antiguo ordenamiento jurídico le estaba reconocido al propietario, aun cuando de ello no derivara ningún beneficio para él, y sí perjuicio para otro.

"Jus gentium"

Loc. lat. Derecho de Gentes. Esta locución tuvo en el Derecho Romano sentidos diversos, y ninguno quizás acorde con el actual. Dentro del Derecho Público, por *"Jus gentium"* se comprendía el conjunto de reglas jurídicas que regía las relaciones entre los pueblos, algo así como el Derecho Internacional Público moderno. En el Derecho Privado presentó distintas acepciones: *a*) conjunto de reglas del Derecho Romano aplicables a los ciudadanos de este pueblo, y más particularmente a los peregrinos o extranjeros; se oponía así al *"Jus Civile"*; *b*) principios de Derecho Natural vigentes en todos los pueblos civilizados.

"Jus variandi"

Loc. lat. Derecho de variar. En el Derecho Laboral se refiere esta facultad a la alteración de las condiciones convencionales o iniciales del contrato.

Justa

En lenguaje de jerga, la justicia. | Pelea o combate a caballo y con lanza. Aun cuando no se practican ya desde el siglo XVII, entrarían en las leyes prohibitivas del duelo. | Competencia o competición. | **CAUSA.** La lícita en los contratos y necesaria para su validez.

Justas nupcias

En la organización jurídica romana, el matrimonio legal por excelencia, el contraído por personas que gozaban del *"jus conubii"*.

Justicia

Supremo ideal que consiste en la voluntad firme y constante de dar a cada uno lo suyo, según el pensamiento y casi las palabras de Justiniano: *"Constans et perpetua voluntas jus suum cuique tribuendi"*. | Conjunto de todas las virtudes. | Recto proceder conforme a derecho y razón. | El mismo derecho y la propia razón, en su generalidad. | Equidad. | El Poder Judicial. | Tribunal, magistrado o juez que administra justicia; es decir, que resuelve litigios entre partes o falla acerca de la culpa o inocencia de un acusado. | Pena, castigo o fallo acerca de la culpa o inocencia de un acusado. | Pena, castigo o sanción. | En lenguaje poco técnico, pena de muerte; y de ahí el verbo *ajusticiar*, que sí constituye tecnicismo. | ant. Alguacil. | **ATRIBUTIVA.** La que concede por voluntad, gratitud, humanidad o complacencia, más que por deber, razón o necesidad. (V. JUSTICIA DISTRIBUTIVA y EXPLETIVA.) | **CIVIL.** Hábito de atemperar la conducta a la ley. | Jurisdicción civil u ordinaria. | **CONMUTATIVA.** La que observa la igualdad contractual y la de toda especie, sin acepción de personas. (V. JUSTICIA ATRIBUTIVA y DISTRIBUTIVA.) | **DE SANGRE.** V. MERO IMPERIO. | **DISTRIBUTIVA.** La que premia o castiga, con igualdad de criterio, según el mérito o demérito de las personas. (V. JUSTICIA ATRIBUTIVA y CONMUTATIVA.) | **EXPLETIVA.** La que da a cada cual lo que por ley o derecho se le debe. (V. JUSTICIA ATRIBUTIVA.) | **SOCIAL.** Expresión tan divulgada como imprecisa, y habitual ya desde fines del siglo XIX. Para los partidos revolucionarios, por *justicia social* se entiende la implantación de sistemas socialistas o comunistas más o menos audaces; para los enemigos de estas tendencias, pero temerosos de la fuerza popular, por *justicia social* se acepta toda concesión mínima que halague a las masas sin comprometer gravemente el *statu quo* económico y de clases; para el liberalismo sincero o progresivo, la *justicia social* se condensa en el intervencionismo de Estado, tendencia propensa al reconocimiento de ciertas reivindicaciones de los trabajadores, pero sin destrucción de las bases capitalistas de la sociedad burguesa.

Justificación

Adecuación con la justicia o conformidad con lo justo. | Prueba de inocencia. | Fundado derecho o excusa legal ante el mal o daño causado. | Demostración o prueba bastante de una cosa. | Disculpa. | Excusa. | Perdón. | Eximente penal, especialmente por ausencia de antijuridicidad o de culpabilidad. (V. ATENUANTES, EXIMENTES, PRUEBA.)

Justinianeo

Perteneciente a Justiniano o a su iniciativa en materia jurídica, y singularmente en su colosal empresa codificadora.

Justiprecio

Justo precio o valor de una cosa. | Valor asignado en una estimación pericial. | En general, tasación, avalúo, aprecio, valorización, avaluación, valuación. El justiprecio es indispensable para diversos actos jurídicos: sucesiones, dote, división de la cosa común y otros.

Justo precio

El conveniente valor de las cosas, teniendo en cuenta los gastos de producción y los intereses generales de los consumidores.

Justo salario

Doctrina o teoría que tiende a establecer la exacta remuneración del trabajo, manteniendo el difícil equilibrio de que sea suficiente para el trabajador sin resultar gravoso para el empresario.

Justo título

El fundamento que determina que una persona posee o ha adquirido legítimamente un derecho, como también el documento que acredita el acto de la adquisición.

Juzgado

Conjunto de jueces que concurren a dictar una sentencia. Tribunal unipersonal o de un solo juez. Término jurisdiccional de éste. | Oficina o despacho donde actúa permanentemente. | Judicatura u oficio de juez.

Juzgador

Que juzga. | La Academia incluye con sentido arcaico la acepción que equipara este vocablo a *juez*. Esto resulta inexacto en la calificación usual, ya que es una palabra en pleno vigor.

Juzgar

Administrar justicia. | Decidir un asunto judicial. | Sentenciar. | Ejercer funciones de juez o magistrado. | Afirmar o exponer relaciones entre ideas. | Enjuiciar, examinar, considerar, dictaminar en un asunto o negocio. | Antiguamente, condenar a perder alguna cosa; y, más especialmente, confiscarla. (V. JUICIO, SENTENCIA.)

K

K

En el alfabeto español, la undécima letra y la octava consonante. | Es abreviatura de kilo o kilogramo.

"Kartell" o **"Cartel"**

Voz germánica por su origen, que se refiere a ciertas organizaciones de concentración capitalista, hechas con el propósito de dominar la competencia, anulándola.

Kilogramo o **kilo**

Peso equivalente a 1.000 gramos. Abreviadamente, se dice con frecuencia *kilo.*

Kilómetro

La medida de longitud usual en las comunicaciones terrestres y en la determinación de la superficie de los Estados y de sus diversas divisiones territoriales. Se define o se describe el *kilómetro* diciendo que es igual a 1.000 metros.

Know-how

Expresión inglesa que, literalmente, significa "saber cómo", o sea saber cómo se hace o logra algo. En su uso presenta un alto grado de ambigüedad, pues a veces se la utiliza para designar los conocimientos técnicos no patentados, en general; en otras, para indicar la tecnología no patentada complementaria de las invenciones patentadas, y en otros casos, como equivalente a la tecnología en general. Resulta así inconveniente –y no sólo por razones idiomáticas– su utilización en el discurso jurídico en lengua española.

L

L

La letra número doce en el alfabeto español; su novena consonante. | En la numeración romana, la *L* vale por 50; y por 50.000 si se pone una raya sobre ella. | En las medidas representa *libra*. | En las monedas, también; y más especialmente la *libra esterlina* o inglesa: £. | En el sistema métrico decimal es abreviación internacional de *litro*. | En los cuerpos legales es la abreviatura de *ley*. | En los textos romanos, además de esa significación legal, presenta la de *litis, libertad* y *latinos*, entre otras.

Labor

Trabajo. | Tarea. | Obra. | Labranza. | Escuela de niñas donde éstas aprenden a coser y a bordar.

Laboral

Concerniente a la labor o al trabajo. | Como tecnicismo moderno, se refiere a la rama jurídica que regula el conjunto de relaciones surgidas del contrato de trabajo, y de esta actividad profesional y subordinada, como fenómeno económico y social. (V. DERECHO LABORAL.)

Laboralista

Especialista en Derecho Laboral o de Trabajo.

Lactancia

Estrictamente, el lapso durante el cual el recién nacido se alimenta de la leche materna o de otra clase. | Legalmente, el tiempo que media desde el nacimiento a los tres años.

Lagunas del Derecho

Ausencia de norma positiva aplicable a una relación determinada. Según Ramírez Gronda, los lugares neutros o espacios sin juridicidad que ofrecería el ordenamiento jurídico; de tal suerte, un caso judicial no encontraría solución lógico legal.

Ladrón

Autor o cómplice de hurto o robo.

"Laissez faire"

Expresión francesa, que completa dice: *"Laissez faire, laissez passer"* (dejar hacer, dejar pasar; es decir: permitid, tolerad toda iniciativa).

Lanzamiento

El acto de obligar a uno, por fuerza judicial, a dejar la posesión que tiene.

Lapidación

Forma de ejecución de la pena de muerte, que consistía en apedrear al reo por el pueblo, hasta que perdiera la vida.

Lapso

Espacio de tiempo. (V. PRESCRIPCIÓN, TÉRMINO.) | Error, equivocación. | Falta o culpa. | En Derecho Canónico, bautizado que retorna al paganismo.

Lascivia

Inclinación a los deleites carnales.

Lateral

Relativo a los lados. | Colateral o no proveniente de la línea recta; como parentesco o sucesión *lateral*. | En materia de servidumbres de vistas, *lateral* es oblicuo o de costado. (V. COLATERAL.)

Latifundio

Finca rural de gran extensión, poco o nada cultivada y perteneciente a un solo propietario.

Latino
Del Lacio o de cualquiera de los pueblos que tenían como metrópoli a la antigua Roma. Los *latinos* gozaban del *jus latii,* que aproximaba bastante su capacidad jurídica a la de los ciudadanos romanos.

Lato
Amplio, extenso, dilatado. Se aplica a ciertas palabras que en sus acepciones corrientes o jurídicas deben entenderse en su significado más comprensivo.

Latrocinio
Hábito de despojar al prójimo de lo que le pertenece o de defraudarlo en sus intereses. | Práctica frecuente del hurto o del robo. | La actividad del ladrón habitual o profesional.

Laudemio
Derecho que el enfiteuta paga al dueño directo del inmueble cuando se enajena la heredad sujeta al censo. Se denomina también *luismo.* Suele consistir en un 2 % del valor del predio y constituye una de las supervivencias feudales más extrañas en nuestro tiempo, como vasallaje monetizado, como especie de impuesto, que así se opone a la libre transmisión de las fincas.

Laudo
En acepciones anticuadas, convenio o pacto; y también juicio y sentencia. | En la técnica actual, por *laudo* se entiende la sentencia o fallo que pronuncian los árbitros o los amigables componedores en los asuntos a ellos sometidos voluntariamente por las partes, y que poseen fuerza ejecutiva de sentencia firme, una vez consentidos o agotados los recursos de que son susceptibles, de pasar en autoridad de cosa juzgada como los fallos de los tribunales ordinarios. | **ARBITRAL.** El que pronuncian los árbitros designados en el compromiso. | **DE AMIGABLES COMPONEDORES.** El fallo que según su leal saber y entender, y basado más en la equidad que en la ley, dictan los particulares designados en la escritura de compromiso. | **HOMOLOGADO.** La decisión arbitral que ha sido consentida por las partes o aprobada por el juez.

Lectivo
Se dice de los días hábiles para dar lección en los establecimientos de enseñanza. (V. DÍA HÁBIL.)

Legación
Legacía. | Representación que un gobierno confiere a una persona cerca de otro gobierno, como embajador, ministro plenipotenciario o encargado de negocios. | Edificio u oficina en que se ejerce dicho cargo diplomático. | Personal a las órdenes de un legado. | Séquito o comitiva oficial de éste.

Legado
En términos generales, delegado o representante. | Manda o donación testamentaria.

A. *En Derecho Administrativo.* Durante el Imperio Romano, presidente o jefe de cada una de las provincias que dependían directamente del emperador. | Jefe de cada una de las legiones romanas. | Asesor o consejero que en carácter de socio acompañaba a los procónsules de las provincias romanas y que en caso necesario lo suplía en sus funciones.

B. *En Derecho Canónico.* Representante del papa en un concilio. | Quien por designación pontificia ejerce las facultades apostólicas en un país o territorio de la cristiandad. | Cualquier representante de una alta jerarquía eclesiástica. | Antiguamente, cuando los papas gozaban de extenso poder temporal, gobernador de las provincias eclesiásticas que le pertenecían en la actual Italia.

C. *En Derecho Político.* Representante diplomático que está al frente de una legación. | Delegado de una autoridad. | Senador u otro ciudadano de Roma que era enviado a las provincias recién conquistadas, para proceder a su gobierno.

D. *En Derecho Civil.* Especie de donaciones que se hacen en testamento o en otro acto de última voluntad; esto es, la manda que un testador deja a uno en su testamento o codicilo. Es una disposición a título gratuito, que debe ser hecha a persona determinada. | **A LÁTERE.** Cardenal que el papa envía con poderes extraordinarios, para que lo represente cerca de un príncipe o gobierno cristiano, o en un concilio. (V. A LÁTERE, NUNCIO.)

Legajo
Atado de papeles o conjunto de documentos que constituyen un expediente o unos autos, ya totalmente o algunas de sus partes principales. | En la Argentina, hoja de servicios.

Legal
Lo mandado por la ley. | Lo contenido en ella. | Legítimo; lícito. | Conforme a su letra o su espíritu.

Legalidad
Calidad de legal o proveniente de la ley. | Legitimidad. | Licitud. | Régimen político fundamental de un Estado; especialmente el establecido por su Constitución.

Legalista
Intérprete de cortos alcances que no admite otro sentido que el literal de la ley. | Partidario resuelto de aplicar el Derecho positivo, sea cual fuere su resultado, con total omisión de la equidad.

Legalización
Formación o forma jurídica de un acto. | Autorización o comprobación de un documento o de una firma. | Certificación de verdad o de legitimidad. | Autenticación. | Ampliación de las normas jurídicas positivas a esferas o actividades antes excluidas del ordenamiento positivo.

Legalizar
Dar estado o forma legal. | Extender una legalización, para fe y crédito de un documento o de una firma.

Legalmente
Según ley. | Con arreglo al Derecho objetivo o de acuerdo con el derecho subjetivo. | En cumplimiento de un deber jurídico. | Dentro de las atribuciones constitucionales, legales o reglamentarias. | Lealmente. (V. ILEGALMENTE.)

Legar
Donar el testador una manda o legado a otra persona. (V. LEGADO.) | Enviar a un legado o representante.

Legatario
Persona a quien por testamento se deja un legado o manda. El sucesor a título singular; es decir, en una o más cosas o derechos determinados, a diferencia del *heredero* que sucede al causante a título universal y en la totalidad o cuota parte de su patrimonio.

"Legis actio"
Literalmente quiere decir *acciones de la ley*, y caracteriza el procedimiento romano que rigió hasta el siglo III a. de J.C.

Legislación
La ciencia de las leyes. | Conjunto o cuerpo de leyes que integran el Derecho positivo vigente en un Estado. | Totalidad de las disposiciones legales de un pueblo o de una época determinada. | **COMPARADA.** La designada por Lambert como Derecho Común legislativo, es el arte cuyo fin práctico consiste en comparar entre sí aquellas *legislaciones* que son semejantes y presentan cierta uniformidad jurídica dentro de la diversidad de sus respectivos Derechos positivos, para encontrar los principios, reglas o máximas similares a todas ellas, por tender a la satisfacción de necesidades comunes. (V. DERECHO COMPARADO.) **DEL TRABAJO.** Denominación bastante habitual del Derecho Laboral positivo. | Con mucha menor precisión técnica, ciertos autores llaman también *legislación del trabajo* a todos los matices del Derecho Laboral, incluso en sus consideraciones exclusivamente teóricas, ajenas por tanto a la *legislación* en sí. | **SECUNDARIA.** Nombre que recibe a veces la actividad reglamentaria de la administración por estar subordinada en su validez a no contravenir la ley; aunque goce, como ésta, de los caracteres de generalidad, obligatoriedad y procedencia de autoridad legítima, o al menos de hecho.

Legislador
Quien legisla. | El que forma o prepara las leyes. | El que las aprueba, promulga y da fuerza a tales preceptos generales y obligatorios.

Legislar
Hacer, dictar o establecer leyes.

Legislativo
Dícese del código, cuerpo o texto de leyes. | Se aplica al derecho o potestad de hacerlas o darlas. | Lo autorizado por una ley.

Legislatura
Tiempo en que funcionan los cuerpos legislativos. | En España, período de sesiones durante el cual subsisten tanto la mesa como las comisiones permanentes designadas por cada uno de los cuerpos colegisladores. | En la Argentina, Congreso o cuerpo legislativo de las provincias, en contraposición al Congreso Nacional, que dicta leyes de aplicación en toda la República, dentro de sus atribuciones constitucionales. | Escriche indica, además, la acepción de cuerpo legislativo en actividad.

Legítima
La parte de la herencia que se debe por disposición de la ley a cierta clase de herederos. La parte de bienes que comprende la *legítima* está asegurada sobre los bienes de una persona, a sus herederos en línea directa, y de ella no pueden ser despojados más que por las causas expresas establecidas en la ley. | **DEFENSA.** Causa o circunstancia eximente de la responsabilidad criminal; la de más arraigo en el Derecho Penal, y la menos discutida en teoría, salvo su redacción técnica. Constituye una derogación de la justicia por la propia mano, ante la necesidad de actuar directamente cuan-

do el ataque compromete de tal modo los intereses, que sólo la reacción propia puede evitar el mal o su agravación. Muy certera y lacónica es la definición dada por Soler: "La reacción necesaria contra una agresión injusta, actual y no provocada", que se adapta a los textos positivos y comprende las tres especies capitales de la *legítima defensa*: la propia, la de parientes y la de extraños.

Dentro de la clasificación técnica de las causas de exención de la responsabilidad penal, la *legítima defensa* se alinea entre las llamadas *causas de justificación*. Aun existiendo intención plena en el acto, está plenamente justificado, por la falta de malicia y por la necesidad de la acción. Para la Escuela Positiva la *legítima defensa* no suscita ninguna medida de seguridad (salvo los síntomas relevados en el exceso), por cuanto el sujeto no muestra peligrosidad; ya que sólo ha reaccionado ante un acto antisocial, y ejerciendo la defensa social.

La *legítima defensa* no incluye tan sólo la protección de la vida y de la integridad corporal; aun cuando constituyen éstos los casos típicos y aquellos ante los cuales la inmediación de la réplica se revela más urgente. Todos los derechos, dentro de su peculiaridad, y de la reacción adecuada, pueden ser protegidos. El problema reside en la "proporción" y en la necesidad inaplazable de la reacción ofensiva. (V. CIRCUNSTANCIAS EXIMENTES.) | **DEFENSA NACIONAL.** El derecho que todos los pueblos practican dentro de los impulsos de su honor y, más realísticamente, de las posibilidades de sus fuerzas en relación con las de un agresor u ofensor, para oponerse con las armas a una invasión o a un flagrante agravio a su dignidad.

Legitimación

Acción o efecto de legitimar. | Justificación o probanza de la verdad o de la calidad de una cosa. | Habilitación o autorización para ejercer o desempeñar un cargo u oficio. | Atribución de la cualidad de hijo legítimo al que no nació o no fue concebido dentro de matrimonio legal.

Legitimación activa

Reunión por una persona de los requisitos necesarios para ser actora en un juicio determinado, en función de las pretensiones que se formulen en la correspondiente demanda. Ciertas pretensiones pueden ser en sí mismas válidas, pero no ser el actor la persona calificada para plantearlas procesalmente –por ejemplo, por no ser parte de las relaciones jurídicas de que surjan esas pretensiones–, faltando en tal caso a ese actor la llamada *legitimación activa*.

Legitimación pasiva

Reunión por una persona de los requisitos necesarios para ser demandada en un juicio determinado, en función de las pretensiones que se formulen en la correspondiente demanda. Se trata de una variante de la *legitimación procesal*. Una persona puede estar en abstracto capacitada para ser parte de juicios como demandada; puede también la demanda exponer pretensiones jurídicas fundadas. Sin embargo, si la demanda no se dirige contra una persona que sea sujeto pasivo de esas pretensiones, faltará el elemento de legitimación pasiva, y la demanda será jurídicamente inviable.

Legitimación procesal

Reunión por una persona de los requisitos necesarios para ser parte activa o pasiva de un proceso. Comprende a la *legitimación activa* y a la *legitimación pasiva* (v.).

Legitimar

Probar, justificar conforme a ley o derecho. | Habilitar para puesto o tarea a quien carecía de atribuciones o calidades. | Reconocer por legítimo, y según las disposiciones legales, a los hijos naturales, y en algunas legislaciones, a los ilegítimos. (V. LEGITIMACIÓN.)

Legitimidad

Calidad de legítimo. | Legalidad o conformidad con la ley, la justicia, la razón o las reglas establecidas. | Calidad de *hijo legítimo* (v.).

Legítimo

Legal o conforme a ley. | Ajustado a derecho. | Arreglado a justicia o razón. | Cierto, verdadero, auténtico, genuino. | Se dice del producto agrícola, industrial o mercantil, procedente del acreditado lugar que se indica, y del productor y calidad que se anuncia. | Dícese del hijo nacido de legítimo matrimonio, e incluso de algunos matrimonios anulados. (V. HIJO LEGÍTIMO.) | Por equiparación legal, es también hijo legítimo el legitimado por subsiguiente matrimonio. (V. LEGITIMACIÓN.) | Se refiere a la tutela deferida directamente por el legislador, a falta de designación por persona autorizada o por organismo competente. (V. TUTELA LEGÍTIMA.)

Lego

Del latín *laicus* y de una voz griega que significa pueblo. En acepción general, analfabeto o ignorante. | Profano. | Desconocedor de una materia. | Dicho de los jueces, *lego* es no letrado. | En el Derecho Canónico, quien no tiene órdenes clericales. | El profeso en un convento religioso cuando carece de opción a recibir las órdenes sagradas. | *Legos* se dice de los bienes que no pertenecen a la Iglesia. | *Lega* o *laical* es la potestad civil o temporal de los gobernantes y magistrados, contrapuesta a la espiritual o eclesiástica de los jerarcas y sacerdotes de la Iglesia.

Leguleyo

El que se tiene por legista, y sólo de memoria sabe las leyes. Escriche expresa que es "el que, sin penetrar en el fondo del Derecho, sabe sólo enredar y eternizar los pleitos con las sutilezas de sus fórmulas. Es entre los juristas lo mismo que son los charlatanes entre los médicos". (V. PICAPLEITOS.)

Lenocinio

El ejercicio de la prostitución, el comercio que se hace con ésta y la excitación al adulterio.

Leonino

Es el contrato por el cual una parte se beneficia con extraordinaria proporción respecto de la otra, perjudicándola en sus intereses. Se denominan *contratos leoninos* por alusión a la fábula del león, en la que éste se lleva siempre la mejor parte.

Lesa majestad

En las naciones monárquicas, con esta locución se designan los delitos contra el rey, la reina y el príncipe heredero de la corona. Se dice *lesa majestad,* por haber sido *lesionada,* moral o materialmente, la *majestad* simbolizada en el monarca o las personas de su íntima familia.

Lesión

Herida, golpe u otro detrimento corporal. (V. LESIONES.) | Daño o perjuicio de cualquier otra índole, y especialmente el económico en los negocios jurídicos. | Más concretamente aún, daño que sufre una de las partes en el contrato de compraventa cuando el precio no es justo. | **EN LOS CONTRATOS.** Perjuicio económico producido a una de las partes en los contratos conmutativos, cuando existe evidente desigualdad entre los objetos o prestaciones de éstos; y más particularmente visible en la compraventa, si el precio resulta injusto por abusivo en relación con el comprador, y por recibir éste cosas de mayor valor o extensión o de mejor calidad que lo supuesto por el vendedor. | **ENORME.** En el Derecho clásico y en el histórico español, el perjuicio que una persona experimenta por error o por engaño cuando alcanza a *algo más* del justo precio en la compraventa. (V. LESIÓN ENORMÍSIMA.) | **ENORMÍSIMA.** Daño o perjuicio económico en la compraventa, cuando consiste en *mucho más* de *justo precio* (v.).

Lesiones

Por concretarse rara vez en un solo ataque y en un solo mal, se habla de *lesiones*, y no de *lesión*, para referirse a los daños injustos causados en el cuerpo o salud de una persona; pero siempre que falte el propósito de matar, pues en tal caso se trataría de homicidio frustrado. Ahora bien, puede darse el supuesto inverso; o sea, que el lesionador, por exceso involuntario, por desconocer los efectos de su acción o por imprevistas complicaciones, origine la muerte de la persona por él lesionada; y entonces la figura delictiva se denomina *homicidio preterintencional* (v.). | **DEPORTIVAS.** Las producidas durante la práctica de los distintos juegos o deportes, ya por encuentro o choque entre los jugadores de distinto bando o por los objetos utilizados en los mismos ejercicios por unos u otros participantes. | **EN RIÑA.** La dificultad de identificar al autor de cada una de las agresiones en la confusión característica de las riñas tumultuarias ha llevado a los legisladores a establecer reglas especiales que, compensadoramente, significan una leve disminución de las penas, pero una aplicación a todos los participantes en el violento acto colectivo.

Letra de cambio

Título de crédito, revestido de los requisitos legales, en virtud del cual una persona, llamada *librador,* ordena a otra, llamada *librado*, que pague a un tercero, el *tomador,* una suma determinada de dinero, en el tiempo que se indique o a su presentación. | **ACEPTADA.** Aquella en que el librado, al aceptar el mandato del librador, se obliga a pagar la *letra* a su vencimiento. | **AL PORTADOR.** La cobrable por quien la tenga en su poder, siempre que no se indique el nombre del tomador. | **DOMICILIADA.** La que contiene la declaración, hecha por el librador o por el aceptante, de que debe ser pagada en el lugar determinado en ella, y distinto del domicilio del librado. (V. LETRA DE CAMBIO NO DOMICILIADA.) | **NO DOMICILIADA.** La girada contra una persona para que la pague en la misma plaza donde reside. (V. LETRA DE CAMBIO DOMICILIADA.) | **PERJUDICADA.** La no protestada en tiempo o forma por falta de aceptación o pago; o la no presentada a la aceptación o pago.

Letra muerta

Se aplica a las leyes, tratados o pactos que, aun sin derogar, no se cumplen o carecen de vigencia. (V. DESUSO.)

Letrado

Docto, sabio. | Erudito. | Instruido. | Antiguamente poseía dos significados dispares: el que sólo sabía leer, y el que sabía escribir. | La principal acepción de esta voz es como sustantivo, pues se emplea cual sinónimo de *abogado* (v.). | *Juez letrado* es el conocedor del De-recho, por su profesión y estudios; contrapuesto al *juez lego,* llamado a juzgar sin poseer preparación jurídica especial. | **CONSULTOR.** El abogado que asesora a un tribunal o juez lego, en cuanto a los puntos dudosos planteados en la tramitación y fallo de las causas a ellos sometidas.

Lex

Nombre latino de la ley. Entre el pueblo romano recibían este nombre las decisiones tomadas por el pueblo reunido en sus asambleas o comicios; y más particularmente, luego de la Ley Hortensia, las resoluciones de los concilios de la plebe. | Lo era también el reglamento dictado por delegación popular. | Durante el Bajo Imperio, la *lex* era la constitución imperial. | Durante la Edad Media, *lex* fue el nombre de distintas compilaciones o códigos promulgados por los reyes de los bárbaros.

La *lex*, en plural *leges*, se contrapone desde el siglo II al *jus* (v.), expresión de la doctrina de los jurisconsultos y de las reglas jurídicas dadas durante la República y al comienzo del Imperio.

"Lex fori"

Loc. lat. Ley del fuero. En los conflictos territoriales de leyes, indica esta expresión que los actos o relaciones deben regirse por la ley del tribunal que haya de conocer de éstos.

"Lex loci"

Loc. lat. Ley del lugar. Régimen territorialista en una relación jurídica.

"Lex rei sitae"

Loc. lat. Ley del lugar de la cosa.

Ley

Genéricamente, modo de ser y obrar los seres. | Propiedades y relaciones entre las cosas, según su naturaleza y coexistencia. | Regla, norma, precepto de la autoridad pública, que manda, prohíbe o permite algo. | La expresión positiva del Derecho. | Regla de conducta obligatoria dictada por el Poder Legislativo, o por el Ejecutivo cuando lo sustituye o se arroga sus atribuciones. | Ampliamente, todo reglamento, ordenanza, estatuto, decreto, orden u otro mandamiento de una autoridad en ejercicio de sus atribuciones. El Derecho escrito, como contraposición a la costumbre. | Cualquier norma jurídica obligatoria. | El Derecho objetivo.

Además, fidelidad, lealtad. | Requisitos o condiciones para un acto. | En el orden físico, sucesión invariable de los fenómenos con arreglo a la relación de causa a efecto. | Religión. | Calidad, peso o medida. | Aleación de los metales, de las monedas. | Conjunto de leyes o código; como la Ley de Enjuiciamiento Civil. | En los textos antiguos, última de las subdivisiones de los cuerpos legales, luego de libro, título, capítulo y epígrafe, correspondiente a los actuales artículos; pero con numeración especial para cada una de tales partes. | **ADJETIVA.** La que regula la aplicación de otra, llamada *sustantiva,* limitada por lo común a exponer el precepto. | **ADMINISTRATIVA.** La relativa a la organización general del Poder Ejecutivo, al funcionamiento de sus órganos y a los servicios públicos. | **AGRARIA.** Entre los romanos, la que ordenaba la distribución de las tierras conquistadas a otros pueblos. | La que determinaba el máximo de yugadas de tierra que podía poseer cada ciudadano. | Por antonomasia, la de los *Gracos.* (V. DERECHO AGRARIO.) | Proyecto de reparto de las tierras entre los que las cultivan o entre los menesterosos. | *Ley agraria* es toda aquella que se refiera a la agricultura; como la tan notablemente estudiada por Jovellanos. | También, toda reforma agraria que tienda a una mejor distribución de la tierra, dando participación en su propiedad a los que la labran, base de su mejor explotación y de la mayor riqueza nacional. | **ANTIGUA.** La ya derogada. | La vigente desde mucho tiempo ha. | En Derecho Canónico, la de Moisés o Antiguo Testamento, derogada, al menos en lo ceremonial, por la *ley nueva,* la de Jesucristo. Las normas morales se mantienen por la Iglesia, y están resumidas en el *Decálogo.* | **CANÓNICA.** La de la Iglesia Católica; el conjunto de cánones, leyes, constituciones, decretos y otros mandamientos que, dados por los pontífices o por los concilios, integran el *Derecho Canónico* (v.). | **CIVIL.** La que regula los derechos que los hombre gozan entre ellos y la que establece las formas y los efectos de las convenciones privadas. | El Código Civil. | La que declara los derechos, fija las obligaciones y prohíbe determinados actos; en contraposición a la *penal,* que castiga las omisiones de lo ordenado y las infracciones de lo prohibido. | Ley privada, frente a la ley pública. | Ley sustantiva. | Ley referida a los individuos en su generalidad, para distinguirla de la ley *militar,* de la *canónica*, concretadas a un estado especial o a un aspecto de la vida. | **COERCITIVA.** La que reprime las acciones perniciosas: el dolo y la mala fe, el daño material o espiritual, toda clase de perjuicios y los atentados contra la moral o las buenas costumbres. | **DE BRONCE DEL SALARIO.** Teoría económica de Marx, completada por Lasalle, según los cuales el obrero solamente llega a ganar el salario necesario para poder vivir él y su familia. Se funda en la ley de la oferta y de la demanda; y establece que el trabajo constituye una mercancía que se compra y se vende, con un precio en el mercado: la venden los obreros y la compran los patronos, y el salario es su precio. | **DE DERECHO PRIVADO.** Cualquiera de las normas positivas que pertenecen al *Derecho Privado* (v.). | **DE DERECHO PÚBLICO.** Toda regla jurídica escrita, debidamente formada y obligatoriamente impuesta, relativa al *Derecho Público* (v.). | **DE DIOS.** Teológicamente, con indirecto reflejo en el Derecho positivo, la voluntad divina y la recta razón. | **DE EMERGENCIA.** Anglicismo difundido en América para referirse a las *leyes* de excepción, impuestas por necesidades de orden público o ante imprevistas y graves circunstancias, que exigen, con carácter transitorio, medidas radicales y expeditas para remediar el mal o evitar su propagación. (V. LEY DE EXCEPCIÓN.) | **DE ENJUICIAMIENTO CIVIL.** En España, la que establece las reglas de procedimiento civil, análoga a los Códigos Procesales de otros países. | **DE ENJUICIAMIENTO CRIMINAL.** La que regula las actuaciones judiciales en materia penal. | **DE EXCEPCIÓN.** Esta denominación parece chocar con uno de los caracteres de la *ley*: la generalidad, enemiga de la excepción, siempre con resabio de privilegio. | **DE LAS XII TABLAS.** Denominadas *Lex* o *Legis XII Tabullarum* y *Lex decemviralis,* fueron redactadas en Roma las diez primeras el año 33 y las dos últimas, el 304. Era el Código donde aparecía compendiado el antiguo Derecho nacional romano; esto es, la codificación de Derecho vigente en Roma en el momento de su redacción. | **DE ORDEN PRIVADO.** La permisiva o la supletoria; es decir, la que deja en libertad para obrar o abstenerse, y para proceder de una forma u otra, dentro de la esfera de tolerancia o autonomía reconocida. Tales son casi todos los preceptos en materia de obligaciones y contratos. (V. LEY DE ORDEN PÚBLICO.) | **DE ORDEN PÚBLICO.** En sentido amplio, lo mismo que ley coactiva; o sea, la que establece una prohibición rigurosa (como en ciertas legislaciones, la relativa al divorcio vincular) o aquella que impone una obligación ineludible (como todas las contributivas, las penales, las militares, las relativas a la paz pública y a la moral predominante). | **DE TÉRMINOS.** Locución peculiar de las naciones angloamericanas, en las cuales se hace con ello referencia a las disposiciones legales que establecen los límites perentorios para entablar las diferentes acciones o procedimientos ante los tribunales de justicia o ante los órganos de la administración pública. | **DEL EMBUDO.** Ingeniosa expresión popular para referirse a la desigualdad de trato, amplio o liberal para lo que nos interesa o para lo de uno, y riguroso y estricto para el prójimo y en especial para el contrario o enemigo. | **DEL ENCAJE.** Fallo o dictamen discrecional de un juez sin atenerse a lo dispuesto en las *leyes*. | **DIRECTA.** La que manda o prohíbe el acto mismo que quiere producir o prevenir. El precepto que establece la mayoría de edad al cumplir determinados años es una *ley directa*; la que prohíbe la importación o exportación de artículos determinados lo es asimismo, aunque con carácter negativo. | **EN BLANCO.** La de índole penal cuando establece la sanción sin concretar la figura delictiva. | **ESCRITA.** La verdadera *ley*, al menos en sentido estricto; la que, como su mismo nombre indica, está *escrita* en un documento, que hoy día es el papel; pero que en otros tiempos ha sido el pergamino, el papiro e incluso la piedra, como el Decálogo en la descripción bíblica (*Éxodo,* XXIV, 12). | **ESPECIAL.** La relativa a determinada materia, como la de aguas, minas, propiedad intelectual, caza, pesca, hipotecaria, de contrabando, etc. | **EXTRATERRITORIAL.** La que sigue al ciudadano de un país allí donde vaya, o aquella que surte efecto fuera de su nación de origen; y esto, ya por convenios diplomáticos o por principios de Derecho Internacional Privado. (V. LEY PERSONAL.) | **FORMAL.** La *ley* sustantiva que determina ciertas solemnidades para la validez y eficacia de los actos y contratos jurídicos o la que reconoce la libertad de las partes para probarlos por cualquiera de los medios establecidos en Derecho. | **FUNDAMENTAL.** Se designa con este nombre a la Constitución del Estado, por ser el verdadero fundamento de todas las otras leyes. | **GENERAL.** La que comprende por igual a todos los habitantes, súbditos o ciudadanos. | **INDIRECTA.** La que manda o prohíbe ciertos actos por la conexión más o menos inmediata con el hecho principal. | **MARCIAL.** La de orden público, que entra en vigor al declararse el estado de sitio. | Bando o precepto penal que en tal situación se establece. | **NO ESCRITA.** Denominación de la *costumbre* como fuente del Derecho. (V. LEY ESCRITA.) | **ORDINARIA.** La común o civil en cuanto no es ni privilegiada en relación con una persona ni para un Estado. (V. LEY DE EXCEPCIÓN.) | **ORGÁNICA.** La dictada con carácter complementario de la Constitución de un Estado, por ordenar ésta la formación de una *ley especial* para desenvolver un precepto o institución. | Asimismo, la disposición legal que estructura una rama fundamental de la administración pública. | **PARTICULAR.** Es la que comprende tan sólo a una clase de ciudadano. Se contrapone a *ley general.* | **PENAL.** La que define los delitos y las faltas, determina las responsabilidades o las exenciones y especifica las penas o medidas de seguridad que a las distintas figuras delictivas o de peligro social corresponde. | **PERFECTA.** La que contiene un precepto positivo o negativo (mandato o prohibición), y la acción o castigo que procede en caso de infracción o abstención. | **PERMISIVA.** La que regula una materia sin mandar ni prohibir definitivamente, por facultar a los interesados para regirse con libertad. En caso de no ejercer tal derecho, la *ley permisiva* rige como supletoria y de modo forzoso. | **PERSONAL.** No se refiere en forma alguna a la individual, al privilegio; sino a la que acompaña, en cuanto a determinadas relaciones jurídicas únicamente, a la persona, aun cuando no se encuentre en su país de origen. | **POLÍTICA.** La Constitución de un Estado. | La norma jurídica que regula las relaciones entre la nación o el poder público y los ciudadanos o habitantes del territorio sometido a su jurisdicción. (V. DERECHO PÚBLICO.) | También, las leyes reguladoras de las relaciones internacionales. | En sentido más restringido, la referida a la organización y relaciones de los Poderes Ejecutivo y Legislativo, al nombramiento del jefe de Estado, a la materia electoral, a las asociaciones o partidos políticos y a los derechos y garantías individuales. (V. LEY PRIVADA.) | **POSITIVA.** La escrita que procede del legislador. | La vigente. (V. DERECHO POSITIVO, LEY.) | **PRIVADA.** La concerniente a los intereses particulares de los individuos, en sus personas y cosas, y la que rige el régimen de sus convenciones. (V. DERECHO PRIVADO.) | **PROCESAL.** La que rige la tramitación contenciosa o voluntaria de causas o negocios ante jueces y tribunales. | **PROHIBITIVA.** La que impide una acción. | La que declara ilícito un proceder. | **REMUNERATORIA.** La que estimula el noble proceder en la vida pública o recompensa, mediante premios honoríficos o materiales, los actos de utilidad o sacrificios. | **SÁLICA.** La establecida por los antiguos francos o salios (de los cuales toma su nombre), luego de dejar los bosques de Germania, y mantenida después por la monarquía francesa, muy poco cortés en este aspecto, para privar a las hembras, a falta de descendientes varones, del derecho a heredar la corona. También queda excluido de la sucesión regia todo varón que entronque con la realeza por rama femenina. | **SECA.** La que prohíbe el consumo y el tráfico de las bebidas alcohólicas. | **SUBSTANTIVA.** La que concede un derecho o impone una obligación; la que permite o prohíbe ciertos actos; la reguladora de las instituciones jurídicas. Se contrapone a la *ley adjetiva* (v.), que establece los medios para efectividad y garantía de las relaciones y normas de fondo. (V. DERECHO SUBSTANTIVO.) | **SUNTUARIA.** Aquella que se propone implantar moderación en los gastos y gravar el lujo hasta su destrucción si es posible. | **SUPLETORIA.** La que por expresa disposición suya, o por precepto de un texto especial, rige las materias no reguladas o no previstas por éste. | **SUPREMA.** En el ordenamiento positivo, la *ley suprema* es la Constitución de un pueblo. | Para los canonistas, *ley suprema* no es sino la voluntad divina en su revelación al hombre. | También se aplica esa denominación para referirse al interés máximo en un momento dado o como principio de la vida pública; y así se proclama como *"ley suprema"* el bien y la grandeza de la nación propia. | **TERRITORIAL.** La obligatoria para toda persona, goce de ciudadanía o no, que habite o se encuentre en el territorio de la nación que la promulga. | **TRANSITORIA.** La de vigencia limitada por ella misma. | La que ha regido durante muy poco espacio de tiempo. | Aquella intermedia entre dos momentos diversos de un régimen o de una institución. | La reguladora de las situaciones especiales derivadas de las innovaciones legislativas; ya para prolongar la aplicación de la *ley* antigua en cuanto a las situaciones creadas a su amparo o como consecuencia de ésta, o para darle mayor o menor efecto retroactivo a la *ley* nueva.

Leyes de Indias

Recopilación legislativa puesta en vigor por Carlos II de España, en el año de 1680. Este otro monumento jurídico español, sin parangón posible en la obra colonizadora de país alguno, consta de nueve libros y comprende toda la legislación peculiar dictada para el gobierno de los territorios de Ultramar.

Leyes de Toro

Se da este nombre a la colección de 83 *leyes* hechas en las Cortes de Toledo de 1502, donde no cupo promulgarlas por la ausencia entonces del rey Fernando, y luego por la muerte de Isabel la Católica. Por ello reciben sanción en la ciudad de Toro, en 1505, cuando se proclama reina de Castilla a Doña Juana la Loca, y gobernador a su padre, el Rey Católico.

Libelo

Petición. | Memorial. | Demanda. | Escrito denigratorio o infamante, por lo común anónimo. | ant. Libro pequeño; folleto. | Como anglicismo, delito de difamación que no sólo lesiona el honor, sino que atenta además contra el orden público. (V. ANÓNIMO, DEMANDA.)

Liberación

Genéricamente, la acción de dejar o poner en libertad. Su aplicación más propia se relaciona con presos, detenidos, prisioneros o rehenes. | Ya entrado el siglo XIX, el vocablo *liberación* se emplea con gran frecuencia en la guerra y en política, para indicar que el territorio nacional ha sido reconquistado o que, en las guerras civiles aun con flagrantes intervenciones extranjeras, una comarca o población se ha rescatado del "oprobioso y tiránico" bando enemigo que, por supuesto, la tenía privada de libertad. | Quitanza, finiquito o carta de pago. | Pacto de no demandar deuda. | Remisión o quita hecha a un deudor. | Cancelación de un gravamen. | Extinción de una carga. | Redención de un derecho ajeno sobre algo propio. (V. EXTINCIÓN DE DE-RECHOS.)

Liberalidad

Generosidad. | Altruismo. | Desinterés. | Donación o dádiva de bienes propios hecha a favor de una persona o entidad, sin pretender compensación ni recompensa alguna. | Beneficio o servicio hecho gratuitamente.

Liberalismo

Ideario que exalta el concepto de libertad individual y social, basado en la existencia de un orden natural armónico y libre de todas las cosas.

Libertad

"Facultad natural que tiene el hombre de obrar de una manera o de otra, y de no obrar, por lo que es responsable de sus actos" (*Dic. Acad.*). Justiniano la definía como "la facultad natural de hacer cada uno lo que quiere, salvo impedírselo la fuerza o el Derecho". Las Partidas, inspiradas en el concepto anterior, decían que *libertad* era "poderío que ha todo hombre naturalmente de hacer lo que quisiese, sólo que fuerza o derecho de ley o de fuero se lo embargue". | **BAJO PALABRA.** La *libertad* provisional concedida a un procesado sin otra garantía que el compromiso de comparecer cuando sea citado por el juez o tribunal correspondiente. | **CIVIL.** El conjunto de derechos y facultades que, garantizados legalmente, permiten al individuo, como miembro del cuerpo social de un Estado, hacer o no hacer todo lo compatible con el ordenamiento jurídico respectivo. | **CONDICIONAL.** Beneficio penitenciario consistente en dejar en libertad a los penados que hayan observado comportamiento adecuado durante los diversos períodos de su condena y cuando ya se encuentren en la última parte del tratamiento penal, siempre que se sometan a las condiciones de buena conducta y demás disposiciones que se les señalen. | **DE CONCIENCIA.** Derecho de profesar cualquiera de las religiones existentes o que puedan fundarse, o de no admitir ni practicar ninguna de ellas, siempre que no se ofenda a la moral pública, se respete igual facultad en los demás y no se perturbe el orden público. | **POLÍTICA.** Conjunto de derechos reconocidos al ciudadano para regir su propia persona, elegir sus representantes en la vida pública y ejercer las facultades establecidas en la Constitución de su patria. | **PROVISIONAL.** Liberación transitoria que, con fianza o sin ella, se concede al procesado cuando sus antecedentes no hacen temer su ocultación y siempre que el delito imputado no sea de extrema gravedad.

Liberto

El esclavo que había conseguido la libertad, pasando así de siervo a libre, y de cosa a persona en cuanto a su consideración jurídica.

Librado

Persona individual o social contra la cual se gira o libra una letra de cambio; o sea, la persona a quien se ordena pagar la cantidad que consta en el más típico de los documentos mercantiles de crédito.

Librador

El que da, gira, expide o libra un instrumento de crédito; y más especialmente, una letra de cambio. | En otra acepción mercantil, se da este nombre al recipiente con asa o mango de que se valen los comerciantes para librear en el peso de las mercaderías secas. | Como arcaísmo es sinónimo este vocablo de libertador.

Libramiento

Preservación de esfuerzo, trabajo, riesgo, mal o daño. | Orden de pago dada por escrito para que el tesorero, administrador, mayordomo, corresponsal, mandatario, etc., satisfaga o pague una cantidad de dinero o entregue determinados géneros. | ant. Juicio, decisión.

Libranza

Orden escrita, dada generalmente por carta, para que una persona pague determinada cantidad al sujeto a cuyo favor se expide este documento de crédito. | Libramiento mercantil. | ant. Libración, liberación, libertad.

Libre

Que goza de libertad. | Capaz de regirse por los dictados de su voluntad. | Quien no está detenido o preso. | El que no está sujeto a esclavitud ni a servidumbre. | Ciudadano de un país regido democráticamente. | Soberano. | Autónomo. | Independiente. | Exento. | Excusado. | Dispensado. | Privilegiado. | Exento de males físicos o morales. | Soltero. | Capaz y animoso para expresarse como conviene a su estado y situación. | Deshonesto, licencioso, disoluto. | Insubordinado. | Atrevido, descarado. | Sin sujeción. | Se dice del edificio que no tiene otra construcción contigua. | Inocente; sin culpa. | Absuelto por un tribunal. | Liberado de cárcel o presidio. | Redimido de cargas y gravámenes. | **ALBEDRÍO.** Facultad humana de dirigir el pensamiento o la conducta según los dictados de la propia razón y de la voluntad del individuo, sin determinismo superior ni sujeción a influencia del prójimo o del mundo exterior. **CAMBIO** o **LIBRECAMBIO.** En economía política, la doctrina y el sistema que defiende la libertad de comercio, particularmente en la esfera internacional, donde la intervención de los Estados no debe dejarse sentir en las libres transacciones entre compradores y vendedores, o permutantes.

Libreta

Cuaderno en el cual se hacen determinadas anotaciones o donde se registran ciertas cuentas. | Cartilla para constancia de datos de importancia interés profesional o de otra índole. | **DE ENROLAMIENTO.** Denominación, con un innecesario galicismo, que en la Argentina se da a la cartilla militar o libreta de este servicio. | **DE TRABAJO.** Documento expedido por las autoridades administrativas del trabajo, donde deben hacerse constar necesariamente las prestaciones que el trabajador realiza, la forma de ejecutarlas y el cumplimiento de la legislación laboral específica del trabajador de que se trate.

Libro

Conjunto de hojas unidas, ya sean manuscritas, impresas o transitoriamente en blanco, de papel o materia similar, empleado o destinado para constancia de las más diversas ideas, hechos y dichos; además de servir para números, figuras y cuentas. | Obra literaria o científica que constituye un volumen. | División principal de los códigos, de las leyes extensas y de las obras dedicadas a las letras o a las ciencias. | **COPIADOR.** Aquel en el cual el comerciante copia la correspondencia que remite a otras personas en relación con su actividad mercantil; ya se trate de cartas, telegramas, cablegramas, radios, etc. | **DE INVENTARIOS Y BALANCES.** El registro de los bienes, créditos y deudas de un comerciante. Debe contener el inventario o relación de todos los bienes con que empieza sus actividades mercantiles; y cada año, el balance general de sus negocios y actividades comerciales. | **DIARIO.** El libro encuadernado, forrado y foliado en que el comerciante asienta, día por día, y en orden progresivo, todas las operaciones de su giro o tráfico, designando el carácter y circunstancias de cada negociación y el resultado producido como cargo o descargo en relación con él; de modo que cada partida manifiesta quién es el acreedor y quién el deudor en la operación de referencia. | **MAESTRO.** El principal donde se asientan las noticias y datos relativos al régimen económico de una casa o entidad. | **MAYOR.** Libro maestro (v.). | En el comercio, el que el comerciante ha de abrir, por *debe* y *haber,* para llevar las cuentas corrientes con cada persona particular o con cada objeto para el cual se abran.

Libros de comercio
Aquellos que los comerciantes y los agentes mercantiles utilizan para llevar cuenta y razón de sus operaciones y negocios, ya por exigencia de la ley o por conveniencias de su tráfico.

Licencia
Permiso. | Autorización. | Vacación. | Documento donde consta la facultad de obrar, la *licencia* concedida. | Grado de licenciado. | Libertinaje, desenfreno. | Abuso de la libertad o de la tolerancia. | **MARITAL.** Es la autorización expresa que la mujer casada tiene necesidad de obtener de su marido para realizar válidamente aquellos actos jurídicos que le están prohibidos por la ley, por la situación de incapacidad o restringida capacidad en que se encuentra por razón del matrimonio.

Licencia de marca
Autorización otorgada por el titular de una marca, para que otra persona la utilice.

Licencia de patente
Autorización otorgada por el titular de una patente, para que otra persona explote la correspondiente invención patentada.

Licenciado
El dado por libre. | El libertado de cárcel o presidio. | El soldado que ha obtenido la licencia absoluta y deja el servicio activo para volver a la vida civil. | El que se considera entendido o competente en una materia o en todas. | Tratamiento que se da a los abogados o *licenciados* en Derecho. | El que ha obtenido el grado que lleva este nombre en una facultad y ha sido habilitado para ejercer la profesión que corresponde a éste.

Licenciamiento
Licenciatura o recepción del grado de licenciado en una facultad. | Concesión de licencias colectivas a la tropa, ya temporales, ya por haber cumplido un cupo o reemplazo el tiempo de permanencia en filas.

Licenciar
Conceder licencia. | Dar permiso. | Otorgar el grado de licenciado. | Dar a los soldados la licencia absoluta, con lo cual se tiene por cumplido el servicio militar obligatorio.

Licitación
Venta o compra de una cosa en subasta o almoneda. | Enajenación en subasta pública de la cosa perteneciente a varios condueños cuando no quieren permanecer en la indivisión ni se convienen para adjudicarlo a uno o más de los condóminos.

Licitación privada
Aquella en que la invitación a realizar ofertas se limita a un conjunto de personas predeterminado.

Licitación pública
Aquella en que la invitación a realizar ofertas se dirige en forma indeterminada a cualquier interesado, sin perjuicio de que las ofertas deban luego reunir ciertos requisitos objetivos para ser tenidas en cuenta.

Licitar
Ofrecer precio en una subasta o pujar en ella.

Lícito
Justo. | Legal. | Jurídico. | Permitido. | Razonable. | Según justicia. | Conforme a razón. | De la calidad mandada. | Moral.

Lictor
Se designaba en Roma con este nombre al ministro de justicia que precedía con las *fasces* —que eran un manojo de varas ligadas con una correa y del medio de las cuales salía un hacha— a los cónsules y a otros magistrados.

Liga
Toda unión o mezcla. | Aleación. | Cantidad de cobre que, en la acuñación de moneda y en la fabricación de alhajas, se mezcla con el oro y la plata, para darles consistencia. | Alianza. | Confederación que los Estados o sus gobernantes hacen entre sí para mutua defensa contra sus enemigos o para aumentar su poder ofensivo contra éstos. | Pacto, unión o inteligencia entre personas o colectividades para el sostenimiento o defensa de intereses comunes, y por lo general altruistas o elevados.

Ligamen
Vínculo que establece el matrimonio contraído legítimamente.

Linchar
Forma popular de ejecutar la justicia, aplicando la pena capital, sin esperar al pronunciamiento del fallo condenatorio por el tribunal competente, producida como reacción excesiva ante la comisión de un crimen.

Línea
La extensión longitudinal. | Raya, renglón. En ciertos escritos y libros están determinados el número de *líneas* y sus dimensiones. | Vía terrestre, marítima o aérea de comunicaciones o transporte. | Término, linde, límite. | Frontera. | Clase, especie, género. | Serie u orden de personas enlazadas por parentesco. | **ASCENDENTE.** La serie de grados o generaciones que ligan al tronco con su padre, abuelo y otros ascendientes. | **COLATERAL** o **TRANSVERSAL.** Aquella familiar en que los grados se cuentan, como en la *recta,* por generaciones, "remontando desde la persona cuyo parentesco se quiere comprobar hasta el autor común, y desde éste hasta el otro pariente". | **DESCENDENTE.** El conjunto de grados o generaciones que unen a una persona con sus hijos, nietos, bisnietos, tataranietos, choznos y ulteriores descendientes. | **FEMENINA.** La que entronca por mujer. | **MASCULINA.** La que entronca por varón; o la que reserva exclusivamente a éstos la sucesión en un mayorazgo. (V. LÍNEA FEMENINA.)

Liquidación
Ajuste formal de cuentas. | Conjunto de operaciones realizadas para determinar lo correspondiente a cada uno de los interesados en los derechos activos y pasivos de un negocio, patrimonio u otra relación de bienes y valores. | Término o conclusión de un estado de cosas. | Abandono o desistimiento de una empresa. | Cesación en el comercio. | Cuenta que se presenta ante un juez o tribunal con los gastos de sellado, honorarios, intereses y demás costas que pertenezcan. | Venta extraordinaria que una casa de comercio efectúa al por menor, con rebajas efectivas o al menos anunciadas.

Liquidación concursal
Disposición de los activos de una persona insolvente, en el contexto de una quiebra o de otro proceso concursal, con el fin de utilizar el producido de tal disposición para el pago de las deudas de la persona concursada.

Liquidación de sociedades
Operación consistente en determinar su activo y su pasivo en el momento de su disolución, a efectos de abonar las deudas y de adjudicar el saldo a los socios en la proporción que a cada uno de ellos corresponda.

Liquidación tributaria
Determinación del impuesto debido por una persona, mediante la aplicación de la tasa correspondiente a la base imponible que a tal fin se haya calculado.

Lista
Nómina. | Relación de personas, cosas, hechos o argumentos. | Inventario. | Catálogo. | Memoria. | **CIVIL.** Dotación o asignación de dinero que figura anualmente en el presupuesto con destino al monarca y a las personas de su familia inmediata; como reina o rey consorte, reina madre, infantes, etc. | **NEGRA.** Durante las dos primeras guerras mundiales, práctica de los aliados dirigida contra los comercios, industrias y establecimientos de cualquier naturaleza favorables o pertenecientes tanto a los alemanes como a los pueblos que les secundaban, y situados en países neutrales.

Literal
Conforme a la letra de un texto, sin tergiversarlos ni entregarse a interpretaciones complicadas o sutiles. | Según el sentido propio y directo de las palabras, y no con arreglo a acepción lata o figurada. | Cuando una traducción se ajusta exactamente a texto original, por la integridad y fidelidad de la versión, se dice de ella que es *literal*; a lo cual no se oponen los cambios que el diverso genio de cada idioma exija por los giros, cacafonías, ambigüedades y demás detalles que el traductor cuidadoso ha de considerar. | Textual. | Al pie de la letra. | Dícese de la copia exacta de un original; fidelidad que se concreta a las palabras, no a la imitación material.

Literalidad cambiaria
Principio aplicable a los títulos de crédito, en virtud del cual los derechos derivados de éstos son los que surgen del contenido literal del correspondiente instrumento.

Literalmente
Según el sentido literal. | Tal como el texto. | Al pie de la letra. | Exacta y fielmente, en materia de copias.

Literatura jurídica
Propiamente, la manifestación escrita de la verdad jurídica; esto es, de las ideas, sentimientos y hechos relativos al Derecho en todos sus aspectos técnicos; ya sean de carácter

meramente especulativo o filosófico, de índole histórica, de interpretación o exégesis, de exposición o comentario del Derecho positivo o legislación vigente, de naturaleza didáctica o para la enseñanza jurídica, o de cualquier otra especie que con el Derecho se relacione.

Litigante

Quien es parte en un juicio y disputa en él sobre alguna cuestión; ya sea como actor o demandante, en lo civil, y como querellante o acusador, en lo penal; ya como demandado o reo.

Litigar

Pleitear. | Ser demandante o demandado en una causa. | Controvertir judicialmente. | Contender, disputar, altercar.

Litigio

Pleito. | Juicio ante juez o tribunal. | Controversia. | Disputa, contienda, alteración de índole judicial.

Litigioso

Lo que constituye objeto de litigio o pleito. | Lo disputado o controvertido en juicio. | De dudosa resolución y efectiva controversia. | Propenso a suscitar litigios o causas.

Litis

Pleito, causa, juicio, lite. Esta voz latina se conserva como tecnicismo jurídico incorporado a nuestra lengua. | **CONSORCIO.** Situación y relación procesal surgida de la pluralidad de personas que, por efecto de una acción entablada judicialmente, son actoras o demandadas en la misma causa, con la consecuencia de la solidaridad de intereses y la colaboración en la defensa. | **CONSORTE.** Cada una de las personas que, en un juicio, concurren al menos con otra y litigan con el mismo carácter de demandante o demandada, dentro de la misma acción u otra conexa. | **CONTESTACIÓN.** Respuesta o contestación que el demandado da, ante el juez o tribunal competente, de la demanda presentada por el actor, con lo cual queda trabada la litis, convertido en contencioso el juicio. | **EXPENSAS.** Gastos o costas de un litigio, ya sean los causados o los que se presumen o calculan para el seguimiento de una causa. | Fondos que, por carecer de la libre disposición de sus bienes, se asignan a ciertas personas, para que puedan así atender a los gastos que la Justicia origina. | Cantidad que, para gastos judiciales, han de aprontar de su propio peculio algunas personas, para que otras, de las cuales son representantes legales (como el marido de la mujer), puedan litigar si carecen de recursos propios y cuando han de comparecer en juicio en defensa de sus derechos. | **PENDENCIA.** Estado del juicio que se encuentra pendiente de resolución ante un juez o tribunal. | Tiempo que pende un proceso de la Justicia. | Excepción dilatoria proveniente de encontrarse una causa sub júdice, en trámite ante otro juez o tribunal competente; o ante éste, por acción ya entablada.

Llamar autos para sentencia

V. CITACIÓN PARA SENTENCIA.

Llave

Instrumento, generalmente de metal, para cerrar o abrir puertas, tapas o cualquier otro cierre. | Dispositivo que permite o impide el paso de una corriente (eléctrica, de agua u otra clase) por un conducto. | Clave o medio para descubrir un secreto o encontrar lo oculto. | Base o principio de alguna cosa. | Recurso o resorte que remueve una oposición o vence un obstáculo. | En heráldica, símbolo de fidelidad. | Potestad, autoridad. | **DE UN NEGOCIO.** La cantidad que al traspasarse o enajenarse un establecimiento comercial o industrial se paga por las utilidades que rinde, capitalizadas a un alto tipo de interés por lo general. Así, al venderse una tienda, además de la mercadería que queda para el comprador y de las instalaciones que aprovecha, aun no habiendo *transferencia* de la propiedad, por pertenecer a una de las partes o a un tercero, se valora la situación del local, la clientela de que goza y las ganancias líquidas que obtiene. En los pequeños comercios o talleres, la *llave* no suele exceder de los beneficios obtenibles en un par de años. | **(POTESTAD DE LA).** En el Derecho germánico, la potestad de dirección doméstica que a la mujer casada corresponde. Tales facultades dependen de las costumbres de cada lugar y de las capitulaciones matrimoniales allí donde la ley permita la libertad de éstas, como en el Derecho español.

Llaves falsas

En el Derecho Penal, se entiende por *llaves falsas*: *a*) los instrumentos destinados a sustituir las legítimas, con el fin de cometer el delito de robo; *b*) las legítimas mismas, sustraídas al propietario; *c*) cualesquiera otras que no sean las destinadas por el dueño para la apertura de la cerradura violentada (art. 510 del Cód. Pen. esp.).

Llevar

Transportar. | Trasladar. | Conducir. | Tener puesta una prenda. | Cortar, separar; como la bala que le *lleva* una pierna a la víctima de una agresión. | Presentar determinado aspecto (la guerra *lleva* camino de no acabar). | Dirigir (los *lleva* hacia el triunfo). | Soportar, sufrir. | Tolerar. | Inducir, persuadir. | Atraer, arrastrar en un sentido. | Conseguir, obtener, lograr. | Tener en arriendo una finca.

Locación

Arrendamiento. | **DE OBRAS.** V. ARRENDAMIENTO DE OBRA. | **DE SERVICIOS.** V. ARRENDAMIENTO DE SERVICIOS.

Locador

Arrendador (v.). La voz es empleada en algunos códigos civiles americanos; como el argentino y el venezolano.

"Lock-out"

Loc. inglesa, que significa impedir la entrada o cerrar la puerta; porque con tal actitud los patronos no dejan trabajar a los obreros, y los cohíben para aceptar las condiciones que como empresarios pretenden.

"Locus regit actum"

Loc. lat. cuyo significado es: los actos jurídicos son regidos por la ley del lugar de su celebración. En consecuencia, cualquiera que sea la nacionalidad de las partes y el lugar en que haya de realizarse el negocio, la ley local determina las formalidades extrínsecas de los actos jurídicos.

Lógica

Ciencia de las leyes, modos y formas del pensamiento humano y del conocimiento científico. | Evidencia. | Naturalidad en los acontecimientos.

Lote

Parte de un todo distribuible o distribuido entre varios. | Premio en lotería y otros juegos de azar. | Cada una de las parcelas en que, para más fácil venta y mejor precio, se divide una propiedad.

Lucha

Pelea entre dos, a brazo partido, para derribar al contrario. | Lidiar. | Combate. Guerra. | Disputa, contienda. | Esfuerzo considerable. | Adversidades, penalidades. | Triunfo laborioso. | **DE CLASES.** Oposición o conflicto connatural con la división de la sociedad en clases o grupos económicos: de poseedores y desposeídos, de explotadores y explotados, incluso de dirigentes y de subordinados. | **POR EL DERECHO.** Impulso o proceso social que propende al progreso jurídico allanando cuantos medios se opongan a su soberanía universal. | **POR LA VIDA.** Competencia que los diversos seres despliegan para vivir y reproducirse, fórmula biológica de la inmortalidad. La alimentación, el abrigo contra las inclemencias del tiempo o la obtención de climas menos crudos son índices materiales de esta tendencia, apenas distinta entre el hombre y los irracionales.

Lucrativo

Relativo al lucro. | Lo que produce utilidad, ganancia o provecho.

Lucro

Ganancia, provecho, utilidad o beneficio que se obtiene de alguna cosa. | Más especialmente, el rendimiento conseguido con el dinero. | Los intereses réditos. | **CESANTE.** Ganancia o beneficio que se ha dejado de obtener por obra de otro, perjudicial para propios intereses. | Utilidad que se calcula por la que podría haberse obtenido con el dinero dado en mutuo o empréstito. El rendimiento del dinero durante el tiempo que lo ha tenido el deudor, mutuario o prestatario, se entiende que pertenece justamente al acreedor, mutuante o prestamista.

Lugar de pago

Aquel que la obligación designa. De no constar, allí donde la cosa determinada existía al surgir el nexo obligatorio. | Supletoriamente, el domicilio del deudor.

En materia laboral, la legislación impone que al trabajador se le pague allí donde trabaja (para no ocasionarle molestias o gastos adicionales), y siempre donde no existan riesgos de gastos, siquiera parciales, superfluos, como tabernas, bares o cafés.

Luz

El "agente físico que ilumina los objetos y los hace visibles". Así, la obtención o privación de *luces* es material capital en las servidumbres urbanas. El *alumbra-do público* es elemental deber de los municipios. La supresión de *luces artificiales* nocturna es obligación severísima en tiempos de guerra y de bombardeo aéreos.

Nacemos y somos sujetos jurídicos porque nuestra madre no *da a luz*.

El *sacar a luz* obras impresas u otras origina la propiedad intelectual.

En general, *luz* es el día y medida de ciertos cómputos legales (L. Alcalá-Zamora).

M

M

La decimotercera letra en el alfabeto español y la décima entre sus consonantes. | Abreviatura internacional de *metro*. | En los números romanos, la *M* equivale a 1.000; y si lleva encima una raya, a 10.000.000. | En los tratamientos es abreviatura de *majestad* y de monseñor. | *M* o *Ms.* indica manuscrito. | En textos jurídicos romanos se emplea como inicial de *municipio, Marco, "manus", "mancipio", manumisión, muerte* y otras voces.

Madrastra

Como la generalidad de los parentescos políticos, éste se revela también difícil en la definición, hasta el punto de que la misma Academia Española no atina con la concisión y claridad deseables, y más aún, incurre en un evidente defecto cuando dice: "Mujer del padre respecto de los hijos llevados por éste al matrimonio".

Madre

Mujer que ha dado a luz uno o más hijos. | La mujer repecto de su hijo o hijos. | Por extensión, título que se les da a las religiosas, por quienes no prefieren el de *hermana*. | Encargada de ciertos hospitales, asilos y otros establecimientos benéficos. | Mujer del pueblo cuando ya es anciana. | Matriz o víscera donde el feto se gesta. | La hembra del animal en relación con su cría. | Figuradamente, origen, causa, principio, raíz. | En los cursos de agua, lecho o cauce. | Acequia principal de riego. | Elemento o parte de mayor importancia en cosas o asuntos.

"Magister"

Voz latina que literalmente significa maestro, como persona dedicada a la enseñanza. | **"BONORUM"**. Loc. lat. El dueño de los bienes pero no como propietario sino como síndico o representante. | **"DIXIT"**. Loc. lat. Lo dijo el maestro. Durante la Edad Media se enunciaban así las citas de Aristóteles, por su inmensa autoridad.

Magistrado

En Roma, quien ejercía una función pública, como autoridad investida de mando y jurisdicción. Entre otros muchos, eran *magistrados* los cónsules, los tribunos, los pretores, los ediles, los cuestores, los censores (v.). | En nuestros tiempos, la máxima autoridad en el orden civil. De ahí la denominación de *primer magistrado* que se aplica a los jefes de Estado, sobre todo a los presidentes de repúblicas, y con menos frecuencia a los reyes o soberanos en las monarquías. | Ministro de justicia, como cargo judicial, no gubernamental; por tanto, los antiguos oidores, corregidores, alcaldes, consejeros, y en la actualidad, todo miembro de un tribunal. Más estrictamente, se llaman en España *magistrados* los componentes de las salas del Tribunal Supremo y de las audiencias territoriales o provinciales. Dentro de tales salas, los simples *magistrados* se contraponen al respectivo *presidente* o se diferencian así de él. | Dignidad o cargo judicial o de superior funcionario civil, desde el jefe de administración hasta la dirección suprema del gobierno de una nación. | Antiguamente, todo Consejo judicial o tribunal.

Magistratura
Dignidad, cargo o funciones de un magistrado. | Duración de su ejercicio. | Conjunto compuesto por los magistrados de un país, con tendencia a incluir en el concepto todos los jueces, aun de tribunales unipersonales o inferiores, pero de Derecho. (V. JUDICATURA.).

Mala fe
Intención perversa. | Deslealtad. | Doblez. | Alevosía. | Conciencia antijurídica al obrar. | Dolo. | Convicción íntima de que no se actúa legítimamente, ya por existir una prohibición legal o una disposición en contrario; ya por saberse que se lesiona un derecho ajeno o no se cumple un deber propio.

"Mala prohibita"
Loc. lat. Malo por prohibido.

Malbaratar
Vender los bienes por mucho menos de su valor. | Arruinarse; disipar o derrochar la hacienda.

Maleante
Individuo de malos antecedentes. | Sujeto peligroso. | Quien vive en ambiente propicio para el delito y la mala vida. | Del hampa. | Delincuente. | Ex presidiario propenso a reincidir. | Quien carece de medios estables y honrados de vida.

Malicia
Situación anímica en que se encuentra el que litiga a sabiendas de su falta de razón o asumiendo actitudes procesales temerarias o conducentes a entorpecer la marcha del litigio. Algunos códigos de procedimientos facultan a los jueces para imponer multas a los litigantes o a sus letrados patrocinantes cuando se hayan valido de *malicia* o *temeridad* (v.).

Malicia procesal
Actuación procesal con violación consciente de la buena fe requerida por las circunstancias del proceso, y con intención de causar así un daño.

Malicia temeraria
Malicia procesal (v.) que por su evidencia y gravedad implica un desprecio grave de parte de quien la practica, respecto de las reglas elementales de la buena fe procesal.

Malo
Contrario a la moral, a la ley, a los valores e intereses humanos. | Nocivo. | Perjudicial. | Dañoso. | Ilícito. | Ilegal. | Antijurídico. | Delictivo. | Inmoral. | Obsceno. | Torpe. | Defectuoso. | Imperfecto. | Injusto. | De malas costumbres. | Enfermo. | Molesto. | Malicioso. | Deteriorado.

Malos antecedentes
Mala fama de un individuo. | Conjunto de informes oficiales, conservados en los registros penales y de la policía, sobre la actividad delictiva y la conducta de una persona.

Malos tratos
Tanto las ofensas de palabra como las de obra que niegan el mutuo afecto entre personas cuya relación es continua, en particular por vínculos familiares o profesionales. | Además, todo acto contrario al respeto corporal y moral que merece quien está subordinado a la autoridad de otro.

"Malum in se"
Loc. lat. Malo en sí.

Malvender
Vender a bajo precio, con escasa utilidad o incluso perdiendo.

Malversación
Aplicación o inversión de caudales públicos o ajenos en usos distintos a aquellos para los cuales están destinados. | Peculado; hurto o sustracción de caudales públicos.

Manantial
El agua que mana. | Nacimiento o fuente de donde mana el agua. | Origen, principio, causa, procedencia.

Manceba
Concubina; mujer con la cual, sin ser la legítima, se mantienen relaciones sexuales continuadas.

Mancebía
Casa pública destinada a la prostitución. | Vivienda de las mujeres mundanas. | Vida licenciosa. | Convivencia o trato con la manceba. | ant. Mocedad, juventud.

Mancebo
Joven.| Soltero. | Asalariado en ciertos oficios. | Auxiliar práctico de un farmacéutico. | Auxiliar o empleado de comercio, con menores atribuciones y responsabilidades que los factores y dependientes.

Máncer
El hijo de mujer pública, en el sentido estricto de los términos y no como grosero desahogo de quien carece de luces para insultar al que lo

incomoda o perjudica. El *hijo máncer* (v.) carece de padre conocido; es *sine pater*, por concebido de mujer que se entrega a diario a hombres diversos por el precio que pone a su cuerpo.

Mancipar

Del latín *manciparse* (de *manus,* mano y *capere,* tomar o asir). Sujetar o hacer esclavo a uno; porque, efectivamente, el tomado o capturado por sus enemigos quedaba esclavo de ellos. | También, enajenar o vender según el rito solemne de la *mancipación*, de la "mancipatio".

"Mancipatio familiae"

Loc. lat. que equivale tanto a mancipación como a enajenación del patrimonio.

Mancomún (de)

De acuerdo con otras personas. | En unión de otros. | Simultáneamente con varios.

Mancomunar

Unir personas con algún fin. | Aunar fuerzas o esfuerzos. | Juntar caudales para alguna empresa. | Obligar a dos o más personas a ejecutar un acto, pagar una deuda, dar una cosa o abstenerse de algo; pero diferenciadas las partes o prestaciones de cada una (V. OBLIGACIÓN MANCOMUNADA.)

Mancomunidad

Cualidad y naturaleza de la *obligación mancomunada* (v.). | Contrato con pluralidad de deudores y unidad o multiplicidad de acreedores, en virtud del cual aquéllos quedan obligados principalmente (no como cofiadores) al pago de una cantidad o a la ejecución de una cosa; ya sea a prorrata, en que la obligación común admite partes entre los deudores, y es denominada *mancomunidad simple, a prorrata* (o sencillamente *mancomunidad*); o cada uno a toda la obligación, exigible una sola vez por el acreedor, en cuyo caso se llama *mancomunidad solidaria* o *total* (y también *solidaridad.*)

Mancuadra

Mutuo juramento que antiguamente prestaban los litigantes para obligarse a proceder con verdad y sin engaño en el pleito.

Manda

Oferta de dar una cosa a otro. | Donación que se hace por testamento. Admite dos formas: la directa o *legado*(v.) y la indirecta o *fideicomiso* (v.). | ant. Testamento.

Mandamiento

Orden de superior a inferior. | Canónicamente, cada uno de los preceptos del *Decálogo* (v.) y de las disposiciones fundamentales de la Iglesia. | **COMPULSORIO**. El de procedencia judicial cuando ordena una compulsa o cotejo. | **DE EMBARGO**. La orden judicial que dispone éste con carácter preventivo o ejecutivo. | **JUDICIAL**. Despacho escrito del juez en que se ordena la ejecución de algo.

Mandante

Persona que, en el contrato consensual de mandato, confiere a otra, llamada *mandatario*, su representación, verbalmente o por escrito, le encomienda una gestión en su nombre o le da poder para realizar un negocio en su nombre y por su cuenta.

Mandar

Jerárquicamente, ordenar el superior al inferior. | Como facultad de un poder público (ejecutivo, legislativo o judicial), dar una orden general o concreta; imponer un precepto, una norma. | Sucesoriamente, legar o dejar una manda por testamento. | Civilmente, dentro de las obligaciones, ofrecer o prometer. | Política o administrativamente, gobernar, regir, disponer. | Dar un mandato, poder, comisión o encargo. | Remitir, enviar. | ant. Querer en cuanto resolver.

Mandatario

Persona que, en el contrato consensual de *mandato*, recibe por escrito, verbal o tácitamente, de otra, llamada *mandante*, la orden o encargo, que acepta, de representarla en uno o más asuntos, o desempeñar uno o varios negocios.

Mandato

Orden, mandamiento, mandado. | Precepto. | Disposición. | Prescripción para proceder. | Encargo. | Comisión. | Representación. | Poder.

Sus principales significados jurídicos se encuentran en la esfera política y civil.

A. *En Derecho Político*. Potestad de una potencia para administrar un territorio, generalmente como protectorado. | Representación o poder que a los diputados y concejales se confiere por el resultado de la votación; y que en el fondo les obliga a sostener la significación política con que sean elegidos o la de la campaña realizada como candidatos, si bien no cabe revocación o destitución, salvo en algunas democracias, como la norteamericana, donde existe el sistema del "*recall*" (v.). | Duración de un cargo electivo. | Más concretamente, lapso constitucional del ejercicio de la presidencia de la República.

B. *En Derecho Civil*. El *mandato* es un contrato consensual por el cual una de las partes, llamada *mandante,* confía su representación, el desempeño de un servicio o la gestión de un negocio, a otra persona, el *mandatario*, que acepta el encargo. | **IMPERATIVO**. En Derecho Político, línea de actuación impuesta como obligatoria a un representante (diputado, concejal, delegado, congresista en asociaciones, juntas o partidos) por los electores o representados. | **IRREVOCABLE.** Aquel que no puede ser revocado o que sólo puede serlo cumplidas ciertas condiciones. Bajo el Derecho argentino, el mandato puede ser irrevocable, siempre que sea para negocios especiales, limitado en el tiempo y otorgado en razón de un interés legítimo de los contratantes o de un tercero. Sin embargo, aun en estos casos, puede revocarse si existe justa causa.

"Mandatum in rem suam"

Loc. lat. que equivale a mandato en asunto o interés propio.

Manicomio

Establecimiento destinado a alojar, tanto para su custodia como para su posible curación, a los enfermos mentales. En el laconismo académico, "hospital para locos".

Manifestación

Declaración. | Publicación. | Descubrimiento. | Revelación. | Confesión. | Confidencia. | Notificación. | Hecho de poner a la vista. | Signo, prueba, indicio.

Manifiesto

Evidente, indudable, patente. | Claro. | Descubierto. | Innegable.

Mano armada (A)

En el Derecho Penal, la expresión caracteriza todo ataque en que los malhechores toman parte llevando un arma cualquiera (blanca, de fuego u otra clase), capaz de intimidar a la víctima, de aumentar el poder ofensivo del delincuente o de anular la defensa del acometido.

Mano de obra

Labor manual. | Todo el trabajo que una empresa requiere. | Gastos que en jornales y salarios requiere una construcción, un producto industrial o cualquier otra actividad cuyo presupuesto conste además de materia prima, y desembolsos por su proyecto y dirección. | Totalidad de personas existentes, en un momento dado, en el mercado de trabajo.

Manos libres

Dueños de bienes no vinculados ni sujetos a amortizaciones. Es la situación normal de la propiedad en nuestro tiempo, luego del largo proceso secularizador del siglo XIX.

Manos limpias

Honradez, pureza e integridad con que se desempeña un cargo; y más especialmente si se dispone de fondos o se está en relación con importantes intereses económicos. | Dietas, comisiones, pluses, horas extraordinarias y otros emolumentos que, además de la retribución normal de un trabajo o empleo, se perciben de éste, con arreglo a necesidad y justicia.

Manos muertas

Poseedores de bienes, singularmente inmuebles, en quienes se perpetúa el dominio por no poderlos enajenar ni transmitir. En este caso se encuentran los de las comunidades religiosas y los organismos públicos; y en el primero se hallaban los antiguos mayorazgos.

Manumisión

Del latín *manumittere*, de *manus* y *mittere*, manumitir, soltar de la mano, sacar de su poder, dar por libre. En Roma era la concesión de la libertad de hecho y de Derecho a un esclavo, realizada por su señor.

Manumitir

Dar la libertad al esclavo.

"Manus"

En el antiguo Derecho Romano era llamado así el poder jurídico que el marido ejercía sobre su mujer. Esta potestad del *pater familias* fue abolida en época de Justiniano. | En los tiempos primitivos de Roma, la "*manus*" era la autoridad del *pater familias* sobre todos los *alieni juris* y esclavos sometidos a él; sus hijos y demás descendientes, las mujeres de éstos y las personas sujetas a tutela o *in mancipium*. | "**INJECTIO**". Loc. lat. apoderamiento, aprehensión; acción de echar mano de una persona. | "**INJECTIO JUDICATI**". Loc. lat. Apoderamiento por razón del juicio.

Manuscrito

Escrito a mano. | Libro que está escrito a mano; ya como original del autor o como forma antigua, en época anterior a la imprenta, de difundir las obras literarias, históricas, científicas, didácticas y de toda índole. | En especial, el que por su antigüedad o por proceder de un autor famoso o un personaje célebre posee valor histórico.

Máquina

En la acepción mecánica, cada día más preponderante en la organización de la sociedad y en el régimen laboral, "artificio para aprovechar, dirigir o regular la acción de una fuerza" (*Dic. Acad.*). | Todo aparato o instrumento que efectúa la labor que correspondería, si no, al hombre y especialmente a la mano. | Proyecto o plan imaginativo. | Edificio colosal por sus dimensiones y suntuosidad, como El Escorial y otros grandes palacios.

Maquinación

Asechanza que persigue ilícito provecho o prepara en secreto el mal ajeno. | Conspiración. | Complot. | Actividad de monopolio: "trust", "cartel" u otra asociación perturbadora del comercio sin título legal que la ampare.

Maquinismo

Mecanización del trabajo o de la producción. | Empleo de las máquinas. | Predominio de la mecánica en la industria moderna. | Fenómeno político y social derivado de esa preponderancia, por la mejora y alivio que para el esfuerzo humano significa, pero con la tragedia que para la clase trabajadora representa su sustitución despiadada, y la perspectiva del paro, cuando la organización social no estructura un sistema que distribuya las ventajas de la producción mecánica para el empresario y para el trabajador.

Mar

Conjunto de las aguas que ocupa la mayor parte de la superficie de la Tierra. | Masa de agua salada que rodea una tierra. | Cada una de las principales divisiones de esa enorme extensión de agua, según los accidentes geográficos y la posición de los continentes., | **ADYACENTE**. Denominado también *litoral, jurisdiccional* o *territorial*, es el que rodea las costas de un Estado, hasta una extensión, según la mayoría de las legislaciones, de seis millas, calculado alcance de la bala de cañón en otros tiempos.

Marbete

Etiqueta o cédula que se coloca en diversos productos (como telas, cajas, botellas, etc.), para constancia de la marca del productor o fabricante, de su contenido, calidad, precio, uso y otras indicaciones útiles y garantía de legitimidad. | Etiqueta o papel que, en el transporte ferroviario, se pega en los bultos facturados o remitidos, para indicar el punto de destino y el número del talonario o registro.

Marca

Todo lo que se hace o pone en persona, animal o cosa para diferenciar, recordar, identificar, comprobar un hecho o clase y otras múltiples aplicaciones. | Acción o acto de marcar o señalar materialmente. | Instrumento con que se coloca una marca o señal. | Medida o calibre que debe tener una cosa. | Aparato para medir la estatura de las personas. Es oficial en las operaciones de reclutamiento, con la finalidad principal de determinar las exenciones del servicio militar, por ser corto de talla. | Provincia o territorio fronterizo. Así, Carlomagno, al invadir España, y retener algunas tierras, denominó *Marca Hispánica* a Cataluña. | **DE FÁBRICA**. Señal o distintivo que el fabricante pone a los productos característicos de su industria. | **DE GANADO**. Señal o distintivo estampado a fuego en los animales para acreditar la propiedad de éstos, evitar los hurtos y facilitar la recuperación del ganado perdido o robado.

Marido

El hombre casado, con respecto a su mujer. | Esposo. | Cónyuge o consorte varón.

Marital

Relativo al marido; como la *autoridad* que ejerce sobre la mujer o en la dirección de los asuntos conyugales; o la *licencia* que deba dar a su consorte para realizar ciertos actos jurídicos. | Concerniente a la vida de los casados; ya propiamente o por imitación, como la *vida marital* que el amancebamiento significa. | Más ampliamente aún, lo que al matrimonio como institución atañe.

Masa

En sentido directo, la mezcla de un líquido con una materia pulverizada, utilizada en distintos fines, y sobre todo en la construcción de edificios y obras de ingeniería. | Elemento básico para la elaboración del pan y otros alimentos. | Conjunto o reunión de cosas. | Totalidad patrimonial, hablando de la herencia, de la quiebra, de los bienes de una sociedad. | La humanidad en sus expresiones colectivas. | El pueblo en cuanto fuerza política. | En la milicia, *masita*. | **SOCIAL**. En las compañías mercantiles, el fondo común integrado por los socios, tanto con sus bienes, capital y trabajo, como con los beneficios acumulados. | Sociológicamente, se entiende como la *masa* o *masas* en cuanto manifestación colectiva humana en relación con la organización social.

Masculino
Biológicamente, el ser dotado de órganos para la fecundación de la hembra de su especie. | Propio del varón, del hombre en oposición a la mujer. | Varonil. | Gramaticalmente, el género masculino.

Matar
Quitar la vida. | Agobiar, abrumar, importunar. | Extinguir. | Destruir, aniquilar.

"Mater familias"
Voz lat. Madre de familia.

Maternal
Materno o de la madre. | Dícese del proceder y de los sentimientos en que a la delicadeza y al desvelo se suma el desinterés sin excluir el sacrificio.

Maternidad
Condición de madre. | Estado natural o jurídico de la madre. | Casa de maternidad.

Materno
Relativo o perteneciente a la *madre* (v.), como abuelo *materno*, apellido *materno*, de relieve jurídico en ocasiones. | Idioma del país en que se rompe a hablar, de uso oficial obligatorio en su respectivo territorio por lo común, salvo pertenecer a familia extranjera y de habla distinta.

Matriarcado
Época histórica, sistema social y régimen familiar en los cuales predomina la autoridad de la madre.

Matricidio
Delito consistente en la muerte criminal dada a una madre por su propio hijo. Sólo representa un concepto semántico, pero carece de autonomía penalística; porque tal hecho configura, para algunas legislaciones, el delito de *parricidio* (v.); y para otras, el de *homicidio calificado*.

Matrícula
Relación, lista o catálogo de las personas habilitadas para el ejercicio de una profesión, o demostrativo de la existencia de determinados objetos; y también constancia de algunos derechos y situaciones. | Inscripción en ciertos registros o para algunos actos oficiales; como en los institutos y universidades, requisito previo para los exámenes de las distintas asignaturas del bachillerato y de las facultades o escuelas especiales. | Documento acreditativo de que una persona o cosa se encuentra registrada o inscrita en una *matrícula* o nómina. | **DE AERONAVES.** Tanto es la acción de inscribir un aparato de aviación en el Registro Público correspondiente como el certificado que lo acredita y las letras convencionales que para su identificación han de ponerse en cada aparato. | **DE COMERCIO** o **DE LOS COMERCIANTES.** Registro donde se inscriben las personas individuales y las compañías que ejercen el comercio; y donde se lleva constancia de los actos y contratos de mayor importancia para el tráfico mercantil, con la garantía de eficacia contra terceros y la ventaja que su publicidad depara a los relacionados con el comercio.

Matricular
Inscribir en una matrícula o registro. | Registrar. | Inscribir las embarcaciones en la *matrícula* (v.).

Matricularse
Inscribirse uno, directamente, en una matrícula. | Ordenar o pedir a otro que nos anote en un registro.

Matrimonial
Relativo al matrimonio. | Concerniente a la vida conyugal. | Perteneciente a los esposos. (V. CAPÍTULOS Y CAPITULACIONES MATRIMONIALES.)

Matrimonialmente
Conforme al espíritu y práctica del matrimonio. | Al uso de los casados.

Matrimonio
Una de las instituciones fundamentales del Derecho, de la religión y de la vida en todos sus aspectos. Quizá ninguna tan antigua, pues la unión natural o sagrada de la primera pareja humana surge en todos los estudios que investigan el origen de la vida de los hombres, y establecida como principio en todas las creencias que ven la diversidad sexual complementada en el *matrimonio*, base de la familia, clave de la perpetuidad de la especie y célula de la organización social primitiva y, en su evolución, de los colosales o abrumadores Estados.

Modestino definió el *matrimonio* romano, basado en la comunidad de condición social y de creencias religiosas, como *conjuctio maris et feminae, consortium omnis vitae, divine atque humani juris comunicatio* (unión de marido y mujer, consorcio para toda la vida, comunicación del Derecho humano y del divino). Para Bergier es la "sociedad constante de un hombre y una mujer, para tener hijos". Ahrens dice que es "la unión formada por dos personas de distinto sexo, con el fin de producir una comunidad perfecta de toda su vida moral, espiritual y física, y de todas las relaciones que son su consecuencia". De Casso lo estima como "la unión solemne e indisoluble de hombre y de mujer para prestarse mutuo auxilio y procrear y educar hijos". | **A PRUEBA**. Llamado también *temporal*, no es tal matrimonio, sino un concubinato convenido por plazo más o menos largo y definido, como ensayo de la compatibilidad de caracteres y aceptación consciente de las cargas matrimoniales futuras y permanentes. | **CANÓNICO**. El religioso contraído con arreglo a las prescripciones de la Iglesia Católica. | **CIVIL**. El celebrado ante el funcionario competente del Estado, conforme a la legislación ordinaria. | **CLANDESTINO**. El que antiguamente se celebraba sin la presencia del propio párroco ni de los testigos. | **CONSUMADO**. Aquel en el cual los cónyuges se han unido carnalmente luego de la legítima celebración. | **DE CONCIENCIA**. La unión conyugal que, por excepcionales motivos y especial autorización de la autoridad eclesiástica, se celebra sin la publicación de proclamas, con el fin de mantener el *matrimonio* en secreto y oculto hasta desaparecer la causa que haya originado la reserva. | **ILEGAL**. El contraído con infracción de la legislación vigente en materia de capacidad o forma. | **"IN ARTÍCULO MORTIS** o **IN EXTREMIS"**. El celebrado con menos requisitos que el ordinario cuando uno o ambos contrayentes se encuentran en inminente peligro de muerte. | **LEGÍTIMO**. El contraído conforme a las leyes o los cánones, por personas plenamente capaces, y con todas las formalidades de cada caso. | El contraído con arreglo a la legislación del país en que se celebre. | El que une establemente a marido y mujer y surte efectos civiles. | **MORGANÁTICO** o **DE LA MANO IZQUIERDA**. El contraído entre personas de muy diferente posición social. Propiamente se dice del celebrado entre un príncipe o princesa con mujer u hombre de inferior linaje, según los prejuicios nobiliarios. | **NULO**. El que no crea vínculo conyugal entre las partes, incapaces por naturaleza o ley para contraer *matrimonio*. | **POR PODER**. Aquel a cuya celebración –civil o religiosa, o en ambas– sólo concurre en persona uno de los contrayentes, al cual acompaña en lo ceremonial y en el otorgamiento o firma de los documentos matrimoniales un representante expresamente designado por el otro contrayente, impedido de asistir, debido por lo común a encontrarse en país o lugar distinto y distante. | **PUTATIVO**. De acuerdo con la etimología latina del adjetivo, que procede del verbo *putare*, juzgar, creer, quiere decir tanto como *matrimonio* supuesto, el que tiene apariencia de tal, sin serlo en realidad. | **RATO**. El celebrado legítima y solemnemente que no ha llegado todavía a consumarse, por no haber cohabitado carnalmente entre sí los cónyuges.

Matriz

Directamente, y como primera morada del ser humano, la víscera hueca situada en la pelvis de la mujer –y también de las hembras animales– donde se desarrolla el feto hasta el parto. | En los bancos, en el comercio y en múltiples oficinas de actividades muy variadas, por *matriz* se entiende la parte del libro talonario que queda encuadernada o unida al separar los talones, billetes, cheque, títulos u otros documentos que lo forman. Por lo general, la *matriz* contiene una síntesis de los principales datos de la parte separable; con su numeración, clase, valor, entre otros. | En Derecho notarial *matriz* es la escritura o instrumento en donde se hace constar inicialmente la celebración de un acto jurídico.

Máxima

Principio más o menos riguroso, norma experimental o regla recomendada entre quienes profesan una ciencia o practican una facultad. | Sentencia, apotegma, pensamiento, observación o doctrina para dirigir las acciones o juzgar de los hechos. | Principio de Derecho, aceptado unánimemente, para interpretar un texto, resolver una situación o aplicarlo a un problema o caso jurídico.

Mayor

Más grande. | Libro mayor. | Mayor de edad. | Jefe de diversos oficiales principales de las Cortes, de ciertos Consejos, secretarías u oficinas. | En relación con la edad, se aplica, además, con significado especial, e indefinido, a la persona que ya haya pasado de los 30 o de los 40 años. | **CUANTÍA**. Pleito que se tramita por las reglas procesales que ofrecen las máximas garantías, aunque a costa de menos rapidez, por los plazos probatorios más largos y por los escritos o diligencias más numerosos. | **DE EDAD**. El capaz, según la ley, de ejercitar por sí, y válidamente, todos los actos permitidos de la vida civil y de las relaciones jurídicas.

Mayorazgo

Del latín *major natu* mayor o primer nacido, por cuanto de primogénito en primogénito suele sucederse de acuerdo con el espíritu de esta institución, antaño poderosa y hoy en total decadencia por su injusticia filial y por las enormes trabas que para la propiedad representa. Consiste el *mayorazgo*, como institución –pues posee otros varios significados–, en el derecho que tiene el primogénito de suceder en los bienes dejados, con la condición de conservarlos íntegros y perpetuamente en su familia (Molina). Para Escriche, es el derecho de suceder en los bienes vinculados; esto es, en los bienes sujetos al perpetuo dominio en alguna familia, con la prohibición de enajenarlos.

Mayoría

Calidad de mayor; de más grande. | Más edad o mayoría de edad. | El número más crecido de votos conformes en una votación o elección. | El número mayor de pareceres acordes en una reunión o asamblea, en un cuerpo o nación. | Oficina de alguno de los funcionarios o empleados que llevan el nombre de *mayor*. | Generalidad. | Opinión pública o predominante. | **CUALIFICADA**. La exigida por encima de la estricta *mayoría absoluta*; como los dos tercios o los tres cuartos de los votos o votantes. | **DE EDAD**. Adquisición de la plena capacidad jurídica por el hecho de cumplir los años que la legislación de cada país requiera, y en las diversas ramas del Derecho: Civil, Mercantil, Laboral, etc. | Situación jurídica de capacidad de cuantos han cumplido la edad en que se produce la emancipación de la patria potestad, de la tutela o curatela, o de otra restricción genérica de las facultades jurídicas de las personas. | **RELATIVA**. Conjunto uniforme de pareceres o de votos que predomina en una discusión o votación, sin llegar a más de la mitad de los emitidos.

Mayorista

Comerciante que vende al por mayor, con precio inferior al de reventa, para permitir la utilidad del *minorista*.

Mediación

Participación secundaria en un negocio ajeno, con el fin de prestar algún servicio a las partes o interesados. | Apaciguamiento, real o intentado, en una controversia, conflicto o lucha. | Facilitación de un contrato, presentando a las partes u opinando acerca de alguno de sus aspectos. | Intervención. | Intercesión. | Conciliación. | Complicidad. | Proxenetismo.

Mediación obligatoria

Régimen vigente en diversos países, en virtud del cual cierto tipo de litigios no puede ser iniciado o proseguido judicialmente sin haberse previamente intentado la mediación entre las partes conforme a las reglas que a tal efecto se establecen.

Mediador

Quien participa en un asunto, negocio, contrato o conflicto, por encargo de una o ambas partes, o para prestarles algún servicio sin convertirse en una más equiparable a las principales. | Conciliador.| Intercesor. | Interventor. | Comisionista. | Cómplice. | Proxeneta.

Medianería

Pared o muro divisorio y común a dos casas u otras construcciones contiguas. | Tapia, cerca, vallado o seto común a dos fincas y que les sirve de lindero. | Condominio del muro medianero.

Medianero

Lo situado en medio de otras dos cosas. | Mediador. | Cada uno de los dueños de una pared medianera. | Mediero, aparcero. | ant. Persona de la clase media.

Medicina

Ciencia y arte de conocer las enfermedades, precaverlas, tratarlas y curarlas, o aliviarlas si carecen de total remedio. Se refiere más especialmente a las enfermedades internas. | Medicamento. | **DEL TRABAJO**. Aplicación de conocimientos médicos, tanto científicos como prácticos, a las cuestiones derivadas de la actividad física y psíquica del hombre productor.

Médico

Quien legalmente autorizado, por los estudios hechos y el título obtenido, puede ejercer la medicina; el arte y ciencia de evitar las enfermedades, y curarlas o combatirlas. Si la persona que profesa la medicina es mujer, ha de decirse *médica*; palabra que algunos rehúyen, por ignorar el grave dislate en que incurren. | **FORENSE**. El profesional que está adscrito oficialmente a un juzgado de instrucción en lo criminal.

Medida

Acción de *medir*, de establecer las dimensiones de las personas o de las cosas. | Objeto con que se mide. | Disposición, orden. | Sensatez, prudencia. | Resolución adoptada para remediar un mal o daño.

Medidas cautelares

Las dictadas mediante providencias judiciales, con el fin de asegurar que cierto derecho podrá ser hecho efectivo en el caso de un litigio en el que se reconozca la existencia y legitimidad de tal derecho. Las medidas cautelares no implican una sentencia respecto de la existencia de un derecho, pero sí la adopción de medidas judiciales tendientes a hacer efectivo el derecho que eventualmente sea reconocido.

Medidas conservativas

Conjunto de disposiciones tendientes a mantener una situación jurídica o a asegurar una expectativa o derecho futuro.

Medio hermano

Cada uno de los nacidos del mismo padre y de distinta madre; o de la misma madre y de diversos padres. En el primer caso, los *medios hermanos* se llaman *consanguíneos*; y en el segundo, *uterinos*.

Medios de pago

Instrumentos utilizados como medios genéricos para el pago de obligaciones. El instrumento de pago de las obligaciones varía en función del objeto de éstas; sin embargo, el dinero cuenta con una capacidad general cancelatoria de las obligaciones, cuya amplitud varía según el régimen jurídico aplicable. De allí que el dinero, en sus distintas variantes, constituya el medio de pago por excelencia.

Medios de prueba

Los diversos elementos que, autorizados por ley, sirven para demostrar la veracidad o falsedad de los hechos controvertidos en juicio.

Medios de publicidad

Genéricamente, cualquier elemento, artificio, recurso o procedimiento para dar a conocer algo con bastante eficacia, medida por el número de los que llegan a conocerlo y en los cuales ejerce algún influjo, sea de convicción ideológica, de creencia como realidad o exactitud, para adquirir un producto, o a fin de afiliarse a una tendencia, credo, asociación o partido.

Mejor comprador

V. PACTO DE MEJOR COMPRADOR.

Mejor fortuna

Cambio favorable de la situación económica personal o familiar, que influye en la condición jurídica de la persona.

Mejora

Beneficio, provecho, ventaja, progreso, adelanto, medro. | Puja; oferta de mayor precio en una subasta. | Escrito que el apelante presentaba antiguamente para razonar el recurso interpuesto. | Apoyo y fundamento de la apelación. | Aumento de precio a la cosa arrendada o vendida. | Toda ventaja que sobre la legítima estricta o en relación con los demás herederos forzosos concede el causante a alguno de sus descendientes. | Todo gasto útil o reproductivo hecho en propiedad ajena por quien la posee con algún título. | **DE EMBARGO**. La ampliación o la traba o ejecución, pedida por el acreedor y decretada por el juez, cuando los bienes, derechos o acciones del deudor y ejecutado no ofrezcan la suficiente garantía ejecutiva, por no bastar para cubrir el principal y las costas.

Mejoras

Lo hecho o gastado en un edificio, heredad o cosa, para conservarla, perfeccionarla o convertirla en más útil o agradable.

Mellizo

Cada uno de los hermanos nacidos del mismo parto.

Memorial

Escrito, solicitud para pedir algo, alegando razones, méritos o servicios. | Borrador o cuaderno de anotaciones. | Boletín informativo y técnico que, como órgano oficial de ciertas entidades o asociaciones, se publica con periodicidad no muy frecuente.

Mendicidad

Condición y vida del mendigo, del que vive de la limosna que implora y obtiene.

De un lado refleja una situación económica nada floreciente allí donde la *mendicidad* es plaga, pero no deja de constituir también manifestación de una ociosidad malsana cuando se tolera esa explotación de la piedad ajena, si existe una organización social adecuada para los casos de real desamparo e incapacidad de conseguir el propio sustento.

Menor

Más pequeño. | Con menor cantidad. | De dimensiones más reducidas. | Inferior. | Menor de edad (v.). | Más joven; de menos años. | Mujer con la cual se incurre en el delito de estupro, aun yaciendo con su voluntad, por no haber cumplido aquélla los años requeridos por la ley y concurrir determinadas circunstancias de mala fe; como el engaño grave, el abuso de autoridad o potestad o alguna relación familiar utilizada para tales fines. | **CUANTÍA**. Pleito que se tramite y resuelve por normas de procedimiento menos complicadas y de modo más breve que el juicio típico; pero con un mínimo suficiente de garantías probatorias y para los alegatos y el fallo. | **DE EDAD**. Persona que no ha cumplido todavía la edad que la ley establece para gozar de la plena capacidad jurídica normal, determinada por la *mayoría de edad* (v.). | **EMANCIPADO**. Genéricamente, el que sin haber cumplido la mayoridad legal no se encuentra sometido a la patria potestad ni a la tutela. | Estrictamente, el hijo a quien los padres conceden la emancipación luego de cumplidos 18 años por el descendiente. | **IMPÚBER**. El que no ha cumplido 14 años de edad, causa de su total incapacidad jurídica.

Menoscabo

Reducción, acortamiento, disminución de una cosa. | Deterioro que sufre algo. | Daño que se le infiere a un bien. | Descrédito. | Deshonra. | Difamación.

Mercadería

Mercancía o género de comercio. | Cuanta cosa mueble es objeto del tráfico mercantil, con inclusión de los semovientes. En épocas de esclavitud, constituían también *mercadería* los hombres. Y todavía, en la trata de blancas, se habla de *mercadería* para referirse a las explotadas en ese tráfico. | Más genéricamente aún, todo lo susceptible de compra o venta lucrativa, en tiendas, almacenes, ferias, mercados, lonjas, bolsas u otro local, centro o establecimiento mercantil. (V. MERCANCÍA.)

Mercado

Corrientemente se dan a esta palabra dos acepciones distintas: el lugar público donde se reúnen diversos individuos para la venta de productos de uso común, estando generalmente sometidos esos lugares a reglamentación municipal. | También, el conjunto de las transacciones que se efectúan en una plaza o que se refieren a ciertas mercaderías. Esta segunda actividad es la que se desarrolla principalmente en lo que se llama *bolsa de comercio* (v.).

Mercancía

Cosa mueble que es objeto de compra, venta, transporte, depósito, corretaje, mandato, fianza, seguro u otra operación mercantil; o sea, de actividades lucrativas en el tráfico, más o menos directo, entre productores y fabricantes, y otros comerciantes o el público en general. | Cualquier género o producto vendible. | Comercio; trato lucrativo con artículos o productos. | Compraventa mercantil.

Mercantil

Concerniente al comercio, al comerciante o a las mercaderías. | Comercial. | Lucrativo. | Regulado por la legislación mercantil, como es nota característica de tantos contratos, similares en esencia a los del Derecho Común o Civil.

Mercantilismo

Considerado como teoría económica, ha sido definido de distintas maneras a lo largo de la historia, pero la mayoría de los autores coinciden en poner de manifiesto una serie de elementos que recalcan su carácter nacionalista, limitado y egoísta. Según Arthur Birnie, el *mercantilismo* no era un sistema económico científico, ya que partía de la convicción de que el comercio debía desarrollarse como una guerra en la que un país había de triunfar sobre otro por medio de una reglamentación egoísta. Cunningham lo consideró como la manifestación económica del afán de dominio de los monarcas de ciertos países, especialmente de Inglaterra. Para Mariano Gómez es un sistema de política comercial interior y exterior que, mediante el empleo de diversos procedimientos, tiende a fomentar y engrandecer las industrias nacionales, a fin de obtener una balanza de comercio favorable. (V. PROTECCIONISMO.)

Mercosur

Mercado común integrado originariamente por Argentina, Brasil, Paraguay y Uruguay, también llamado Mercado Común del Sur. Se origina en el Tratado de Asunción, del 26 de marzo de 1991. Su organización ha sufrido diversas modificaciones, particularmente a través del Protocolo de Ouro Preto, del 17 de diciembre de 1994, y de la adhesión, aún no plenamente perfeccionada, de Bolivia y Chile. Se trata de una organización de integración económica, con un grado sustancialmente menor de institucionalización y cohesión que la Unión Europea. Con diversas limitaciones, contempla la libertad de comercio entre los países miembros y la existencia de una tarifa común para las importaciones provenientes de países externos al Mercosur.

Mérito

Hecho determinante de una valoración positiva (premio o recompensa) o de una estimación negativa (castigo o pena). | Calidad de las buenas obras, que se hacen acreedoras y hacen digno a su autor, del aprecio, la fama, el galardón o el beneficio material. | Valor de las cosas. | Teológicamente, bondad moral y sobrenatural de aquellas acciones humanas, que son dignas de la divina recompensa.

Méritos del proceso

También se habla de *méritos de los autos* o *de la causa*; y no son sino las pruebas, antecedentes y razones resultantes del proceso y que constituyen la base a que ha de atenerse el juez para dictar sus resoluciones y para sentenciar en definitiva con justicia, "según lo alegado y probado", locución análoga en el fondo.

Mero imperio

Potestad que reside en los soberanos, y por su diposición en los jueces y magistrados, para imponer a los delincuentes la pena que corresponda.

Mes

Cada una de las doce partes en que se divide el año.

Mesada.

Salario, sueldo, renta u otra cantidad de dinero que se entrega o se recibe mensualmente, sea por anticipado. (como en los alimentos) o por meses vencidos (como es habitual en los trabajos).

Método

Modo de hacer o manera de decir según un orden conveniente para la claridad y comprensión de lo que se exponga o para la eficacia y sencillez de lo que se realice. | Proceder, conducta. | Hábito personal. | Procedimiento científico para la investigación y enseñanza de la verdad. | Orden. | **COMPARATIVO**. En el estudio del Derecho, el que se apoya en la exposición de las diferencias entre las diversas instituciones jurídicas, para apreciar su coherencia o precisar sus peculiaridades. | **DEDUCTIVO**. El fundado en los principios admitidos generalmente como ciertos o establecidos previamente cual verdaderos, ya por su evidencia, ya por su demostración lógica. (V. INDUCCIÓN, MÉTODO INDUCTIVO.) | **EXEGÉTICO**. En lo jurídico, el que utiliza como procedimiento de exposición, enseñanza, construcción científica o aplicación práctica el estudio de los textos positivos, cuya interpretación y sistematización procura. (V. EXÉGESIS.) | **INDUCTIVO**. El que, partiendo de las observaciones de los fenómenos o hechos jurídicos, elabora los principios que rigen o deben regir una institución. (V. INDUCCIÓN, MÉTODO DEDUCTIVO.) | **JURÍDICO**. La suma de procedimientos lógicos para la investigación de las causas y de los fines del Derecho, para el conocimiento e interpretación de sus fuentes, para la estructura de sus textos positivos y técnicos y para la enseñanza y difusión de aquél, principio rector y obligatorio de la convivencia social en sus categorías fundamentales. | **HISTÓRICO**. El utilizado por la Escuela Histórica alemana, y seguido por Savigny, Puchta, Gierke y otros. Considera que el estudio de la historia demuestra que cada pueblo tiene, en cada época de su vida, leyes e instituciones adecuadas a su manera de ser, reflejo del espíritu del pueblo, el cual actúa sobre las costumbres y tradiciones hasta convertirse en normas jurídicas de aplicación coercitiva. | **SOCIOLÓGICO**. Llamado asimismo *positivo*, por inspirarse en el positivismo de Comte y Spencer, ha sido concretado por el sociólogo francés Durkheim para lograr el conocimiento y sistematización lógicos de los hechos sociales. Consiste este método "en rechazar todas las construcciones hipotéticas y apriorísticas en filosofía, historia y ciencia; y en confinarse en los datos proporcionados por la observación empírica y la conexión de los hechos en sí, buscando las relaciones de causa a efecto, para establecer leyes científicas inamovibles, igual que las ciencias naturales".

Metro

Unidad de longitud, fundamental del *sistema métrico decimal*.

Miedo

Angustia del ánimo, originada por un mal, presente o futuro, cierto o supuesto, que amenaza nuestra vida, bienes, derechos o intereses, o de los seres, cosas e ideales que consideramos nuestros. | Recelo o aprensión de que acontezca algo contrario a nuestros deseos. | **CERVAL**. El grande, pero fundado. | El excesivo. | **INSUPERABLE**. Considerado el adjetivo no como el máximo que pueda sufrirse o imponerse, sino en cuanto el sujeto no puede vencerlo o superarlo, constituye una de las circunstancias eximentes de la responsabilidad criminal.

Miligramo

Milésima parte de un gramo.

Mililitro

Milésimo del litro; como medida de capacidad, un centímetro cúbico.

Militarismo

"Predominio del elemento militar en el gobierno del Estado" (*Dic. Acad.*)

Militarista

Relativo al militarismo. | Partidario de él.

Militarización

Acción o efecto de militarizar. Someter a la disciplina o a la jurisdicción de guerra elementos o fuentes de producción y riqueza que interesan para la tranquilidad o economía nacional, para reducir una resistencia o rebeldía latente.

Minifundio

Finca rústica de dimensiones tan reducidas, que su explotación resulta antieconómica, además de no bastar para la subsistencia de su propietario.

Ministerio

Gobierno; conjunto de ministros de un Estado. | Cargo, dignidad y duración de un ministro. | Edificio y oficinas que ocupan éste, sus colaboradores y subordinados. | Conjunto de los distintos departamentos en que se divide la administración del Estado. | Todo cargo o empleo. | Ocupación, oficio, función. | Destino, uso de algo. | **FISCAL**. Llamado también *Ministerio Público*, designa la institución y el órgano encargado de cooperar en la administración de justicia, velando por el interés del Estado, de la sociedad y de los particulares mediante el ejercicio de las acciones pertinentes, haciendo observar las leyes y promoviendo la investigación y represión de los delitos. | **PÚBLICO**. Lo mismo que *Ministerio Fiscal*.

Ministro

Quien ejerce, desempeña o sirve un ministerio, oficio, cargo o empleo. | Titular o jefe de un departamento ministerial; de un ministerio. | Juez que administra justicia. | Enviado, representante, mensajero. | Agente o representante diplomático. | Nombre de diversos auxiliares de la Justicia, que cumplen las órdenes recibidas de los jueces. | Ejecutor de voluntad ajena. | Cosa que realiza la función asignada. | En Derecho Canónico, el diácono o subdiácono que canta la misa. | En general, sacerdote de cualquier religión. | Prelado que está al frente de algunos conventos, colegios o casas de religiosos.

"Minus petitio"

Loc. lat. Petición o demanda inferior a lo debido.

Minuta

Borrador o extracto de un contrato, testamento, alegato o de otra cosa, que se hace anotando las cláusulas o datos principales para luego darle la redacción requerida para su plena validez y total claridad. | Escritura ligera, provisional, de un oficio, orden, informe u otros documentos, para luego ponerlo en limpio, y por lo general firmarlo y darle el trámite correspondiente. | Borrador original que, en cada oficina, se conserva de las comunicaciones, órdenes y demás despachos por ella expedidos. | Anotación, apuntación, nota de algo, para evitar su olvido. | Relación o lista de personas o cosas que forman parte de algo o deben intervenir en un acto. | Cuenta de los honorarios de los letrados y de los curiales que es pasada a los clientes.

Mita

Tributo que pagaban los indios peruanos. | En los pueblos de indios de la América española, repartimiento, que se hacía por sorteo, para determinar el número de vecinos que debían participar en los trabajos públicos.

Mobiliario

Como adjetivo, mueble o móvil; como la *riqueza mobiliaria*. Se aplica sobre todo a los efectos públicos, endosables o al portador. | Concerniente a los bienes muebles. | Como sustantivo, moblaje; conjunto de los muebles de una casa (mesas, sillas, armarios, etcétera).

Moción
En Derecho Parlamentario, la proposición que en una cámara legislativa formula uno de sus miembros o un grupo de ellos, que no afecte a la formación de una ley y que no tenga carácter permanente, sino que se refiera a un problema de orden en el momento en que se produce. Así, la declaración de que un asunto está suficientemente discutido, de que deben prorrogarse las horas de sesión, de que un asunto debe tratarse con preferencia a otros. Se aplica también a cualquier actitud similar en reunión o junta, pública o privada, que delibere.

Modelo de utilidad
Objeto de un derecho de propiedad industrial reconocido respecto de innovaciones tecnológicas que, aun cuando útiles, no alcanzan el nivel inventivo suficiente para ser patentadas.

Modelo industrial
Objeto de un derecho de propiedad industrial reconocido respecto de las formas o el aspecto incorporados o aplicados a un producto industrial al que le confieran carácter ornamental.

Modo
Forma variable de las cosas y de los seres, compatible con la subsistencia de su naturaleza. | Manera o forma de hacer algo. | Procedimiento, método o sistema. | Moderación, templanza. | Urbanidad, cortesía. | Propósito, finalidad u objetivo de una institución hereditaria, de un legado, de una donación o de un contrato; como carga accesoria de la obligación o de una liberalidad, cuyo cumplimiento puede exigirse. Se contrapone a condición. | Causa próxima de la propiedad, a diferencia del título, que representa la remota. (V. MODOS DE ADQUIRIR.)

Modos de adquirir
Constituyen las causas legales que determinan el dominio; o los hechos jurídicos a los cuales la ley reconoce eficacia para que surja el dominio en un sujeto, en el decir de Ruggiero.

"Modus faciendi"
Loc. latina. Modo de obrar.

"Modus operandi"
Loc. lat. Modo de proceder, obrar o actuar.

Modus vivendi
Loc. lat. y esp. Modo o régimen de vivir. | Regla de conducta. | Transacción. | Fórmula de convivencia. | Más especialmente, ajuste, convenio o acuerdo internacional, entre dos Estados, como regulación interina de un asunto pendiente de solución estable, concretada por lo común en un tratado.

Mojón
Señal consistente en piedras, árboles u otros elementos permanentes que se ponen en las lindes de heredades, términos municipales o fronteras internacionales, para deslindar de modo evidente las propiedades, las jurisdicciones territoriales o la soberanía material de los Estados.

Monarquía
Forma de gobierno en que la jefatura del Estado, absoluta, moderada, constitucional o parlamentaria, es ejercida de modo vitalicio por una pesona investida de prerrogativas y honores especialísimos –el monarca o rey– que, por lo general, transmite el poder a sus descendientes, por el sistema de rígida primogenitura. | Estado regido más o menos efectivamente por un monarca. | Duración del régimen monárquico en un país.

Moneda
En sentido amplio, cualquier signo representativo del valor de las cosas, que permite cumplir las obligaciones, efectuar los cambios o indemnizar los daños y perjuicios. | Estrictamente, la pieza de metal (sea de oro, plata, cobre, aluminio o alguna aleación), por lo común en forma de disco, que suele tener por el anverso la efigie del soberano, el escudo nacional u otra alegoría; y por el reverso el valor que representa y el país en que tiene curso legal. | Dinero. | Caudal.

Monedero falso
El fabricante de *moneda falsa*. El expendedor de ésta, a sabiendas de no ser legítima.

Monismo
Jurídicamente, concepto doctrinal que mantiene el criterio de que el Derecho Interno y el Derecho Internacional representan manifestaciones de un mismo orden jurídico, porque la primacía del Derecho Interno destruye el carácter obligatorio del Derecho Internacional, que queda reducido a un aspecto de Derecho Público externo, modificable unilateralmente por cada Estado.

Filosóficamente, doctrina que unifica la sustancia universal, de la que proceden las variedades o que en ella se identifican. Naturalmente, se opone al dualismo y al pluralismo.

Monogamia
Condición de monógamo. | Sistema matrimonial en que sólo se reconoce por legítima una esposa. Es el régimen predominante en todos los pueblos cultos; con la excepción de los mahometanos, por la tolerancia reconocida en el Corán. | Por extensión, la legitimidad correlativa para la mujer de no tener sino un marido.

Monógamo
El casado actualmente con una sola mujer. | Casado una sola vez.

Monometalismo
Sistema monetario que establece el curso legal de un solo metal como patrón con poder liberatorio absoluto.

Monopolio
Del griego *monos*, uno, y *poleo*, vender: venta que hace uno solo, con exclusión de los demás. Constituye, pues, el tráfico abusivo y odioso por el cual un particular o una compañía vende con carácter exclusivo mercaderías que, entregadas al libre comercio, reducirían su precio, aumentarían su calidad por efecto de una sana competencia y beneficiarían a mayor número de personas.

Monoteísmo
Creencia en un solo Dios. Como religión, el cristianismo está clasificado así, no obstante el misterio de su Trinidad.

Monte de piedad
Establecimiento público de beneficencia dedicado a préstamos casi siempre pignoraticios, a un interés módico.

Montepío
Fondos, capitales o depósitos de dinero que, mediante descuentos a los componentes de un cuerpo o profesión, o por especiales contribuciones de éstos, están destinados a favorecerlos en sus necesidades, a facilitarles recursos para determinadas obras y para pagar pensiones a la viuda y huérfanos que el miembro del *montepío* puede dejar. | Establecimiento público o privado, como organización y en cuanto edificio, que tiende a ese fin.

Mora
Dilación, retraso o tardanza en el cumplimiento de una obligación. | Demora en la obligación exigible. | Más estrictamente, esa misma dilación cuando es culpable o se refiere a cantidad de dinero líquida y vencida.

"Mora accipiendi"
Loc. lat. Mora del acreedor.

Mora del acreedor
En latín, *mora accipiendi* (mora del recibir). Situación en que se coloca el acreedor que se niega a recibir el pago de su crédito, a partir del momento en que el deudor se lo ofrece o efectúa la consignación. (V. MORA DEL DEUDOR.)

Mora del deudor
En latín, *mora solvendi* (mora del pago). Situación en que se coloca quien deja de cumplir a su vencimiento la obligación que le incumbe, y una vez que ha sido intimado para su cumplimiento por el acreedor. Ahora bien, la *mora* se puede producir de pleno derecho; es decir, sin necesidad de intimación, cuando se ha convenido que corra desde el día del vencimiento o cuando así lo determina la ley. El incurso en mora responde por los daños e intereses. En las obligaciones recíprocas, uno de los obligados no incurre en *mora* si el otro no cumple o no se allana a cumplir lo que le corresponde. (V. MORA DEL ACREEDOR.)

"Mora ex lege"
Loc. lat. Mora legal o por ministerio de la ley.

Mora procesal
La dilación en los trámites judiciales suele tener por consecuencia necesaria la pérdida de la facultad de procedimiento de la parte inactiva y la prosecución de las actuaciones sin ella o sin su presencia o intervención en esa fase del procedimiento. Eso cuando se trata del ejercicio de un derecho, que decae por la inacción del titular. Pero si se trata de un requerimiento para comparecer, entregar alguna cosa o cumplir otro mandato de dar o hacer, entonces los resortes judiciales disponen de elementos de coacción bastante para vencer la resistencia o dilación, y obligar a hacer al interesado o imponerle diversas sanciones por su morosidad.

Morada
Casa, vivienda, habitación. | Estancia continuada en un lugar; residencia. | Domicilio (v.).

Moral
Como adjetivo, lo concerniente a la moral en cuanto ciencia y conducta.| Espiritual, abstracto; relativo a la percepción o valoración del entendimiento o de la conciencia, como la *convicción* o *prueba moral*. | Perteneciente al fuero interno o a impulsos sociales; por contraposición a lo jurídico.

Moratoria
Prórroga para solventar una obligación. | Espera o suspensión de los términos concedida a los deudores para que, en el intermedio, puedan procurarse bienes con los cuales pagar las deudas pendientes y vencidas. | Plazo que antiguamente concedían al rey o su Consejo Supremo para librar al deudor, durante cierto lapso, de los apremios de sus acreedores.

Mordaza
Cualquier instrumento o cosa que se pone en la boca, parar impedir que se hable, que se pida socorro o que se profieran quejas.

Morganático
Se denomina así el matrimonio entre personas de muy distinta posición social, en que el de clase inferior no adquiere la consideración pública ni las prerrogativas del encumbrado consorte. | Quien contrae *matrimonio morganático* (v.).

Moroso
Incurso en mora o retraso en el cumplimiento de sus obligaciones. | Por antonomasia, el deudor que incurre en morosidad; aun cuando quepa también la mora del acreedor, reacio a recibir la prestación o el pago legítimo que se le ofrece. | En general, el negligente o poco activo.

Mostrenco
Ignorante, necio. | Torpe para aprender. | Tardo para discurrir. | Quien carece de hogar. | Sin amo ni señor. | Dentro del Derecho Civil y del Administrativo, por *bienes mostrencos* (v.) se entiende los que no tienen dueño conocido.

Motín
Movimiento tumultuoso de la multitud, por lo común, de carácter popular y contra la autoridad constituida o como protesta ante alguna de sus disposiciones. | Alteración local del orden público que reviste poca gravedad o de corta duración.

Hoy interesa, y mucho, que las pólizas de seguros tengan previsto el riesgo de *motín* en los casos de daños, por la extensión que van alcanzando los hechos subversivos de índole política y social.

Motivo
Entiéndese por tal la causa, razón o fundamento de un acto. El *motivo* será jurídico cuando se refiera a actos de esa índole. Abarca todas las ramas no sólo del Derecho Sustantivo, sino también del Adjetivo, porque no se concibe ningún acto, inclusive los que tengan configuración delictiva, que no obedezca a una motivación, generalmente consciente, pero que puede serlo también inconsciente. La determinación de los *motivos* es, pues, necesaria para la investigación penal, para la interpretación de contratos y obligaciones, para la declaración judicial de los derechos. (V. MÓVIL.)

Motu proprio
Loc. lat. y esp. Voluntariamente. | Por sí. | Sin consultar ni prevenir. | Por propia autoridad.| Con libertad. | Espontáneamente. | Por iniciativa propia. | Por el propio arbitrio.

Móvil
Lo que mueve material o moralmente a la acción. Se lo identifica con *motivo* (v.), aunque quepa trazar distingos sutiles.

Movilización
Conjunto de disposiciones y actos para poner un país en pie de guerra.

Mudo
El impedido físicamente de hablar. | Reservado, silencioso, callado.

Mueble
Todo bien o cosa que puede trasladarse por sí misma de un lugar a otro (como los semovientes) o que puede moverse por una fuerza extraña (del hombre por lo general, y con referencia a los objetos inanimados), con excepción de lo accesorio de los inmuebles.

Muerte
Fin, extinción, término, cesación de la vida, al menos en el aspecto corporal. | Homicidio, sea casual o intencional. | Destrucción, ruina, desolación. | Cese en una actividad; paralización de ésta. | Pena de muerte. | **APARENTE**. Estado corporal en que la respiración, la circulación de la sangre, el calor del organismo y otras manifestaciones vitales son poco o nada perceptibles. | **CIVIL**. Antigua situación jurídica de la persona con vida a la que, por efecto de una pena, se le privaba de toda clase de derechos civiles y políticos, y hasta del agua y el fuego en la típica expresión romana (*aquae et ignis interdictio*). | **PRESUNTA**. La supuesta, aun no habiendo encontrado el cadáver. | La que se declara tras prolongada ausencia y sin noticias de la persona de que se trate. Sus efectos principales son la apertura de su sucesión y, en

ciertos casos y legislaciones, las posibles nuevas nupcias del cónyuge presente. | **SIMULTÁNEA**. La *muerte* de dos o más personas acaecida al mismo tiempo. Se denomina también *commoriencia*. | La *muerte* de dos o más personas cuando no cabe determinar la premoriencia de una de ellas. | **VIOLENTA**. La accidental por violencia exterior; y especialmente por arma blanca o de fuego, veneno u otro medio criminal.

Mujer

Persona del sexo femenino. | La púber. | La casada. | **CASADA**. La que ha contraído legítimo matrimonio y no es viuda ni divorciada. | Esposa. | Cónyuge o consorte del sexo femenino. | En denominaciones familiares: costilla, parienta, media naranja. | Señora. | Mujer, sin más.

Multa

Pena pecuniaria que se impone por una falta delictiva, administrativa o de policía o por incumplimiento contractual. En esta última hipótesis se habla con más frecuencia de *cláusula penal* o de *pérdida de la señal* (v.). Hay, pues, *multas penales, administrativas* y *civiles*.

Municipal

Relacionado con el municipio. | Concerniente al ayuntamiento. | Guardia municipal.

Municipalidad

Ayuntamiento. | En algunas naciones de América, la casa consistorial.

Municipalización de servicios

El ejercicio directo de ciertos servicios públicos por el propio municipio.

Municipio

En la época romana, la ciudad principal y libre que se regía por sus propias leyes; cuyos vecinos podían obtener y gozar de los derechos y privilegios de la misma Roma. | En la actualidad, la primera o menor de las corporaciones de Derecho Público, integrada por las autoridades (o ayuntamiento) y habitantes de un término jurisdiccional, constituida casi siempre por una población y cierto radio rural, con algunos núcleos poblados o casas dispersas. En las grandes urbes, no existe descampado; y en ciertas regiones poco hospitalarias, no hay verdadero centro edificado. | El ayuntamiento, compuesto por el alcalde y los concejales; en otros sitios o épocas llamados corregidor o intendente, y regidores o ediles. | El término jurisdiccional que comprende el *municipio* o que administra su ayuntamiento.

Muro

Pared. | Tapia. | Muralla.

Mutatis mutandis

Loc. lat. y española. Cambiando lo que deba cambiarse. Se aplica a casos muy similares cuya diversidad secundaria no se especifica por intrascendente o notoria.

Mutilación

Acción o efecto de mutilar o mutilarse. Cercenamiento, corte o separación de una parte del cuerpo humano. | Toda supresión más o menos violenta en un proceso, institución o cosa.

"Mutuae petitiones"

Loc. lat. Mutuas peticiones o demandas recíprocas.

Mutual.

Mutuo; recíproco.

Mutualidad

Condición de mutuo o mutual. | Asociación de seguros que pretende eliminar el lucro de las empresas mercantiles siendo a la vez, sus miembros, asegurados y aseguradores; es decir, distribuyendo las indemnizaciones en formas iguales o proporcionales, según las normas o estatutos mediante una módica cuota que incluye los riesgos y los estrictos gastos de administración. | Todo régimen de prestaciones recíprocas basadas en la igualdad, en la cooperación y un sentido elevado de solidaridad humana, social. | También en *mutualidad* el establecimiento y el edificio dedicados a estas organizaciones de defensa contra el lucro.

Mutualismo

Movimiento cooperativo que tiende a la creación y fomento de las sociedades de ayuda o socorro mutuo en lo profesional, en la industria, la agricultura, los seguros y cuantas actividades son objeto de explotación lucrativa, que el *mutualismo* tiende a suprimir o a aminorar, prescindiendo de intermediarios, comisionistas, etcétera.

Mutuante

Prestamista; quien da a préstamo, sin que ello implique actividad usuraria. *Mutuante*, sujeto activo del contrato de mutuo o préstamo simple, es quien presta o da a otro –el *mutuatario*– una cosa fungible, con la condición de que se le restituya otro tanto de la misma especie y calidad.

Mutuo

Recíproco; con correspondencia o igualdad entre las partes. | **AUXILIO.** Recíproca asistencia material y espiritual. | **CIVIL**. El contrato real de *mutuo*, de préstamo simple o de empréstito de consumo (como quiera denominarse) se rige, en principio, por las reglas del Derecho Común, por las de los códigos civiles. | **DISENSO CONYUGAL**. Conformidad de ambos cónyuges en cuanto a separarse, a romper el vínculo matrimonial, cuando tal potestad está reconocida por la ley civil como causa de divorcio. | **GRATUITO**. El contrato real de préstamo de una suma de dinero u otra cosa fungible en que no se exigen intereses del mutuario. | **MERCANTIL**. El préstamo de dinero o cosa fungible de otra clase que se rige por las leyes del comercio. | **ONEROSO**. Préstamo de dinero u otra cosa fungible por el cual se perciben intereses. | **PIGNORATICIO.** El mutuo o préstamo simple en que el mutuante se asegura la restitución de una suma igual a la entregada al mutuario, o la devolución de algo de idéntica especie y calidad, mediante una prenda o hipoteca que del mutuario obtiene. Esa garantía constituye un contrato accesorio.

N

N

En el alfabeto español, es la undécima de sus consonantes y la decimocuarta de sus letras. | Es abreviatura universal de *Norte*, por ser su inicial en los idiomas más hablados del mundo. | En las votaciones romanas, N.L. (*non liquet*) expresaba la duda o indecisión: ni la afirmativa ni la negativa, ni la absolución ni la condena.

Nacimiento

Acción y efecto de nacer. | Comienzo de la vida humana, contado desde el parto. | Procedencia de una persona, en orden a su familia y condición social. | Sitio en que brota un manantial, una fuente, un río. | Principio, origen. | **DE LAS PERSONAS JURÍDICAS**. La existencia de las corporaciones, asociaciones, establecimientos, etc., comienza con el carácter de *personas jurídicas*, desde el día en que sean autorizadas por la ley o por el gobierno, con aprobación de sus estatutos, y la confirmación de los prelados en la parte religiosa de las que corresponda. | **SIMULTÁNEO**. La expresión, no enteramente correcta, se refiere a los partos múltiples; donde en realidad no hay ni es fácil que pueda haber *nacimiento* efectivamente *simultáneo*, sino sucesivo, con una separación de instantes o minutos, y lo más de horas, o de un día si acaso.

Nación

En el Derecho Político son muchos los conceptos de difícil determinación, pero el de *nación* es tal vez uno de los más ambiguos y discutidos. Por eso su definición ofrece dificultades y puede inducir a errores. Se advierte así con sólo tomar en consideración la que da la Academia de la Lengua cuando dice que es: *a*) el conjunto de habitantes de un país regido por el mismo gobierno; *b*) territorio de ese mismo país; *c*) conjunto de personas de un mismo origen étnico, que hablan un mismo idioma y tienen una tradición común.

Pero ya en tales acepciones se encuentran elementos de dudoso contenido, como sucede con el sustantivo *país*, no sólo porque su idea es probablemente más indefinible, sino también porque uno de los significados que le da el *Diccionario de la Academia* es el de *nación*; con lo cual, al definir ésta, habría hecho entrar lo definido en la definición. Pero, además, no es exacto que para la existencia de la *nación* se requiera unidad de gobierno, de territorio, de origen étnico, de lengua y de religión, ya que ninguno de esos elementos es esencial para la realidad política de aquélla, bastando para comprenderlo así detenerse a considerar:

1º) Que hay *naciones* en las que se hablan distintos idiomas, como sucede en España, Bélgica, Inglaterra, Suiza. E, inversamente, un mismo idioma es común a varias *naciones*, como sucede con el castellano, el francés, el inglés y el portugués. Bastan estos ejemplos para advertir que la identidad de lengua no es elemento determinante de la *nación*.

2º) Que tampoco puede serlo la *raza*, en primer término, porque su contenido es todavía más discutido que los de *país* y *nación*, y en segundo lugar porque, aun tomando la *raza* en su sentido vulgar, no cabe ninguna duda de que muchas *naciones* están integradas por grupos de muy diverso origen étnico, incluso blancos y negros, blancos e indios occidentales.

3º) Que, dentro de un mismo territorio nacional, se encuentran grupos de distintas *religiones*, además de que son muchos los Estados que carecen de una *religión* oficial, por lo cual ésta no constituye un elemento necesario de caracterización ni puede servir para determinar la nacionalidad.

4º) Que, si bien el *territorio* puede representar el elemento que mejor caracterice a la *nación*, tampoco lo es de modo absoluto, como lo prueba el hecho de que los judíos han sido a través de numerosos siglos *nación* sin territorio, como lo fueron los pueblos nómadas.

5º) Que si, confundiendo la idea de *nación* con la de *Estado* (v.), se quisiese hacer la fijación nacional por la unidad de *gobierno* —o sea, de unas mismas instituciones estatales—, la dificultad sería aun mayor, porque no siempre resultan coincidentes los conceptos de *nación* y de *Estado*. Sirva de ejemplo el caso del Imperio austro-húngaro que, durante mucho tiempo y hasta su desmembración, estuvo formado por dos naciones; así como también la unión, durante muchos años, de Suecia y Noruega; sin que quepa olvidar el caso de los Estados sin territorio, representados por los gobiernos en destierro, mientras sus territorios están ocupados por Estados extranjeros.

Los tratadistas de Derecho Político han definido de diversas maneras la *nación*. Para Posada es una amplia comunidad espacial —territorial— o mantenida como tal merced a la integrada unidad de vida. Para Renán es una gran solidaridad, constituida por el sentimiento de los sacrificios realizados y los que se realizarán en caso necesario, lo que presupone un pasado y se resume en el presente por un hecho tangible: el consentimiento, el deseo claramente manifestado de continuar la vida en común. Para Gumplowicz es como un desarrollo histórico, una obra de cultura, el conjunto de propiedades comunes que se han impreso a un pueblo, a una pluralidad de tribus, en el curso de la historia y del desarrollo de un Estado. Para Girod es el conjunto de hombres que, participando por el nacimiento y la educación del mismo carácter y del mismo temperamento, teniendo un mismo conjunto de ideas y de sentimientos, practicando las mismas costumbres y viviendo bajo las mismas leyes e instituciones, mantienen la voluntad de permanecer unidos en la integridad del suelo, de las instituciones, de las costumbres, de las ideas, de los sentimientos, y en el mismo culto de un pasado. Finalmente, para Sánchez Viamonte, refiriéndose a los grandes grupos sociales, la palabra *nación* puede ser empleada cuando esos grupos ofrecen continuidad histórica, habiendo existido como un todo orgánico fácilmente distinguible de los demás, cuando poseen modalidades que les son inherentes, y si a través del tiempo se pueden seguir las vicisitudes de su existencia, no obstante que tales grupos sociales tengan diversas razas, idiomas y religiones, bastando con que se hallan unidos por el pasado, solidarizados en el presente y proyectados al futuro en una acción común.

Nación más favorecida

Tratamiento contractual en cuya virtud un Estado hace extensivos a otro los beneficios que haya concedido, o que concediere en el futuro, a un tercer Estado. Por lo general, los Estados contratantes establecen una reciprocidad en el otorgamiento de la consideración de que se trata, y su contenido suele referirse a los derechos de aduana, a los derechos de navegación de los buques, a la situación de sus respectivos súbditos y comúnmente a las relaciones comerciales.

Nacional

Relativo a la nación; como su himno patriótico. | Natural de la nación, como oposición a *extranjero*, y dotado en consecuencia de la plenitud de derechos políticos, civiles y sociales que la Constitución y las leyes de cada país otorguen. | Individuo de la milicia nacional. | En algunos Estados de América, en que la moneda se denomina "peso", *nacional* es el de cada país para él.

Nacionalidad

Vínculo jurídico y político existente entre un Estado y los miembros de éste. | Índole peculiar de un pueblo. | Carácter de los individuos que constituyen una nación. | Estado civil de la persona nacida o naturalizada en un país, o perteneciente a ella por lazos de sangre paterna o materna.

Nacionalismo

Afecto de los naturales de una nación por cuanto a ella concierne en el pasado, en el presente y en el porvenir. | Exaltación violenta de todo lo nacional. | Doctrina de las reivindicaciones políticas de las naciones oprimidas. | Aspiración nacional del pueblo sometido a otro, como colonia, protectorado u otra equívoca denominación internacional. | Tendencia separatista de alguna provincia, región o territorio de un Estado. | Partido que considera mala toda posición y actitud que no se funde en la tradición nacional.

Nacionalización
Otorgamiento de la cualidad de nacional a un extranjero; o sea, lo mismo que *naturalización* (v.). | Concesión de los derechos y privilegios nacionales a un súbdito de otro país. | Introducción o adopción en una nación de instituciones o cosas de otra. | Declarar de propiedad de la nación. | Organizar la prestación de un servicio directamente por el poder público del Estado o a través de la concesión administrativa que de éste haga a un particular. | Disponer que determinadas actividades no puedan ser ejercidas sino por nacionales, o que sólo ellos pueden poseer determinados bienes.

Naciones Unidas
El conjunto de ellas que integra la organización internacional, o asociación de pueblos y gobiernos, soberanos, que trata de estructurar la paz y de evitar la guerra.

Narcóticos
Denomínanse así, en medicina, las sustancias que producen sopor, relajación muscular y embotamiento de la sensibilidad, como el cloroformo, el opio, la belladona. Los *narcóticos* presentan particular importancia en criminología, por cuanto bajo sus efectos pueden ser cometidos hechos delictivos. Por ello, y con independencia de las perniciosas consecuencias que puedan afectar a quienes los ingieren, la tenencia, el tráfico, la administración y el expendio de *narcóticos* constituyen delitos por sí mismos.

"Nasciturus"
Voz lat. El que ha de nacer; el concebido y no nacido.

Natalidad
Proporción de nacimientos en territorio y época determinados. Su relación con la *mortalidad* (v.) establece el crecimiento de la población, y constituye índice de la vitalidad y de las costumbres de un pueblo.

Nato
Nacido. | Título o cargo que corresponden por derecho propio a ciertos empleos o dignidades.

Natural
Concerniente a la naturaleza en general, o a la de cada ser y cosa en particular. | Nativo u originario. | Verdadero. | Espontáneo. | Regular, normal, habitual. | Con causa física o humana; contrapuesto a lo sobrenatural, sea divino, mágico o desconocido en su origen. | Ingenuo, sincero, leal. | En época feudal, se decía del señor de vasallos y del que, aun no siendo de la tierra, tenía derecho, por su linaje, al señorío.

Naturaleza jurídica
Calificación que corresponde a las relaciones o instituciones jurídicas conforme a los conceptos utilizados por determinado sistema normativo. Así, por ejemplo, la naturaleza jurídica de la sociedad será la de un contrato plurilateral, desde la perspectiva de su constitución, y la de una persona jurídica, desde el ángulo de su existencia como organización.

"Naturalia negotii"
Loc. lat. Elementos que de modo natural acompañan al negocio jurídico aun cuando las partes no los hayan previsto, como es la garantía de evicción en el contrato de compraventa. Las partes pueden dejarlos sin efecto mediante pacto expreso.

Naturalización
Medio, de carácter civil y político, por el cual los extranjeros adquieren los privilegios y derechos que pertenecen a los naturales del país. Por lo general, la *naturalización* exige expresa renuncia a la nacionalidad de origen o anterior.

Naufragio
Hundimiento o pérdida de una embarcación, ya acontezca de propósito o casualmente; y ya se deba a la propia nave, a hecho de los navegantes o de extraños, o a contratiempos de la navegación. | Por extensión, rotura o inutilización que impide definitivamente, o por tiempo más o menos indefinido y prolongado, que el buque vuelva a navegar. | Toda pérdida considerable. | Ruina, desastre, catástrofe. | Final desgraciado o trágico.

Navegación
Ciencia o arte de navegar; náutica. | Viaje que se realiza con una nave. | Duración de una travesía. | Traslación de un punto a otro utilizando una embarcación; o movimiento de ésta sobre las aguas o bajo la superficie de ellas, con retorno al punto de partida.

"Navicert"

Palabra inglesa que designa el documento expedido por un beligerante, y en el cual consta que, para él, las mercaderías transportadas en tal barco no constituyen contrabando de guerra.

Naviero

Relativo a la navegación y a las naves; como las *compañías navieras*. | Propietario de un navío; dueño de cualquier embarcación capaz de navegar en alta mar. | Quien avitualla un buque mercante, ya sea su dueño o el gerente o gestor de la empresa marítima. | Si el *naviero* corre con los gastos y riesgos de la expedición, es al mismo tiempo *armador*.

Necesidad

Causación inevitable; impulso irresistible de una causa que obra infaliblemente en cierto sentido, que produce un efecto seguro. | Cuanto resulta imposible de impedir, evitar, resistir. | Determinismo. | Fatalidad. | Falta de lo principal para la existencia. | Pobreza, penuria, miseria. | Escasez, falta de algo. | Grave riesgo que requiere pronto y eficaz auxilio. | **EXTREMA**. Caso en que la vida peligra gravemente, al punto de que sólo el auxilio oportuno puede salvarla. | Estado o situación en que la amenaza de un mal igual o mayor obliga a justificar los daños causados. | **RACIONAL DEL MEDIO DEFENSIVO.** Como causa de justificación de la conducta, en apariencia delictiva, en la legítima defensa se requiere, tras la ilegítima agresión ajena, "*la necesidad racional del medio empleado* para impedirla o repelerla".

Nefando

Indigno, abominable, repulsivo, degenerado. | Homosexual.

Nefasto

Desgraciado, funesto, adverso. | Entre los romanos se calificaba así el día en que los tribunales estaban cerrados y en los cuales tampoco se permitía tratar de negocios públicos; por ser de presunta mala suerte, de acuerdo con las supersticiones de la época y del pueblo.

Negativa

Negación. | Denegación. | Repulsa. | Rechazamiento. | Proposición que niega algo. | Declaración de que es falsa una manifestación ajena.

Negativa a declarar

Resistencia que una parte, un acusado o un testigo manifiesta al ser interrogado por un juez u otra autoridad, bien por guardar silencio absoluto, bien por limitarse a que nada sabe o que nada quiere decir.

Negativo

Dicho o hecho que implica o expresa negación. | Contradictorio. | Desfavorable; adverso. | Contrario. | Destructor, corrosivo. | Rebelde. | Amoral o inmoral. | Que nada aporta, o que resta en una empresa. | Reo que no confiesa el delito del cual se le acusa. | Testigo que niega el hecho porque se le pregunta.

Negligencia

Omisión de la diligencia o cuidado que debe ponerse en los negocios, en las relaciones con las personas y en el manejo o custodia de las cosas. | Dejadez. | Abandono. | Desidia. | Falta de aplicación. | Falta de atención. | Olvido de órdenes o precauciones.

Negligencia procesal

Abandono o falta de diligencia en la tramitación de los juicios. En ella pueden incurrir tanto los funcionarios judiciales y sus auxiliares o subordinados cuanto las partes y sus representantes o patrocinadores. La *negligencia procesal* tiene dos formas de sanción: una es la pérdida del trámite o actuación no cumplidos o no reclamados a tiempo, y otra es la pecuniaria, que puede imponerse, para el pago de las costas o de parte de ellas, al mandatario negligente o a éste juntamente con el letrado patrocinante. (V. CADUCIDAD, PRESCRIPCIÓN.)

Negligente

El que incurre en *negligencia* (v.). | El responsable de ésta. | Descuidado, omiso. | Despreocupado. | Quien no presta la atención debida. | Desidioso, abandonado, flojo, indolente. | Imprudente; que no toma las precauciones del caso. (V. CULPABLE, DILIGENTE.)

Negociable

Que se puede negociar o transmitir como objeto de comercio. | Endosable. | Transmisible al portador. | Susceptible de operación en bolsa.

Negociación

Acción o efecto de negociar. | Trato mercantil o lucrativo. | Comercio. | Transmisión o traspaso. | Cesión. | Endoso. | Descuento de valores. | Compra o venta de efectos, títulos o valores en bolsa o mercado. | Gestión diplomática de cierta importancia o laboriosa; ya sea de tratado de paz, de alianza o de comercio; de alguna dificultad propia o de asunto en el cual se intervenga por iniciativa propia o ante requerimiento de otra potencia. | Trámite de canje de prisioneros.

Negociación colectiva

Conjunto de gestiones y trámites entre el representante colectivo de un conjunto de trabajadores, por una parte, y un empresario, un conjunto de ellos o el representante de tal conjunto, por la otra, con el fin de solucionar un conflicto laboral o de llegar a un acuerdo respecto de cuestiones vinculadas a temas laborales.

Negociado

En la organización administrativa, cada uno de los departamentos, oficina o conjunto de ellas que tiene a su cargo un servicio determinado, o una rama del mismo, con el fin de su mejor despacho y mayor conocimiento de la materia. | Negocio.| En América del Sur, negociación prohibida a un funcionario público; escándalo administrativo.

Negociador

Quien negocia, comercia o gestiona. | Ministro o agente diplomático que promueve o conduce un asunto importante; como un tratado o la resolución de un conflicto internacional.

Negociar

Comerciar, tratar. | Comprar, vender o cambiar mercaderías o valores, para lucrarse. | Ceder, endosar o transmitir una letra de cambio, un cheque u otro documento de crédito mercantil. | Descontar valores al cobro. | Ocuparse de resolver asuntos públicos o privados. | Ventilar o gestionar diplomáticamente, de potencia a potencia, un asunto de interés recíproco o para la causa de un tercero, que requiere negociación, y por el cual se procura algo. | Corromper, sobornar.

Negocio

Ocupación, actividad, tarea, empleo, trabajo. | Cuanto forma el objeto o finalidad de una gestión lucrativa o interesada. | Negociación, como acción o efecto de negociar, comerciar o gestionar. | Pretensión. | Tratado, agencia. | Utilidad, beneficio o lucro de un trato o comercio. | Provecho indebido o lícito en asunto que está encomendado. | Cuantioso rendimiento de una explotación, industria o labor. | En la Argentina, tienda, local o establecimiento de comercio. | **JURÍDICO.** Todo acto o actividad que presenta algún interés, utilidad o importancia para el Derecho y es regulado por sus normas. En realidad, la expresión es una innovación, de importación germánica tal vez, para sustituir al nombre más clásico —o "anticuado" para los innovadores— de *acto jurídico*, preferido en Francia.

"Negotiorum gestio"

Loc. lat. Gestión de negocios ajenos (v.).

"Negotium"

Voz lat. Negocio, asunto; acto o negocio jurídico. | Más estrictamente, toda operación jurídica onerosa y lícita.

"Nemine res sua servit"

Loc. lat. Ninguno es servidor de su cosa.

Neocontractualismo

Con inspiración más o menos cercana en la idea rusoniana del *contrato social* (v.), y con propósito de rectificar ciertos aspectos o superar otros, el *neocontractualismo* agrupa diversas posiciones técnico-jurídicas y técnico-sociales, como la de Spencer acerca de la *cooperación contractual*, en su exégesis de la elaboración del Derecho y de la construcción del Estado; como el *organicismo contractual* de Fouillé; o la intermedia actitud de Bourgeois, resumida en un *cuasicontrato*.

Nepotismo

Corruptela política caracterizada por el favoritismo familiar; por la dispensa de honores, dignidades, cargos y prebendas a los parientes y amigos.

Neurosis

Enfermedad o trastorno nervioso sin lesión orgánica, al menos aparente. | Desarreglo o anormalidad funcional del sistema nervioso. | Enfermedad psicogénica sin reflejo lesivo anatómico.

Neutral

Imparcial. | Indiferente; por no ser de uno ni otro de los contendientes o discrepantes. | Estado o nación que, ante una guerra entre otras potencias o pueblos, no toma parte en ésta y, además de abstenerse de los actos de beligerancia, adopta las obligaciones y derechos internacionales que corresponden a su *neutralidad* (v.).

Neutralidad

Imparcialidad de una persona ante un conflicto armado. | Actitud pacífica de una nación ante la beligerancia de dos o más.

Neutralización

Acción o efecto de neutralizar o neutralizarse. Apartamiento voluntario u obligatorio de las hostilidades presentes o futuras.

Nexo
Vínculo, unión, nudo, relación o lazo inmaterial entre personas, pueblos o cosas. | **SOCIAL**. Unión, enlace o conexión que la unidad de origen, la comunidad de religión, raza o lengua, la dependencia profesional o la identidad de tareas crean entre individuos, familias o grupos. (V. NEXO MUTUO.)

"Nexum"
Voz lat. Nexo, vínculo. Dentro del tecnicismo del Derecho Romano, este vocablo, uno de los más antiguos, posee naturaleza no bien determinada; aun cuando se tienda a ver en él un negocio jurídico que establecía una sólida posición para el acreedor y una pesada obligación para el deudor.

Nieto
El descendiente de segundo grado en la línea recta; el hijo del hijo o de la hija, en relación con el *abuelo* (v.). | Por extensión, cualquier descendiente de grado ulterior.

"Nihil novum sub sole"
Aforismo que cita en latín las palabras de Salomón: "Nada nuevo bajo el sol" (*Eclesiastés, I, 10*).

"Nihil obstat"
Loc. lat. Nada obsta. Es fórmula consagrada por las autoridades eclesiásticas para significar que no existe obstáculo o inconveniente canónico en la publicación de un libro u otro escrito, por no encontrar nada atentatorio contra los dogmas de la Iglesia ni nocivo para la moral y la religión en general.

Nihilismo
Del latín *nihil*, nada, el novelista Turguenef, en su obra *Padres e hijos*, publicada en 1862, calificó de esta forma totalmente negativa y destructora a una teoría y acción revolucionaria muy poderosa por aquel entonces en Rusia, y que subsistió hasta la caída del zarismo, en que los comunistas, celosos de su competencia o enemistad, aplicaron a los nihilistas los métodos por ellos recomendados o puestos en práctica.

Niñez
Edad o período de la vida humana que comprende desde el nacimiento hasta los siete años, época en que comienza el uso de razón. | Niñería o proceder infantil. | Primeros tiempos de algo. (V. EDAD, INFANCIA.)

Nivel
Instrumento para determinar la igualdad o diferencia de alturas. | Altitud alcanzada por un líquido u otra cosa. | Igualdad, equivalencia. | **DE VIDA**. Grado de bienestar material alcanzado por una persona o grupo en relación con sus ingresos y la capacidad adquisitiva de la moneda. | **PROFESIONAL**. Capacidad o aptitud que determina la jerarquía en los oficios y otras tareas. Se habla así de la mayor o menor especialización y experiencia, factor decisivo en la remuneración del trabajo y en la solicitud de los servicios profesionales. En las labores manuales y en las técnicas, esta escala de progresiva perfección o complejidad se extiende desde el simple ayudante hasta la maestría.

No fungibles
V. BIENES NO FUNGIBLES.

No ha lugar
Expresiva fórmula judicial para rechazar una petición o queja presentada por una de las partes.

No uso
En las leyes, desuso, falta de aplicación o vigencia.

Noble
Preclaro, generoso. | Leal. | Principal, excelente. | De ilustre familia. | De la aristocracia con título regio o pontificio. | Honroso, estimable.

Noche
En sentido natural, tiempo en que falta la claridad de la luz solar, desde poco después del ocaso hasta algo antes de la salida del astro. | Legalmente, desde que se pone hasta que sale el Sol.

Noli me tangere
Loc. lat. y esp. Nadie me toque. También, nadie se meta conmigo. | Caso o cosa fuera de toda duda o discusión. | Persona o asunto sobre el cual está prohibido opinar o juzgar.

Nomadismo
Inquietud territorial, falta de arraigo domiciliario que integra un movimiento habitual o tradicional de pueblos, núcleos sociales o determinados oficios, en consonancia con las necesidades de subsistencia.

Nombre
Palabra o vocablo que se apropia o se da a una persona o cosa, con el fin de diferenciarla y distinguirla de las demás. | Fama, nombradía,

celebridad, reputación, crédito. | Poder o autoridad en virtud de los cuales se obra. | Apodo, alias. | **COLECTIVO**. El que designa a los socios de una compañía colectiva y a los no comanditarios de las sociedades en comandita. | **COMERCIAL**. El que sirve para diferenciar al comerciante en su tráfico. | El que distingue a una casa o empresa de comercio, o un establecimiento agrícola o fabril. | **PROPIO**. El que designa específicamente a una persona; como el *nombre de pila* entre los diferentes individuos de una familia. | **PROPIO (EN)**. También a *nombre propio*. Se expresa que el interesado en un negocio jurídico es el mismo que obra; es decir, que no es su representante, apoderado o mandatario; sino que actúa o contrata por sí y para sí. | **SUPUESTO**. El simulado, el que no constituye el verdadero de una persona, sea o no el de otra.

Nomenclador o Nomenclator

Catálogo o lista de nombres de personas, pueblos o tecnicismos.

Nomenclatura

Nómina o lista de nombres de personas, pueblos o tecnicismos.

Nómina

Relación de las personas, con sus respectivos nombres. | Lista de ciertas cosas u objetos, como en los inventarios. | Lista del personal, a efectos de la percepción de sus haberes.

Nominado

Se dice del contrato que posee nombre determinado en la ley; como el de compraventa, sociedad, depósito, mandato, etcétera.

Nominal

Relativo al *nombre* (v.). | Se aplica en los títulos y valores para expresar el tipo monetario de emisión, que puede ser inferior o superior al de la cotización posterior.

Nominalmente

Por su nombre. | De nombre tan sólo; sin realidad; de contenido diferente de lo enunciado.

Nominatividad

Condición de lo *nominativo* (v.). | Exigencia de que las acciones de sociedades u otros títulos sean de tipo nominativo, con exclusión de los endosables o al portador.

Nominativo

A nombre de alguien determinado. Diferencia los títulos extendidos o librados *al portador*.

"Non adimpleti contractus"

Loc. lat. Contrato no cumplido. (V. EXCEPTIO NON ADIMPLETI CONTRACTUS).

"Non bis in idem"

Loc. lat. No dos veces por la misma causa. En materia penal, significa que no cabe castigar dos veces por el mismo delito; ya sea aplicando dos penas por un mismo hecho o acusando por segunda vez por un delito ya sancionado.

"Non dominus"

Loc. lat. Quien no es dueño de lo que transmite.

Nonato

El no nacido naturalmente; el extraído del claustro materno mediante la operación cesárea. | El sacado del seno materno en los instantes inmediatos a la muerte de su madre. | Lo inexistente, por no haber acaecido.

Norma

Regla de conducta. | Precepto. | Ley. | Criterio o patrón. | Práctica. | **JURÍDICA**. Regla de conducta cuyo fin es el cumplimiento de un principio legal. Para Gierke, "la *norma jurídica* es aquella regla que, según la convicción declarada de una comunidad, debe determinar exteriormente, y de modo incondicionado, la libre voluntad humana".

Norma fundamental

Precepto fundante de la validez y la unidad de todo un orden normativo; es condición esencial para que un conjunto de normas constituya un orden, un sistema, que todas ellas puedan ser referidas a una única *norma* que las fundamente, unifique y coordine en sus respectivos ámbitos de validez (J. C. Smith).

Norma penal en blanco

Es aquella cuyo precepto es indeterminado en su contenido, que deberá ser llenado por otra ley o reglamento, y en la que solamente está fijada la sanción (Soler). La legislación argentina señala algunos casos de *norma penal en blanco*. Es conocida también en la técnica jurídica como *ley en blanco* (v.).

Norma primaria

La dispuesta expresamente por el orden jurídico, de la cual se infieren otras consecuencias normativas. (V. NORMA SECUNDARIA.)

Norma secundaria

La que se infiere de una *norma primaria* (v.). Por ejemplo, de una norma primaria que dispone una sanción contra cierta conducta se infiere la norma secundaria consistente en que existe la obligación de abstenerse de tal conducta.

Norma subsidiaria
La que se aplica en caso de silencio, oscuridad o insuficiencia de otras normas.

Nota
Señal o signo, en general. | Objeción a cualquier argumento, exposición, doctrina o tesis. | Comentario sobre un texto legal o una resolución judicial. | Censura o reproche. | Calificación de un tribunal o profesor que examina a alumnos u opositores. | Resumen o apuntamiento en algunos recursos. | Asiento, de valor más o menos secundario, en los libros de algunos registros públicos. | Lista de mercaderías o artículos de comercio, con detalle de cantidad, calidad y precio. | Comunicación diplomática sobre un asunto en concreto y de actualidad, y carente de solemnidad.

Nota bene
Loc. lat. y esp. Nota u observa bien. En escritos e impresos se emplea para llamar la atención acerca de algún punto.

Nota marginal
En los Registros Públicos, especialmente en el civil y en el de la propiedad, cada uno de los asientos secundarios, puestos al lado o al margen de los principales, que contienen indicaciones o circunstancias referidas a la inscripción principal o al instrumento matriz; ya una simple correlación, ya algún cambio en el derecho o en la situación, correcciones, y su cancelación incluso.

Notariado
Autorizado por notario. | Abonado con fe notarial. | Carrera, profesión y ejercicio de notario. | Cuerpo o colectividad que los notarios de un colegio o de una nación constituyen. | Conjunto de personas que ejercen la función notarial; el dar fe, conforme a la ley, de los contratos y actos extrajudiciales.

Notarial
Concerniente al notario. | Hecho o autorizado por notario. | Con fe pública extrajudicial.

Notario
"Funcionario público autorizado para dar fe, conforme a las leyes, de los contratos y demás actos extrajudiciales" (art. 1° de la Ley esp. del Notariado).

Noticia
Noción; conocimiento embrionario. | Comunicación de cualquier suceso o novedad. | Información periodística de actualidad; por lo común, acerca de lo acaecido en el día o en el anterior.

Notificación
Acto de dar a conocer a los interesados la resolución recaída en un trámite o en un asunto judicial. | Documento en que consta tal comunicación, y donde deben figurar las firmas de las partes o de sus representantes. | Comunicación de lo resuelto por una autoridad de cualquiera índole. | Noticia de una actitud o requerimiento particular que se transmite notarialmente. | **FICTA**. La imputada por el orden jurídico, aunque no haya existido una comunicación efectiva de la información que jurídicamente se tiene por notificada. | **POR CÉDULA**. La que debe practicarse en el domicilio de la parte interesada, por medio de un empleado del tribunal. Si no se encontrare allí la persona a notificar, la cédula se entregará a cualquier otra de la casa, y, en último término, se fija en la puerta del domicilio. | **POR EDICTOS**. La comunicación judicial que, por dirigirse a personas en rebeldía, ausentes, en ignorado paradero o por desconocimiento de quiénes puedan ser los interesados (cual en los abintestatos), se verifica mediante el sistema de información tan aleatorio que integran los *edictos* (v.). | **POR MINISTERIO DE LA LEY**. La que es atribuida por la ley, con independencia de actos que aseguren la efectividad de la notificación desde un punto de vista fáctico. Así, la inclusión de un auto judicial en un expediente puede llevar, bajo ciertas circunstancias, a que se lo tenga por notificado por ministerio de la ley, sin que el así notificado pueda alegar no haber tomado noticia efectiva del auto. | **POR NOTA**. Medio de comunicación a las partes basado en una obligación general impuesta a éstas y en una presunción de que su interés, o el de sus representantes, las habrá llevado a enterarse de las resoluciones recaídas en la causa que les atañe, y que se encuentra de manifiesto en la secretaría del respectivo juzgado o tribunal durante los días para ello señalados.

Notificar
Comunicar la resolución de una autoridad, con las formalidades y a las personas que corresponda. | Enterar; hacer saber extrajudicialmente

una determinación o hecho. | Realizar una notificación judicial o notarial.

Noto

Notificado, publicado. | Sabido. | Notorio. En estas acepciones, la voz procede del verbo latino, *noscere*, conocer.

De raíz griega es el significado de hijo bastardo o ilegítimo; y, más singularmente, de los hijos adulterinos; "y son llamados *notos*, porque semeja que son hijos conocidos del marido que los tiene en su casa, y no lo son" (Part. IV, tít. XV, ley 1ª). (V. HIJO ADULTERINO.)

Notoriamente

De modo manifiesto y patente. | Con publicidad indudable.

Notoriedad

Evidencia. | Conocimiento general y cierto. | Publicidad. | Fama, celebridad, nombradía, popularidad.| **DE DERECHO**. Prueba plena proveniente de un documento auténtico. (V. NOTORIEDAD DE HECHO.) | **DE HECHO**. Prueba cierta —hasta donde resulte posible— que procura la declaración concorde de testigos sinceros y exactos. (V. NOTORIEDAD DE DERECHO.)

Notorio

Público y de todos sabido. Los hechos *notorios* relevan de prueba; aun cuando la dificultad resida en qué ha de entenderse por ello.

Novación

Modo de extinguirse las obligaciones por transformarse, ya variando la deuda, cambiando el acreedor o por reemplazo del deudor.

Novelas

Se da el nombre de *Novelae constitutiones* a las ordenanzas y constituciones de algunos emperadores romanos, posteriores a las leyes que habían publicado éstos. Las más conocidas, y las que reciben generalmente este nombre, son las que expidió el emperador Justiniano, después de la promulgación del Código, del Digesto y de las Instituciones, para decidir las cuestiones que se le presentaban.

Novicio

El que teniendo vocación religiosa concretada con el ingreso en una orden regular, se encuentra en el período de prueba, previo a su admisión definitiva, a la formulación de los votos. | El que en un convento o monasterio se prepara para abrazar la vida religiosa.

Novísima recopilación

Cuerpo de leyes español, formado en 1802 por el relator de la Chancillería de Granada, D. Juan de la Reguera Valdelomar, publicado y en vigor desde 1805. Ha sido por tanto legislación general de España y de sus posesiones americanas, hasta la independencia de las naciones del Nuevo Mundo, en cuanto no se opusiera a las Leyes de Indias.

Núbil

Se dice de toda persona, y más especialmente de la mujer, que ha llegado a la edad en que es capaz para la procreación, para casarse: a la pubertad, calculada de los 12 a los 14 años.

Nuda propiedad

Para los romanos, la plena propiedad comprendía un complejo de facultades: el *jus utendi* (el usar de la cosa), el *jus fruendi* (a todos sus frutos), el *jus abutendi* (la potestad de abusar, muy discutida en su sentido y alcance), el *jus disponendi* (la disposición sobre el bien) y el *jus vindicandi* (el poder reivindicarla de un supuesto propietario o de un injusto poseedor). Cuando el dueño sólo tiene la disposición del bien y acción para reivindicarla de un extraño que la detenta, cuando pesa sobre la cosa el usufructo de otro, aquel primero sólo tiene la *nuda propiedad*; esto es, las atribuciones que hacen relación al dominio, pero no al goce de la cosa, y una expectativa: la de reunir en su mano el pleno dominio, una vez cumplido el plazo del usufructo o por sobrevivir al usufructuario, entre otras causas.

Nudo propietario

La persona que sólo tiene la nuda propiedad de una cosa, el dominio de un bien sobre el cual pesa un derecho de usufructo, de uso o de habitación.

Nuera

La mujer del hijo, con respecto a los padres de éste, y suegros de aquélla, entre los cuales el parentesco es el de afinidad en primer grado y en línea recta.

Nueva recopilación

La obra compiladora de diversos autores que, luego de aprobada por el Consejo de Castilla, fue promulgada por Felipe II en 1567, con el nombre de *Nueva Recopilación de las Leyes de España*, único ensayo legislativo general entre las Leyes de Toro y la Novísima Recopilación, y que vino a reemplazar el *Ordenamiento de*

Montalvo, dispuesto por los Reyes Católicos y por ellos sancionado en 1484, con el nombre de *Ordenanzas reales de Castilla*.

Nuevo Derecho

Expresión que sirve para calificar las transformaciones experimentadas por el Derecho positivo y la evolución de alguna rama jurídica o de determinada institución.

Nulidad

Carencia de valor. | Falta de eficacia. | Incapacidad. | Ineptitud. | Persona inútil. | Inexistencia. | Ilegalidad absoluta de un acto. La *nulidad* puede resultar de la falta de las condiciones necesarias y relativas, sea a las cualidades personales de las partes, sea a la esencia del acto; lo cual comprende sobre todo la existencia de la voluntad y la observancia de las formas prescritas para el acto. Puede resultar también de una ley. Los jueces no pueden declarar otras *nulidades* de los actos jurídicos que las expresamente establecidas en los códigos. | **ABSOLUTA**. La del acto que carece de todo valor jurídico, con excepción de las reparaciones y consecuencias que por ilícito o dañoso puede originar. | **DEL MATRIMONIO CIVIL**. Declaración hecha por un juez o tribunal, por la cual se decide que un matrimonio supuesto es inexistente, por adolecer de alguno de los vicios que lo invalidan, que le impiden crear el nexo conyugal. | El estado matrimonial que carece de validez. | Causa que determina tal ineficacia. | **PROCESAL**. La que pesa sobre los actos realizados en el curso de un proceso; implica privar de efectos a tales actos. | **RELATIVA**. La que ha de ser alegada y probada por ciertas personas para que la invalidación surta efecto. En oposición a la *nulidad absoluta* (v.), la *nulidad relativa* sólo puede alegarse por aquellos en cuyo beneficio la han establecido las leyes, como los incapaces o los que han sufrido un vicio de la voluntad. No puede ser declarada de oficio por el juez. Cabe subsanarla por la *confirmación* (v.), porque sus defectos no son substanciales en absoluto, ni de orden público inexcusable.

Nullíus

Dícese de las cosas carentes de dueño y que pertenecen al primer ocupante.

“Nullum crimen, nulla poena sine praevia lege”.

Loc. lat. Ningún delito ni pena sin ley previa.

Numerario

Del número o relativo a éste. | Dinero efectivo; moneda acuñada. (V. DINERO.)

Nuncio

El que transmite un aviso o noticia. | El enviado para entregar algo al destinatario. | Representante diplomático pontificio ante un gobierno. Equivale al *embajador* de los Estados laicos y goza de sus prerrogativas.

En esta última acepción se lo llama también, de modo solemne, *nuncio apostólico*.

El *nuncio* suele ser considerado en los países católicos como el decano del cuerpo diplomático del Estado en que ejerza sus funciones.

“Nuncupatio”

Voz lat. Declaración oral.

Nuncupativo

Se aplica al testamento hecho de viva voz; y también, al abierto.

Nupcialidad

Proporción de matrimonios en tiempo o lugar determinado. Junto con la natalidad y la mortalidad, la *nupcialidad* constituye el índice de mayor relieve en el crecimiento de la población.

Nupcias

Boda o bodas, casamiento; ceremonia matrimonial en su conjunto civil, religioso y de celebración familiar. Suele usarse de este vocablo para designar el número de matrimonios que ha celebrado una persona; como *primeras nupcias* y, mucho más aún, *segundas nupcias* o *ulteriores nupcias*.

Ñ

Ñ

Dentro del abecedario español, la decimoquinta letra y decimosegunda consonante. Debe advertirse que no es Ñ, sino *N* con una raya superpuesta, el valor numérico romano que para unos significa 90.000 y para otros 900.000.

Ñapa

En Cuba, pequeña dádiva que, además de la mercadería, entrega el vendedor al comprador, por haberlo preferido entre los demás, y para convertirlo en cliente habitual. | En Colombia y Venezuela, aldehala, añadidura. | Propina.

Ñifle

Argucia judicial, según el *Espasa*, utilizada para negar, denegar o desentenderse de un asunto, en uso alternado con *ñafle*. Lo refiere a deudores insolventes que, urgidos por sus acreedores o por el juez, se defienden con el *ñifle* y el *ñafle*, hasta que los declaran tontos o sordos, y así quedan libres y triunfantes.

Ñoñería o **Ñoñez**

Tontería, ingenuidad. | Cosa sin sustancia.

Ñudo

Este sinónimo de nudo entra en un refrán de relieve para la virtud del ahorro y para la discreción en general cuando recomienda: "un *ñudo* a la bolsa y dos a la boca". En la Argentina, el modo adverbial *al ñudo* significa lo inútil o superfluo de algún intento o proceder.

O

O

Decimosexta letra española en el orden alfabético, y cuarta en el de las vocales. | Como círculo perfecto a veces, la *O* simboliza la *eternidad* (sin principio ni fin, como ese trazo ya completo) y la personificación divina. | Entre los romanos valía 11; y 11.000, con una raya superpuesta. | En los libros y documentos del comercio es abreviatura de *orden*. | En textos romanos se usa para significar *obras, ornamento, oficio, orden* y *"omnis"* (todo).

Obcecación

Estado del espíritu que, ofuscado duradera y tenazmente, lleva a la alteración del verdadero ánimo o propósito, sin que resulte fácil señalar el porqué de los impulsos, modificadores incluso de la propia conciencia de los actos. Este sentimiento, perjudicial en los negocios y en casi todas las relaciones de la vida, por la desventaja crítica en que sitúa, se torna atenuante en lo penal, e incluso eximente en algunos ordenamientos criminales.

Obediencia

Ejecución de la voluntad de quien manda, dentro de la esfera de su competencia o jurisdicción. | Acatamiento. | Sometimiento, sumisión. | Cumplimiento de una orden, ley u otro precepto imperativo, ya por la conciencia del deber o por la coacción moral que el castigo, ante la pasividad o rebeldía, origina. | **CIEGA**. La que cumple inflexiblemente la orden, sin examinar su licitud ni sus razones. | **DEBIDA**. La que se rinde a un superior jerárquico y descarga de culpa cuando no se trata de un delito evidente.

Obispo

Prelado superior de una diócesis, legítimamente consagrado, a cuyo cargo está la dirección espiritual y el gobierno eclesiástico de los fieles de su distrito.

Óbito

Fallecimiento, defunción de una persona. (V. MUERTE.)

Objetividad

Actitud crítica imparcial que se apoya en datos y situaciones reales, despojada de prejuicios y apartada de intereses, para concluir sobre hechos o conductas.

Objeto

Intelectualmente, cuanto puede constituir materia de conocimiento o de sensibilidad por parte de un sujeto, incluso él mismo. | Todo lo que tiene existencia sensible; lo que los sentidos humanos pueden percibir. | Asunto,. materia. | Cosa, especialmente la material; y más aún si es mueble. | Fin, propósito, empeño, finalidad, intento, objetivo. | Contenido de una relación jurídica. (V. OBJETO DEL DERECHO.) | Materia y sujeto de una disciplina científica; que se diferencia en *objeto material*, o asunto sobre que versa (la enfermedad en la medicina; los cuerpos en la química), y el *objeto* formal, el fin que persiguen (la curación en el primer ejemplo; el aprovechamiento en el segundo). (V. COSA, SUJETO.) | **DE LA OBLIGACIÓN**. La prestación o hecho y la abstención u omisión que una o ambas partes establecen como contenido de este nexo jurídico. | **DE LOS CONTRATOS**. Declara sobre el tema el Código Civil argentino que "toda especie de prestación puede ser *objeto de un contrato*, sea que consista en una obligación de hacer, sea que consista en la obligación de dar alguna cosa, y, en este último caso, sea que se trate de una cosa presente o de una cosa futura, sea que se trate de la propiedad, del uso o de la posesión de la cosa" (art. 1.168). | **DEL ACTO JURÍDICO**. En la amplia enumeración del Código Civil argentino, tal posibilidad de contenido abarca esta escala de posibilidades: 1º) cosas que estén en el comercio; 2º) aun no estando en el comercio, que no estén prohibidas; 3º) hechos no imposibles ni ilícitos ni inmorales; 4º) hechos no prohibidos (redundancia de lo anterior); 5º) hechos no contrarios a la libertad de la conciencia o de las acciones; 6º) hechos que no perjudiquen a un tercero en sus derechos. (V. OBJETO DE LOS CONTRATOS.) | **DEL DERECHO**. Las personas, las cosas y las acciones, en toda su complejidad, constituyen el *objeto del Derecho*, o de las relaciones jurídicas. | **MATERIAL DEL DELITO**. Afirma Carrara que el *objeto del delito* no es ni la *cosa* ni el *hombre* sobre los que se ejercita la acción criminal, pues el delito no se persigue como *acto material*, sino como *ente jurídico*, y de ahí que la acción material tendrá por *objeto* la *cosa* o el *hombre*, mientras que el *ente jurídico* no puede tener por *objeto* sino una *idea*: el *derecho* violado que la ley protege mediante una prohibición. | **SOCIAL**. Cláusula de los contratos de sociedad en la que se establece cuáles serán las actividades a las que ha de dedicarse la sociedad.

Obligación

Derecho y *obligación*, términos a la vez antitéticos y complementarios, resumen en sí todas las relaciones y aspectos jurídicos; de ahí la complejidad de su concepto y la dificultad de una exposición adecuada, y más aún en espacio reducido. La etimología orienta bastante en la noción de esta voz, de origen latino: de *ob*, delante o por causa de, y *ligare*, atar, sujetar, de donde proviene el sentido material de ligadura; y el metafórico, y ya jurídico, de nexo o vínculo moral.

La *obligación* es un precepto de inexcusable cumplimiento; como el servicio militar, por ejemplo, allí donde es imperativo al alcanzar determinada edad, y en las condiciones establecidas. | Deber, como la obediencia al superior. | Carga, tarea, función exigida por ley, reglamento o naturaleza del estado o situación; como las *obligaciones* de los cónyuges, que no son objeto, en lo fundamental, de ningún convenio; o las de los hijos en que por nacer se encuentran a lo mejor en la *obligación* de obedecer a los padres. | La existencia moral que debe regir la voluntad libre. | Gratitud o correspondencia ante un beneficio recibido.

Más estrictamente, en lo jurídico, el vínculo legal, voluntario o de hecho que impone una acción o una omisión. Con mayor sujeción a la clasificación legal: el vínculo de Derecho por el cual una persona es constreñida hacia otra a dar, a hacer o a no hacer alguna cosa. | **A DÍA.** (V. OBLICACIÓN A PLAZO.) | **A PLAZO**. Aquella cuyo cumplimiento depende de un día, determinado o indeterminado, pero cierto. | **A TÉRMINO**. (V. OBLIGACIÓN A PLAZO.) | **ACCESORIA**. La subordinada a otra, llamada *principal*, o la que acompaña a ésta para complemento o garantía. | **ALTERNATIVA**. La que tiene por objeto dos o más prestaciones, independientes y distintas unas de otras en el título, de modo que la elección, que debe hacerse entre ellas, quede desde el principio indeterminada. | **APLAZADA**. Significa lo mismo que *obligación a plazo*. | **BAJO CONDICIÓN RESOLUTORIA**. Es aquella en que las partes subordinan a un hecho futuro e incierto la resolución de un derecho adquirido. | **BAJO CONDICIÓN SUSPENSIVA**. La que debe existir, o no, según que un acontecimiento futuro e incierto suceda o no suceda. | **BILATERAL**. (V. OBLIGACIÓN RECÍPROCA.) | **CIVIL**. En el Derecho Romano, la *obligación* cuya validez estaba reconocida y se encontraba sancionada por una acción a favor del acreedor. | En la época justinianea, la *obligación* sancionada por el Derecho Civil, en oposición del Derecho pretorio. | La que da derecho a exigir su cumplimiento; la que permite ejercer una acción en caso de incumplimiento, ya para restablecer la situación o para obtener el resarcimiento consiguiente. | La exigible legalmente, pero no valedera en conciencia. | **COMPUESTA.** La que consta de diversas prestaciones, de ejecución única, por la elección que entre ellas se haga, en cuyo caso se denomina *obligación alternativa* (v.). | **COMÚN.** La que, en concurso con otras, no goza de preferencia alguna en contraposición a la *obligación privilegiada*. (V. COMÚN, CRÉDITO QUIROGRAFARIO, PRELACIÓN DE CRÉDITOS, PRIVILEGIO.) | **CON CLÁUSULA PENAL**. Aquella en que una persona, para asegurar el cumplimiento de una *obligación*, se sujeta a una pena o multa en caso de retardar o de no ejecutar lo debido. | **CONDICIONAL**. La que depende de un acontecimiento futuro e incierto, que puede producir la adquisición de un derecho o la resolución del ya adquirido. | **CONJUNTIVA** o **CONJUNTA**. Variedad de las *obligaciones compuestas* (v.), en que un mismo deudor está obligado a varias prestaciones, todas ellas exigibles, y que guardan cierta relación entre sí o han sido objeto de un mismo negocio jurídico, siempre que ello sea compatible. | **CONTRACTUAL**. La obligación establecida por convenio; el contrato, sencillamente. | **DE BUENA FE.** La fundada en el respeto que la palabra ajena merece y en el compromiso de honor que la dada por uno impone. | **DE ESTRICTO DERECHO**. La que ha de cumplirse e interpretarse con arreglo a los términos mismos de la ley que la impone o de la voluntad declarada de las partes que la constituyen. (V. OBLIGACIÓN DE BUENA FE.) | **DE DAR**. Aquella por la cual uno se compromete a entregar una cosa a otro, o a transmitirle un derecho. | **DE HACER**. Aquella cuyo objeto consiste en realizar un acto o en prestar un servicio. | **DE NO DAR**. Modalidad negativa de no hacer, concretada a la abstención de la entrega de una cosa determinada. | **DE NO HACER**. La que constriñe a abstenerse de realizar algo o de prestar algún servicio; y también la que prohíbe entregar una cosa. | **DE TRACTO SUCESIVO**. La que envuelve prestaciones prolongadas necesariamente en el tiempo; como las de trabajo, sociedad, arrendamiento. | **DE TRACTO ÚNICO**. Aquella en que el cumplimiento es instantáneo, de modo tal que, de no realizarse, se está ante el desistimiento de la mora. | **DIVISIBLE**. La que tiene por objeto una prestación susceptible de cumplimiento parcial, por consistir en una ejecución, entrega o abstención donde resulte posible la división material o mental de lo exigible del deudor. | **FACULTATIVA**. La que teniendo por objeto una sola prestación, da al deudor la facultad de sustituirla por otra, expresamente determinada. | **ILÍQUIDA**. La que recae sobre sumas de dinero o cosas que no están determinadas, o cuya prestación sólo cabe fijar mediante estimación o avalúo. | **IMPERFECTA**. La no exigible legal ni judicialmente, porque sólo constituye constreñimiento moral, como la de socorrer al prójimo necesitado o la de agradecer los servicios y favores recibidos. (V. OBLIGACIÓN PERFECTA.) | **IMPOSIBLE**. La de ejecución fuera de los medios o fuerzas del hombre, o por absurda en sí; como serían la de evitar un hecho consumado, la de volar una persona por sus solos elementos naturales, la de derribar una cordillera y cualquier otro despropósito parecido. | **INDIVIDUAL**. La que comprende un solo deudor y un solo acreedor. "Las *obligaciones* divisibles, cuando hay un solo acreedor y un solo deudor, deben cumplirse como si fuesen *obligaciones* indivisibles". | **INDIVISIBLE**. La que tiene por objeto una prestación (un hecho, una abstención o una cosa) que no puede ser cumplida sino por entero, por no admitir división material ni intelectual. | **LÍCITA**. La conforme a la ley y a las buenas costumbres. | **LITERAL**. La que consta por escrito. | **MANCOMUNADA**. En sentido amplio, la *obligación colectiva*; o sea, aquella en la cual existe pluralidad de deudores o de acreedores, o de ambas categorías de sujetos. | **MERCANTIL**. La prestación, entrega o abstención debida por el deudor o exigible por el acreedor cuando constituye *acto de comercio* (v.). | **MODAL**. Aquella en que el deudor entrega una cosa con determinada carga para quien la recibe; o también la prestación que entraña un servicio también para un tercero o para un grupo social. (V. CONDICIÓN, MODO, OBLIGACIÓN CONDICIONAL.) | **NATURAL**. La que refiriéndose a relaciones jurídicas, lícitas en conciencia, no es exigible legalmente, por carecer de acción que la ampare, sin que ello excluya la producción de determinados efectos en Derecho. | **NEGATIVA**. La que consiste en una abstención u omisión. | **NULA**. La que no surte efecto, ya sea por la inexistencia, ilicitud o imposibilidad de su objeto. | **PERFECTA**. La consistente en la actividad de una persona, ya sea una prestación de servicio, ya una abstención, ya la entrega de una cosa. Se contrapone a la *obligación real*. | **POSITIVA**. Aquella en que el obligado debe dar una cosa o realizar una prestación. | **PRINCIPAL**. Este concepto requiere dos circunstancias: la dualidad al menos de *obligaciones*, o su pluralidad mayor; y la subordinación entre ellas. | **PURA**. La prestación que no depende de condición, plazo, ni modo; la exigible desde luego. | **PUTATIVA**. La que contraída de buena fe, y aun sin constancia del título, se considera existente. | **SIMPLEMENTE MANCOMUNADA**. (V. OBLIGACIÓN MANCOMUNADA.) | **SINALAGMÁTICA**. Denominación impugnada por lo general para referirse a la *obligación* que, unilateral en un principio, puede convertirse por alguna circunstancia ulterior en bilateral. (V. OBLIGACIONES RECÍPROCAS.) | **SOLIDARIA**. Aquella cuyo objeto, por expresa disposición del título constitutivo o por precepto de la ley, puede ser demandado totalmente por cualquiera de los acreedores o a cualquiera de los deudores. | **SUBSIDIARIA**. (V. OBLIGACIÓN ACCESORIA.) | **UNILATERAL**. La que constituye a una parte en deudora de otra, sin reciprocidad siquiera parcial. | **VOLUNTARIA**. La constituida espontáneamente por las partes, cuyo ejemplo típico suele ser el contrato.

Obligaciones

La familia que uno mantiene. | Más especialmente, la constituida por la mujer, los hijos y otros parientes a cargo del cabeza de familia. | Compromisos sociales; sobre todo los que determinan gastos suntuarios. | **CONEXAS**. Las derivadas de un mismo negocio jurídico, ya consideradas en una parte, ya en la interdependencia mutua. | **DE COMPAÑÍAS MERCANTILES**. Los títulos, casi siempre amortizables, nominativos o al portador y productores de interés fijo, representativos de una cantidad prestada para constituir una sociedad o para otro de sus fines, y exigible a ésta de acuerdo con las condiciones de la emisión. | **DEL TESORO**. Los títulos al portador representativos de la *deuda pública*. | **RECÍPROCAS**. Relación jurídica en que existen prestaciones por ambas partes, que se constituyen, por tanto, en deudora y acreedora cada una de la otra.

Obligado

Lo mismo que *deudor* (v.), en el sentido amplio de sujeto pasivo de una obligación.

Obligarse

Comprometerse a cumplir algo. | Contraer voluntariamente una obligación.

Obligatorio

Lo que ha de hacerse, ejecutarse, cumplirse u omitirse en virtud de disposición de una ley, compromiso privado, orden superior o mandato de autoridad legítima, y dentro de sus atribuciones.

Obra

Cosa hecha o producida por un sujeto o agente. | Producción intelectual. | Trabajo material. | Edificio en construcción. | Reparación o reforma de éste. | Medio o poder. | Libro, en uno o más volúmenes, con unidad de tema. | Labor de artesano. | Acción moral. | En lo canónico, *derecho de fábrica*.| **ANÓNIMA**. La literaria, científica o artística cuyo autor no es conocido; o la dada a la publicidad con ocultación completa del nombre. | También la publicada con seudónimo que no está aclarado. | **NUEVA**. La construcción que se realiza sobre cimientos nuevos. | También, la que se verifica sobre cimientos viejos, si se muda la fachada y la forma que antes tenía. | **RUINOSA**. La que por vieja data, mala construcción, conservación deficiente o causa fortuita amenaza ruina.

Obrar

Hacer. | Trabajar. | Surtir o causar efecto. | Edificar, construir. | Estar o existir una cosa en determinado lugar; como al decir que la prueba *obra* en autos.

Obrerismo

Régimen social, ya por predominio de lo económico o de lo político, en que los obreros o trabajadores manuales ejercen el poder o influyen decisivamente en él como productores de la riqueza y por sus organizaciones eficientes. | Los obreros en su consideración de fuerza o entidad económica. | Alarde de preocupación por las reivindicaciones obreras por personajes o partidos que en el fondo halagan tales pasiones para conquistar el poder o mantenerse en éste.

Obrero

Quien obra o trabaja. | ant. El que hacía una cosa cualquiera. | Trabajador manual retribuido. | Trabajador en general; es decir, no sólo el que realiza labores mecánicas, sino también el que cumple tareas o funciones intelectuales y de dirección.

Obscenidad

Impudor. | Lascivia. | Ofensa para la moral en lo que al sexo y a la sensualidad concierne. | Cosa obscena; sea dicho o hecho.

Obscuridad de las leyes

La mala redacción del legislador, cuando crea confusiones acerca del alcance de un texto positivo, no excusa a los jueces de su aplicación. Cuenta para ello con la libertad interpretativa máxima; y, de refugiarse en la *obscuridad legal*, para no dictar resolución, incurren en responsabilidad penal.

Observancia

Fiel ejecución de lo mandado por superior, ordenado por autoridad o impuesto por la ley. | Subordinación a jefes y mayores.

Obstrucción

Impedimento para la acción o la función. | Obstáculo que impide la circulación o el curso de algo. | En Derecho Político, y con referencia a las asambleas deliberantes en especial, se expresa con esta palabra los obstáculos y dilaciones que los grupos, minorías o partidos disidentes con el gobierno, oponen a la labor de éste, principalmente en el Parlamento, con el fin de impedir la marcha normal de los debates y el desenvolvimiento de las reformas legislativas.

Ocasión

Oportunidad. | Comodidad o coyuntura favorable para algo, sea bueno o malo, desde el punto de vista de cada agente. | Peligro, riesgo. | Causa de hecho o acción. | ant. Defecto o vicio corporal.

Ocasional

Lo que ocasiona o causa. | Producido por la ocasión. | Sin habitualidad. | Por accidente.

Ociosidad

Estado del que no quiere, no puede o no tiene por qué trabajar. | Inactividad. | Descanso. | Holgazanería. | Pérdida o derroche del tiempo.,

Oclocracia

Gobierno de la plebe. | Influjo decisivo de la multitud o de las turbas en la vida pública. Constituye una degeneración de la democracia.

Ocultación

Escondimiento. | Encubrimiento. | Disimulo. | Silencio; reserva de lo que se podía o debía manifestar.

Ocultación de bienes

Implica su sustracción a la posibilidad de conocimiento de terceros interesados, a fin de evitar, en forma ilícita, la recuperación por sus legítimos dueños o el pago de deudas que dichos bienes garantizarían.

La *ocultación de bienes*, sancionada como delito por el Derecho Penal, puede hacerse efectiva tanto dentro de la esfera del Derecho Civil como de la del Derecho Comercial. Precede, por lo general, al incumplimiento de la obligación de restituir o de abonar deudas. Muchas veces es un paso previo a la cesación de pagos y presenta el carácter doloso de una sustracción de bienes y valor al total del acervo con que se debe responder a la masa de acreedores.

Otras *ocultaciones de bienes* sancionadas en lo civil, en lo penal o la administración son las de cosas y derechos en las sucesiones; en las declaraciones juradas, con miras a impuestos, y en lo que sale de un país o entra en él y se encuentra sometido al pago de derechos de importación y hasta al de exportación.

Ocupación

Toma de posesión de algo. | Apoderamiento de una cosa. | Obtención de un cargo o dignidad. | Trabajo; tarea. | Encargo o cuidado que no deja tiempo libre. | Oficio, profesión. | Hecho de habitar en una casa. | Acción de llenar un lugar. | Conquista de una plaza, territorio o país, que es modo de adquirir soberanía. | En el Derecho Civil, modo originario de adquirir la propiedad mediante la aprehensión o apoderamiento de una cosa que carece de dueño, por no haberlo tenido nunca, por haber hecho abandono de aquélla su último propietario o por haber fallecido éste sin herederos.

Ocupante

El que ocupa. | Quien conquista una plaza o territorio. | La fuerza que ejerce la autoridad sobre el suelo conquistado. | Quien se apodera de lo carente de dueño. | Propietario por *ocupación* (v.).

Ocupar

Tomar posesión de una cosa. | Apoderarse de un bien. | Conquistar una posición, una plaza, un país. | Lograr un empleo o cargo. | Conseguir un mayorazgo. | Poner algo que cubra un espacio vacío. | Habitar una casa; vivir en ella como inquilino o usuario. | Dar trabajo; señalar tarea. | Dar motivo de pensamiento o preocupación. | Estorbar, molestar.

Ocurrencia

Suceso, acontecimiento, ocasión o encuentro fortuito. | Hecho o declaración inesperada y por lo general ingeniosa. | **DE ACREEDORES**. Juicio que éstos siguen entre sí para cobrarse de los bienes del deudor que hizo concurso, y repartírselos entre ellos.

Ofender

Herir. | Maltratar. | Dañar. | Agraviar. | Calumniar. | Injuriar. | Insultar. | Vejar. | Disgustar. (V. OFENSA.)

Ofendido
Víctima de una ofensa. | El demasiado suspicaz que se da infundadamente por agraviado. | Víctima del delito.

Ofensa
Acción o efecto de ofender y de ofenderse. | Herida. | Maltrato. | Lesión. | Daño. | Agravio. | Calumnia. | Difamación. | Injuria. | Insulto. | Falta del respeto o de la consideración debidos. | Vejamen. | Desaire. | Disgusto. | Enfado.

Ofensor
Autor de una ofensa.

Oferta
Propuesta o promesa de dar, hacer, cumplir, ejecutar. | Iniciativa contractual. | Objeto o cosa que se da como regalo. | Mercadería que se propone en venta.

Oferta a personas indeterminadas
Oferta de contrato dirigida a terceros en general y no a personas determinadas. Según las circunstancias y el contenido de la oferta, puede o no resultar vinculante para la persona que la emite.

Oferta pública
La que se dirige al público en general o a un conjunto amplio y relativamente abierto de posibles interesados.

Oficial
Como adjetivo: de oficio; procedente de una autoridad, en el ejercicio de sus atribuciones; y como contrapuesto a lo privado o particular. | A veces se emplea por oficioso. | **DE JUSTICIA**. En sentido amplio, todo funcionario de la administración de justicia, desde el juez al alguacil. | Más habitualmente se reserva esta denominación para los auxiliares que cumplen las órdenes o ejecutan los mandamientos de los jueces y tribunales; como los alguaciles, ujieres y otros subalternos que embargan, desahucian, notifican, emplazan y realizan los demás actos que a una causa interesen.

Oficio
Ocupación habitual. | Profesión mecánica o manual. | Cargo, ministerio, empleo. | Comunicación escrita sobre asuntos de una oficina pública. | Más especialmente, la que se dirigen unas autoridades a otras, o diversos funcionarios entre sí, por cuestiones relativas a sus cargos y funciones. | Gestión provechosa. | Acción perjudicial. | Oficina o lugar de trabajo de un empleado.

Oficioso
Activo, diligente. | Laborioso. | Entrometido en asuntos ajenos. | Benévola gestión diplomática. | Lo que manifiesta un gobierno o autoridad sin comprometer su actitud de modo definitivo, a diferencia de lo plenamente oficial.

Ofrecimiento de pago
Una de las formas que facilitan y anuncian la extinción de las obligaciones y por la forma más natural: la ejecución de lo debido o pendiente de cumplimiento, por iniciativa del obligado.

Exprésase que consiste en la declaración de voluntad del deudor, dirigida a su acreedor, de estar dispuesto al cumplimiento de lo debido y exigible. Tal *ofrecimiento* es previo a la *consignación* (v.), pero no inseparable. Si el acreedor acepta lo ofrecido y ello satisface la obligación, ésta se extingue. Si se rechaza lo ofrecido y el deudor desiste de consignar, esa actitud no libera. Por último, no siempre cabe cumplir por consignación, factible en las obligaciones de dar, pero imposible en las de hacer, a veces, si el acreedor se opone, como realizar un trabajo en una propiedad suya cuyo acceso impide.

El *ofrecimiento*, que para el deudor tiene la desventaja de un reconocimiento más de su obligación, le brinda el relevarlo de mora y los perjuicios consiguientes, como el devengo de intereses.

Ofrecimiento de prueba
Acto procesal mediante el cual las partes declaran cuáles serán las pruebas de que harán uso a fin de fundamentar sus pretensiones.

Ofuscación u **Ofuscamiento**
Confusión de las ideas, por oscuridad de la razón. Constituye estado de ánimo similar a la *obcecación*.

Oidor
Quien oye o escucha. | Ministro togado que en las antiguas audiencias del reino *oía* y sentenciaba en las causas civiles llevadas ante él. Equivale al actual magistrado. (V. AUDITOR, VEEDOR.)

Oligarquía
De las palabras griegas *ilogos*, pocos, y *arché*, poder; el gobierno de pocos. Para Aristóteles, la *oligarquía* es la degeneración de la *aristocracia* (v.) como forma de gobierno. | En la actualidad, por *oligarquía* se entiende el usu-

fructo del poder público por unas cuantas familias o grupos de poderosos negociantes, que transforman en industria y lucro el desempeño de las funciones públicas supremas.

Ológrafo u Holográfo

Una u otra forma, aun cuando la primera ortografía predomine sin duda ahora, provienen de dos voces griegas que significan *solo* y *escribir*; o sea, lo escrito por su propia mano. | Manuscrito. | Autógrafo. | Aplícase por antonomasia al testamento o memoria testamentaria escrita exclusivamente de puño y letra del testador, y sin intervención alguna de notario u otra persona que dé fe del acto ni del pliego en que está contenida la diposición de última voluntad. (V. TESTAMENTO OLÓGRAFO.)

Ombudsman

Funcionario que, en diversos sistemas jurídicos, es designado por el Parlamento o por voto popular, con el fin de ejercer funciones de control sobre los organismos administrativos y propender a la efectividad de los derechos constitucionales de la ciudadanía.

Omisión

Abstención de hacer; inactividad; quietud. | Abstención de decir o declarar; silencio, reserva; ocultación. | Olvido. | Descuido. | Falta del que ha dejado de hacer algo conveniente, obligatorio o necesario en relación con alguna cosa. | Lenidad, flojedad del encargado de algo. (V. ACCIÓN, DILIGENCIA.) | **DOLOSA**. La que no se debe a simple olvido, desidia o negligencia, sino que es voluntaria y dirigida a la producción de un resultado perjudicial para otro, que debía evitar o que se estaba obligado a impedir; en el primer caso sin riesgos para uno, y en el segundo, aunque fuere peligroso.

"Omnis definitio in jure periculosa est"

Regla del Derecho Romano, de gran aplicación actual en el Derecho positivo, con la cual se establece que toda definición es peligrosa en Derecho.

Oneroso

Gravoso. | Molesto. | Incómodo. | Lo que supone gravamen, carga u obligación. | Conmutativo, o con recíprocas prestaciones. | En las relaciones y negocios jurídicos, lo opuesto a *lucrativo* (v.); lo que incluye, compensado o no, obligación positiva o negativa.

"Onus probandi"

Loc. lat. Carga de la prueba (v.).

Opción

Facultad de elegir o escoger. | Elección o escogimiento. | Derecho a un puesto o cargo. | Convenio en que, dentro de determinadas cláusulas, queda al arbitrio de una de las partes ejercer un derecho, realizar una prestación o adquirir una cosa.

"Ope legis"

Loc. lat. Por obra de la ley; en virtud de ella. (V. LEY.)

Operación

Obra. | Ejecución. | Maniobra. | Intervención quirúrgica. La proveniente de accidente del trabajo o de enfermedad profesional corre a cargo del empresario o patrono. | Negociación sobre valores, especialmente si se celebra en bolsa. | Contrato sobre mercaderías. | Negocio. | Ingreso o retiro de fondos en un banco; o cualquier acto relativo a intereses entre la institución y sus clientes o el público en general. | Empréstito, emisión de acciones u obligaciones o cualquier oferta hecha al crédito público. | **DE BOLSA**. Cualquiera de las oficialmente realizadas en este establecimiento público de comercio; y más particularmente aún, aquella en que interviene con su carácter peculiar un agente de cambio y bolsa.

"Operae"

Tecnicismo romano: servicios o prestaciones personales.

Operario

Obrero. | Trabajador manual. | En algunas órdenes religiosas, el sacerdote a quien se confía la confesión y asistencia de enfermos y moribundos.

Opinión

Parecer, concepto, juicio, dictamen acerca de alguna cosa o asunto. | Fama, idea que merece algo o alguien. | **COLECTIVA**. El parecer público predominante en un núcleo social homogéneo, organización o clase. | **DE LOS JURISCONSULTOS** o **DE LOS AUTORES**. En la ciencia del Derecho, y más singularmente en la teoría de las fuentes de éste, se da una u otra de estas denominaciones a los distintos dictámenes, decisiones o corrientes del pensamiento de los teóricos o de los prácticos del Derecho, acerca de los casos dudosos que plantean las leyes y la falta de ellas. | **PÚBLICA**. Sentir general que se manifiesta coincidente acerca de muy diversos asuntos y por muy distintos medios: el comentario en los círculos particulares, en las reuniones, manifestaciones y asambleas, en la prensa, la radio y demás órganos de publicidad y de la relación social.

Oposición

Impedimento, estorbo, obstáculo. | Contrariedad. | Repugnancia entre dos cosas. | Contradicción. | Resistencia. | Argumentación o razonamiento en contra. | Impugnación. | Ataque dialéctico. | Concurso o competencia, que determina exclusiones o preferencias, entre los pretendientes o aspirantes a una cátedra, prebenda, cargo o destino, por medio de actos o ejercicio (verbales, escritos y prácticos) que ponen de manifiesto los conocimientos, aptitudes y méritos para conseguir lo pretendido.

En lo procesal, acto cuyo objeto consiste en que no se lleve a efecto lo que otro se propone, vaya esto en perjuicio de uno mismo o de otro.

Oposición de acreedores

Facultad que las leyes mercantiles reconocen a los acreedores para oponerse a distintos actos que puedan afectar el patrimonio de su deudor, actos que no podrán ser realizados sin desinteresar o garantizar adecuadamente a tales acreedores. Esos actos pueden consistir en transferencias de fondos de comercio, fusiones, escisiones, transformaciones, reducciones de capital, etcétera.

Oposición procesal

Acción y efecto de impugnar un acto o conjunto de actos, mediante recurso, incidente, querella, tacha u otra vía conducente, demandando su invalidación (Couture). En ese sentido se habla de *oposición a la demanda*, de *oposición a la reconvención*, de *oposición al recurso*, de *oposición a la ejecución*, etcétera.

Opresión

Sujeción. | Mando riguroso. | Tiranía. | Vejamen. | Aflicción.

Optar

Elegir entre varias cosas una. | Escoger entre el cumplimiento del contrato convenido o desistir de las condiciones estipuladas. (V. CLÁUSULA RESOLUTORIA.) | Tomar posesión del puesto o dignidad a que se tiene derecho.

Oráculo

Respuesta divina transmitida por medio de sus sacerdotes.

Oral

De palabra; de viva voz. | De boca en boca, como la *tradición oral*. (V. JUICIO ESCRITO y ORAL.) | Se contrapone especialmente a *escrito* en ciertas materias como los exámenes y los testimonios.

Oratoria forense

La exigida o practicada ante los tribunales de justicia, en las vistas o audiencias en que, lista para sentencia la causa, las partes o, con mayor frecuencia, sus letrados, resumen ante el juez o los magistrados los hechos, las pruebas y los fundamentos de Derecho que apoyan su tesis y su petición de condena o absolutoria.

Orden

En su ya antigua, pero siempre notable obra, el *Diccionario de legislación y jurisprudencia*, Escriche cita estas acepciones de la compleja voz *orden*, a la vez masculina, femenina y ambigua según los casos: en política, cada uno de los cuerpos o brazos que componen un Estado; como entre los romanos el *orden de los caballeros* o el *orden de los plebeyos*. | En el comercio, el endoso o escrito breve que se pone al dorso o en el cuerpo de vale o pagaré negociable, o de una letra de cambio, para transmitir su propiedad a otra persona. | En términos jurídicos generales, el mandato del superior que debe ser obedecido, ejecutado y cumplido por los inferiores o subordinados. | Comisión o poder que se da a alguna persona para hacer una cosa; como al agente, procurador, mandatario o comisionista. | Mandamiento expedido por un tribunal. | Graduación o arreglo de los diferentes acreedores de un mismo deudor, para hacerse pago con el producto de los bienes de éste, según la *prelación de créditos* (v.). | Beneficio del fiador para no ser reconvenido por el acreedor sin que primero se haga excusión de los bienes del deudor principal. (V. BENEFICIO DE EXCUSIÓN.) | Serie o sucesión de instancias o demandas según los grados (antes tres y ahora dos) en que pueden introducirse. | En lo canónico, uno de los sacramentos instituidos por Jesucristo, que convierte a los varones en ministros del Señor.

Cabe agregar varios significados más: colocación o situación de cosas en su lugar. | Regla, modo o norma de acción. | Situación, estado de cosas. | Buena disposición, concierto, proporción. | Normalidad basada en la libertad y en la justicia en que vive un pueblo. | Relación entre cosas. | Serie o sucesión de hechos. | Instituto creado para recompensar con condecoraciones méritos de guerra u otros. | Institución religiosa donde se hace vida común, sometida a una disciplina, aprobada por las autoridades eclesiásticas y que se propone algún fin especial al servicio de Dios o de la salvación de los hombres. | **DE COMPARECENCIA**. Mandamiento que expide la autoridad competente para que una persona se presente, con objeto de efectuar ciertas diligencias o trámites pendientes. (V. CITACIÓN, COMPARECENCIA, EMPLAZAMIENTO.) | **DE DETENCIÓN**. Mandato de la autoridad judicial o de la gubernativa que ordena privar a una persona de su libertad, para lo cual ha de ser buscada en su domicilio u otro lugar donde pueda encontrarse, conminarle la orden, que deberá cumplir, incluso por la fuerza material en el acto. | **DEL DÍA**. En las asambleas deliberantes, en las juntas y reuniones, la relación o programa de los asuntos que han de ser tratados en la sesión. | En la milicia, la orden que diariamente se da por escrito a los cuerpos, para señalar el servicio del día siguiente, informarles acerca de distintas cuestiones, dictar disposiciones especiales y acerca de otros asuntos que a las unidades interesan. | **EN AUDIENCIAS**. Corresponde mantenerlo, auxiliado en su caso por la Sala, a quien presida el acto judicial. | **JERÁRQUICO**. La relación de mando o de obediencia existente entre los diversos agentes o funcionarios, por razón de la organización disciplinada que rige los conjuntos orgánicos donde el mando es adecuado a las funciones, y éstas se realizan o cumplen por sujetos múltiples, muy diversos, que reciben *órdenes* unos de otros, hasta el ejecutor, que luego ha de informar sobre su cumplimiento. | **PÚBLICO**. Más fácil es sentirlo que definirlo, y en la doctrina las definiciones dadas han sido las unas contrarias a las otras, sin poder determinar cuáles son sus límites, cuáles las fronteras, cuáles las líneas divisorias exactas del *orden público*. El profesor Posada lo definía diciendo que es "aquella situación de normalidad en que se mantiene y vive un Estado cuando se desarrollan las diversas actividades, individuales y colectivas, sin que se produzcan perturbaciones o conflictos". El *orden público* es sinónimo de un deber, "que se supone general en los súbditos, de no perturbar el buen orden de la cosa pública". | **PÚBLICO INTERNACIONAL**. En el concepto de Capitant, "conjunto de instituciones y de normas de tal manera unidas a la civilización de un país, que los jueces deben aplicarlas con preferencia a la ley extranjera, aunque éstas fueran aplicables según las reglas ordinarias para resolver los conflictos de leyes".

Ordenación bancaria

El régimen administrativo que determina las principales funciones de los bancos.

Ordenamiento

Orden, concierto; debida y conveniente disposición o estructura.| Organización. | Mandato, orden. | Acción o acto de conferir las órdenes sagradas. | Ley, pragmática. | Colección o cuepo de leyes. | Determinación oficial de las fuentes del Derecho. | La Academia ha admitido una acepción nueva, pero dual: "Breve código de leyes promulgadas al mismo tiempo, o colección de disposiciones referentes a determinada materia". | **DE ALCALÁ**. Recibe este nombre el célebre código dado por Alfonso XI de Castilla, el 28 de febrero de 1348, en las Cortes de Alcalá de Henares. Constituye la base de la unidad legislativa de España. La recopilación consta de 32 títulos, divididos en 125 leyes, la mayoría de las cuales pasaron, casi sin retoque, a la *Nueva Recopilación* (v.). | **REAL**. Cuerpo de leyes hecho en tiempo de los Reyes Católicos, por el doctor Alfonso Díaz de Montalvo, por lo que se lo conoce asi mismo como *Ordenamiento de Montalvo* y también, en la edición de Zamora de 1485 y de Burgos de 1488, por *Ordenanzas Reales de Castilla*.

Ordenanza

En términos amplios, orden, método. | Mandato, disposición, precepto obligatorio. | Estatuto para el régimen de los militares y para el gobierno de las ciudades, corporaciones, gremios o comunidades. | Soldado que se destina para el servicio de un jefe u oficial; aun cuando tienda, al menos en tiempos de paz, a transformarse en algo como criado gratuito servidor personal y familiar. | Empleado subalterno encargado de llevar órdenes, comunicaciones o expedientes en las oficinas públicas y particulares.

Ordenanzas de Bilbao

Las primitivas de esta industrial y naviera ciudad española corresponden al 1459, que fueron modificadas en 1511.

Ordenanzas locales

Comprenden las *ordenanzas* municipales y demás normas dictadas en las poblaciones por las diversas autoridades; como alcaldes, jefes de policía y otras, dentro de sus facultades.

Organismo

En lo fisiológico, conjunto de órganos del hombre, cuyos defectos o faltas pueden modificar su capacidad jurídica. | Serie de leyes, reglamentos, costumbres, usos y prácticas que regulan la composición, actividad, función y relaciones de una institución o cuerpo social. | Entidad compuesta de diversas ramas, dependencias u oficinas al servicio de una finalidad.

Organización

Disposición, arreglo, orden. | Grupo social, estructurado con una finalidad. | Conjunto de elementos personales, reales e ideales; es decir, una empresa donde no existe una finalidad lucrativa. | Establecimiento, implantación o institución de algo. | Ordenamiento. | Reforma. | Sometimiento a disciplina, a ley, a razón. | Combinación de la simplicidad con la eficacia, con predominio de ésta en todo caso. | **INTERNACIONAL DEL TRABAJO.** El organismo creado como consecuencia del Tratado de Versalles y con la idea de afirmar la paz con la mejora de las condiciones laborales en todos los países. Consta de tres órganos: *a*) El Consejo de Administración, con funciones directivas; *b*) la Conferencia Anual, el cuerpo legislativo; *c*) la Oficina Internacional del Trabajo, el elemento ejecutivo.

Organización criminal

La asociación clandestina que dispone los medios para operar con la mayor impunidad y el máximo beneficio para sus componentes. (V. CODELINCUENCIA.)

Organización judicial

Conjunto de normas que establecen los órganos y el sistema para la administración de justicia de cada país, señalando la competencia de los jueces, sus facultades, sus obligaciones, la forma de su designación y de su destitución, así como las garantías de su independencia. La *organización judicial* suele tener su fundamento en preceptos constitucionales, desarrollados luego en las llamadas leyes orgánicas del Poder Judicial.

Organización Mundial del Comercio

Institución creada mediante los acuerdos que siguieron a la *Ronda Uruguay* (v.) , en el marco de la cual se negocian y aplican múltiples acuerdos de alcance mundial en materia de comercio y relaciones económicas internacionales. La integran la mayor parte de los países del mundo. Cuenta con un sistema propio de solución de controversias entre países miembros, caracterizado por la formación de paneles ad hoc para tales controversias, con un órgano de apelación permanente.

Organización no gubernamental

Toda institución derivada del artículo 71 de la Carta de las Naciones Unidas que agrupa a personas privadas que buscan la satisfacción de intereses o de ideales comunes, más allá de las fronteras nacionales. Constituye un elemento de consulta tanto para la Organización de las Naciones Unidas cuanto para sus órganos especializados.

Organización social

Estructura o articulación de la sociedad en subgrupos determinados por una cualidad común; como la nacionalidad, la raza, el sexo, la profesión, la edad, el parentesco, la propiedad, la residencia, la autoridad (*Dic. Der. Usual*).

Órgano

Parte del cuepo que cumple una función. | Medio, conducto. | Persona que ejecuta un acto o cumple un fin. | Organismo, entidad. | **DE LAS NACIONES UNIDAS**. La Carta de este organismo mundial dedica el tercero de sus capítulos a los órganos de éste. Son ellos: *a*) la Asamblea General; *b*) el Consejo de Seguridad; *c*) el Consejo Económico y Social; *d*) el Consejo de Administración Fiduciaria; *e*) la Corte Internacional de Justicia; *f*) la Secretaría. | **SOCIAL**. Cualquiera de los grupos especializados que, dentro de una sociedad, cumple una función específica, requerida por la complejidad de la organización colectiva.

Órganos societarios

Conjuntos de personas que, dentro de la estructura de las sociedades con personalidad jurídica, tienen a su cargo cumplir las funciones básicas que corresponden al funcionamiento de tales sociedades, y en particular, su gobierno, administración, representación y fiscalización.

Original

Concerniente al origen o principio. | Obra del autor que la ha compuesto por inspiración personal, o propios conocimientos o mediante comedida consulta y cita; pero con exclusión del plagio, copia, imitación, adaptación o traducción. | Lengua en que se escribe una obra o en que se redacta por vez primera un documento. | La creación propia; la modificación sustancial en la acción. | Quien infunde a sus obras, pensamientos o actitud ese sello de novedad o de independencia, cuyo límite está en la extravagancia, en lo incomprensible y en lo absurdo. | Extraño; fuera de lo habitual o corriente. | Manuscrito, escrito a máquina o impreso que se entrega a la imprenta para que proceda a la impresión o reimpresión del texto e indicaciones que contenga. | Escrito del cual se saca copia. | La persona retratada, en relación con su retrato. | En los escritos a máquina, cuando se hacen copias, el ejemplar que recibe directamente la señal de la cinta que tocan las teclas.

En los tribunales, *original* es la sala donde tuvo principio un pleito. | En lo notarial, la escritura pública que se saca inmediatamente del protocolo o registro.

Originariamente

Por origen o comienzo. | Originalmente.

Originario

Lo que es origen de alguien o de algo. | Que procede de una persona, sitio o cosa. | Se dice del juez o secretario que iniciaron las actuaciones de una causa. | Referido a los *modos de adquirir* (v.), *originarios* —contrapuestos a los *derivativos*— son los hechos que crean el dominio sin transmisión por quien lo tenía; como la ocupación y la prescripción o usucapión, aunque la inclusión de esta última sea objetada por algunos.

Ortodoxia

Ajuste o concordancia absoluta con un dogma. | Disciplina y unidad doctrinal en los grupos o partidos políticos.

Ortodoxo

Estrictamente, quien profesa fielmente la doctrina católica, y acepta en un todo la autoridad de la Iglesia. | Por extensión, el conforme con la doctrina fundamental de cualquier secta o sistema.

Osadía

Como resolución al obrar, como intrepidez ante obstáculos o peligros, demuestra encomiable calidad de ánimo. | En cuanto atrevimiento ante lo digno de respeto, como audacia en lo moral, la *osadía* es condenable y se encuentra penada en ciertos abusos de carácter sexual y en relación con los bienes ajenos.

Ostracismo

Destierro político que los atenienses imponían a los personajes muy influyentes, con el fin de evitar que sintieran la tentación de adueñarse del poder o perpetuarse en éste, con mal para la libertad del pueblo.

Otorgamiento

Concesión. | Permiso, licencia. | Autorización. | Consentimiento. | Parecer. | Acción de otorgar un documento. Escritura de contrato. | Escrito testamentario. | Parte final de la escritura pública en que el notario deja constancia de la aprobación por las partes y donde se cierra y solemniza. | Ofrecimiento, estipulación o promesa de algo que se hace con autoridad pública.

Otorgante

Quien otorga; la parte que contrata en un documento público.

Otrosí

Como adverbio, además, además de eso. Su uso es casi exclusivamente forense; al punto de que se ha sustantivado para referirse a cada una de las pretensiones o peticiones que se agregan a la principal de un escrito judicial. Constituye la posdata de los escritos cuando, después de firmados, se quiere agregar algo sin necesidad de rehacerlos; lo cual obliga a firmar el *otrosí* u *otrosíes* añadidos.

P

P

En el alfabeto español, la decimoséptima de las letras y la decimotercera de sus consonantes. | En fórmulas, inscripciones, y obras de Derecho romano, la *P* aparece como indicadora de numerosos tecnicismos jurídicos: *populus* (pueblo), *possessio* (posesión), *possessor* (poseedor), *plebs* (plebe, sin carácter despectivo), *postulare* (pedir, demandar), *potestas* (potestad, facultad, autoridad), *pactum* (pacto, con sus especiales significados), *pecunia* (dinero), *praetor* (pretor), *promissor* (promitente, garante), entre muchas otras. | En lo canónico, es abreviatura de *pater* (padre), referido singularmente al papa. | Del significado anterior se conserva la abreviación usual y de cortesía empleada en castellano con los sacerdotes.

Pabellón

La bandera nacional. | Más especialmente, la que los buques enarbolan para señalar su nacionalidad y que por lo común adopta los colores de aquélla con alguna modificación o signo convencional. | También en lo marítimo, cada uno de los estandartes o pendones usados en el lenguaje naval a distancia; así, el *pabellón amarillo* indica cuarentena; el *pabellón blanco* expresa parlamentario, aunque en este sentido tenga acepción común en la guerra, sea cualquiera su escenario. | Por extensión, Estado o nación a que corresponden los buques mercantes. | Protección, amparo.

Pacifismo

Movimiento doctrinal y práctico dirigido a lograr la paz permanente entre las naciones. Constituye también eficaz pasatiempo diplomático mientras se prepara la guerra.

Pacotilla

Mercaderías que el capitán u otro tripulante de un buque transporta por su cuenta. | Durante la Edad Media, contrato que nobles y mercaderes, éstos por hábito de lucro y aquéllos por encubrir un tráfico que consideraban deshonroso hacían directamente con el capitán de la nave, prestándole dinero, que éste dedicaba a operaciones diversas, cuyos beneficios compartían. | Porción de mercaderías que, libres de flete y hasta un valor igual al del salario calculado para el viaje, se permitía embarcar a los oficiales y marineros y que éstos conducían por su riesgo y negociaban por su cuenta. Se ha equiparado a lo que se llamó *generala* en los oficiales de guerra. | En términos amplios, insignificancia, cosa de importancia escasa o trivial. | También, conjunto de géneros o efectos de comercio. | Negocio de pequeña monta.

"Pacta sunt servanda"

Loc. lat. Los pactos han de cumplirse. Esta frase sintetiza la máxima jurídica establecida, con carácter espiritualista, por el Derecho Canónico. "*Pacta quantumcumque nuda, servanda sunt*" (Aun nudos los pactos, hay que cumplirlos).

Pactar

Celebrar un *pacto* (v.). | Estipular, convenir. | Hoy, sinónimo de contratar; aunque en el clasicismo romano solía diferenciarse por no contar todos los pactos, a diferencia en esto de los contratos, con acción para exigir su cumplimiento por la vía judicial.

Pacto

Acuerdo obligatorio de voluntades. | Lo así convenido. | Convención jurídica desprovista de acción judicial. | Contrato. | Tratado internacional. | Cualquiera de las cláusulas o condiciones de un concierto voluntario, entre particulares o entre Estados. | Supuesto trato o convenio con el demonio, para obrar prodigios o sortilegios. A este respecto se distingue entre el *pacto explícito*, en que existe formal consentimiento humano; y *pacto implícito* o *tácito*, cuando se hace algo ligado al *pacto* aun no concertado expresamente. | **ACCESORIO**. Cualquiera de los acuerdos agregados a un contrato principal, cuya estructura modifica ampliándola, restringiéndola o alterándola, pero con subsistencia de su carácter esencial. | **PACTO ADICIONAL**. Cláusula o convenio entre partes que ya han celebrado un *pacto* o contrato y agregan a éste una nueva declaración de voluntad tendente a modificarlo, aclararlo o anularlo en todo o en parte. | **ANTICRÉTICO**. Convenio entre acreedor y deudor en virtud del cual el primero percibe, por vía de intereses, los frutos de la prenda que le entrega el segundo, hasta llegar el caso de que éste le satisfaga el importe de la deuda. | **COLECTIVO DE CONDICIONES DE TRABAJO**. Son las normas reglamentarias acordadas por representaciones clasistas que, ostentando el mandato de los empresarios y de los trabajadores de las actividades en general a que se hayan de referir, tienen fuerza de ley, una vez aprobadas por la autoridad, y las que se dan por incluidas en los contratos individuales de trabajo, sin que la sola voluntad de las partes puedan dejarlas sin efecto en perjuicio de los trabajadores. La Oficina Internacional del Trabajo dió la siguiente definición: "Toda convención escrita, concluida por un cierto período, entre uno o varios patronos, o una organización patronal de una parte y un grupo de obreros o una organización obrera de otra parte, con el fin de uniformar las condiciones de trabajo individuales y, eventualmente, reglamentar otras cuestiones que interesen al trabajo". | **COMISORIO**. Cláusula contractual que permite a cada una de las partes la rescisión del convenio si no cumple el otro obligado. | **COMISORIO EN LA PRENDA**. Cláusula del contrato pignoraticio sobre cosas muebles que faculta al acreedor, en caso de vencer la deuda y no pagarla el deudor, para quedarse con el objeto que constituye la garantía de la obligación. | **DE ADICIÓN**. Se lo denomina también *pacto de señalamiento de día* o *de adición en un día*. | Escriche lo caracteriza como aquel que, en un contrato de venta, se hace a veces entre el vendedor y el comprador, conviniendo ambos en que, si hasta cierto día encuentra el vendedor quien le ofrezca más precio por la cosa vendida, pueda retirarla de las manos del comprador para darla al segundo oferente. | **DE CUOTALITIS**. Convenio que celebra un abogado con su cliente para patrocinarlo a cambio de percibir una cuota parte del objeto del litigio, para el supuesto de ganar el pleito. Comprende asimismo la análoga convención realizada por un procurador. | **DE MEJOR COMPRADOR**. La estipulación de quedar deshecha la venta si se presenta otro comprador que ofrece precio más ventajoso. | **DE NO AGRESIÓN**. Nombre poco afectuoso, ya que parece reprimir apenas un impulso bélico evidente o atenuar tan sólo una aversión peligrosa, que la diplomacia actual aplica a los tratados temporales suscritos por dos o más Estados para respetarse mutuamente y resolver sus conflictos sin recurrir a las armas. | **DE PREFERENCIA**. Cláusula agregada al contrato de compraventa, por la cual el adquirente se obliga a conceder preferencia al vendedor en el supuesto de vender la cosa el comprador. | Con carácter más general, Capitant define este *pacto* como la convención por la cual una persona se compromete, para el caso en que se decida a celebrar un contrato determinado, a dar la preferencia al beneficiario de la promesa en las mismas condiciones que las que ofrezca un tercero o en aquellas determinadas en el momento de la convención. | **DE RETROVENTA, DE RETRO** o **DE RETRAER**. Una de las cláusulas más importantes y relativamente frecuente derivadas del contrato de compraventa y por la cual el vendedor, quizás apremiado para enajenar, pero deseoso de recobrar lo que vende, se reserva la facultad de recuperar la cosa vendida, devolviendo el precio recibido del comprador, o lo convenido, dentro del plazo estipulado o en las circunstancias concertadas. La Part. V. tít. V, ley 42, lo caracteriza como el que se hace entre el comprador y vendedor, estipulando que devolviendo éste el precio haya de recobrar la cosa vendida. Pothier lo define como el *pacto* que reserva al vendedor el derecho de redimir o volver a comprar la cosa vendida. | **DE SUCESIÓN FUTURA**. Convención en que una de las partes se obliga con respecto a otra persona a procurarle derechos sucesorios, como heredero o legatario en su propia sucesión. Por violar la esencial facultad revocatoria del testador, y para evitar *pactos* inmorales o abusivos económicamente, se prohíbe en las legislaciones actuales. | **DE VENTA A SATISFACCIÓN DEL COMPRADOR**. Esta estipulación es la que se hace de no haber venta o de quedar deshecha ésta si la cosa vendida no agrada al comprador. | **DEL ATLÁNTICO NORTE**. También se menciona abreviando el punto cardinal: *Pacto del Atlántico*. El suscrito entre varias naciones europeas y del norte de América, para defenderse contra la amenaza y las posiciones ocupadas por Rusia y satélites contra el bloque que se autodenomina democrático. | **EN CONTRARIO**. El acuerdo privado de voluntades que se aparta de la regulación previsora o supletoria que el legislador establece para determinadas situaciones jurídicas o por si las partes se limitan a declarar que realizan determinado contrato o *pacto*, sin detallar debidamente su contenido. | **LEONINO**. El que se establece en un contrato oneroso, en el cual las ventajas o ganancias se distribuyen entre las partes sin equitativa conmutación entre éstas. Dicho de otro modo, aquel en que una de las partes se reserva un beneficio desproporcionado o notoriamente desigual con respecto a la otra parte. Las sociedades se llaman *leoninas* cuando pactan una distribución por demás desigual entre las cargas y los derechos de los socios. El pacto leonino se denomina también usurario. (V. USURA.) | **NUDO**. Dentro del Derecho romano, la convención o acuerdo voluntario desprovisto de acción en juicio, pero con fuerza de obligación natural. | **PROHIBIDO**. El que la ley veda que se celebre y cuya nulidad declara al menos, cuando no determina alguna sanción penal. | **SOCIAL**. Para la acepción correspondiente al Derecho político, inspirada por las ideas rusonianas. (V. CONTRATO SOCIAL.) | En el Derecho Mercantil y Civil, conjunto de condiciones que rigen los derechos y obligaciones de cada uno de los miembros de la sociedad. (V. SOCIO.) | Sociológicamente, la serie de obligaciones y compromisos que los convencionales humanos imponen para posibilitar la convivencia en una esfera determinada de la organización social o en un lugar concreto. | **SUCESORIO**. El convenido entre dos personas para heredar una de ellas los bienes de la otra o sucederse recíprocamente.

Padrastro

Marido de la madre, respecto de los hijos llevados por ésta al matrimonio, o el hombre casado, cuya mujer tiene hijos de un marido anterior.

Padre

Corriendo parejas en la crudeza, aunque no constituya ofensa tan grave el desacierto definidor referido al sexo masculino, y en la misma línea de lenguaje que el empleado para la *madre* (v.), la Academia Española define al *padre* como "varón o macho que ha engendrado"; lo cual no es tan exacto; porque, de producirse el nacimiento sin vida del fruto engendrado, y más aún si se produce un aborto en los primeros meses del embarazo, no parece adecuada la denominación para el hombre.

Singularizando la definición más usual, que inadvertidamente habla de "hijos" (dos o más), es exacta la caracterización de *padre* diciendo que es el hombre que tiene uno o más hijos, de uno u otro sexo. | **ADULTERINO**. El soltero, divorciado o viudo que hace madre a una casada. | El casado que tiene prole con mujer que no es la suya. | **DE FAMILIA** o **DE FAMILIAS**. El casado y con hijos. | Jefe de una familia, aun cuando no tenga prole; como algunos padrastros. | Jefe de una casa, así carezca de toda familia. | **DE LA IGLESIA**. Denominación de los autores cristianos, griegos y latinos casi todos ellos, que se ocuparon de materias dogmáticas en los seis primeros siglos de la Iglesia; ya que los tratadistas cristianos posteriores a la iniciación del siglo VII se denominan escritores eclesiásticos. | En sentido más estricto, y como sinónimo de *santo padre*, nombre dado a todos los escritores de la antigüedad cristiana que mantuvieron directo contacto con los apóstoles, o con cristianos que habían tratado con ellos. | **DE LA PATRIA**. Ciudadano digno de veneración y gratitud en su país de origen o de adopción, a causa de sus excepcionales méritos o por los servicios extraordinarios prestados. | Título honorífico de los emperadores romanos, luego atribuido por servilismo o adulación a monarcas de otros países. | Libertador o emancipador de un pueblo. | Estadista notable. | **PADRE ILEGÍTIMO**. En sentido amplio, todo hombre que procrea fuera del matrimonio, concepto que abarca tanto la filiación estrictamente ilegítima como la natural. | En acepción restringida, el hombre que tiene hijos con mujer que no es la suya y con la cual no se habría podido casar en el acto de concebirlos, o al menos en el del parto. | **INCESTUOSO**. Progenitor de un hijo cuya madre es cercana parienta de aquél, en grado en que el matrimonio está prohibido e incluso penado por la ley. | **LEGÍTIMO**. Aquel cuya prole, engendrada con su mujer, después de casado, nace durante el matrimonio o antes de los 300 días de disuelto. | Por benignidad legal, y refuerzo de la familia, el progenitor extramatrimonial de un hijo que nace, sin embargo, después de casado con la que había sido su amante. Esta situación es la amparada al aceptar como hijos legítimos en todo el rigor del Derecho a los nacidos en los 180 primeros días del matrimonio, si el marido reconoce expresa o tácitamente al nacido. | Al *padre natural* (v.) que legitima a sus hijos por subsiguiente matrimonio; ya que, si los descendientes disfrutan de los mismos derechos que los hijos legítimos, resulta equitativo que a los progenitores se les reconozca también la correlativa cualidad de *padres legítimos*. | **POLÍTICO**. Sinónimo, respetuoso en ocasiones y afectado en los más de los casos, para referirse al *suegro* (v.). | Padrastro.| **PUTATIVO.** El considerado como progenitor sin serlo en realidad. | **SACRÍLEGO**. El que después de ordenado *in sacris* tiene un hijo. | Cualquier hombre cuando procrea con mujer profesa en órdenes religiosas. | **SANTO**. Lo mismo que Padre Eterno o Dios. | Como delegado terrenal suyo, el papa.

Padres

El padre y la madre de un ser. | Todos los hombres que tienen hijos. | Por extensión, los abuelos (y abuelas). | Los antepasados más remotos. | Conjunto de religiosos de una orden o congregación; como los *padres escolapios*.

Padrino

Quien presenta un niño en el sacramento del bautismo, lo tiene sobre la pila (o lo toca simbólicamente), responde de la creencia del ahijado y le impone un nombre; si bien éste suele estar ya comprometido por el que los padres han hecho constar en la partida de nacimiento. | Quien asiste al que recibe la confirmación, poniendo su mano derecha sobre el hombro del mismo lado que el apadrinado. | Asimismo, el que presenta cual testigo preferente a los que se casan, y permanece durante la ceremonia en lugar inmediato a los contrayentes. En el sacramento del orden, el que asiste en la ceremonia al varón que recibe las sagradas órdenes o a la religiosa que profesa solemnemente.

Padrón

Relación, nómina o lista de los vecinos o habitantes de un pueblo, para saber su número, conocer su nombre y clasificarlos con vistas a la imposición de tributos, al ejercicio del sufragio y a otras cargas o beneficios de índole administrativa general. | Patrón, modelo, ejemplar. | Antiguamente, nota de infamia o deshonor recordada por alguna mala acción. | Columna de piedra, inscripción, lápida u otra suerte de monumento o recuerdo material de algún hecho que se quería rememorar pública y perpetuamente. | En lenguaje familiar, padrazo o padre muy complaciente. | En significado arcaico, patrono.

Paga

Acción de pagar, de cumplir una obligación, de abonar una suma de dinero debida. | Cantidad que se entrega en pago. | En general, retribución de servicios. | Más concretamente, sueldo, sobre todo el de empleados burocráticos. | Satisfacción o reparación de culpas. | Pena o castigo que corresponde por delito, falta o yerro. | Multa o cantidad con que se repara una culpa. | Pena de otra índole aplicada por razón de falta o delito. | Correspondencia al trato que se recibe.

Pagadero

Obligación, sobre todo pecuniaria, que ha de abonarse en tiempo, lugar y modo establecidos. | Obligación pendiente en general. | De fácil pago, por escaso importe o adecuada solvencia.

Pagadero a tantos días expresa, en documentos de créditos mercantiles, la fecha de vencimiento, a partir de la data o de la vista.

Pagador

El que tiene por función abonar los sueldos o jornales en una empresa particular o entidad pública. | En establecimientos mercantiles y en compañías o sociedades diversas, el empleado que hace efectivo en su oficina o ventanilla los créditos pasivos pertinentes. | El que cumple con su obligación, sea pecuniaria o de otra clase.

Pagar

Cumplir una obligación. | Abonar una deuda. | Satisfacer un agravio u ofensa. | Sufrir pena o castigo. | Padecer escarmiento merecido. | Entregar el sueldo o salario convenido y en el plazo correspondiente. | Adeudar derechos los productos que se introducen en un país o localidad. | Corresponder a un sentimiento, favor o beneficio.

Pagaré

Promesa escrita de pago por cantidad determinada y para tiempo cierto, a favor de determinada persona (*pagaré nominativo*), a la orden de ella (*pagaré a la orden*) o exigible por cualquier (*pagaré al portador*). | **A LA ORDEN**. Promesa escrita de pagar cierta cantidad a determinada persona o a su orden, en el plazo que se establezca. | **HIPOTECARIO**. Pagaré que instrumenta un crédito con garantía hipotecaria. | **PRENDARIO**. Pagaré que instrumenta un crédito con garantía prendaria.

Pago

Cumplimiento de una obligación. | Abono de una deuda. | Entrega de una cantidad de dinero debida. | Satisfacción de ofensa o agravio. | Padecimiento de castigo, pena o correctivo. | Aplicación de merecido escarmiento. | Dación de sueldo o jornal. | Correspondencia de afectos o servicios. | Premio. | Recompensa. | Distrito determinado de tierras o heredades, en especial si se trata de olivares o viñas. | **A CUENTA**. El que el deudor efectúa en el momento de convenirse la obligación como parcial satisfacción de ésta o sujeto a la liquidación que las mismas partes o terceros deban practicar. | **AL CONTADO**. El que se efectúa en el momento de recibirse la cosa o servicio por que se paga. | **ANTICIPADO**. La ejecución de una obligación o, más concretamente, la entrega de una cantidad de dinero cuando el deudor u obligado cumple antes de vencer el plazo convenido o fijado. | **CON SUBROGACIÓN**. Es el que tiene lugar cuando lo hace un tercero, a quien se transmiten todos los derechos del acreedor. (V. SUBROGACIÓN.) | **DE LO INDEBIDO**. Entrega de una cantidad o ejecución de un acto que disminuye el propio patrimonio por error o por creerse falsamente obligado. | **POR CAUSA TORPE**. El que se hace por una causa inmoral, injusta o contra Derecho. | **POR CONSIGNACIÓN**. El que libera al deudor cuando, no pudiendo o no queriendo cobrar el acreedor, deposita judicialmente. | **POR CUENTA AJENA**. El que hace al acreedor el representante o apoderado del deudor. | Más propiamente, el que un tercero, ajeno al nexo obligatorio en un principio, efectúa en nombre del deudor y con carga a él, en virtud de la libertad que para pagar se establece en las leyes civiles, donde se permite el *pago por cuenta ajena* tanto si el deudor lo consiente como si lo ignora, e incluso contradiciéndolo. | **POR ENTREGA DE BIENES**. El que un acreedor acepta, en lugar de la suma de dinero adeudada, cuando el deudor u otro por él lo entrega en sustitución de alguna cosa mueble o inmueble, o varias. | También, cuando la entrega de bienes reemplaza a la obligación de hacer que no se cumple.

País

Aunque usado como sinónimo de *Estado* y de *nación* (v.), resulta más correcto referir el vocablo a una parte de aquél o de ésta —como región, comarca, provincia o territorio— con determinadas afinidades. | Lugar de origen de una persona o de una colectividad. | Capitant expresa que *país* constituye la traducción habitual de la palabra alemana "*Land*": Estado o miembro del Estado general alemán y de la República austríaca.

Palimpsesto

Antiguo manuscrito cuya anterior escritura, de la cual subsisten algunos vestigios, ha sido borrada para aprovecharlo de nuevo.

Palinodia

Retractación pública de las manifestaciones hechas, ya la suscite espontánea la convicción contraria, ya se ofrezca como pacífica reparación, ya se logre por efecto coactivo de la reacción amenazadora del ofendido o del temor de una sanción legal inevitable.

Pandectas

Voz griega, que significa *colección universal*, aplicada a la recopilación de obras y textos jurídicos que dispuso Justiniano y que se conoce también con el nombre de *Digesto* (v.), por el orden seguido en el texto.

Sus 50 libros integran uno de los monumentos más extraordinarios de la historia del Derecho, ya que las *Pandectas* se mantuvieron vigentes en numerosos países de Europa hasta los albores de la Edad Media, y todavía sobreviven en algunas regiones españolas que hacen del Derecho Romano el suyo, ya directamente o como supletorio. (V. DERECHO FORAL.)

También se entiende por *Pandectas*, dentro del Derecho justinianeo, el conjunto integrado por el Código, las Novelas y distintas constituciones imperiales.

"Panfleto"

Baralt condena este galicismo por folleto o librejo. | Se dice también por libelo.

Papa

En lo espiritual, el supremo jefe de la Iglesia Católica; en lo temporal, el jefe del Estado Vaticano.

Papel

Hoja muy delgada y flexible hecha con pasta de trapo o madera, por lo general, y empleada para escritos, dibujos, envoltorios, impresiones, etc. | Cualquier escrito o documento. | Carácter, representación. | Billetes de banco. | En el comercio, todo género de obligaciones escritas; como pagarés, vales libranzas. | También, el conjunto de valores mobiliarios que se cotizan en mercados y bolsas. Para las leyes de imprenta, el impreso que no llegue a formar libro por el número de páginas. | **DE OFICIO**. El pliego grande, de tamaño, márgenes y líneas establecidos por el poder público, usado en las comunicaciones llamadas *oficios* y en la generalidad de las actuaciones judiciales y administrativas. | **MONEDA**. El billete de banco con curso forzoso. Tanto lo es el emitido por banco estatal u oficial como el proveniente de otro organismo cuando el poder público le da fuerza liberatoria en los pagos u obligaciones en dinero.

Papeles de comercio

Cualesquiera de los documentos de crédito mercantiles o de los utilizados en este tráfico. (V. CHEQUE, FACTURA, FACTURA CONFORMADA, LETRA DE CAMBIO, LIBROS DE COMERCIO, PAGARÉ, TÍTULO DE CRÉDITO.)

Paquete postal

Conjunto de papeles debidamente cerrado o caja envuelta, con las seguridades exigidas o necesarias, de cuyo transporte se encarga el correo, a cambio del franqueo correspondiente, siempre que por sus dimensiones y peso encuadre dentro de los reglamentos postales.

Para mejor proveer

Llámanse *diligencias para mejor proveer* las medidas probatorias extraordinarias que, luego de la vista o alegatos escritos de las partes, pueden los jueces y tribunales practicar o hacer que se practiquen de oficio para ilustrarse más adecuadamente y fallar sin atenerse tan sólo a los medios propuestos por las partes.

Parafernales

Los bienes privativos de la mujer casada; aquellos cuya propiedad le corresponde exclusivamente, y cuya administración puede conservar incluso en regímenes donde la gestión de los bienes conyugales se encomienda al marido.

Paráfrasis

Explicación, aclaración, interpretación de un texto legal o de una obra jurídica, en cuanto a la especialidad del Derecho se refiere. | Glosa, comentario. | Exégesis. | Escrito o discurso extenso y difuso. | En lenguaje familiar, malicioso comentario.

Paraninfo

Propiamente, aun cuando la voz resulte sumamente afectada, el padrino de bodas. | Mensajero de felicidad o de una buena nueva. | En las universidades, el salón principal destinado a los actos solemnes; como las aperturas de curso, la colación de grados, etc. | En los mismos centros de enseñanza, profesor u otra persona que inaugura el año académico con un discurso de circunstancias.

Paranoia

Psicosis o anormalidad mental caracterizada por delirios sistemáticos o ilusiones persistentes, por lo común de grandeza o persecutorias, y con alucinaciones en algunos casos.

Parcela

Porción pequeña de terreno, de ordinario sobrante de obra mayor que se ha comprado, expropiado o adjudicado. | En el catastro, cada una de las tierras de distinto dueño que constituyen un pago o término (*Dic. Acad.*).

Parcialidad

Agrupación o unión de los que resaltan sus coincidencias y se distinguen y separan así de asociaciones o grupos, aunque opuestos en el fondo, similares en la forma. Tal es el caso de las distintas religiones, de los diversos partidos políticos y de la infinidad de asociaciones y clubes de toda índole. | Amistad, familiaridad, intimidad. | Tendencia favorable a cierto parecer o decisión.

Parcialmente

Sin rectitud. | Contra equidad. | Con apasionamiento. | Con respecto a una o más partes, excluyendo la totalidad. | ant. Amistosamente o con familiaridad.

Pared

Obra de fábrica (piedra, ladrillo y demás materiales, con barro, yeso, mezcla u otro elemento aglutinante), a plomo, más alta que gruesa, recta por lo común, que cierra un espacio, establece una división o sostiene la techumbre. | Tabique, si se limita a separar habitaciones u otros espacios. | **COMÚN**. La que pertenece pro indiviso a dos dueños colindantes. | **MEDIANERA**. La pared divisoria que utilizan o pueden utilizar los dueños de edificios contiguos.

Parentesco

Relación recíproca entre las personas, proveniente de la consanguinidad, afinidad, adopción o la administración de algunos sacramentos. Esa amplia fórmula comprende las cuatro clases principales de *parentesco*: la de *consanguinidad* o *natural*, el de *afinidad* o *legal*, el *civil* y el *espiritual* o *religioso*. | **CIVIL**. Denominado también oblicuo y transversal, es el existente entre personas que descienden de un tronco común, pero no directamente; como los hermanos, los primos hermanos y los sobrinos y tíos. (V. estos parentescos y COLATERAL.) | **DE DOBLE VÍNCULO**. El procedente de modo conjunto del padre y de la madre. Se refiere de modo especial a los hermanos que tienen iguales progenitores, denominados también *hermanos germanos*, a diferencia de los *medios hermanos* (v.). | **ESPIRITUAL**. El que se contrae por razón de bautismo entre los padrinos y el ahijado, y entre éste y el ministro del sacramento. | **ILEGÍTIMO**. El procedente de unión concubinaria, adulterina y cualquiera extraconyugal. | **POR CONSANGUINIDAD**. El que media entre personas que descienden de un tronco común o cuando una es progenitora de la otra. | **UTERINO**. El creado por la madre exclusivamente.

Paridad

Comparación entre cosas o casos. | Igualdad o semejanza entre personas, objetos, hechos o situaciones. | En el comercio y en la banca, coincidencia del valor nominal con el efectivo en los títulos o valores. | En el canje de monedas extranjeras, igualdad del valor intrínseco con el de cambio. | **DE CASOS**. Identidad o semejanza perfecta de diversos casos entre sí.

Pariente

Persona unida a otra por vínculos de familia, sea el *parentesco* (v.) por consanguinidad o afinidad, tanto en la línea ascendente y descendente como en la colateral. | El marido en relación con su mujer, en el lenguaje familiar y como vocativo de algunas consortes. | Allegado. | Igual. | Semejante. | Parecido. | Los reyes de España estilaban llamar *parientes* a los títulos de Castilla carentes de grandeza en el sentido nobiliario.

Parlamentar

En general, hablar o conversar unas personas con otras. | Negociar, tratar. | Capitular o gestionar la entrega de una plaza. | Relación verbal con el enemigo, aun referida a materias ajenas al fin de las hostilidades; como puede ser un canje de prisioneros o una interrupción momentánea en el fuego para retirar heridos o cadáveres en tierra de nadie. | Concertar un contrato.

Parlamentario

Referido a un Parlamento político o judicial. | Diputado, senador o cualquier otro representante o miembro de un Parlamento, como Poder Legislativo más o menos sincero. | Ministro o magistrado de un Parlamento judicial. | Persona que habla en representación de otra u otras. | Más estrictamente, en guerras civiles o internacionales, el representante de uno de los bandos que pasa al territorio enemigo para hablar con el adversario y proponerle la paz o algún otro extremo.

Parlamentarismo

Doctrina o sistema que basa en el Parlamento el Poder Legislativo e incluso el gobierno del Estado. | Régimen político donde el Parlamento ejerce influjo decisivo en la vida general del país y sobre los demás poderes públicos. | Liberalismo. | Dictadura del Parlamento. | Degeneración de éste.

Paro

Suspensión del trabajo al término de la jornada. | Interrupción de las tareas decretada por los empresarios, a diferencia de la *huelga* (v.; y, además, **PARO PATRONAL**). | Paro forzoso (v.). | Situación del obrero sin trabajo. | **FORZOSO.** Situación de un trabajador o, con mayor frecuencia, de una gran masa de ellos en igual localidad o país, y en un oficio y profesión o en varios, caracterizada por encontrarse sin ocupación, y por causa no imputable a ellos, quienes habitualmente viven de su trabajo. | **OBRERO**. Uno de los sinónimos de *paro forzoso* (v.), llamado también *desocupación* en varios países americanos de habla española, "*chómage*" en francés y "*unemployment*" en inglés, para resaltar que sus consecuencias pesan principalmente sobre los trabajadores. (V. PARO PATRONAL.) | **PATRONAL**. Decisión voluntaria de los empresarios de cesar en las actividades laborales con el fin de mejorar su posición económica o contrarrestar demandas o conquistas de los trabajadores. Aun siendo expresión más castiza en nuestro idioma, se encuentra relegada por la locución inglesa "*lock-out*", voz en la cual se expone lo pertinente sobre la materia.

Parricida

Autor o responsable de un *parricidio* (v.), sea consumado, frustrado o intentado.

Parricidio

Estrictamente, la muerte criminal dada al padre. | Por extensión, muerte punible de algún íntimo pariente, y que comprende estas especies: *a*) el *matricidio*, o muerte dada a la madre; *b*) el *filicidio*, privación delictiva de la vida del hijo o hija; *c*) sin denominaciones especiales, la muerte inexcusable de los abuelos y ascendientes más remotos y de los nietos y ulterior descendencia; *d*) el homicidio de cualquier pariente por afinidad en línea recta; *e*) el *conyugicidio*, con la variedad de *uxoricidio* si la muerte es dada por el marido a la mujer; *f*) el *fratricidio*, o muerte violenta dada a hermano o hermana, aun cuando esta forma de *parricidio* se haya borrado de las legislaciones actuales; *g*) el homicidio de cualquier otro pariente, incluso sobrino o tío, en un concepto por demás severo de la familia.

Parte

Porción de algo. | Fragmento, fracción, trozo. | En especial, cada una de dos cosas opuestas o complementarias. | Cantidad concreta o especial de un género o agregado numeroso. | Lo que junto con algo similar compone un todo. | Cuota que corresponde en reparto o distribución. | Espacio de tiempo; lapso. | Sitio, lugar, paraje. | Sección, subdivisión. | Cada una de las grandes divisiones de un tratado, libro u otra obra científica o literaria. | Comunicación, noticia. | Información rutinaria o especial que los militares dan a los superiores para enterarlos de las novedades o de la normalidad. | Denuncia que en el ejército formula un jefe con respecto a sus subordinados y que eleva a un superior o a una autoridad judicial castrense. | Denominación del correo que funcionaba cuando el soberano estaba fuera de la corte, para llevar y traer las órdenes entre el soberano y las autoridades y servir de información. | Porción o cuota que se adjudica a un condómino al cesar la indivisión. | Partido, parcialidad, bandería, fracción, desde las luchas internacionales, en que resulta sinónimo de beligerante, a las peleas, riñas, polémicas y discusiones de toda índole, para caracterizar a cada uno de los bandos o grupos contrarios. | Cada una de las personas que por voluntad, intereses o determinación legal interviene en un acto jurídico plural. | Contratante. | Litigante; sea demandante o actor, sea demandado o reo; y también, en el proceso criminal, el querellante o el acusado. | Tercero que interviene en un proceso. | **ACTORA**. En el procedimiento, *actor, demandante* (v.). | **ALÍCUOTA**. Cualquiera de las que se refieren por igual a un todo: la mitad, un tercio, un cuarto, etc. Ofrece importancia jurídica en las sucesiones y en la división de los condominios, así como en la gestión de éstos y en las sociedades cuyo capital está distribuido en acciones u otras cuotas. | **BELIGERANTE**. Cada uno de los países o bandos en guerra con otro u otros. (V. BELIGERANTE.) | **CONTRATANTE**. Cada una de las dos o más personas que son sujetos de un contrato. | **DE LIBRE DISPOSICIÓN**. En lo sucesorio, la porción proporcional de bienes que puede distribuir a su total libertad el testador. De no tener herederos forzosos, todo el patrimonio es de libre disposición, salvo derechos de terceros. | **DISPOSITIVA**. En leyes, reglamentos, órdenes, el artículo o texto imperativo, las normas obligatorias, permisivas o supletorias de la voluntad de las partes. En este aspecto, la *parte dispositiva* de las leyes se opone al *preámbulo* o *exposición de motivos* (v.), a los fundamentos de los preceptos promulgados. Puede llamarse también *articulado* (v.) cuando el texto conste por lo menos de dos artículos. En las resoluciones judiciales, sean *autos* o *sentencias* –las simples *providencias* son exclusivamente ejecutivas–, la *parte dispositiva* la integra el fallo o pronunciamiento, claro y terminante, en que se absuelve o condena al demandado en lo civil o al procesado en lo penal. En este sentido se contrapone a los *resultandos* y *considerandos* (v.), que integran respectivamente los fundamentos de hecho y las razones legales de la conclusión lógica de los jueces. | **PROCESAL**. En noción preliminar, el litigante por iniciativa propia o por impugnación de una acción ajena contra él, sea *demandante* o *actor*, sea *demandado* o *reo*, y también, en el proceso criminal, el *querellante* y el *acusado* (v.). | El representante del interés público en una causa o ministerio fiscal. | Tercero que interviene en un proceso legítimamente. | **VIRIL**. En materia sucesoria, cada una de las porciones que le toca a un coheredero, cuando la partición se hace por partes iguales.

Partición

División de algo en dos o más partes. | Distribución. | Reparto. | Separación, división y repartimiento que de una cosa común, como herencia, condominio, bienes sociales o cosa semejante, se hace entre las personas a quienes corresponde. | **DE HERENCIA**. Constituyendo regla general que todos los condueños, condóminos o copartícipes pueden solicitar el cese del condominio o copropiedad (salvo las excepciones o modificaciones que la ley establece o permite, o que resultan necesariamente de la naturaleza y de las reglas particulares de ciertas posiciones, como en la sociedad), la *partición de herencia* es el derecho que los herederos, sus acreedores y todos los que posean en la sucesión algún derecho declarado por las leyes, tiene para pedir la división de los bienes dejados por el causante.

Participación

Parte. | Intervención. | Comisión. | Comunicación, aviso o información. | ant. Trato, relación. | **CRIMINAL**. Intervención personal en un delito. Denominación genérica que la técnica penal emplea para designar a todos los protagonistas y colaboradores en las infracciones punibles: autores materiales, inductores, instigadores, cómplices, cooperadores, auxiliadores y encubridores. | **EN LOS BENEFICIOS**. Con este nombre, con el de *participación en las utilidades*, con el de *accionariado obrero, habilitación* y otros, se conoce el sistema económico inaugurado en el siglo XIX y que concede a los empleados y obreros cierta parte del rendimiento económico positivo que las empresas obtienen anualmente, o en otros períodos que se establecen.

Partícipe

Todo el que tiene parte en alguna cosa. | Cada uno de los que se benefician con el reparto de algo o se perjudican con ello. | En lo penal, codelincuente. | Cada uno de los cointeresados en negocio común. | En materia de condominios, condómino, condueño o copropietario.

Particular

Adjetivo. Lo propio o privativo de alguien o de algo. | Individual. | Lo privado, por cuanto no es público ni menos oficial. | Se dice del simple ciudadano o súbdito, a diferencia de la autoridad y sus agentes. | Sustantivo. Tema, asunto, cuestión.

Partida

Salida para viaje o expedición. | Marcha. | Sitio, parte, lugar. | Cantidad y concepto de una cuenta. | Porción de un artículo o mercadería. | Registro o asiento donde la Iglesia anota los bautismos, confirmaciones, matrimonios o entierros de los fieles; o que da fe, para las autoridades civiles, y en el Registro correspondiente, de los nacimientos, adopciones, emancipaciones, reconocimientos legitimaciones, matrimonios, naturalizaciones, vecindades y defunciones. | Copia fehaciente que de tales Registros se extiende u obtiene. | Guerrilla; pequeña fracción de tropa. | Grupo poco numeroso de gente armada, que lucha irregularmente en guerras civiles y a veces en las internacionales. | Cuadrilla (formada por más de tres personas) de malhechores. | Nombre de algunos juegos, especialmente caseros, de salón o de café, y donde suele atravesarse dinero. | Figuradamente, la muerte. | Proceder o comportamiento. | En algunos lugares, heredad o finca. | Como arcaísmo, litigante o parte en un juicio. | Dentro del Derecho histórico, cada una de las siete partes en que Alfonso el Sabio dividió su famoso Código o compilación, que por ello se denominó *Las Siete Partidas* o *Partidas* (v.).

Partida de defunción

Constancia del Registro Civil, y también de los libros parroquiales, relativa a la muerte de una persona, con diversas circunstancias individualizadoras.

Partida de matrimonio

La constancia registral de este acto trascendente, dentro del estado civil y la capacidad en general, afecta, por necesidad y simultáneamente, a dos personas, en recíproca situación. Constituye, dentro de las fundamentales *partidas* de igual índole, la única en que declaran y firman los protagonistas, en diferencia esencial así con respecto al acta de nacimiento y a la *partida de defunción* (v.).

Partida de nacimiento

Constancia del Registro Civil o de los libros parroquiales relativa al nacimiento de una persona, con constancia de diversos elementos vinculados con tal nacimiento.

Partidas

Con el nombre de *Las Siete Partidas* o *Las Partidas* se conoce el monumento jurídico medieval, sin parangón en el mundo de su época, debido a la idea, y quizás obra en buena parte, del rey de Castilla Alfonso el Sabio. Su denominación procede de las siete partes, o libros que se diría hoy, en que se encuentra dividido el texto.

Partido

Con valor adjetivo, lo distribuido o repartido. | Separado. | Abierto, rajado, hendido. | Liberal, generoso. | **JUDICIAL.** Territorio jurisdiccional de un juez de primera instancia en lo civil o de instrucción en lo criminal. | **POLÍTICO.** Agrupación que aspira al gobierno o dominación del Estado y con ideas o programa más o menos definido y leal para tal empresa.

Parto

Acción o acto de dar a luz la mujer, de parir: la expulsión del feto completamente desarrollado o viable y de sus anexos fuera del claustro materno. | Por extensión, nacimiento. | El recién nacido. | Metafóricamente, toda producción del entendimiento. | **DOBLE.** El nacimiento de dos o más criaturas en un solo *parto*; aun cuando en el caso de gran pluralidad sea más exacto hablar de *parto múltiple*.

Pasante

Estudiante de abogacía, o abogado ya, que practica, gratuitamente por lo común, con un profesional, para adquirir experiencia en la tramitación de las causas y en la redacción de los escritos. Constituye el aprendizaje forense. | En algunas facultades, profesor con el cual van a estudiar los alumnos próximos a examinarse.

Pasantía

Ejercicio o práctica de *pasante* (v.). | Duración de tal aprendizaje.

Pasaporte

Documento expedido por una autoridad y que permite el libre paso o tránsito por un país o pueblo, o de uno a otro. | Licencia extendida a favor de los militares, con indicación de itinerario y lugares donde les corresponde alojamiento y bagajes. | Licencia, permiso y libertad para actuar.

Pasivo

Sujeto que recibe la acción del agente, y no coopera en ella. | Que permite obrar o proceder a los demás, mientras se abstiene. | Inactivo. | Ocioso. | Haber o pensión que se percibe por servicios prestados personalmente o por algún individuo de la familia ya fallecido. (V. CLASES PASIVAS, JUBILACIÓN, PENSIÓN, RETIRO.) | Conjunto de obligaciones pasivas de una persona. | Deudas de un patrimonio. | En los procesos civiles o criminales, el reo o demandado. | En los balances, saldo negativo o deudor.

Paso

Acción de pasar, cruzar o atravesar. | Lugar o punto por donde se lleva a efecto. | Suceso o hecho de importancia. | Progreso o adelanto en un negocio. | Permiso para pasar. | Pisada o huella impresa al andar (importante vestigio en los crímenes). | Facultad de delegar o transferir dignidades, empleos o atribuciones. | Pase o exequátur. | Peligro o trance de muerte. | Riesgo. | En tiempos caballerescos, lugar de tránsito que se comprometían a mantener uno o varios caballeros contra los que aceptaran su reto. | Pasaje, fragmento de una obra.

Passim

Loc. lat. y esp. Aquí y allí, en partes diversas.

Pastoral

Relativo a los pastores que cuidan de los ganados y a los prelados que velan por la grey divina. | En lo eclesiástico, *pastoral* o *carta pastoral* es el escrito o discurso que un superior eclesiástico, y singularmente el obispo, dirige a sus diocesanos u otros súbditos instruyéndolos en materia de fe, exhortándolos a la virtud o mandándolos al servicio de la religión.

Patente

Como adjetivo, evidente, visible. | Claro, indudable.

Con valor sustantivo, el tí tulo, documento o despacho, librado por autoridad competente, que permite el desempeño de un empleo, el ejercicio de una profesión o el disfrute de un privilegio. | Permiso gubernamental para ejercicio de ciertos comercios o industrias, mediante el pago de la cuota o derecho para ello señalado. (V. MARCA DE FÁBRICA.) | Certificado que protege un invento o alguna otra actividad u objeto de la industria. (V. PATENTE DE INVENCIÓN.) | Autorización para ejercitar ciertas formas de comercio marítimo (como la *patente de navegación* [v.]). | Cédula de algunas cofradías o sociedades que acredita el carácter de miembro de éstas y que permite utilizar sus ventajas y locales. Hoy día, sobre todo por el influjo preponderante del deporte, a tal documento se da el nombre hoy admitido por la Academia de *carné*. | En lo canónico, despacho que los superiores extienden a los religiosos de su orden cuando cambian de convento o van de un punto a otro, tanto para acreditar su personalidad como el permiso consiguiente. | **DE CORSO**. Documento que los gobiernos extendían a favor de un particular para hacer el *corso* (v.), contra enemigos del país. | **DE INVENCIÓN**. Título que acredita la prioridad en el registro de una invención, o que faculta para explotarla. | **DE NAVEGACIÓN**. Documento expedido por autoridad competente que permite navegar a un buque, acredita su nacionalidad y lo autoriza para usar el pabellón. | **DE SANIDAD**. La certificación que llevan las embarcaciones cuando van de un puerto a otro, para comprobar que había o no había peste o peligro de contagio en el punto de salida.

"Pater"

Voz lat. Padre: no sólo como el progenitor masculino, sino también como jefe de una familia o grupo. | **"FAMILIAS"**. Loc. lat. Padre de familia. Según Ulpiano, quien tiene dominio en su casa, aunque no tenga hijos; pues con tal palabra no se designa solamente a la persona, mas también su derecho.

Patíbulo

Tablado que se levanta sobre el suelo y donde se ejecuta la pena de muerte, especialmente la horca. | Entre los romanos, instrumento de suplicio.

Patria

Lugar, ciudad o nación en que se nace. | El conjunto sagrado de la tierra, la historia, la vida presente y las nobles aspiraciones del país y del pueblo al que nos unen el nacimiento o la sangre de los padres. | Políticamente, sinónimo de nación. | **POTESTAD**. Conjunto de derechos y deberes que al padre y, en su caso, a la madre corresponden en cuanto a las personas y bienes de sus hijos menores de edad y no emancipados.

Patriarcado

En lo canónico, dignidad de patriarca. | Su territorio jurisdiccional. | Duración de la dignidad de patriarca. | Su gobierno y autoridad.

Patricio

En Roma, nombre nobiliario de quienes descendían de los primeros senadores creados por Rómulo. | Título honorífico, cuya institución se debe al emperador Constantino. | Relativo a los patricios. | Patriota. | Privilegiado, noble o descollante por sus virtudes, méritos e incluso riqueza entre sus conciudadanos.

Patrimonial

Relativo al patrimonio. | Lo que a alguien pertenece por causa o razón de los padres o de la patria.

Patrimonio

El conjunto de bienes, créditos y derechos de una persona y su pasivo, deudas u obligaciones de índole económica. | Bienes o hacienda que se heredan de los ascendientes. | Bienes propios, adquiridos personalmente por cualquier título. | Los bienes propios, espiritualizados antes y luego capitalizados y adscritos a un ordenado, como título y renta para su ordenación. | "Conjunto de los derechos y de las cargas, apreciables en dinero, de que una misma persona puede ser titular u obligada y que constituye una universalidad jurídica. La palabra se emplea alguna vez para designar una masa de bienes que tiene una afectación especial; por ejemplo, una fundación" (Capitant). | **FAMILIAR**. Las tendencias modernas que aspiran a intensificar la producción, en un aspecto material, y a reforzar la vida de familia, como fin ideal dotándola de medios bastantes y seguros, y otras conveniencias políticas y generales, han llevado, ya para fomento de la agricultura, para colonización de territorios despoblados, para facilitar la adquisición del hogar propio, entre otros propósitos, a proteger, más que un *patrimonio* propiamente dicho, porque no se refiere a todos los derechos y obligaciones, a amparar uno o más bienes suficientes para vivienda o existencia de una familia.

Patrocinador

Que patrocina o ampara. | Defensor. | Protector.

Patrocinio

Defensa. | Amparo. | Favor. | Auxilio. | Protección. (V. PATRONATO.)

Patrocinio letrado

Asesoramiento técnico y representación de procedimiento que las partes litigantes, por imperativo de la ley o voluntariamente, conceden, cada una de ellas, a distinto abogado.

Patrón

Norma, modelo, pauta. | Criterio, medida. | Defensor. | Protector. | Titular del derecho de patronato. | Manumisor del esclavo. | Dueño de la casa en que se recibe alojamiento. | Señor o amo. | Quien manda y dirige una pequeña embarcación mercante. | En los buques de guerra, el hombre de mar encargado del gobierno de una embarcación menor. | En América, patrono o empresario, en los significados laborales. | Metal que sirve de tipo para la estimación de la moneda. | **MONETARIO.** La unidad fijada por la ley en relación con un determinado metal, generalmente el oro. | **ORO.** El oro cuando determina el régimen monetario de un Estado. (V. PATRÓN MONETARIO.)

Patronato

Derecho, autoridad, poder de un patrono. | Corporación o entidad compuesta por patrono. | Fundación de una obra pía. | Obligación de cumplir con algunas obras piadosas aquellas personas designadas por el fundador. | Derecho de patronato. (V. CORPORACIÓN, FUNDACIÓN.) | En Roma, derechos que se reservaba quien manumitía a un esclavo, o facultades que le correspondían al antiguo dueño, ya para utilizar durante cierto tiempo el trabajo del liberto, ya incluso para heredarlo.

Patrono

Defensor. | Protector, amparador, favorecedor. | Titular del *derecho de patronato* (v.). | Manumisor. | Dueño del lugar donde uno se aloja. | En los feudos, dueño del dominio directo. | Quien emplea remuneradamente y con cierta permanencia a trabajadores subordinados a él.

Pauliana

Se denomina así a la acción que, en Derecho Romano, se daba al acreedor para que por sí pudiera solicitar la rescisión del contrato fraudulento hecho por su deudor en su perjuicio. Esta acción, como expresa el codificador argentino, no tiene por objeto ni por resultado hacer reconocer un derecho de propiedad a favor del que la ejerce, ni a favor del deudor; sino sólo salvar el obstáculo que se pone a las pretensiones del acreedor sobre los bienes enajenados. Es siempre una acción meramente personal.

Aun cuando se afirma que esta acción lleva el nombre de *pauliana* por haber sido instituida en Roma, por un pretor llamado Paulo, es cierto que es más antigua que éste, ya que, según autorizadas opiniones, procede de tiempo de la República.

Paz

Tranquilidad, sosiego en la vida interna de los Estados, y, sobre todo, en las relaciones internacionales entre éstos. | En este sentido se contrapone a la *guerra* (v.); al punto de que autores como Capitant aceptan como definición de *paz* la puramente negativa de situación de un Estado que no está en guerra con ningún otro. | Buenas relaciones entre familias u otras personas con vínculos jerárquicos, laborales o de cualquier otra índole. | Ajuste o tratado de paz. | Salutación consistente en un beso, como signo de amistad, cese de desavenencia o conflicto y para cerrar un convenio.

Peaje

En concepto amplio, derecho de tránsito como impuesto por el paso a través de caminos, canales o puentes, realícenlo vehículos, lleven éstos carga o vayan de vacío. | Más propiamente, para deslindar la noción de la de portazgos, pontazgos y barcajes, incluidos en la acepción primera, el derecho que se paga y se cobra, según la situación del sujeto deudor o acreedor, al pasar por caminos ajenos o públicos, tanto las personas como las caballerías que conduzcan, con carga o sin ella.

Peatón

Peón o quien anda a pie, especialmente por calles o caminos.

Pecado

Transgresión de la ley divina. | Pena merecida por tal infracción. | Víctima ofrecida por la expiación; y en este sentido se dice en la II de las *Epístolas a los corintios* que Dios ha pecado por los hombres. | Cualquier vicio, defecto o falta. | Todo hecho o dicho contra rectitud y justicia. | Exceso, abuso.

Peculado

Sustracción, apropiación o aplicación indebida de los fondos públicos por aquel a quien está confiada su custodia o administración. En la actualidad, este delito se denomina *malversación de caudales públicos*.

Peculio

Dinero propio de una persona. | Patrimonio o caudal perteneciente al hijo de familia, y antaño al siervo, con cierta independencia respecto del padre o señor. | En el Derecho Penal francés, conjunto de fondos que la administración penitenciaria debe al penado y que provienen principalmente de la porción del salario concedido como remuneración de su trabajo. | **ADVENTICIO**. Caudal o patrimonio que el hijo de familia adquiere por su trabajo o fortuna y por donación, legado o herencia de su madre, parientes o extraños, pero no del padre. | **CASTRENSE**. Bienes filiales por razón del servicio militar o de las campañas. | **CUASICASTRENSE**. Conjunto de bienes filiales por razón del ejercicio de funciones públicas, profesiones liberales o dignidades eclesiásticas. | **PROFECTICIO**. Caudal o bienes que el padre de familia entrega en administración y a veces en disfrute además, a su hijo, pero con reserva de la propiedad.

Pederasta

Quien comete pederastia. | Invertido, homosexual, sodomita.

Pederastia

En general, inversión o aberración del instinto sexual: concúbito entre personas del mismo sexo o en vaso indebido. | Más propiamente, de acuerdo con la etimología griega (que indica amante físico de los niños), abuso deshonesto cometido contra ellos. | Por extensión, homosexualidad, sodomía, acceso carnal entre los que no merecen el nombre de *hombres*.

Pedimento

Todo escrito en que se pide o demanda algo a un juez o tribunal. | Cualquiera de las pretensiones que en tal solicitud se consignan. (V. SÚPLICA.) | En general, petición.

Pedir

Demandar o rogar algo por derecho o generosidad. | Limosnear, pordiosear. | Entablar acción o ejercitar un derecho ante un juez o tribunal. | Poner precio. | Requerir o exigir alguna cosa.| Querer, desear. | Exponer a los padres o parientes de una mujer el propósito de casarse con ella y solicitar la autorización consiguiente. | **EN JUSTICIA**. Acudir a un juez o tribunal, verbalmente o por escrito, para iniciar una acción o querella, presentar queja o denuncia o formular cualquier pedimento.

Pena

Sanción, previamente establecida por ley, para quien comete un delito o falta, también especificados. | Dolor físico. | Pesar. | Esfuerzo, dificultad. | Trabajo; fatiga.| **ACCESORIA**. La que por declaración legal, aun cuando se exija el pronunciamiento por el tribunal sentenciador, acompaña a otra, la principal; la que se aplica como consecuencia de ésta. De ese concepto discrepa Capitant, que entiende como *pena accesoria* la que acompaña de pleno derecho a otra sin necesidad de ser pronunciada por el juez; y agrega que el legislador suele confundirla con la *pena complementaria*. | **AFLICTIVA**. Para algunos, cada una de las de mayor gravedad de las de carácter personal contenidas en un código; como la de muerte y las largas y severas de privación de libertad. | Para otros, toda pena corporal impuesta por un tribunal de justicia. | En distinto concepto, tanto la que alcanza directamente al cuerpo del condenado, en su vida o libertad, como a sus bienes. | **ARBITRARIA**. Aquella que, por no estar determinada en la ley, depende del arbitrio judicial. | La injusta o aplicada por quien carece de atribuciones. | **CORPORAL**. La que recae sobre la persona o integridad física del delincuente; como la de muerte y las antiguas de azotes y mutilaciones. | Por extensión, la que restringe la libertad del reo o le impone especiales prestaciones; cual todas las privativas de libertad y la de trabajos forzados. | **CORRECCIONAL**. Con arreglo a la severidad, cualquiera de las que siguen en gravedad a las más rigurosas o *penas aflictivas* (v.). | La que pretende la enmienda del condenado. | En Derecho Penal francés (y dentro de su división tripartita en crímenes, delitos y contravenciones), la sanción de los *delitos* o infracciones intermedias. | **DE LA VIDA**. Por extraordinaria paradoja, sinónimo de *pena de muerte* (v.). | **DE MUERTE**. Conocida también con los nombres de *pena capital, pena de la vida* y, antiguamente, como *pena ordinaria*, consiste en privar de la existencia, por razón de delito, al condenado a ello por sentencia firme de tribunal competente. | **DEL TALIÓN.** V. TALIÓN. | **DISCIPLINARIA**. La impuesta en virtud de atribuciones jerárquicas y por una falta contra la disciplina, obediencia u orden de la institución. | La consistente en prevención, advertencia o censura. | **GRAVE**. Cualquiera de las más rigurosas contenidas en una ley represiva. | **INFAMANTE**. La que produce infamia legal. | **LEVE.** Comparativamente, cada una de las menos temibles u onerosas para el transgresor del orden jurídico. Por supuesto, se contrapone a *pena grave* (v.). | **PECUNIARIA.** La consistente en la privación o disminución de los bienes de un condenado por delito.

Penado

En significados generales, lleno de penas o desventuras. | Dificultoso. | Delincuente condenado por sentencia firme a una pena; recluso o internado en un establecimiento penitenciario. El vocablo se refiere, por antonomasia, a quienes cumplen pena privativa de libertad. (V. DELINCUENTE, PRESO, PROCESADO.)

Penal

Lo que incluye o impone pena, como Código Penal o ley penal. | Presidio o penitenciaría. | Criminal o concerniente al *Derecho Penal* (V.; y, además, CIVIL).

Penalidad

Aflicción, molestia, incomodidad. | Calamidad, desgracia, desventura, contratiempo. | Calidad de penable. | Sanción prevista en la ley penal. | Pena. | **CIVIL.** Cualquier sanción que las leyes comunes establecen para los actos o contratos carentes de las formas debidas, con vicios de fondo o por otras causas de nulidad o infracción.

Penitenciar

Imponer penitencia. | Aplicar una pena eclesiástica.

Penitenciaría

Tribunal eclesiástico y colegiado de Roma, presidido por un cardenal, que acuerda y despacha las bulas y gracias de dispensaciones en materias de conciencia. A él se acude para perdón de los pecados cuya absolución está reservada al papa, para levantar las censuras y para la supresión de los impedimentos matrimoniales de los casados sin precisa dispensa. | Dignidad y funciones del penitenciario. | Establecimiento penal.

Pensión

Canon o renta, perpetua o temporal, la que se establece sobre una finca. | Suma de dinero que percibe una persona para su alimentación y subsistencia. (V. PENSIÓN ALIMENTICIA.) | Cantidad periódica, mensual o anual, que el Estado concede a determinadas personas por méritos o servicios propios o de alguna persona de su familia. (V. PENSIÓN GRACIABLE.) | Derecho que corresponde a ciertos miembros de la familia de un empleado o trabajador que cuidaba del sostenimiento de aquéllos y fallece luego de determinados años de servicios. (V. CLASES PASIVAS.) | Canónicamente, derecho a percibir cierta porción de frutos de la mesa o beneficio en vida de quien lo goza. | Contribución o auxilio pecuniario para costear o ampliar estudios. | **ALIMENTICIA.** Cantidad que, por disposición convencional, testamentaria, legal o judicial, ha de pasar una persona a otro, o a su representante legal, con el fin de que pueda alimentarse y cumplir otros fines esenciales de la existencia o especialmente dispuestos. | **GRACIABLE.** La que la nación, por medio del Poder Legislativo, concede a una persona o a sus derechohabientes, en virtud de méritos reales o positivas influencias. | **VITALICIA.** Posee la índole jurídica de cosa mueble, si no constituye carga real de un inmueble.

Pentateuco

Parte de la Biblia integrada por los cinco primeros libros del Antiguo Testamento, escritos totalmente por Moisés (o en gran parte, ya que en ellos se narra su propia muerte). Tales libros son: El Génesis, el Éxodo, el Levítico, los Números y el Deuteronomio. Todos ellos integran los primitivos códigos del pueblo de Israel, por sus numerosos preceptos sustantivos y adjetivos. (V. LEY ANTIGUA.)

Pequeña quiebra

La tramitación y administración archicomplicada de las quiebras ha llevado, con excelente criterio, a diversas legislaciones a crear un procedimiento sumario cuando la cuantía de la insolvencia es reducida.

"Per accidens"

Loc. lat. Por accidente. Se refiere de modo singular al ejercicio interino de funciones o empleos.

"Per capita"

Loc. lat. Por cabezas; es decir, individualmente y por partes iguales. (V. SUCESIÓN POR CABEZAS.)

"Per se"

Loc. lat. Por sí mismo. Expresa que se obra en nombre propio y por cuenta personal; a diferencia de la actuación a través de representante o mandatario.

Percepción
Recepción de alguna cosa. | Recibo o cobro. | Comprensión, conocimiento.

Pérdida
Privación de propiedad, posesión o tenencia. | Extravío de algún objeto. | Daño, mal o menoscabo. | Cantidad o suma que se pierde. | Déficit. | Saldo negativo en una actividad o negocio. | Territorio que se cede por la fuerza a otro Estado o que éste arrebata a consecuencia de una guerra. | Naufragio. | Baja (muerto o herido en acción de guerra). | Disminución, retroceso. | Derrame de los líquidos envasados en cualquier recipiente. | Privación de un bien o un derecho.

Pérdidas e intereses
Denominación usual en el Cód. Civ. arg., por influencia francesa sin duda, para referirse al resarcimiento debido por *daños y perjuicios* (v.).

Pérdidas y ganancias
En la contabilidad mercantil, título de la cuenta donde se registran los aumentos y beneficios y las disminuciones habidas durante un ejercicio, según el extracto que se realiza de otras cuentas u operaciones.

Perdón
Remisión que de la ofensa hace el agraviado. (V. PERDÓN DEL OFENDIDO.) | Liberación que concede al obligado el acreedor. (V. CONDONACIÓN, DEUDA.) | Indulgencia, compasión, clemencia. (V. AMNISTÍA, INDULTO.) | **DEL OFENDIDO.** Olvido que de la falta o delito hace la víctima o alguien de su familia renunciando a reclamar la responsabilidad civil o anulando la persecución o resultas penales. | **JUDICIAL.** Poder discrecional que algunas legislaciones penales de vanguardia atribuyen a los tribunales para proceder, fundadamente por supuesto, a remitir la pena prevista para el delito cometido por el reo juzgado, cuando resulte más útil tal decisión.

Perención o Perención de instancia
Prescripción procesal por inactividad de las partes. Esta denominación, arcaica ya, e incluso galicana, era la utilizada por la Ley arg. 4.550, derogada en 1953 por otro texto, que ya destierra incluso este tecnicismo anticuado. Para el Derecho esp., (V. CADUCIDAD DE INSTANCIA).

Como complemento, (V. PRESCRIPCIÓN DE ACCIONES).

Perentorio
Del latín *perimere*, perecer, extinguirse: lo concluyente o decisivo.

Perfección del contrato
Monumento jurídico en que la convención dual o plural de voluntades produce los efectos que la ley o las partes determinan.

Período
Lapso que requiere una cosa para volver a igual situación o estado. | Espacio de tiempo determinado por cierta identidad de circunstancias. | Ciclo. | **DE PRUEBA.** Ha sido definido como "el espacio de tiempo en el cual el trabajador demuestra su aptitud profesional así como su adaptación a la tarea encomendada, y durante el cual cualquiera de las partes puede hacer cesar la relación que las vincula". | **SOSPECHOSO.** En Derecho Mercantil, el comprendido entre la fecha de la fijación de la suspensión de pagos y el juicio declarativo. | Lapso que precede inmediatamente a la declaración de quiebra y que permite por ello invalidar las operaciones hechas por el luego quebrado, por suponer que procedía sin derecho o con malicia. (V. QUIEBRA, SOSPECHA.) | En lo procesal penal y en relación con los acusados, sospechosos y procesados, tiempo inmediatamente anterior y posterior a la perpetración del delito no cubierto por *coartada* (V.).

Peritación
"Trabajo o estudio que hace un perito" (*Dic. Acad.*). Pese al registro en el léxico oficial, el vocablo se estima tan afectado que no se utiliza como tecnicismo; y se prefieren los de *informe pericial*, la acepción neológica de *pericia* e incluso el indultado galicismo de *peritaje* (v.).

Peritaje
Ex galicismo por informe pericial. Baralt no parece estar en lo cierto al recomendar, en su conocido Diccionario, la voz *arbitraje*, para evitar esta obra condenada. Resulta evidente que se trata de institución jurídica muy distinta.

Perito
Especialista, conocedor, práctico o versado en una ciencia, arte u oficio. | Quien posee título estatal de haber hecho determinados estudios o de poseer experiencia en una rama del conocimiento o en una actividad cualquiera. | La Academia agrega, para definir al *perito* judicial, al que interviene en el procedimiento civil, penal o de otra jurisdicción, como la per-

sona “que, poseyendo especiales conocimientos teóricos o prácticos, informa, bajo juramento, al juzgador sobre puntos litigiosos en cuanto se relacionan con su especial saber o experiencia”.

Perjuicio
Genéricamente, mal. | Lesión moral. | Daño en los intereses patrimoniales. | Deterioro. | Detrimento. | Pérdida. | En sentido técnico estricto, la ganancia lícita que se deja de obtener o los gastos que ocasiona una acción u omisión ajena culpable o dolosa; a diferencia del *daño* (v.), o mal efectivamente causado en los bienes existentes y que debe ser reparado.

Perjurio
Juramento en falso. | Quebrantamiento de lo jurado. | Delito que cometen los testigos y peritos que declaran a sabiendas contra la verdad; y esto por el juramento de veracidad que previamente se les exige.

Permiso
Licencia, autorización, consentimiento para hacer o decir. | Vacación o justificada ausencia de los militares. | En la acuñación de monedas, diferencia tolerada entre su ley o peso efectivo y el que exactamente presupone. La diferencia en más se llama en fuerte; y cuando es en menos, en feble.

“Permissio jura condendi”
Loc. lat. Permiso o autorización para establecer el Derecho.

Permuta
En general, trueque o cambio de una cosa por otra. | Resignación recíproca de beneficios eclesiásticos para cambiar los titulares de éstos. | Cambio de destino u oficio. | Contrato por el cual se cede o entrega una cosa a cambio de otra. (V. CAMBIO, CONTRATO, PERMUTA.)

Permutante
Aun cuando este vocablo no esté incluido en el Diccionario oficial, es absolutamente necesario para designar de modo breve y claro a cada una de las partes en el contrato de permuta, y de manera unívoca, dada la reciprocidad de la situación, la similitud de obligaciones y derechos.

Permutar
Trocar o cambiar una cosa por otra, con recíproca transmisión de la propiedad. | Cambiar sus beneficios los eclesiásticos; o sus empleos los funcionarios.

Persecución
Materialmente, seguimiento del que escapa, para alcanzarlo o capturarlo, para agredirlo. | Históricamente, cada una de las sangrientas represiones que los emperadores romanos de los tres primeros siglos emprendieron contra los cristianos y que originaron millares de mártires, víctimas de las fieras, del fuego, del puñal o la espada, de la cruz y de otros múltiples suplicios. | A semejanza mayor o menor, con respeto de la vida o sin ello, las campañas que contra sus opositores emprenden los regímenes dictatoriales o en exceso autoritarios. | Apremio, acoso. | Exigencia inoportuna. | Derecho reivindicar ciertos bienes o de resarcirse con ellos, aun cuando hayan pasado a terceros.

Persona
Filosóficamente, sustancia individual de naturaleza racional (Boecio). | Naturaleza humana encarnada en un individuo (Headrick). | Ser humano capaz de derechos y obligaciones; el sujeto del Derecho. | Cualquier hombre o mujer. | Más indefinidamente, se refiere a ésta o aquél cuando se ignora el nombre o no se quiere mencionar. | Hombre de gran capacidad u otras notables prendas. | Personaje. | Quien desempeña importantes funciones en la vida pública.| **ABSTRACTA**. Uno de los numerosos sinónimos de *persona jurídica* (v.). | **ADMINISTRATIVA**. Denominación que la doctrina francesa aplica a las personas jurídicas de Derecho Público. | **COLECTIVA**. Un ser de existencia legal susceptible de derechos y obligaciones o de ser término subjetivo en relaciones jurídicas (Sánchez Román). Constituye, pues, otro eslabón en la serie extensa de la sinonimia utilizada por los autores para designar a las *personas jurídicas* (v.). | **DE DERECHO PRIVADO**. Denominación que algunos autores reservan a la variedad de *personas abstractas* (v.) que fundan los particulares y en interés individual. Pertenecen a este género las sociedades y asociaciones. (V. PERSONA DE DERECHO PÚBLICO.) | **DE DERECHO PÚBLICO**. Cualquiera de las corporaciones que dan estructura a la convivencia humana con permanencia, normatividad y coacción. Tales son el *Estado*, la *región*, la *provincia*, el *municipio* (v.) y las entidades locales menores. Resultan de catalogación dudosa en esta especie las *Naciones Unidas* (v.), por cuanto el acceso a ellas y la permanencia es discrecional para los distintos países

independientes, y por no constituir un superestado. (V. PERSONA DE DERECHO PRIVADO.) | **DE EXISTENCIA IDEAL**. Denominación usada por el legislador civil argentino, en el art. 31 del Cód. Civ., para caracterizar la índole incorpórea o no físicamente humana de las *personas jurídicas* (v.), locución que por usual prefiere en definitiva a lo largo de todo el tít. I del lib. I del cuerpo legal citado. (V. PERSONA DE EXISTENCIA VISIBLE.) | **DE EXISTENCIA VISIBLE**. Como correlación de *persona de existencia ideal* (v.), pero manteniendo el tecnicismo, el art. 31 del Cód. Civ. arg. se refiere a la *persona de existencia visible* que no es otra que el hombre en cuanto ente susceptible de adquirir derechos o contraer obligaciones. | **FÍSICA**. El hombre o el individuo del género humano, con inclusión de la mujer, por supuesto. | **INCIERTA**. La de existencia no comprobada.| La de identidad dudosa. | **INTERPUESTA**. La que presta su nombre o pone su firma para facilitar un acto o contrato. | Quien aparentemente obra en interé s propio, pero que efectivamente procede por otro; se trata en cualquiera de los casos de burlar alguna prohibición, eludir cargas o perjudicar a terceros. | **JURÍDICA**. Ente que, no siendo el hombre o *persona natural* (v.), es susceptible de adquirir derechos y contraer obligaciones. A esta noción más bien negativa, o meramente diferenciadora de la otra especie de sujetos del Derecho, de los individuos humanos, cabe agregar la nota activa de integrar siempre las *personas jurídicas* un grupo social con cierta coherencia y finalidad, con estatuto jurídico peculiar. | **NATURAL**. El hombre en cuanto sujeto del Derecho, con capacidad para adquirir y ejercer derechos, para contraer y cumplir obligaciones, y responder de sus actos dañosos o delictivos. | **POR NACER**. La que, no habiendo nacido, está concebida en el seno materno.

Personalidad

Aptitud legal para ser sujeto de derechos y obligaciones. | Diferencia individual que distingue a cada uno de los demás. | Carácter bien definido. | Personaje notable. | Escrito o discurso que se concreta a determinadas personas, con ofensa o perjuicio de ellas. | Capacidad para comparecer en juicio. | Representación legal y bastante para litigar. (V. EXCEPCIÓN DE FALTA DE PERSONALIDAD.) | **GREMIAL**. La aptitud para el ejercicio de derechos y obligaciones por las asociaciones profesionales. | **JURÍDICA**. Condición de las personas jurídicas; la aptitud para adquirir derechos y contraer obligaciones.

Personarse

Presentarse uno mismo en alguna parte. | Comparecer en juicio; apersonarse. | Mostrarse parte en cualquier asunto o negocio. (V. COMPARECENCIA EN JUICIO.)

Personería

Funciones o cargo de personero. | Americanismo por personalidad jurídica y por capacidad para comparece en juicio.

Perturbación

Desorden. | Trastorno. | Confusión. | Desconocimiento de derechos. | Inquietud. | Interrupción al que habla o informa. | Desequilibrio mental. | Alteración de plan, programa o previsión.

Perversidad

Maldad suma. | Extrema corrupción de costumbres. | Anormalidad o degeneración sexual.

Perversión

Enseñanza del mal, del vicio, del delito. | Corrupción moral. | Degeneración sexual. | Depravación. | Malas costumbres. | Crueldad criminal. | Resuelta tendencia delictiva.

Peso

Pesadez de las cosas. | Expresión ponderal que por ley, convenio o declaración unilateral deben tener las cosas; y cuya falta integra lesión o estafa en caso de mala fe por quien enajena bienes o productos faltos de peso. | Balanza; báscula. | Puesto público en que solían vender al por mayor los comestibles. | Fuerza o eficacia de las ideas o las opiniones. | Influjo. | Trascendencia o importancia de algo. | Carga o trabajo enfadoso. | Unidad monetaria de Argentina, Bolivia, Colombia, Cuba, Chile, México y el Uruguay.

Pesquisa

Investigación, indagación para descubrir algo o cerciorarse de su realidad y circunstancia. En este sentido, son *pesquisas* tanto el sumario instruido por un juez como el *atestado* (v.) de algún funcionario con atribuciones para formarlo. | ant. Testigo. | En América, policía no uniformado. | Detective.

Petición

Demanda. | Solicitud. | Instancia. | Pedimento. | Pedido. | Voto. | Escrito en que se pide jurídicamente algo a un juez o tribunal. | Escrito dirigido al Parlamento o al Poder ejecutivo para exponer individual o colectivamente opiniones, quejas, planes o demandas. | **DE HERENCIA**. Solicitud o reclamación de la sucesión que corresponda por ley o testamento, o de ambos modos. | Acción judicial tendente a que sea reconocido el título de heredero, con la consiguiente entrega de bienes o el ejercicio de los derechos pertinentes.

Peticionario

Quien pide, solicita o insta oficialmente algo.

Petitoria

Petición reiterada o impertinente. (V. ACCIÓN PETITORIA.)

Petitorio

Concerniente a una petición. | Parte de la demanda que contiene la súplica o petición de cada litigante, sea absolutoria, declarativa, condenatoria o constitutiva. | Refiérese al juicio seguido sobre la propiedad de una cosa, a diferencia del *juicio posesorio* (v.), donde se controvierte tan sólo acerca de la posesión.

Picapleitos

Pleitista. | Enredador, trapisondista. | Abogado sin pleitos y a la busca de clientes. | Abogado rutinario o que dilata las causas.

"Picketing"

Con esta voz inglesa, que significa castigo del piquete, del verbo *to picket*, vigilar con piquetes, se denomina la vigilancia que organizan los huelguistas en las proximidades de las fábricas o en las estaciones del ferrocarril y cruces de carretera, para evitar que los pertenecientes a determinado taller cesen en su actitud de huelga y para impedir que los esquiroles acudan, tras los ofrecimientos de los patronos, a ocupar los puestos vacantes.

Pie

Cada una de las extremidades de los miembros inferiores del cuerpo humano. | De ahí, base, fundamento. | Regla o norma. | Espacio que queda en blanco al final de un escrito y en el que suele estamparse la firma. | En Chile, arras o señal de un contrato.

En algunas expresiones, la voz adquiere especial sentido: *Al pie de la fábrica* significa que se aplica los costos de un producto allí donde se elabora. *Al pie de la letra* equivale a exactitud literal, imprescindible en las copias de documentos. *Queda en pie* lo que se salva de ruina o devastación, de terremoto o bombardeo.

Según se hable de la organización de un país para una lucha armada con otro o sin ese ánimo, se emplean las locuciones contrapuestas de *en pie de guerra* o *en pie de paz*.

Pieza

Parte, trozo, pedazo. | Habitación o aposento de una casa. | Moneda. | Animal que es objeto de caza o pesca. | Cada una de las partes relativamente independientes, dentro de su unidad, en que se divide un proceso o expediente. | **DE AUTOS**. Conjunto de papeles cosidos que pertenecen a una causa o proceso. | **DE CONVICCIÓN**. Cualquiera de los objetos que demuestran la realidad del delito. | Cualquier prueba material de un hecho. | **DE PRUEBA**. En las causas civiles, cada una de las partes de los autos en que por separado debe constar la prueba propuesta por cada litigante y la práctica que se haga de ésta.

Pignoración

Acción o efecto de pignorar, prendar o empeñar.

Pignorar

Empeñar, prendar.

Pignoraticio

Relativo a la pignoración, empeño o prenda.

Piratear

Apresar y robar embarcaciones, y cometer toda serie de violencias contra tripulantes y pasajeros.

Piratería

La más irregular de las guerras posiblemente, la delincuencia llevada a cabo en el mar o costas poco vigiladas. El apresamiento de naves, el robo de los efectos que transporten, el asesinato de sus tripulantes o pasajeros, la violación y el secuestro caracterizan la *piratería*, que se aprovecha de la soledad del mar, de la despoblación de algunas costas o de la indefensión de las naves mercantes o de las de guerra mal armadas. La *piratería* se ejerce por buques sin bandera o nacionalidad o que la ocultaban cuando servían a algún Estado, también *pirata* entonces.

Plagio

En el Derecho Romano, el hurto de hijos o esclavos ajenos para servirse de ellos como propios, o para venderlos y lucrarse con el producto. | En los países anglosajones, como reminiscencia de la vieja concepción romana, el secuestro o rapto de niños o personas mayores, con la idea de exigir el rescate en metálico. De no obtenerlo, se da muerte al detenido o secuestrado. | En materia de propiedad literaria, científica o artística, la copia o imitación que no confiesa el modelo o el autor seguido.

Planificación

En lo metodológico, trazado de normas o pautas para simplificación y eficacia desde lo teórico hasta lo práctico. | En el orden laboral, sistema orgánico de la producción consistente en una racionalización muy estricta, como la del *trabajo en cadena*. | En el plano gubernamental, establecimiento de una estructura coherente al servicio del progreso nacional o del bienestar público mediante la ejecución de obras, la intensificación productora, la creación o activación de instituciones en plazos de duración intermedia y que suelen extenderse entre un bienio y un quinquenio.

Plano

Representación gráfica de un terreno, edificio, obra, objeto de cualquier especie o cosa análoga. Su influjo en el Derecho es enorme, puesto que, desde la obligación de presentación previa de *planos* para todas las obras y construcciones públicas, así como para la de viviendas en las poblaciones de cierta importancia, hasta la configuración del delito de traición, punible con la muerte, cuando se levantan *planos* que atentan contra la seguridad nacional, éstos presentan capital importancia.

En otra consideración idiomática, como locución adverbial, *de plano* significa resueltamente o por completo, como al confesar toda su participación un delincuente.

En materia de procedimiento, *de plano* equivale a rechazamiento absoluto de una pretensión o escrito. En este sentido, el modismo proviene de que los pretores romanos adoptaban esas resoluciones en la *planicie del pretorio*, antes o después de ocupar su sitial.

Plazo

Tiempo o lapso fijado para una acción. | Vencimiento de éste, o *término* propiamente dicho. | Cuota o parte de una obligación pagadera en dos o más veces. | Procesalmente, el espacio de tiempo concedido a las partes para comparecer, responder, probar, alegar, consentir o negar en juicio. | **CIERTO**. El que consta que ha de llegar a cumplirse; ya sea *determinado* (el 31 de diciembre del año 2000), ya *indeterminado* (la muerte de una persona viviente). | **DE PREAVISO**. Lapso que el patrono debe dar al trabajador antes de despedirlo, para que pueda durante aquél, y gozando de libertad durante algunas horas de su jornada, buscar nuevo trabajo. | Espacio de tiempo durante el cual el trabajador que piense dejar una empresa debe seguir trabajando, luego de notificarle a su empresario el propósito, con el fin de que pueda encontrar sustituto o tomar las medidas convenientes. | **DELIBERATORIO**. El concedido a alguien para que en su transcurso adopte una actitud resuelta. | **INCIERTO**. El que adolece de inseguridad en la producción o en el tiempo. | **INDETERMINADO** o **INDEFINIDO**. Especie del *plazo cierto* (v.) cuando el término no está regido por una fecha concreta, y depende de un suceso más o menos eventual en el tiempo. | **JUDICIAL**. El señalado por el juez en uso de facultades discrecionales o en virtud de una disposición expresa de las leyes de procedimiento. (V. PLAZO LEGAL.) | **LEGAL**. El que se encuentra establecido por ley, costumbre valedera, reglamento u otra disposición general. | **PROBATORIO**. El *período de prueba* (v.) normal o prorrogado, para la correspondiente práctica de las medidas pertinentes. | **RESOLUTORIO**. El que lleva consigo la extinción o caducidad de un derecho. (V. PLAZO SUSPENSIVO.) | **SUSPENSIVO**. El que, al cumplirse, origina el nacimiento del derecho hasta entonces expectante. (V. PLAZO RESOLUTORIO, TÉRMINO SUSPENSIVO.)

Plebiscito

En la antigua Roma, decreto de la plebe o ley votada por el pueblo convocado por tribus, propuesta por un magistrado popular (el tribuno de la plebe) y en deliberación separada de los patricios y senadores. Estos *plebiscitos* o leyes populares sólo obligaron en un principio a los plebeyos, hasta que, creciendo su influencia, adquirieron fuerza obligatoria para los patricios también. | En el Derecho Político moderno, consulta directa que se hace al pueblo acerca de una medida fundamental o sobre su voluntad de independencia o anexión. | También, demostración organizada por los poderes dictatoriales para probar o aparentar, a falta de elecciones, que el pueblo apoya su política o la persona de su caudillo. | En Suiza se emplea como sinónimo de *referéndum* (v.).

Pleito

Etimológicamente, sentencia, decreto. | Litigio judicial entre partes. | Más estrictamente, causa o juicio de carácter contencioso ante la jurisdicción civil. | Disputa, polémica. | Pendencia, riña. | Antiguamente, pacto, convenio, contrato, ajuste, tratado. | **CIVIL**. Debate contencioso ante la jurisdicción ordinaria sobre propiedad o posesión de bienes, validez de obligaciones, estado civil, alimentos y otras cuestiones de familia, herencias y sucesiones.

Plenario

Pleno, lleno, entero. | Cumplido. | En lo procesal, juicio en que se trata con mayor detenimiento acerca del derecho y pretensiones de las partes; como en el juicio de mayor cuantía. (V. JUICIO PLENARIO.) | En el procedimiento criminal, fase que sigue al sumario o sumaria y en la cual se formulan los cargos y defensas.

Pleno derecho (De)

Locución que califica la constitución de una relación jurídica o la producción de un efecto jurídico por *ministerio de la ley* (v.), con independencia de acto o voluntad de las partes a quienes afecte.

Pliego

Trozo cuadrangular de papel, de cualquier tamaño, pero doblado por medio, de donde toma nombre. | Por extensión, hoja de papel, aún no doblada. | Conjunto de páginas de un libro que se imprimen de una vez, y que por lo general son 16 en los libros corrientes. | Memorial que los arrendatarios o asentistas presentan con las condiciones en que aceptarán el arrendamiento de una renta o cosa. | Todo documento, oficio, carta o comunicación que se envía cerrado. | **DE CONDICIONES**. Bases generales que por el gobierno, corporaciones oficiales o empresas privadas se establecen públicamente y con carácter previo a la adjudicación de una obra o prestación de un servicio, para suscripción de un empréstito o para cualquier otro acto que deba efectuarse en pública subasta. | Aun cuando se trate más de aspiraciones que de condiciones, la locución se refiere asimismo a la exposición escrita, y excepcionalmente verbal, de los trabajadores cuando reclaman concretas mejoras o remedio de las quejas que señalan, ya para solución de un conflicto existente o para evitar su planteamiento. | **DE POSICIONES.** Escrito que contiene la serie de preguntas a cuyo tenor una de las partes exige que sea interrogada la otra, bajo *confesión judicial* (V.; y, además, ABSOLUCIÓN DE POSICIONES).

Pluralidad de instancias

Característica de los procedimientos, en virtud de la cual existe más de una *instancia* (v.) con el fin de llegar a una decisión definitiva respecto de las cuestiones objeto de decisión. Existirá así *doble instancia*, si las decisiones de *primera instancia* pueden ser recurridas ante un tribunal de alzada o apelación. También se configura *pluralidad de instancias* cuando las normas aplicables prevén tres o más niveles judiciales antes de llegar a una decisión definitiva. La *pluralidad de instancias* puede ser exigida por razones constitucionales o contribuir simplemente a la mejor administración de justicia.

Plus

Sobresueldo o bonificación que se da a las tropas en campaña o por otros servicios especiales. | Cualquier pago suplementario, como gratificaciones, dietas, viáticos, primas, premios, etc. | **PETICIÓN**. Petición o reclamación de más de lo debido. | Exceso o demasía de la demanda. | Sentencia o fallo que concede más de lo que el actor pide en la demanda o el demandado en la reconvención, lo cual permite recurrir contra el pronunciamiento.

Plutocracia

Etimológicamente, el gobierno de los ricos. | Influjo del dinero o de la banca en un Estado. | Predominio general de la clase rica de un país.

Población

Acción o efecto de poblar. | Número de hombres y mujeres que componen la humanidad, un Estado, provincia, municipio o pueblo. | Ciudad, villa, pueblo o lugar habitado. | **CIVIL**. En las guerras, los no combatientes o la retaguardia.

Pobreza

Carencia de lo necesario para el sustento material. | Escasez, falta o privación en materia económica. | Abandono voluntario de los bienes que por impulsos superiores y por el obligatorio voto de *pobreza* han de efectuar los religiosos al profesar en las comunidades respectivas. | Escasez, cortedad de ánimo, luces o ideas. | Falta de virtud, valor, energía o talento, en la expresiva definición del *Espasa*, al que corresponde también la acepción anterior. (V. BENEFICIO, INFORMACIÓN Y JURAMENTO DE POBREZA.)

Poder

Facultad para hacer o abstenerse o para mandar algo. | Potestad. | Imperio. | Mando. | Jurisdicción. | Atribuciones. | Fuerza, potencia, vigor, fortaleza. | Capacidad. | Posibilidad. | Facultad que una persona da a otra para que obre en su nombre y por su cuenta. | Documento o instrumento en que consta esa autorización o representación. | Posesión o tenencia actual; como al decir que tal cosa o asunto se encuentra en *poder* de quien se nombra. | Autoridad. | Gobierno. | Superioridad, hegemonía. | Conjunto de fuerzas militares que integran el ejército de un Estado. | **ADMINISTRATIVO**. En la teoría de la división de los poderes, que prácticamente significa la separación de funciones, se señala la existencia de un *poder adminsitrativo*, al cual incumbe la administración del Estado. | **DE POLICÍA**. Para Mayer, "la actividad ejercida por la administración pública para asegurar, por los medios del poder público, el buen orden de la cosa pública contra las perturbaciones de los particulares". | **DISCIPLINARIO**. Competencia del superior jerárquico o de órganos representativos de cuerpos políticos, judiciales, admistrativos o profesionales, para aplicar sanciones apropiadas, pero ajenas a lo penal, a quienes, colocados bajo su autoridad o inspección, han faltado a los deberes profesionales o adoptado actitud de una naturaleza tal, que empañe el buen nombre del cuerpo a que se pertenece (Capitant). | **EJECUTIVO**. En la reiterada y clásica división de poderes, aquel que tiene por finalidad llevar a desarrollo práctico las leyes, ostentando la dirección suprema de los asuntos nacionales. | El gobierno o poder constituido. | Administrativamente, el gobierno y todos los órganos y organismos de la administración pública. | Constitucionalmente, el jefe de Estado y sus ministros. | **ESPECIAL**. El que se confiere o ejerce en uno o más asuntos concretamente determinados. | **GENERAL**. El comprensivo de todos los negocios del poderdante. | **GENERAL PARA PLEITOS**. El que faculta a un procurador u otro representante judicial para los diversos actos y trámites que una causa o juicio requiera. | **JERÁRQUICO**. En las instituciones estructuradas verticalmente, conforme a disciplina humana o trascendente, facultades normativas y disciplinarias que al jefe supremo y a cada uno de los inmediatos superiores corresponden. | **JUDICIAL**. Conjunto de órganos jurisdiccionales a quien está reservada competencia para conocer y resolver en juicios y causas entre partes. | Conjunto de jueces y magistrados de una nación. (V. JUDICATURA.) | **LEGISLATIVO**. En los Estados constitucionales, el Parlamento debidamente elegido. | En los sistemas absolutos o dictatoriales de gobierno, la asamblea consentida o fraguada que, dócil al Poder ejecutivo, desempeña la función legislativa. | **MODERADOR**. Denominación que suele darse a los jefes de Estado en las monarquías constitucionales y en las repúblicas parlamentarias. | **PARA JUZGAR**. La suma de la jurisdicción más la competencia que ha de concurrir en un juez o tribunal para conocer, legítima y eficazmente, en un asunto y resolver sobre éste. | **PARA TESTAR**. El admitido en pasados tiempos cuando cabía facultar a otra persona para que dispusiera a su voluntad de los bienes de la que tal encargo le encomendaba. | **PÚBLICO**. Facultad consustancial con el Estado y que le permite dictar normas obligatorias que regulen la convivencia social de las personas que por vínculos personales o situación territorial se encuentran dentro de su jurisdicción legislativa o reglamentaria. | **REGLAMENTARIO**. Facultad que al Poder Eecutivo corresponde para dictar disposiciones de carácter general y obligatorio sobre toda cuestión no legislada o para complemento y efectividad de una ley.

Poderdante

Quien otorga poder o mandato a otro para que lo represente judicial o extrajudicialmente. (V. MANDANTE.)

Poderes del Estado

Cada uno de los órganos fundamentales de que el Estado se sirve o en los que se concreta y personifica al ejercer su soberanía territorial y personal. Ya Aristóteles distinguía en las funciones públicas la triple manifestación legislativa, judicial o jurisdiccional y administrativa o ejecutiva.

"Pogrom"

Voz rusa que significa destrucción, devastación o exterminio y aplicada, a partir de la revolución de 1905, contra el absolutismo de los zares, como sinónima de persecución sistemática e implacable contra los judíos, en sus barrios y vivienda, donde son asesinados o saqueados.

Poliandria

Forma o régimen matrimonial que permite a la mujer tener dos o más maridos a la vez.

Poliarquía
El gobierno de muchos. Como los propios monarcas absolutos se han visto obligados a delegar algunas cuestiones del gobierno en sus favoritos, *poliarquías* lo son en realidad todos los sistemas de gobierno; si bien doctrinalmente se contrapone a *monarquía* (v.).

Policía
Buen orden, tranquilidad o normalidad en la vida de una ciudad o Estado. | Limpieza, aseo. | Cortesía, urbanidad. | Cuerpo que mantiene el orden material externo y la seguridad del gobierno y de los ciudadanos a quienes ampara la legislación vigente. | Más particularmente, la organización no uniformada que investiga la comisión de los delitos y trata de detener a los autores, para ponerlos a disposición de los tribunales competentes. | Agente que pertenece a este cuerpo.| **JUDICIAL.** La que tiene por finalidad investigar la perpetración de los delitos, determinar las circunstancias de éstos y detener a sus autores o a los sospechosos de haberlos ejecutado.

Policitación
Promesa unilateral mientras no es aceptada; y que permite, por tanto, la revocación por quien la formula. (V. PROMESA.)

Poligamia
Régimen matrimonial en que al hombre se le permite tener simultáneamente dos o más esposas. | Por extensión, poliandria.

Polígamo
Hombre casado simultáneamente con dos o más mujeres. | Por extensión, el que ha contraído diversos matrimonios, aun sucesivos; como el viudo casado en segundas nupcias.

Política
Arte de gobernar, o alarde de hacerlo, dictando leyes y haciéndolas cumplir, promoviendo el bien público y remediando las necesidades de los ciudadanos y habitantes de un país. | Traza o arte para concluir un asunto, para aplicar los medios a un fin. | Cortesía, urbanidad.

Póliza
Por la etimología latina, el vocablo significa promesa. Constituye el documento probatorio de diversos contratos, mercantiles por lo general. | Libranza u orden para percibir o cobrar alguna suma de dinero. | Guía que declara legítimos ciertos géneros o mercaderías, y por tanto libres del concepto de contrabando. | Sello o timbre suelto con que se satisface el impuesto fiscal correspondiente a algunos documentos. | Pasquín. | Anónimo. Cartel o anuncio clandestino. | **DE FLETAMENTO.** Documento acreditativo del *contrato de fletamento*, necesario para la eficacia de éste. | **DE SEGURO.** Documento entre el asegurador y el asegurado, con pormenorizada mención de sus derechos y obligaciones y de la persona o cosa, o personas y cosas, que en su eventualidad determinarán la percepción de la cantidad objeto del *contrato de seguro* (v.), contra el pago regular de las primas establecidas.

Polizón
Propiamente, el vagabundo u ocioso que anda errante de un punto en otro. | Quien viaja clandestinamente, y sin pagar pasaje, por supuesto, en un buque o aeronave.

"Pool"
Voz inglesa, que literalmente significa estanque. Entre financieros, gente de banca y hombres de negocios, la palabra se usa para referirse al convenio celebrado entre empresas autónomas, con el fin de igualar los beneficios concentrándolos en un fondo común, distribuido luego en la forma estipulada.

Por ante
Locución usual en actuaciones judiciales y notariales en que se da fe de ciertas declaraciones o hechos. Constituye un arcaísmo superfluo; pues, para la redacción sencilla y clara, basta con decir *ante*.

Por mayor
En gran cantidad.

Por menor
En pequeña cantidad.

Por poder
Valiéndose de representante o mandatario.

Porcentaje
Tanto por ciento; rendimiento o exacción calculado sobre cien unidades.

Porción
Parte de un todo. | Ración o prebenda catedralicia. | Gran número de personas o cosas. | Cuota en un reparto o distribución.

Pornografía
Tratado sobre la prostitución. | Obscenidad o salacidad en las obras literarias o artísticas. | Obra o escrito lascivo. | Conjunto de dibujos, grabados o pinturas obscenos.

Portador
Quien lleva o trae una cosa de una a otra parte. | Tenedor de efectos públicos o valores comerciales y no nominativos, sino pagaderos a quien los exhibe y exige su valor o prestación. (V. TÍTULO AL PORTADOR.)

Porte
Porteo o conducción de una cosa. | Precio del transporte. | Comportamiento, conducta. | Aspecto, presentación o disposición de una persona. | Capacidad o cabida. (V. CARTA DE PORTE.) | **DEBIDO**. En los transportes ferroviarios principalmente, expresión de que el precio de éste ha de ser pagado en el punto de destino. (V. PORTE PAGADO.) | **PAGADO**. Indicación que una empresa ferroviaria o cualquier otro porteador hace para expresar que el precio del transporte ha sido satisfecho al hacerse el envío; y que por tanto el género o producto ha de entregarse al destinatario sin que éste deba abonar cantidad alguna. (V. PORTE DEBIDO.)

Porteador
Quien portea o transporta personas o cosas por oficio o precio. Se concreta al transporte terrestre, incluido el efectuado por ríos y canales. (V. ACARREADOR, CARGADOR; TRANSPORTE.)

Portear
Conducir, llevar o trasladar una cosa de un lugar a otro mediante el precio o porte convenido o vigente. (V. CONTRATO DE TRANSPORTE.)

Poseedor
Quien posee o tiene algo en su poder, con graduación jurídica que se extiende del simple tenedor al propietario, aun cuando sea a este último al que se contraponga más especialmente el término; porque el *poseedor* constituye un propietario en potencia, por apariencia de dominio o por el propósito de adquirirlo a través de la prescripción. | **DE BUENA FE**. El que cree sinceramente que es suya o puede tener como propia la cosa que posee. | Más técnicamente, quien por justo título ha adquirido una cosa de quien creía ser su dueño o tener derecho a enajenarla o como expresa el codificador argentino, "cuando el poseedor, por ignorancia o error de hecho, se persuadiere de su legitimidad". | **DE MALA FE**. Quien tiene, detiene o retiene lo que sabe que no le pertenece. "El que tiene en su poder una cosa ajena con el designio de apropiársela, sin título traslativo de dominio; y el que tiene una cosa en virtud de título legítimo, pero de persona que sabía no tener derecho a enajenarla" (Escriche).

Poseer
Tener materialmente una cosa en nuestro poder. | Encontrarse en situación de disponer y disfrutar directamente de ella. | Ser dueña o propietario de una cosa. | Creer serlo o pretenderlo por reunir la condición de poseedor de buena fe o de mala fe. | Conocer a fondo una ciencia, arte o idioma. | Tener acceso carnal.

Posesión
Estrictamente, el poder de hecho y de derecho sobre una cosa material, constituido por un elemento intencional o *ánimus* (la creencia y el propósito de tener la cosa como propia) y un elemento físico o *corpus* (la tenencia o disposición efectiva de un bien material). | Tenencia. | Detentación. | Goce o ejercicio de un derecho. | Bien o cosa poseída. | Apoderamiento del espíritu humano por otro, que lo domina y gobierna o extravía. | Cópula carnal. | **ACTUAL**. La del que ejerce el poder de hecho efectivo en el momento presente o en el de surgir un conflicto. | Para Escriche, la que va acompañada del goce real y efectivo de un fundo con percepción de frutos. | **ANUAL**. Aquella cuya duración ininterrumpida es por lo menos de un año y un día. | **CLANDESTINA**. La que se adquiere o conserva oculta o furtivamente, sobre todo con respecto a los que pudieran tener interés en conocerla. | **CONTINUA**. La mantenida sin interrupción desde su origen hasta el momento actual o el de una perturbación de hecho. | Por ficción legal, es continua también la *posesión*, aun interrumpida, si luego se recupera legítimamente. | Para Escriche, la consistente en una serie de actos ciertos que no han sido impedidos por ninguna especie de oposición natural o civil. | **DE ESTADO**. Conjunto de circunstancias de hecho que poseen valor de derecho en relación con el estado civil de las personas. | **EQUÍVOCA**. La dudosa en cuanto al derecho o ánimo del poseedor; como apacentar ganado en un terreno, que puede ser ejercicio de propiedad, gozo de servidumbre o iniciación prescriptiva de una u otra. | **ILEGÍTIMA**. La carente de título, la fundada en título nulo, la adquirida de modo insuficiente para crear derechos reales y la adquirida de quien no tenía derecho a poseer la cosa o a transmitirla. | **INMEMORIAL**. Para Escriche, la que excede la memoria de los hombres más ancianos, de

suerte que no hay ninguno que tenga conocimiento de su origen. | **JUDICIAL**. En sentido amplio, toda aquella que se obtiene, recupera o conserva por sentencia de juez o tribunal. | Más estrictamente, la que por acto de jurisdicción voluntaria otorga un juez o tribunal cuando no procede el interdicto de adquirir. | **LEGÍTIMA**. La relativa al ejercicio de un derecho real cuando se constituya de conformidad a las disposiciones del texto legal. (V. POSESIÓN ILEGÍTIMA.) | **POR ABUSO DE CONFIANZA**. La que se funda en la recepción de alguna cosa entregada con obligación de restituirla, y que luego se resiste. | **PRECARIA.** La meramente tolerada por el propietario o un justo poseedor. | **PRO INDIVISO**.) La que tienen dos o más personas sobre una misma cosa, pero concurrentemente, sin conflicto por la totalidad. | **VICIOSA**. Aquella que tiene alguno de los defectos que impiden su consolidación dominical según la usucapión ordinaria. Son *posesiones viciosas* la clandestina, la de mala fe, la equívoca, la precaria y la violenta. | **VIOLENTA.** La obtenida por la fuerza. | La obtenida pacíficamente pero tornada hostil ante la reclamación del propietario o justo poseedor. | Para el Cód. Civ. arg., la adquirida o tenida por vías de hecho, acompañadas de violencias materiales o morales, o por amenazas de fuerza, sea por el mismo que causa la violencia, sea por sus agentes (art. 2.365).

Posesorio
Atinente o relativo a la posesión. | Juicio posesorio (v.).

Posiciones
Conjunto de preguntas sobre las cuales pide un litigante que declare el otro, bajo juramento, y como prueba del juicio pendiente entre ambos; o sea, la *confesión judicial* (v.).

Positivo
Verdadero, efectivo, cierto. | Indudable, innegable. | Afirmativo. | Que implica un hecho o declaración; en oposición al silencio y a la abstención. | Útil, beneficioso. | Que produce utilidad o rendimiento. | Partidario de los bienes y goces materiales. | Dícese del Derecho divino o humano promulgados, a diferencia del Derecho Natural o ideal meramente. | Vigente, referido también a códigos, leyes y demás normas generales y obligatorias.

"Possessor juris"
Loc. lat. Poseedor de un derecho.

Postor
Quien ofrece precio por alguna cosa. | Más especialmente, quien oferta en subasta, remate o almoneda. | Licitador. | Mejor postor (v.).

Postular
Pedir, solicitar. | Suplicar. | Pretender. | Pedir la designación como prelado de una iglesia de quien en principio no puede ser nombrado.

Póstumo
Dado a luz o publicidad luego de muerto el autor. | El nacido luego de muerto el padre que lo engendró. | Aun rarísimo, el extraído de la madre instantes después de morir ésta, aunque recibe más bien el nombre de *nonato*. | En el Derecho Romano, el hijo nacido en vida del padre o del *de cujus*, pero luego de haber hecho testamento, que por eso se anulaba.

Postura
Situación, actitud o modo en que se encuentra una persona o cosa. | Plantación. | Precio que la justicia pone a los comestibles. | Precio que se ofrece por lo que sale a subasta, remate o almoneda. Pacto, convenio, contrato, ajuste. | Cantidad que se atraviesa en una apuesta. | Suma que se expone en cada jugada o lance de los juegos de azar.

Potencia
Poderío, dominación. | Estado soberano, con medios adecuados para defender su independencia. | Capacidad física para cohabitar carnalmente, requisito para contraer matrimonio no anulable.

Potestad
Poder. | Facultad. | Atribución. | Dominio | Jurisdicción. | Potentado. | En Italia, gobernador, corregidor, juez, según las funciones políticas, administrativas o judiciales. | En el Derecho romano, y como opuesto al *imperio* (v.) o facultad de mando, la *potestad* ("*potestas*") comprendía el poder administrativo; como el de publicar edictos, multar, embargar, convocar al pueblo para hablarle o para que votara, y convocar, presidir y hacer votar a una asamblea. | En el Derecho Canónico, conjunto de poderes, facultades y atribuciones que Cristo concedió a la Iglesia, a través de los apóstoles, para cumplir con su misión; y que se subdivide en *potestad de orden*, recibida en la ordenación, y en la *de jurisdicción*, comprensiva del poder de enseñar y de regir. (V. PATRIA POTESTAD.) | **MARITAL**. Autoridad más o

menos teórica atribuida al marido por la ley y relativa a la persona y bienes de su mujer. | **PATERNA**. (V. PATRIA POTESTAD.) | **TUITIVA**. Amparo que el poder regio brindaba a los súbditos que hubieran recibido agravio de los jueces eclesiásticos. | **POTESTATIVO**. Lo que en la potestad o facultad de uno está hacer o dejar de hacer. | Voluntario.

Potestativo

Se dice de lo que lícitamente cabe hacer o dejar de hacer. | Voluntario. (V. CONDICIÓN POTESTATIVA.)

Práctica

Ejercicio de un arte o facultad. | Método, modo, procedimiento de actuar. | Costumbre, uso, estilo. | Ciencia de instruir o seguir bien un proceso o causa. | Actividad que, dirigidos por un maestro, conocedor o profesional, deben realizar durante determinado tiempo los que han de ejercer ciertas carreras o desempeñar algunos cargos. | Destreza, habilidad. | Aplicación o ejecución de una doctrina o programa. | **CONTRA LA LEY**. Esbozo consuetudinario contra norma escrita en vigor, y que el legislador no admite. | **FORENSE**. Ejercicio de la abogacía, de la judicatura o de cualquier otra de las actividades relacionadas con la sustanciación de los juicios en las distintas jurisdicciones. | Aprendizaje de los escritos, trámites y plazos usuales en la administración de justicia. | Nombre de una asignatura destinada en las universidades españolas a que los estudiantes de Derecho aprendan ese lado material, en cierto modo, del procedimiento.

Práctica forense

Es cosa sabida que el Derecho presenta dos aspectos fundamentales: el sustantivo y el adjetivo o procesal, referido este último a las normas que se han de aplicar para la realización del primero. Pero en la vida judicial no basta con un conocimiento del Derecho Procesal, sino que se requiere también un hábito, un conocimiento de la manera en que se ha de desarrollar la actividad profesional, porque podría decirse que una cosa es el conocimiento de la ley y otra distinta, el modo de hacerla valer. Por eso puede decirse, en términos generales, que, después de terminados los estudios universitarios, hace falta, en unos países de modo voluntario y en otros obligatorio, capacitarse concretamente para el ejercicio de la abogacía. A la adquisición de esos conocimientos es a lo que se llama *práctica forense*. Las formas de adquirirla pueden ser diversas, pero lo corriente es que se obtengan al lado de otro abogado que, por su competencia y por el ejercicio de la abogacía, esté capacitado para proporcionar al profesional incipiente la experiencia de que carece.

Prácticas desleales

En Derecho Laboral se conocen con esa denominación las que, contrariando la ética, pueden poner en práctica los empleadores en perjuicio de los empleados. Cabe señalar entre ellas: subvencionar en forma directa o indirecta a una asociación profesional de trabajadores; intervenir en la constitución, funcionamiento o administración de una asociación profesional de trabajadores; obstruir o dificultar la afiliación de su personal a una asociación profesional mediante coacción, dádivas o promesas, o condicionar a esa circunstancia la obtención o conservación del empleo o el reconocimiento de mejoras o beneficios; promover o auspiciar por esos mismos medios la afiliación de su personal a determinados asociaciones; adoptar represalias contra los trabajadores en razón de sus actividades sindicales o de haber acusado, testimoniado o intervenido en los procedimientos legales; despedir, suspender o modificar las condiciones de trabajo de los representantes sindicales que gocen de estabilidad, de acuerdo con los términos establecidos en la ley, cuando las causas del despido, suspensión o modificación no sean de aplicación general o simultánea a todo el personal.

Práctico

Relativo a la práctica. | Útil, provechoso. | Lo que sirve de enseñanza o aprendizaje. | Experimentado, conocedor, versado, especialista o perito en una materia.

Practicón

El conocedor de una facultad más por haberla practicado que por los estudios o doctrina.

Pragmática

Disposición legislativa emanada del poder real o imperial y que sólo en las formas de su publicación se diferenciaba de los reales decretos y reales órdenes. La palabra se tomó del Código de Justiniano. | En el antiguo Derecho romano, una de las formas que revestían las constituciones imperiales.

Pragmático

Intérprete, glosador de las leyes nacionales. | En Roma, el jurista que ofrecía sus servicios a los abogados que informaban en el foro, y necesitados de tener a mano diversos antecedentes que solicitaban en el acto de estos colaboradores.

Pragmatismo jurídico

Actitud valorativa del Derecho apoyada en la resultante práctica de los principios propuestos o de las leyes y normas dictadas.

Preámbulo

Exposición previa: prefacio, prólogo. | Declaración o justificación inicial. | Primeras palabras, fuera del articulado, con que una Constitución expone sus grandes principios o el poder que la dicta. | Exposición de motivos (v.). | Exordio en un discurso. | Rodeo, digresión, ambages. Pretexto, excusa, subterfugio.

Preaviso

Neologismo laboral rápidamente extendido en la doctrina, la legislación y el lenguaje corriente. Es una contracción de *previo aviso*. Se aplica, además de en el contrato de trabajo, en el de arrendamiento, para referirse a la comunicación que una parte da a la otra de poner fin a la relación jurídica antes del plazo previsto o en el que se indique, si no existía ninguno.

Precario

Inestable. | Inseguro. | Revocable.

Como sustantivo y tecnicismo, lo dado o poseído con sujeción a la sola voluntad del dueño o cedente y sometido a revocación por su sola voluntad y en cualquier momento. | Específicamente, el préstamo o comodato esencialmente revocable por el dueño de lo prestado.

Precepto

"Mandato u orden que el superior intima o hace observar y guardar al inferior o súbdito" (*Dic. Acad.*). | Instrucción. | Regla. | Norma. | Cada uno de los diez mandamientos del Decálogo. | Artículo o disposición concreta de un cuerpo legal. | ant. Privilegio. | Documento en que constaba la concesión de una merced o don en la Edad Media.

Preceptos del derecho

En sentido general, tanto como *precepto legal* (v.). | Más estrictamente, los principios en que se inspira el orden jurídico. | Por antonomasia, los tres fundamentales proclamados ya por los grandes jurisconsultos romanos: 1º vivir honestamente (*honeste vivere*); 2º no hacer daño o mal a otro (*neminem laedere*); 3º dar a cada uno lo suyo (*suum cuique tribuere*).

Precio

Valor de una cosa en dinero. | Cantidad que se pide por ella. | Valor de cambio. | Prestación esencial del comprador en la compraventa. | Contraprestación de una obligación. | Premio o prez que se obtenía en las justas. | Importancia, estimación. | Crédito. | Esfuerzo, sacrificio que algo requiere o cuesta. | Agravante penal, consistente en delinquir por suma de dinero solicitada u ofrecida. | **CIERTO**. El que consiste en una suma de dinero o se refiere a otra cosa cierta. | **CORRIENTE**. El habitual o más frecuente para una cosa o servicio en el lugar y momento que se indique. | El resultante del libre juego de la oferta y de la demanda, en cuanto ello sea leal. | **DE COSTO**. Cantidad de dinero que incluye los tres elementos principales de la producción: la materia prima, el trabajo y la remuneración o ganancia que se asigna el capital. | **FIJO**. El que el vendedor señala como definitivo. | **MÁXIMO**. El que la autoridad señala como superior en las ventas u operaciones que con una cosa o producto se hagan. | **NETO**. El que no permite ya ninguna reducción o rebaja. | **NOMINAL**. En las monedas y títulos de crédito, el marcado o fijado en las piezas, billetes o documentos, inferior o superior, a menos de estar *a la par*, al precio real. | El de una mercadería cuando además requiera gastos adicionales inevitables, como los de transporte. | En épocas anormales, el fijado por la autoridad e incluso señalado en los artículos, pero que no rige para el público, al cual se le exige más. | **VIL**. El inferior no sólo al valor justo o real, sino al de costo, con lo cual el vendedor sufre una pérdida o lesión. En ocasiones resulta conveniente para el comerciante, con el fin de renovar géneros o librarse de cosas que por su estado o la moda no tendrán salida de conservarlas con *precios* normales.

Predio

Finca, heredad, hacienda, tierra, propiedad o posesión inmueble. | **DOMINANTE**. El que tiene una servidumbre a su favor. | **INFERIOR**. El situado aguas abajo con respecto a otro, por ello *predio superior*, sin perjuicio de ser éste inferior con relación a los más cercanos a las fuentes o manantiales. | **SIRVIENTE**. El gravado con una servidumbre. | **SUBURBANO**. Finca situada en las afueras o cercanías de poblado, con esa índole mixta de *predio rústico* y *urbano*, o la dudosa del solar en la ciudad o la de la casa de recreo en el campo. | **URBANO**. En el Derecho Romano, propiedad edificada, ya estuviere en el campo o en poblado. | Hoy, tanto la finca edificada como el solar destinado a construcción en una ciudad.

Pregunta

Interrogación, demanda, requerimiento o indagación que se hace a una persona acerca de algo, para que diga lo que sepa sobre ello. | Interrogatorio.

Preguntas capciosas

Aquellas en que, para descubrir la verdad, se emplean artificios, suposiciones falsas o mentiras.

Preguntas generales de la ley

Las que se dirigen a todo testigo, para saber de quién se trata y de ciertas circunstancias que permitan juzgar sobre su imparcialidad.

Preguntas impertinentes

Las carentes de relación con la causa, o en la cual no influyen cualquiera sea la respuesta.

Preguntas sugestivas

Las que contienen en sí la respuesta que a éstas ha de darse; ya en forma directa, en que se denominan *claras*, o de modo encubierto, en que se dicen *Paliadas*.

Perjudicial

Que requiere decisión previa a la cuestión o sentencia principal. | De examen y decisión preliminar, referido a ciertas acciones y excepciones.

Prejuicio

Acción o efecto de *prejuzgar* (v.). | Parcialidad. | Decisión adoptada previamente a los hechos o argumentos que deben conocerse. | Juicio anticipado. | ant. Perjuicio.

Prejuzgar

Juzgar de las cosas antes de tiempo o de encontrarse debidamente informado. | Resolver acerca de una cuestión de la cual depende la prosecución de una causa o el ejercicio de otra acción.

Prelación

Primacía o antelación que en el tiempo debe concederse a algo. | Preferencia. | En Francia, derecho que los hijos tenían para obtener, frente a extraños, los cargos desempeñados por sus padres. | **DE CRÉDITOS**. Orden de preferencia con que han de satisfacerse los diversos créditos concurrentes en caso de ejecución forzosa de un deudor moroso o insolvente.

Premeditación

Consideración reflexiva y relativamente prolongada de una acción u omisión. Aun recomendable en general por los riesgos de la improvisación, en cuanto significa delectación con el pensamiento criminal, y porque así se perfecciona el delito, al asegurar su perpetración y el posible encubrimiento, la *premeditación* constituye circunstancia agravante de la responsabilidad penal.

Premio

Recompensa, remuneración de un mérito o servicio. | Vuelta, demasía, cantidad o suma agregada al precio o valor y que se entrega como estímulo o compensación. | Aumento que algunas monedas obtienen sobre su valor nominal, al ser cambiadas por otras. | Interés del dinero. | Cada uno de los lotes con cantidad asignada en la lotería. | En Derecho Laboral, prima o sobresueldo por la cantidad o calidad de la producción sobre la base o promedio establecidos.

Prenda

Contrato y derecho real por los cuales una cosa mueble se constituye en garantía de una obligación, con entrega de la posesión al acreedor y derecho de éste para enajenarla en caso de incumplimiento y hacerse pago con lo obtenido. | La cosa sujeta a este contrato y derecho real. | Alhaja, mueble o enseres domésticos que se dan para vender. | Lo dado, dicho o hecho como señal o prueba de algo. | Toda garantía o seguridad, aun espiritual; como la palabra, promesa o juramento. | Cualidad, dote, mérito. | Ser muy querido. | **AGRARIA** o **AGRÍCOLA**. La que se constituye como garantía especial de préstamos en dinero cuando los objetos sobre que recae son cosas destinadas a la explotación rural; o, por extensión, algunas otras cosas. | **COMERCIAL**. Para el Cód. de Com. arg.: "El contrato de *prenda comercial* es aquel por el cual el deudor, o un tercero a su nombre, entrega al acreedor una cosa mueble, en seguridad y garantía de una operación comercial" (art. 580). | **CON REGISTRO**. Régimen pignoraticio o de garantía sin desplazamiento, ya que la cosa prendada queda en poder del deudor. De ese modo no se priva al prestatario del uso de la *prenda*, que muchas veces representa un instrumento de trabajo. La enajenación u ocultación de la cosa prendada constituye delito. | **DE CRÉDITOS**. La pignoración de una obligación activa se rechaza por gran parte de la doctrina basándose en que los créditos no son susceptibles de posesión, si bien puedan serlo los documentos en que figuren, completados por otro probatorio, donde conste la constitución prendaria. | **IRREGULAR**. La que se constituye sobre dinero u otra cosa fungible. En realidad no es tal *prenda*, por no trasmitir la sola posesión al acreedor garantizado, sino también la propiedad, por lo irreconocible del objeto. | **SIN DESPLAZAMIENTO**. Se denomina así la garantía real mobiliaria cuando el objeto que la constituye permanece en poder del deudor.

Presa

Aprensión o toma de una cosa. | Captura, detención. | Lo apresado o robado. | Acequia. | Pared o muro grueso de piedra u otros materiales que se construye en los cursos de agua, con el fin de aprovecharla para riegos y aprovisionamiento de poblaciones o particulares. | Pillaje o botín que se hace en la guerra. | Presa marítima (v.). | **MARÍTIMA**. Nave enemiga, de guerra o mercante, o la neutral mercante de que se apodera, junto con sus tripulantes y carga, uno de los beligerantes del mar. Constituye pues el botín en la guerra marítima.

Prescribir

Ordenar, mandar, señalar, determinar. | Adquirir el dominio por usucapión o *prescripción adquisitiva* (v.). | Caducar un derecho o extinguirse una obligación por el transcurso del tiempo. (V. PRESCRIPCIÓN EXTINTIVA.) | Extinguirse la responsabilidad criminal por la *prescripción del delito* y de la *pena* (v.).

Prescripción

Consolidación de una situación jurídica por efecto del transcurso del tiempo; ya sea convirtiendo un hecho en derecho, como la posesión o propiedad; ya perpetuando una renuncia, abandono, desidia, inactividad o impotencia. | Precepto, orden, mandato. | Usucapión o prescripción adquisitiva. | Caducidad o prescripción extintiva. | Extinción de la responsabilidad penal por el transcurso del tiempo sin perseguir el delito o falta o luego de quebrantada la condena. | ant. Proemio, prólogo, introducción de un escrito u obra. | **ADQUISITIVA**. Modo de adquirir el dominio y demás derechos reales poseyendo una cosa mueble o inmueble durante un lapso y otras condiciones fijadas por la ley. Es decir, la conversión de la posesión continuada en propiedad. | **CIVIL**. Denominación unificadora de la *prescripción adquisitiva* y la *extintiva* en el campo del Derecho Civil; y contrapuesta así a la *prescripción criminal* (v.) o *penal*. | **CRIMINAL**. Tecnicismo para designar conjuntamente la *prescripción de la acción penal y la prescripción del delito* (v.). | **DE ACCIONES**. Caducidad de los derechos en cuanto a su eficacia procesal, por haber dejado transcurrir determinado tiempo sin ejercerlos o demandarlos. | **DE LA ACCIÓN PENAL**. No puede ejercerse eficazmente ésta una vez transcurrido cierto tiempo desde haberse delinquido. | **DE LA PENA**. Constituye ésta una de las causas de extinción de la responsabilidad penal. | **DEL DELITO**. Extinción que se produce, por el solo transcurso de tiempo, del derecho a perseguir o castigar a un delincuente, cuando desde la comisión del hecho punible hasta el momento en que se trata de enjuiciarlo se ha cumplido el lapso marcado por la ley. | **EN LAS OBLIGACIONES**. No reclamadas durante cierto lapso por el acreedor o incumplidas por el deudor frente a la ignorancia o pasividad prolongadas del titular del crédito, las obligaciones se tornan inexigibles, por la *prescripción de acciones* (v.) que se produce. | **EXTINTIVA** o **LIBERATORIA**. Modo de extinguirse los derechos patrimoniales por no ejercerlos su titular durante el lapso determinado por la ley. | Libertad que obtiene el deudor para no cumplir su obligación por no haberse exigido el cumplimiento de ésta, a su debido tiempo, por el acreedor. | **LIBERATORIA**. (V. PRESCRIPCIÓN EXTINTIVA.) | **ORDINARIA**. La modalidad normal de la *prescripción adquisitiva* (v.), en cuanto al dominio y demás derechos reales. | **PERENTORIA**. La que se produce instantáneamente; es decir, desde el momento de ser poseedor.

Presentación

Manifestación de algo. | Proposición de un sujeto apto para ocupar una dignidad, beneficio o empleo eclesiástico. | Dar a conoce a otro el nombre y cualidades de la persona que antes no conocía o no trataba. | Ofrecimiento voluntario para un fin. | Comparecencia en un lugar. | En América, demanda o pedimiento. | En el antiguo Derecho francés, acto por el cual un procurador declaraba ante el tribunal que se presentaba y actuaría por una de las partes. | Acto de exigir la aceptación o el pago de una letra de cambio o documento similar.

Presidente

Jefe, cabeza, principal de una reunión, asamblea o entidad. | Quien dirige los debates o deliberaciones de una junta o parlamento. | Jefe del Estado en los regímenes republicanos, e incluso en algunas dictaduras sin corona. | Entre los romanos, el juez gobernador de una provincia. | En algunas órdenes religiosas, el sustituto del prelado. | **DE LA REPÚBLICA**. El jefe del Estado en un régimen republicano. | Impropiamente, el dictador sin rango monárquico, pero que ejerce el mando absoluto en un país. | **DEL CONSEJO**. En las repúblicas parlamentarias o en las monarquías constitucionales, el jefe de gobierno, llamado también *primer ministro*.

Presidio

Con significado casi exclusivamente arcaico, la guarnición militar que custodia y defiende plazas, castillos o fortalezas. | Establecimiento penitenciario donde se cumplen penas por delitos ordinarios o militares. | Conjunto de presidiarios. | Nombre que se da a distintas penas graves de privación de libertad. | Figuradamente, ayuda, socorro, auxilio. (V. CONDENA, PRISIÓN CELULAR y PREVENTIVA.)

Preso

Persona detenida por sospechas criminales, por haberse dictado *prisión preventiva* (v.) contra ella o gubernativamente. | Quien cumple en un establecimiento penitenciario una pena privativa de libertad impuesta por sentencia firme.

Prestación

Acción o efecto de prestar; préstamo, empréstito. | Objeto o contenido de las obligaciones, consistente en dar, hacer o no hacer alguna cosa. | Servicio o cosa que la autoridad exige. | Trabajo o tarea que debe efectuarse en beneficio de la colectividad. (V. PRESTACIÓN PERSONAL.) | Censo, canon, foro, tributo, rédito u otra carga anual o de distinta periodicidad, debido a un señor, al dueño de una cosa o a una entidad. | ant. Arrendamiento. | **DE ALIMENTOS**. Obligación impuesta por la ley a ciertos parientes de una o varias personas, a las cuales han de proporcionar lo necesario para la subsistencia, habitación y vestido, además de lo preciso para la asistencia médica y farmacéutica, de acuerdo con las condiciones de quien la recibe y los medios de quien la debe. | **PERSONAL**. Impuesto personal, de carácter municipal o local, que obliga a los vecinos a trabajar cierto número de días al año en las obras públicas del lugar o, en otro caso, a abonar un número igual de jornales.

Prestado

Lo que es o ha sido objeto de un préstamo. | ant. Empréstito.

Prestamista

Quien da dinero a préstamo. | Más estrictamente, quien lo hace exigiendo intereses usurarios. | En Chile, el prestatario o quien recibe algo a préstamo; acepción ésta que por equívoca debe evitarse.

Préstamo

Empréstito. | Prestamera. | Contrato por el cual una persona entrega a otro una cosa de su propiedad para que la utilice y devuelva la misma u otra igual, gratuitamente o abonando intereses. | **A LA GRUESA** o **A RIESGO MARÍTIMO**. En el comercio marítimo, contrato por el que una persona presta a otra cierta cantidad sobre objetos expuestos a riesgos marítimos, con la condición de que pereciendo estos objetos pierda el dador la suma prestada, y llegando a buen puerto los objetos se le devuelva la suma con un premio convenido. | **DE USO**. El que versa sobre una cosa de la que cabe valerse sin gastarla o consumirla (como un automóvil o una máquina de escribir), lo cual permite al prestatario devolver el mismo objeto una vez concluido el lapso fijado en el *préstamo*, o en cualquier instante que lo reclame el prestador, si no se ha señalado ninguno. | **MERCANTIL**. Se considera mercantil el *préstamo* (v.) si uno de los contratantes es comerciante o si las cosas prestadas se destinan a actos de comercio. | **USURARIO**. Aquel en que se fija un interés muy superior al normal y además desproporcionado con los eventuales riesgos que sufre el prestamista o con las utilidades que obtiene el prestatario.

Presunción

Conjetura. | Suposición. | Indicio. | Señal. | Sospecha. | Decisión legal salvo prueba en contrario. | Inferencia legal que no cabe desvirtuar. | Vanagloria. | Jactancia, alarde. | **DE FALLECIMIENTO**. Como curiosidad reproducimos textualmente el art. 51 del Cód. Civ. uruguayo, el que expresa: “El ausente, a los ojos de la ley, ni está vivo, ni está muerto. A los que tienen interés en que esté vivo, toca probar la existencia; como el fallecimiento, a los que tienen interés (sic) en que haya muerto”. | **JUDICIAL.** Inferencia que el juzgador extrae de los hechos de autos, llegando de lo probado a afirmar la veracidad de lo probable o desconocido. | **JURIS ET DE JURE.** La suposición legal que no admite prueba en contrario. | **JURIS TANTUM.** La afirmación o conjetura legal que puede ser destruida por prueba en contra; como la de que es gratuito el mandato civil, si no consta o se pacta lo contrario. | **VIOLENTA** o **VEHEMENTE.** La fundada en indicios o conjeturas tan poderosos, que no dejan lugar a dudas.

Presupuesto

Supuesto, suposición. | Cómputo anticipado del costo de una obra o de los gastos e ingresos de una institución. El concepto tiene especial importancia aplicado al Estado, a los municipios o a otros organismos públicos.

Pretensión

Petición en general. | Derecho real o ilusorio que se aduce para obtener algo o ejercer un título jurídico. | Propósito, intención.

Pretensión procesal

Acto procesal, o aspecto de éste, en virtud del cual se manifiesta ante un órgano judicial los reclamos que se entiende deben ser satisfechos mediante una resolución de ese órgano judicial. La pretensión constituye un elemento básico del proceso, pues lo pone en marcha, con el fin de satisfacerla o denegarla, y fija los límites dentro de los cuales se puede válidamente dictar sentencia.

Preterición

Omisión que de un heredero forzoso hace en su testamento el testador, sin desheredarlo tampoco expresa y justificadamente. El fundamento de esta institución es doble, porque garantiza la inviolabilidad de las legítimas y la necesidad de desheredar con justa causa.

Pretor

Magistrado que ejercía jurisdicción en la antigua Roma o en las provincias a ella sometidas.

Prevaricación o prevaricato

Incumplimiento malicioso o por ignorancia inexcusable de las funciones públicas que se desempeñan. | Injusticia dolosa o culposa cometida por un juez o magistrado. | Quebrantamiento de los deberes profesionales por cualquier otro empleado o funcionario público.

Prevaricador

Quien comete *prevaricación* (v.). | Funcionario judicial o fiscal que a sabiendas o por inexcusable ignorancia comete injusticia. | Abogado o procurador que perjudica abiertamente los intereses de su patrocinado o favorece los del contrario. | En general, cualquier funcionario público que falta a sus deberes específicos. | Pervertidor, corruptor.

Prevención

Preparación, disposición anticipada de lo necesario para un fin. | Previsión. | Anticipado conocimiento de un mal o perjuicio. | Precaución. | Advertencia, aviso. | Inculcación de prejuicio o preocupación. | Remedio o alivio de inconveniente o dificultad. | Anticipación que en el conocimiento de una causa toma un juez en relación con otros competentes también. | Práctica de las diligencias necesarias para evitar un riesgo. | Aversión, repugnancia. | Concepto desfavorable de una persona o parcial contra ella. | Puesto de policía o de vigilancia destinado a la custodia y seguridad de los detenidos como supuestos autores de un delito o falta. | De acuerdo con la jurisdicción contencioso-administrativa, nombre de una de las correcciones disciplinarias que la ley española permite a los tribunales de ésta. | En lo penal, finalidad atribuida a la ley para contener con su amenaza los impulsos delictivos. | **DEL ABINTESTATO.** Primeras diligencias que adopta un juez al tener conocimiento de haber muerto una persona con bienes y sin testamento, y sin cercanos parientes.

Prevenir

Preparar, disponer. | Prever. | Evitar. | Dificultar. | Advertir. | Avisar. Precaver. | Impresionar, preocupar. | Ordenar y ejecutar las primeras diligencias de un juicio. | Instruir las primeras actuaciones para asegurar los bienes y las resultas de una causa. | Imposibilitar los delitos con medidas de policía y sanciones penales pertinentes. (V. PREVENCIÓN.)

Preventiva

Forma abreviada de referirse a la *prisión preventiva* (v.).

Preventivamente

Con prevención o prejuicio. | A prevención o por si acaso. | Para evitar un mal.

Previsible

Susceptible de previsión. | Que es objeto normalmente de previsión. (V. CASO FORTUITO.)

Previsión

Conocimiento anticipado, por ciertas señales o indicios. | Conjetura. | Adopción de medidas o procuración de medios para hacer frente a la imposibilidad, escasez, riesgo o daño futuro. | **SOCIAL**. El conjunto de instituciones tendientes a hacer frente a los riesgos que se ciernen sobre las clases económicamente débiles y que se dirigen a implantar una cierta seguridad social: tales instituciones son los seguros sociales, las cooperativas y las mutualidades. (Walker Linares).

Prima

Cantidad que, en el *contrato de seguro* (v.), cobra el asegurador al asegurado en compensación del riesgo que aquél afronta. Llámase también *premio*. | Suma que un comerciante percibe por cederle una operación a otro. | En lo bursátil, dinero que el comprador a plazo le abona al vendedor para poder rescindir el trato. | Premio en efectivo, o con descargo de impuestos, que el gobierno otorga a ciertos exportadores. | Sobresueldo que el trabajador percibe por una producción mayor o mejor que la normal.

Primera copia

El traslado de la *escritura matriz* que cada uno de los otorgantes tiene derecho a obtener por primera vez.

Primera instancia

El primer grado jurisdiccional, cuya resolución cabe impugnar libremente por las partes ante el tribunal jerárquicamente superior. (V. JUEZ y JUICIO DE PRIMERA INSTANCIA; SEGUNDA INSTANCIA.)

Principal

Primero. | Superior. | Preferente. | Primordial. | De mayor importancia. | De mejor calidad. | Lo esencial o fundamental por oposición a lo accesorio. | Lo que puede existir con independencia; en cuyo sentido se habla de que es un *contrato principal* la compraventa, mientras que no puede serlo la fianza, dependiente de otra convención o relación jurídica.

Principio

Primer instante del ser, de la existencia, de la vida. | Razón, fundamento, origen. | Causa primera. | Fundamentos o rudimentos de una ciencia o arte. | Máxima, norma, guía. | **DE PRUEBA POR ESCRITO**. Para el art. 1.192 del Cód. Civ. arg. lo es "cualquier documento público o privado que emane del adversario, de su causante o parte interesada en el asunto, o que tendría interés si viviera y que haga verosímil el hecho litigioso".

Principio dispositivo

En el proceso civil, el que reconoce a las partes el dominio del litigio y entrega a la *instancia* (v.) de parte la iniciativa en el impulso procesal. (V. PRINCIPIO INQUISITIVO.)

Principio inquisitivo

En el enjuiciamiento, la entrega de la iniciativa e impulso al juez, *de oficio* (v.). Predomina en la fase instructora del proceso penal, contra el evidente favor del *principio dispositivo* (v.) en el procedimiento civil.

Principios generales del Derecho

Uno de los conceptos jurídicos más discutidos. Sánchez Román considera como tales los axiomas o máximas jurídicas recopiladas de las antiguas compilaciones; o sea las *reglas del Derecho* (v.). Según Burón, los dictados de la razón admitidos por el legislador como fundamento inmediato de sus disposiciones, y en los cuales se halla contenido su capital pensamiento. Una autorización o invitación de la ley para la libre creación del Derecho por el juez (Hoffmann); y despectivamente, como el medio utilizado por la doctrina para librarse de los textos legales que no responden ya a la opinión jurídica dominante (Muger).

Prioridad

Anterioridad en el tiempo o en el orden de una persona o cosa con respecto a otra. | Precedencia. | Antelación. | Privilegio. | Prelación. | Preferencia.

Prisión

En general, acción de prender, tomar, asir o agarrar. | Cárcel u otro establecimiento penitenciario donde se encuentran los privados de libertad; ya sea como detenidos, procesados o condenados. | Pena privativa de libertad más grave y larga que la de arresto e inferior y más benigna que la de reclusión. | Vínculo de unión de voluntades y afectos. | ant. Ocupación o toma de posesión de una cosa. | **CELULAR**. Establecimiento penitenciario en que los presos o reclusos se encuentran aislados por ocupar cada uno de ellos una celda, con el fin de evitar los malos ejemplos de la convivencia entre maleantes. | **PREVENTIVA**. La que durante la tramitación de una causa penal se decreta por resolución de juez competente, por existir sospechas en contra del detenido por un delito y por razones de seguridad. | **SUBSIDIARIA**. Aplicación de una pena corta, privativa de libertad, cuando el reo no quiere o no puede pagar la multa.

Prisionero

Militar o civil que en una campaña cae en poder del enemigo. | Cautivo o víctima de una pasión. | **DE GUERRA**. Estrictamente, el militar que se entrega al enemigo y vencedor en una capitulación. | En general, el que cae en poder del enemigo. | Por extensión el paisano o civil capturado en el curso de una guerra y privado de libertad. | El náufrago, herido o enfermo perteneciente a un beligerante y capturado por el contrario.

Privado

Particular, en contraposición a lo que tiene carácter público, solemne u oficial. | Atinente al individuo en las relaciones de *Derecho Privado* (v.). | Personal. | Doméstico. | Familiar.

Privación de libertad

Delito que, como su mismo nombre indica, consiste en reducir a una persona a servidumbre o a otra condición análoga, o en privarla de su libertad en cualquier forma. | Asimismo, configura este delito la detención o prisión realizada por un funcionario obligado a decretar la soltura del detenido o preso, o que prolongue indebidamente la detención de una persona sin ponerla a disposición del juez competente, o que incomunique indebidamente a un detenido, o que reciba en un establecimiento penal a algún reo sin testimonio de la sentencia firme en que se le haya impuesto la pena, o lo coloque en lugares del establecimiento que no sean los señalados al efecto, o que teniendo noticias de una detención ilegal omita, retarde o rehúse hacerla cesar o dar cuenta a la autoridad que deba resolver.

Privilegio

Situación jurídica preferente con relación a los demás situados en iguales condiciones; ya se aprecie en ello justicia general, cual sucede con los *privilegios parlamentarios* (v.), necesaria garantía de las funciones; ya se advierta notoria injusticia, por la desigualdad humana y personal, como en los arcaicos *privilegios nobiliarios*.

En general, los autores entienden por *privilegio* la prerrogativa o gracia que se concede a uno, liberándolo de carga o gravamen o confiriéndole un derecho de que no gozan los demás. | Además, todo favor, distinción, preferencia o prelación. | El documento en que consta la concesión de esa superioridad jurídica. | En el Derecho argentino, prelación de crédito. | **DE ACREEDORES**. Derecho o prelación con que cuentan ciertos acreedores para ser pagados con preferencia a los demás en caso de concurso o quiebra. | **PERSONAL**. El concedido exclusivamente a una persona, sin posibilidad de transmitirlo ínter vivos ni mortis causa. (V. PRIVILEGIO REAL.) | **REAL**. El anejo a la propiedad o posesión de una cosa, al ejercicio de un derecho o al disfrute de un cargo.

Privilegios civiles

Preferencia que para el cobro de los créditos, en caso de concurrencia de éstos, conceden los códigos y leyes civiles a ciertos acreedores.

Privilegios marítimos

El conjunto de prelaciones crediticias que rigen en las obligaciones procedentes del Derecho Marítimo.

Privilegios parlamentarios

Se concretan principalmente en dos: la *inmunidad parlamentaria*, de carácter procesal, y la *inviolabilidad parlamentaria*, de índole penal.

Pro

Provecho, ventaja. | Defensa, como oposición a contra.

"Pro domo sua"

Loc. lat. pro o a favor de la propia casa.

Pro fórmula

Por puro formulismo; para cumplir en apariencia los trámites o disposiciones establecidas.

Pro indiviso

Loc. lat. y esp., que significa sin dividir, cuando el todo, constituido por un bien o una masa patrimonial, corresponde sin partes especiales determinadas a dos o más personas.

"Pro operario"

Loc. lat. En pro del operario o trabajador. Esta expresión resume el principio exegético laboral de que en la duda o en la discrepancia de las normas ha de estarse a lo más favorable para el trabajador.

Pro rata
V. PRORRATA.

Pro reo
Principio universalmente aceptado por los legisladores penales en el sentido de que ante disposiciones positivas dudosas, y más aún ante las lagunas del Derecho Criminal, ha de fallarse o resolverse a favor del procesado.

"Pro tempore"
Loc. lat. Según los tiempos y las circunstancias.

Probanza
Averiguación o prueba que jurídicamente se hace de una cosa con razones, documentos o testigos, según Escriche. | El conjunto de tales demostraciones que acreditan procesalmente una afirmación o un hecho.

Probar
Examinar las cualidades de una persona o cosa. | Confrontar medidas, proporciones o pesos. | Demostrar. | Justificar la verdad de una afirmación o la realidad de un hecho. | Gustar o catar. | Intentar. | ant. Aprobar. | **LA COARTADA**. Demostrar un sospechoso o acusado que en el momento del crimen o delito se encontraba en lugar distinto y distante.

Probatorio
Eficaz para probar o averiguar la verdad de los hechos y de las afirmaciones. | Término probatorio (v.).

Problema social
El conjunto de diferencias, oposiciones, conflictos y choques entre las diferentes clases sociales o sectores de éstas. Dentro de lo socioló gico en general y de lo especí ficamente laboral, por *cuestión* o *problema social* se entiende el conjunto de males que aflige a ciertos sectores de la sociedad, los remedios que pueden ponerle término y la paz que solucione la lucha de clases entre pobres y ricos.

Procedimiento
En general, acción de proceder. | Sistema o método de ejecución, actuación o fabricación. | Modo de proceder en la justicia, actuación de trámites judiciales o administrativos; es decir, que es el conjunto de actos, diligencias y resoluciones que comprenden la iniciación, instrucción, desenvolvimiento, fallo y ejecución en una causa. | **ADMINISTRATIVO.** El que no se sigue ante la jurisdicción judicial, sino ante los organismos dependientes del Poder Ejecutivo, cuyas resoluciones son generalmente impugnables ante los organismos del Poder Judicial. | **CIVIL** No es sino el *procedimiento judicial ante la jurisdicción común* (v.). | **CONTENCIOSO ADMINISTRATIVO**. Conjunto de trámites y resoluciones pertinentes en la *jurisdicción contencioso-administrativa.* | **JUDICIAL**. Conjunto de trámites y formas que rigen la instrucción y resolución de una causa, en cualquiera de las jurisdicciones. | **LEGISLATIVO**. La totalidad de los trámites que sigue una ley desde su propuesta hasta la promulgación. | **PARLAMENTARIO**. La modalidad con que actúa cada *Poder Legislativo* (v.), contenida en los reglamentos que las propias cámaras adoptan y modifican, sobre el modo de proceder en la aprobación, reforma y derogación de las leyes y en los debates de carácter general, especialmente en cuanto a interpelaciones y peticiones dirigidas a los representantes del Poder Ejecutivo. | **PENAL**. Serie de investigaciones y trámites para el descubrimiento de los delitos e identificación y castigo de los culpables.

Procesado
Aquel contra el cual se ha dictado *auto de procesamiento* (v.) por las pruebas o indicios existentes o supuestos contra él; y que, como presunto reo, comparecerá ante el juez o tribunal que lo deberá absolver, de no declararlo culpable e imponerle la pena correspondiente.

Procesal
Concerniente al proceso.

Procesalista
Especialista en Derecho Procesal.

Procesamiento
El acto de procesar. | Pronunciamiento del *auto de procesamiento* (V.; y, además, PROCESADO.)

Procesar
Formar autos, instruir procesos. | Dictar *auto de procesamiento* (v.) que determina tratar a un individuo como presunto reo del delito.

Proceso
Progreso, avance. | Transcurso del tiempo. | Las diferentes fases o etapas de un acontecimiento. | Conjunto de autos y actuaciones. | Litigio sometido a conocimiento y resolución de un tribunal. | Causa o juicio criminal. | ant. Procedimiento. | **CIVIL**. El que se tramita por la jurisdicción ordinaria y sobre conflictos que atañen primordialmente al Derecho Privado. |

CONTENCIOSO. Aquel en que existe contradicción o impugnación total o parcial, por cada una de las partes, de las pretensiones de la contraria. | **CONTRADICTORIO**. Aquel que implica una pluralidad de partes, que disputan respecto del objeto del proceso, y que tienen intereses conflictivos al respecto y atribuciones para impugnar lo que el adversario pretende. | **ESPECIAL**. Cualquiera cuya actuación no se ajusta a las normas del proceso ordinario. | **VOLUNTARIO**. En contraposición al *proceso contradictorio* (v.), el que no implica una pluralidad de partes con intereses encontrados y con atribuciones para impugnar sus peticiones. Los procesos voluntarios suelen implicar una solicitud para que un órgano judicial realice un acto necesario para perfeccionar o posibilitar una relación jurídica; tal el caso del pedido de autorización para contraer matrimonio, el nombramiento de tutor o curador, la autorización para comparecer en juicio, etcétera.

Proclama

Notificación pública. | Alocución verbal o escrita y política o militar. | Publicación que se hace del próximo matrimonio, con el fin de que se denuncien los posibles impedimentos existentes. En lo canónico es más frecuente hablar de *amonestaciones*; y en lo civil, de *edictos matrimoniales*.

Proclamación

Publicación solemne de una ley, decreto o bando. | Conjunto de actos y ceremonias con que se declara inaugurado un nuevo reinado u otro mandato de un jefe de Estado. | Alabanza pública.

Proclamar

Publicar de manera solemne una ley u otra disposición general. | Aclamar o designar para un cargo o jerarquía. | Declarar solemnemente inaugurado un reinado o un mandato presidencial. | Manifestar patentemente una pasión o afecto.

Procura

Procuración, poder o representación. | Procuraduría o funciones de procurador. | Cuidado diligente de los asuntos.

Procuración

Diligencia y cuidado en el trato de asuntos o negocios, especialmente ajenos. | Representación, poder, mandato o comisión. | Cargo o función de procurador. | Procuraduría u oficina del procurador. | En lo canónico, contribución que los prelados pueden exigir de las iglesias visitadas, para que costeen el hospedaje y mantenimiento de ellos y de los familiares que los acompañan.

Procurador

Genéricamente, gestor o gerente de un asunto o negocio. | Apoderado, representante. | Mandatario. | Quien con facultad recibida de otro actúa en su nombre. | El que, habilitado legalmente, se presenta en juicio en nombre y representación de una de las partes. | Como galicismo o mala traducción francesa, *procurador* se dice en lugar de Ministerio Fiscal. | En las comunidades religiosas, el encargado de las cuestiones económicas o de los asuntos en una provincia. | **EN CORTES**. Llamado también *a Cortes* y *de Cortes*, era el nombre que se daba al representante que cada una de las ciudades designaba para llevar su voz y voto en las antiguas Cortes españolas. (V. DIPUTADO.) | **JUDICIAL**. Representante de una de las partes en un juicio.

Prodigalidad

Derroche, desperdicio, gastos excesivos o frívolo consumo de los bienes propios. | Figuradamente, abundancia, multitud.

Pródigo

Derrochador, disipador de sus bienes. (V. PRODIGALIDAD). | Dadivoso, liberal, generoso. | Quien desprecia la vida u otra cosa apetecible.

Producción

Acción de *producir* (v.). | Producto. | Acto, manera o forma de producirse algo. | El conjunto de los productos agrícolas e industriales. | Técnicamente, el proceso de transformación de las materias primas.

Producir

Originar o crear una cosa. | Fabricar. | Engendrar, procrear. | Dar fruto las tierras y las plantas. | Rentar, dar intereses. | Proporcionar utilidad, beneficio o provecho. | Hacer. | Procurar. | Exhibir, presentar o manifestar las razones o las pruebas que apoyan una demanda, pretensión o derecho.

Producto

Toda cosa producida, creada o fabricada. | Beneficio que se obtiene al vender algo. | Rédito o renta. | Ingresos. | En lo industrial, lo obtenido transformando o trabajando la materia prima.

Profanación
Trato irrespetuoso de una cosa sagrada. | Aplicación o uso de ésta de manera profana; es decir, no religiosa. | Abuso, desprecio. | Desdoro, deshonra. | Prostitución.

Profanar
Tratar con irreverencia lo sagrado. | Aplicar a usos profanos o no religiosos las cosas sagradas. | Desdorar, deshonrar, prostituir lo digno de respeto.

Profesión
Ejercicio de una carrera, oficio, ciencia o arte. | Enseñanza científica o artística. | Ingreso en una orden religiosa. | Confesión, reconocimiento, admisión de una opinión o creencia, hecha con publicidad. | Ocupación principal de una persona. | Vocación. | **LIBERAL.** Aquella que constituye el ejercicio de una de las carreras seguidas en centros universitarios o en altas escuelas especiales, por lo general de actividad y trabajo tan sólo intelectual, aun cuando no excluya operaciones manuales; como las del cirujano y las de los arquitectos e ingenieros al trazar sus planos.

Profesional
Concerniente a una profesión. | Relativo al magisterio, enseñanza o profesorado. | Quien por profesión o hábito desempeña una actividad que constituye su principal fuente de ingresos. | Prostituta.

Profesionalidad
Condición inherente al trabajador en cuanto presta los servicios propios de un empleo, facultad u oficio.

Profesionalidad delictual
Es aquella en que el agente hace del delito su medio de vida. De ahí que se pueda confundir con el *delincuente habitual* (v.), si bien existen diferencias esenciales entre ambos conceptos, ya que se puede ser habitual del delito sin que ello constituya un medio de vida. En los delitos de tipo sexual (exhibiciones y abusos deshonestos, violaciones, estupros, corrupción), el hecho delictivo se comete repetidas veces a lo largo de la vida, mas no para obtener lucro, sino para satisfacer, aunque sea aberrantemente, el instinto erótico. La *profesionalidad* es típica en los delitos contra la propiedad y en el proxenetismo.

Profesor
Quien ejerce una ciencia o arte. | Quien enseña una u otro. | Catedrático. | Maestro.

Prófugo
En general, fugitivo. | Más especialmente, quien huye de la Justicia. | En lo jurídico militar, el que se ausenta u oculta para eludir la prestación del servicio militar.

Progenitor
El padre o la madre. | Por extensión, cualquier otro ascendiente en línea recta.

Progenitura
Progenie, casta, linaje. | Índole del primogénito. | Derechos del primero de los hijos nacidos o del mayor de los supérstites. | Mayorazgo.

Progreso social
Cambio, corriente o movimiento sociológico en la dirección de una finalidad reconocida como superior a la actual o anterior.

Prohibición
Orden negativa. Su infracción supone siempre una acción en contra, más grave en principio que la omisión indolente de una actividad obligatoria. | Además de mandato de no hacer, significa vedamiento o impedimento en general. | Denominación de ciertos sistemas que suprimen en absoluto determinadas actividades, aun cuando sea el medio de fomentar su ejercicio clandestino.

Proindivisión
Estado o situación de una masa de bienes o de una cosa que no ha sido partida o dividida entre sus varios copropietarios. Se refiere especialmente a las herencias cuando los coherederos no han efectuado la correspondiente partición.

Prole
Hijos u otros descendientes. La voz permite un uso cauteloso, conveniente para las leyes, ya que lo mismo se refiere a uno que a varios descendientes.

Proletario
En la antigua Roma, el ciudadano que, por su escasa fortuna o caudal, sólo contribuía al Estado con su prole o descendencia. | Individuo de la clase pobre. | Obrero. Trabajador. | En los municipios españoles, el que carece de bienes y no está comprendido en la lista de vecinos del pueblo o padrón sino por su persona o familia. | Plebeyo. | Vulgar.

Promesa
Declaración unilateral de voluntad por la cual consiente uno en obligarse a dar o hacer una cosa en tiempo futuro. | “Compromiso de con-

traer una obligación o de cumplir un acto" (Capitant). | "Oferta deliberada que una persona hace a otra de darle o hacerle alguna cosa" (Escriche). | Contrato unilateral por el que se concede a otro la cosa o el hecho que pide, que crea la obligación de cumplirlo. | En la antigua lotería, cantidad que figuraba en los pagarés, como premio correspondiente a la suma jugada. | En lo canónico, voto u ofrecimiento, a Dios, a la Virgen o a los santos, de ejecutar una obra piadosa o de imponerse un sacrificio. | Ofrecimiento solemne, que compromete el honor pero no la fe, a diferencia del *juramento* (v.), de cumplir estrictamente un deber o de desempeñar honradamente un cargo. | Indicio, augurio o señal de un bien. | Persona en cuyo triunfo se confía, por sus calidades o primeras obras.

Promisorio

Que incluye promesa.

Promulgación

Solemne publicación de una cosa. | Pública notificación. | Divulgación, propagación. | Por antonomasia, la autorización formal de una ley u otra disposición general por el jefe del Estado, para su total conocimiento y cumplimiento.

Promulgar

Publicar solemnemente algo. | Llevar a conocimiento general un hecho o disposición. | Divulgar, propagar. | Publicar solemnemente la ley o proceder a su *promulgación* (v.).

Pronunciamiento

Cada una de las declaraciones, resoluciones, mandamientos, decisiones o condenas de un juez o tribunal.

En lo político y penal, alzamiento o rebelión militar, a cuyo frente se encuentra un caudillo que cuenta con las guarniciones suficientes para imponer un cambio de gobierno o de régimen sin necesidad de lucha, o luego de escaramuzas o pequeñas acciones.

Pronunciar

Articular sonidos. | Emitir palabras. | Determinar, resolver. | Redactar y publicar una sentencia, auto u otra resolución judicial. | Rebelar, sublevar, levantar, alzar, insurreccionar, promover un pronunciamiento.

Propiedad

En general, cuanto nos pertenece o es propio, sea su índole material o no, y jurídica o de otra especie. | Atributo, cualidad esencial. | Facultad de gozar y disponer ampliamente de una cosa. | Objeto de ese derecho o dominio. | Predio o finca. | Por abreviación, y contraponiéndolo al usufructo, la *nuda propiedad* (v.). | Defecto opuesto al voto de pobreza en que incurre el profeso al usar como propia alguna cosa. | **COLECTIVA**. La que carece de titular individual y permite el aprovechamiento por todos. Por lo general se orienta hacia el estatismo en su explotación, administración y distribución. No se implantó integralmente ni en países, como la Rusia soviética, que la preconizaron como sistema. | **FIDUCIARIA**. La que tiene un fiduciario, como consecuencia de un *fideicomiso* (v.), sujeta a las limitaciones que éste impone. | **HORIZONTAL**. Denominación difundida para designar el derecho, común en parte y privativo en otra, resultante de corresponder una misma casa a distintos propietarios, dueños exclusivos cada uno de ellos de un piso, departamento u otra vivienda independiente. | **INDUSTRIAL**. La que adquiere por sí mismo el inventor o descubridor con la creación o descubrimiento de cualquier invento relacionado con la industria; y el productor, fabricante o comerciante, con la creación de signos especiales con los que aspira a distinguir de los similares los resultados de su trabajo. | **INTELECTUAL**. En lo científico, literario y artístico, lo mismo que *derecho de autor*. | **PRIVADA**. Aquella cuyo titular es una persona física o abstracta, o si pertenece pro indiviso a algunas, de una u otra índole, con el ejercicio más completo que las leyes reconocen sobre las cosas, a menos de cesiones temporales de ciertas facultades. Es la figura contrapuesta a la *propiedad colectiva* (v.) y constituye el dominio por antonomasia. | **RURAL** o **RÚSTICA**. El conjunto de fincas o heredades cultivables, y por extensión a la ganadería o forestales. | **URBANA**. La comprensiva de las edificaciones, singularmente en los centros poblados.

Propietario

Titular del derecho de *propiedad* (v.). | Dueño de bienes inmuebles. | Casero o dueño de una casa alquilada. | Nudo propietario. | Titular de un cargo, a diferencia del que lo interina. | Religioso que contraviene el voto de pobreza hecho al profesar, usando de bienes temporales sin licencia debida o con apego terrenal.

Propina

"Colación o agasajo que se repartía entre los concurrentes a una junta, y que después se redujo a dinero" (*Dic. Acad.*). | Pequeño sobreprecio que voluntariamente se da como satisfacción por algún servicio. | Corta donación remuneratoria por un servicio eventual.

Proposición

Acción de proponer; propuestas. | Oferta, ofrecimiento. | Afirmación, razonamiento, argumento. | Iniciativa que una persona hace llegar a otra con el objeto de obtener su concurso. | Insinuación deshonesta. | **DE LEY**. Iniciativa de carácter legislativo cuando procede de un miembro del Parlamento, a diferencia del *proyecto de ley*, procedente del Poder Ejecutivo. | **DESHONESTA**. Requerimiento que un hombre hace a una mujer para tener con ella acceso carnal o para que le permita otras libertades sensuales.

Própter nuptias

Loc. lat. y cast. Por razón de matrimonio, como diversas donaciones entre los esposos y la misma causa que se encuentra en la *dote* (v.).

"Propter rem"

Loc. lat. A causa o por razón de la cosa. Se refiere a que los deudores lo son, en ocasiones, por la cosa sobre la cual cuenta con un derecho real el acreedor.

Prorrata

Esta voz y las locuciones *pro rata* y *a prorrata* significan la parte, cuota o porción que toca a uno o a cada uno en el reparto o distribución que de un todo se realiza entre varios, hecha la cuenta proporcional, activa o pasiva de cada cual.

Prorrateo

Reparto proporcional de una cantidad entre varios que tienen un derecho o una obligación común en ella.

Prórroga

Aplazamiento de un acto o hecho. | Alargamiento de un plazo. | Continuación de un estado de cosas durante tiempo determinado. | Extensión de la jurisdicción a personas o casos no comprendidos inicialmente.

Proscribir

Expulsar del territorio nacional, por causas políticas u otras. | Prohibir un uso o actividad. | Anular, derogar. | Antiguamente, declarar público malhechor, con facultad para que cualquiera detuviera al proscrito o le diera muerte, en ocasiones incluso con recompensa por ello.

Proscripción

Extrañamiento o destierro del suelo patrio. | Bando o edicto por el cual se declara a alguien público malhechor, con facultad general para prenderlo e incluso quitarle la vida. | Prohibición, abolición, derogación.

Prostitución

Comercio sexual por precio. | Corrupción o deshonra de la mujer. | Degradación, de cualquier índole.

Prostituta

La mujer que practica la *prostitución* (v.); la que comercia con su cuerpo, manteniendo acceso carnal o entregándose a otras satisfacciones o perversiones sexuales por precio, e indistintamente ante quien la requiera.

Proteccionismo

Sistema de política económica que comprende el conjunto de medidas adoptadas por un país para proteger la producción nacional, desarrollando artificialmente su riqueza, impidiendo la competencia del exterior, ya por fuertes gravámenes, ya por prohibición absoluta de importación.

Protesta

Manifestación que se formula con objeto de adquirir o conservar un derecho o de precaver un daño que puede sobrevenir. Esta declaración cautelosa y espontánea recibe su nombre de que el que la hace realmente *protesta* por no tener libertad para obrar, o tener que proceder como no desearía. | Reclamación. | Queja. | Confesión pública de fe o creencia. | Protesto (v.). | "Promesa con aseveración o atestación de ejecutar una cosa" (*Dic. Acad.*).

Protesto

En general *protesta* (v.). | En el Derecho Mercantil, requerimiento notarial que se hace para justificar que no se ha querido aceptar o pagar una letra de cambio, para reservar así los derechos del tenedor contra el librador, endosantes, avalistas e intervinientes. | El documento o instrumento que acredita este acto. | Testimonio escrito que libra el notario o escribano de la protesta o requerimiento.

Protocolización

Incorporación que al protocolo hace un notario o escribano de las actas y documentos que autoriza, y de aquellos que los particulares solicitan o las autoridades judiciales disponen. | **DE TESTAMENTOS**. Las disposiciones testamentarias que no se otorguen ante notario deben, una vez fallecido el testador, incorporarse a su protocolo, para que puedan surtir efecto.

Protocolizar

Incorporar al protocolo de un notario o escribano una escritura matriz u otro documento.

Protocolo

Expresa Escriche que esta palabra viene de la voz griega *protos*, que significa primero en su línea, y de la latina *collium* o *collatio*, comparación o cotejo.

Protutela

Dignidad y funciones del *protutor* (v.). Curiosamente, la voz no corresponde todavía al léxico de la Academia. | En Francia, nombre con que se designa la administración de los bienes de un menor domiciliado en la metrópoli y con bienes en las colonias, o viceversa.

Protutor

Cargo creado por el Cód. Civ. esp. para ejercer funciones de intervención o vigilancia en la tutela de menores e incapacitados. | En el Derecho galo, el tutor de los bienes coloniales de un menor residente en Francia, o el de los bienes metropolitanos de un menor francés domiciliado en las colonias.

Proveer

Preparar o reunir las provisiones u otros mantenimientos necesarios para un fin o colectividad. | Abastecer, suministrar. | Resolver o despachar un negocio. | Conferir una dignidad. | Cubrir un puesto o vacante. | Dictar una resolución judicial. (V. PARA MEJOR PROVEER.)

Proveído

Providencia u otra *resolución judicial* de simple trámite o interlocutoria.

Providencia

Prevención, preparativos de lo necesario o conducente a un fin o logro. | Medida o disposición que se toma para remediar un mal o daño. | Dios y su acción tutelar o protectora sobre la generalidad de la creación y de la humanidad. | En lo procesal, resolución judicial no fundada expresamente, que decide sobre cuestiones de trámite y peticiones secundarias o accidentales.

Provincia

Parte importante de un territorio o nación. | Estado federado. | División administrativa de un Estado, intermedia entre esta organización suprema de la vida pública y los municipios. | Región francesa, integrada por varios *departamentos* o *provincias* en el sentido español. | Cada una de las grandes divisiones del Imperio Romano, correspondiente a países conquistados, situados fuera de Italia y cuyo gobierno casi absoluto se entregaba a un pretor. | El cargo de administrar y mandar una provincia romana. | En Derecho Canónico, jurisdicción de una metrópoli. | Conjunto de casas o conventos que ocupan cierto territorio y se encuentran bajo la autoridad de un superior, llamado *provincial* en diversas órdenes religiosas. | En el antiguo procedimiento español, el juzgado de los alcaldes de Corte, separado de la sala criminal, para conocer en causas civiles.

Provisión

Prevención de medios o cosas necesarias para un fin. | Alimentos, pertrechos u otros elementos. En este significado la voz suele emplearse en plural. | Suministro, abastecimiento. | Providencia, medida o disposición para lograr un objetivo. | Nombramiento para un oficio; designación para ocupar un cargo. | En el antiguo procedimiento, despacho o mandamiento judicial, expedido en nombre del rey por ciertos Consejos o audiencias, para ejecución de lo ordenado por éstos. | En lo mercantil, *provisión de fondos* (v.). | **DE FONDOS**. Prevención o envío de fondos con que el librado debe contar para el pago de la letra de cambio girada contra él.

Provocación

Incitación, excitación a ejecutar algo. | Acción ofensiva para otro, o agotadora de su paciencia, que lo rebela o conduce a la agresión. | Irritación del prójimo. | Desafío. | Abuso del dominio o comedimiento ajeno. | Ayuda, facilidad. | Una de las modalidades de la acción criminal. | **A DUELO**. Instigación para que una persona lance un reto o acepte un desafío. | **DEL OFENDIDO**. Reacción o agresión por parte de la víctima, suscitada por gestos, ademanes, palabras o hechos del agresor. En unos casos es circunstancia atenuante y en otros, atenuante de la responsabilidad criminal.

Proxenetismo

Acto, mediación o modo de vivir del *proxeneta* (v.). | Delito contra las buenas costumbres, consistente en el fomento de la prostitución a través de la administración, regencia o sostenimiento de lupanares u otro lugar donde se ejerza, por cualesquiera actos de favorecimiento o tercería, la prostitución ajena (J. Calvo).

Prueba

Demostración de la verdad de una afirmación, de la existencia de una cosa o de la realidad de un hecho. | Cabal refutación de una falsedad. | Comprobación. | Persuasión o convencimiento que se origina en otro, y especialmente en el juez o en quien haya de resolver sobre lo dudoso o discutido. | Razón, argumento, declaración, documento u otro medio para patentizar la verdad o la falsedad de algo. | Indicio, muestra, señal. | Ensayo, experimento, experiencia. | Pequeña porción de un producto comestible que se gusta o examina para determinar si agrada, si es bueno o malo, o de una u otra clase. | **CONJETURAL.** La resultante de indicios, señales, presunciones o argumentos. | **DE CONFESIÓN.** (V. CONFESIÓN JUDICIAL.) | **DIRECTA.** La consistente en medios de convicción relacionados de manera precisa con el hecho controvertido. | **DOCUMENTAL.** La que se realiza por medio de documentos privados, documentos públicos, libros de comerciantes, correspondencia o cualquier otro escrito. | **INDICIARIA.** La resultante de indicios, conjeturas, señales o presunciones más o menos vehementes y decisivos, aceptados por el juez como conclusión de orden lógico y por derivación o concatenación de los hechos. | **INDIRECTA.** La constituida por simples inducciones o consecuencias derivadas de un hecho conocido, que llevan a establecer el hecho pendiente de *prueba.* No es sino la *prueba indiciaria.* | **INSTRUMENTAL.** Sinónimo de *prueba documental* (v.). | **LITERAL.** Esta locución, que algunos procesalistas y otros que no son sino malos traductores emplean como sinónima de *prueba escrita* o *documental,* debe rechazarse, pese a contar con autoridades como la de Escriche; por cuanto el adjetivo *literal* no significa *escrito* en nuestro idioma, sino "al pie de la letra" en relación con un texto. | **PERICIAL.** La que surge del dictamen de los *peritos* (v.), personas llamadas a informar ante un tribunal por razón de sus conocimientos especiales y siempre que sea necesario tal asesoramiento técnico o práctico del juzgador sobre los hechos litigiosos. | **PLENA.** Llamada también *completa, perfecta* y *concluyente,* es la que demuestra sin género alguno de duda la verdad del hecho litigioso controvertido, instruyendo suficientemente al juez para que pueda fallar, ya sea condenando o absolviendo. | **POR PRESUNCIONES.** (V. PRESUNCIÓN.) | **POR TESTIGOS.** (V. PRUEBA TESTIFICAL.) | **PRECONSTITUIDA.** Escrito o documento que antes de toda contradicción litigiosa, pero previéndola posible, redactan y suscriben las partes, para establecer, con claridad y precisión, la existencia y alcance de un acto o contrato. | **SEMIPLENA.** Denominada también *incompleta, imperfecta* o *media prueba,* es la que produce acerca de una afirmación o un hecho una convicción vacilante, carente de plena certeza sobre su verdad o realidad y que por lo tanto no aleja todo motivo serio de duda ni permite fundar con plena solidez una resolución judicial. | **TESTIFICAL.** La que se hace por medio de *testigos* (v.), o sea, a través del interrogatorio y declaración verbal o escrita de personas que han presenciado los hechos litigiosos o han oído su relato a otros.

Púber o púbero

Quien ha llegado a la *pubertad* (v.).

Pubertad

Edad en que se supone a la persona humana con aptitud fisiológica para concebir o procrear. Es sumamente variable con los climas, adelantándose en los países más próximos al Ecuador.

Publicación

Acto de llevar a conocimiento general un hecho o cosa. | Manifestación o revelación de lo reservado, oculto o secreto. | Divulgación, difusión. | Amonestación o proclama matrimonial. | Obra literaria o artística ya publicada. | Impropiamente, promulgación. | **DE LEYES.** El acto de llevar a conocimiento general de los ciudadanos y habitantes de un país un texto legal, lo cual suele hacerse por la inserción de éste en la *Gaceta* o *Diario oficial.*

Publicista

Escritor sobre Derecho Público. | Especialista en esta rama jurídica. | Persona que escribe para el público; y así se emplea como sinónimo de autor y escritor, y más generalmente de literato o periodista.

Público

Como adjetivo, lo conocido, notorio o patente. | Lo sabido por todos o muchos. | Vulgar, común. | De todos o para todos. | De general uso o aprovechamiento. | De autoridad o funcionario, como contrapuesto a lo privado. | Oficial.

Como sustantivo, el común del pueblo. | Muchedumbre. | Multitud. | Masa. | Conjunto de personas que asisten a un acto o presencian un espectáculo. | Grupo social ajeno a la familia y al círculo íntimo. | Gente. | Pueblo. (V. REPÚBLICA.)

Pueblo
Población con pocos habitantes. | Ciudad, poblado, puebla. | Nación. | Habitantes de un territorio. | Gente pobre o humilde. | Masa de trabajadores. | Vulgo. | Raza. | Gente. | Opinión pública. | La ciudadanía o la sociedad, en oposición al Estado.

Puericia
La edad comprendida entre la infancia y la adolescencia o sea, aproximadamente, entre los 7 y los 14 años. (V. IMPÚBER, PUBERTAD.)

Puerto
Lugar de la costa, natural o artificial, abrigado de los vientos, donde fondean las naves y se efectúan con comodidad y seguridad las operaciones de carga y descarga de mercaderías o embarco y desembarco de tripulantes y pasajeros. | Amparo, protección. | Asilo, refugio. | En algunas partes, tosca represa con ramas y leñas. | En la jerga, posada o venta. | **FRANCO**. El *marítimo*, y por excepción el *fluvial*, en que pueden entrar las embarcaciones y descargar sus mercaderías sin tener que pagar derechos aduaneros ni otros fiscales por la introducción, almacenamiento, selección, manipuleo, compra o venta de los productos, ya procedan del interior del país o del exterior. | **HABILITADO**. El que lo está para algunas exportaciones e importaciones. | El que cuenta con adecuadas instalaciones para la carga y descarga de mercaderías, y demás servicios portuarios y de navegación. | **SECO**. Nombre dado a las aduanas fronterizas.

Punible
Merecedor de castigo. | Penado en la ley.

Punitivo
Penal, sancionador. | Concerniente al castigo.

Pupila
Huérfana menor de edad con respecto a su tutor. | Prostituta de burdel.

Pupilo
El huérfano menor de edad, en relación con su tutor. | Huésped que abona hospedaje en casa particular. | Colegial interno en un establecimiento de enseñanza elemental o secundaria.

Purga
Liberación de carga, gravamen o sanción.

Purgación
Aclaración de cargos penales o refutación de los indicios inculpadores. Escriche dice que es el acto de purificarse y desvanecer los indicios que resultan contra un acusado; o la manifestación que una persona hace de su inocencia en algún delito que se le imputa.

Purgar
Limpiar, purificar. | Cumplir la pena merecida o impuesta por delito o falta. | Desvanecer las sospechas o cargos existentes contra una persona. | Expiar. | Liberar de gravamen. | Rehabilitar el buen nombre.

Puro
Exento de mezcla. | Desinteresado. | Recto, íntegro. | Casto. | Virginal. | Perfecto. | Solo. | Sin condición, excepción o restricción, ni carga, gravamen o modo.

Putativo
Del verbo latino *putare*, juzgar, reputar; lo que se tiene o considera en una condición irreal; como la del padre, hijo o esposo que no lo es; también lo invocado como existente cuando en realidad es nulo.

Q

Q
La decimoctava de las letras en el abecedario español, y la decimocuarta de sus consonantes. Entre los tecnicismos romanos, es inicial en inscripciones y abreviaturas por *Quaestor* (cuestor), Quirinalis (Quirinal), además de los muchísimos casos y formulismos en que entran que, quod, quantus, etcétera.

Quebrado
Comerciante que cesa en el pago de sus obligaciones mercantiles, por quiebra, por insolvencia, declarada a petición suya o de sus acreedores. | **FRAUDULENTO**. El comerciante que es declarado en quiebra fraudulenta.

Quebrantamiento
Fractura, rompimiento; acciones que cualifican el robo. | Violación, transgresión; incumplimiento de ley, obligación o deber. | Infracción de las normas procesales. | Acción de eludir una condena penal. | **DE CONDENA**. Delito contra la administración de justicia, consistente en eludir, o intentar eludir, el cumplimiento de la pena impuesta, con arreglo a Derecho, por el delito o falta cometidos. | **DE FORMA**. Inobservancia de los trámites y garantías fundamentales del procedimiento.

Quebrar
Quebrantar, romper, fracturar. | Transgredir ley, palabra o deber. | Interrumpir, obstar. | Dominar una dificultad. | Librarse de la opresión. | Enemistarse. | Incurrir un comerciante en quiebra, por cesación en el pago de sus obligaciones mercantiles, y ser inferior el activo al pasivo. (V. QUIEBRA.)

Queda
Hora de la noche, señalada por un toque de atención, o ejecutiva por sí, después de la cual se prohíbe el tránsito por las calles a cuantos no tengan una función que cumplir.

Queja
Expresión de dolor. | Manifestación de pena. | Reclamación. | Descontento. | Protesta contra algo o alguien. | Resentimiento. | Querella o acusación criminal. | Petición judicial para invalidar una disposición de última voluntad.

Querella
Queja de dolor o sentimiento. | Desavenencia, discordia. | Pendencia, riña. | Reclamación contra el testamento inválido hecha por los herederos forzosos. | Por antonomasia, la demanda en el procedimiento criminal, la acusación ante juez o tribunal competente, para ejercitar la *acción penal* contra los responsables de un delito. **CALUMNIOSA**. La que, a sabiendas, imputa falsamente un delito. El escrito acusatorio contra otro se convierte en prueba documental del delito propio de calumnia. | **DE INOFICIOSO TESTAMENTO**. En el Derecho Romano, queja o *querella* que presentaba al magistrado el pariente de un testador cuando se consideraba aquél injustamente desheredado por éste, o contra la preterición de que había sido objeto (si no era descendiente del causante), a la cual seguía la *acción de petición de herencia* (v.), fundada en que el testamento hecho contrariaba los deberes afectivos que sobre el testador pesaban en relación con el próximo pariente y demandante.

Querellado

Persona contra la cual se presenta una querella, una formal acusación penal.

Querellante

Quien presenta la *querella*; quien es parte acusadora en el proceso penal, por haberse solicitado por escrito, y en la forma debida, ante el juez competente, la represión de un delito de que hayan sido víctima él o los suyos; y aun no habiéndole afectado, si se trata de *delito público*, en que cabe ejercer la *acción popular* (v.).

Querellarse

Quejarse, lamentarse por el dolor corporal o moral. | Presentar una *querella* (v.), una acusación criminal ante juez competente, para ejercitar la acción penal que corresponda por el delito cometido, o por el agravio recibido, y para la imposición de la pena prevista y la reparación civil consiguiente.

Quid

Clave o porqué de una cosa. | **PRO QUO**. Loc. lat. y esp. que significa una cosa por otra. Se aplica al error de confundir personas, cosas o casos.

Quidam

Persona que se designa con imprecisión de manera deliberada o por ignorar de quién se trata efectivamente. | Sujeto despreciable.

Quiebra

Materialmente, rotura, abertura. | Figuradamente, pérdida, ruina. | De las acepciones anteriores surgen las jurídicas de insolvencia, bancarrota, de pasivo superior al activo, de superar las deudas a los bienes y a los créditos. | En Derecho Mercantil, acción y situación del comerciante que no puede satisfacer las deudas u obligaciones contraídas. | **CULPABLE**. Se dice que una *quiebra* es *culpable* cuando su titular obra culposamente en relación con sus acreedores y el desenvolvimiento de sus propios negocios, sea por incurrir en gastos desmedidos, especulaciones ruinosas, abandono de la atención de sus negocios o por entregarse a los juegos de azar o incurrir en cualquier otro tipo de imprudencia o negligencia manifiesta. | **FORTUITA**. Es calificada así la del comerciante "a quien sobrevinieren infortunios que, debiendo estimarse casuales en el orden regular y prudente de una buena administración mercantil, reduzcan su capital al extremo de no poder satisfacer en todo o en parte sus deudas". | **FRAUDULENTA**. Se dice que una *quiebra* presenta el carácter de *fraudulenta* cuando su titular, actuando en fraude de sus acreedores, simule deudas, enajenaciones, gastos o pérdidas. También si sustrae u oculta bienes que pertenecen a la masa o concede ventajas indebidas a uno u otro acreedor. Cualquiera de estas actitudes es sancionada por la ley penal.

Quirografario

Referido al quirógrafo.

Quirógrafo

Sinónimo de manuscrito. En el lenguaje jurídico, significa el instrumento que da el deudor a su acreedor para que pueda hacer constar su crédito. Se dice que un acreedor es *quirografario*, cuando su crédito no es privilegiado; esto es, el acreedor que justifica su crédito que no está garantizado por ninguna seguridad especial. *Acreedor quirografario* es sinónimo de acreedor simple.

Quita

Remisión parcial de una deuda. | Perdón total de ésta. (V. REMISIÓN.) | **Y ESPERA**. Petición que el concursado o quebrado hace judicialmente a todos sus acreedores, con el fin de que aminoren sus créditos (*quita*), le concedan plazo mayor para abonarlos (*espera*) o con esa doble finalidad (*quita* y *espera*).

Quitar

Tomar una cosa del lugar en que estaba y llevarla a otro.| Hurtar, robar. | Despojar. | Desempeñar, redimir una carga o censo. | Estorbar. | Vedar, prohibir. | Derogar, abolir, abrogar ley, sentencia, gravamen, pena, tributo. | Suprimir un empleo o cargo. | Liberar de obligación. | Perdonar una deuda en parte; conceder una quita.

Quórum

Esta voz latina, ya castellanizada y que tiene como significado *los que, los cuales*, se pronuncia haciendo sonar las dos *úes*; lo cual deroga la norma, inadvertidamente conservada por la Academia, de que sólo forma sílaba la *q* con la *e* y con la *i*, y que la *u* es siempre servil o muda; desmentido en este vocablo y en *exequátur* al menos.

"Quota litis"

Loc. lat. Cuotalitis (V. y PACTO DE CUOTALITIS.)

R

R

La decimonovena letra y la decimoquinta consonante entre las del alfabeto hispánico. | En abreviaturas comerciales y postales, *R.P.* significaba respuesta pagada. | Siglas de piadoso respeto en las sepulturas cristianas son las de *R.I.P.*, *requiestat in pace* (descanse en paz). | Como inicial de tecnicismos latinos, la *R* aparece como referencia de *rex* (rey), *regina* (reina), *republica* (República o Estado); *rescriptum* (rescripto), *Roma, res* (cosa o bien), *romanus* (romano), *ratio* (razón, y también orden y cuenta), entre otras voces.

Racionalismo

Sistema filosófico basado en la supremacía de la razón humana, con desdén o negación de la divinidad. | Doctrina religiosa de carácter discursivo, con desprecio de la revelación divina.

Racionamiento

Fijación obligatoria de cantidades máximas en el consumo de determinados artículos alimenticios, ropas, combustible y otros productos indispensables para la población en general o para alguna actividad, oficio o profesión.

Rama

Línea que se desprende del tronco. Así, si Juan tiene dos hijos, Pedro y María, Pedro y su descendencia formarán una línea que se desprende del tronco (Juan), que se llamará *rama*, y por la misma razón, María y su descendencia formarán otra *rama*. Las *ramas* pueden ser *ascendentes* o *descendentes*, según que respectivamente vayan *hacia* el tronco común o vengan *desde* él.

Vélez Sarsfield dice que es *tronco* el grado de donde parten dos o más líneas, las cuales, por relación con su origen, se llaman *ramas*. Según Lafaille, el tronco es el grado del que parten las *líneas*, la línea es la sucesión de los grados y, cuando las líneas se bifurcan en el tronco, se llaman *ramas*. Jurídicamente, el problema interesa en especial al derecho de representación en materia de sucesiones. (V. ESTIRPE, REPRESENTACIÓN, TRONCO.)

Figuradamente en lo científico y legislativo, cada una de las especialidades definidas de la Enciclopedia Jurídica, como el Derecho Civil, el Penal, el Laboral, el Astronáutico y tantas más, en progresivo desarrollo.

Ramas de parentesco

Cada serie de personas con un origen o tronco común, que descienden de él.

Ramas del derecho

Cada una de las ciencias con personalidad o carácter dentro de la Enciclopedia Jurídica, con independencia teórica, y más aún si ha logrado sustantividad legislativa.

Rango de los créditos

Posición relativa de los distintos créditos en materia de preferencias para su cobro. Así, los créditos privilegiados tienen un rango superior a los quirografarios, y éstos ocupan igual posición respecto de los créditos subordinados.

Rango hipotecario

Preferencia legal o de registro entre los derechos reales inscritos en el Registro de la Propiedad. En principio, salvo privilegios, rige la prioridad en los asientos de registro.

Rapiña
Robo con violencia. | Saqueo o expoliación violenta. | Simple ilícito en funciones públicas. | Cosa así robada o habida.

Raptar
Cometer el delito de *rapto* (v.). Robar; llevarse por la fuerza o con engaño a una mujer del hogar paterno o del de otras personas que cuiden de ella.

Rapto
Impulso, arrebato. | Éxtasis. | Pérdida del conocimiento por un accidente. | En sentido poco usado, robo o rapiña. | Por antonomasia, delito contra la honestidad consistente en llevarse a una mujer del hogar de sus padres u otros parientes, seducida por engaños o promesas, y con la finalidad de abusar carnalmente de ella. | Delito contra la libertad, con la misma víctima e iguales circunstancias que el caso anterior, pero con el propósito de contraer matrimonio, incluso contra la voluntad de la raptada. De realizarse el casamiento (aunque anulable), si se consuma contra la voluntad de la mujer, integra además violación. | Delito contra la honestidad cuando se saca de su casa a una niña menor de 12 años, sea cual fuere la actitud y desarrollo físico y mental de ella, si el raptor pretende yacer con ella o realizar otros actos de índole sexual. | Impropia y rarísimamente, secuestro de varón por mujer, con fines de matrimonio forzoso. | Por extensión, robo o secuestro de persona, con cualquier objetivo, aunque por lo general se intente obtener, manteniéndola como rehén, una cantidad de dinero u otra concesión. | Impedimento dirimente del matrimonio entre el raptor y la raptada.

Raptor
Autor del delito de *rapto* (v.). | Quien retiene a la mujer, atraída con engaño o concurrente casual, allí donde se prevale de la situación para realizar, con la voluntad de aquélla, algún acto contra la moral o para forzarla al matrimonio. | Ladrón. | Secuestrador.

Rastro
Vestigio de un hecho. | En especial, señales de un delito. | Indicio. | Pista en las investigaciones. | En algunas ciudades, barrio o lugar en que se venden habitualmente objetos de ocasión.

Ratificación
Aprobación de un acto ajeno relativo a cosas o derechos propios. | Confirmación de un dicho o hecho propio o que se acepta como tal. | Insistencia en una manifestación. | Reiteración del consentimiento. | Declaración aprobatoria del hecho o resolución del inferior. | **DE GESTIÓN DE NEGOCIOS**. En cualesquiera circunstancias que una persona emprenda la gestión de negocios ajenos abandonados, la *ratificación* del dueño del negocio equivale a un mandato, y se lo somete para con el gestor a todas las obligaciones del mandante. | **DE MANDATO**. Resulta ésta, por la tácita, cuando cualquier acto del mandante implique necesaria aprobación de lo hecho por el mandatario.

Ratihabición
Especie de *ratificación* (v.) en que una persona aprueba y confirma lo que otra ha hecho en su nombre sin estar autorizada previamente para ello. La *ratihabición* constituye en parte a quien ratifica, y desde el momento en que el acto o contrato se celebró. Se equipara al mandato expreso.

"Ratio"
Voz lat. Razón, fundamento de una regla jurídica o de un precepto positivo. | Razonamiento que formula un comentador de una norma de Derecho. | En otras acepciones, cuenta que debía rendir, en Roma, el encargado de la administración de un patrimonio ajeno, el de una finca, un peculio o una empresa mercantil o industrial. Así, el esclavo rendía cuentas (*rationes*) del peculio que su amo le confiaba; y el tutor, de los bienes del menor. | **"JURIS"** Loc. lat. Razón de Derecho o jurídica. Argumento que, extraído del Derecho vigente, invoca un jurisconsulto para ratificar su opinión o para proponer lo pertinente en la consulta o caso planteado. (V. "RATIO LEGIS".) | **"LEGIS"**. Loc. lat. Razón de la ley o legal. Espíritu del texto de la ley en que deben inspirarse sus intérpretes, tanto para aclarar algún oscuro precepto como para ampliar su aplicación a un caso no regulado expresamente. | **"STRICTA"**. Loc. lat. Razón o interpretación estricta. La defendida en los casos de claro sentido de la regla jurídica y de disposición rigurosa o desfavorable de la misma. | **"SUMMA"**. Loc. lat. Razón suprema, asegurado.

"Ratione materiae"
Loc. lat. Por razón de la materia.

"Ratione personae"
Loc. lat. Por razón de la persona.

Rato
Como adjetivo, sin consumar; sin haber cumplido aún el débito los casados. | Como sustantivo, impreciso pero breve lapso. | Con las calificaciones de *bueno* o *malo*, gusto, placer, felicidad; o disgusto, pena, sufrimientos, respectivamente.

Razón
Facultad discursiva que establece el privilegio del hombre sobre todos los seres de la creación o naturaleza. | La verdad. | La certeza en un caso. | Argumento. | Alegato. | Demostración, prueba de algo. | Explicación. | Causa. | Motivo. | Móvil. | Derecho para proceder. | Justicia de un acto. | Equidad en el precio. | Cuenta. | Relación. | Proporción. | Cómputo. | Noticia. | Cordura. | Apoyo de la ley en un litigio. | Fallo favorable en una resolución judicial. | **DE ESTADO**. Criterio de gobierno para el bienestar general de los ciudadanos o prestigio y dignidad nacional. | Pretexto invocado para dejar de cumplir el Estado, o sus representantes, una ley, tratado o sentencia; y basado, con mayor o menor fundamento, en el perjuicio, imprevisible con anterioridad, que infiere a los valores morales o materiales de aquél. | **DE JUSTICIA**. Argumento o consideración que lleva a apartarse de la norma positiva fundándose en las consecuencias injustas, presumiblemente no queridas por el legislador, que de la estricta aplicación del Derecho positivo se derivarían en un caso. | Mérito para resolver a favor de alguien, o para recompensarlo. | **DEL DICHO**. A los testigos se les requerirá para que aclaren, de no haberlo manifestado espontáneamente, en cada una de las contestaciones, la *razón de ciencia de su dicho* (art. 649 de la Ley de Enj. Civ. esp.); que, en la práctica, se reduce a determinar si el testigo sabe lo que dice por haberlo presenciado u oído directamente a las partes o acusados, o si expone lo que ha oído referir a otros, aun habiendo éstos sido testigos presenciales. | **JURÍDICA**. La que encuentra su fundamento en el Derecho positivo ("*ratio legis*") o en los principios generales del ordenamiento vigente ("*ratio juris*"); de aplicación concreta en el supuesto primero, e indirecta en el otro. | **SOCIAL**. En el Derecho Mercantil, nombre o denominación con que son designadas o conocidas las compañías o sociedades.

Rea
Mujer acusada de un delito. | Antiguamente, la demandada en pleito civil. | En la Argentina, mujer de malas costumbres, licenciosa o prostituta.

Real
Como adjetivo: verdadero. | Exacto. | Efectivo. | Concreto. | Existente. | Regio; o relativo al rey, realeza o monarquía. | Realista; monárquico. | Relativo a las cosas; como opuesto a *personal* en lo jurídico. | **DECRETO**. Abreviado en este *Diccionario*, como es de práctica, *R. D.*, constituye, en los países monárquicos, la denominación de los textos en que el Poder Ejecutivo concretaba su facultad reglamentaria de orden superior, a propuesta de un ministro, con acuerdo del Consejo de Ministros, y firma del monarca y del ministro respectivo, o de varios, si la materia lo requería. Por los *Reales Decretos* se procedía al desenvolvimiento de las leyes o a la regulación de materias donde no las hubiera aún, y no estuviera prohibido legislar. (V. DECRETO, LEY, REAL ORDEN, REGLAMENTO.) | **ORDEN**. Abreviado comúnmente *R. O.*, es manifestación, en las monarquías, de la facultad reglamentaria de menos importancia que la motivadora de los Reales Decretos.

Reaseguro
El seguro del seguro; contrato en virtud del cual un nuevo asegurador toma sobre sí, en todo o en parte, los riesgos asegurados por un primer asegurador, sin alterar las condiciones del primer contrato, y cediéndole aquél —o pagándole— parte de la prima primitiva.

Rebaja
Disminución del precio fijado. | Descuento que se efectúa en el comercio a los clientes o por adquisiciones al por mayor. | Descenso de categoría profesional o de otra especie. Laboralmente es medida muy resistida por los trabajadores y sus organizaciones, como sanción disciplinaria y hasta como medida forzosa por disminución de las facultades personales del rebajado o por bajar la actividad empresaria.

Rebato
Alarma, inquietud. | Además de un sentido "ofensivo" de acometimiento súbito, posee el significado "defensivo" de llamamiento o convocación que se hace, generalmente por medio de campana o tambor, con el fin de que acudan los vecinos de la localidad, o de las inmediaciones también, para evitar un peligro o disminuir un mal.

Rebelde
Quien incurre en *rebelión* (v.). | Desobediente. | Insurgente. | Sublevado. | Revolucionario. | Indócil. | Insumiso. | Insociable. | Inadaptado. | Indomable. | Sordo a la razón. | Insensible al sentimiento. | En las guerras civiles, bando opuesto al poder legítimamente constituido. | Combatiente o partidario de tales fuerzas, denominadas también *facciosas*.

Rebeldía
Desobediencia de mandato, precepto o autoridad a que se debe acatamiento. | Rebelión. | Oposición. | Resistencia. | Sublevación del ánimo. | Calidad de rebelde en lo político y en lo penal. | Insumisión. | Por antonomasia, situación procesal producida por la incomparecencia de una de las partes ante la citación o llamamiento judicial, o ante la negativa a cumplir sus mandamientos e intimaciones.

Rebelión
Desobediencia a la ley, a la autoridad legítima, a la orden obligatoria. | Indisciplina. | Insurrección. | Alzamiento armado. | Levantamiento violento. | Sublevación. | Revolución. | Guerra civil, desde el bando faccioso. | Impropiamente, sedición. | Por antonomasia, delito de naturaleza política que cometen quienes se alzan en armas contra el régimen legítimo (y por extensión, contra el de hecho), con la intención de deponerlo, a veces juzgar a los gobernantes o darles muerte, y sustituir la situación anterior por el sistema surgido de la violencia triunfante.

"Rebus sic stantibus"
V. CLÁUSULA "REBUS SIC STANTIBUS".

"Recall"
Voz inglesa. Revocación de las decisiones de una autoridad mediante votación popular contraria. (V. PLEBISCITO, REFERÉNDUM.) | Destitución de un representante popular por los mismos electores, al haber perdido su confianza por su gestión o actitud, o por haber oscilado la opinión pública.

Recambio
Segundo trueque de un objeto ya cambiado con otro. | Antiguamente se decía por cambio o permuta; y también por usura. | Hoy, y por antonomasia, en el lenguaje mercantil significa lo mismo que *resaca*.

Recapitulación
Resumen. | Síntesis. | Conclusiones. | Sumaria exposición de los argumentos o pretensiones.

Recapitular
Resumir, de palabra o por escrito, lo expuesto con amplitud en un alegato, conferencia, discurso, informe.

Recargo
Segunda carga. | Mayor carga. | Cargo, reconvención nueva contra un reo. | Antiguamente, ser el reo recargado. | Aumento contributivo, ya por elevación de la cuota, ya por retraso en el pago.

Recaudo
Recaudación, cobranza. | Cautela, cuidado, precaución. | Documento justificante de una cuenta o crédito; recado. | Caución, garantía. | Fianza.

Receptor
Recibidor. | Encubridor. | Escribano con comisión o encargo de un tribunal para efectuar cobranzas, recibir pruebas y otras diligencias judiciales. | Recaudador de multas impuestas en causas civiles o criminales.

Receptoría
Oficio y oficina de un receptor o recaudador. | Comisión o participación que en las cobranzas y multas se le concedía. | Tesorería. Encargo o comisión que se daba antiguamente a los receptores o escribanos de la Justicia, para practicar determinadas diligencias de una causa.

Receso
Derecho que pueden ejercer los socios cuando, por modificarse el contrato social o los estatutos, o aspectos fundamentales de éstos, se altera la estructura básica de la sociedad. En tal caso el socio disconforme con la alteración puede solicitar que se le reintegre el valor de sus acciones o participaciones societarias, y se retira de la sociedad.

Recibimiento
Recepción. | Acción correlativa de la entrega. | Admisión. | Aceptación. | Aprobación. | Investidura; término de los estudios y obtención del título al grado correspondiente. | **A PRUEBA**. Fase procesal —habitual, pero no siempre necesaria— de los juicios civiles, en que, luego de la petición de una de las partes o de ambas, y de existir hechos por probar (o sea, controvertidos y de influjo en la causa), y que legalmente sea lícito probar, el juez o tribunal resuelve afirmativamente acerca de la pertinencia de la prueba solicitada; pues, de rechazar la

petición, se está ante la denegación probatoria, contra la cual cabe recurso.

Recibir

Tomar lo que se da o entrega. | Percibir; sean sueldos, comisiones, rentas, impuestos y cualquier otra cosa o suma debida o dada con liberalidad. | Quedar enterado, notificado u obligado, cuando se trata de órdenes. | Admitir. | Aceptar. | Aprobar. | Padecer daño. | Conceder el ingreso en corporación, sociedad u otro organismo. | Ser visitado.

Recibo

Recepción, como acción y efecto de recibir. | Documento escrito, público, o con mayor frecuencia privado, en que el acreedor reconoce expresamente haber percibido dinero u otra cosa.

Recíprocamente

De manera mutua. | Con correspondencia entre las partes. Con igualdad en el trato (bueno o malo) o en las prestaciones.

Reciprocidad

Igualdad en el trato. | Correspondencia en las relaciones. | Acción y reacción mutuas y acordes en sentido de coincidencia o de discrepancia; de armonía o de conflicto. | En Derecho Internacional, a falta de norma coactiva, sujeción al mismo trato que reciban el Estado o los nacionales suyos por parte de otro a que se haga referencia. | Índole y nexo de la *obligación recíproca* (v.).

Recíproco

Mutuo. | Igual en el trato o correspondencia. | Con prestaciones equivalentes o compensadoras por las diversas partes. | Bilateral.

Reclamación

Protesta contra el desconocimiento del derecho propio. | Exigencia de una obligación ajena incumplida, desvirtuada o retrasada. | Queja. | Contradicción, por escrito o verbalmente, de una cosa considerada injusta. | Petición, más o menos severa, que un Estado dirige a otro, a través de sus respectivos gobiernos, para el restablecimiento de un derecho desconocido, el cumplimiento de una obligación omitida, o alguna reparación material o moral por daños u ofensas al país o a sus ciudadanos, aunque también para imponer en ocasiones alguna pretensión abusiva. | Reivindicación. | Demanda de posesión preferente.

Reclamar

Clamar contra alguien o contra algo. | Protestar. | Quejarse. | Oponerse. | Pedir. | Exigir. | Llamar o citar a un prófugo o rebelde. | Pedir el juez que se cree competente la causa de que está conociendo otro. | En la Argentina, solicitar una persona que sea autorizada la inmigración de otra con la cual tiene cercanos vínculos de familia, o para casarse con ella, o con el fin y la oferta de un contrato de trabajo, para lograr así una razón y una base para el establecimiento del inmigrante.

Reclusión

Ingreso en una orden monástica, sujeta a clausura. | Aislamiento o retiro. | Internamiento en manicomio. | Condena a una larga pena privativa de libertad con tal denominación, la más larga y severa en su clase.

Recogida de autos

Trámite, dispuesto por el juez, de oficio o a instancia de parte, y ejecutado por un auxiliar de la Justicia, consistente en retirar las actuaciones que para estudio tenga alguno de los litigantes o de sus letrados, para darle traslado al adversario o situarlas nuevamente en el tribunal y proseguir la causa.

Reconciliación

Restablecimiento de la amistad, el trato o la paz, luego de la desavenencia, la ruptura o la lucha. | Reunión de cónyuges separados de hecho o de Derecho; pero no si existe divorcio vincular, que exige nuevas nupcias entre los mismos cónyuges. | En lo canónico, breve confesión, complemento habitual de la general o extensa anterior. | Admisión del que había apostatado o se había alejado del seno y fidelidad de la Iglesia.

Reconducción

Prórroga expresa, y más comúnmente tácita, de un arrendamiento rústico o urbano; la renovación de éste; el segundo arrendamiento que se celebra después de cumplido el tiempo del primero.

Reconocimiento

Detallado y minucioso examen. | Registro. | Observación. | Confesión de haber dicho o hecho algo. | Aceptación de un régimen de gobierno por otros Estados e iniciación subsiguiente de relaciones diplomáticas o continuación de las anteriores interrumpidas. | Identificación de persona o cosa. | Inspección. | Admisión de la autenticidad de la firma o letra. | Declaración de existir o subsistir una obligación. | Confesión de paternidad extramatrimonial. | Gratitud, agradecimiento. | Correspondencia por favores o servicios. | **DE HIJOS NATURALES**. Declaración solemne de la paternidad o maternidad natural; ya sea por una confesión espontánea de los progenitores, ya como resultado de la prueba en juicio.

Reconocimiento judicial

Diligencia que realiza el juez solo o en unión de las partes, de los peritos o de los testigos, para comprobar la existencia de una persona o de una cosa, o bien la realidad de un hecho. Es frecuente en la identificación de cadáveres, en la reconstitución de un acto delictivo, o para que los acusadores o los testigos señalen en rueda de presos, o entre otras personas, a la que crean haber visto realizando el delito. (V. INSPECCIÓN OCULAR.)

Reconstrucción del delito o de los hechos

Diligencia judicial que algunos ordenamientos disponen, cuando la investigación sumarial cuenta con elementos, y con la confesión del responsable o de algún otro implicado, para reproducir, en lo factible, la comisión delictiva, con el objeto de verificar la verosimilitud y participación de cada uno de los comprometidos, así como la actitud de la víctima.

Reconvención

El cargo, acusación que se dirige a otro. | Reproche. | Recriminación. | Argumento con que se censura basándose en el proceder del reconvenido. | Procesalmente, "la demanda del demandado"; la reclamación judicial que, al contestar la demanda, formula la parte demandada contra el actor, que se hace ante el mismo juez y con el mismo juicio. | El escrito que contiene esta "contraofensiva", compensación dialéctica o venganza litigiosa.

Recopilación

Resumen, compendio. | Colección o conjunto de obras de un mismo autor o materia conexa. | Ordenamiento legislativo, limitado a agrupar o sistematizar las disposiciones vigentes, con pequeñas modificaciones, para su debida coordinación.

Rectificación

Reducción a la debida exactitud. | Aclaración de la verdad alterada por error o malicia. | Corrección. | Modificación. | Cambio en la conducta o en un método, con propósito de mejora. | Enmienda. | Subsanación de los defectos de un documento. | Manifestación forense o parlamentaria, para desvirtuar alguna noticia, comentario u otra información. | **DE ASIENTOS DE LOS REGISTROS**. Acción y efecto de enmendar los errores que aparezcan registrados. Con detalles en cada reglamentación, los principios generales son comunes a los diferentes Registros; de la propiedad, del estado civil, mercantil, etcétera.

Rector

Director. | Persona a cuyo cargo está el gobierno directo y la administración de una universidad o colegio mayor. | Superior de algunas órdenes religiosas o de alguna de sus casas, colegios o conventos. | Párroco, cura, sacerdote católico. | Jefe de diversas instituciones; como hospitales, asilos y otras de beneficencia y aun de enseñanza.

Recurrente

Quien interpone un recurso. | Quien lo mantiene.

Recurrible

Acto de la administración susceptible de ser impugnado con un recurso.

Recurso

Medio, procedimiento extraordinario. | Acudimiento a personas o cosas para solución de caso difícil. | Acogimiento al favor ajeno en la adversidad propia. | Solicitud. | Petición escrita. | Memorial. | Por antonomasia, en lo procesal, la reclamación que, concedida por ley o reglamento, formula quien se cree perjudicado o agraviado por la providencia de un juez o tribunal, para ante éste o el superior inmediato, con el fin de que la reforme o revoque. | **CONTENCIOSO ADMINISTRATIVO**. Reclamación o apelación que se interpone, de conformidad con las leyes, contra las resoluciones definitivas de la administración pública (las que causan estado y proceden del Poder Ejecutivo) cuando desconocen un derecho particular o lesionan un interés jurídicamente protegido. | **DE ACLARACIÓN**. El que se interpone ante el mismo juez o tribunal que ha dictado una resolución que se estima oscura, insuficiente o errónea, sin que signifique una revisión del caso, sino concretada a la aclaración de lo dudoso, al complemento de los aspectos omitidos, a la resolución de lo contradictorio y a la corrección de faltas de cálculo u otras materiales. | **DE ACLARATORIA**. Denominación sudamericana del *recurso de aclaración* (v.). | **DE AGRAVIO**. En España y algunos países hispanoamericanos, el que se da en el fuero castrense (en el procedimiento de la justicia militar y de la Marina de Guerra) ante el jefe del Estado, para el caso de que las autoridades o jefes superiores no den curso a las instancias promovidas por un inferior. | **DE ALZADA**. Antiguamente se decía por el de apelación. | Más estrictamente, en Derecho Administrativo, el concedido por las leyes y reglamentos para acudir ante el superior jerárquico del que ha dictado una resolución de carácter administrativo, con el fin de que la modifique o suspenda. | **DE AMPARO**. Expresión errónea de la acción de amparo o juicio de amparo (v.). | El amparo, en su iniciación, no constituye ningún recurso; puesto que no se ataca ninguna resolución judicial anterior. (V. AMPARO.) | **DE APELACIÓN**. Nueva acción o medio procesal concedido al litigante que se crea perjudicado por una resolución judicial (civil, criminal o de otra jurisdicción donde no esté prohibido), para acudir ante el juez o tribunal superior y volver a discutir con toda amplitud el caso, aun cuando la parte se limite a repetir sus argumentos de hecho y de Derecho, con objeto de que en todo o en parte sea rectificado a su favor el fallo o resolución recaídos. | **DE AUDIENCIA**. El concedido a favor del rebelde, del ausente en una causa, para que pueda ser oído, en defensa de su derecho, contra la sentencia firme (que en este caso lo es relativamente) que haya puesto término al pleito, con el fin de obtener su rescisión y un nuevo fallo en los casos concretos especificados por la ley. | **DE CASACIÓN**. *Casación*, del verbo latino *casso*, significa quebrantamiento o anulación. | **DE FUERZA**. El interpuesto ante un tribunal secular o de la jurisdicción ordinaria, para reclamar contra incompetencia, abuso o agravio de un tribunal eclesiástico. | **DE HECHO**. El que cabe interponer directamente ante el tribunal superior aunque el inferior lo deniegue. | **DE INCONSTITUCIONALIDAD**. En algunos Estados que tratan de asegurar la jerarquía suprema que al texto constitucional corresponde sobre las leyes ordinarias, y además garantizar el mutuo respeto de las atribuciones de cada poder, es la reclamación extraordinaria que se otorga ante el Superior Tribunal de Justicia, Suprema Corte de Justicia, Tribunal de Garantías Constitucionales u otro organismo competente, cuando por una ley, decreto, resolución o autoridad se ha atacado alguna de las garantías establecidas en la Constitución, asegurándose en esta forma la ejecución absoluta de las disposiciones contenidas en la Ley Fundamental de la nación e impidiendo sea desconocida, adulterada su letra o espíritu, o atacada en su contenido por ninguna autoridad en sus resoluciones o fallos. | **DE INJUSTICIA NOTORIA**. Establecido en los últimos tiempos de la Edad Media española, este *recurso*, tenue vestigio de casación, subsistió hasta el siglo XIX, al ser instaurados los *recursos* de casación en lo civil. Se otorgaba cuando no procedía el *recurso de segunda suplicación* con el fin de reparar lo injusto del fallo más que la infracción de la ley en sí, y con visos de tercera instancia. | **DE NULIDAD**. Esta expresión constituye un comodín procesal, como se comprueba por sus varias acepciones según los tiempos y jurisdicciones. | **DE QUEJA**. Aquel que interpone la parte cuando el juez deniega la admisión de una apelación u otro *recurso* ordinario, que procede con arreglo a Derecho. | **DE REPOSICIÓN**. El que una de las partes presenta ante el propio juez que dicta resolución interlocutoria, con la finalidad de que la deje sin efecto, la corrija, la aminore o la cambie según solicita el recurrente. | **DE REVISIÓN**. El de carácter extraordinario que se da contra las sentencias definitivas o firmes dictadas sobre hechos falsos. | **DE SÚPLICA**. Denominación más respetuosa que la ley adopta con los tribunales superiores, para lo que en grados jerárquicos inferiores llama *recurso de reposición* o *de reforma*; es decir, el que se interpone ante el mismo tribunal que ha dictado la resolución, con solicitud de modificación o de quedar sin efecto. | **EXTRAORDINARIO**. El remedio procesal que se concede en especiales circunstancias, taxativamente determinadas por la ley, sin generalidad, limitado a ciertos fines, y cuando no procede ningún otro de los denominados *recursos ordinarios*. | **JUDICIAL**. En general, cualquiera de los que se dan contra las resoluciones de toda clase de jueces.

Recursos

Bienes. | Medios, elementos. | Tretas, ardides, expedientes. | Provisiones. | Posibilidades. | Subsidios.

Recusación

Acción o efecto de *recusar*; esto es, el acto por el cual se excepciona o rechaza a un juez para que entienda o conozca de la causa, cuando se juzga que su imparcialidad ofrece motivadas dudas.

Recusante
El que recusa; esto es, la pesona que solicita, de acuerdo con las disposiciones legales, que un juez, magistrado o funcionario judicial se separe o se abstenga del conocimiento de un asunto por no ofrecerle garantías de imparcialidad.

Redargüir
Volver un argumento contra quien lo expone. | Impugnar por algún vicio o defecto; en especial, señalar la falsedad, error o ineficacia de los documentos presentados en juicio.

Redención
Acción o efecto de redimir. | Recurso, remedio. | En lo teológico, la salvación del género humano por el sacrificio de Cristo en la Cruz. (V. DEICIDIO.) | Antiguamente se decía del rescate de la esclavitud por el cautivo mediante cierto precio, o el acto de recuperar la libertad perdida. | **DE CENSOS**. Acto jurídico en virtud del cual, abonándose el precio o capital que por convenio o ley corresponda al censualista, obtiene el censatario la liberación de la propiedad gravada. | **DE LAS PENAS POR EL TRABAJO**. Sistema que permite cumplir las condenas, de manera abreviada, mediante el trabajo del reo o del perseguido.

Redescuento
Operación mercantil consistente en un nuevo descuento sobre valores que han sido ya objeto de deducción análoga por el pago antes del vencimiento.

Redhibición
Nulidad de la venta, o restitución del precio dado, cuando la cosa vendida o transmitida por título oneroso tuviera defectos ocultos, existentes al tiempo de la adquisición, que la hagan impropia para su destino, si de tal modo disminuyen el uso de ella que, de haberlo conocido el adquirente, no la habría adquirido, o habría dado menos por ella.

Redhibir
Resolver o deshacer la venta, por iniciativa del comprador, al descubrir un defecto oculto de la cosa; con la obligación, para tal fin, de restituir ésta y poder así recuperar el precio pagado, o liberándose de esta obligación si estuviere pendiente.

Redimir
Librar de la esclavitud. | Rescatar por precio al cautivo o prisionero. | Comprar nuevamente lo vendido antes o lo enajenado o perdido de otra forma. | Dejar libre una cosa de hipoteca, prenda u otro gravamen. | Tanto puede decirlo el acreedor o titular que cancela su derecho como el deudor u obligado que se libera de la prestación, garantía o sujeción. | Extinguir una obligación; liberarse de ella. | Salvar de culpa o condena. | Concluir con males materiales o morales. (V. REDENCIÓN.)

Rédito
Interés. | Renta. | Beneficio. | Utilidad. | Rendimiento.

Reducción
Disminución. | Rebaja. | Minoración. | Conversión. | Transformación. | Resumen. | Cambiar dinero de una clase por otra: billetes por monedas, o pesetas por pesos. | Mutación. | Concentración. | Sujeción a obediencia legítima o despótica. | Persuasión. | Rendición del enemigo o rebelde. | Durante la dominación española en América, pueblo de indios convertidos al catolicismo. | **DE INDIOS**. Sistema practicado, durante la época hispánica, con los indígenas americanos, una vez convertidos a la religión católica. Se proponía agrupar a los indios conversos en pueblos o poblados en que no tuvieran contacto directo con el conquistador, fuere militar, civil o administrativo.

Reelección
Nueva elección de una persona. | Más particularmente, prórroga del ejercicio de funciones, por ser elegido nuevamente para ellas antes de cesar.

Reembargar
Embargar por segunda vez lo mismo, luego de haberse levantado el primer embargo. | Volver a embargar lo que ya estaba por anterior acreedor, demandante o ejecutante, para estar a las resultas del primer embargo o para tener derecho al sobrante de éste. | Ampliar un embargo.

Reembolsar
Efectuar un *reembolso* (v.).

Reembolso
Cobro o pago de lo dado o recibido en préstamo, según la posición de acreedor o deudor que se considere. | Vuelta de una suma a poder del que la había desembolsado o al de su derechohabiente. | Reintegro del valor de la cosa remitida, antes de la entrega o en el acto mismo.

Referéndum

En lo político, según Posada, se denomina *referéndum* la función del sufragio por virtud de la cual éste interviene en la adopción definitiva de las leyes ejerciendo como una especie de prerrogativa de veto y de sanción análoga en su alcance a la que es corriente atribuir a los jefes de Estado constitucionales. (V. PLEBISCITO.) Como locución, V. AD REFERÉNDUM.

Reforma

Nueva forma; innovación, cambio. | Modificación, variación. | Corrección, enmienda. | Restauración, restablecimiento. | Extinción de un cuerpo administrativo. | Reimplantación en una orden religiosa de la disciplina primera. | Privación o suspensión de empleo. | Disminución. | Por antonomasia, el protestantismo. | **CONSTITUCIONAL.** Cada una de las enmiendas introducidas en una Constitución. | Movimiento tendiente a variar el texto fundamental. | Procedimiento establecido en cada Constitución para su reforma.

"Reformatio in peius"

Loc. lat. Reforma para peor. Tal posibilidad caracteriza los recursos, por quien adopta la iniciativa de interponerlos, que le permiten aspirar a una nueva resolución, favorable o menos grave, pero que, al discutirse de nuevo las peticiones y fundamentos, puede conducir a un empeoramiento con respecto a la decisión precedente.

Reformatorio

Establecimiento penitenciario para el tratamiento correccional de los delincuentes, con el fin de readaptarlos a la vida social.

Refractario

Quien falta a la promesa o pacto a que se obligó. | Quien rehúsa obedecer las leyes vigentes y las órdenes de sus superiores. | Rebelde, reacio a la admisión de ideas, costumbres o instrucciones. | Quien se opone con energía o tesón a aceptar otro parecer o práctica contra la libertad de mantener o adoptar los suyos.

Refrendar

Autorizar una disposición o despacho quien lo firma con tal finalidad y atribuciones bastantes. | En los pasaportes, revisarlos y tomar nota de su presentación. | Repetir, reiterar. | Antiguamente, marcar las pesas y medidas.

Refrendo

Refrendación: acción o efecto de refrendar, de legalizar un despacho o cédula, firmando después del superior; como el secretario con respecto al juez. | Testimonio de un *refrendo*, de existir una firma legalizadora. | Por antonomasia en el Derecho Político, el acto por el cual un ministro autoriza con su firma un decreto u otra disposición reglamentaria suscrita por el jefe del Estado, dándole así fuerza de obligar.

Regalía

Privilegio, prerrogativa, preeminencia. | Excepción, exención. | En especial, facultad privativa del soberano; como la de acuñar moneda, conceder títulos, indultar. | Gajes que además del sueldo perciben algunos empleados. | Privilegio que la Santa Sede otorga a un soberano, ya para la presentación de obispos o para percepción de ciertas rentas, como antiguamente en los obispados vacantes.

Regalo

Dádiva que, por voluntad o costumbre, se hace a una persona; generalmente como demostración de afecto y procurando complacer el gusto o necesidad del regalado, dentro de las circunstancias y de las posibilidades. | Donación. | Presente. | Obsequio. | Comodidad, descanso, gusto o satisfacción que se procura uno mismo o se proporciona a otro a quien se estima o al que se corteja con algún fin egoísta.

Regencia

Gobierno. | Dirección. | Empleo o funciones del regente. | Suplencia de un monarca, en las funciones públicas o constitucionales, por minoridad, ausencia, incapacidad del titular, e incluso por quedar vacante el trono. | Aun inexistente la dinastía, hubo *regencia* singularísima en Hungría entre las dos guerras mundiales. | Duración del cargo de regente. | Denominación de algunos Estados vasallos del antiguo Imperio turco; como Túnez y Trípoli. | División administrativa que fue utilizada en Alemania en alguna época.

Regentar

Regir, administrar. | Ocupar temporalmente un cargo. | Desempeñar empleo o cargo honorífico. | Ejercer un cargo con aire de suficiencia.

Regente

Gobernador. | Director, rector. | Administrador. | Mujer u hombre que ejerce interinamente la jefatura de un Estado monárquico por menor edad del rey, por incapacidad o por ausencia de éste. | Nombre del jefe de Estado húngaro, luego de la Primera Guerra Mundial, sin existir dinastía reinante, para demostrar así el sentimiento monárquico del país, que chocaba con la prohibición de restaurar la dinastía depuesta, por exigencia de los vencedores. | En la antigua organización judicial española, presidente de audiencia territorial. | Nombre de algunos cargos universitarios; como ciertos suplentes de cátedras o catedráticos temporales. | En algunos comercios pequeños, el encargado o factor. Es usual el nombre en imprentas y farmacias.

Regicida

El que mata al rey o a la reina; o al regente o a la regente. | Quien atenta contra la vida del monarca, de su cónyuge o del que supla a aquél, aunque se frustre el propósito.

Regicidio

Del latín, *rex, regis*, rey; y *caedere*, matar. Delito de lesa majestad, que consiste en dar muerte al rey o a la reina. | Por extensión, al príncipe heredero, o a la princesa que haya de suceder; y también al regente.

Regidor

Quien rige, gobierna o administra. | En la antigua organización municipal de España y de sus posesiones americanas, cargo equivalente al del moderno *concejal*: miembro o vocal de un ayuntamiento de nombramiento real o elegido por sus conciudadanos. | En la actualidad, concejal que no desempeña ningún cargo especial en la administración del municipio.

Régimen

Sistema de gobierno. | Manera de regir o regirse. | Normas o prácticas de una organización cualquiera, desde el Estado a una dependencia o establecimiento particular. | **SINDICAL**. Conjunto de características de las organizaciones sindicales, por su reconocimiento o exclusión en Constituciones y leyes, sistema de libertad o trabas para integrarse y desenvolverse y otras manifestaciones fundamentales de su actividad.

Regímenes matrimoniales

Con esa designación se alude concretamente a la organización patrimonial que rige el matrimonio dentro de los diversos sistemas legales adoptados por cada paí s. De un modo general esos *regímenes* han sido claramente expuestos por A. C. Belluscio del siguiente modo:

a) *Sistema de absorción*, caracterizado por el hecho de la transferencia al marido del patrimonio de la esposa, la cual, ni durante el matrimonio ni a su disolución, tiene ningún derecho sobre esos bienes y lo que recibe, en caso de premorir el esposo, es por sucesión hereditaria y no por otro título;

b) *Sistema de unidad de bienes*, en el que la mujer transfiere al marido la administración y el usufructo de los bienes aportados, pero no la propiedad, conservando ella la nuda propiedad. A la disolución del matrimonio, esos bienes le son devueltos, sin que respondan por las deudas del marido;

d) *Sistema de comunidad*, caracterizado por la formación de una masa común total o parcial de bienes que se divide entre los cónyuges o sus herederos a la disolución del régimen;

e) *Sistema de separación de bienes*, respecto del cual el patrimonio y su administración se mantienen independientes, contribuyendo ambos cónyuges a los gastos familiares;

f) *Sistema de participación*, en el que mientras dura el matrimonio no existe independencia matrimonial, lo mismo que en el sistema de separación, pero, a la disolución, surge un crédito de uno de los cónyuges contra el otro, con el fin de igualar sus patrimonios o los aumentos de éstos producidos durante la unión.

En voces precedentes se amplía acerca de los más habituales entre estos sistemas.

Regimiento

Acción o efecto de regir o de regirse. | Antiguamente, conjunto de regidores; o sea, el actual ayuntamiento en sentido personal y municipal. | Cargo y funciones de regidor o concejal. | Unidad militar integrada por batallones (en infantería), escuadrones (en caballería) o baterías (en artillería), la que se encuentra bajo el mando o a las órdenes directas de un coronel. | ant. Régimen, gobierno, dirección.

Región

Parte del territorio de un Estado, caracterizada por cierta unidad étnica, lingüística, topográfica, climatológica o de producción, o por una diversidad administrativa o de régimen político dentro de la nación, en la cual se integra, sin alcanzar el valor histórico de ésta. | En España, cada uno de los grupos provinciales que constituyen recuerdo histórico de reinos u otras formas estatales antiguas y que gozan actualmente de autonomía.

Regionalismo

Movimiento que defiende la administración autónoma, tomando la región como base geográfica e histórica del gobierno local. | Actitud separatista de una porción del territorio nacional, que exalta sus vínculos de unidad íntima y desconoce la comunidad de pasado y porvenir con la nación a la cual pertenece y rechaza. Constituye un nacionalismo minúsculo. | Afecto a la región nativa, como noble patriotismo intermedio entre el local o chico, y el grande de la patria común.

Regir

Dirigir. | Mandar. | Gobernar. | Estar en vigor una ley, precepto o mandato. | Conducir. | Guiar. | Llevar.

Registrador

Que registra o quien registra. | Aparato o mecanismo que recoge automáticamente determinados hechos. Su utilización es ahora muy frecuente. | Funcionario o empleado público que está encargado de un Registro Público. | Por antonomasia, el *registrador de la propiedad* (v.). | **DE LA PROPIEDAD**. Funcionario público encargado de calificar, anotar, inscribir, certificar y demás tareas concernientes a los actos y contratos que pueden constar en el Registro de la Propiedad en relación con bienes inmuebles y derechos reales, de acuerdo con la demarcación territorial correspondiente, conforme las normas legales que en cada país rijan.

Registrar

Examinar cuidadosamente. | Entrar en un lugar y proceder a la observación o busca de personas o cosas, ya sea con fines lícitos o ilícitos. | Entregarse a la inspección de mercaderías, objetos o bienes, para determinar la pertinencia de su entrada o salida por un lugar, y si han de pagar, o no, ciertos derechos establecidos sobre éstos. | Anotar. | Inscribir. | Transcribir literalmente o extractar en las oficinas y libros de un Registro Público los actos o contratos de los particulares y las resoluciones de las autoridades administrativas o judiciales. | Contar un edificio con vistas sobre finca vecina. | Colocar en un libro, expediente, legajo o proceso un registro o señal, para la fácil consulta de algún dato.

Registro

Acción o efecto de registrar. | Examen minucioso. | Investigación que se hace en un sitio para dar con una persona o cosa. | Inspección a que son sometidas las personas y las ropas que tienen puestas, con el fin de saber si llevan armas, objetos, documentos u otras cosas que interesan a quien registra o cachea. | Padrón. | Matrícula. | Protocolo. | Oficina donde se registran actos y contratos de los particulares o de las autoridades. | Libro en que se anotan unos y otros. | Cada uno de los asientos, anotaciones o inscripciones de aquél. | Cédula, albalá donde consta lo registrado o inscrito. | Señal que se pone en libros, actuaciones, expedientes para su empleo o consulta. | Durante la época hispánica de América, buque que transportaba mercaderías registradas en el puerto de salida, para el adeudo de sus derechos. | **CIVIL**. Con este nombre, y con el de *Registro del Estado Civil*, se conoce la oficina pública, confiada a la autoridad competente y a los necesarios auxiliares, donde consta de manera fehaciente —salvo impugnación por falsedad— lo relativo a los nacimientos, matrimonios, emancipaciones, reconocimientos y legitimaciones de hijos, adopciones, naturalizaciones, vecindad y defunciones de las personas físicas. | **DE LA PROPIEDAD**. Institución destinada a inscribir la titularidad y condiciones del dominio de un bien inmueble determinado, a efectos de la contratación sobre él y como garantía para las partes contratantes, no sólo en lo que se refiere al bien en sí mismo, sino también a las circunstancias personales del propietario (inhibiciones, embargos, promesas de venta, etc.). Se inscriben asimismo en el Registro los derechos reales que pesen sobre el inmueble. | **DE LOS ACTOS DE ÚLTIMA VOLUNTAD**. Oficina existente de antiguo en España, en el Ministerio de Justicia, que certifica, luego de acreditar la muerte de una persona, o la declaración judicial de su fallecimiento, si existe, o no, testamento otorgado por aquélla ante notario o persona que haga sus veces; lo cual no excluye un posterior testamento ológrafo, o ante autoridad extranjera que lo desvirtúe; pero que no se supone en caso de aparecer el que consta en tal *Registro*. | **DOMICILIARIO**. El que se efectúa, con fines de seguridad o al servicio de la Justicia, en la morada de alguna persona. Cuando rigen las garantías constitucionales, exige previo mandamiento o autorización judicial, a menos de entrada permitida por el dueño u ocupante. (V. ALLANAMIENTO DE DOMICILIO.) | **MERCANTIL**. Para constancia y seguridad de los actos y contratos del comercio, para que surtan plenos efectos contra terceros, se organiza esta institución y oficina pública, confiada a un funcionario, público también y con fe sobre la autenticidad y subsistencia del contenido de los libros y asientos de este *Registro*, denominado también *Registro Público de Comercio*.

Reglamento

Toda instrucción escrita destinada a regir una institución o a organizar un servicio o actividad. | La disposición metódica y de cierta amplitud que, sobre una materia, y a falta de *ley* (v.) o para completarla, dicta un poder administrativo. Según la autoridad que lo promulga, se está ante norma con autoridad de *decreto, ordenanza, orden* o *bando (*v.).

Reglas del Derecho

Las define Escriche como axiomas o principios que, en breves y generales palabras, demuestran luego la cosa de que hablan y tienen fuerza de ley en los casos que no están decididos por alguna ley contraria. Muchas de las *reglas del Derecho* están contenidas en el título XXXIV de la Partida VII de Alfonso El Sabio, en el Derecho Romano y en las Decretales. Desde otras perspectivas, las reglas del Derecho son también entendidas como equivalentes a las normas del Derecho positivo, o bien a las formulaciones normativas que la ciencia jurídica elaborada a partir de las distintas fuentes del Derecho positivo. (V. PRINCIPIOS GENERALES DEL DERECHO.)

Regreso cambiario

Derecho del titular de una letra de cambio a obtener el pago de ésta de los endosantes y demás obligados a tal pago, cuando el titular de la letra no ha obtenido la aceptación o pago de ésta y ha cumplido con las cargas necesarias para preservar la exigibilidad del mencionado documento.

Rehabilitación

Acción y efecto de habilitar de nuevo o restituir una persona o cosa a su antiguo estado.

Reincidencia y reiteración

La Academia de la lengua define el sentido forense de una y otra palabra, diciendo de la primera que es "circunstancia agravante de la responsabilidad criminal, que consiste en haber sido el reo condenado antes por el delito análogo al que se le imputa", y de la segunda, que es "circunstancia que puede ser agravante, derivada de anteriores condenas del reo, por delitos de índole diversa del que se juzga". Así, pues, la diferencia entre una y otra se basa en la igualdad o la diferencia entre el delito pretérito y el presente.

En la doctrina se acostumbra a llamar reincidencia especial o reincidencia propiamente dicha aquella en que se encuentra incurso el individuo que comete un delito después de haber sido ya condenado por sentencia firme en otro delito de la misma naturaleza, y reincidencia general o reiteración, cuando la naturaleza del delito anterior es distinta.

Relación

En el repertorio de G. Cabanellas y L. Alcalá-Zamora, vínculo. | Conexión. | Correspondencia. | Trato. | Comunicación. | Analogía, semejanza. | Informe que, de viva voz o por escrito, hace el secretario, o persona que lo sustituya, al juez o tribunal, acerca de una causa o proceso. | Relato, narración. | Referencia. | Informe. | Declaración.

Relación de trabajo

Representa la idea principalmente derivada de la doctrina italiana, según la cual el simple hecho de que una persona trabaje para otra en condiciones de subordinación contiene para ambas partes una serie de derechos y obligaciones de índole laboral, con independencia de que exista, o no, un *contrato de trabajo* (v.). De ahí que algunos autores, como Nápoli, digan que puede existir una *relación de trabajo sin contrato*, pero no un *contrato sin relación de trabajo*, de donde resulta que aquélla es el contenido del contrato, y éste, su continente. Sin embargo, a juicio de algunos autores, esa distinción es inexistente y carente de efectos jurídicos, porque, en la *relación de trabajo*, existe un contrato, aunque sea de índole tácita, representado por el hecho de que una persona acuda a trabajar y otra acepte su trabajo.

Relación jurada

Cuenta cuya exactitud y procedencia se avala con juramento, que presenta quien tiene autoridad para ello y por los servicios prestados.

Relación jurídica

De modo poco claro, para De Castro, la "situación jurídica en que se encuentran las personas, organizadas unitariamente dentro del orden jurídico total por un especial principio jurídico".

Relación procesal

Sin pretender la perfección técnica, cabe delinearla como el conjunto de derechos y deberes, de situaciones dadas o cambiantes, de actitudes personales y de consecuencias de hecho y jurídicas que para las partes y el órgano jurisdiccional provocan, mantienen, desenvuelven y desenlazan el planteamiento y sustanciación de un *proceso* (v.), en forma conexa en unos aspectos, excluyente en otros y antitética en general.

Remate

Subasta (v.).

Remisivo

Con remisión o referencia a algo o a alguien.

Remisión de la deuda

Renuncia voluntaria, y por lo general gratuita, que un acreedor hace de todo o parte de su derecho contra el deudor (Capitant). | Acto del acreedor extintivo de la obligación, que puede efectivizarse mediante la entrega voluntaria al deudor del documento original en que constare la deuda, si no hubiere sido pagada, o por cualquier otro procedimiento fehaciente.

Remoción

Privación de cargo o empleo. | El vocablo, de origen canónico, es hoy de uso muy general.

Remuneratorio

Dado como compensación o recompensa. | Provechoso. | En la contratación, lo mismo que oneroso; en cuanto las ventajas que cada una de las partes obtiene se funda en las de la otra, o compensan el sacrificio y utilidad mutuos. (V. CONTRATO BILATERAL.) | En las donaciones, la liberalidad en que el donante se siente obligado ya por gratitud o por el mérito y trabajos del donatario, aun no teniendo éste derecho alguno a solicitar nada. (V. DONACIÓN ONEROSA.)

Rendición

Vencimiento del enemigo. | Entrega del vencido al vencedor. | Sumisión al dominio o potestad de otro. | Restitución de lo despojado. | Producción de fruto, utilidad o provecho. | Cansancio, fatiga, extenuación. | Dación. | Ajuste de cuentas. | Cantidad de moneda acuñada en un período y pendiente de la autorización oficial para circular. | ant. Precio de un rescate o redención. | **DE CUENTAS**. Presentación, al conocimiento de quien corresponda, para su examen y verificación, de la relación minuciosa y justificada de los gastos e ingresos de una administración o gestión.

Renta

Ingreso regular que produce un trabajo, una propiedad u otro derecho, una inversión de capital, dinero o privilegio. | Utilidad, fruto, rendimiento o provecho de una cosa. | Deuda pública. | Títulos que la representan. | Precio que en dinero o en especie paga el arrendatario. | Pensión o cantidad que por obligación o liberalidad se pasa a una persona. | Rédito, interés. | **VITALICIA**. Contrato aleatorio en que una de las partes entrega a otro un capital o ciertos bienes con la obligación de pagar al cedente o a un tercero una pensión o *renta*, durante su vida o la de aquel a cuyo beneficio se impone la suma o la cosa.

Renuncia

Dejación voluntaria de algo, sin asignación de destino ulterior ni de persona que haya de suceder en el derecho o función. | Abandono. | Dimisión. | Despido resuelto por el propio trabajador. | Rechazamiento o negativa ante una propuesta, ofrecimiento o petición. | Desprecio. | Documento en que consta la *renuncia* de un cargo o empleo. | Sacrificio de una aspiración. Desistimiento en un empeño. | Abdicación. **DE LAS LEYES**. Facultad autorizada o tolerada antiguamente para desentenderse de los preceptos del legislador en las leyes prohibitivas o imperativas. En la actualidad, no cabe tal cosa, que entrañaría actitud nula, e incluso punible en ciertos casos.

Reo

En tanto que adjetivo: criminoso, culpado, acusado, objeto de cargos. | Durante el proceso penal, el acusado o presunto autor o responsable. | Después de la sentencia, el condenado. | Con causa o sin sumario, quien merece castigo por haber delinquido. | Nótese que esta voz, como sustantivo, es común, o sea invariable referido a hombre o mujer: *el reo* o *la reo*. | En el enjuiciamiento civil, el demandado. | En ciertas acciones, como las divisorias, en que ambas partes tienen posiciones recíprocas, *reo* o *demandado*, por oposición a *demandante* o *actor*, es quien no ha tomado la iniciativa del litigio. | **AUSENTE**. Cuando el acusado o procesado por un delito no ha sido capturado o ha huido, se produce la rebeldía en lo penal. Para declarar *ausente* o *rebelde* al reo, han de publicarse sin resultado las *requisitorias* (v.).

Reparación

Arreglo de daño. | Compostura. | Satisfacción o desagravio por ofensa o ultraje. | Indemnización. | Resarcimiento.

Repartimiento
Distribución, reparto, partición. | Documento que acredita la forma en que se ha dividido algo, y la porción adjudicada a cada uno de los partícipes. | Contribución compartida con distintos contribuyentes, gravados por obligación o voluntad. | Distribución de las causas entre las diversas salas de un tribunal colegiado, entre los distintos juzgados de una capital o gran ciudad o entre las diferentes secretarías de éstos o de aquéllas, para la equitativa división del trabajo y de las utilidades (cuando se perciben honorarios o aranceles); y que viene a constituir una subdivisión de la competencia, que no puede originar recurso de casación por quebrantamiento de forma, ya que no es esencial para la causa, sino de orden de la Justicia, sin excluir las reclamaciones internas. | Oficina y oficio del repartidor judicial.

Repertorio
Libro que contiene extractadas determinadas materias, con sucinta referencia a textos más amplios o a las fuentes originales.

Repetición
Duplicidad. | Reiteración. | Insistencia. | Reincidencia. | Reproducción. | Por antonomasia, el derecho y la acción para reclamar y obtener lo indebidamente pagado o lo anticipado por cuenta de otro.

Repetir
Decir o hacer de nuevo lo ya dicho o hecho. | Reiterar. | Reclamar contra tercero por pago indebido, injusto enriquecimiento, pérdida por evicción, improcedente quebranto o abono anticipado.

Réplica
Contestación. | Argumento en contra. | Refutación. | Objeción. | Reparo. | Escrito en que el actor, luego de conocida la contestación que a la demanda haya dado el demandado, reitera sus pretensiones, impugna las defensas del adversario y la reconvención en su caso, y fija definitivamente su posición procesal.

Replicar
Argüir. | Rebatir. | Refutar. | Objetar. | Contestar al adversario. | Responder con insolencia o poco agrado. | Presentar el escrito de réplica en una causa.

Replicato
Contestación a la argumentación contraria. | Escrito de réplica.

Reposición
Posición o colocación en el estado o puesto anterior. | Reintegro del funcionario, empleado u obrero cesante, despedido o sujeto a expediente. | Restitución de lo hurtado o usado sin permiso, y con la pretensión de que no se advierta la falta. | En Derecho Procesal, el acto por el cual el juez vuelve a poner el pleito en el estado en que se encontraba antes de dictar sentencia o resolución, dejando ésta sin efecto, o modificándola de acuerdo con las disposiciones legales y la petición formulada. | También el hecho de reintegrar el papel sellado que se usa en las actuaciones tribunalicias, cuando una de las partes ha omitido hacerlo. Es más común el uso de la precedente acepción.

Repregunta
Segunda pregunta que sobre un mismo asunto o materia dirige el litigante, alguno de los letrados o el fiscal, a un testigo, para comprobar su veracidad, con el fin de ratificar, aclarar o destruir las declaraciones formuladas.

Repreguntar
Dirigir repreguntas a un testigo.

Represión
Amonestación, corrección verbal que vitupera o desaprueba lo dicho o hecho, con palabras más o menos ásperas o con elevado sentido de exaltación moral. | Pena leve, cuyo objeto consiste en provocar una saludable reacción en el condenado, haciéndole comprender su falta, la trascendencia de la violación jurídica, la hostilidad social contra el delito y la pena, el riesgo de la reincidencia y su gravedad, además del requerimiento a la enmienda, a la abstención de repetir el mal realizado.

Represalia
Esta voz, aplicada casi siempre en plural (*represalias*), posee una gradación descendente en importancia o rigor: *a*) derecho o potestad que se arrogan los beligerantes para causarse recíprocamente igual o mayor daño que el recibido, en especial por violación de las leyes de la guerra, de alguna convención o de una severa advertencia hecha para abstenerse de determinados métodos o acciones; *b*) retención de los bienes de los súbditos de la nación con la cual se está en guerra; *c*) adopción de las mismas medidas que el enemigo contra las personas y cosas de los nacionales; *d*) medidas o trato de rigor, sin estar en guerra, por actos perjudicia-

les o agraviadores para el otro; *e*) entre particulares, venganza o individual reparación del agravio por la víctima de la ofensa, ataque o perjuicio.

Representación

Expresión o exposición del pensamiento. | Declaración. | Referencia, relato. | Símbolo, figura, imagen de algo o alguien. | Sustitución de una persona, en cuyo nombre se actúa. | Sucesión en una cualidad o derecho. | Ejecución en público de una obra dramática. | Carácter o dignidad con que actúa una persona. | Grupo o comisión que expone las pretensiones, intereses, quejas o sentimientos de una colectividad, organizada o no. | Memorial o súplica que se dirige a una autoridad o jefe, con las razones que concurren a favor de lo expuesto o solicitado. | Reconstrucción mental de un caso o situación. | **SINDICAL**. Vista desde el trabajador o el patrono, consiste en la actuación de los sindicatos en nombre e interés de sus asociados, como adelantados de la lucha o de la contratación social. | Desde el punto de vista de las asociaciones profesionales, la actuación y el poder que en la organización del Estado poseen los sindicatos como personas jurídicas de índole social y laboral; ya como expresión de la voluntad, aspiraciones y necesidades de sus representados, ya cual órganos de la estructura nacional, que no cabe desconocer en la vida pública de los pueblos modernos.

Representante

Que representa. | Quien ostenta una *representación* (v.).

Representar

Exponer una cosa, proyecto o pensamiento. | Referir, narrar. | Informar. | Manifestar, declarar. | Reemplazar, sustituir. | Simbolizar. | Obrar jurídicamente en nombre de otro. | Dar al público una obra teatral.

Represión

Acción o efecto de represar y de reprimir. | Modo especial, y más o menos violento, de contener el descontento o la rebeldía; de oponerse a las alteraciones del orden público, desde una protesta verbal o gritería hasta una rebelión.

República

Palabra de etimología latina: de *res*, y *publica*, pública. Equivale –en su acepción más amplia– a causa pública, comunidad, Estado. Cabe aplicarla políticamente a todos ellos, con independencia de su sistema de poderes.

En sentido estricto, la Academia Española la define como Estado que se gobierna sin monarca. Con más rigor de técnica política, puede decirse que es, en su auténtica expresión, la forma de gobierno de origen electivo y popular; caracterizada por la duración determinada de la representación o mandato, atribuciones limitadas y responsabilidad de todos sus órganos y miembros, incluso el jefe del Estado, que la simboliza, y denominado, en todos los países en que está instaurada, *presidente* (v.).

Repudiación

Renuncia. | Discrepancia y condena de determinados hechos o actitudes. | Repulsa. | Rechazamiento.

Repudiar

Repeler la mujer propia (V. REPUDIO.)| Renunciar. | Disentir de algo y condenarlo.

Repudio

Ruptura unilateral del matrimonio, reconocida a favor del marido en algunas legislaciones; como la judía y la romana, principalmente en caso de adulterio.

Requerimiento

Intimación que se dirige a una persona, para que haga o deje de hacer alguna cosa, o para que manifieste su voluntad en relación con un asunto. | Aviso o noticia que, por medio de autoridad pública, se transmite a una persona, para comunicarle algo.

Requisito

Circunstancia o condición necesaria para la existencia o ejercicio de un derecho, la validez y eficacia de un acto jurídico o la exigencia de una obligación.

Requisitoria

Requerimiento judicial o despacho que expide el juez instructor de una causa criminal, para citar y emplazar al reo o acusado de un delito; así como para disponer su búsqueda, captura y presentación cuando se desconozca su paradero, para excitar el celo de las autoridades y agentes de la policía judicial y la colaboración espontánea de los particulares.

Requisitorio

Despacho con que un juez excita a otro para la ejecución de un mandato expedido por el requirente. (V. EXHORTO.)

"Res"

Voz lat. Cosa. | Bienes. | Riqueza. | Asunto o caso. | Causa o litigio. | Cuanto existe, sea realidad sensible o concepto del espíritu, en el pensamiento filosófico de Séneca. | Todo objeto de un derecho, incluso esclavos y animales | **"CORPORALES"**. Loc. lat. Cosas corporales. | **"DERELICTAE"**. Loc. lat. Cosas abandonadas. | **"DIVINI JURIS"**. Loc. lat. Cosas de Derecho Divino. | **"FURTIVAE"**. Loc. lat. Cosas robadas. | **"HOSTILES"**. Loc. lat. Cosas del enemigo. | **"HUMANI JURIS"**. Loc. lat. Cosas de Derecho Humano. | **"IN JUDICIUM DEDUCTA"**. Loc. lat. Cosa o causa deducida en juicio. | **"INTER ALIOS ACTA"**. Loc. lat. Cosa realizada entre terceros. | **"MANCIPI"**. Loc. lat. Cosas mancipadas. Las sujetas al solemne rito de la "*mancipatio*". | **"NULLIUS"**. Loc. lat. Cosas nullíus; esto es, sin dueño.

Resaca

En lo geográfico, movimiento de retroceso de las aguas del mar. La línea más baja o extrema de *resaca* sirve para determinar los conceptos de playas y costas, y para la servidumbre de uso del litoral; y principalmente para la medición de la zona de aguas jurisdiccionales. | En el comercio, letra que el tenedor de una de cambio protestada gira contra el librador o cualquiera de los endosantes, para resarcirse del importe de la protestada y de los gastos de protesto y recambio.

Resarcimiento

Reparación de daño o mal. | Indemnización de daños o perjuicios. | Satisfacción de ofensa. | Compensación.

Rescisión

Anulación. | Invalidación. | Privar de su eficacia ulterior o con efectos retroactivos una obligación o contrato.

Rescisorio

Con eficacia para rescindir.

Rescripto

Solemne decisión pontificia, imperial o de otro soberano acerca de consulta o petición.

Reserva

Custodia, guarda, defensa. | Provisión y prevención de algo. | Ahorro. | Excepción. | Salvedad. | Cautela o cuidado para que algo no se sepa. | Moderación, circunspección. | Parte del ejército o de la marina que no toma parte inmediata en una operación. | Situación de los militares y marinos que no están en servicio activo, pero que pueden ser llamados a filas o movilizados en tiempo de guerra. | Declaración judicial de que una resolución del juez o tribunal que la dicta no perjudica a derecho de tercero o al que debe ventilarse en otro juicio o de distinta manera. (V. COSA JUZGADA, RESERVA DE DERECHOS.) | Cláusula contractual que permite a alguna de las partes determinadas facultades, incluso la de desistir del convenio. | Obligación legal que, dentro del Derecho sucesorio, se impone a los padres viudos y aun a los viudos simplemente, y a otros ascendientes, a favor de los hijos del cónyuge premuerto o de los parientes de la línea a que los bienes pertenezcan. (V. RESERVA DE BIENES.) | Retención de potestad. | Secreto. | Existencias de un comerciante en su depósito, que aseguran su tráfico durante cierto tiempo. | Lo que no está destinado al uso o consumo inmediato.| **DE ACCIONES**. Declaración judicial de que el fallo o resolución no perjudica la acción que a una de las partes o a un tercero pueda corresponder en otra causa o ejercer de modo distinto. | **DE BIENES**. Restricción impuesta a la enajenación de éstos por disposición de la ley, y casi siempre en materia sucesoria, o por disposición unilateral o contractual. En cualquiera de los casos integra una vinculación temporal, pero sin que se reproduzca indefinidamente la limitación en las ulteriores transmisiones, salvo coincidir los supuestos. | **DE DERECHOS**. Declaración legal, judicial o privada de que determinados hechos, resoluciones o convenciones no perjudican los derechos o facultades que por ley, fallo o contrato pertenecen o puedan pertenecer a una parte o a un tercero. | **MERCANTIL**. En general, la provisión de dinero o bienes que integra un fondo con que atender futuras y eventuales necesidades.

Reservar

Guardar para lo por venir. | Establecer provisiones. | Ahorrar. | Apartar. | Restringir el uso. | Destinar para una persona o uso especial. | Dispensar de ley. | Eximir, exceptuar. | Separar algo en un reparto o concesión, y retenerlo para uno o para entregarlo a otro. | Callar. | Encubrir. | Ocultar. | Disimular. | ant. Jubilar a los servidores de la casa real y de otras de grandes familias. | Conservar ciertos bienes o su valor para transmitirlos a otras personas con derecho a ellos.

Resguardo

Defensa, amparo, protección. | Prevención. | Seguridad contra daños o peligros. | Vigilancia de una zona fronteriza o ribereña, para evitar el contrabando. | Cuerpo de funcionarios o agentes que cumple este servicio. | Seguridad escrita de deuda o contrato. | Recibo de depósito, de entrega de mercadería, de un pago.

Residencia

Domicilio, morada, habitación. | Permanencia o estancia en un lugar o país. | Presencia y vivienda de determinados funcionarios en el lugar en que desempeñan sus cargos o funciones, exigida como obligación aneja al ejercicio de éstos. | En algunos países, exigencia de responsabilidad política a los principales gobernantes y autoridades.

Resistencia

Oposición material o moral a una fuerza, de ésta o de aquella clase. | Corporalmente, aguante, tolerancia, sufrimiento, paciencia frente a privaciones y penalidades. | Para el ánimo, capacidad y elevación de espíritu que soporta sacrificios, adversidades e injusticias. | En relación con la lucha: defensa, briega, forcejeo. | Firmeza. | Obstrucción. | Repugnancia, aversión.

Resolución

Acción o efecto de resolver o resolverse. | Solución de problema, conflicto o litigio. | Decisión, actitud. | Firmeza, energía. | Valor, arrojo, arresto. | Expedición, prontitud, diligencia celosa. | Medida para un caso. | Fallo, auto, providencia de una autoridad gubernativa o judicial. | Rescisión. | Acto, hecho o declaración de voluntad que deja sin efecto una relación jurídica. | Término, extinción. | Destrucción. | Análisis de un compuesto, para su examen material o reflexivo. | Atrevimiento, osadía. (*Dic. Der .Usual*) | Cambio de una cosa reducida luego a otro.

Resolución judicial

Cualquiera de las decisiones, desde las de simple trámite hasta la sentencia definitiva, que dicta un juez o tribunal en causa contenciosa o en expediente de jurisdicción voluntaria. En principio se adoptan por escrito, salvo algunas de orden secundario que se adaptan verbalmente en las vistas o audiencias, de las cuales cabe tomar nota a petición de parte. (V. AUTO, PROVIDENCIA, SENTENCIA.)

Resolutorio

Lo que resuelve. | Lo que deja sin efecto.

Resolver

Decidir. | Solucionar. | Adoptar una medida, determinación o actitud. | Aclarar una duda. | Poner fin a un problema o conflicto. | Destruir. | Analizar. | Dejar sin efecto un negocio jurídico válido.

Resortes del poder

El conjunto de recursos materiales, cuerpos y fuerzas a su mando, medios económicos, influjo de la autoridad constituida, atribuciones constitucionales y legales, e incluso la posibilidad que el ejercicio del Poder Ejecutivo proporciona aun sin estricta licitud, y hasta ya desbordado el despotismo, para desarrollar su política un gobierno o funcionario de jerarquía, imponer su criterio y cerrar el paso a la oposición, pacífica o violenta.

Responsabilidad

Obligación de reparar y satisfacer por uno mismo o, en ocasiones especiales, por otro, la pérdida causada, el mal inferido o el daño originado. | Deuda. | Deuda moral. | Cargo de conciencia por un error. | Deber de sufrir las penas establecidas para los delitos o faltas cometidas por dolo o culpa. | Capacidad para aceptar las consecuencias de un acto consciente y voluntario.| **CIVIL.** El talión económico-jurídico: la obligación de resarcir, en lo posible, el daño causado y los perjuicios inferidos por uno mismo o por un tercero, y sin causa que excuse de ello. | **CONTRACTUAL.** La procedente de la infracción de un contrato válido. | La que surge de lo estipulado penalmente por las partes contratantes. | **CRIMINAL.** La aneja a un acto u omisión penado por la ley y realizado por persona imputable, culpable y carente de excusa absolutoria. | **CUASICONTRACTUAL.** La de carácter civil originada por un *cuasicontrato* (v.) cuando se prueben un daño, una culpa y una relación de causalidad con respecto al responsable y en relación con el perjudicado o con sus derechohabientes. | **CUASIDELICTUAL.** La originada por un *cuasidelito* (v.). Por emparentarse esta responsabilidad con la *lex Aquilia* (v.), que sancionaba la culpa levísima, se admite el resarcimiento apenas pueda demostrarse la menor imprudencia o negligencia por el causante del perjuicio. | **DEL ESTADO.** Como persona de Derecho Público, sólo es posible hablar de *responsabilidad civil*; y ello corresponde a concepto relativamente moderno, ya que en tiempos antiguos el Estado, como soberano, o el soberano, como Estado, eran irresponsables. | **EXTRACONTRACTUAL**. La que es exigible, por daños o perjuicios, por acto de otro y sin nexo con estipulación contractual. Va evolucionando de lo subjetivo, que imponía siempre dolo o culpa en el agente responsable, a lo objetivo, al titular o dueño de la cosa que ha originado lo que debe resarcirse. (V. RESPONSABILIDAD, RESPONSABILIDAD CONTRACTUAL.) | **INTERNACIONAL**. La que resulta para los Estados como consecuencia de la violación de sus obligaciones bajo el Derecho Internacional. Puede consistir en la reparación de los daños causados por tal violación, en la realización de actos tendientes a devolver una situación a su estado anterior a la violación del Derecho Internacional o en otras consecuencias negativas sobre el Estado responsable. | **JUDICIAL**. Obligación o deuda moral en que incurren los magistrados y jueces que infringen la ley, sus deberes, en el ejercicio de sus funciones específicas. | **LIMITADA**. En lo psicológico, aun cuando no se piense en ello primeramente, la disminución de las facultades mentales que determina incapacidad civil o atenuación penal. | En lo económico y preponderante, la fijación de un capital o suma como límite de la capacidad contractual y de la exigencia resarcidora por incumplimiento; lo cual no obsta a mayores *responsabilidades* en caso de delito. | **MINISTERIAL**. La de índole política, civil o criminal que puede recaer sobre los integrantes del gobierno. | **OBJETIVA**. La determinada legalmente sin hecho propio que constituya deliberada infracción actual del orden jurídico ni intencionado quebranto del patrimonio ni de los derechos ajenos. | **PATRONAL**. Además de la *responsabilidad civil* o *penal* que genéricamente recae sobre los empresarios, como sujetos de relaciones jurídicas en general y por autores de hechos dolosos o culposos que causan un daño o perjuicio digno de resarcimiento, y de la especial que deriva del contrato de trabajo que incumplan, surge una modalidad de *responsabilidad* aun sin culpa, siempre que no la haya habido por parte del trabajador: la que procede de los riesgos profesionales: el *accidente del trabajo* y *la enfermedad profesional*. | **PECUNIARIA**. Aquella en que el resarcimiento de los daños y perjuicios se convierte en la entrega al perjudicado o a su causahabientes de una cantidad de dinero. | En el Derecho Penal, la que se traduce en multa. | **PENAL**. La que se concreta en la aplicación de una pena, por acción u omisión —dolosa o culposa— del autor de una u otra. | **SOLIDARIA**. La que gravita sobre una pluralidad de personas, de manera tal que cada una de ellas indistintamente tiene la obligación de satisfacer el valor total de la responsabilidad, de serle exigido por la persona legitimada para hacer efectiva tal responsabilidad, sin perjuicio del derecho que luego tenga quien satisface esa responsabilidad respecto de los otros responsables solidarios, para repetir total o parcialmente lo así pagado. (V. OBLIGACIÓN SOLIDARIA.) | **SUBJETIVA**. La fundada en el proceder culposo o doloso del responsable y por ello opuesta a la *responsabilidad objetiva* (v.).

Restitución

Acción o efecto de restituir. | Devolución de una cosa.| Reintegro de lo robado. | Restablecimiento. | Retorno al punto de partida. | **IN INTEGRUM**. Beneficio extraordinario, proveniente del Derecho Romano, concedido a favor de determinadas personas que habían padecido lesión en un acto o contrato, aun cuando fuera legítimo, para obtener la reintegración o reposición de las cosas en el estado que tenían antes del daño o perjuicio. Su fundamento se encuentra en la equidad: en el deseo de proteger a los menores o incapaces, e incluso a personas jurídicas, por su trascendencia.

Restricción

Limitación. | Disminución de facultades o derechos. | Escasez o rebaja en la provisión de ciertos productos o alimentos. | Consumo reducido que por necesidad o previsión se establece en épocas de guerra y otras anormales de índole económica. | **MENTAL**. Negación, excepción, condicionamiento en el fuero interno para no cumplir lo declarado o requerido. | **SOCIAL**. Influjo o dominio negativo que se ejerce en un grupo social, mediante limitación de la conducta de sus miembros, al servicio de un principio o para el logro de un fin peculiar.

Resultado

Palabra con que se encabeza cada uno de los fundamentos de hecho de una sentencia u otra resolución judicial o administrativa. | Cada una de las bases de hecho o *hechos probados* en que se apoyan los *considerandos* (v.) y el fallo.

Retardo de justicia

Incumplimiento de los plazos procesales establecidos para la actividad judicial, del cual resulta la demora en la evolución debida de los procesos en que tiene lugar tal incumplimiento.

Retención

Detención. | Conservación. | Memoria, recuerdo. | Descuento de sueldo, salario. | Ejercicio de nuevo cargo con reserva del anterior. | Suspensión de rescripto. | Arresto, prisión preventiva. | Facultad que corresponde al tenedor de una cosa ajena para conservar la posesión de ésta hasta el pago de lo debido por razón de ella. No configura privilegio, sino una prenda constituida unilateralmente, al amparo de un derecho reconocido por ley.

Retiro

Alejamiento de una persona. | Apartamiento de algo. | Recogimiento. | Abstracción. | Extracción de fondos de una cuenta. | Situación en que se encuentra la persona que, habiendo prestado servicios en el Ejército, finaliza su carrera militar, con derecho a una paga como haber pasivo, establecida según los sueldos disfrutados, la graduación obtenida y los años de actividad. | Sueldo que percibe un militar retirado, por razón de sus antiguos servicios (V. JUBILACIÓN.)

Reto

Provocación o citación a duelo o desafío. | Amenaza. | Acusación de alevosía que, ante el rey, hacía un noble contra otro, obligándose a sostenerla en el "campo del honor" (V. DUELO.)

Retractación

Declarar inexacta, falsa o hecha por la fuerza o amenaza, una confesión previa. | Retirar el consentimiento o aprobación dados a una oferta o propuesta. | Revocación de lo dicho. | Arrepentimiento de lo prometido. | Negación de lo afirmado. (V. PALINODIA.) | **DE RENUNCIA**. La "renuncia a la renuncia", su desistimiento.

Retracto

Derecho que, por ley o convención, se tiene para dejar sin efecto una venta o enajenación hecha a favor de otro y recuperar o adquirir para sí la cosa, por el mismo precio pagado, y ciertos gastos en ocasiones. Por su origen, los *retractos* se dividen en *convencionales* y *legales*, según sea la voluntad de las partes o la disposición de la ley la causa de éstos. | **ARRENDATICIO URBANO**. Derecho que, por concesión legal, corresponde al inquilino o al arrendatario de un local comercial, para adquirir la propiedad de la vivienda o establecimiento que ocupa para sus actividades, en caso de ser transmitidos a un tercero, subrogándose en los derechos y obligaciones del adquirente. | **CONVENCIONAL**. El que puede ejercer el vendedor de una cosa con el fin de recuperar la propiedad en las circunstancias que haya convenido con el comprador, con devolución del precio y abono de otros gastos.

Retribución

Pago. | Recompensa. | Sueldo, salario. | Finalidad de la pena, que trata de corresponder con el mal señalado en la ley al causado por el delincuente. | Expiación. | Remuneración.

Retroactividad

Efecto, eficacia de un hecho o disposición presente sobre el pasado. | Por autoridad de Derecho o hecho, extenderse una ley a hechos anteriores a su promulgación. | En la Argentina, cantidad que, al obtener ciertas mejoras los trabajadores, se percibe por la diferencia entre el sueldo anterior y el nuevo aumentado, desde la fecha anterior en uno o más meses en que se fija el comienzo del convenio. | **DE LA LEY**. Se habla de *retroactividad* legal cuando una ley, reglamento u otra disposición obligatoria y general, dictada por autoridad de Derecho o de hecho, ha de extender su eficacia sobre hechos ya consumados; esto es, anteriores en el tiempo a la fecha de su sanción y promulgación.

Retroactivo

Lo que surte efecto sobre época anterior a su producción o constitución. Lo que posee *retroactividad* (v.).

Retrocesión

Retroceso, marcha hacia atrás. | Acto por el cual una persona vuelve a ceder a otra el derecho o la cosa que antes le había cedido ésta a aquélla. En virtud de la *retrocesión*, se restablece la situación jurídica previa.

Retrovender

Revender, volver a vender, o devolver el comprador al vendedor la cosa vendida por éste al primero, por lo común por efecto de un *pacto de retro*.

Retroventa

Venta con pacto de *retroventa*, es el que se hace con la cláusula de poder el vendedor recuperar la cosa vendida entregada al comprador, restituyendo a éste el precio recibido, con exceso o disminución.

"Res in exceptionibus actor reputabitur"

Loc. lat. Este aforismo procesal del Derecho Romano, citado aún, expresa que: al efecto de probar la excepción, se reputa actor al demandado.

Reválida

Recepción o aprobación en una facultad ante tribunal superior (*Dic. Acad.*).

Revalidación

Confirmación o ratificación de un acto de validez cuando menos relativa.

Reventa

Nueva enajenación, sin larga espera y con apreciable ganancia, por el antes comprador y vendedor luego.

Reversión

Restitución a estado anterior. | Reintegro a la propiedad del dueño primitivo. | Retracto. | Retrodonación.

Revisar

Rever. | Fiscalizar. | Comprobar la exactitud de la cuenta. | Registrar. | Verificar la validez de billetes en los medios de transporte público.

Revisión

Nueva consideración o examen. | Comprobación. | Registro. | Verificación de cuentas. | En las operaciones de reclutamiento, comprobación anual de las excepciones y exenciones temporales del servicio militar, luego de haber entrado los respectivos reclutas en caja. | Recurso extraordinario, para rectificar una sentencia firme, ante pruebas que revelan el error padecido. (V. RECURSO DE REVISIÓN.)

Revocación

Del latín *revocatio*, nuevo llamamiento. | Dejar sin efecto una decisión. | Anulación, sustitución de una orden o fallo por autoridad superior. | Acto con el cual el otorgante dispone en contra del anterior. | Retractación eficaz. | Derogación.

Revocar

Dejar sin efecto una declaración de voluntad o un acto jurídico en que unilateralmente se tenga tal potestad; como testamento, mandato, donación (por ciertas causas) y otros. | Llamar nuevamente. | Disuadir.

Revocatorio

Con virtud para revocar, y para anular.

Revolución

Cambio violento en el gobierno o instituciones de un Estado. | Intento de modificar por la fuerza el régimen o la autoridad constituidos, cuando son dominados. | En general, mudanza notable, innovación trascendental. | Todo género de alteración del orden público. | **INDUSTRIAL**. No sólo la innovación profunda que provoca un invento o un nuevo sistema técnico, sino, por antonomasia, el conjunto de hechos que determinó la transformación de la humanidad, en el proceso de la producción y en la organización del trabajo, desde fines del siglo XVIII a mediados del siglo XX.

Rey

Del latín *rex*, y, a su vez, del sánscrito *rajah*, quien dirige o conduce. Constituye el jefe del Estado en una monarquía. Persona que representa la soberanía nacional y, además, la institución monárquica.

Riesgo

Contingencia, probabilidad, proximidad de un dañ o. | Peligro. | **MARÍTIMO**. Todo caso fortuito, fuerza mayor, accidente o hecho inculpable para quien lo sufre que acaece, con mayor o menor rareza, y gravedad muy variable, en la navegación, con repercusiones en tripulantes, pasajeros, cargadores, destinatarios, en el buque y en la carga. | **PROFESIONAL**. Daños eventuales anejos al desempeño de actividad propia de una profesión y oficio, dentro de las características habituales del individuo y de aquélla; y responsabilidad que origina para reparar los males y perjuicios sufridos en caso de concretarse la eventualidad desfavorable.

Rifa

Con sentido en franco desuso, *rifa* se dice por riña, contienda, enemistad o pendencia. | En significado usual, *rifa* es un juego de azar en que por sorteo se adjudican uno o más premios, consistentes por lo común en objetos, a los poseedores de los escasos números premiados, entre los muchos más vendidos hasta conseguir mayor ingreso que el costo de la cosa o cosas rifadas.

Riña

Reyerta entre dos o má s personas, o grupos de personas, en la que las ví as de hecho sustituyen a las ofensas de palabra. | **TUMULTUARIAS**. Pendencia, lucha; recíproca y confusa agresión entre varios, que impide determinar con exactitud los actos y responsabilidades de cada uno.

Río
Toda corriente de agua continua, con más o menos caudal, que desemboca en el mar, en lago o en otro río.

Robo
Acción o efecto de robar. | Objeto o cosa robada. | Rapto. | Impropiamente, hurto. | Precio abusivo. | Impuesto injusto. | Estrictamente, el delito contra la propiedad consistente en el apoderamiento de una cosa mueble ajena, con ánimo de lucro, y empleando fuerza en las cosas o violencia en las personas.

Rogación
En latín *rogatio*: proposición de ley de un magistrado de Roma. | Parte dispositiva de la ley. | Disposición administrativa de limitada aplicación, adoptada por el pueblo romano reunido en asamblea.

Rol
Nómina, lista, catálogo. | En la Marina, licencia que el comandante de una provincia marítima entrega al capitán de un buque donde consta la relación de la marinería que forma la tripulación de la nave.

Romanista
El especialista en Derecho Romano. | Aficionado a tales estudios.

Rota
Derrota o rumbo de buque. | Derrota o vencimiento del enemigo. | Se ha dicho también por rotura o rompimiento. | Por antonomasia, el tribunal eclesiástico de la curia romana, compuesto por 10 ministros, con el nombre de *auditore*, que resuelve las apelaciones de todo el orbe católico. | Según los más, el nombre proviene de la *rotación* o *turno* que sigue en los procedimientos. Además de ese tribunal, que se denomina *Rota romana*, existe, con jurisdicción en España, la *Rota de la nunciatura apostólica*.

Rúbrica
Rasgo, trazo que completa las letras de la firma. Es costumbre poner la *rúbrica* a continuación (o debajo) del nombre o apellido. En ciertas actuaciones judiciales y otras administrativas, el funcionario público se limita a rubricar, sin necesidad de poner la firma. | En los libros antiguos, epígrafe o denominación de los títulos de un texto jurídico, legal, que solían estamparse comúnmente con tinta roja. | Conjunto de reglas y cada una de las que la Iglesia establece en determinadas ceremonias y ritos.

Rueda de presos
Diligencia, en el enjuiciamiento criminal, para la identificación de los sospechosos o acusados por la víctima o testigos de un delito o falta. Consiste en reunir en una *rueda* o grupo a varios sujetos parecidos, entre los cuales debe estar el que haya de ser reconocido, de modo que a la vista, o mejor ocultándose de ellos, para evitar reacciones importunas, pueda establecerse si entre éstos se encuentra el tildado de comprometido, partícipe o autor, y cuál de ellos sea.

Rufianismo
Parasitismo social basado en la explotación inmoral de la prostitución, por un sujeto que dedica a ese tráfico carnal a la mujer sobre la cual posee algún influjo o poder; o situación del que vive costeado por ella.

Ruptura
En general, desavenencia, agresión.

S

S

En el abecedario español, la vigésima de sus letras y la decimosexta de sus consonantes. Forma parte de numerosas abreviaturas. Así, en los tratamientos: *S.S.* (Su Santidad, el papa); *S.M.* (Su Majestad, el rey o príncipe); *S.E.* (Su Excelencia, para los jefes de Estados republicanos y para los ministros); *S. A.* (Su Alteza para infantes y príncipes); *S. S.* (Su Señoría, para diversas autoridades); además de las generales de cortesía en escritos; *Sr.* y *Sra.* (señor y señora).

En el orden histórico y jurídico general: S. C. M. (*Sacra Caesarea Majestas*, Sacra majestad cesárea o imperial); *S. R. I.* (*Sacrum Romanum Imperium*, Sacro Romano Imperio); *S. S.* (*Sacra Scriptura*, Sagrada Escritura).

En lo comercial, en los aspectos en que la correspondencia tiene de contratación, los libros sirven de prueba y las cuentas justifican diversas situaciones privadas o públicas, se emplea esta consonante en las abreviaturas que siguen: *s.e.* (Salvo error); *s.e.u.o.* (salvo error u omisión); *s/c* (su cuenta o su casa). En Francia y por imitación en algún otro lugar, *S. G. D. G.* (*sans garantie du gouvernement*, sin garantía del gobierno, que elude así la responsabilidad en las patentes).

Sala

Habitación principal de una casa, la destinada a recibir a los extraños y a las fiestas. | Lugar en que se constituye un tribunal de justicia. | Conjunto de los magistrados que integran cada una de las divisiones de los tribunales colegiados. | **DE GOBIERNO**. En los tribunales colegiados, la que se forma, con tres magistrados al menos, para las cuestiones disciplinarias y de orden gubernativo o régimen interno. | **DE INDIAS**. En los tribunales españoles durante el período de dominación en el Nuevo Mundo y en el Novísimo, la que entendía en asuntos planteados en las posesiones de Ultramar.

Salariado

Modo de retribución del trabajo obrero por medio del salario. | Sistema social y laboral fundado en el salario como recompensa económica de la prestación de servicios subordinados por los trabajadores. | La clase obrera que vive del salario como única o predominante fuente de ingresos personales y familiares.

Salario

Etimológicamente, esta palabra viene de *salarium*, de sal; mientras que la palabra *sueldo* hasta cierto punto equivalente, procede de la dicción *soldada*, que era la paga que recibía por su actividad el hombre consagrado al servicio de las armas. El *salario* es la compensación que recibe el obrero o empleado a cambio de ceder al patrono todos sus derechos sobre el trabajo realizado. Comprende la totalidad de los beneficios que el trabajador obtiene por sus servicios u obras, no sólo la parte que recibe en metálico o especies, como retribución inmediata y directa de su labor, sino también las indemnizaciones por espera, por impedimento o interrupción del trabajo, cotizaciones del patrono por los seguros y bienestar, beneficios a los herederos y conceptos semejantes. | **BÁSICO**. Retribución laboral que, como cantidad mínima, se fija en los convenios colectivos de condiciones de trabajo. | **CON PRIMAS**. En este sistema de retribución del trabajador, se establece un *salario mínimo* o *básico* y después una cantidad suplementaria, proporcional al rendimiento, al tiempo invertido en el trabajo o al resultado de la labor. | **DIRECTO**. Lo que el patrono entrega al trabajador en virtud de lo pactado en el contrato. Contrariamente, el *salario indirecto* consiste, para el trabajador, en participar de las ventajas que representan ciertas instituciones creadas para él (casas baratas, economatos, bonificaciones de las primas de seguro) o en recibir auxilios concedidos por los patronos (servicio médico y farmacéutico) o por la ley (indemnizaciones por accidentes del trabajo), en ocasión del trabajo y como remuneración aneja a los riesgos y beneficios derivados de éste. | **EFECTIVO**. El que el trabajador recibe "en efectivo", en dinero. | Además, y con mayor corrección de lenguaje, el que percibe *efectivamente*; o sea, sin los descuentos forzosos y regulares; por jubilación, seguros sociales, montepíos, mutualidades, impuesto si acaso, cuota sindical y demás deducciones constantes, que suelen efectuar los mismos empresarios, por autorizarlos a tales liquidaciones la ley o las convenciones laborales. (V. SALARIO NOMINAL.) | **EN DINERO**. El que se abona íntegramente en numerario de curso legal. Se opone al *salario en especie*, integrado con valores que no son moneda; y al *salario mixto*, el compuesto por dinero y cosas o derechos de contenido económico. | **EN ESPECIE**. El que se paga en valores que no son moneda. (V. SALARIO EN DINERO.) | **FAMILIAR**. Suplemento que el trabajador percibe por estar casado, por ser padre de familia o tener otras personas a su cargo. La escuela social católica, luego de la encíclica *Rerum Novarum*, ha reclamado con ahínco el *salario familiar*. | **INDIRECTO**. Conjunto de beneficios y ventajas que el trabajador obtiene además del pago principal en dinero o en especie por su trabajo. (V. SALARIO DIRECTO.) | **INDIVIDUAL**. El pago o retribución que al trabajador se hace con independencia de su familia o personas a su cargo. Es el normal, aunque las clases trabajadoras luchen por conseguir, de una u otra forma en cuanto a su organización económica, el *salario familiar* (v.). | **ÍNFIMO**. El que no alcanza para cubrir las necesidades del trabajador. | El que no condice con la labor desempeñada. | Aquel que se encuentra muy debajo de la retribución general. | **LEGAL**. El determinado por ley, ya sea por cuantía mínima, ya sea como retribución para cierta labor y tiempo. | Conjunto de remuneraciones y beneficios que obtiene el trabajador en la prestación de los servicios por cuenta ajena; o sea, el *concepto legal del salario*. | **MÁXIMO**. Retribución del trabajador que, por convenio, ley o reglamento, no cabe rebasar. (V. SALARIO MÍNIMO.) | **MÍNIMO**. De acuerdo con el art. 76 de la Consolidación de las Leyes del Trabajo del Brasil, se entiende por *salario mínimo*: "La contraprestación mínima debida y pagada directamente por el patrono a todo trabajador, inclusive a los trabajadores rurales, sin distinción de sexo, por día normal de servicio y capaz de satisfacer, en determinada época y región del país, sus necesidades normales de alimentación, habitación, vestuario, higiene y transporte". | **MIXTO**. El percibido parte en dinero y parte en especie o derechos por el trabajador; como en el servicio doméstico, donde es lo más frecuente que se reciba alimento y habitación, y en los porteros, donde la casa gratis es obligada. (V. SALARIO EN DINERO.) | **MÓVIL**. El que por ley o pacto está sujeto a alteraciones paralelas al nivel de vida y régimen de producción de la empresa. Suele traducirse en cambios de acuerdo con el tanto por ciento en que se estiman modificados el mercado o los artículos de primera necesidad desde la entrada en vigor de los *salarios* primeros. | **NOMINAL**. El convenido entre el trabajador y el empresario, sin los restantes beneficios que obtiene por su trabajo el obrero o empleado, y sin los descuentos que su retribución experimenta con regularidad y al efectuarse el pago de los haberes. Se contrapone al *salario efectivo* y al *salario real* (v.). | **POR PIEZA**. De acuerdo con este sistema de trabajo, el obrero vende al patrono una cantidad especificada de trabajo, prescindiendo del tiempo que invierte en ejecutarlo. | **POR TAREA**. Modalidad de retribuir al obrero cuando éste vende al patrono el trabajo que ejecute en un período dado, con la expresa condición de que la obra no ha de bajar de un mínimo determinado, según el concepto de Schloss. | **POR TIEMPO**. El percibido por el obrero que cede o arrienda a su patrono sus energías laborales o conocimientos durante un período determinado, con independencia de la cantidad de trabajo que ejecuta. | **REAL**. La totalidad de los beneficios que él obtiene por la prestación de sus servicios profesionales, incluidos los seguros sociales que le correspondan. | En otro sentido, la capacidad adquisitiva del salario. (V. SALARIO NOMINAL.) | **VITAL**. En sentido estricto, lo mismo que *salario mínimo* (v.).

Sálico

Referido a los salios, antiguo pueblo de Francia. Han legado su nombre a la exclusión femenina del trono.

"Salus populi suprema lex est"

Loc. lat. La salvación del pueblo es ley suprema. Primer principio del Derecho Público romano.

Salvamento o **Salvamiento**

Acción o efecto de salvar y de salvarse. | Puerto u otro lugar en que se esté a cubierto de riesgos. | Rescate de náufragos, o de otras personas y cosas en difícil y grave situación.

Salvar

Librar de mal o riesgo.| En seguro. | Resguardar. | Amparar, proteger. | Lograr la absolución de un acusado. | Obtener el indulto del condenado a muerte. | Exceptuar. | Eludir un inconveniente. | En escrituras, actas o documentos, adicionar lo corregido o enmendado, declarándolo válido al final del escrito, y firmando para constancia. | Probar la inocencia. | Realizar la salva o prueba de la comida de los monarcas, como precaución contra envenenamientos.

Salvo error u omisión

Así, o más usualmente con las iniciales s. e. u. o., se declara al final de ciertas cuentas o liquidaciones, como cautela o cual modestia.

Salvoconducto

Permiso, despacho o autorización que se da, casi siempre en tiempo de guerra, para seguridad de que una persona pueda circular por zonas militares e incluso pasar al enemigo, por alguna razón especial, sin que se le oponga obstáculo y sin peligro.

Sana crítica

Fórmula leal para entregar al ponderado arbitrio judicial la apreciación de las pruebas, ante los peligros de la *prueba tasada* y por imposibilidad de resolver en los textos legales la complejidad de las situaciones infinitas de las probanzas.

Sanción

En general, ley, reglamento, estatuto. | Solemne confirmación de una disposición legal por el jefe de un Estado, o quien ejerce sus funciones. | Aprobación. | Autorización. | Pena para un delito o falta. | Recompensa por observancia de preceptos o abstención de lo vedado. | **ADMINISTRATIVA**. La medida penal que impone el Poder Ejecutivo o alguna de las autoridades de este orden, por infracción de disposiciones imperativas o abstención ante deberes positivos. | **CIVIL**. La que es impuesta por el Derecho Privado, tal como la consistente en el resarcimiento de daños y perjuicios. Estrictamente, todas las sanciones que impliquen una pérdida para el sancionado mayor que el perjuicio causado tienen carácter punitivo, siendo así calificables como penales. Sin embargo, en la práctica jurídica se las denomina aún civiles, en función de la rama jurídica en que se originan. | **PENAL**. La amenaza legal de un mal por la comisión u omisión de ciertos actos o por la infracción de determinados preceptos. (V. CLÁUSULA PENAL, PENA.) | **SOCIAL**. Todo género de coacción o amenaza que un grupo organizado, al menos rudimentariamente, dirige contra quienes desconocen las reglas que integran la manifestación de su modo de ser, actuar y entender las relaciones internas y externas.

Sanciones procesales

Llámanse así las que la ley procesal establece para privar de los efectos producidos o que debían producir los actos viciados. Entre esas *sanciones* son de señalar la *inadmisibilidad* y principalmente la *nulidad*. La *sanción procesal* tanto puede recaer sobre los actos de las partes como sobre los de la autoridad jurisdiccional.

Saneamiento

Fianza o aseguramiento de reparar un posible daño.| Reparación del mal padecido. | Obras que procuran a un edificio o terreno las condiciones deseables frente a la humedad y filtraciones inconvenientes de aguas; mejoras útiles siempre en el campo y necesarias en lo urbano. | En la compraventa, obligación que pesa sobre el vendedor, convertido por ley en garante del daño que al comprador pueda sobrevenir por efecto de la cosa enajenada, ya por vicio de ésta o por ser turbado en su posesión por causa anterior a la compraventa.

Satisdación

El significado de esta palabra, poco usual en la actualidad, es el mismo que *fianza*. En la técnica romana, obligación contraída mediante estipulación, por un deudor, con la garantía adicional de quienes aseguraban personalmente el cumplimiento de la promesa hecha por el obligado principal.

Secretario judicial

El funcionario público que en juzgados, audiencias y Trib. Supr. está encargado de dar fe de las actuaciones y diligencias, y auxiliar a los jueces y magistrados en sus funciones características. Su antiguo nombre español fue el de *escribano* (v.).

Secreto

Lo oculto o ignorado.| Lo reservado. | Reserva. | Sigilo. | Conocimiento personal, exclusivo, de un medio o procedimiento en cualquier ciencia o arte. | Misterio. | Escondrijo existente en una habitación o mueble para guardar cosas de valor o comprometedoras. | Antiguamente, despacho de las causas de fe que tramitaba secretamente el tribunal de la Inquisición. | Secretaría que se ocupaba de tramitar y custodiar tales procesos. | **INDUSTRIAL O COMERCIAL**. Conocimiento técnico guardado confidencialmente por quien lo posee, susceptible de ser aplicado en el comercio o la industria, y que no es generalmente conocido por las personas técnicamente capacitadas en la rama productiva en la que ese conocimiento sea aplicable. | **PROFESIONAL**. Las leyes, en determinados casos, relevan a los profesionales, por razones fundadas en la forma de haber sabido los hechos, del deber de revelarlos aun tratándose de una investigación judicial; y más aún, sancionan a quien descubre tales *secretos*. Se basa en que entonces se traicionaría al que hizo la revelación, movido tan sólo por la necesidad y ante la confianza de que el depositario del *secreto* no lo revelaría sin su consentimiento, o ejemplo.

Secuestrar

Depositar una cosa en poder de tercero, hasta resolver sobre su propiedad o destino. | Detener o retener ilegalmente a una persona, y exigir por su rescate una cantidad de dinero u otra abusiva pretensión.

Secuestrario

Relativo al secuestro.

Secuestro

Depósito de cosa litigiosa. | Embargo judicial de bienes. | Detención o retención forzosa de una persona, para exigir por su rescate o liberación una cantidad u otra cosa sin derecho, como prenda ilegal. (V. SECUESTRO DE PERSONAS.) | **DE PERSONAS**. Delito mixto contra la libertad individual y la integridad de las personas y, por lo común, contra la propiedad; ya que su objetivo primordial consiste en obtener una suma de dinero, a costa del rescate de una persona del afecto de aquel a quien se le exige la cantidad; cuya negativa conduce, de acuerdo con las amenazas, a la muerte, tortura, ultraje u otro desmán del que será víctima el privado de libertad y situado en lugar secreto. | **JUDICIAL** Depósito que se hace de una cosa litigiosa en un tercero, hasta que se decida a quién pertenece (Escriche). Según Couture se trata de una medida cautelar consistente en la aprehensión judicial y depósito de la cosa litigiosa o de bienes del que se presume sea deudor, para asegurar la eficacia del embargo y el eventual resultado del juicio.

Secular

Que sucede cada siglo. | Que dura una centuria. | Existente desde varios siglos ha. | Seglar. | Sacerdote que no vive en clausura. | Quien no es religioso de estado.

Secularizar

Hacer secular o civil o eclesiástico o dependiente de la Iglesia. | Conceder licencia canónica a un religioso o religiosa, para que pueda vivir fuera de la clausura que había aceptado.

Sede social

Domicilio de una empresa. | Edificio en que tiene sus oficinas alguna asociación que posee instalaciones peculiares de otra índole; como las deportivas.

Sedición

Alzamiento armado, o de otra manera violenta, de índole colectiva, contra el orden público o contra la disciplina militar; pero limitado en los propósitos o localizado en el espacio. En efecto, por la extensión territorial (una provincia, una guarnición), por el número de los comprometidos o la reducida trascendencia de los propósitos y de los hechos, la *sedición* constituye alzamiento que nunca reviste la gravedad máxima de la *rebelión* (v.).

Seductor

Atractivo. | En general se dice del que, con artes y mañas, engaña o persuade con fines lícitos o ilícitos a otra persona a hacer o no hacer una cosa; en particular, la persona que, aprovechándose de la inexperiencia o debilidad de una mujer, obtiene de ella sus favores.

Segregación

Separación. | Apartamiento. | En lo penitenciario, aislamiento celular.

Segunda instancia

Procedimiento que se sigue, ante un tribunal superior, con objeto de que anule, modifique o reforme la sentencia dictada por otro inferior en la jurisdicción. (V. APELACIÓN, RECURSO DE APELACIÓN.)

Seguridad colectiva

Idea y plan para dotar de estabilidad a las relaciones internacionales, constituyendo una poderosa organización destinada a oponerse al agresor eventual.

Seguridad social

La O.I.T. presenta la *seguridad social* como la cobertura de los infortunios sociales de la población. En la Declaración de Santiago de Chile, de 1942, se proclama que "la *seguridad social* debe promover las medidas destinadas a aumentar la posibilidad de empleo, o mantenerlo a un alto nivel, a incrementar la producción y las rentas nacionales y distribuirlas equitativamente y a mejorar la salud, alimentación, vestuario, vivienda y educación general y profesional de los trabajadores y de sus familias".

Seguro

Libre de peligro. | Exento de daño. | A salvo. | Indudable. | Cierto. | Firme. | De confianza. | Sin sospechas. Todo esto en cuanto adjetivo y con significados adverbiales.

Como sustantivo: seguridad. | Certeza. | Licencia. | Salvoconducto. | Muelle o mecanismo destinado, en las armas de fuego, a evitar que se disparen casual o inadvertidamente, con los consiguientes riesgos. Hasta en la guerra puede perjudicar un tiro a destiempo, si descubre a quien acecha, por ejemplo, la omisión de poner las armas en el *seguro* puede integrar imprudencia grave en lesiones o muertes no dolosas.

Por antonomasia en lo jurídico, *seguro* es un contrato aleatorio, por el cual una de las personas (el *asegurador*) se compromete a indemnizar los riesgos que otra (el *asegurado*) sufra, o a pagarle determinada suma a este mismo o a un tercero (el *beneficiario*) en caso de ocurrir o no ocurrir el acontecimiento de que se trate, a cambio del pago de una *prima* en todo caso. | **A FAVOR DE TERCERO**. Aquel en que el beneficiario del seguro es una persona distinta del asegurado contrayente del seguro. | **DE RESPONSABILIDAD CIVIL**. El que cubre el riesgo de los resarcimientos provenientes de los daños y perjuicios imputables a ese concepto. Abarca lo fortuito y lo culposo, pero excluye lo doloso. Por los automóviles y sus accidentes, es de los más difundidos en la actualidad y convertido en obligatorio en diversos ordenamientos legales. | **MARÍTIMO**. Contrato por el cual una persona (el asegurador) toma sobre sí los riesgos eventuales que un objeto puede sufrir en alguna empresa marítima, con la contraprestación de la prima que el asegurado abona. | **MERCANTIL**. El regido por la legislación de esta índole; el contratado con empresas comerciales. | **OBLIGATORIO**. El establecido imperiosamente por una ley para determinada categoría de personas: los empresarios por los riesgos profesionales de sus trabajadores, el de los pasajeros de los ferrocarriles, el de maternidad para las obreras y empleadas, el de enfermedad en algunas naciones, entre otros. | **SOBRE LA VIDA**. Contrato conforme al cual el asegurador se compromete a entregar al asegurado (el que paga la prima), o al beneficiario que éste designe, un capital o renta al realizarse el acontecimiento determinado o durante el plazo previsto; se toma generalmente como momento decisivo la muerte o supervivencia del asegurado, ésta a partir de cierta fecha. | **SOCIAL**. Cada uno de los que abarcan los riesgos a que se encuentran sometidas ciertas personas, principalmente los trabajadores, con el fin de mitigar al menos, o de reparar siendo factible, los daños, perjuicios y desgracias de que puedan ser víctimas involuntarias, o sin mala fe en todo caso. Generalmente se instituye el *seguro social* por el Estado, ya sea él quien lo costee en parte y lo dirija, ya lo imponga a las partes patronal y trabajadora, con la mira de proteger a los expuestos a padecer en su persona o en su patrimonio los riesgos provenientes de la actividad profesional.

"Self-governement"

Loc. inglesa que se emplea para designar la soberanía de un país, la autonomía de un territorio, conforme a su traducción literal: gobierno propio.

Semiplena

V. PRUEBA SEMIPLENA.

Semoviente

Que se mueve por sí mismo. Se refiere de modo exclusivo a los animales; y dentro de ellos, al ganado y caballerías de mayor utilidad par el hombre.

Senado

Junta, asamblea o reunión de las personas más distinguidas de una República o Estado, cuyas leyes forman, modifican o anulan, o en cuyo gobierno participan al menos por el consejo público del informe calificado. | En la antigua Roma, la asamblea patricia, primera en su género, que constituyó su Consejo Supremo. | En diversos pueblos modernos, la alta Cámara, la que comparte el Poder Legislativo con el Congreso de los diputados. | En los países federales (como la Argentina y los Estados Unidos), la Cámara legislativa de carácter federal, donde es uniforme la representación de los distintos Estados o provincias que integran la federación, sin tomarse en cuenta la desproporción de pobladores. | Edificio, palacio o local donde los senadores celebran sus sesiones públicas y sus reuniones especiales. | Junta o concurrencia de calidad y respeto. (V. CONGRESO, PODER LEGISLATIVO.)

Senadoconsulto

Disposición, decreto o resolución del Senado romano. | Por imitación, decreto del Senado francés durante el Imperio de Napoleón. | Por extensión, el acuerdo de cualquier otro de los Senados, pero sin constituir denominación oficial.

Senador

Miembro del Senado.

Sentencia

Dictamen, opinión, parecer propio. | Máxima, aforismo, dicho moral o filosófico. | Decisión extrajudicial de la persona a quien se encomienda resolver una controversia, duda o dificultad. | Resolución judicial en una causa. | Fallo en la cuestión principal de un proceso. | El más solemne de los mandatos de un juez o tribunal, por oposición a *auto* o *providencia* (v.). | Parecer o decisión de un jurisconsulto romano.

La palabra *sentencia* procede del latín *sintiendo*, que equivale a *sintiendo*; por expresar la *sentencia* lo que siente u opina quien dicta. Por ella se entiende la decisión que legítimamente dicta el juez competente, juzgando de acuerdo con su opinión y según la ley o norma aplicable. | **ABSOLUTORIA**. Aquella que, por insuficiencia de pruebas o por falta de fundamentos legales que apoyen la demanda o la querella, desestima la petición del actor o rechaza la acusación, que produce a favor del reo (demandado en lo civil y acusado o procesado en lo criminal) la liberación de todas las restricciones que la causa haya podido significar en su persona, derechos y bienes. | **ARBITRARIA**. Aquella que por violar las normas jurídicas aplicables implica que el juzgador aplica sus propias preferencias y reglas al conflicto que debe dirimir, en lugar de aplicar las normas del Derecho vigente. | **COLECTIVA**. Decisión legítimamente pronunciada por el juez, al juzgar de acuerdo con su opinión, y que alcanza a cuantos se encuentren en las mismas condiciones, aun cuando no hayan participado directamente en el litigio. Tal definición, aunque exacta, no basta para fijar la verdadera naturaleza de la *sentencia colectiva* en el Derecho Laboral, donde alcanza su expresión más completa; ya que, en las demás jurisdicciones, los efectos de la *cosa juzgada* son más restringidos. En lo laboral, la *sentencia colectiva* constituye el fallo dictado por juez competente para fijar normas generales de regulación de trabajo, con efectos, por tanto, similares a los del *pacto colectivo* (v.). | **CONDENATORIA**. La que acepta en todo o en parte las pretensiones del actor, manifestadas en la demanda, o las del acusador, expuestas en la querella, lo cual se traduce, respectivamente, en una prestación en el orden civil o en una pena en la jurisdicción criminal (*Dic. Der. Usual*). (V. SENTENCIA ABSOLUTORIA.) | **CONGRUENTE**. La acorde y conforme con las cuestiones planteadas por las partes, ya las admita o rechace, condenando o absolviendo. | **CONSTITUTIVA**. Aquella que, además de declarar el derecho o la obligación que corresponda a cada una de las partes, crea una situación jurídica hasta entonces inexistente, o modifica o extingue la situación que ya existía, como la que pronuncia el divorcio, que disuelve un matrimonio, o la que admite una filiación reclamada, que instaura legalmente la paternidad o maternidad hasta entonces desconocidas legalmente. (V. SENTENCIA CONDENATORIA Y DECLARATIVA.) | **DE REMATE**. La dictada en el *juicio ejecutivo* (v.), para proceder a la venta de los bienes embargados, y hacer pago al acreedor ejecutante. | **DECLARATIVA**. El pronunciamiento judicial que se limita a establecer sobre una cuestión de hecho o de Derecho, pero sin producir efecto constitutivo, disolutivo o de condena. | **DEFINITIVA**. Del verbo *definire*, terminar, es aquella, según Caravantes, por la cual el juez resuelve terminando el proceso; la que, con vista de todo lo alegado y probado por los litigantes sobre el negocio principal, pone fin a la controversia suscitada ante el juzgador. | **EJECUTORIADA**. La que ha pasado en autoridad de cosa juzgada, la *sentencia firme*, por no caber contra ella sino el recurso extraordinario de revisión. | La que ha sido ejecutada.| **"EXTRA PETITA"**. La resolución judicial que falla sobre una cuestión no planteada. | **FIRME**. La que, por haberla consentido las partes, por no haber sido apelada ni recurrida, causa *ejecutoria* (v.). | **INDETERMINADA**. Sistema jurídico penal, definido por Jiménez Asúa como aquel según el cual la naturaleza o duración de la pena no se fija previa y rigurosamente, sino en vista de la individualidad del reo o sujeto peligroso a quien se aplica, con posibilidad de reducirla en extensión y severidad por la enmienda del culpable, o mantenerla y aun agravarla por su mala conducta y persistencia en reacciones antisociales. | **INTERLOCUTORIA**. Del latín *inter* y *locutio*, mientras se habla o discute, o decisión intermedia. Según Caravante, la que pronuncia el juez en el transcurso del pleito, entre su principio y fin, sobre algún incidente o artículo de previo pronunciamiento, para preparar la *sentencia definitiva*. | **NULA**. La dada contra ley en la forma o en el fondo, una vez que un juez o tribunal superior así lo declara; luego de lo cual lo revoca o remite a la autoridad competente para nueva tramitación y fallo. | **PLENARIA**. La dictada en forma conjunta por las distintas salas de un tribunal de apelación, con el fin de resolver de tal forma las diferencias existentes en la jurisprudencia emanada sobre cierto tema de las distintas salas de ese tribunal. Las sentencias plenarias se dictan respecto de un caso concreto en el que se haya suscitado la cuestión jurisprudencial ya controvertida.

Señal

Marca. | Nota que distingue y diferencia. | Mojón. | Signo. | Indicio. | Vestigio. | Cicatriz. | Símbolo, representación. | Aviso o citación para acudir a un lugar o hacer algo. | Arras; sea como anticipo de precio, o cual garantía de un contrato, con pérdida por incumplimiento del que da la *señal* o con doblada devolución del que la recibe y no hace lo que debe o hace lo que no debe. | ant. Enseña. | Escudo de armas. | Auxiliar de la justicia, en el decir de la jerga.

Separación

Alejamiento. | Apartamiento. | División. | Pérdida de contacto o proximidad. | Destitución de empleo o cargo. | Retiro. | Desistimiento de demanda. | Escisión en sociedad o asociación. | Renuncia. | Remoción. | Interrupción de la vida conyugal, sin ruptura del vínculo, por acto unilateral de uno de los cónyuges, por acuerdo mutuo o por decisión judicial. | Independencia patrimonial de los cónyuges como régimen matrimonial de bienes. | Situación resultante de disolver la sociedad conyugal de bienes en vida de ambos consortes. | **DE CUERPOS**. Interrupción, de hecho o de Derecho, de la cohabitación entre los cónyuges, entendida como acceso carnal y como unidad de domicilio, a consecuencia de la nulidad del vínculo, de la discrepancia personal o de una causa forzosa, como la condena a reclusión o prisión; si bien en algunos sistemas penitenciarios modernos tiende a atenuarse la "incomunicación corporal" entre los consortes.

Separatismo

Doctrina, opinión, movimiento o partido que propugna la separación de parte del territorio nacional, para erigirse en Estado independiente o unirse a otro. | Sentimiento y acción a favor de la emancipación de una colonia. | En España, la forma más virulenta, apasionada o vehemente del *regionalismo* (V.).

Servicio

Acción o efecto de servir. | Trabajo. | Actividad. | Provecho, utilidad, beneficio. | Mérito. | Tiempo dedicado a un cargo o profesión. | Favor, ayuda. | Servicio militar (v.). | Nombre genérico de toda organización destinada a facilitar la acción del mando militar y a procurar a las tropas cuanto necesitan para vivir, moverse, comunicarse, combatir y desembarazarse de lo inútil; a diferencia de las *armas*, dedicadas directamente a la guerra, a la lucha. | En los beneficios y prebendas de la Iglesia, residencia o asistencia del beneficiario o prebendado. | Dinero, donativo que espontáneamente se entrega al príncipe o al Estado para cubrir necesidades públicas urgentes. | Contribución anual que pagaban ciertos ganados. | Conjunto de medios, objetos, utensilios que se emplean en una actividad o cooperan a su mejor realización. |

Conjunto de elementos personales y materiales que, debidamente organizados, contribuyen a satisfacer una necesidad o conveniencia general y pública. | **DOMÉSTICO**. *Doméstico* procede del latín: *domus*, casa, y *servicio doméstico* es el relativo al cuidado, atención, limpieza, seguridad de la casa, como hogar, suma de vivienda y persona o familia que la ocupa. | **MILITAR**. Obligación que se impone a todos los varones aptos físicamente, al alcanzar la edad determinada por ley, para formar parte transitoria de las fuerzas armadas de la nación, en los escalones inferiores jerárquicamente, en tiempo de paz o en el de guerra, para contribuir a la defensa del país, servir sus planes de expansión o conquista, o constituir elementos de primera actuación en caso de súbito conflicto armado. | Permanencia en filas de los reclutados forzosamente. | Por extensión no correcta, profesión militar. | **PÚBLICO**. Concepto capital del Derecho Político y del Administrativo es éste del *servicio público*, que ha de satisfacer una necesidad colectiva por medio de una organización administrativa o regida por la administración pública.

Servidumbre

Condición y trabajo del siervo. | Esclavitud. | Conjunto de servidores domésticos de una casa o familia. | Sujeción. | Obligación. | Restricción que en la libertad o proceder del hombre implican sus pasiones. | Derecho limitativo del dominio ajeno, establecido sobre una finca, a favor del propietario de otra, con carácter real, o de otra persona, como derecho personal. | **APARENTE**. La que cabe advertir por un signo exterior; como una ventana, en cuanto a la servidumbre de luces o vistas; una puerta, para la de paso; un acueducto en la de agua; unos postes y cables, en la de conducción eléctrica, línea telefónica u otros servicios que los requieran. | **CONTINUA**. El derecho real sobre predio ajeno, establecido en beneficio de otra heredad o de persona distinta del dueño de aquél, cuando su uso es o puede ser persistente, sin hecho actual del hombre; como la *servidumbre de acueducto* o la *de vistas*. | **DE ACUEDUCTO**. Con el fin de proveer de agua al predio que de ella carezca, o para reforzar la conducción de aguas con otro caudal, se establece esta *servidumbre* o derecho real de hacer entrar las aguas en un inmueble propio, viniendo por heredades ajenas. | **DE CAMINO DE SIRGA**. La que pesa sobre los predios contiguos a las riberas de los ríos navegables, para el servicio de la navegación fluvial; y en los flotables, para arrastrar o guiar desde las márgenes los objetos que vayan aguas abajo, o que por caballerías u otro medio se manejen desde la ribera. | **DE LUCES**. La constituida en beneficio de un inmueble, con el fin de aumentar su luz o proporcionársela, y casi inseparablemente la ventilación. Integra una conveniencia o necesidad higiénica y psicológica, para que viviendas mal situadas no sean cárceles o lugares infectos. | **DE PASO**. Activamente, derecho a transitar por propiedad ajena, para tener salida desde la finca propia a vía o camino público, o como derecho personal adquirido. El *paso* puede ser a pie, en caballería o en vehículo, según las necesidades y las convenciones. | **NO APARENTE**. La que no se manifiesta por signo exterior alguno; como la prohibición de elevar un edificio a más de determinada altura, la de paso cuando no tiene camino determinado y las fincas son abiertas, la de sacar agua y otras. | **PERSONAL**. La que se constituye para utilidad de una persona determinada, sin dependencia de la propiedad o posesión de un inmueble, y que acaba con el derecho o con la vida del titular. | **POSITIVA**. La que permite al dueño del predio dominante realizar ciertos actos en propiedad ajena; y, por extensión discutida, la que impone al dueño del predio sirviente hacer algo en provecho o beneficio del titular de la *servidumbre*. | **PREDIAL**. (V. SERVIDUMBRE REAL.) | **PÚBLICA**. La constituida, por razones de interés general o utilidad pública, para uso de todos o de una colectividad indeterminada; como las de paso para ganados por cañadas y cordeles. | **REAL**. El derecho establecido en beneficio del poseedor de una heredad sobre otra, ajena, para utilidad de la primera. | **URBANA**. La establecida a favor de un *predio urbano* (v.) sobre otro de igual clase, aunque no esté edificado.

Sevicia

Se dice en general por toda crueldad o dureza excesiva con una persona; y, en particular, de los malos tratos de que se hace víctima al sometido al poder o autoridad de quien así abusa.

"Si vis pacem, para bellum"

Pensamiento romano: si quieres la paz, prepárate para la guerra.

Sicario
El que comete homicidio por precio, lo cual lo convierte en *asesinato* (v.); por tanto, el asesino asalariado, y profesional si es reincidente o habitual. | Como protesta, *sicarios* se llama a los integrantes de los cuerpos represivos de las tiranías; sobre todo por las alevosas matanzas en que transforman la represión de los desórdenes y manifestaciones contra el poder constituido.

Siervo
Esclavo. | Siervo de la gleba. | Servidor. | Sirviente.

Siglo
Período de cien años consecutivos. | Cada una de las centurias que se computan a partir de una era determinada. La predominante en la actualidad es la *era cristiana*, y según el *calendario gregoriano*.

Signo notarial
Costumbre de los antiguos escribanos y obligación de los notarios actuales es autorizar los actos y contratos en que intervengan como fedatarios con su firma, rúbrica, *signo* y sello, dando así una cuádruple garantía contra las imitaciones: por la letra, el trazo de la rúbrica, el dibujo caprichoso o conjunto de señales y rayas del *signo* y el estampado que el sello deja.

Silencio
Falta de ruido. | Abstención de hablar.| Carencia de noticias escritas del ausente. | En la jurisdicción administrativa, desestimación tácita de una petición o recurso por el simple transcurso del tiempo sin resolver la administración. | Pausa. | Indeterminación. | **DE LA LEY**. Falta de relación de un caso por el legislador; ya por omisión, ya por no poder prever la situación, como la resultante de un nuevo invento o de un orden de cosas entonces desconocido. (V. LAGUNA DEL DERECHO.)

Simonía
Delito de sacrilegio que se comete comerciando con cosas espirituales o anejas a ellas, dándolas por dinero o por otra temporal; sean sacramentos y sacramentales, o temporales anejas a las espirituales, como los beneficios y prebendas.

Simple
Unitario, sin composición, homogéneo, de una pieza. | Lo puro; como opuesto a condicional, y a lo sujeto a plazo o modo. | Instrumento, escrito o documento carente de firma, ni autorizado; como *copia simple*, la que en papel común y sin signos de autoridad ni fe entrega a una parte o a algún interesado el funcionario encargado de algún Registro u otra oficina en que quepa dar fe pública de actuaciones o escritos. | Incauto, ingenuo, fácil de engañar. | Tonto, de cortas luces mentales.

Simulación
Del latín *simul* y *actio*, palabras que indican alteración de la verdad; ya que su objeto consiste en engañar acerca de la verdadera realidad de un acto. | También ficción. | Imitación. | Hipocresía. | Disimulación.

Simultaneidad
Dualidad de hechos o propósitos con unidad temporal.

Simultáneo
Concurrente en el tiempo y en la acción, con diversidad de planes u obras.

Sinalagmático
Del griego, con significado de obligatorio para una y otra parte, como contrato, comercio, sociedad, tráfico. En el tecnicismo jurídico es sinónimo de *bilateral* en la contratación. (V. CONTRATO BILATERAL Y SINALAGMÁTICO, OBLIGACIÓN SINALAGMÁTICA.)

Sindicación
Afiliación a un sindicato o gremio. | Situación social y laboral de quien pertenece a una asociación profesional de patronos o de trabajadores. | **OBLIGATORIA**. La asociación profesional de los trabajadores, propugnada para evitar las maniobras patronales contra los afiliados a sindicatos, si es forzoso el ingreso en sus filas.

Sindicación de acciones
Contrato en virtud del cual una pluralidad de accionistas acuerdan la forma en que ejercerán sus derechos en futuras asambleas de accionistas, sea decidiendo previamente la forma en que votarán sobre ciertos asuntos, sea acordando votar en el sentido que decida la mayoría de los miembros del sindicato accionario así formado.

Sindical
Concerniente a los sindicatos y al sindicalismo.

Sindicalismo
Tendencia y régimen de organización de los trabajadores a través de los sindicatos. | Predominio de éstos en las relaciones laborales

o en la vida del Estado. | Actuación vigorosa, y en ocasiones violentísima, de las organizaciones obreras en la lucha de clases. | Doctrina que apoya en el sindicato el futuro régimen social.

Sindicalista

Relacionado con el sindicalismo; perteneciente a él. | Partidario de éste. | En España, por antonomasia, el dirigente o integrante de los "sindicatos únicos" de tendencia anarquista y revolucionaria.

Sindicar

Acusar. | Delatar. | Poner tacha. | Sospechar. | Afectar dinero, valores o mercancías a compromisos especiales en su enajenación u otras operaciones mercantiles. | Formar un sindicato entre varias personas de igual profesión u oficio, o de las mismas tendencias sindicales.

Sindicato

En lo mercantil y procesal, oficio o cargo de síndico; lo mismo que sindicado. | En Derecho Laboral, toda organización o asociación profesional compuesta o integrada por personas que, ejerciendo el mismo oficio o profesión, u oficios o profesiones similares o conexos, se unen para el estudio y protección de los intereses que les son comunes. Cualquier entidad profesional que tenga por objeto la defensa de los intereses comunes de la actividad laboral de sus miembros, puede llamarse *sindicato*. | Por antonomasia, la asociación profesional de trabajadores; aunque desde ahora deba dejarse claramente establecido que el *sindicato* no es exclusivo de los trabajadores, sino que los hay también patronales, y mixtos de empleados u obreros y empresarios, conjuntamente. | En lo agrícola o agrario, conjunto de productores organizados, ya sea para riesgos, establecer cooperativas de producción, organizar la venta, estimular la selección de las especies y otros puntos de interés colectivo dentro de un régimen de amplia cooperación y aun cooperativista. | **AGRÍCOLA**. El integrado por trabajadores del campo. | El compuesto, rara vez, por los propietarios y demás labradores. | El de carácter mixto, obra de un régimen oficial impuesto más que de la conciliación espontánea de las clases, que agrupa a propietarios y poseedores de fincas o explotaciones agrícolas y a los trabajadores que de ellos dependen. | **DE EMPRESA**. Agrupación sindical de los trabajadores pertenecientes a distintas especialidades, oficios o profesiones, que tienen como vínculo unitario el depender de una misma organización, de un solo empresario; como los trabajadores de una fábrica de automóviles, en que hay empleados, contadores, pintores, herreros, tapiceros, mecánicos, fundidores, cristaleros, relojeros, ajustadores diversos, carroceros y otras muchas variedades. | **DE FUNCIONARIOS**. El que agrupa con criterio profesional a los empleados públicos del Estado, de las provincias o municipios; sean puestos directivos, de oficinistas, de subalternos u obreros o de los destinados en los servicios públicos explotados por las corporaciones públicas. | **DE OFICIOS VARIOS**. El compuesto por trabajadores que se ocupan en actividades inconexas. | **MÁS REPRESENTATIVO**. La pluralidad sindical –la existencia de más de un *sindicato* de la misma clase en un determinado ámbito territorial– crea un complejo problema relacionado con la representación que haya de otorgarse a un solo *sindicato,* generalmente al *más representativo* de los intereses en discusión. | **PATRONAL**. El formado por la parte capitalista de la producción: por los empresarios a cuyas órdenes y por cuya retribución prestan servicios los trabajadores.

Sistema

Conjunto de principios, normas o reglas, lógicamente enlazados entre sí, acerca de una ciencia o materia. | Ordenado y armónico conjunto que contribuye a una finalidad. | Método. | Procedimiento. | Técnica. | Doctrina.

Síndico

En los concursos de acreedores y en las quiebras, el encargado de liquidar el activo y pasivo del deudor, para satisfacer en lo posible, y de acuerdo con las prelaciones legales, los créditos contra él. | Administrador del dinero de las limosnas para los religiosos mendicantes. | El elegido por una comunidad o corporación para administrar sus intereses. | Procurador síndico. | **EN LA QUIEBRA**. El funcionario que ejerce las funciones que la ley le confiere en el juicio de concordato, en el período informativo de la quiebra y en las pequeñas quiebras.

Siniestro

Izquierdo. | Malintencionado. | Funesto. | Malvado. | Perverso. | Mala inclinación. | Vicio. | Resabio. | Grave accidente o avería, con numerosas víctimas o cuantiosos daños; como incendio o naufragio.

Sistema de prueba
En lo penal, la denominación anglosajona de la *condena condicional* (v.) *sistema* aplicado por primera vez en 1869, en Boston.

Sistema inquisitivo
El desechado procedimiento penal en que los jueces podían rebasar en la condena la acusación; y aun prescindir de ésta, investigando y fallando sin más.

Sitio
Lugar, punto. | Espacio. | Paraje. | Casa de campo. | Casa de recreo. | Caserío. | Asedio, cerco de una fortaleza, ciudad o plaza, para su conquista o rendición de los sitiados.

De las medidas que los sitiados, o su autoridad, adoptan cuando una fortaleza, plaza fuerte o ciudad se encuentra sitiada surge el *estado de sitio* (v.), situación jurídica excepcional que por razón de orden público material permite suspender las garantías constitucionales.

Soberanía
Suprema autoridad. | Mando superior. | Manifestación que distingue y caracteriza al poder del Estado por la cual se afirma su superioridad jurídica sobre cualquier otro poder, sin aceptar limitación ni subordinación que cercene sus facultades ni su independencia dentro de su territorio y posesiones. | Fuente del poder público. | Independencia nacional. | Calidad o excelencia máxima. | Se ha dicho por soberbia u orgullo.

Soborno
Acción o efecto de sobornar. | Dádiva con que el *sobornador* corrompe al *sobornado*. La indignidad alcanza por igual al sujeto activo y al pasivo. Integra una verdadera prostitución del espíritu, sin la excusa material del placer buscado en el comercio carnal. | Cualquier corrupción interesada. | Incentivo para complacer o ganar el ánimo ajeno. | Seducción pagada.

Sobreestadía
Cada uno de los días de tardanza o demora en la carga o descarga de un buque, contados a partir de haberse cumplido las *estadías* (v.), el plazo adicional para tales tareas. | Cantidad que por tal concepto se paga o se cobra.

Sobre seguro
Sin riesgo. | A traición. (V. ALEVOSÍA.)

Sobreseguro
En el *contrato de seguro* (v.), situación que se produce cuando lo asegurado vale menos que el seguro estipulado. Se desnaturaliza la operación, que de resarcidora se transforma en lucrativa, en caso de concretarse el riesgo. Las leyes declaran ineficaz la parte en que el seguro excede del valor de la cosa asegurada.

Sobreseimiento
Desistimiento de pretensión. | Abandono de propósito o empeño. | Cesación en el cumplimiento de una obligación; como el comerciante en sus pagos. | Suspensión del sumario o del plenario en el procedimiento criminal. | Terminación del carácter voluntario de la jurisdicción, con reserva de derechos a los interesados o conversión del caso en asunto de la jurisdicción contenciosa.

Sobrino
Hijo de hermano o hermana; de primo o prima; o también de sobrino o sobrina.

Socialización
Implantación del socialismo. | Conversión de los bienes de propiedad privada en propiedad colectiva; sean tierras, industrias, medios de comunicación u otros.

Sociedad
En sentido muy amplio, cualquier agrupación o reunión de personas o fuerzas sociales. | Conjunto de familias con un nexo común, así sea tan sólo de trato.| Relación entre pueblos o naciones. | Agrupación natural o convencional de persona, con unidad distinta y superior a la de sus miembros individuales, que cumple, con la cooperación de sus integrantes, un fin general de utilidad común. | La clase dominante en la vida pública y suntuosa. | Asociación. | Sindicato. | Inteligencia entre dos o más para un fin. | Contrato en que dos o más personas ponen en común bienes o industria, para obtener una ganancia y repartirse los beneficios. | La humanidad en su conjunto de interdependencia y relación. | Compañía mercantil. | Consorcio. | Liga, alianza. | **ACCIDENTAL**. Según Escriche, el contrato por el cual, sin establecer compañía formal, se interesan algunos comerciantes en las operaciones de otros, contribuyendo para ellas con la parte de capital que convengan, y haciéndose partícipes de sus resultados prósperos o adversos, bajo la proporción que determinen. | **ANÓNIMA**. La simple asociación de capitales para una empresa o trabajo cualquiera. | **CAPITALISTA**. En el Derecho Mercantil, aquella en que la aportación de los socios consiste en dinero. | **CIVIL**. La

resultante del contrato de *sociedad* que rige el Derecho Civil, en contraposición a la *sociedad mercantil* (v.). | **COLECTIVA.** La que forman dos o más personas ilimitada y solidariamente responsables, que se unen para comerciar en común, bajo una firma social. | **CONYUGAL.** Unión y relaciones personales y patrimoniales que, por el matrimonio, surgen entre los cónyuges. | **COOPERATIVA.** La que, poniendo en comunicación directa a sus distintos miembros para sus operaciones mercantiles, obtiene la supresión de intermediarios, y distribuye los beneficios entre sus asociados. | **DE CAPITAL E INDUSTRIA.** Con este nombre y con el de *sociedad de habilitación*, trata el Cód. de Com. arg. una variedad de la *sociedad en comandita* (v.), intermedia con las *sociedades cooperativas*. | **DE HECHO.** La que siendo lícita no ha llenado los requisitos legales sobre su constitución o que funciona sin ajustarse al régimen establecido. En especial, la que no consta por escrito. | **EN COMANDITA** o **COMANDITARIA.** Compañía mercantil basada en la dualidad de socios; colectivos unos, de responsabilidad ilimitada; y comanditarios otros, de limitada responsabilidad; por lo cual combina el sistema general de la *sociedad colectiva* (v.) en cuanto a los primeros, con las normas de la *sociedad anónima* (v.), a cuyos accionistas son asimilados los segundos. | **EN COMANDITA POR ACCIONES.** Variedad de la *sociedad comanditaria* (v.) normal, en que los socios comanditarios son accionistas, por estar el capital aportado por ellos distribuido en cuotas de igual valor unitario, como acciones; lo que permite su transmisión sin necesidad de obtener autorización de los socios gestores o colectivos. | **LEONINA.** Aquella en la cual se pacta o practica que uno de los socios quede exento de las pérdidas, o cuando a alguno se le prohíbe anticipar de las ganancias la denominación procede de lo que el león, según la fábula de Esopo, hizo con los otros animales a la hora del reparto. | **MERCANTIL.** Asociación de personas y bienes o industria, para obtener lucro en una actividad comercial. | **SECRETA.** Asociación de hecho cuyos socios o miembros ocultan el nexo común y la finalidad social; o realizan ésta procurando no ser identificados. | Cualquiera en que existan pactos reservados, al menos en los aspectos a que hagan referencia, tenidos por nulos frente a terceros y en cuanto contraríen los estatutos de la entidad pública y legalmente constituida. | **UNIVERSAL.** La que comprende una totalidad patrimonial, sea como conjunto de bienes de los socios o cual productos o beneficios que se obtengan con los mismos o con el trabajo.

Socio

Miembro de una asociación religiosa, política, sindical o de cualquier otra índole. | Afiliado a cualquiera agrupación. | Cada una de las partes en un contrato de sociedad, vínculo que origina numerosos derechos y deberes entre sí, en relación con la sociedad y con respecto a terceros en las variedades diversas de sociedades civiles y mercantiles. | **CAPITALISTA.** El que formando parte de una sociedad aporta a ésta bienes para conseguir ganancias o responder de las posibles pérdidas. | Se contrapone a *socio industrial* (v.). | **COLECTIVO.** El que en la *sociedad colectiva o en la sociedad en comandita* (v.) responde ilimitadamente con lo aportado y con los bienes propios. | **INDUSTRIAL** o **DE INDUSTRIA.** El que aporta a una sociedad, sea civil o mercantil, sus conocimientos especiales o sus servicios, pero no capital con el fin de participar en las ganancias que puedan obtenerse. Por lo común, el *socio industrial* está excluido de las pérdidas, ya que bastante es haber trabajado de balde. Se contrapone al *socio capitalista* (v.).

Sodomía

Inversión sexual; acceso carnal irregular. | En especial, concúbito por vía rectal entre dos individuos del sexo masculino (?). | Por extensión, análoga práctica de hombre con mujer. | Más ampliamente aún, trato carnal entre mujeres, dentro de sus posibilidades físicas o artificiales, sea cual fuere, la vía empleada. | Como significado extremo, toda práctica sexual indebida según el orden sexual; e incluso todo grave vicio carnal o abuso de tal orden. | Para los alemanes, zooerastia, bestialidad.

Soldado

El que presta servicio en la milicia. | Más especialmente, el que carece de graduación en el ejército. | Metafóricamente, el diestro o hábil en combatir o mandar tropas. | El famoso por hechos de armas. | Todo militar. | Afiliado, partidario de cualquier partido o doctrina.

Solemne

De acuerdo con la etimología, lo que se hace sólo una vez al año. | Con gran ceremonia y ostentación. | De gran importancia o jerarquía. | Majestuoso, imponente. | Grande, sea en sentido de alabanza o peyorativo; como *mentira solemne*. | Su aspecto más jurídico es puesto de relieve por la Academia en estos sinónimos y ejemplos: "Formal, grave, firme, válido, acompañado de circunstancias importantes o de todos los requisitos necesarios. Compromiso, declaración, promesa, prueba, juramento, voto solemne". | Referido a los actos y contratos jurídicos, el auténtico y eficaz por estar revestido de la forma exigida por la ley para su validez; como la inscripción en el Registro de la Propiedad para que la hipoteca surta efectos contra terceros.

Solemnidad

Calidad de *solemne* (v.). | Ceremonia. | Fiesta eclesiástica. | Formalidad de un acto. | Requisitos legales para la prueba y eficacia de los contratos, testamentos y demás actos jurídicos en que la libertad de las personas no es completa.

Solidaridad

Actuación o responsabilidad total en cada uno de los titulares de un derecho o de los obligados por razón de un acto o contrato. | Vínculo unitario entre varios acreedores, que permite a cada uno reclamar la deuda u obligación por entero, sean los deudores uno o más. | Nexo obligatorio común que fuerza a cada uno de dos o más deudores a cumplir o pagar por la totalidad cuando le sea exigido por el acreedor o acreedores con derecho a ello. | Identificación personal con una causa o con alguien, ya por compartir sus aspiraciones, ya por lamentar como propia la adversidad ajena o colectiva. | Cooperación, ayuda, auxilio.

Solidaridad activa

La que corresponde a cada acreedor solidario (V. ACREEDORES).

Solidaridad cambiaria

La que resulta para los distintos obligados bajo una letra de cambio u otro título de crédito, al ser mancomunada y solidariamente responsables respecto de las obligaciones emergentes de ese título, con las particulares condiciones que para cada tipo de obligado establece el régimen de los títulos de crédito.

Solidaridad pasiva

La característica de cada *deudor solidario* (v.).

Solidario

Vínculo u *obligación solidaria* (v.) en que cada acreedor puede pedir y cada deudor debe cumplir la totalidad de la obligación o deuda una sola vez, sin perjuicio del ajuste posterior de cuentas entre los acreedores o deudores, para la justa percepción o contribución de cada cual. | Adherido, asociado a una causa; simpatizante de ésta, colaborador suyo. Esta *solidaridad* demuestra una actitud generalmente altruista, ya que se manifiesta con quien es objeto de una persecución o agravio, o con las víctimas de un siniestro o delito.

Soltero

Célibe, el que no ha contraído matrimonio, aun cuando viva amancebado o se haya entregado, siendo mujer, a la prostitución. | El que ha contraído matrimonio nulo, una vez anulado. Pero no el *divorciado*, estado civil peculiar cuando el divorcio rompe el vínculo civil. | *Soltero* se dice en general, sin ironía, por libre o suelto.

Soltura

Libertad acordada por un juez o tribunal a un detenido o preso. (V. ABSOLUCIÓN, LIBERTAD PROVISIONAL, SOBRESEIMIENTO.) | Excarcelación del que ha cumplido una pena privativa de libertad, decretada por la dirección del establecimiento penitenciario, de acuerdo con el fallo judicial y las normas administrativas vigentes. (V. LIBERTAD CONDICIONAL.) | Agilidad, práctica, habilidad. | Licencia en las costumbres. | Descaro. | Entrega al vicio o al delito.

Solución

Disolución. | Resolución de problema, dificultad o duda. | Pago. | Satisfacción de deuda. | Cumplimiento de obligación. | Desenlace de un proceso. Fórmula para un arreglo. | En lenguaje familiar, persona indicada para casarse con otra, por conveniencia.

"Solutio indebiti"

Loc. lat. Pago de lo indebido.

"Solve et repete"

Principio determinante de la ejecutoriedad de las resoluciones de las autoridades administrativas según el cual, cuando la administración pública ha impuesto un pago a una persona, ésta no puede impugnarlo judicialmente si no se abona previamente aquella suma. Si la resolución administrativa es revocada por los jueces, la administración pública tiene que devolver lo indebidamente percibido. Paga y reclama es el sentido de la expresión latina.

Solvencia

Pago de deuda. | Arreglo de cuentas. | Solución de un asunto complicado. | Calidad de solvente:

el que está libre de deudas o puede pagarlas sin dificultad.

Sordo

El privado total o parcialmente del sentido del oído; el que no oye u oye mal cuando un sujeto normal debe oír. | Sin ruido. | Reservado. | Insensible a las súplicas. | Rebelde a la persuasión y a los consejos.

Sordomudo

El que por nacimiento, enfermedad, accidente o delito está privado de las facultades sonoras de relación humana; del oído o pasiva y de la palabra o activa.

Soviet

Agrupación de soldados y obreros, de influencia indiscutible en el estallido y triunfo de la Revolución Rusa. Los *soviets* genuinos, relegados, después, con las dictaduras de Lenin y Stalin, cumplen funciones puramente decorativas, sin derecho a disentir ni casi a proponer. | Órgano local o municipal que ejerce, por delegación jerárquica, el gobierno o dictadura del proletariado en Rusia. | El gobierno o el régimen político ruso desde 1918 a 1990.

Statu quo

Loc. lat. y esp. En el mismo estado; en la situación en que se encuentre en determinado momento.

"Status"

Loc. lat. Estado, como situación jurídica de las personas en los aspectos fundamentales de las relaciones de familia (*status familiae*), de libertad (*status libertatis*), de ciudadanía (*status civitatis*) y de derecho (*status juris*). La posesión de todos estos estados integraba la capacidad jurídica plena, en principio atributo sólo de los ciudadanos romanos, *sui juris* y cabezas de familias. La pérdida de cualquiera de los estados determinaba una *capitis deminutio* (v.).

"Stipulatio"

Voz lat. Estipulación. El contrato verbal, unilateral y de estricto derecho que se perfeccionaba por la interrogación del acreedor, seguida en el acto de una respuesta afirmativa del deudor, con la consecuencia para éste de tener que ejecutar una prestación a favor de aquél.

"Strictu sensu"

Loc. lat. En sentido estricto; es decir, contra ampliaciones en la acepción de las palabras y en la interpretación de las normas. (V. "LATO SENSU".)

Sub judice

Loc. lat. y esp. Pendiente de resolución judicial. | Caso o cosa opinable.

Subarrendador

Quien da en *subarriendo* (v.).

Subarrendar

Dar o tomar en arrendamiento del que es ya arrendatario.

Subarrendatario

El arrendatario con respecto al *subarrendador* (v.); quien arrienda lo ya arrendado e incluso subarrendado.

Subarriendo o **subarrendamiento**

El arriendo que el arrendatario hace de la cosa arrendada por él.

Subasta

De las palabras latinas *sub hasta*, bajo lanza, por la forma en que era vendido el botín del enemigo. En la actualidad, la *subasta* es la venta pública de bienes o alhajas al mejor postor, por mandato y con intervención de la justicia. | También, el arrendamiento de bienes públicos al que más puje. | Por extensión, la venta extrajudicial que se hace entre los concurrentes a un local, con adjudicación al mejor oferente. | En Derecho Administrativo, uno de los medios de que la administración se vale para otorgar los contratos de obras públicas o de prestación de servicios públicos, cuando no los realiza o explota por sí, sino por cuenta del que, ajustándose al pliego de condiciones, ofrece costo menor en las unas o prima mayor en los otros. | En América se prefieren los sinónimos de *licitación* y *remate* (v.). | **EXTRAJUDICIAL**. Aquella, por supuesto, en que no interviene la autoridad judicial ni es consecuencia de la ejecución de un fallo. | **JUDICIAL**. La que se lleva a efecto por orden de un juez o tribunal, en trámite de ejecución de sentencia, cuando no exista dinero u otros valores de fácil conversión en metálico y siempre que el condenado en el fallo no le dé espontáneo acatamiento.

Subcontrato

Nuevo contrato, derivado o dependiente de otro previo, llamado *básico* u *originario*, y con su mismo contenido en todo o en parte. Los dos contratos coexisten, ya que la subcontratación no extingue el contrato básico ni afecta el vínculo que éste había establecido. Pero nace un nuevo vínculo contractual, distinto, aunque no sea autónomo (Masnatta).

De ahí que se llame *subcontratista*, según expresa Capitant, la persona que, a precio fijo o a destajo, se encarga de la realización de una parte separada del trabajo, confiado en conjunto a un empresario principal.

Subenfiteusis
El derecho real del censo establecido por el enfiteuta, mediante el cual cede su derecho de dominio útil a cambio de una pensión. En realidad, se distingue de la enfiteusis en que no hay división de dominio, sino cesión más o menos temporal del dominio útil a cambio del derecho al canon o pensión, de carácter personal, salvo estipular garantía real.

Subfletamento
Arrendamiento parcial que el fletador hace de la parte del buque que no va a utilizar por sí, a favor de otros cargadores, de los cuales obtiene al menos el importe de la cabida contratada sin beneficio.

Sublocación
Contrato mediante el cual una persona arrienda a otra la cosa que ésta tiene a su vez arrendada a su propietario. Es un contrato frecuente en materia de bienes inmuebles rústicos o urbanos, aun cuando también puede aplicarse a otra clase de bienes. Se llama también *subarriendo*.

Subordinación
Sometimiento o sujeción a poder, mando u orden de superior o más fuerte. | Dependencia. | Situación o carácter de lo accesorio. | Inferioridad en importancia, interés, valor.

Subordinación de créditos
Situación en que se hallan ciertos créditos cuando su exigibilidad está condicionada al previo pago de otros créditos. La subordinación de créditos se manifiesta y exterioriza especialmente en situaciones concursales. Hasta que ellas sucedan, el crédito subordinado es plenamente exigible y efectivo; es en caso de concurso que su pago queda relegado al previo pago de otros créditos.

Subrepticio
Lo pretendido o logrado con subrepción; según unos, alegando un hecho falso, sin el cual no se pueda conseguir; según otros, ocultando lo que determinaría la negativa. En cualquier caso se trata de una actitud hipócrita, falsa, engañosa. | Oculto, clandestino, a escondidas.

Subrogación
Sustitución o colocación de una persona o cosa en lugar de otra. | Ejercicio de los derechos de otro, por reemplazo del titular. | Adquisición de ajenas obligaciones, en idéntica situación, en lugar del anterior obligado.

Subrogar
Sustituir una persona a otra en sus derechos y obligaciones. | Reemplazar una cosa a otra en su lugar y situación. | Producirse o constituir una *subrogación* (v.).

Subscribir
Firmar al final de un escrito o documento. | Coincidir con ajena opinión; apoyarla. | Acceder a petición o solicitud.

Subsidiariamente
Como subsidio. | De modo subsidiario o supletorio. | En segundo lugar. | Como último recurso.

Subsidiario
Lo que sirve como subsidio, auxilio o socorro. | Secundario. | Supletorio. | Lo que suple o refuerza a lo principal.

Subsidio
Socorro, ayuda. | Cantidad que se entrega con fines benéficos o sociales, para subvenir a necesidades o desgracias especiales. | Impuesto que grava a la industria y al comercio. | Nombre que se da en ocasiones a la indemnización de los asegurados contra el paro forzoso. | Auxilio que la Sede Apostólica concedía a los reyes españoles sobre algunas rentas eclesiásticas, para las guerras contra los infieles. | **FAMILIAR**. Cantidad que según ciertas normas, basadas en los ingresos del cabeza de familia y en el número de hijos, se concede a las familias de prole numerosa, para ayudarlas en la crianza y educación de los hijos y como fin primordial de mantener una elevada natalidad.

Substanciación
Trámite de una causa judicial.

Substancial
Relativo a la substancia, naturaleza y esencia de los seres y de las cosas. | Fundamental. | Imprescindible. | Importante.

Substanciar
Extractar. | Compendiar, resumir. | Tramitar un juicio hasta dejarlo en condiciones de dictar sentencia.

Substracción

Apartamiento. | Extracción. | Separación. | Hurto. Robo. | Resta, disminución, descuento. | **DE CAUDALES PÚBLICOS**. Constituye la primera y más grave de las formas de *malversación de caudales públicos* (v.); ya que consiste en el apoderamiento de éstos con abuso de las funciones.

Suceder

Entrar en persona en lugar de otra. | Reemplazar una cosa a otra cosa. | Seguir en el tiempo. | Proceder, provenir. | Acaecer, acontecer. | Entrar como heredero o legatario en los derechos u obligaciones de la persona a la cual se hereda por testamento o ley, o de ambos modos.

Sucesión

Sustitución de una persona por otra. | Reemplazo de cosa por cosa. | Transmisión de derechos u obligaciones, entre vivos o por causa de muerte. | Herencia. | Prole, descendencia. | Procedencia. | Origen. | Legado. | Continuidad. | **A LA CORONA**. En las monarquías, al régimen implantado para sustituir al rey muerto, destronado, incapacitado o que abdica. En la totalidad de los actuales Estados monárquicos, con la excepción peculiar de la Santa Sede, la *sucesión* es hereditaria familiar. | **A TÍTULO SINGULAR**. La que recae sobre cosas especialmente determinadas o genéricas, pero que no son ni la totalidad de la herencia ni parte de ella. Constituye el *legado* y el sucesor se denomina *legatario* (v.). Se contrapone, claro es, a la *sucesión a título universal* (v.). | **A TÍTULO UNIVERSAL**. La que comprende la totalidad de un patrimonio o parte proporcional de éste. La sucesión universal equivale a la *herencia* en sentido estricto; y el sucesor universal, al *heredero* (v.) por antonomasia. | **DIRECTA**. Aquella en que la transmisión de bienes del causante al heredero se realiza sin interposición de otra persona. | **ÍNTER VIVOS**. El traspaso de una cosa de una persona a otra, o la cesión de derechos u obligaciones entre dos sujetos, para surtir efecto en vida de ambos, y por lo común de presente o sin larga dilación. | **INTESTADA**. La transmisión, según normas legales, de los derechos y obligaciones del causante, por muerte de éste o presunción de su fallecimiento, cuando no deja testamento, o éste resulta nulo o ineficaz. | **LEGÍTIMA**. La deferida por disposición de la ley a ciertos parientes del difunto, y en último caso al Estado, cuando se muere sin testamento alguno o carece de eficacia el hecho. | **MORTIS CAUSA**. La transmisión de los derechos y obligaciones de quien muere a alguna persona capaz y con derecho y voluntad de ejercer aquéllos y cumplir éstas. | **POR CABEZAS**. La transmisión hereditaria en que cada uno de los sucesores hereda por derecho propio, y no por *derecho de representación* (v.), con la división de la herencia en tantas porciones como herederos. | **POR ESTIRPES**. Consistente en obtener una herencia no *por cabezas* (por derecho propio), sino *por representación* (ocupando el lugar de un ascendiente). | **POR LÍNEAS**. La herencia en que se sucede no *por cabezas* (como derecho propio y por igual) ni *por estirpes* (por derecho de representación y de modo desigual, salvo igual descendencia entre las distintas ramas). | **SINGULAR**. La del legatario, que hereda una cosa determinada o determinable, y nunca la totalidad ni una parte de la herencia; aunque haya los llamados legatarios de parte alícuota, en realidad herederos. | **TESTAMENTARIA** o **TESTADA**. La que es deferida por manifestación de voluntad del causante, contenida en testamento válido, sea hecho por escrito o de palabra, en los supuestos excepcionales en que éste se admite. | **UNIVERSAL**. La transmisión con carácter de heredero, con derecho y responsabilidad en la totalidad de la herencia o parte alícuota de la misma. | **VACANTE**. Aquella en la cual no existe llamamiento testamentario ni persona con derecho a reclamar la herencia por ley.

Sucesor

Continuador de otro. | El que ocupa su lugar. | Quien sucede a otro en sus derechos y obligaciones. | Aquel al cual se le transmite parte mayor o menor de una herencia, o alguna cosa o derecho de ésta. | Heredero. | Legatario. | Comerciante o industrial que adquiere o mantiene el establecimiento y la firma de otro. | **SINGULAR**. La persona a la cual se transmite un objeto o un derecho de otra persona. | De modo especial, cuando la adquisición se produce mortis causa; en cuyo caso *sucesor singular* es sinónimo de *legatario*. | **UNIVERSAL**. Quien recibe o adquiere la totalidad de los derechos y obligaciones de otro, o una parte proporcional de éstos. | Por excelencia, quien hereda todos los bienes de los mismos; es decir, el *heredero* (v.).

Sucursal

Establecimiento mercantil o industrial que depende de otro, llamado *central* o *principal*, cuyo nombre reproduce, ya esté situado en distinta población, ya en barrio distinto de una ciudad importante. Los bancos, las grandes casas de comercio, los hoteles poseen con frecuencia *sucursales* cuando los negocios marchan favorables.

Suegro

Para el marido, el padre de su mujer; para ésta, el de aquél; es decir, para cada cónyuge, el progenitor del otro.

Sueldo

Nombre de distintas monedas antiguas, que valían una vigésima parte de una libra. | Remuneración mensual o anual asignada a un individuo por el desempeño de un cargo o empleo profesional. | **ANUAL COMPLEMENTARIO**. Denominado también *aguinaldo*, constituye una costumbre a la que algunas legislaciones han dado fuerza obligatoria, y de libertad particular en algunas empresas se ha convertido en beneficio general para todos los trabajadores. Consiste en entregar una vez al año, y a fines de éste, por la índole familiar y hogareña de las Pascuas o Navidad, una paga especial, equivalente a un sueldo mensual, o a una dozava parte de todo lo percibido en el año. En algunos países se lo paga en mitades semestrales.

Sufragio

Ayuda, socorro. | Voto. | Sistema electoral. | Oraciones u obras que se aplican, en lo canónico, por las almas del purgatorio. | **UNIVERSAL**. Institución de carácter democrático, de Derecho Público, que concede la facultad de elegir a sus gobernantes, o al menos a los legisladores y administradores locales, a todos los ciudadanos del país, y en especial a los varones mayores de edad.

"Sui juris"

Loc. lat. "De derecho suyo", en traducción literal, poco expresiva; porque requiere la precedencia de la palabra *persona*, que era, en el Derecho Romano, quien no estaba sometido a ninguna potestad doméstica; quien poseía, en términos actuales, plena capacidad jurídica de obrar.

Suicidio

El homicidio de uno mismo; la acción de quitarse la vida por un acto voluntario y violento. | Acción perjudicial para la conveniencia propia, para las causas que por interés o ideal se sirven.

Sujeto

Sometido. | Atado. | Propenso. | Obligado. | Persona. | Titular de un derecho u obligación. | Persona cuyo nombre se ignora o se calla. | El ser en general. | El espíritu humano diferenciado del mundo exterior. Materia, asunto, tema, caso o cosa sobre los cuales se trata. (V. OBJETO.) | **ACTIVO DEL DELITO**. El autor, cómplice o encubridor; el delincuente en general. | **DEL DERECHO**. El individuo o persona determinada, susceptible de derechos u obligaciones. | Por excelencia, la persona, sea humana o física, jurídica o colectiva. | **PASIVO DEL DELITO**. Su víctima; quien en su persona, derechos o bienes, o en los de los suyos, ha padecido ofensa penada en la ley y punible por el sujeto activo.

Sumaria

Proceso escrito. | En la jurisdicción militar, conjunto de diligencias instruidas para la averiguación de un delito; es decir, lo que *sumario* (v.) en la jurisdicción criminal ordinaria.

Sumariamente

De modo sumario o breve. | De plano. | Sin guardar todas las consideraciones de orden legal.

Sumario

Breve, resumido, compendiado. | Nombre de ciertos juicios en que se prescinde de algunas formalidades y se tramitan con mayor rapidez. | Resumen, extracto, compendio. | En el enjuiciamiento criminal, el estado inicial de una causa, que se encuentra en la fase de averiguación o confirmación del delito y de los responsables.

Sumarísimo

Superlativo de *sumario*; abreviadísimo, por los trámites más acelerados. La urgencia o sencillez de las causas, su gravedad o flagrancia determina en el enjuiciamiento criminal la formación y trámite del *juicio sumarísimo* (v.), muy peculiar de la jurisdicción castrense.

Sumisión

Acatamiento. | Subordinación. | Espontánea aceptación de una autoridad, orden o situación. | Acto por el cual se admite una jurisdicción, poder o persona que de acuerdo a derecho ejerce tal potestad. | En particular, acción y efecto de renunciar al fuero y domicilio y sujetarse a jurisdicción que, en principio, no era la más competente.

"Summun jus, summa injuria"
Loc. lat. El supremo derecho, la injusticia suprema. Este aforismo romano previene contra la aplicación estricta de las normas positivas, que puede conducir a grave daño; y aconseja la instauración del árbitro judicial a través de la equidad.

Suntuario
Relativo al lujo. (V. LEY SUNTUARIA.)

Superávit
En el comercio y en lo patrimonial, exceso del haber sobre el debe; saldo positivo o favorable. | En la administración pública, en el presupuesto, diferencia a favor de los ingresos, superiores a los gastos. En caso contrario se habla de *déficit* (v.).

Supervivencia
Acción o efecto de vivir más que otro, o después de su muerte. | Salvación de una catástrofe o accidente. | Rebasar el límite establecido para percibir ciertas cantidades, rentas o seguros, dependientes de alcanzar determinada edad o fecha. | Gracia que permite gozar de una renta o pensión al morir la persona que la cobraba.

Superviviente
Quien sobrevive a otro. | De modo especial, el salvado de un grave accidente o cataclismo.

Suplemento
Complemento. | Adicional. | Suplencia.

Supletorio
Lo que remedia una falta. | Complementario. (V. DERECHO Y JURAMENTO SUPLETORIO.)

Súplica
Ruego. | Petición encarecida. | Imploración. | Escrito con que se pide algo con sumisión. | Cláusula final de un escrito presentado ante las autoridades administrativas o judiciales, donde se concreta lo que de éstas se pide.

Suplicatorio
Que entraña súplica o ruego. | Suplicatoria o comunicación a superior autoridad judicial. | Instancia respetuosa que un juez o tribunal dirige al Parlamento, para solicitar la autorización de éste con el fin de proceder contra un miembro de aquél. El suplicatorio es un complemento de la *inmunidad parlamentaria* (v.), que sólo se torna innecesario en los casos de flagrante delito, pues cabe proceder desde luego.

Suplicio
Castigo o pena capital que se imponía antiguamente al reo. | Lugar donde se ejecutaba. | Lesión corporal infligida como pena. | Crueldad. | Tortura, tormento. | Dolor físico. | Grave pesar. (V. PENA CORPORAL.)

Suposición
Conjetura. | Falsa presunción. | Creencia. | Autoridad. | Falsedad. | Impostura. | Ficción. | Argumento provisional, basado en ser cierto lo que se indica. | **DE PARTO**. Ficción por la cual una mujer aparece como madre de la criatura que prohíja ilegalmente, cuando no ha habido parto ni embarazo.

Supremacía
Grado superior. | Dominio. | Superioridad. | Jerarquía más elevada. | Ventaja en lucha o guerra. | Hegemonía.

Suspensión
Acción de levantar o colgar. | Ahorcamiento. | Detención de un acto. | Interrupción, aplazamiento de una vista, sesión u otra reunión o audiencia. | Censura eclesiástica que priva de un oficio o beneficio. | Sanción administrativa que priva del sueldo y a veces temporalmente del empleo. | Corrección disciplinaria laboral, que significa la interrupción de la relación de trabajo durante cierto lapso. | Igual medida debida a la falta de trabajo. | **DE EMPLEO**. Cese temporal que en la prestación de éste dispone el superior o autoridad debidamente facultada. Seguida de la *suspensión*, del cobro del sueldo o salario, puede constituir medida preventiva, sanción disciplinaria e incluso corrección, en ciertos supuestos. | **DE GARANTÍAS**. Situación anormal del orden público, en que el gobierno por sí, con la autorización del Parlamento, y la aprobación del jefe del Estado, suprime temporalmente ciertas *garantías constitucionales* (v.). | **DE HOSTILIDADES**. Momentánea cesación de las operaciones entre dos ejércitos beligerantes. Con propiedad mayor o menor se dice también *armisticio* o *tregua*. | **DE LA EJECUCIÓN DE PENAS**. Procede en algunos casos; así, cuando el condenado caiga en enajenación mental luego de pronunciada la sentencia firme, en que se suspenderá la pena personal, y se procederá a internar al demente en establecimiento adecuado. | **DE PAGOS**. En el Dere-

cho Mercantil, la situación del comerciante, individual o social, cuyo activo no es inferior al pasivo; pero que, por los vencimientos, no puede hacer frente a sus obligaciones con puntualidad. Una espera puede bastar para resolver el conflicto. No obstante, la *suspensión de pagos* se ha convertido en un recurso para eludir la responsabilidad mayor que la quiebra significa, y el descrédito ajeno. | **DEL CONTRATO DE TRABAJO**. Se produce cuando sus efectos y obligaciones principales, prestación de servicios por parte del trabajador y abono del salario por parte del empresario, están paralizados.

Sustitución o **substitución**

Colocación de una persona en un lugar, derecho u obligación de otra. | Situación de una cosa en donde otra estaba. | Reemplazo. | Relevo. | Trueque en secreto y con propósito de obtener provecho o causar perjuicio. | Subrogación. | Nombramiento de un heredero o legatario en lugar de los designados con preferencia. | En la milicia ya antigua, redención del obligado a prestar el servicio militar por otro pagado por él. | **DE HEREDERO**. El nombramiento de un heredero que ha de ocupar el lugar del primero, en los casos de no querer o no poder heredar éste.

T

T
Decimoséptima de las consonantes y vigésima primera de las letras del alfabeto español. En el comercio es abreviatura de *tonelada* y de *tara*. En las obras y escritos lo es de *tomo*.

En el Derecho Romano, y en el latín en general, abrevia *tetis* (testigo), *testamentum* (testamento y *terra* (tierra). Es la sigla además de locuciones con trascendencia jurídica: *T.A., tutores auctoritate* (autorización o concurso prestado por los tutores a ciertos actos de sus pupilos); *T.F., testamentum fecit* (hizo testamento o testó); *T.N.L., tu nos libera* (líbranos); *T.P., tiributinia potestate* (potestad de los tribunos); *T.R.T.A., tua res tibi agito* (se trata de tus cosas o de lo tuyo).

Tablas
Leyes escritas en *tablas de piedra* u otra materia; como el *Decálogo* y las *XII Tablas*. | Igualdad o empate en ciertos juegos. | Resolución sin vencedores ni vencidos, o sin daño ni beneficio, en ciertos asuntos o conflictos. | El teatro o arte escénico.

Tácita reconducción
Continuación o renovación del contrato de arrendamiento, rústico o urbano, por el hecho de permanecer el arrendatario en el uso y goce de la cosa arrendada luego de vencer el término pactado del arrendamiento. Allí donde la *tácita reconducción* se admite, y es en donde no se prohíbe, el segundo contrato se entiende contraído en términos idénticos al primero.

Tácito
Callado. | Silencioso. | Expresado por los hechos o la actitud. | Supuesto. | Sobrentendido.

Tacha
Falta, defecto. | Nota desfavorable. | Motivo legal para rechazar la declaración de un testigo, por la presunta parcialidad, favorable u hostil, que originan las relaciones o circunstancias entre el declarante y una de las partes.

Talión
Nombre que califica el sistema punitivo más espontáneo y sencillo por castigar el delito con un acto igual contra el delincuente. Constituye la pena el propio daño o mal que se ha causado a la víctima.

Talmud
Del hebreo *thalmud*, de *lamad*, aprender. Libro religioso de los judíos, rechazado por la Iglesia católica, que contiene diversas tradiciones, ceremonias y prácticas que observan los israelitas con igual fervor que la ley de Moisés.

Talweg
Vaguada o línea media de un río o corriente de agua. | Línea más honda de un valle.

Tanteo
Reconocimiento, visual o táctil, para apreciar el estado y calidad de algunos objetos. | Exploración del ánimo ajeno. | Examen de las condiciones en que se plantea un caso, y perspectivas que ofrece antes de decidirse a afrontarlo. | Derecho que por ley, costumbre o convenio se concede a una persona para adquirir algo con preferencia a otros, y por el mismo precio, en caso de enajenación a título lucrativo. | Durante el feudalismo señorial, acto de liberarse un lugar pagando el mismo precio en que había sido enajenado a distinto señor. | Allanamiento

o convenio según los cuales se paga la misma cantidad en que ha sido rematada una renta pública o alhaja.

Tanto de culpa

Testimonio que se libra de un pleito o expediente, cuando en su trámite o resolución se advierten indicios al menos de responsabilidad criminal, con el fin de instruir el oportuno sumario y dilucidar la sospecha o culpa.

Tarifa

Lista o catálogo de precios, derechos o impuestos que han de pagarse por determinados objetos, mercaderías, trabajos o servicios.

Tarifar

Establecer o aplicar una tarifa. | Enemistarse con alguien.

Tarjeta de crédito

Tarjeta emitida por un banco u otra entidad financiera que autoriza a la persona a cuyo favor es emitida a efectuar pagos, en los negocios adheridos al sistema, mediante su firma y la exhibición de tal tarjeta. Nace así un crédito del vendedor contra el banco o entidad emisora, y de éstos contra el tenedor de la tarjeta.

Tasa

Valuación, estimación del valor o precio de una cosa. | Precio fijo o máximo puesto por la autoridad a determinados productos, con el fin de reprimir la especulación abusiva. | Documento en que consta la tasación de una cosa. | Regla, norma, límite.

Tasación

Justiprecio, valúo, estimación del precio de las cosas. La *tasación* es tanto la operación o serie de operaciones evaluadoras como el resultado a que llega la persona competente a quien se encomienda que determine el valor justo que corresponde, dadas todas las circunstancias que para ello deban tenerse en cuenta: valor de adquisición, estado actual, uso, demanda, situación, aplicaciones e incluso afección para las partes, en algunos supuestos. | **DE BIENES HEREDITARIOS**. Valuación o justiprecio que se efectúa de los bienes de una sucesión, con el fin de determinar su importe, calcular la porción o lote de cada heredero y verificar una adjudicación exacta de la masa hereditaria, luego de satisfechos los acreedores de la herencia y los legatarios, aunque éstos luego de los legitimarios. | **DE COSTAS**. La que se practica en los juzgados y tribunales por el secretario o escribano que haya actuado en el pleito, para incluir todos los gastos que esa condena implique y que resulten devengados hasta el momento de tal liquidación.

Tasador

Quien tasa o justiprecia, ya por público oficio o por designación especial, dados sus conocimientos o la confianza que a los interesados inspira.

Tatarabuelo

Ascendiente de la cuarta generación; el tercero de los abuelos continuando el orden ascendente; el padre del *bisabuelo*, abuelo del *abuelo* o bisabuelo del *padre* (v.).

Tataranieto

Descendiente de la cuarta generación; el tercero de los nietos, en el orden descendente; el bisnieto del *hijo*, el nieto del *nieto* o el hijo del *bisnieto*. Su relación con el *tatarabuelo* (v.), el correlativo parentesco, es el cuarto de consanguinidad en la línea recta.

Taxativo

Riguroso, estricto, literal, porque limita y circunscribe a los términos y circunstancias expresamente indicados.

Técnica

Conjunto de procedimientos y recursos de que se sirve una ciencia o un arte. | Pericia o habilidad para usar de esos procedimientos y recursos (*Dic. Acad.*).

Técnica jurídica

La utilizada por el orden jurídico para su expresión y aplicación. Su aspecto más destacable es la *técnica legislativa* (v.).

Técnica jurisprudencial

La utilizada por los órganos judiciales para la elaboración y formulación de sus sentencias. Son aquéllos criterios de interpretación de la ley constituyen un aspecto fundamental de esta técnica.

Técnica legislativa

La utilizada para redactar las leyes y otras normas escritas, tanto en cuanto a su organización y estructura, como a sus aspectos verbales y gramaticales.

Tecnicismo

La voz técnica, peculiar o específica en acepción, de un arte o ciencia. | Conjunto de todos esos vocablos característicos, que en lo jurídico pretende ser este *Diccionario*.

Técnico-jurídico
Consideración técnica dentro de lo jurídico, con exclusión de inspiraciones en otras disciplinas o de aceptación de principios intangibles tomados de la religión, la filosofía o la lógica, aun cuando se admitan criterios dialécticos de toda índole.

Tecnología
Conocimientos susceptibles de ser aplicados a la producción de bienes o servicios.

Tecnocracia
El gobierno de los técnicos, defendido especialmente en los Estados Unidos. Orgaz declara que los tecnócratas proclaman el fin del capitalismo al mismo tiempo que la incapacidad del marxismo para salvar al mundo.

Tela de juicio
Se dice que algo está *en tela de juicio* cuando se encuentra sometido a consideración y se espera que recaiga resolución en el caso. Manifiesta la duda acerca del éxito, de la decisión favorable o adversa.

Teleología de la norma
El fin que se busca lograr mediante una norma; la función de ésta dentro del sistema jurídico y de las conductas a que se dirige.

Teleología jurídica
La *teleología* es definida por Wolff como el modo de explicación de una realidad atendiendo a sus causas finales, por oposición al modo de explicación fundado en causas eficientes. En consecuencia, la *teleología jurídica* tendrá por objeto el estudio de los fines del Derecho.

Temerario
Imprudente; quien desafía los peligros. | Pensamiento, dicho o hecho sin justicia ni razón, y en especial cuando ataca valores morales del prójimo.

Temeridad
Acción arriesgada, a la que no precede un examen meditado sobre los peligros que puede acarrear o los medios de sortearlos. Juicio temerario, el formulado sin la debida razón y fundamento.

Temor
Recelo de un daño o mal futuro. | Sospecha, presunción. | Actitud que lleva a rehuir o evitar las situaciones, personas y cosas que se estiman peligrosas o nocivas.

Temporal
Referido al tiempo. | Transitorio. | Provisional. | Secular, mundanal, profano. | Civil, como opuesto a espiritual o eclesiástico. | Tempestad, tormenta. | En Andalucía, trabajador del campo que sólo está ocupado en ciertas temporadas, cuando las cosechas o durante las operaciones agrícolas preparatorias.

Tenedor
Quien tiene o posee materialmente una cosa, sin título o con él. | Ocupante actual de un inmueble. | Poseedor o titular legítimo de una letra de cambio o de otro documento de crédito cuyo pago puede exigir en su momento: ya sea el portador primitivo o algún endosatario posterior.

Tenencia
La mera posesión de una cosa; su ocupación corporal y actual. | Cargo de teniente. | Oficina en que ejerce sus funciones. | Antiguamente se empleaba esta voz por caudal, hacienda o haberes.

Tenencia de armas
Posesión de ellas por una persona, a un lado su licitud o no.

Tenencia precaria
La que se ejerce sobre una cosa, reconociendo en otro la propiedad sobre ella.

Tentativa
Intento. | Tanteo. | Examen previo que acerca de la capacidad o suficiencia del graduado se hacía en algunas universidades. | Principio de ejecución del delito.

Teocracia
Estrictamente, el gobierno terrenal ejercido directamente por Dios, como el bíblico de los hebreos hasta Saúl, el primero de sus reyes. | Más habitualmente, el régimen político dominado por los sacerdotes de la religión imperante en un país. Por fuerza, el Estado Vaticano es *teocracia*, ya que su poder temporal corresponde al Romano Pontífice.

Teología
La ciencia relativa a Dios.

Teoría
Conocimiento meramente especulativo sobre una rama del saber o a cerca de una actividad. | Conjunto de leyes o principios que determinan un orden de efectos o fenómenos. | Posición doctrinal para explicar un problema jurídico o defender alguna solución de éste. |

DE LA CULPA. En relación con la responsabilidad en los accidentes del trabajo, se conoce con el nombre de *teoría de la culpa* la doctrina que establece la responsabilidad patronal fundándose en disposiciones, interpretadas sutilmente, de los códigos civiles. | **DE LA IMPREVISIÓN**. En realidad, esta teoría data de la Edad Media, y se enuncia con la máxima *rebus sic stantibus*. Esto es, que las partes entienden valedero el contrato en cuanto subsistan las condiciones económicas bajo cuyo imperio se pactó.

Tercer estado

En la víspera de la Revolución Francesa se designaba con el nombre de *tercer estado* a la clase social no perteneciente al clero ni a la nobleza, integrantes del *primer estado y del segundo*. Los tres estados o estamentos componían el reino, sobre todo en las asambleas parlamentarias.

Tercer poseedor

El adquirente de bienes gravados, cuyo título y posesión pueden disminuir y aun desaparecer como consecuencia de la ejecución de las cargas a que tales cosas estén afectas.

Tercería

Cargo de tercero, como mediador, recaudador de diezmos o alcahuete. | Tenencia interina de un castillo o fortaleza. | Derecho que en un pleito ya en curso reclama, entre dos o más litigantes, quien coadyuva con uno de ellos o el que interpone una pretensión peculiar. | Juicio en que se ejerce tal derecho. | **DE DOMINIO**. Reclamación procesal planteada entre dos o más litigantes, por quien alega ser propietario de uno o más de los bienes litigiosos en tal causa. | **DE MEJOR DERECHO**. Reclamación que en un pleito, ya en trámite, interpone quien se estima con derecho a ser reintegrado de su crédito con preferencia al acreedor ejecutante, si se trata de juicio ejecutivo, o con prelación crediticia general o especial en cualquier otro juicio.

Tercero

Que media entre otros para avenirlos o concertarlos. | Alcahuete, proxeneta. | Antiguamente, el encargado de recoger y conservar los diezmos hasta la pertinente distribución. | Persona que no es ninguna de las dos o más que intervienen en trato o negocio de cualquier clase. | Quien hace de árbitro para decidir entre pareceres contrarios en algún asunto.

Término

Límite. | Final de lo que existe o dura. | Plazo (v.), aunque esta sinonimia sea incorrecta. | Vencimiento. | Mojón. | Línea divisoria entre distritos, municipios, provincias o Estados. | Jurisdicción de un ayuntamiento. | Lugar para un acto. | Tiempo señalado para un fin. | Día y hora en que ha de cumplirse o hacerse algo.| Objeto, finalidad. | Vocablo, palabra, voz. | Estado, situación. | Manera de expresarse. | **CIERTO**. El señalado con precisión, por designar exactamente el día, mes y año en que concluye, o por contarse desde la fecha de la obligación u otro bien establecida. | **CONVENCIONAL**. El estipulado espontáneamente por las partes. Se diferencia de los *términos legales* o *judiciales*. | **DE GRACIA**. El que, vencida la obligación, concede por sí el acreedor al deudor; con lo cual no puede reclamarle los intereses por mora, ni otros estipulados para el caso de no cumplir a su tiempo. | **FATAL**. El improrrogable, que extingue definitivamente un derecho o impide su ulterior ejercicio. | **HÁBIL**. Aquel dentro del cual cabe practicar válidamente las actuaciones judiciales. | **IMPRORROGABLE**. Período de tiempo durante el cual deben necesariamente practicarse ciertas actuaciones judiciales, con la prohibición expresa de no poder pasar de éste. | **JUDICIAL**. El establecido en las leyes procesales o el que, usando de sus facultades, señala el juez. | **LEGAL**. El expresamente determinado en la ley. (V. PLAZO LEGAL; TÉRMINO CONVENCIONAL y JUDICIAL.) | **MEDIO**. Solución o propuesta que satisface parcialmente las opuestas pretensiones, o parte las diferencias. | Promedio | De calidad ni muy buena ni muy mala. | **MUNICIPAL**. Territorio a que extiende su jurisdicción un ayuntamiento. Constituye la menor de las divisiones administrativas normales. | **ORDINARIO**. El probatorio que se concede en toda su extensión cuando lo pida una de las partes por lo menos y corresponda el recibimiento a prueba. | **PERENTORIO**. El concedido últimamente y con denegación de otro. | **POSESORIO**. Plazo que por leyes o reglamentos se halla establecido para que los funcionarios públicos tomen posesión de sus cargos, so pena de la pérdida de sus derechos. | **PROBATORIO**. El período de tiempo durante el cual el juez, de acuerdo con la ley y sus facultades, recibe el pleito a prueba, con el fin de proponer y practicar todas las probanzas, que ratifiquen o destruyan los hechos que hacen al derecho de las partes. | **PRORROGABLE**. El que admite ampliación del período que comprende, el pedirlo una de las partes al menos y acceder el juez, si la ley no lo prohíbe; ya que, en principio, todos los *términos judiciales* o *procesales* resultan susceptibles de pró-rroga. | **RESOLUTORIO**. El que, al cumplirse, extingue la obligación o el derecho. | **SUSPENSIVO**. Aquel que, hasta verificarse, no origina el nacimiento de un derecho en su ejercicio actual o el cumplimiento de una obligación, en su exigibilidad.

Terrateniente

Dueño o poseedor de tierras, de fincas rústicas.

Territorialidad

Peculiar consideración jurídica de las cosas en cuanto se encuentran dentro del territorio de un Estado que estatuye sobre ellas. | Aplicabilidad de la ley territorial. | Ficción jurídica que lleva a estimar parte del territorio nacional los buques de guerra, aun en aguas jurisdiccionales de otro país, y los domicilios de los agentes diplomáticos; y, por tanto, exentos de la ley local si es la extranjera. (V. EXTRATERRITORIALIDAD.) | **DE LA LEY**. Fuerza obligatoria de las leyes y demás disposiciones generales para cuantos habiten el territorio del Estado o autoridad que las dicta.

Territorio

De la palabra latina *terra*, tierra; y, según otros, del verbo *terrere*, desterrar. Parte de la superficie terrestre sometida a la jurisdicción de un Estado, provincia, región o municipio. | Término jurisdiccional. | En la Argentina, porción del suelo nacional que no tiene consideración de provincia; por lo cual su situación política es casi la de una colonia dentro del mismo Estado, y que no es sino situación transitoria, aunque en algunos casos se prolongue ya en gran manera, por la escasez de habitantes. | **NACIONAL**. La base geográfica de una nación, comprendida dentro de sus fronteras, el espacio sometido a su imperio (como las colonias y posesiones) y el sujeto a su jurisdicción (como los buques de guerra y los edificios de las representaciones diplomáticas).

Terrorismo

Dominación por medio del terror. | Actos de violencia y maldad ejecutados para amedrentar a ciertos sectores sociales o a una población determinada o para desorganizar una estructura económica, social o política. | Movimiento generalizado en toda Europa a fines del siglo XIX, inspirado en el *nihilismo* (v.) y en las formas más violentas y sanguinarias del anarquismo revolucionario.

"Tertium genus"

Loc lat. Tercer género. | Denominación que se aplica para caracterizar una posición distinta entre dos clásicas y al parecer irreducibles o únicas.

Tesoro

Gran cantidad de dinero, valores y objetos preciosos que se encuentra en depósito o custodia en algún lugar. | Erario, fisco. | Riqueza.| Persona o cosa de dotes valiosas y dignas de gran aprecio. | Nombre que antiguamente se daba a ciertos catálogos, analogías y diccionarios referidos a una materia especial. | Conjunto de dinero o cosas preciosas cuyo dueño no consta, y que suele descubrirse por casualidad. | Dinero u otro valor cuya pertenencia o propiedad nadie pude justificar. | **NACIONAL**. Erario, Fisco; el patrimonio público o el del Estado, integrado por determinados inmuebles.

Testación

Tachadura; acción o efecto de tachar.

Testado

Con testamento. | Dícese del que ha muerto con testamento, en contraposición al que fallece *intestado* o *ab intestado*.

Testador

Quien ha testamento, disponiendo de todos sus bienes o parte de ellos para después de su muerte, o haciendo otras declaraciones de trascendencia jurídica.

Testaferro

También se dice, aunque menos corrientemente, *testaférrea* y *testa de ferro*, de estas mismas palabras italianas, que significaban cabeza de hierro. Se trata del que presta su nombre o aparece como parte en algún acto, contrato, pretensión,negocio o litigio, que en verdad corresponde a otra persona.

Testamentaría

Ejecución o cumplimiento de la voluntad establecida en un testamento. (V. ALBACEAZGO.) | Conjunto de antecedentes, documentos y toda suerte de datos que conciernen a una sucesión testada. | Reunión de los albaceas o ejecutores testamentarios. | Sucesión testada, desde el instante del fallecimiento del causante hasta la adjudicación de los bienes a los acreedores, herederos y legatarios. | Juicio universal, para inventariar, conservar, tasar, liquidar, partir y adjudicar la herencia del que muere con testamento eficaz.

Testamentario

Propio del testamento; concerniente a éste o a la sucesión testada. | Quien tiene por cago ejecutar la voluntad del testador, lo por él dispuesto en testamento válido.

Testamento

Declaración de última voluntad, relativa a los bienes y otras cuestiones: reconocimientos filiales, nombramientos de tutores, revelaciones o confesiones, disposiciones funerarias. | Acto en que tal manifestación se formula. | Documento donde consta legalmente la voluntad del testador. | En tecnicismo anticuado, embargo o aprehensión judicial de cosas del deudor, a petición de su acreedor. | "Serie de resoluciones que por interés personal dicta una autoridad cuando va a cesar en sus funciones" (*Dic. Acad.*). | Escrito o informe muy voluminoso. | **A FAVOR DEL ALMA**. Disposición de última voluntad, de carácter religioso, que destina todos los bienes o parte de ellos a sufragios y obras por la salvación o la paz de la propia alma. **ABIERTO**. De conformidad con el artículo 680 del Cód. Civ. esp., es *abierto* el *testamento* siempre que el testador manifieste su última voluntad, en presencia de las personas que deban autorizar el acto, las cuales quedan así enteradas de lo dispuesto en aquél. | **AD CAUTELAM**. Forma de testar suprimida en forma expresa o tácita en los Códigos, por la cual se establecía por el propio testador que se tuviera por no válida la revocación de su *testamento* si ésta no se hiciese usando ciertas palabras, signos o títulos. | **CERRADO**. El escrito por el testador, o por otra persona en su nombre, y que, bajo cubierta cerrada y sellada, que no puede abrirse sin romperse, es autorizado en el sobrescrito por el notario y los testigos, en forma legal. | **COMÚN**. Lo mismo que *Testamento ordinario*. | **DEL CIEGO**. Por la situación especial en que se encuentran quienes carecen del precioso sentido de la vista, que los expone a fáciles errores y a pérfidos engaños en materia de intereses, se han establecido ciertas prohibiciones testamentarias en relación con los ciegos, y otras garantías en las formas permitidas a ellos, superiores a las ordinarias. | **ESPECIAL**. Llamado también *privilegiado* por algunos juristas, es aquel que requiere para su otorgamiento circunstancias especiales de estado o de lugar. | **INOFICIOSO**. El ineficaz, el que no surte los efectos deseados por el testador. | **MANCOMUNADO**. Es denominado también *testamento de hermandad, de mancomún* o *en mancomún*. El hecho conjuntamente por dos personas, cónyuges generalmente, para disponer en un mismo documento de sus bienes, sea en favor recíproco, que se llama *mutuo* o en beneficio de un tercero, a que se da el nombre de *testamento mancomunado* (v.) en que los testadores se instituyen recíprocamente herederos, lo cual favorece al que sobreviva. | **OLÓGRAFO**. La declaración de última voluntad, escrita y firmada toda ella por el testador, sin intervención de fedatario ni testigo. | **SOLEMNE**. El hecho con las formalidades y requisitos que las leyes prescriben.

Testar

Hacer testamento. | Formular una declaración de última voluntad, simplemente verbal, cuando pueda tener eficacia. | Tachar. | ant. Atestiguar. | ant. Embargar judicialmente. | Denunciar algo y solicitar su embargo. (V. TESTAMENTO.)

Testificación

Acción o efecto de testificar.

Testificar

Deponer como testigo en algún acto judicial. | Dar fe de una cosa. | Probar de oficio una cosa, por medio de testigos o documentos auténticos.

Testigo

Quien ve, oye o percibe por otro sentido algo en que no es parte, y que puede reproducir de palabra o por escrito, o por signos. | Persona que debe concurrir a la celebración de ciertos actos jurídicos, en los casos así señalados por la ley o requeridos por los particulares, para solemnidad de aquél, poder dar fe y servir de prueba. | Persona fidedigna de uno u otro sexo que puede manifestar la verdad o falsedad de los hechos controvertidos. | Toda cosa, aun inanimada, de la cual se infiere la verdad de un hecho. (V. PIEZA DE CONVICCIÓN.) | Piedra que se coloca junto a los mojones, para indicar la dirección del terreno amojonado. | **ABONADO**. El que carece de tacha legal. (V. TACHA.) | **DE CARGO**. El que declara en contra del procesado o acusado. | En general, los presentados por el fiscal o el acusador privado. (V. TESTIGO DE DESCARGO.) | **DE DESCARGO**. El que depone a favor del acusado. | En general, todo el presentado por su defensor. (V. TESTIGO DE CARGO.) | **DE OÍDAS**. El que relata lo que ha oído a otros *testigos*, que sí oyeron o vieron lo que se aduce o controvierte. | **DE VISTA**. Denomínase asimismo *testigo ocular*, el que presenció personalmente lo que refiere, sea la percepción por la vista o por el oído. | Persona que vigila o acecha a otra, por lo común con impertinencia y sin derecho. (V. TESTIGO DE OÍDAS.) | **FALSO**. El que falta maliciosamente a la verdad al declarar, sea diciendo lo que no es, negando lo que sabe o deformando el testimonio con evasivas o reticencias. | **HÁBIL**. El que tiene capacidad legal para declarar y contra el cual no hay tacha admisible. (V. TESTIGO INHÁBIL.) | **INHÁBIL**. El que por incapacidad natural o por disposición de la ley no puede prestar testimonio. | También, el incurso en alguna tacha. | **INSTRUMENTAL**. En los instrumentos o documentos notariales, el que firma junto con el notario, para solemnidad del acto, y afirmar así el hecho y contenido de éste. | **NECESARIO**. Aquel sobre el cual pesa alguna tacha legal, no obstante lo cual se admite su testimonio por la precisión de informes o datos. | **PRESENCIAL**. El que depone sobre dichos o hechos, oídos o vistos por él, acaecidos en su presencia. (V. TESTIGO DE OÍDAS y DE VISTA.) | **SINGULAR**. El que es único en lo que declara. (V. TESTIGO ÚNICO.) | Para Escriche, el que discuerda de otros en el hecho, persona, tiempo, lugar o circunstancias esenciales. | **ÚNICO**. Se designa así al que por circunstancias especiales ha sido la sola persona que ha presenciado un hecho. | También, el que declara algo que ningún otro testigo comprueba ni niega.

Testigos contestes

Los conformes en el testimonio que por separado prestan en una causa, lo cual constituía antiguamente prueba plena en casi todos los casos.

Testimonial

Que da fe. | Que sirve de testimonio verdadero.

Testimoniar

Atestiguar, deponer, declarar un testigo. | Demostrar, probar. | Hacer presente un sentimiento, especialmente de solidaridad. | Servir de testigo.

Testimonio

Aseveración de la verdad. | Declaración que hace un testigo en juicio, aun siendo falsa. | Demostración, prueba, justificación de un hecho, cosa o idea. | Impostura, imputación de un hecho, cosa o idea. | Impostura, imputación calumniosa; sentido éste en que se va empleando cada vez menos, por lo equívoco, sobre todo con la acreditada acepción que sigue. | Instrumento legalizado en el cual el notario da fe, se copia total o parcialmente un documento o se resume por vía de relación. | Antiguamente, testigo. | Falso testimonio (v.); delito que cometen los testigos y también los peritos que faltan a sabiendas a la verdad en sus declaraciones o informes ante los tribunales. Se funda en parte en haber violado el juramento o promesa de decir verdad, que prestan antes de comenzar el interrogatorio o el informe; pero ello sería igual sin más que declarar la obligación que tienen de ser sinceros, aunque no comprometan la conciencia, si son creyentes y escrupulosos.

"Testis unus, testis nullus"

Loc. lat. Un testigo, ningún testigo; es decir, un solo testigo es como si ninguno hubiera, ya que su veracidad no puede confrontarse con la declaración sobre el mismo hecho que formule otra persona.

Texto legal

Conjunto de disposiciones generales, obligatorias, dadas por autoridad de Derecho o de hecho, reunidas con cierto método y que integran un código o una ley importante, aunque por extensión quepa denominar *texto legal* a la referencia que se haga de cualquier ley.

Tiempo

Duración de las cosas mudables. | Parte mayor o menor de ese lapso. | Época; en especial referido a los niños menores de un año. | Sazón, oportunidad. | Lugar o espacio para una actividad. | Largo espacio temporal. | Estado atmosférico y climático.

Tío

Parentesco consanguíneo colateral resultante de distar desigualmente del tronco común dos parientes; porque, de haber igualdad, se está ante *hermanos*, si es en la primera generación, y ante *primos*, en relación familiar más lejana.

Tipicidad

Concepto muy discutido en el Derecho Penal moderno, entre otras razones porque guarda relación con el Derecho Penal liberal, del cual es garantía, que se vincula con el principio del *nullum crimen sine praevia lege*. Jiménez de Asúa, refiriéndose a Beling, creador de la teoría, dice que la vida diaria nos presenta una serie de hechos contrarios a la norma y que por dañar la convivencia social se sancionan con una pena, estando definidos por el código o las leyes, para poder castigarlos. "Esa descripción legal, desprovista de carácter valorativo, es lo que constituye la *tipicidad*. Por tanto, el tipo legal es la abstracción concreta que ha trazado el legislador, descartando los detalles innecesarios para la definición del hecho que se cataloga en la ley como delito". Añade que en la *tipicidad* no hay "tipos de hechos", sino solamente "tipos legales", porque se trata de la conducta del hombre que se subsume en el tipo legal.

Tipo
Modelo, ejemplar, dechado. | Representación, emblema. | Persona extraña, y aun extravagante. | Figura principal de la moneda. | Letra de imprenta.

Tipo de cambio
La cotización de la moneda de cada país en relación con las extranjeras, en las variaciones de comprador o vendedor con respecto a bancos y casas de cambio. | Donde la vileza monetaria nacional impera, con el consecuente intervencionismo estatal para despojar impunemente a nacionales y extranjeros, cada uno de los distintos niveles que se establecen para operaciones de importación y exportación, turismo internacional, ayuda familiar en el extranjero y otras, todas las cuales se destruyen ante la realidad que establece el mercado negro o paralelo, con el riesgo natural de esas operaciones clandestinas y reprimidas por ilicitud oficial, aunque de equidad económica indiscutible.

Tipo penal
Conjunto de elementos, definidos por la ley, constitutivos de un delito.

Tipo societario
Conjunto de elementos, definidos por la ley, constitutivos de las figuras societarias regulares.

Tiranía
Gobierno que ejerce un tirano. | Mando con abuso de las atribuciones. | Dominio excesivo de una pasión. | Influjo absorbente sobre otra persona. | **SINDICAL.** El despotismo que, a la sombra de una libertad sindical absoluta y mal aplicada, ejercen ciertos sindicatos sobre el conjunto de la clase trabajadora o en manifiesto perjuicio de la patronal.

Tiranicida
Quien da muerte a un tirano. Moralmente se legitima su acto cuando lo inspira la liberación del pueblo sometido; ya como revolución abreviada, ya como guerra lícita contra el mal o cual defensa colectiva y justa. (V. TIRANICIDIO.)

Tiranicidio
Muerte dada al tirano por serlo.

Tirano
Por gran autoridad en la materia, oigamos al padre Mariana: "*Tirano* es aquel que manda a súbditos que no le quieren obedecer; el que, por la fuerza, quita la libertad a la nación; el que no mira por la utilidad del pueblo, sino que atiende sólo a su propio engrandecimiento y a dilatar su dominio usurpador".

Titulación
Serie de documentos que acreditan la propiedad o posesión de una cosa o un derecho. Este tecnicismo, imprescindible, no figura aún en el léxico oficial. | Documento o resolución de autoridad que permite el acceso al Registro para probar la propiedad y otros derechos reales.

Titular
Quien tiene un título por el cual es denominado. | Quien goza legítimamente de un derecho declarado o reconocido a su favor. | El que figura como dueño o principal en una cosa o caso. | Aquel que ejerce un cargo u oficio por derecho propio o nombramiento definitivo; a diferencia de sustitutos, reemplazantes o interinos.

Titularidad
Índole de un título jurídico. | Calidad del titular de un derecho o de otra relación jurídica.

Título
Palabra o frase que da a conocer algo. | Renombre adquirido por acciones especiales. | Origen, causa, razón. | Pretexto, excusa. | Instrumento, documento, diploma que acredita determinados estudios, la legalidad de la profesión o la de un nombramiento. | En términos legislativos, una de las principales divisiones de los cuerpos legales; la que suele seguir en importancia a los *libros* y anteceder a los *capí-*

tulos. | Fundamento de un derecho u obligación. | Documento que prueba una relación jurídica. | Demostración auténtica del derecho con que se posee. | Dignidad nobiliaria. | Persona que la ostenta. | Documento que acredita una deuda pública o un valor mercantil. | **A LA ORDEN**. El representativo de un crédito, cuyo titular puede transmitirlo por *endoso* (v.). | **AL PORTADOR**. El de crédito que, por no constar quien sea su titular, puede transmitirse por la simple tradición. | **AUTÉNTICO**. El documento expedido por funcionario público autorizado para ello y con fe pública. | **CIRCULATORIO**. Aquel que puede ser transferido, generalmente por vía de endoso, otorgando a quien lo adquiere un derecho autónomo respecto del negocio causal que haya dado origen a la creación del título o a su transferencia. Se utiliza a veces la expresión como sinónimo de *título de crédito* (v.). | **CONSTITUTIVO**. El que da origen a una relación jurídica inexistente con anterioridad. (V. TÍTULO DECLARATIVO.) | **DE CRÉDITO**. El que contiene de manera eficaz un derecho de crédito exigible a favor de determinada persona o de su poseedor y contra otra, concretada en todo caso. | **DE LEGITIMACIÓN**. Documento que debe ser presentado para ejercer un derecho, por acreditar la legitimación para tal ejercicio. Se distingue del *título de crédito* (v.) propiamente dicho en que, si bien el título de legitimación presenta condiciones de necesidad, no tiene autonomía respecto del acto que le ha dado origen, debiendo sus efectos ser determinados conforme a los términos de tal acto. | **DE PROPIEDAD**. Documento que acredita el dominio sobre alguna cosa. | **DECLARATIVO**. El instrumento o documento en que consta la declaración de un derecho ya existente, pero controvertido; como una sentencia. | **EJECUTIVO**. Denomínase así el documento que por sí solo basta para obtener en el juicio correspondiente la ejecución de una obligación. En términos forenses se los denomina títulos que traen aparejada ejecución y que son sustancialmente los instrumentos públicos presentados en forma; los instrumentos privados suscritos por el obligado, reconocidos judicialmente o cuya firma esté certificada por escribano con intervención del obligado y registrada la certificación en el protocolo; la confesión de deuda líquida y exigible prestada ante el juez competente para conocer en la ejecución; la cuenta aprobada o reconocida como consecuencia de una diligencia preparatoria de la vía ejecutiva; la letra de cambio, factura conformada, vale o pagaré, el cheque y la constancia del saldo deudor de cuenta corriente bancaria, siempre que se hayan cumplido determinados requisitos, principalmente el protesto; el crédito por alquileres o arrendamientos de inmuebles. Las sentencias firmes son *ejecutivas*, así como las transacciones hechas entre las partes de un litigio, después que hayan sido debidamente homologadas, las multas procesales y el cobro de honorarios en concepto de costas. | **GRATUITO**. Causa jurídica por la cual se adquiere algo sin contraprestación alguna, como la donación y el legado. | **HÁBIL**. El que resulta eficaz por reunir los requisitos legales. | **INSCRIBIBLE**. El susceptible de inscripción en el Registro de la Propiedad, por comprendido en los enumerados de manera concreta en la ley que rija en el Derecho Hipotecario o Inmobiliario. | **NO TRASLATIVO DEL DOMINIO**. El que carece de eficacia jurídica para transmitir la propiedad. | **NOMINATIVO**. El documento de crédito extendido a nombre de determinada persona y que ésta no puede por ello ceder mediante el endoso. | **ONEROSO**. Causa de adquisición de cosas o derechos a cambio de una equivalencia económico-jurídica; como en la compra (precio por cosa), en la permuta (cosa por cosa) y en el cambio de moneda extranjera (dinero por dinero). | **PROFESIONAL**. El que acredita ciertos conocimientos o estudios y habilita para ejercer la profesión a que se refiera. Equivale a *título académico*. | **SINGULAR**. El que se refiere a la adquisición o transmisión de un derecho o cosa en particular, como la generalidad de las relaciones jurídicas entre vivos. Dentro de las transmisiones mortis causa, la transmisión a *título singular* se denomina *legado* (v.) *(Dic. Der. Usual)*. (V. TÍTULO UNIVERSAL.) | **UNIVERSAL**. El que determina la transmisión o adquisición de una universalidad de derecho, lo cual se halla muy restringido o discutido ahora entre vivos, pero que, mortis causa, constituye la sucesión como *heredero* (v.). Se contrapone en esencia al *título singular* (v.) (L. Alcalá-Zamora).

Toma de posesión

Acto con que se entra a ejercer o disfrutar un derecho, que en las cosas muebles suele consistir en su entrega manual al adquirente, y con respecto a los inmuebles, en penetrar en la finca quien haya de ejercitar el derecho de propiedad u otro real. | Acto más o menos solemne con que se inicia el desempeño de un cargo, puesto o destino (*Dic. Der. Usual)*.

Toma de razón

Constancia escrita que en documentos de oficinas públicas o en asientos de Registros, públicos también, queda de ciertos actos o manifestaciones de voluntad con trascendencia privada o pública.

Tomador

Aquel a cuya orden se gira una letra de cambio, carta de crédito, préstamo a la gruesa y otros documentos mercantiles.

Tontina

Operación aleatoria mercantil, ideada por el italiano Lorenzo Tonti, banquero del siglo XVII, por la cual varias personas constituyen un fondo común, para distribuírselo, junto con sus intereses, en la época determinada, y entre los supervivientes asociados.

Tormento

Antiguo y violento sistema para obligar por la fuerza y el sufrimiento físico a declarar a los testigos reacios y a confesar a los sospechosos o acusados. | Dolor físico que no cabe desechar o que reaparece. | Angustia, aflicción. | Persona o cosa que le causa.

Torpeza

Privación de la libertad de movimientos. | Pesadez, tardanza en moverse o actuar. | Desmaña. | Rudeza. | Comprensión tarda. | Lascivia; indecencia. | Impudor. | Deshonestidad. | Infamia. | Ignominia. | Tosquedad. | Fealdad.

Tortura

Procesalmente, sinónimo de *tormento*. | Crueldad. | Martirio. | Dolor o aflicción grandes.

Traba

Junta, unión. | Enlace, concordancia. | Comienzo de disputa, pedrea, litigio o batalla. | Dificultad, obstáculo. | Embargo de bienes o retención de derechos.

Trabajador

Quien trabaja; todo aquel que realiza una labor socialmente útil. | Laborioso o aplicado al trabajo. | Obrero; el que realiza una tarea manual. | Jornalero. | Todo el que cumple un esfuerzo físico o intelectual, con objeto de satisfacer una necesidad económicamente útil, aun cuando no logre el resultado. | La parte retribuida en el *contrato de trabajo* (v.).

Trabajo

El esfuerzo humano, físico o intelectual, aplicado a la producción u obtención de la riqueza. | Toda actividad susceptible de valoración económica por la tarea, el tiempo o el rendimiento. | Ocupación de conveniencia social o individual, dentro de la licitud. | Obra. | Labor. | Tarea. | Faena. | Empleo, puesto, destino. | Cargo, oficio, profesión. | Solicitud, intento, propósito. | Desvelo, cuidado. | Dificultad, inconvenientes, obstáculo. | Perjuicio, molestia. | Penalidad, hecho desfavorable o desgraciado. | Operación de máquina, aparato, utensilio o herramienta aplicada a un fin. | Resultado contrario a su eficacia o solidez, proveniente del esfuerzo o de la acción de un vehículo, mecanismo u otro cuerpo sujeto a iguales efectos físicos. | En la jerga, prisión o cárcel; y antaño, galeras. | **A DESTAJO.** Aquel en que la remuneración del trabajador depende de la producción, por pagársele de conformidad con la tarea realizada o con los objetos elaborados. El empresario se asegura de esta forma que el trabajador no abuse, mediante lentitud en las labores, del horario establecido; y el operario encuentra el aliciente de mejorar su retribución intensificando su actividad. | **A DOMICILIO**. El desempeñado por el trabajador allí mismo donde habita o en local de algún cercano pariente o amigo; pero que en todo caso no es el destinado por el patrono a realizar la tarea. | **A REGLAMENTO**. Prestación de servicios subordinados en que, exagerando intencionalmente el cumplimiento de los reglamentos de *trabajo*, éste se dificulta y retrasa, con el consiguiente rendimiento escaso o nulo. Fue practicado por vez primera en 1905 por los ferroviarios italianos. Los trenes eran revisados con sumo cuidado; el carbón, pesado por el propio maquinista; los coches eran limpiados con el máximo de esmero; y así se perdían hora y horas antes de que pudiera entregarse al servicio un tren. | **AUTÓNOMO.** Aquel que no se presta subordinadamente a otra persona, aunque sea por su encargo y exista contrato que obligue a realizarlo en la forma determinada por quien recibe la prestación. Integran especies del *trabajo autónomo* el de las profesiones liberales, siempre que no se produzca una adscripción regular y dependiente; el de los artistas, literatos, industriales, comerciantes, artesanos; el de los que explotan sus propias fincas o las arrendadas y el de los que realizan obras encomendadas especialmente y en forma no habitual (*Dic. Der. Usual*). | **ILÍCITO**. El que por razones de orden público o de moral se encuentra prohibido. | **INSALUBRE**. Es el que se ejecuta en condiciones que resultan nocivas a la salud del trabajador, por realizarse en lugares de aire viciado o donde existan emanaciones o polvos tóxicos o por cualquier otra circunstancias. La jornada en esta clase de labores es de 6 horas diarias o 36 semanales. Cuando se alterna *trabajo insalubre* con *trabajo salubre*, cada hora del primero se computa como una hora y veinte minutos. La insalubridad del trabajo es determinada por el Poder Ejecutivo. | **INTELECTUAL**. El que requiere un esfuerzo o aplicación de la mente. | Los de dirección, inspección o tan sólo responsabilidad en una empresa. | Con extensión excesiva, todo el desempeñado por un *empleado* (v.). | **SUBORDINADO**. El prestado bajo la dirección ajena, de obligado acatamiento por el trabajador en el ámbito laboral de la empresa y durante la ejecución de la actividad personal. El *trabajo subordinado*, cuya contraprestación capital se halla en el *salario* (v.), incluye el *trabajo* objeto del contrato de igual nombre. El *trabajo autónomo* (v.) es la figura laboral opuesta (*Dic. Der. Usual*).

Tracto sucesivo

El encadenamiento perfecto entre los distintos asientos del Registro de la propiedad; de manera tal, que toda transmisión o acto de disposición surja claramente de la voluntad del titular en el momento de efectuarse.

Tradición

Dentro de la idea común de *transmisión* (del latín *traditio*, de *trans* y *ducere*, llevar a otra parte), este vocablo posee significado y valor distinto dentro del Derecho Político y del Civil.

Con carácter general, por *tradición* se entiende la comunicación de creencias, doctrinas, costumbres, hechos, noticias de generación en generación. | También, la costumbre, práctica o rito que se conserva por transmisión de padres a hijos; o de los que realizan una tarea o desempeñan una función a través de sus sucesores, e indefinidamente en el tiempo. | La noticia o información, singular, heroica o sublime casi siempre, imprecisa por lo general y de pruebas escasas, que existe acerca de un hecho.

A. *En lo político*, la *tradición* sirve de fundamento a diversos grupos o partidos más contrarios a las *innovaciones* que a las *revoluciones*; ya que no vacilan en recurrir a la violencia, incluso prolongada, para restaurar los principios que rigieron antaño un país, sin escuchar razones de progreso ni aceptar transformaciones en el pensamiento y necesidades de su patria.

B. *En el Derecho Civil*, *tradición* es tanto como *entrega*; pero no cualquiera entrega, sino la que se propone transmitir la propiedad directamente o a través de la justa posesión, y en algunos casos de una tenencia jurídicamente estructurada. | **"BREVI MANU"**. Con esta forma semilatina (que, literalmente, expresa "breve mano"; de forma abreviada o sumaria) se designa la transmisión posesoria que los romanos admitieron sin entrega material de la cosa, en virtud del convenio o acuerdo entre el poseedor actual y el adquirente. | **"LONGA MANU"**. Locución semilatina, usual entre los juristas, cuyo significado es "de larga mano", por no consistir en una entrega material de mano del enajenante a la del adquirente; sino que consistía, entre los romanos, en mostrar la cosa transmitida al que iba a recibirla, en ponerla a su disposición, en los inmuebles sobre todo. | **SIMBÓLICA.** La entrega de ciertos signos de una cosa o la realización de ciertos actos para mostrar o probar con ellos que una persona transmite a otra, que acepta y es capaz, su propiedad, posesión o tenencia.

Tradicionalismo

Movimiento ideológico, refractario a las innovaciones, que propugna con vehemencia la conservación o el mantenimiento de las antiguas instituciones del país en lo religioso, político, social y económico.

Traición

Deslealtad. | Infidelidad. | Quebrantamiento de palabra dada. | Violación de la buena fe. | Atentado contra la patria. | Servicio al enemigo natural. | Engaño conyugal: el de la mujer especialmente.

Tramitación

Serie de diligencias, formalidades o requisitos determinados para el curso y resolución de un asunto administrativo o de una causa ante la Justicia, de acuerdo con las leyes o la práctica. | Curso de un expediente o pleito. | Despacho de éste. | Serie de traslados que los antecedentes escritos de un caso experimentan en la esfera judicial, administrativa u oficinesca en general.

Tramitar

Cursar unas actuaciones de la administración pública o privada; dar *trámite* (v.) a un asunto judicial.

Trámite

Del latín *trames*, *tramitis*, camino, paso de una a otra parte; cambio de una cosa a otra. | Administrativamente, cada uno de los estados, diligencias y resoluciones de un asunto hasta su terminación. | **JUDICIAL.** Cada una de las diligencias, y todas ellas consideradas como requisitos formales del procedimiento, que la ley o la curia imponen para resolver en una causa civil, penal o de otra jurisdicción.

Transacción

Concesión que se hace al adversario, con el fin de concluir una disputa, causa o conflicto, aun estando cierto de la razón o justicia propia. | Adopción de un término medio en una negociación; ya sea en el precio o en alguna otra circunstancia. | Ajuste, convenio. | Negocio. | Operación mercantil.

Transcripción o **trascripción**

Copia; reproducción íntegra y fiel de un escrito. | En el Derecho Inmobiliario, inscripción literal que en el Registro de la propiedad hace el registrador de los títulos que los interesados presentan.

Transferencia o **trasferencia**

Paso o conducción de una cosa de un punto a otro. | Traslado. | Entrega. | Cesión. | Traspaso. | Enajenación. | Transmisión de la propiedad o de la posesión. | Remisión de fondos de una cuenta a otra, sea de la misma persona o de diferentes. | Cambio de un asiento o partida de unos libros, cuentas o titulares a otros. | Dilación, aplazamiento. | Producción de ciertos efectos psíquicos en otros. | Sustitución de un inquilino por otro, mediante acuerdo entre sí.

Transferir o **trasferir**

Pasar o mudar de lugar. | Conducir de un punto a otro; transportar. | Transmitir. | Enajenar. | Traspasar. | Ceder. | Diferir, aplazar. | Renunciar. | En especial, transmitir el dominio o derecho sobre algo.

Transformación o **trasformación**

Notable cambio material o espiritual. | Conversión de una cosa o caso en otros distintos.

Transgresión o **trasgreción**

Infracción de un precepto obligatorio. | Quebrantamiento de una prohibición. | Violación de la ley, precepto, estatuto u otra norma compulsiva (*Dic. Der. Usual*)

Transigir

Concluir una *transacción* (v.), sobre lo que no se estima justo, razonable o verdadero, para conciliar discrepancias, evitar un conflicto o poner término al suscitado; pero con la imprescindible circunstancia de que haya recíprocas concesiones y renuncias. | Encontrar de mutuo acuerdo un medio que parta la diferencia en un trato o situación.

Transmisión o **trasmisión**

Declaración de algo a otro. | Comunicación a distancia sin moverse los relacionados. | Enajenación. | Cesión. | Traspaso. | Sucesión. | Transferencia. | Dejación o renuncia de un derecho. | Emisión radiotelefónica. | Contagio. | Propagación.

Transporte o **trasporte**

Traslado, conducción de personas o cosas entre dos lugares. | Arrebato. | Enajenación mental. | Rapto de ira o cólera. | Buque dedicado especialmente a llevar mercaderías de un puerto a otro o a varios. | Organización y medios de locomoción con que una nación o ciudad cuenta. | Contrato de transporte. | Gastos de éste, en el presupuesto familiar sobre todo.

Trascendental o **transcendental**

Importante. Fundamental. | Grave. | Que alcanza a otros o a cosa distinta.

Traslado

Copia de un documento. | Disposición que obliga a un empleado a cambiar de oficina o de residencia, por ascenso, nuevo destino, medida disciplinaria, sanción hipócrita gubernativa y otra causa, generalmente ajena a su voluntad o deseos. | Comunicación que de las pretensiones o alegatos de una parte se da a otra, para su conocimiento, impugnación o conformidad. | **DE AUTOS.** Paso de las actuaciones judiciales a una de las partes para que, dentro del plazo legal o fijado, tome conocimiento de alguna petición o alegato de la otra, con el fin de expresar lo que a su derecho convenga o adoptar la actitud procesal conducente. | **DE TRABAJO.** A diferencia del cambio de tarea o de trabajo, en el que el trabajador permanece en el mismo local o establecimiento, aunque pueda variar la oficina o dependencia donde presta sus servicios, el *traslado de trabajo* implica variación a lugar distinto —y casi siempre distante— de la misma población; y más aún si se trata de diferente localidad.

Trata

Tráfico ilegal e inmoral, que tiende a la explotación del hombre privado de su libertad o al de la mujer como prostituta. | **DE BLANCAS**. Inspirándose para la denominación de la antigua *trata de negros* (v.), pero cambiando con atino el color y el sexo, por *trata de blancas* se comprende la explotación sexual de la mujer, privada si no de su libertad por completo, sí de honra o, en parte, de los productos de su comercio carnal. | **DE NEGROS**. O *trata* por antonomasia, se refiere al comercio realizado con los negros de África, desde poco después del Descubrimiento de América hasta fines del siglo XIX, que quedaban sujetos a la esclavitud. Por extensión se ha referido esta locución a todo tráfico de esclavos, en cualquier tiempo y de todas las razas.

Tratado

Como obra, la que versa sobre una ciencia o arte, que considera amplia y sistemáticamente. | Convenio, contrato. | Por antonomasia, convención internacional, suscrita por dos o más príncipes o gobiernos.

Tratado-contrato

En Derecho Internacional Público se denomina así el acuerdo entre varios Estados que persiguen fines diferentes y que conciertan diversos intereses estatales de carácter particular para cada uno.

Tratamiento

Trato. | Título honorífico o respetuoso dado a una persona; como el de *excelencia* a un presidente de la República; o el de *majestad* a un rey. | Sistema, método para prevenir o remediar un mal. | Procedimiento experimental. | ant. Tratado, convenio, pacto, ajuste.

Trebeliánica o trebelánica

Dase el nombre de *cuarta trebeliánica* o *trebelánica* al derecho del heredero fiduciario para detraer (o conservar como de plena propiedad) la cuarta parte de la herencia si es heredero único o la misma proporción de su cuota sucesoria, si concurren uno o más coherederos en igual o mejor situación.

Tregua

Suspensión o cesación de las hostilidades, durante tiempo determinado, entre dos ejércitos enemigos, en el teatro de la guerra.

Tribunal

Conjunto de jueces o magistrados que administran colegiadamente justicia en un proceso o instancia. | Sala o edificio en que los jueces de todas las jerarquías desempeñan sus funciones, aun siendo unipersonales. | Todo juez o magistrado que conoce en asuntos de justicia y dicta sentencias. | Tribunal de examen.

Tribunal a quo

Aquel cuya resolución es objeto de un recurso ante el *tribunal ad quem* (v.).

Tribunal ad quem

Aquel ante el que se apela o recurre.

Tribuno

Cada uno de los magistrados romanos, elegidos por el pueblo, con facultades para vetar las resoluciones del Senado y para proponer plesbicitos. De tener facultades castrenses, se denominaban *militares*, a diferencia de los de la plebe. | Orador político que arrebata a la multitud con la fogosidad de su palabra o la grandeza y sugestión de sus ideas. | **DE LA PLEBE**. Magistrado de la antigua Roma, elegido en las asambleas públicas, para defender los intereses del pueblo.

Tributar

Entregar el vasallo al señor una cantidad en señal de reconocimiento del señorío. | Pagar la cantidad determinada por las leyes o autoridades (o la exigida ilegalmente, sobre todo por ejércitos de ocupación), para contribuir al sostenimiento de las cargas públicas y otros gastos. | Contribuir con especies o servicios a esos mismos fines. | Manifestar, ofrecer, practicar, con reconocimiento de superioridad ajena, cierta veneración; en especial el respeto, la gratitud, la admiración y homenajes afectivos. | En Aragón, dar en enfiteusis o *treudo*. | También en esta fértil región jurídica, amojonar los términos y servidumbres de la *Mesta*.

Tributo

Impuesto, contribución u otra obligación fiscal. | Gravamen, carga. | Servidumbre. | Obligación. | Censo. | En especial, la enfiteusis. | Reconocimiento feudal del vasallo con respecto al señor. | Manifestación afectiva de respeto, admiración, afecto o gratitud. | Es decir mujer de mancebía, prostituta.

Tríplica

Escrito, alegato o petición procesal para contestar a una *dúplica*, en los diálogos procesales por demás extensos. (V. DÚPLICA, RÉPLICA.)

Trocar

Cambiar una cosa por otra. (V. PERMUTA). | Confundir, equivocar. | Decir una cosa por otra.

Troncalidad

Principio sucesorio intestado, preponderantemente inmobiliario, según el cual los bienes pasan a los parientes de la línea de que proceden.

Tronco

Truncado, tronchado. | El tallo parte más fuerte de los árboles y arbustos. | El cuerpo humano sin cabeza ni extremidades. Ese incompleto cadáver, por supuesto fuera de rarísimos accidentes, proviene de un crimen brutal, con idea de dificultar lo más posible la identificación de la víctima, o de sañudas ejecuciones de antaño... y de hogaño, en ciertas atrocidades totalitarias. | Persona despreciable; de escasa sensibilidad, emoción o dignidad. | En el Derecho Familiar, principio común ascendiente de dos personas; como lo es el padre para los hijos, y el abuelo para los nietos; y que ofrece la base para todos los cómputos del parentesco, tanto en la línea recta como en la colateral.

Tropelía

Violencia en la conducta. | Acto contra ley. | Atropello, vejación, ultraje.

Trueque

Cambio, permuta. Contrato por el cual las partes se obligan a darse y recibir, recíprocamente, una cosa por otra. Integra la forma primitiva del comercio, la subsistente en los pueblos salvajes y la usual en relaciones privadas de carácter amistoso y relativas a cosas muebles por supuesto. (V. PERMUTA.)

Tuición

Defensa, amparo, protección de un derecho.

Tuitivo

Que ampara, protege o defiende.

Turba

Desordenada muchedumbre.

Turbación

Inquietamiento, perturbación del orden o el derecho. | Violenta emoción que altera el semblante e impide o entorpece el habla. | **DE LA POSESIÓN**. Toda perturbación o ataque contra ella que consista en actos, y no en el intento de ejercer o usurpar el derecho de propiedad.

Turbamulta

Multitud desordenada. (V. TURBA.)

Turno

Orden en que varias personas alternan en el ejercicio o desempeño de un cargo, o en el cumplimiento de tareas especiales. Así, se dice *juez* o *juzgado de turno*, al que se encuentra en funciones, en el ejercicio de la jurisdicción para todos lo asuntos que, durante el tiempo determinado, se planteen o produzcan.

Tutela

Al decir de la Part. IV, tít. XVI, ley 1ª, la guarda que es dada y otorgada al huérfano menor de 14 años, y a la huérfana menor de 12 años, que no se puede ni sabe amparar. Según el art. 377 del Cód. Civ. arg.: "El derecho que la ley confiere para gobernar la persona y bienes del menor de edad, que no está sujeto a patria potestad, y para representarlo en todos los actos de la vida civil". | **DATIVA**. La discernida por designación judicial o del Consejo de Fa-milia, y no por disposición testamentaria ni por ministerio de la ley; con lo cual se diferencia tanto de la *tutela testamentaria* como de la *tutela legítima* (v.). | **INTERINA**. La gestión tutelar hasta que se nombra tutor o éste toma posesión de su cargo. | **ILEGÍTIMA**. La que se defiere según el orden indicado en la ley, a falta de la *tutela testamentaria*, por inexistente o ineficaz. | **TESTAMENTARIA**. La discernida de acuerdo con el nombramiento que el padre o la madre hacen en su testamento, y que puede recaer sobre cualquier persona con capacidad de obrar y que no esté excluida por la ley. | Por extensión, la determinada en documento público para que surta efecto después de la muerte, y que a tales efectos ha de estimarse cual disposición mortis causa y, por tanto, testamentaria. | La que el legislador arg. califica de *tutela dada por los padres*. El Cód. Civ. esp. reconoce la primacía de este nombramiento; a falta del cual se recurre a la *tutela legítima* (v.).

Tutelar

Que protege, ampara o defiende. | Que guía, dirige u orienta. | Concerniente a la tutela de los menores o incapacitados.

Tutor

Quien ejerce la tutela; el encargado de administrar los bienes de los incapaces y, además, de velar por las personas de los menores no emancipados ni sujetos a la patria potestad, y ciertos incapacitados. | Al unificar el concepto del gestor tutelar, la persona que desempeña las funciones que antiguamente o en otras legislaciones le están asignadas al *curador* (v.). | Defensor, protector o amparo. | Director, guía, consejero. | **AD HOC**. El designado para determinados actos. | **DATIVO**. El que, por nombramiento de autoridad judicial competente o por designación del Consejo de Familia, es designado para ejercer la entonces llamada *tutela dativa*, a falta de *tutor testamentario* o *legítimo*. | **TESTAMENTARIO.** El designado por testamento de los padres, o por quien instituye herederos o legatarios de cantidad importante a los huérfanos menores o incapaces.

Tutoría

Tutela; autoridad, cargo y duración del tutor.

U

U

La vigésima segunda letra del alfabeto español, y la quinta de sus vocales. Entre los romanos era abreviatura de urbe (*urbs*), por antonomasia, Roma; y por tal causa se utiliza en la locución *ab urbe condita*. Se emplea asimismo en las siglas *u. j. d. (utriusque juris doctor)*, para significar: doctor en ambos Derechos, el Civil y el Canónico.

Ujier

Portero de estrados en los juzgados y tribunales. | Empleado subalterno que en los tribunales de justicia y en ciertas oficinas de la administración desempeña funciones de relación; como notificaciones a las partes o interesados en una causa.

"Ultima ratio regum"

Loc. lat. Última razón de los reyes.

Última voluntad

Postreros deseos que una persona formula antes de su muerte, para ser tenidos presentes después. No lo son tanto las últimas palabras como el propósito ordenador con respecto al propio cadáver, a sufragios, a los cuidados personales de los suyos y, de manera preponderante, en lo jurídico (ya que lo demás son más bien encargos piadosos, de libre ejecución por lo general), lo referido a los propios bienes; en cuyo sentido es sinónimo de *testamento*.

Ultimátum

En el Derecho Internacional Público, el documento que contiene la última condición propuesta; ya que, de ser rechazada, conduce a la ruptura de relaciones.

Último pago

Cuota final que se abona en la compraventa a plazos, y que convierte al adquirente en definitivo propietario de la cosa. | En las obligaciones por préstamos y otras en que libera al deudor en cuanto al capital e intereses; y que le da derecho a exigir la consiguiente carta de pago o recibo, si había constancia escrita de la deuda.

Ultra petita

El fallo en que un juez o tribunal concede a la parte más de lo por ella pedido; como la propiedad en lugar de posesión, o los intereses sobre el reclamado capital tan sólo.

"Ultra vires"

Loc. lat. Lo que está más allá de los poderes o atribuciones, particularmente los de representantes u órganos. La teoría del mismo nombre, aplicada particularmente en materia societaria, establece que los actos que exceden del objeto de una sociedad no pueden ser imputados al patrimonio de ésta. Esta teoría ha sido rechazada por la generalidad de los sistemas jurídicos, que sólo rechazan los actos de los órganos y representantes de la sociedad, como atribuibles a ésta, si son manifiestamente ajenos al objeto de la sociedad o si la contraparte ha actuado con mala fe en perjuicio de tal sociedad.

"Ultra vires hareditatis"

Loc. lat. Más allá de la fuerza de la sucesión.

Ultraje

Injuria. | Ataque al honor, ya sea causado de palabra u obra. | **AL PUDOR**. Uno de los *delitos* contra la honestidad, cometido por quien, abusando sexual o sensualmente de otra persona sin llegar al acceso carnal —figura delictiva de gravedad superior—, o por medio de palabras, ademanes o hechos, agravia la moralidad de una persona o atenta contra el concepto existente sobre buenas costumbres y pública moral.

Unanimidad

Coincidencia de opinión, dictamen o parecer entre los consultados o resolventes. | Totalidad de votos conformes con un partido, personaje o propuesta. | Indentidad de pensamiento sobre un caso. | Falta de oposición en asunto sometido al asesoramiento, discusión o fallo de varios o de una colectividad. | Declaración, acuerdo, ley u otra medida adoptada por asentimiento o aprobación de todos; o al menos sin discrepancia, sutil protesta esta ante el despotismo sañudo.

Unidad

Indivisible de esencia. | Singularidad numérica o cualitativa. | Unión. | Armonía. | Conformidad. | Medida que sirve de comparación o para cómputo. | Parte de las fuerzas militares que obran con independencia y a las órdenes de un solo jefe supremo. | **DE DEFENSA**. Actuación de las distintas personas que litigan en un mismo sentido por medio de una sola representación letrada, con el fin de facilitar y simplificar la tramitación de los autos. | **DE FUERO.** Sumisión de todos los individuos a la misma jurisdicción, con el fin de eliminar los privilegios personales que determinaron antaño hasta centenares de fueros, con el caos consiguiente de discrepancias, jueces sin preparación y espíritu de cuerpo en exceso miope. | **DEL ACTO.** Desenvolvimiento continuo de las distintas fases y cumplimiento simultáneo o sucesivo, pero sin interrupción, de todos los requisitos establecidos para un acto o contrato jurídico, con el fin de asegurar la persistencia de la voluntad, facilitar el testimonio y garantizar que el otorgante o las partes no experimente modificación en su capacidad o voluntad. | **MONETARIA**. En papel o en metal, y simplemente imaginaria en ocasiones, la moneda que cada país adopta como característica y a la cual se refieren sus múltiplos y submúltiplos, como el dólar, el franco, la libra, la peseta y los distintos pesos, y además sus céntimos, centavos o centésimos, y las expresiones mayores, por cincuenta, cien o mil unidades, casi siempre en billetes. | **NACIONAL**. Realidad o aspiración de constituir todo el territorio estatal en una sola organización política, con una soberanía exclusiva. | Régimen centralista de administración o política. | Sentimiento que inspira a las minorías nacionales y a los pueblos dispersos a considerarse distintos de cuantos los rodean o gobiernan, con anhelo de independencia o de reunión. | Régimen constitucional y jurídico general que determinan las mismas leyes y principios para todos los pertenecientes a una nación.

Unificar

Reducir lo complejo a unidad. | "Hacer de muchas cosas una o un todo, uniéndolas, mezclándolas o reduciéndolas a una misma especie" (*Dic. Acad.*). | Imponer las mismas leyes, costumbres, opiniones, especialmente entre pueblos reunidos bajo un mismo gobierno por acuerdo o anexión.

Unigénito

Hijo único. Más propiamente, cuando sus padres no han engendrado ningún otro, haya muerto luego de nacer o háyase frustrado por aborto. | Por antonomasia, Jesucristo en cuanto único hijo de la Virgen.

Unilateral

Relativo a una sola cosa o aspecto de ésta. | Que causa obligaciones para una sola de las partes. | Parcial. | Cada uno de los hermanos procedentes del mismo padre y de diversas madres; o de igual madre y padres distintos. | Voluntad que surte efectos por sí sola.

Unión aduanera

Convención entre dos o más Estados que suprime el pago o percepción de derechos al salir las mercaderías de un país hacia otro o al ingresar desde el extranjero. Tales acuerdos ofrecen trascendencia económica y hasta política, ya que la reunificación germana del siglo XIX fue posible gracias a la preparación que entre los pueblos que integraron el imperio alemán representó la *Zollverein* o *unión aduanera* que en 1834 iniciaron Prusia, Baviera, Hannóver, Sajonia y otros Estados. Ya promediado el siglo XX, otro ejemplo trascendente en la materia lo ha representado el *Mercado Común Europeo*.

Únion de Estados

Reunión de los Estados antes independientes, o de los que acaban de obtener su independencia, en una forma de gobierno común para ambos, con mayor o menor autonomía subsistente.

Unión transitoria de empresas

Contrato en virtud del cual una pluralidad de empresas acuerdan efectuar conjuntamente una obra, suministro o servicio, compartiendo los ingresos o los beneficios que se deriven de esa actuación conjunta.

Universalidad

Calidad de lo que es *universal* (v.). | Conjunto jurídico de cosas o derechos. (V. UNIVERSALIDAD DE HECHO y DE DERECHO.) | Comprensión o inclusión total en la herencia de todos los derechos, obligaciones, acciones y responsabilidades del causante. | **DE DERECHO**. Denominada también *universalidad jurídica*, es el conjunto de bienes y deudas que constituyen un todo indivisible, como ocurre con el patrimonio; y más aún en caso hereditario, en que los sucesores a título universal no pueden aceptar derechos sin las anejas obligaciones. | **DE HECHO**. Reunión de cosas que forman un conjunto; como un rebaño o una cosecha, pero susceptibles de división o estimación separada. Se conoce también como *universalidad de cosas* y se contrapone a la *universalidad de derecho*.

Universalismo

Doctrina sociológica que defiende el valor supremo de la sociedad en el orden de las realidades y en el de los conceptos. En su actitud extrema, el *universalismo* sostiene la superioridad del todo sobre las partes de la humanidad sobre el hombre); por cuanto el individuo, simple parte del conjunto, carece de valor sin el todo social.

"Universitas"

Loc. lat. Universalidad. Conjunto de personas o cosas que, de hecho o de derecho, integran un unidad real. | Grupo de personas que poseen una personalidad jurídica.

Urbanismo

Esta denominación hace referencia a las disposiciones, generalmente de orden municipal, cuya finalidad es asegurar el desarrollo adecuado, técnico, arquitectónico, higiénico de las ciudades. Se trata de un problema social que cada día adquiere mayor importancia, a causa del acrecentamiento de las poblaciones, del extraordinario incremento de los medios de transporte urbano y de la apetencia generalizada de mayor bienestar en todo ambiente donde ha de convivirse.

Urbano

Propio de la ciudad o relativo a ella. | Edificado. | Cortés; atento. | Miembro de la milicia urbana. | Regido por normas de lo poblado o edificado.

Urbe

Gran ciudad. | Capital de Estado. | En lo canónico, Roma, centro del catolicismo. | En Derecho Romano, también Roma, capital de su imperio. | **ET ORBI.** Loc. lat. y esp. A la ciudad y al mundo. Recibe este nombre la bendición pontificia dirigida a *la urbe* (Roma) y al *orbe* (el mundo entero).

Usanza

Uso jurídico. | Práctica habitual.

Uso

Acción o efecto de servirse de una cosa; de emplearla o utilizarla. | Práctica general o extendida. | Moda. | Modo peculiar de obra o proceder. | Empleo continuado de algo o de alguien. | Derecho a percibir gratuitamente, aunque en contribución en algunos casos a los gastos, los frutos de una cosa ajena, en la medida de las necesidades del usuario y de su familia. (V. USUFRUCTO). | Forma rudimentaria o inicial del Derecho consuetudinario, que coexiste con la ley escrita.

Las principales acepciones del *uso* en lo jurídico se consideran con separación, dada la diversidad de los conceptos.

A. *Como fuente del Derecho*. Constituye la práctica, estilo o modo de obrar colectivo o generalizado que se ha introducido imperceptiblemente y ha adquirido fuerza de ley. Aquí el *uso* es sinónimo de modo de proceder, y constituye un elemento de la *costumbre* (v.), o esta misma en su fase embrionaria. El *uso*, para ser admitido, además de la fundamental acogida por la ley, o no estar en ella excluido, debe ser múltiple, no contrario a la moral ni a las buenas costumbres y tácitamente aceptado por el consenso público; y al cual se conformen por último los tribunales en sus fallos, como norma supletoria de la ley.

B. *Como vigor de la norma jurídica*. El *uso*califica que una disposición escrita o consuetudinaria está en vigor, que la realidad jurídica se rige por ella, que se cumple u observa. Las leyes pueden estar en *uso* o haber caído en *desuso*, que se estima caduca tras dos siglos de no ejercitarla, y que el Parlamento estimaría sin duda en la actualidad acto inaceptable.

C. *Como derecho real.* Es la facultad, jurídicamente protegida, de servirse de la cosa ajena conforme a las propias necesidades, con independencia de la posesión de heredad alguna, pero con el cargo de conservar la sustancia de aquélla; o de tomar sobre los frutos de un fundo ajeno, lo preciso para las necesidades del usuario y de su familia (arts. 2.948 del Cód. Civ. arg. y 524 del esp.).

D. *Como ejercicio de un derecho.* El *uso* o ejercicio del éste, además de la prueba o ratificación de su existencia, determina la imposibilidad de su atrofia, en los de carácter permanente, como el de propiedad; mientras que el *no uso* hace decaer esa potestad jurídica, tácitamente abandonada, o por la sociedad no conocida, que conduce a la prescripción.

E. *En lo mercantil.* Posee otra significación como plazo en los documentos de crédito: el número determinado de días que la costumbre del pueblo donde la letra se gira ha determinado para su pago.

F. *En lo económico.* El *uso* expresa el rendimiento útil que una cosa puede proporcionar o el aprovechamiento que cabe sacar de ella. Las cosas se *usan* para el fin a que están destinadas, por lo general; y es el *uso* el que produce el aprovechamiento de la utilidad que tienen.

Usos convencionales

Prácticas o cláusulas reiteradas en los actos y contratos, que completan la voluntad expresada por las partes, o la interpreta, por la autoridad de la reiteración en casos semejantes.

Usos del comercio

La práctica o modo de obrar, no contraria a la ley, que rige entre los comerciantes en los actos y contratos propios del tráfico mercantil.

Usos estatales

A diferencia de los *usos sociales* y de los *usos técnicos*, desígnase como *estatales* los procedimientos oficiales de coacción y organización puestos en vigor por la sociedad para hacer frente a sus necesidades. Odum expone que los *usos sociales* engendran las costumbres; éstas, la moral social, origen de las instituciones, y fuentes estas últimas de los procedimientos *estatales.*

Usos locales

Prácticas o reglas de conducta e interpretación seguidas en un lugar por todos sus habitantes o la generalidad; y, más especialmente, por los dedicados a una determinada actividad: agraria, pecuaria, mercantil, etcétera.

Usos sociales

Mientras la costumbre y el *uso* de tendencia jurídica constituyen en ciertos casos norma de derecho, que obliga al cumplimiento de aquéllos, al ser incorporados a la ley, admitidos por ella, o no rechazados al menos, los *usos sociales* constituyen normas que carecen de medios coercitivos para su aplicación: no son normas obligatorias como las jurídicas. Sin embargo, son observados en la vida diaria, como razón de la mutua convivencia.

Usos técnicos

Hábitos individuales o prácticas colectivas desenvueltas, ante la apremiante resolución de las necesidades, dentro del tratamiento impuesto por el predominio actual de la técnica, como recurso para economizar esfuerzo humano y aumentar el rendimiento de la producción.

Dentro de la perspectiva sociológica, con repercusión jurídica, Odum estima que los *usos técnicos* superan a los antiguos *usos sociales* (v.) y sustituyen a las costumbres, con proceso más abreviado, cabe agregar. Se acelera así el ritmo de la evolución social, frente al lento proceso de la moral y de las instituciones. Su origen se encuentra en situaciones concretas, tecnológicas, de súbita aparición y mensurables objetivamente. Tales *usos*, medida de cambio y del progreso social, no sólo reflejan la acción de la técnica sobre la cultura, al decir del autor, sino también la manera de producirse esa acción o influencia. (V. TECNOLOGÍA.)

Usos y costumbres

Expresión que designa al conjunto de prácticas y hábitos adoptados en un ámbito determinado, englobando así tanto a las conductas caracterizadas como *uso* (v.) como a las calificables como *costumbre* (v.).

Usual

Practicado con frecuencia. | Común. | Habitual. | De empleo sencillo o fácil utilización. | Acostumbrado. | Consuetudinario.

Usuario

Titular del derecho real de uso. | En el Derecho Administrativo, quien, por concesión gubernativa, o por otro justo título, aprovecha aguas derivadas de una corriente pública. | El que usa ordinaria o frecuentemente una cosa o un servicio.

"Usucapio pro herede"

Loc. lat. Usucapión a título de heredero.

Usucapión

Del latín *usucapio*, de *usus*, uso o posesión, y *capere*, tomar o adquirir; la adquisición del dominio a través de la prolongada posesión en concepto de dueño.

Usucapir

Adquirir por *usucapión* (v.) o prescripción la propiedad o el dominio de alguna cosa, por haberla poseído durante el tiempo establecido por la ley y con las condiciones exigidas, e incluso sin otras circunstancias que el hecho de poseer, el ánimo de adueñarse de ella y el transcurso del tiempo. (V. PRESCRIPCIÓN ADQUISITIVA.)

Usufructo

Del latín *usus* (uso) y *fructus* (fruto); el derecho de usar lo ajeno y percibir sus frutos. | En general, utilidades, beneficios, provechos, ventajas que se obtienen de una cosa, persona o cargo. | **CONVENCIONAL**. El constituido por convención entre el *propietario*, que se despoja del uso y goce de algo suyo, y el que adquiere tales facultades sobre lo antes ajeno del todo, el *usufructuario*. | **IMPERFECTO**. El que versa sobre cosas que no serían de utilidad para el usufructuario si no las consumiese (como los comestibles) o no cambiase su sustancia (como el dinero). | **JUDICIAL**. El constituido por el juez, ya al decidir una controversia al respecto, ya al aprobar esa desmembración temporal del dominio, en sus derechos de goce y disfrute, en ciertas administraciones legales o contenciosas; en cuyos supuestos ha de ser en principio *usufructo oneroso*, donde el usufructuario paga algo por el derecho, o renuncia o da alguna cosa. | **LEGAL**. El que por disposición imperativa de la ley corresponde a algunas personas sobre los bienes de otras, por razones familiares. | **NORMAL**. El que se constituye sobre cosas no consumibles por el uso, en que cabe conservar la sustancia de los bienes o derechos, pese al disfrute o ejercicio de éstos. (V. USUFRUCTO IMPERFECTO.) | El encuadrado dentro de las disposiciones generales de la institución, y al cual hacen referencia los derechos y obligaciones del usufructuario común. | **PARTICULAR**. Aquel que se refiere a cosas especialmente determinadas; como el de tal finca, aquella casa o el derecho de cobrar un crédito o disfrutar de una renta concreta. | **VITALICIO**. El constituido expresamente durante el tiempo que viva el usufructuario. | El que no indica su duración; porque entonces se entiende que no se extingue, por naturaleza de la institución, hasta que el usufructuario muera.

Usufructuario

El titular del derecho de *usufructo* (v.); quien tiene el uso y disfrute de una cosa ajena, o al menos una de tales facultades, y además no paga periódicamente cantidad alguna ni realiza así otra prestación y que encuentra un límite temporal en lo establecido o en su propia vida, por carecer de facultad para transmitir mortis causa su derecho.

Usura

En sentido estricto, el interés o precio que recibe el mutuario o prestamista por el uso del dinero prestado en el contrato de mutuo o préstamo; de acuerdo con la etimología de *usu*, cual *precio del uso*. | El contrato de mutuo o de préstamo, aun siendo normal el interés. | En significado más amplio, y casi el predominante ya, *usura* es sinónimo del excesivo interés, de odiosa explotación del necesitado o del ignorante, de precio o rédito exagerado por el dinero anticipado a otro, que debe devolverlo además de abonar tales intereses. | Figuradamente, todo provecho, utilidad que se obtiene con una cosa; y de modo especial cuando es grande o excesivo.

Usurario

Concerniente a la usura. | Que participa de esta explotación económica.

Usurpación

Arrogación de personalidad, título, calidad, facultades o circunstancia de que se carece. | Apropiación indebida de lo ajeno; especialmente de lo inmaterial, y más con violencia. | La cosa usurpada. | Apoderamiento, con violencia o intimidación, de un inmueble ajeno o de un derecho real de otro. | El inmueble usurpado. | Cualquier ejercicio ilegal o injusto de un derecho, con desdén para su titular o con despojo de éste. | **DE ATRIBUCIONES**. Delito consistente en arrogarse potestades que pertenecen a una autoridad o funcionario público; con la consiguiente simulación del cargo. | **DE ESTADO CIVIL**. Consiste en la ficción de ser uno otra persona, ya para eludir así alguna responsabilidad, ya para poder de tal forma ejercer un derecho.

Usurpador
Autor, responsable de una usurpación. | Quien ejerce contra Derecho un supuesto derecho.

"Ut antea"
Loc. lat. Como antes.

"Ut infra"
Loc. lat. Como abajo. Se dice en los textos para referirse a pasaje que cabe leer o se inserta más adelante.

Ut retro
Loc. lat. y esp. Como atrás. (V. FECHA UT RETRO.)

Ut supra
Loc. lat. y esp. Como arriba. En documentos se emplea para referirse a lo citado o dicho antes. (V. FECHA UT SUPRA.)

"Uti possidetis"
Loc. lat. Como poseéis o como posees. En el lenguaje diplomático, y en los conflictos internacionales, la expresión se utiliza para referirse a que las partes interesadas deben mantenerse en la situación territorial previa a las hostilidades o discusiones, mientras se resuelve el caso.

Útil
Provechoso, beneficioso. | Que produce frutos. | Que da intereses. | Susceptible de uso o servicio. | Apto para el servicio militar. | En los cómputos, el plazo en que sólo se cuentan los días laborables. | En lo inmobiliario se refiere a la propiedad dividida, con respecto a la que goza y disfruta directamente de la cosa. | Utilidad; ventaja, beneficio. | Utensilio. En este sentido suele emplearse más la voz en plural.

Utilidad
Provecho material. | Beneficio de cualquier índole. | Ventaja. | Interés, rédito. | Fruto. | Comodidad. | Conveniencia. | **PARTICULAR.** Provecho o beneficio económico-jurídico para un individuo o para varias o todas las personas en la esfera de su patrimonio, intereses y causas; pero no como conciudadanos o miembros de la especie, en la perspectiva de los ideales y de las ventajas para la colectividad ciudadana, nacional o humana. | **PÚBLICA.** Todo lo que resulta de interés o conveniencia para el bien colectivo, para la masa de individuos que componen el Estado; o, con mayor amplitud, para la humanidad en su conjunto.

Utilitario
Quien sólo persigue la utilidad o provecho. | Materialista. | Quien antepone la utilidad a los valores del espíritu y al ideal. | Quien es partidario del *utilitarismo* (v.).

Utilitarismo
Doctrina o pensamiento filosófico que sitúa en la utilidad la base de la moral. | Actitud práctica que, desligándose de las ideas de solidaridad humana y aun familiar, y de los ideales de toda índole, sitúa la norma vital en la obtención de la utilidad material.

Utopía
El ideal imposible; el ensueño que no puede ser la vida. Con palabras académicas: "plan, proyecto, doctrina o sistema halagüeño, pero irrealizable". La voz proviene del título de una obra de Tomás Moro, que significa, según la etimología griega, "lugar que no existe", por describir una imaginaria y feliz república o Estado.

Uxoricida
Marido que mata a su mujer.

Uxoricidio
Muerte criminal causada a la mujer por su marido. El vocablo califica tanto el crimen como el acto de cometerlo.

V

V

En el alfabeto español, la vigésima tercera letra y decimooctava de sus consonantes. | En los tratamientos, es la abreviatura de *usted* (como vestigio de *vusted*, en que sí hay *v* inicial) y de *vuestro* o *vuestra*, en las distintas combinaciones con majestad, excelencia, señoría, eminencia y demás. | Por similitud gráfica (abierta ambas arriba y cerradas abajo), la *v* y la *u* se truecan a veces; como en las iniciales romanas *V. F.* (de *usufructus*, usufructo); lo es, por eso también, de universo. | En los textos romanos, jurídicos sobre todo, aparece la *v* como sigla de *vetus* (veto), de *veteranus* (veterano), de *vindicare* (vindicar, reivindicar; vengar), de *vir* (varón), entre otros vocablos. | En lo canónico abrevia las palabras *virgen* y *venerable*.

Vacación

Cesación en el trabajo, estudio, negocios u otras actividades durante varios días consecutivos, semanas y aun algunos meses en el año, con fines de descanso, recuperación de energía y solaz. | Temporada en que se encuentra suspendida por tal causa una labor o quehacer. | Producción de una vacante o puesto que queda libre en una oficina, establecimiento, empresa o lugar de trabajo.

Vacancia

Vacante; empleo o cargo que se encuentra sin proveer.

Vacante

Que vaca o cesa temporalmente, por razón de descanso, en el trabajo o actividad habitual. | Puesto, cargo, empleo libre y sin proveer por muerte, renuncia, jubilación, despido, cesantía u otra causa relativa a su antiguo titular. | Vacación o temporada de descanso. | Renta devengada mientras se encuentra sin proveer un beneficio o dignidad eclesiástica. | Dícese del pontificado sin actual titular. | Carencia de dueño en las cosas. | Sucesión a que no está llamado nadie o que ninguno tiene derecho a recibir, o a la cual renuncian todos los derecho-habientes.

"Vacatio legis"

Loc. lat. Vacación de la ley. Plazo, inmediatamente posterior a su publicación y durante el cual no es obligatoria.

Vacío legal

Ausencia de reglas jurídicas respecto de una cuestión determinada. La expresión se utiliza expresamente respecto del silencio de la legislación respecto de una situación.

Vagabundo

Quien anda errante de una parte a otra. | El ocioso y sin oficio, carente de domicilio fijo y que vive cambiando de uno a otro lugar. (V. TRABAJO, VAGANCIA, VAGO.)

Vagancia

Situación o estado del que carece de oficio o profesión, siempre que no esté impedido físicamente para el trabajo. | Carencia de domicilio fijo. | Vida errante. | Indolencia; repulsión al trabajo. | Flojedad en el estudio, en el desempeño de las tareas. | Ociosidad frívola.

Vago

En los sentidos derivados de *vacuus*, vacío. | Desocupado. | Sin oficio y mal entretenido. |

Refractario al trabajo y al esfuerzo, aun siendo el resultado para sí. | Vaco, vacante, libre para una colocación. | En Aragón y Navarra, erial, solar.

En vago: sin consistencia. | Con riesgo de caerse. | Sin lograr el objetivo. | En vano. | Con engaño en el cálculo o deseo.

Con otra etimología, coincidente con la anterior en algunos significados, de *vagus*, vago es vagabundo o errante. | Sin objeto o fin determinado, sino dependiente de la voluntad, elección o uso. | Indeterminado, impreciso. | Indeciso.

Vale

Promesa escrita, por la cual una persona se obliga a pagar por sí misma una suma determinada de dinero. | Apuntación firmada, e incluso sellada, dada a quien ha de entregar una cosa, para que acredite la entrega y cobre el importe; sirve cual especie de anticipado recibo, que se canjea por la cosa solicitada. | Premio que en los colegios suelen conceder los maestros, por la aplicación o buen conducta, consistente en un papel o cartón, computable para lograr una recompensa más efectiva o para lograr el perdón de alguna falta. | Vale real.

Validez

Cualidad de un acto o contrato jurídico para surtir los efectos legales propios, según su naturaleza y la voluntad constitutiva. | Legalidad de los negocios jurídicos. | Producción de efectos. | Firmeza. | Subsistencia. | Índole de lo legal en la forma y eficaz en el fondo.

Valija diplomática

Cartera de grandes dimensiones o pequeña maleta en que se lleva personalmente, por un empleado de la respectiva embajada o del Ministerio de Relaciones Exteriores, y cerrada o precintada cuidadosamente, la correspondencia oficial entre un gobierno y sus agentes diplomáticos en el extranjero, con el fin de asegurar la máxima inviolabilidad y secreto, aunque para conservar éste debe en casos de interés usarse siempre la cifra.

La *valija diplomática* posee el privilegio de no ser sometida a registro alguno en las aduanas.

Valor

En el grupo de significados materiales: utilidad de las cosas. | Aptitud para satisfacer las necesidades y procurar placeres. | Cualidad de una cosa que lleva a dar por ella, o a pedir para cederla, una suma de dinero o algo económicamente apreciable. | Coste. | Precio. | Rédito. | Fruto. | Producto de bienes, cargos o actividades. | Equivalente de una moneda, sobre todo en relación con otra o con un común patrón.

En la serie de sentidos metafóricos o abstractos: significación, trascendencia, importancia. | De grandes dotes intelectuales o nobleza moral. | Mérito. | Índole del alma que acomete sin temor arduas empresas y desdeña el riesgo anejo, aun el de la muerte en ocasiones. | Arrojo. | Fuerza. | Eficacia. | Osadía, atrevimiento. | Descaro, desvergüenza. | **EN CAMBIO**. Para Adam Smith, el clásico pontífice económico: “La palabra *valor*, debe observarse, tiene dos significados diferentes: unas veces expresa la utilidad de algún objeto particular; y otras, el poder de comprar ciertas mercancías que la posesión de dicho objeto confiere. Uno puede ser llamado *valor en uso*; el otro, *valor en cambio*”. Para Stuart Mill, en Economía política, *valor*, sin otro aditamento, es lo mismo que *valor en cambio*. | **EN SÍ MISMO**. En las letras de cambio y otros títulos mercantiles, fórmula mediante la cual expresa el librador que gira a su propia orden y tiene en su poder el importe del libramiento. | **EN USO**. Cualidad y estimación propia de las cosas necesarias para el consumo o aprovechamiento por el hombre. | **ENTENDIDO**. En las letras de cambio, vales, pagarés, libranzas y otros títulos a la orden, aquel importe o costo que el librador se reserva asentarlo en la cuenta del tomador, cuando median razones o motivos entre ambos para no explicar la causa de la obligación. | **LOCATIVO**. Tasación fiscal de las casas, pisos o habitaciones que utilizan sus propios dueños, los usufructuarios, los titulares de un derecho de habitación o los precaristas, ninguno de los cuales paga alquiler; con el fin de determinar, para la fijación de los impuestos, el que cabría atribuirle. | **NOMINAL**. En los títulos o acciones, el que corresponde a la emisión, pero no a la cotización actual, ni siquiera al precio con que fueron entregados a los primeros titulares o suscriptores. | **RECIBIDO**. Fórmula que, con el agregado “en efectivo”, “en géneros”, “en mercancías” o “en cuenta”, emplea el librador para expresar que así se encuentra reintegrado del importe de la letra de cambio u otro título a la orden.

Valoración

Estimación o fijación del valor de las cosas. | Justiprecio. | Aumento del valor experimentado por una cosa. | **AGRÍCOLA**. Determinación del valor de las tierras, animales, abonos, aperos y máquinas de labranza y de los edificios rústicos. Se valoran de distinta forma las tierras, los árboles, los animales, etc. | **COMERCIAL**. Operación necesaria para establecer el inventario con que un comerciante inicia sus negocios o el balance con que cierra cada ejercicio.

Valores

Títulos o documentos representativos de participación en sociedades mercantiles, por cantidades prestadas, mercaderías y otros objetos de las operaciones del fisco, de los bancos, del comercio, de la industria; transacciones generalmente especulativas o productoras de intereses. | **COTIZABLES**. Los que permiten la fijación de un *valor* en dinero y son susceptibles de negociación en el mercado general, y más concretamente en las bolsas de comercio. | **FIDUCIARIOS**. Los emitidos en representación de dinero, y con promesa de cambio por él; como los billetes de banco sin curso forzoso. | **PÚBLICOS**. Títulos de créditos emitidos por el Estado, las provincias o los municipios, con su simple garantía o con alguna de carácter real, que otorgan al legítimo tenedor suscriptor o adquirente ulterior el derecho de obtener, al vencimiento, el reintegro de la suma entregada u otras prestaciones superiores (como la diferencia entre el *valor* de emisión y el nominal), y además la percepción de los intereses establecidos mientras no se amorticen los *valores*.

Valuación

Esta palabra, las de igual familia *avalúo, evaluación* y *valoración*, y las emparentadas de *tasación* y *justiprecio*, indican todas la fijación del valor de una cosa, señalando el precio de ésta, cuando haya de ser enajenada, objeto de indemnización, adjudicación, dación en pago o para determinar simplemente su expresión en dinero.

"Valuta"

Neologismo por patrón monetario, por unidad de moneda.

Variante

Que varía, cambia o se contradice. | Testigo que declara de manera distinta en el curso de un mismo interrogatorio, índice de mentira; o que cambia del sumario al juicio oral, muestra de "aleccionamiento" probable por alguno de los letrados. | Diferencia que se aprecia al cotejar el original con la copia, o de una a otra edición de la misma obra.

Varón

El ser humano del sexo masculino. | Más especialmente, hombre que ha llegado a la edad viril. | Hombre de autoridad o respetado.

Vasallaje

Vínculo que existía entre el vasallo y el señor; por el cual el primero debía al segundo fidelidad, homenaje, dependencia y aun servidumbre personal; mientras el señor quedaba obligado, si acaso, a respetar la propiedad y la vida del vasallo. | Tributo que el vasallo pagaba al señor. | Prestación personal debida por los vasallos. | Reconocimiento de cualquier dependencia o superioridad.

Vasallo

Individuo sujeto a un señor feudal por vínculo de *vasallaje* (v.). | Pueblo que depende políticamente de otro. | Feudatario. | Súbdito de un soberano o monarca. | Ciudadano con respecto a su gobierno o al Estado. | Antiguamente, el que tenía acostamiento o sueldo con el rey para servirlo con cierto número de lanzas. | Sometido a otro, cuya superioridad reconoce.

Vecinal

Relativo al vecindario. | Propio de los vecinos. | Costeado con recursos de un lugar.

Vecindad

Calidad o condición de vecino, cercano, limítrofe. | Conjunto de las diversas personas que, no siendo de la misma familia y vivienda, habitan en la misma casa. | Conjunto de los que viven en las mismas casas inmediatas o en las cercanas. | Vecindario; totalidad de los habitantes de un municipio, de un distrito o de un barrio de una gran ciudad. | Inmediaciones, alrededores. | Calidad administrativa y política de vecino de un pueblo.

Vecino

Cercano, próximo, inmediato. | Similar, análogo, parecido. | Habitante de una vivienda independiente dentro de una casa, barrio o población. | Quien tiene casa u otros bienes en un lugar, donde contribuye al sostenimiento de las cargas locales, aunque no viva en aquél. | Domiciliado en una localidad, a los efectos municipales administrativos. | Quien ha ganado la *vecindad* (v.) en un pueblo, por prolongada residencia en éste o mediante espontánea petición si concurren algunos de los supuestos legales para abreviar la concesión de la cualidad. | País limítrofe. | Propietario o poseedor contiguo. | Respecto de quien habita una casa, el que vive en distinto piso de ésta, en una de las casas inmediatas por la salida o el interior, o en una cercana, aun sin comunes linderos.

Veda

Prohibición legal o consuetudinaria de hacer algo; como cazar, pescar o entrar con los ganados en lugares acotados. | Lapso que dura la prohibición; especialmente la de la caza, con el fin de permitir la reproducción de las especies, por lo cual se fija, en cada comarca, o para las distintas especies, según la época de las crías y mientras son éstas de poco tiempo. Difieren las normas legales según que la veda sea de pesca o de caza.

Vedar

Prohibir, impedir por ley, reglamento, estatuto y orden. | Dificultar, estorbar. | ant. Suspender o privar de un cargo.

Veedor

Antiguamente, perito o experto que apreciaba y determinaba, por oficio o comisión de ciudad o villa, las condiciones legales de las obras de un gremio u oficina de bastimentos. | En las caballerizas reales de antaño, el segundo jefe; el encargado de las provisiones del ganado y de la conservación de carrozas, coches y sus pertrechos. | Jefe militar que, en los ejércitos de otros tiempos, cumplían funciones de inspector. | ant. Juez, ministro, visitador que desempeñaba tareas fiscalizadoras. | Inspector. (V. OIDOR.)

Vejación o vejamen

La acción o efecto de vejar. | Maltrato de hecho. | Ofensa verbal. | Padecimiento injusto que se impone a otro.

Vejez

Edad de la vida en que suele iniciarse la decadencia física de los seres humanos; calculada alrededor de los 60 años. | Cualquiera cosa con mucho tiempo.

Venal

Ofrecido en venta. | Susceptible de ser vendido. | Inmoral, que se deja sobornar.

Venalidad

Corrupción o falta de escrúpulos y moral del que se deja sobornar.

Vencido

Derrotado. | Perdedor. | Litigante, cuya causa es rechazada; sea el actor, cuando el demandado es absuelto de la demanda; o el demandante, si prospera la excepción o reconvención de su adversario. | Por antonomasia, el que pierde una guerra, sea por causas militares, económicas, deslealtades o de otro orden.

Vencimiento

Acción de vencer, o victoria para el ganador. | Efecto del vencer ajeno, o *derrota* para el perdedor. | La voz se emplea, más que en las luchas bélicas, donde *derrota* acapara el significado, en materia de obligaciones sujetas a plazo y en los términos judiciales o de otra índole.

Vendedor

Ocasionalmente, en el contrato de compraventa civil, el que vende o enajena la cosa que el comprador adquiere en propiedad. | Profesionalmente, en la compraventa mercantil, el comerciante o el dependiente y otro auxiliar de él que vende o hace de intermediario ejecutivo ante el cliente o parroquiano. En el comercio, pues, cabe ser vendedor de lo ajeno, teniendo poder para ello.

Vender

Transmitir el propietario o vendedor una cosa de su propiedad al adquirente o comprador. | Ofrecer cosas en venta pública. | Hacer algo contra la ley o moral a cambio de una recompensa material. | Traicionar. | Engañar; abusar de la confianza. | Descubrir un secreto, honrado u delictivo, pero que perjudica.

“Venditio”

Voz lat. Venta. El contrato de compraventa visto desde el lado del vendedor.

Venganza

Satisfacción directa del agravio. Esta reparación privada del mal que otro causa, o que por tal se toma, rebaja, cuando existe la posibilidad y la garantía de recurrir a la Justicia, a la humanidad, a la condición del salvajismo, en que no hay más juez que la víctima o los suyos. | ant. Pena, sanción, castigo.

Vengar

Satisfacer privadamente un agravio, daño o perjuicio. | Desquitarse de derrota. | Devolver mal con mal.

Venia

Perdón de ofensa. | Remisión de culpa. (V. AMNISTÍA, INDULTO.) | Autorización, licencia o permiso para ejecutar algo, si no está prohibido.

| Facultad concedida a los menores de edad para que puedan administrar sus bienes. | Reverente saludo inclinando la cabeza. | Tomando de esta acepción, en Sudamérica se dice por saludo militar; aunque no existe en él inclinación, ni sea cortesía, sino deber para con los superiores, por imperio de la disciplina y de la jerarquía. | **JUDICIAL**. Permiso o autorización que para ciertos actos se requiere de los jueces, que la conceden o niegan tras considerar su legalidad y convivencia. | Respetuosa autorización que el fiscal y los letrados recaban del tribunal para usar de la palabra, ya sea para interrogar a las partes, a los peritos o testigos, ya para alguna interrupción, o para iniciar sus alegatos o proceder a la rectificación procedente. En los tribunales colegiados suele decirse: "*Con la venia de la sala*".

Venial

Sin mucha gravedad. | Califica la infracción leve de una ley o precepto.

Venir

Como todo verbo de múltiples acepciones, éste, que significa ante todo acercarse o caminar desde allí hacia aquí, posee aspectos de interés jurídico. | Ajustarse o conformarse algo a las necesidades o conveniencias de una persona. | Avenirse, transigir. | Volver al tema tras una digresión. | Resolver, decidir, con empleo en fórmulas promulgadas o definidoras tal como la de "*Vengo* a decretar..." o "*Vengo* en disponer...". | Pasar la propiedad u otro derecho de unos a otros. | Acercarse un plazo a su término. | Suceder, acontecer.

Venta

Enajenación de una cosa por precio o signo que lo represente. | El *contrato de compraventa* (v.) considerado desde el lado del vendedor. (V. COMPRA.) | Por antonomasia, ya que la cosa vendida resulta más individualizable que el precio o el dinero (igual dentro de una nación), la misma compraventa; el contrato por el cual una de las partes, el vendedor, se obliga a transferir a la otra, el comprador, la propiedad de una cosa, a cambio de un precio cierto en dinero o cosa equivalente. Como tal contrato, es bilateral, principal, consensual y oneroso. | Casa situada generalmente en los caminos, para descanso y refrigerio de caminantes y viajeros. | **"AD MENSURAM"**. La enajenación en que el precio se fija por unidad o medidas, y no por la totalidad de la cosa; como la de una finca a tanto la hectárea, que requiere medida o comprobación de la indicada. | **FACULTATIVA**. La que permite al vendedor, dentro del plazo fijado, sustituir el objeto de la compraventa por otro, señalado en algún modo. | **JUDICIAL**. La que se realiza con intervención de un tribunal de justicia, ya en la ejecución de una sentencia, ya en acto de jurisdicción voluntaria. | También aquella en que se recaba la licencia judicial, aunque se realice particularmente; como en determinados casos con los bienes de la casada, de los menores, incapacitados y emancipados. | **PÚBLICA**. Almoneda. | La enajenación por precio que se hace en pública subasta por autoridad de justicia y con las formalidades establecidas en las leyes. | La hecha en bolsa de comercio o por medio de agente oficial de comercio, con aceptación libre de licitadores o compradores.

Verdugo

Renuevo de un árbol. | Azote que se hace de cuero u otra materia flexible. | Persona encargada de ejecutar por sí sola la pena de muerte; ya que la palabra *verdugo* no se da a los piquetes de ejecución, ni siquiera al oficial o jefe que los manda. | Antiguamente, el ministro de la justicia encargado de los castigos corporales; como los azotes, la marca y el tormento en general. | Todo el que descuella por su crueldad. | Falto de piedad. | Molestia, tormento.

Veredicto

Del latín, *vere*, con verdad, y *dictus*, dicho. Lo dicho con verdad, en el sentido subjetivo, como adecuación entre el pensamiento y su declaración. *Veredicto* es la declaración solemne que hace el jurado, como tribunal de hecho, acerca de las pruebas de un proceso, con la resultante de culpabilidad o inocencia de las personas; que luego corresponde fundar a los jueces de Derecho. | Metafóricamente, dictamen, parecer, juicio. | Impropiamente, el fallo de un tribunal en que no interviene el jurado. | Sentencia.

Vergüenza

"Turbación del ánimo, que suele encender el color del rostro, ocasionada por alguna falta cometida, o por alguna acción deshonrosa y humillante, propia o ajena" (*Dic. Acad.*). | Pundonor; estimación propia. | Rubor. | Timidez. | Pudor. | Lo que por moral o decencia contraría y repugna hacer. | Acción que hace desmerecer. | En el antiguo Derecho Criminal, la pena o castigo que se daba exponiendo al reo a la afrenta y a la confusión pública, con alguna insignia de su delito (Escriche). (V. VERGÜENZA PÚBLICA.) | **PÚBLICA**. Pena infamante muy frecuente en la Edad Media. Solía imponerse junto con la de azotes; para así herir al mismo tiempo el cuerpo y el alma del reo.

Verificación

Prueba, probanza. | Comprobación. | Cotejo. | Examen. | Revisión. | Cumplimiento de lo anunciado. | Realización de un proyecto (*Dic. Der. Usual*).

Veto

Se denomina así el derecho que tiene el mal llamado jefe del Estado (monarca o presidente de la república) para rechazar la *promulgación* (v.) de una ley sancionada por el Poder Legislativo. Desechado en todo o en parte el proyecto de ley por el Poder Ejecutivo, vuelve con sus objeciones a la cámara de origen, para que lo discuta de nuevo, y si lo confirma por mayoría de dos tercios de votos, pasa de nuevo a la cámara de revisión, y si también ésta lo sanciona por igual mayoría, el proyecto es convertido en ley y pasa al Poder Ejecutivo para su promulgación, sin que el Poder Ejecutivo (o el moderador en su caso) pueda volver a vetar la ley. En lo canónico, derecho que ejercieron algunos monarcas, al menos hasta la elección de Pío X, para oponerse a que ciertos cardenales fueran elegidos papas.

Vía

Camino, carretera, calle. (V. VÍA PÚBLICA.) | Carril, rail, riel. | Vía férrea: ferrocarril, como obra. | Conducto. | Dirección o camino que toman los correos. | Ordenamiento procesal. | Juicio; como *vía ejecutiva u ordinaria*. | Jurisdicción; cual *vía gubernativa* o *contenciosa*. | Medio de hacer efectivo un derecho. | Manera de actuar. | **CONTENCIOSA**. Procedimiento judicial ante la *jurisdicción ordinaria* (v.), a diferencia del seguido ante la administrativa o gubernativa. | **DE COMUNICACIÓN**. Cualquier camino terrestre, ruta marítima o conveniente línea aérea para facilitar el traslado de las personas y el transporte de las cosas de un punto a otro. | **EJECUTIVA**. Expedito procedimiento judicial de pago, que busca la conversión en dinero de los bienes del deudor reacio, mediante el previo embargo de bienes bastantes. (V. JUICIO EJECUTIVO.) | **GUBERNATIVA**. Procedimiento seguido ante la administración, y que debe preceder a la *vía contenciosa* (v. y JURISDICCIÓN ADMINISTRATIVA.) | **JERÁRQUICA**. Por conducto regular, por orden jerárquico, y singularmente hacia arriba; porque, si un general se dirige directamente a un soldado, o un ministro a un oficinista de la administración pública, en asuntos del servicio u oficiales, no quebranta ningún precepto; pero lo opuesto puede costar un arresto en la milicia y una medida disciplinaria, aunque no privativa de libertad, en la burocracia oficial. | **ORDINARIA**. La forma procesal más común y de mayores garantías, que sigue la tramitación o curso del *juicio declarativo* (v.). Se contrapone a la *vía ejecutiva* y a la *sumaria*, y la antigua reservada (v.; y, además, JUICIO ORDINARIO, JURISDICCIÓN ORDINARIA). | **PÚBLICA**. | La *vía de comunicación* destinada a la circulación de las personas, tránsito de animales y vehículos; como *calles*, *plazas*, *caminos*, *carreteras* y otras análogas. | **SUMARIA**. Procedimiento abreviado, ya por el carácter posesorio de la cuestión en lo civil, ya por la índole grave o flagrante de los hechos en lo penal. Se contrapone a la *vía ordinaria*; y se diferencia, aunque coincida con ella en la rapidez, pero no en cuanto al carácter del fallo, generalmente provisional al ejecutar, de la *vía ejecutiva* (v. y, además, JUICIO SUMARIO y SUMARÍSIMO.)

Viable

Capaz de poder seguir viviendo el nacido. | Probable. | Factible. | Hacedero.

Viajante

Viajero. | Dependiente mercantil que recorre distintas plazas para hacer compras o ventas por cuenta de un comerciante.

Vías de derecho

Recurso a la Justicia para hacer valer un derecho o exigir un deber. (V. VÍAS DE HECHO.)

Vías de hecho

Justicia por la propia mano. | Atentado de toda índole contra el derecho ajeno y contras las personas. | Violencia injusta.

Vicario

Suplente, sustituto, reemplazante de otro; quien hace sus veces. | En las órdenes religiosas, el segundo, luego del superior; al que sustituye en las ausencias, vacantes, indisposiciones y faltas. | Juez eclesiástico, elegido y nombrado por un prelado, para que ejerza la jurisdicción canónica ordinaria sobre los fieles.

Vicio

Mala conducta con probables o seguros perjuicios para el cuerpo o el espíritu. | Defecto físico. | Daño material. | Mala calidad. | Inmoralidad. | Deshonra. | Falsedad. | Yerro. | Defecto que anula o invalida un acto o contrato; sea de fondo o forma. | Gran afición por una cosa. | Excesiva tolerancia. | Mala costumbre o resabio de un animal. | **DE FONDO**. El que afecta a la esencia de un acto jurídico, por incapacidad de las partes, consentimiento inválido o ilicitud del objeto. (V. VICIO DE FORMA.) | **DE FORMA**. Omisión o quebrantamiento de cualquier requisito extrínseco, convencional o legal, para la validez de un acto jurídico, que debilita su eficacia o provoca su nulidad, de acuerdo con la solemnidad o simple elemento probatorio del precepto vicioso. (V. VICIO DE FONDO.) | **DEL CONSENTIMIENTO**. En la manifestación o declaración de la voluntad de las partes que se obligan, todo hecho contrario a la libertad y conocimiento con que la declaración debe ser formulada. Para la validez de cualquier acto o contrato, el consentimiento no debe estar viciado, sino surgir espontáneo y libre. | **OCULTO DE LA COSA.** Los defectos no manifiestos que tenga la cosa vendida. | **REDHIBITORIOS**. Para el Cód. Civ. arg., son tales "los defectos ocultos de la cosa cuyo dominio, uso o goce se transmitió por título oneroso, existentes al tiempo de la adquisición, que la hagan impropia para su destino, si de tal modo disminuyen el uso de ella que, a haberlos conocido el adquirente, no la habría adquirido, o habría dado menos por ella".

Vicioso

Causa de vicio. | Que lo tiene. | Defectuoso. | Erróneo. | Ineficaz. | Nulo. | Dado a los vicios. | Entregado a los deleites carnales sobre todo. | Resabiado. | Excesivamente mimado, con las probables deformaciones del carácter y reacciones antisociales fuera del círculo de favor.

Víctima

Persona o animal destinados a un sacrificio religioso. | Persona que sufre violencia injusta en su persona o ataque a sus derechos. | El sujeto pasivo del delito y de la persecución indebida. | Quien sufre un accidente casual, de que resulta su muerte u otro daño en su persona y perjuicio en sus intereses. | Quien se expone a un grave riesgo por otro.

Victimario

En el paganismo, servidor de los sacerdotes gentiles que encendía el fuego de los sacrificios, ataba a la víctima en el ara y la sujetaba para evitar su reacción natural. Era, pues, una especie sin más de verdugo si de personas se trataba, y auxiliar del matarife si de animales era el caso. | En América, homicida o autor de lesiones criminales. | Quien causa víctimas de cualquiera índole.

Vida

La manifestación y la actividad del ser. | Estado de funcionamiento orgánico de los seres. | Tiem-po que transcurre desde el nacimiento hasta la muerte. | Manera de vivir o costumbres y prácticas de una persona, familia o grupo social. | Unidad o unión del cuerpo y alma del hombre. | Modo de vivir en cuanto a la profesión, oficio u ocupación. | Alimento preciso para la existencia. | Persona; ser de la especie humana. | Historia de una persona. | Estado del alma tras la muerte. | Origen del ser o que contribuye a su conservación y desarrollo. | Animación, expresión, viveza. | Dicho de las mujeres, prostitución; *darse a la vida*; *mujer de mala vida*. | ant. Lapso de 10 años, en acepciones estrictamente forenses. | Por notable paradoja, la misma *muerte* (v.); ya en expresiones generales, como *pasó a mejor vida* o la *otra vida*; ya en locuciones punitivas, como *pena de vida*, igual que *pena de muerte*. | **CIVIL**. Facultad de gozar de todas las ventajas concedidas a los ciudadanos por las leyes del Estado; como la de poder enajenar y gravar los bienes propios, adquirir los ajenos, proceder en justicia, obligarse en general, comerciar, contraer matrimonio, testar, etc. Equivale a la *capacidad jurídica de obrar* (v.). Se contrapone especialmente a la antigua *muerte civil (v.)*. | **PRIVADA**. La desenvuelta en la esfera de las relaciones del Derecho privado; sean civiles, mercantiles o de otra índole. | El conjunto de actividades y relaciones de familia. | Comportamiento del individuo en su hogar o con respecto a personas de su trato íntimo. | **Y MILAGROS**. Proceder y argucias de cada uno en la lucha por la existencia. Antecedentes personales o relato de su vida. Suele referirse a individuos de extraño o desconocido vivir, con matices de bohemia, genialidad, hampa o delincuencia.

Vidual

Concerniente a la viudez.

Vigencia

Calidad de vigente; obligatoriedad de un precepto legislativo, de la orden de una autoridad competente. | Subsistencia de una disposición cualquiera, pese al tiempo transcurrido, a su no aplicación e incluso contra el uso.

Vigente

En vigor y observancia. Se refiere a leyes, ordenanzas, reglamentos, costumbres, usos, prácticas y convenciones.

Vigilancia

Cuidado, celo y diligencia que se pone o ha de ponerse en las cosas y asuntos de la propia incumbencia. | Servicio público destinado a velar por determinadas instituciones, personas y cosas. | Pena consistente en someter a una persona, absuelta o que ha cumplido ya su condena, al cuidado de la autoridad, con el fin de observar su comportamiento en sociedad y proceder a asegurar su persona en caso de conducta irregular.

Vinculación

Prohibición de enajenar. | Sucesión predeterminada. | Sujeción o gravamen de bienes para perpetuarlos en el empleo o familia designados por el fundador. | Perpetuación en el ejercicio de una función. | Gravamen perpetuo que se impone a una fundación. | ant. Aseguramiento con prisiones.

Vincular

Prohibir la enajenación de ciertos bienes. | Ordenar la sucesión de determinadas cosas a través de varios herederos y generaciones. | Sujetar o perpetuar ciertos bienes en un empleo o asignarlos con igual carácter a una persona jurídica de indefinida duración. | Fundar o apoyar una cosa o pretensión en otra. | Continuar, proseguir el desempeño de una función o el ejercicio de la actividad. | En la Argentina, poner en relación con otras personas.

Vínculo

Atadura, lazo, nexo. | Para Escriche, la unión y sujeción de los bienes al perpetuo dominio de alguna familia, con prohibición de enajenarlos. | También, el gravamen o carga perpetua que se impone en alguna fundación o a favor de una ya existente. | Bienes adscritos a una vinculación. | **MATRIMONIAL**. Relación o parentesco existente entre el hombre y la mujer por razón de su casamiento.

"Vindex"

Voz lat. Defensor o protector. En el primitivo procedimiento romano, el pariente o amigo que, durante la *manus injectio* (v.), intervenía para que el magistrado liberara del poder del demandante al demandado; o entablaba un virtual proceso con el actor acerca de la legitimidad de sus pretensiones.

Vindicación

Venganza. | Defensa. | Contestación justificadora que por escrito formula quien ha sido calumniado o injuriado. | Reivindicación. | **DE OFENSA**. Justa venganza de un agravio. | Reacción natural contra un ultraje.

Vindicar

Vengar; reparar directamente el acto injusto sufrido de otro. | Reivindicar; recobrar la posesión o propiedad de lo arrebatado o retenido contra Derecho. | Defender por escrito al injustamente ultrajado. | Castigar, penar. | Restablecer el buen nombre o fama.

Vindicativo

Vengativo. | Rencoroso. | Se aplica al escrito o discurso en que se defiende la fama, nombre u honra del injustamente ultrajado, ofendido o deshonrado.

Violación

Infracción, quebrantamiento o transgresión de ley o mandato. | Incumplimiento de convenio. | Tener acceso carnal con mujer privada de sentido, empleando fuerza o grave intimidación o, en todo caso, si es menor de 12 años, en que carece de discernimiento para consentir un acto de tal trascendencia para ella. (V. VIOLACIÓN DE LA MUJER.) | Profanación de lugar sagrado. (V. PROFANACIÓN.) | Alejamiento, desdoro de una cosa. | Delito, falta. | **DE CORRESPONDENCIA**. Atentado contra el secreto o respeto que el correo merece, por la confianza de las personas que lo utilizan y para no defraudar, en cuanto a los organizadores del servicio, a quien ha pagado el franqueo para que el traslado y la entrega de la correspondencia se efectúen con total normalidad. | **DE DOMICILIO**. Entrada en domicilio ajeno contra la voluntad del dueño, y sin que concurra alguna necesidad imperiosa y legítima para quien lo hace ni el cumplimiento de un deber como autoridad o en relación con el prójimo. | En algunos ordenamientos jurídicos, la permanencia en vivienda de otro, aun habiendo entrado con su permiso, cuando se ordena el inmediato abandono del domicilio. | **DE LA LEY**. Infracción del Derecho positivo; ya sea norma de índole civil, que permite exigir su cumplimiento forzoso o la reparación consiguiente; ya algún principio cuya transgresión lleve aneja alguna consecuencia punitiva, por constituir delito o falta. | **DE LA MUJER**. Delito contra la honestidad y contra la libertad que se comete yaciendo carnalmente con mujer contra su voluntad expresa, por emplear fuerza o grave intimidación; contra su voluntad presunta, por encontrarse privada temporal o permanentemente de sentido, por enajenación mental, anestesia, desmayo o sueño; o por faltarle madurez a su voluntad para consentir en acto tan fundamental para su concepto público y privado, para la ulterior formación de su familia y por la prole eventual que pueda tener. | **DE SECRETOS**. Delito que comete el funcionario público que revela o descubre cuestiones reservadas de las que, por razón de su cargo, tenga noticia o hechos de publicidad vedada, o por divulgar documentos que estén bajo su custodia.

Violencia

Situación o estado contrario o naturaleza, modo o índole. | Empleo de la fuerza para arrancar el consentimiento. | Ejecución forzosa de algo, con independencia de su legalidad o ilicitud. | Coacción, con el fin de que se haga lo que uno no quiere, o se abstenga de lo que sin ello se querría o se podría hacer. | Presión moral. | Opresión. | Fuerza. | *Violación de la mujer* (v.), contra su voluntad especialmente. | Todo acto contra justicia y razón. | Proceder contra normalidad o naturaleza. | Modo compulsivo o brutal para obligar a algo. | Interpretación excesiva o por demás amplia de algo.

Violento

Fuera de naturaleza, normalidad, situación o modo de ser. | Con fuerza. | Contra la voluntad. | Con daño o destrozo. | Iracundo, colérico. | Falso, tergiversado; objeto de interpretación audaz o contra sentido. | Contra justicia y razón al ejecutar algo. | Por accidente o mano del hombre; como en la muerte violenta. | Sin título o con vicios jurídicos.

Virrey

Representante o delegado de un rey, en cuyo nombre gobierna lejanas provincias o territorios. La voz, como tantas otras, procede de *vice*, el que hace las veces de *rey*; y todavía conserva intacta su raíz en francés (*vice-roi*), en italiano (*vice-re*), en portugués (*vice-rei*), en inglés (*vice-roy*) y en alemán (*vice-könig*).

Virtual

Con virtud, fuerza o idoneidad para producir un efecto, que actualmente se produce. | Implícito. | Tácito.

Visado

Así, y no el "*visa*" o cosas más raras que tal galicismo, debe decirse al acto, diligencia y formalidad de visar un pasaporte un cónsul o un representante diplomático. | En general, adveración de un documento; legalización de éste.

Visar

Reconocer, examinar un documento. | Autorizarlo para determinados fines. | Visar un pasaporte el representante diplomático o consular del país a que se propone ir una persona, para autorizar la entrada, paso o permanencia, con el consiguiente abono de derechos. | Poner el *visto bueno* (v.).

Visita

Acto de ir a ver a alguien en su casa, o en lugar donde permanece o se encuentra por razón de trabajo u otra causa. | Tribunal –como edificio– de los visitadores eclesiásticos. | Conjunto de magistrados, jueces o auxiliares que practican la visita de cárceles. | Inspección. | Registro. | Información sobre el lugar. | Asistencia domiciliaria del médico. | Concurrencia frecuente a un lugar. | Reconocimiento sanitario en los puertos. | Facultad que se atribuyen los beligerantes para detener e inspeccionar por medio de la escuadra, los buques mercantes de los neutrales; ya en aguas próximas a los teatros de operaciones, ya en puntos estratégicos, con el fin de cortar todo comercio con el enemigo, y en especial el denominado *contrabando de guerra* o para imponer la efectividad del bloqueo.

Visitador

El juez, ministro o funcionario que tiene que hacer visitas, reconocimiento o registros por razón de su cargo o funciones. | Inspector.

Vista

El sentido corporal que permite apreciar las formas sin tocarlas y los colores. Su falta, al crear incapacidad jurídica general, motiva diversas restricciones y exclusiones; también determinadas sanciones para el autor de la desgracia. | Visión; percepción ocular. | Un ojo, o ambos, según las expresiones. | Clara noticia de un caso. | Conocimiento preciso. | Propósito, finalidad, intención. | Empleado de aduanas, encargado del registro de mercaderías importadas o exportadas. | En el principal de sus significados jurídicos, audiencia o actuación en que un tribunal oye a las partes o a sus letrados, en un incidente o causa, para dictar el fallo.

Vistas

Concurrencia o coincidencia en lugar y tiempo de dos o más personas, citadas para un objeto determinado. | Regalos que los novios se hacen recíprocamente con motivo de la boda. | Ventana, balcón, puerta u otro hueco por el cual penetra la luz que permite ver dentro de una habitación. | Galería, balcón u otras aberturas que permiten ver desde el interior de una vivienda o local hacia el exterior. | Por antonomasia, la *servidumbre de vistas* (v.). | Derecho de abrir huecos en la pared propia para poder contemplar lo exterior; ya den sobre propiedad ajena a distancia legal; ya a menor de ésta, en que significa restricción del ajeno dominio; ya sobre vía pública o tierra del dominio público, en que a nadie perjudican ni limitan.

Visto

Fórmula administrativa para indicar que no procede dictar resolución en el caso. | Fórmula con que el juez o el presidente de un tribunal colegiado da por concluida la vista de una causa o anuncia el pronunciamiento del fallo. Así el art. 330 de la Ley de Enj. Civ. esp. preceptúa que, después de oídos los letrados de las partes, y de las rectificaciones en su caso, se dará por terminado el acto pronunciando el presidente la fórmula de "*Visto*". | Fórmula también con la cual el Ministerio Público acepta la admisión de un recurso de casación; así, luego de interpuesto en tiempo y forma el recurso de esa índole por infracción de ley o de doctrina legal, los autos pasan por 10 días al fiscal; si éste estima procedente la admisión, devolverá los autos con la fórmula de "*Vistos*" (art. 1.723 de la ley cit.). | Declaración con que un juez o tribunal expresa haber examinado un escrito, expediente, documento o asunto. | Además, la parte de la sentencia, resolución o dictamen en que un tribunal, antes de los considerandos por lo general, cita los preceptos aplicables para el fallo o resolución. | **BUENO**. Casi siempre se emplea esta locución en forma abreviada: *Vº Bº*. Es fórmula burocrática, administrativa y judicial, para aprobar una petición, ratificar una resolución o informe de algún inferior, certificar un documento, dar fe de estar extendido en forma legal o de ajustarse a las normas establecidas. | En general, lo mismo que aprobación, autorización, ratificación.

Vitalicio

Que dura todo la vida, desde que se obtiene el cargo, pensión, renta o merced de que se trate. | Titular de un cargo vitalicio. | Nombre que se ha dado a la póliza del seguro de vida. | Ingreso o pensión que continúa hasta acabar la vida de quien la disfruta.

Viuda

La mujer que sobrevive a su marido, mientras no contraiga nuevas nupcias. | En lenguaje popular, horca.

Viudo

El hombre a quien se le ha muerto su mujer y no ha contraído nuevas nupcias. A diferencia de la *viuda* (v.), la capacidad jurídica del *viudo* no experimenta alteraciones sensibles por el hecho de perder a su compañera conyugal. No obstante, trae ello consigo diversas situaciones de interés para el Derecho, de aplicación común a las *viudas*, salvo hacerse la aclaración pertinente.

Vivienda

Habitación. | Casa, morada. | Lugar habitado o habitable. | Manera de vivir. | Género de vida.

Vocación

Toda inclinación o afición. | Llamamiento.

Vocación hereditaria

La palabra *vocación* representa una forma anticuada en castellano de su sinónimo *llamamiento*, pero es de uso frecuente en el lenguaje forense, referida a la herencia. Messineo dice que *vocación hereditaria* es un término equivalente a "llamada a la sucesión" y representa el título o la causa de ella; indica que alguno está destinado a adquirir la calidad de sucesor mortis causa, con independencia de que luego llegue o no a suceder. La *vocación hereditaria* proviene de la voluntad de la ley (legítima o ab intestato) o de la voluntad del causante (testamentaria).

Vocal

Relativo a la voz. | De ahí, por cuanto opina al menos o razona su voto, nombre de la persona que, sin ejercer la dirección o presidencia de un

Consejo, junta o congregación, tiene *voz* en ésta y ejerce alguna función importante dentro de la asamblea o asociación.

Vocero

El representante de otro y que llevaba la voz por él; o hablaba en su nombre, por tener habilidad o contar con influjo en el caso. | De ahí y por hacerse la defensa de viva voz, y no por escrito, *vocero* se ha dicho antiguamente, como en las Partidas, por abogado.

Voluntad

Potencia o facultad del alma que lleva a obrar o a abstenerse. | Acto de admitir o repeler algo. | Aceptación. | Rechazamiento. | Deseo. | Intención. | Propósito. | Determinación. | Libre albedrío. | Elección libre. | Amor, afecto. | Benevolencia. | Mandato. | Disposición. | Orden. | Consentimiento. | Aquiescencia. | Carácter; energía psíquica capaz de mantener o imponer el propio criterio y la resolución adoptada frente a la oposición y los obstáculos. | **EXPRESA**. De palabra o por escrito, la que no deja lugar a dudas acerca de su declaración y términos. (V. VOLUNTAD PRESUNTA y TÁCITA.) | **GENERAL**. Fórmula vaga con que se hace referencia a la colectiva y unánime; o a la de la mayoría. En expresión más cómoda, se identifica con la *opinión pública* (v.). | **PRESUNTA**. La aceptación o negativa de un sujeto que la ley predetermina, de no constar; o que se conjetura, de no conocerse. En cuanto a la primero, la no manifestación en contrario, convierte la *voluntad presunta* en eficaz en el sentido que la legislación le atribuye. | **TÁCITA**. La que, sin manifestarse por palabras o hechos concluyentes, se deriva de abstenciones o silencios que a ella equivalen. Se contrapone a la *voluntad expresa*. | **UNILATERAL**. Para Planiol y Ripert, la que no encuentra otra ni puede, por tanto, formar un contrato. | Con más generalidad, la que pertenece a un solo individuo y surte sus efectos por sí sola; como la del testador, y la de la promesa u ofrecimiento público dentro de ciertos límites y plazos.

Votación

Acto electoral. | Depósito de votos. | Decisión o elección por ellos. | Total de votos emitidos. (V. SUFRAGIO, VOTO.) | **DE SENTENCIAS**. En los tribunales colegiados, acto de resolver los magistrados que lo integran la decisión que ha de tomarse en el caso, mediante mayoría de criterios conformes u otra medida que de ello se derive. | **NOMINAL**. En las asambleas parlamentarias y en las corporaciones, la que se efectúa indicando cada votante su nombre o votando al ser nombrado en la lista respectiva. Suele exigirse en los casos de mayor importancia, para que conste la responsabilidad que a cada cual corresponde por votar a favor o en contra.

Votar

Hacer un voto religioso; declaración unilateral de voluntad que impone un sacrificio u obliga a un donativo dedicado a Dios, la Virgen o los santos. | Jurar, renegar; decir palabrotas. | Depositar el voto en una elección por papeletas o bolas. | Declarar la opinión propia en una votación nominal o en otra en que la actitud equivalga a declarar la voluntad; como levantando el brazo o poniéndose de pie.

Voto

Promesa hecha a Dios, a la Virgen o algún santo, y consistente en una actitud que representa un sacrificio voluntario o en un don que se ofrece condicionalmente —de obtenerse una finalidad, como la curación de una enfermedad— o simplemente, sea cual fuere la ulterior realidad. | También en lo canónico, prometimiento solemne que hacen los religiosos al profesar, y que se traduce en los de pobreza, obediencia y castidad. | En las asambleas o en los comicios, el parecer que se manifiesta de palabra o por medio de papeletas, bolas o actitudes (levantarse o levantar el brazo), para aprobar o rechazar alguna propuesta, para elegir a alguna persona o a varias para determinados cargos, para juzgar la conducta de alguien o para mostrar la adhesión o discrepancia con respecto a una o más personas. | Dictamen, parecer, opinión. | Votante; elector. | Ruego con que se pide una gracia o favor a la divinidad. | Juramento, execración; palabras soeces en general y en particular las que agravian los sentimientos predominantes de religiosidad en un pueblo y época determinados. | Deseo, apetencia. | Exvoto. | **ACUMULADO**. El tendiente a la protección o refuerzo de las minorías; para lo cual se permite al elector que, en lugar de votar a dos o más candidatos, otorgue dos o más de sus votos a un mismo candidato, para aumentar sus probabilidades de triunfo, aunque con ello debilite las de sus compañeros de candidatura. | **DE CENSURA**. En las asambleas parlamentarias o en las reuniones de asociaciones, el que los representantes o miembros de aquéllas o éstas aprueban para negar su confianza al gobierno, a su presidente o a la junta directiva; y que obliga, aun no estando establecido concretamente, a dimitir o renunciar, de no resolverse el conflicto, en las Cámaras tan sólo, por la disolución de éstas y una nueva convocatoria para que la opinión pública decida. | **DE CONFIANZA**. Aprobación que las Cámaras dan a un gobierno al presentarse ante ellas, como demostración de contar inicialmente con el apoyo de la mayoría de los legisladores. | Ratificación que el Parlamento hace al gobierno, cuando ante una situación especial o ataques de la oposición, o división de la anterior mayoría, se recaba la opinión del Poder Legislativo por el Ejecutivo, para comprobar que sigue contando con su adhesión. | Autorización para que el gobierno actúe en determinada forma hecha por el Parlamento. | **SOLEMNE**. El que se hace con publicidad y formalidades especiales, que le otorgan mayor trascedencia.

Voz

Vibración sonora de las cuerdas vocales a consecuencia de salir por la laringe el aire expelido de los pulmones. | Grito. | Palabra, vocablo, término. | Cada uno de los artículos de un Diccionario. De ahí la reiterada abreviatura que en éste se efectúa para las remisiones: v. (véase). | Autoridad de un dicho o hecho a causa de la opinión común al respecto. Así se dice, por ejemplo, que "es *voz* que tal viuda no lleva vida honesta", por ser muchos los que tienen al menos vehementes indicios en tal sentido. | Derecho, potestad, poder o facultad para obrar en nombre propio e incluso en el ajeno. | Voto, como parecer u opinión en una junta o asamblea, aun sin el derecho de tomar parte en el cómputo numérico de los que resuelven. | Voto, sin más. | Fama, opinión. | Rumor, dicho. | Pretexto público. | Llanto.

Vulgata

En Derecho Romano, nombre de la versión del *Digesto* que fue publicada por los antiguos editores. Se basa en manuscritos de los siglos XI y XII. | Denominación dada a las *Novelas* de Justiniano, utilizadas de manera exclusiva, con el nombre de *Auténtica*, en los tribunales del Occidente europeo. | En Derecho Canónico, la traducción latina de la Biblia, aprobada por la Iglesia, y que ésta resistió durante siglos con el fin de evitar la adulteración del texto, probable cuando la cultura estaba poco generalizada. Constituye el primer paso para autorizar la traducción a los idiomas vulgares, y la lectura y conocimiento general de los textos sagrados.

W

W

Vigésima cuarta letra del abecedario y decimonovena de sus consonantes.

Muy utilizada en el inglés, está difundida como abreviatura del Oeste (*West*) en mapas y cartas de marcar. Abrevia también *warden*, guardián, alcaide, conserje o cargo parecido de custodia.

"Warrant"

Voz inglesa. Auto judicial. | Mandamiento. | Libramiento. | Cédula. | Despacho. | Patente. | Mandamiento u orden de detención o prisión. | Poder. | Autorización. | Testimonio. | Justificación.

Pese a toda esa ristra de significados jurídicos, los más divulgados, al punto de conservarse la expresión inglesa, se encuentran en el comercio; ya como garantía, ya como certificado de depósito. En tal sentido, en la Argentina se emplea como sinónimo de título a la orden del depósito y garantía de mercaderías. | **AGRÍCOLA**. El que tiene por objeto frutos o productos agrícolas. Lo admite expresamente el art. 1° de la Ley arg. 9.643. Por extensión comprende también los productos forestales y ganaderos. | **INDUSTRIAL**. En el Derecho francés, el constituido para costear las fabricaciones de ciertos productos. | **PETROLERO**. El resguardo o certificado transmisible y negociable reconocido en algunas legislaciones a favor de los importadores de petróleo.

"Wergeld"

Voz alemana. Precio del hombre. En el Derecho germánico, y dentro de la *composición* (v.), en el proceso de atenuación de la venganza privada, la cantidad de dinero u otros bienes que el agresor o los suyos entregaban a la víctima o sus parientes, según escalas fijadas de acuerdo con la gravedad del delito y la posición social de los agredidos. En un principio, la "*Wergeld*" fue de potestativa aceptación por parte de los ofendidos; mas terminó por convertirse en derecho o facultad del delincuente o transgresor, como medio de recuperar su seguridad personal, desaparecido así el derecho de venganza de la víctima y su familia.

X

X

En el abecedario español, la vigésima quinta de sus letras y la vigésima de sus consonantes. | Posee, como indirecto significado de la incógnita en las matemáticas, el mismo sentido que *N* (v.), para designar a personas inciertas o que no quieren señalarse. | En lo canónico es la abreviatura de domingo. | En el Derecho Canónico, La *X*, como abreviación de *Extra*, ha servido para indicar las Decretales de Gregorio IX no contenidas en el Decreto de Graciano. | Como la *X* es también el 10 de la numeración romana, significó en esta nación antigua no sólo eso y el *décimo*, sino *decenviro*. | También en Roma, la *equis* indicaba *sínodo* y *denario*.

Xara

La ley mahometana que deriva del Corán.

Xenelasia

En Grecia y Roma, ley que prohibía a los extranjeros entrar en tales Estados. | En el Derecho Internacional moderno, derecho que cada beligerante se atribuye para expulsar a los súbditos enemigos que residen en territorio de su jurisdicción, menos estilado que el internamiento en campos de concentración, la vigilancia, la presentación periódica y obligatoria ante las autoridades, cuando no la retención en concepto de rehenes. (V. XENOFOBIA.)

Xenia

Contrato de hospitalidad que en los antiguos tiempos de Grecia concertaban los caudillos y los reyes. Era una convención formal y de notable sencillez y garantía. Las partes ponían sus nombres en una tabla, que luego partían en dos, para conservar cada una de ellas un trozo. Cuando, más adelante, uno de los aliados o combatientes presentaba su mitad al otro y le pedía algún servicio u hospitalidad, era complacido sin más, salvo no coincidir las contraseñas.

Xenofilia

Amor para con los extranjeros; acogida cordial y afectiva de éstos. Era muestra de civilización y de cortesía internacional, que no debía ser sino manifestación irreprimible de la solidaridad humana, está muy lejos de las costumbres actuales.

Xenofobia

Odio u hostilidad hacia los extranjeros; es consecuencia, por lo general, de un exceso de *nacionalismo* (v.). Esta actitud, recrudecida en los tiempos modernos, rompe la solidaridad humana, deber imperioso derivado de su unidad, o al menos de la capacidad de entenderse y reproducirse todos los pueblos y razas. Constituye un concepto opuesto a la *xenofilia* (v.).

Y

Y

Vigésima sexta letra del alfabeto español. Aunque la Academia la clasifica entre las consonantes, es negar evidencia desconocer que, por la pronunciación, integra en la mitad de sus usos una sexta vocal, por el sonido idéntico a la *i* latina.

Para el Derecho, la mayor importancia de la *Y* no es cual letra sino como conjunción, copulativa en principio, pero que equivale al sentido adversativo de la *O* (v.) en ciertos casos.

"Y compañía"

Loc. obligatoria para ciertas sociedades mercantiles. Así, el art. 126 del Cód. de Com. esp. determina que: "La compañía colectiva habrá de girar bajo el nombre de todos sus socios, de algunos de ellos o de uno solo, debiéndose añadir, en estos últimos casos, al nombre o nombres que se expresen, las palabras *y compañía*".

Yacente

Persona que yace o está tendida en el suelo. Se refiere a las víctimas de una agresión, y es mención obligada en la diligencia del levantamiento de un cadáver. | Posición del cadáver en su sepultura. | Califica la herencia cuando el heredero no se ha decidido aún por su aceptación, que le transmite todos los derechos económico-jurídicos, ni por la repudiación, que lo torna extraño definitivamente en relación al causante. | También, por extensión, la sucesión en que no se han hecho aún las particiones.

Yacer

Tener acceso carnal, lo mismo que cópula carnal.

Yacimiento

Lugar donde se encuentran naturalmente las rocas, minerales y fósiles. | Sitio del cual se extraen tales riquezas o elementos.

Yanacona

En América del Sur, indio que estaba al servicio de los españoles,. (V. MITA.)

Yermo

Terreno inculto, del que no cabe obtener frutos. | Despoblado. | Desierto.

Yerno

Marido de la hija con respecto a una persona determinada, que es su *suegro* o su *suegra* (v.). La voz es correlativa de *nuera* (v.).

Yerro

Delito o falta, cometido con malicia o por ignorancia, contra ley divina o humana, o en la ejecución de una cosa. | Equivocación, descuido, inadvertencia, sea culpable o no. | Errata. | Error (v.).

Yo

Cada ser racional para sí, en su conciencia propia y en la afirmación personal de su actividad, vida y sustancia.

En lo psicológico, al *yo* se le dan estas acepciones, entre otras: psiquis. | Mente. | Conciencia. | Persona. | Personalidad. | Agente. | Individuo. | Organismo psicobiológico. | Sujeto del conocimiento, de la experiencia o de la reacción.

En lo psicoanalítico, "el yo" expresa en cada sujeto lo consciente, la percepción del mundo exterior y la regulación de los procesos psíquicos y de la acción individual.

Yugo

Instrumento de madera al cual se uncen, por el cuello, los animales de tiro o labor; como los bueyes para arar y las caballerías para tirar los carros. | Especie de horca por debajo de la cual obligaban los romanos, para humillación de sus enemigos, a pasar a los vencidos. | Velo nupcial. | El mismo matrimonio; y sobre todo el canónico, por la unión plena que significa y por indisoluble. | Servidumbre. | Carga. | Molestia. | Gravamen. | Ley o dominio que sujeta a obediencia o sumisión. | Tiranía. | Esclavitud (*Dic. Der. Usual*).

Yunta

Par de animales que se usan en las labores del campo y en los acarreos; sobre todo si se trata de bueyes, caballos y mulas. | Yugada, o tierra que ara en un día un par de animales.

Z

Z
Vigésima séptima y última de las letras del abecedario español, y vigésima segunda de sus consonantes.

Zanjar
Hacer zanjas. | Resolver las dificultades que se presentan en un asunto. | Remover o superar los inconvenientes que pueden impedir el arreglo de las partes en un negocio o litigio.

Zar
Nombre de los antiguos monarcas de Rusia y de Bulgaria.

Zona
Lista, franja, banda. | Terreno o finca con forma de franja —rectángulo bastante más largo que ancho— o caracterizado por alguna circunstancia especial. | Nombre de diversas divisiones administrativas; como la *fiscal*, *marítima*, *forestal*, de *reclutamiento*, entre otras que se indican en las voces inmediatas. | Durante la guerra de España (1936-1939), cada una de las partes del territorio nacional en que se dominaba una de los ejércitos contrapuestos: *zona republicana* y *zona nacionalista*. | Parte, sector. | **BANCARIA**. División administrativa que la Ley de ordenación bancaria española de 1921 estableció. En cada *zona bancaria* se permitía una caja de compensación. | **COMERCIAL**. Territorio circundante de un *centro comercial*. De éste depende de modo inmediato, aunque a él irradia su comercio rural, según la fórmula de Lively. La *zona comercial*, aunque imprecisa, es proporcionada a la importancia del centro mercantil correspondiente. Varía según la competencia, la prosperidad o crisis en el tráfico general o especial. | **DE ENSANCHE**. Franja comprendida dentro de la urbanización futura de un pueblo o ciudad; y ella misma cuando se han iniciado las obras o las edificaciones. Suele tener una organización distinta, con ciertos beneficios legales, para animar a la expansión; tales como las supresión de algunos impuestos durante cierto número de años, lo cual compensa la situación algo alejada del centro, de los esparcimientos y de los lugares de mayor atracción o interés del lugar. | **DE GUERRA**. La sometida a la jurisdicción del jefe supremo o del general en jefe; y comprende la *de operaciones*, la *de etapas* y la *de retaguardia*. | **DE INFLUENCIA**. Concepto político internacional, de repercusión inmediata en las guerras mundiales. Se designa con ello el grupo de naciones sobre las cuales ejerce presión una gran potencia, donde tiene importantes intereses económicos o estratégicos. | **DE OPERACIONES**. La que ocupan, a vanguardia, las fuerzas combatientes desde la línea de contacto con el enemigo hasta las de reservas de cuerpo de ejército por lo menos. (V. ZONA DE GUERRA.) | **DE RETAGUARDIA**. Aquella en la cual se encuentran las reservas de la gran unidad ejército, o de todo el ejército de una nación y de sus aliados en un teatro de operaciones. | **DE TOLERANCIA**. Concentración o agrupamiento, más o menos consentido por las autoridades de policía, sanitarias y administrativas generales, de casas de prostitución y de lugares de vicio, por lo general en las afueras de las poblaciones o en los barrios bajos de las ciudades. | **DE VIGILAN-**

CIA ADUANERA. Faja del territorio nacional, contigua a costas y fronteras terrestres, en la que se ejerce especial vigilancia para la persecución del contrabando. | **FISCAL**. Territorio en que se observa especial vigilancia para el cobro de los derechos fiscales. | **FLUVIAL**. La franja de 3 metros de ancho que en los ríos, aun de dominio privado, se encuentra sujeta a la servidumbre legal de vigilancia del litoral y de seguridad de la navegación y flotación, y destinada también a la pesca y posibilidad de salvamento. | **FRANCA**. En los términos del Decreto-ley esp. del 11 de junio de 1929, es *zona franca* la franja o extensión de terreno situado en el litoral, aislada plenamente de todo núcleo urbano, con puerto propio o adyacente y en el término jurisdiccional de una aduana de primera clase, en cuyo perímetro, además de realizarse las operaciones permitidas en los depósitos francos, pueden instalarse determinadas industrias. | **INDUSTRIAL**. Sector, por lo común periférico con respecto a ciudades de importancia, donde existen numerosos establecimientos fabriles, que determinan reglamentaciones especiales en cuanto a seguridad y evitación de molestias; aun cuando en ella no cabe, para quienes construyan con posterioridad, alegación restrictiva para las explotaciones en funcionamiento. Ofrecen además un panorama urbanístico y social genuino por la concentración de operarios y, al mismo tiempo, ante baja de su ritmo, en intensidad humana, al cesar la jornada laboral y durante los descansos semanales. | **MARÍTIMA**. El espacio o franja de mar que circunda las costas en la extensión determinada por el Derecho Internacional, o en la amplitud que ciertos Estados se arrogan, mientras no surja conflicto con otro más poderoso. | **MARÍTIMO TERRESTRE**. De acuerdo con la Ley esp. de Puertos, el espacio de las costas o fronteras marítimas que baña el mar con su flujo y reflujo hasta donde sean sensibles las mareas, y las mayores olas en los temporales donde no lo sean. En los ríos se extiende esta *zona* hasta donde sean navegables o resulten sensibles las mareas. | **MILITAR**. La reservada para fines de la defensa nacional o de las operaciones que el ejército de un país inicia. Comprende, en diversas manifestaciones, desde lo relativo a la organización del reclutamiento forzoso al estudio y preparación adecuada de las costas y fronteras contra posibles agresiones. | **POLÉMICA**. Espacio, inmediato a una fortaleza, plaza o punto de interés militar, donde se establece un régimen especial en cuanto a construcciones y otros extremos que interesan a la defensa nacional. | **URBANA**. En el concepto sociológico de Wesley, el área de la ciudad caracterizada por un fenómeno determinado: comercios, fábricas, residencias, inmigración, riqueza, pobreza, delito.

Zurupeto

Corredor de bolsa que no está matriculado. | El intruso en la profesión de notario.